U0163906

變動時代的經學與經學家

——民國時期（1912-1949）經學研究

第四冊
春秋、四書研究

林慶彰　　總策畫
蔣秋華

蔡長林　主編

總序

一　前言

　　經學史的研究本來是中國文學系的專利，但是一研究到晚清民國時期這一時段，一向擁有專利的中文人卻失去了他們的發言權，由歷史學人來主導，這個時段也被稱為「經學的史學化」，當然研究這個時段的史學家都跑來研究經學，他們用史學的眼光來探究經學，把經學問題都看成史學問題，經學的史學化也是必然的結果，但是我們不禁要問民國時期的經學著作有多少種？這些講經學史學化的學者又讀了多少種？研究經學的人，對這兩個問題沒有正確觀念，要和他談這一時段的經學也就很困難。

　　從來沒有人對民國時期的經學著作有多少種做過精確的統計，中國國家圖書館所編輯的《民國時期總書目》總計二十冊，其中並沒有經學的類目，經學的著作到處流竄，要統計它的正確數字必須二十本書全部翻完。我粗略翻閱的結果，大概有二百二十種。我所主編的《經學研究論著目錄（1912-1987）》用漢學研究中心所建置的檢索系統加以檢索約有六百六十種。我還是不相信這個時段的經學著作有這麼少，這也是激發我們執行民國以來經學研究計畫的主要原因。

二　執行「民國以來經學研究計畫」

　　我們不但質疑當時經學著作的總數，對某些圖書館處理民國文獻的方法不夠嚴謹，大陸有不少圖書館是將民國時期的文獻堆積在倉庫或走道，臺灣因為民國時期是屬於日本統治時期，要求臺灣人民皇民化，漢字寫的書看得越少越好，所以有不少民國時期的著作都流入舊書攤。要喚起學界對民國時期文獻的

重視，光是寫寫文章來呼籲，效果相當有限。我們明知要研究這個課題有許多問題亟待解決，但是如果我們不去研究它，還有誰能代我們去研究呢？所以我們經學文獻組的同仁經過幾次討論後，大家同意這六年全心全意執行民國以來經學的研究計畫。此一研究計畫是從二〇〇七年一月起開始執行，二〇一二年十二月結束，前後六年。前四年（2007-2010）執行民國時期經學研究計畫，後兩年（2011-2012）執行新中國的經學研究計畫。

民國時期是指民國元年（1912）至民國三十八年（1949）新中國成立前的時段。這一時段就經學這一學科來說，可說是生死存亡的關頭，因此諸事百廢待舉，就連一本反映當時經學實況的書目也沒有，何況其他？為了能有效執行這個研究計畫，我們做了數項基礎工作：

（一）編輯經學家著作目錄

要了解一位學者的學說，應從閱讀他的著作入手，要比較全面的了解他的著作，應先有一份完整的著作目錄。民國時期的學者由於時局動盪不安，大都沒有較完整的著作目錄。我挑選出數十位經學家，在東吳大學中國文學系博碩士班講授「中國經學史專題研究」、「經學文獻學」的課程時，以作期末作業的方式完成了數十篇，有部分著作目錄已刊登於《中國文哲研究通訊》、《經學研究集刊》。再要求原作者修訂，然後收入《民國時期經學家著作目錄彙編》中。《彙編》的第一輯，預計二〇一四年十二月底出版。

（二）編輯《民國時期經學叢書》

要執行此一研究計畫，第一就是要提供學者這個時期的經學著作，可是民國時期的經學著作從來沒有人整理過，為了順利執行此一計畫，我開始有系統的收集民國時期經學著作。先根據我所主編的《經學研究論著目錄（1912-1987）》找出一九一二到一九四九年的經學專著，計六百六十多種，編成《民國時期經學圖書總目》（初稿），再陸續增補，到目前已經有一千五百多種，根據

這個書目檢查各書典藏的所在，然後設法收集到文本，經過八年的努力，已經編成《民國時期經學叢書》六輯，每輯六十冊，六輯合計三百六十冊，每冊平均收二至三種著作，總計收錄近一千種。約民國時期經學著作的三分之二。

（三）編輯經學家著作集

　　許多經學家的著作當時刊載在各種報刊雜誌中，有典藏這些報刊雜誌的圖書館少之又少，如果有典藏也因為這些報刊雜誌的紙質脆弱而不准借閱，所以要從報刊雜誌中收集經學家的論文困難重重，為了讓研究計畫順利開展，選定李源澄與張壽林，為他們兩人編輯著作集，由於他們的傳記資料相當有限，要蒐集他們的經學論文有不知如何入手之感，有時只能靠運氣，其間的辛苦可參考我所發表的〈我收集李源澄著作的經過〉一文，經過兩年的努力終於完成《李源澄著作集》四冊、《張壽林著作集》六冊，為民國時期的經學研究添加了不少新的材料。

三　舉辦八次學術研討會

　　以上所述都是執行此一計畫的基礎工作，執行計畫的重頭戲，還是舉辦學術研討會。研討會可以匯集研究人力，提供學術交流的平臺。民國時期經學研究計畫執行四年，共舉辦八次研討會。發表論文一百四十餘篇，茲將各次研討會的時間、發表論文的篇數，臚列如下：

　　第一次研討會，二〇〇七年七月十二日，發表論文十三篇。

　　第二次研討會，二〇〇七年十一月十九至二十日，發表論文二十篇。

　　第三次研討會，二〇〇八年七月十七至十八日，發表論文十九篇。

　　第四次研討會，二〇〇八年十一月六至七日，發表論文十八篇。

　　第五次研討會，二〇〇九年七月十三至十四日，發表論文十六篇。

　　第六次研討會，二〇〇九年十一月十九至二十日，發表論文二十篇。

　　第七次研討會，二〇一〇年六月十至十一日，發表論文十八篇。

第八次研討會，二〇一〇年十一月四至五日，發表論文二十一篇。

第八次學術研討會，是此一研究計畫的最後一次研討會，我們安排了兩場別開生面的座談會。第一場座談會「民國經學家後代談親人」，我們邀請了顧頡剛之女顧潮女士，童書業之女童教英女士，張西堂之子張銘洽先生，聞一多之孫聞黎明教授四人。這幾位經學家的後代，對臺灣學術界仍重視他們的親人，相當感動。他們說他們在大陸是相當平凡的人，沒想到在臺灣學術界如此重視他們，可說愛屋及烏，反而有受寵若驚的感覺。第二場座談會是「紀念顧頡剛逝世三十週年」，本來安排中央研究院副院長王汎森院士主持，他臨時有事不能來，由本人代為主持。這場的引言人有丁亞傑、車行健、蔡長林、劉德明等教授，經學家的後代則邀了顧潮女士。

四　出版研討會論文集

近年，各級機關學校由於經費短缺，很多研討會都無法出版論文集。甚至於受理工科學術研討會的影響，認為研討會論文的學術水平不高，所以研討會能出版論文集者，少之又少。我個人覺得理工學界研討會發表的論文，也許僅僅是一個構想，大都未寫成完整的論文。這樣的一點構想，也許有創見，但是要和文史哲學界經過嚴格的審查，然後匯集成論文集的論文相比，恐怕不是對手。但是文史哲學界，尤其是中文學界的學者，往往缺乏自信心，一有風吹草動就棄械投降。即使有出版論文集，也不敢用論文集的名稱。辛辛苦苦撰寫的研究成果，竟無法與世人公開見面。這是中文學界最大的悲哀。我們想重建中文學人的自信心，先前發表的論文，經作者修改後，再送學者嚴格審查，審稿者同意發表的才能刊登出來。八次研討會的論文，分成七大冊，總計收入一百二十五篇。各冊之主編及所收論文篇數如下：

第一冊　周易十篇、尚書七篇。由蔣秋華教授主編

第二冊　詩經十九篇。由楊晉龍教授主編。

第三冊　三禮九篇、小學六篇。由范麗梅教授主編。

第四冊　春秋十七篇、四書八篇。由蔡長林教授主編。

第五冊　經學史二十三篇。由本人主編。

第六冊與第七冊　經學家二十六篇。由張文朝教授主編。

除了各經都有學者撰寫論文外，最重要的是屬於經學家的有二十六篇，其中有不少被遺忘的經學家，例如劉咸炘、王樹榮、唐文治、陳柱、楊筠如、蔣伯潛、龔道耕、陳鼎忠等人，都是以前研究經學的人所忽略的，現在一併把他們表彰出來，就可以知道民國時期的經學並沒有衰亡，也未必邊緣化，這是執行這個計畫最重要的目的。這個研究計畫雖然已經結束，但研究民國經學的風氣正逐漸展開，已形成經學研究最熱門的課題。中央研究院中國文哲研究所經學文獻組執行很多計畫都具有開風氣的作用，這是我們做為中國文哲研究領航者所應盡的責任和義務。

五　結語

中央研究院中國文哲研究所成立於一九八八年，至今二十五年間，執行過的計畫無數。尤其是經學文獻組所執行的計畫，對國內經學界有很深的影響。中國大陸的經學逐漸復甦，國內外學人都以為受文哲所經學文獻組的影響，我們不敢說我們有如此的影響力。但是我們已竭盡全力去執行這些計畫。

這套論文集，由此一計畫的共同主持人蔣秋華教授和本人擔任總策畫。經學文獻組六位研究人員每人負責一冊，靠大家群策群力，才能在極短的時間內，完成編輯工作。當然最辛苦的還是蔡雅如學棣，她一個人獨力完成整套論文集的體例統一與校對工作，我們深深的感謝她。也感謝百忙中撰稿參加研討會的先進朋友。

二〇一四年十月十三日林慶彰誌於
中央研究院中國文哲研究所五〇一研究室

總目次

第一冊

第二冊

第三冊

第四冊

四書研究

第五冊

第六冊

第七冊

本冊目次

四書研究

《左傳》盟誓考

曾志雄

香港能仁書院中文系客座副教授

一　《左傳》以前的盟和誓

　　春秋是一個盟誓時代。不但歷史上大部分有記錄的盟誓活動都集中在春秋二百多年間出現，而且歷年出土的大宗盟誓文字資料，也屬於春秋時期。[1]《左傳》一書，獨與這時代的盟誓關係密切，打開《左傳》，有關當時的盟誓記載可以說隨處可見，本文即據《左傳》資料考述春秋時期盟誓的情況。

　　盟誓是中國古代社會人與人之間的一種約信行為，[2]歷代很少學者單獨

---

[1]　過去最大宗的盟誓文字資料，有一九六五年在山西省侯馬市出土的侯馬盟書五千多片和一九八〇至八二年在河南溫縣出土的溫縣盟書一萬多片。有關這兩宗盟書的出土情況可參閱中國社會科學院考古研究所編：《新中國的考古發現和研究》（北京市：文物出版社，1984年），頁278；河南省文物研究所：〈河南溫縣東周盟誓遺址一號坎發掘簡報〉，《文物》1983年3期。

[2]　所謂人與人之間，是就最表面的含義而言。因為在古代，無論國與國、國君與大夫、大夫與大夫之間的各種盟誓，無不以人對人的方式進行，所以這裡把盟誓表述為人與人之間的約信行為。所謂約信行為，指有約束力和表示執守信用的行為。《左傳》昭公十三年：「盟以底信。」杜預（232-284）注：「底，致也。」（楊伯峻：《春秋左傳注（修訂本）》（北京：中華書局，1990年），頁1354。下文所引《左傳》即據此本。）「底信」就是表示執守信用的意思。《說文解字》段玉裁（1735-1815）注本三篇上：「誓，約束也。」（按：以下所引《說文解字》均據段玉裁《說文解字注》（上海市：上海古籍出版社，1983年），並簡稱為《說文》；如無特別需要，段注本中古體字皆改為今體。）說明盟誓的本質是一種約束力。戰國後期，「盟誓」一語更經常跟「約信」連在一起。《荀子・富國》：「約信盟誓，則約定而畔無日。」（黃天海：《荀子校

撰文討論盟誓制度，主要都在經書的注解中隨文解釋。進入民國，情況也不
例外，直至上世紀三十年代以後，社會學興起，才看到學者單獨以盟誓為研
究對象。有關盟誓行為的本質和起因，過去幾十年來，有人認為是先民原始
宗教意識的遺留，與神、鬼的超人威權有關，而其起源古遠，可以追溯到氏
族社會時期的神判法。[3]從古代盟誓多訴諸鬼神和先祖的事實看，這些說法
大致不錯。

　　盟誓既是一種從遠古社會遺留下來的制度，那麼《左傳》中的盟誓就必
然前有所承，並且有一個發展時期。就典籍所見，《左傳》以前，「盟誓」二
字未見連用，更不是一個複合詞。二者結合成詞，義同「盟約」，在《左
傳》中最早見於魯成公十三年（578 B.C.），屬於春秋中晚期，此後進入春

釋》（上海市：上海古籍出版社，2005年，頁468）《禮記・曲禮下》：「約信曰誓。」
（孫希旦：《禮記集解》，北京市：中華書局，1989年，頁140）可見「約、信」與古
代盟誓有一定關係，是古代盟誓兩個最明顯的特徵。這裡所說的約信行為即總括這兩
個個特徵而言。〔唐〕孔穎達（574-648）在上述《禮記》引文下注云：「約信曰誓
者，以其不能自和好，故用言辭相約束以為信也。」這是約信的很好注腳。呂靜引用
西方學者對盟和誓所下的定義，是「約定將來做某事或不做某事」，並且為了確保這
個約定的實現，「邀喚神靈的名字，祈求神靈的懲罰」，見呂氏著：《春秋時期盟誓研
究》（上海市：上海古籍出版社，2007年），頁2。

3　分別見辰伯（吳晗1909-1969）：〈盟與誓〉，《文學季刊》第1卷第2期（1934年）；李衡
　　梅：〈盟誓淺說〉，《人文雜志》1985年第6期。有關神判法（ordeal）的若干說明，可
　　參閱瞿同祖：《中國法律與中國社會》（北京市：中華書局，1981年重印版。按：該書
　　最初由商務印書館於1947年出版），頁251-253。胡留元、馮卓慧：《西周法制史》（西
　　安市：陝西人民出版社，1988年），頁9-12；陳戍國從禮儀的角度立論，也認為盟與
　　鬼神有關：「盟會最初當產生於原始社會部落的聯盟。盟作為一種禮儀，就是共同向
　　天神地祇人鬼（包括先民之神）發誓，通過某種共同的方式取信於神祇，以期獲得有
　　效的約束力而採取共同的步驟。」見陳氏著：《先秦禮制研究》（長沙市：湖南教育出
　　版，1991年），頁329。殷墟甲骨文有「盟」字，雖然有人把它釋為「血」字，但學者
　　仍有解作「薦祭」之義的（見李孝定（1918-1997）：《甲骨文集釋》，臺北市：中央研
　　究院歷史語言研究所專刊之五十，1965年，頁2273）。可見從字源的角度看，盟確與
　　原始宗教或鬼神有關，並見註23。盟誓行為起源於甚麼時候，目前還很難說。呂靜
　　《春秋時期盟誓研究》（頁1）認為盟誓是遠古時代就在諸民族中間流行的一種古老風
　　習，互相約定共同遵守誓約的行為早已在新石器時代就發生。以目前資料所見，吳
　　晗、瞿同祖是民國時期最早從經學抽離出來研究盟誓的學者。

秋晚期更有四次之多。[4]

　　「盟」、「誓」作為約信行為，在先秦典籍之中很少結合成詞或連用，大概是因為二者最初的用法各有不同。如果不瞭解這種情況，對《左傳》的盟、誓就不容易有更充分的認識。根據這兩個字在先秦文獻的用法來考察，我們可以把先秦早期的盟誓作以下層面的區分：

　　第一，是官方與非官方（或公開與私下）的分別。在過去探討盟誓的文章中，已有人觸及這種分別，但由於沒有把握住分類的要點，以致處理盟與誓的這種分別時還不徹底。[5]

4　《左傳・成公十三年》的「盟誓」有二次，均見於名篇〈呂相絕秦〉：一作「申之以盟誓，重之以昏姻」（《春秋左傳注》，頁861），一作「君又不祥，背棄盟誓」（頁864）。其餘稍後四次，分別見於襄公九年（564 B.C.）、昭公十六年（526 B.C.）（二次）、定公四年（506 B.C.），年代相當接近，當為一時用語。《國語・魯語上》「臧文仲如齊告糴」章也有「盟誓」一詞，原文作「重之以婚姻，申之以盟誓」，韋昭注定為魯莊公二十八年（666 B.C.）事，見《國語》標點本（上海市：上海古籍出版社，1978年，頁157）。《國語》的「盟誓」語境與成公十三年的一次非常相似，而且用詞全同，但二者年代相差將近一百年。鑒於魯莊公時盟誓尚未盛行（見下文），年份相隔又遠，我們認為《國語》這個複詞的時代是可疑的，故暫置不論。

5　例如，辰伯〈盟與誓〉（頁388）認為盟多用於國際的關係和政治的約束，誓則多偏於私人和世俗事務；但最後卻說「盟與誓每易混淆互易，界限極不清晰」。其實就是說前一類就是官方性質的，後一類是非官方性質的。然而卻不能一概而論，堅執盟是官方的，誓是非官方的。因為盟與誓各有發展過程，在不同時期有不同的含義，這點在討論盟與誓的分別時不能忽略。

　　此外，滋賀秀三在〈中國上古刑罰考〉一文（收入劉俊文主編：《日本學者研究中國史論著選譯》（八），北京市：中華書局，1992年），頁2-30，從刑法角度討論盟誓與刑罰關係時，對盟誓的形態和本質探論頗詳。雖然該文主旨不在論述盟誓的分別，但若干地方仍涉及辨析兩者的異同，今引述有關看法，作為補充：一、詛盟（引按：滋賀氏在此之前認定盟與詛在本質上是同一概念的東西）無論是承諾性的或確認性的，乃建立於多數當事人的合意之上，並有鞏固該合意的功能。相對於誓來說，這可算是盟的特色。二、上古文獻在「告誡」意義上使用「誓」字，「誓軍旅」一語是其典型的用法。它不是「有條件詛咒」（引按：指詛盟的本質），而是「有條件的刑罰」。三、「誓」也使用於表示個人決心，或給他人某種承諾、確認的場合。為了表示決心堅定，「誓」常常伴有某種象徵性動作，但它並不像盟使用牲血那樣固定於特定的外形行為。也有不使用牲血，僅僅用自我詛咒的語言來表示決心、承諾和確認的，

只有一盟一誓，[12]無法供我們深入分析；《國語》一書的時代和性質跟《左傳》相似，但盟、誓二字的次數遠比不上《左傳》，因此，《尚書》、《左傳》中盟、誓二字的用法，基本上可以代表戰國以前不同時期這兩種官方約信行為的主要分別。[13]

　　但這種分別的背後包含什麼意義？如果我們把《尚書》直接看成是西周時期的歷史，把《左傳》看成是春秋（東周前期）的歷史，那麼，《尚書》和《左傳》中盟、誓的分別，其意義就在反映從西周到東周官方約信行為的發展趨勢。首先，一個特殊現象必須指出，就是《尚書》盟字遠比誓字少，而《左傳》則相反，誓字遠比盟字少。二書中前一字只佔一個很小的比例，

而李楏合計《春秋》與《左傳》中諸侯與諸侯訂盟的活動為六十六次（李楏：〈先秦盟誓的種類及儀程〉，《學習與探索》2000年4期，頁135）。本文根據《左傳》的記載計算，明確屬於諸侯間的盟字大約一百四十一次，遠不及二百次。劉伯驥《春秋會盟政治》（臺北市：中華叢書編審委員會，1962年）據顧棟高（1679-1759）《春秋大事表》及鄭樵（1104-1162）《通志》等資料，統計得《春秋》經文書「會」一百零一次，書「盟」八十九次，「同盟」十六次，共二百零六次。在《左傳》中，「會」「盟」無疑有時是相通的，特別在會中訂盟更是這樣。例如哀公七年：「夏，（魯哀）公會吳于鄫。……（茅鴻夷曰：）若（魯）夏盟于鄫衍（杜注：鄫衍即鄫也），秋而背之，成求而不違，四方諸侯其何以事君？」（頁1640及1644）但如果會、盟加以合計，就可能把盟約的次數增大了，何況有時會中不一定訂盟？為精確起見，本文不把盟、會合計。

12 《詩經》「盟」字見〈小雅‧巧言〉「君子屢盟，亂是用長」；「誓」字見〈衛風‧氓〉「言笑晏晏，信誓旦旦」；又〈小雅‧黃鳥〉有「不可與明」一句，鄭《箋》以為「明」即「盟」字，但毛《傳》則解「明」為「明白」，有不同意見。由於數量不多，此字暫存而不論。

13 《國語》「盟」字有三十九個，「誓」字九個，出現的頻率顯然少了很多。《國語》和《左傳》不但時代和性質類似，甚至過去有人認為二書同出於一人。關於該二書的作者問題，張以仁有詳細的討論，請參閱張以仁：〈論國語與左傳的關係〉，《國語左傳論集》（臺北市：東昇出版公司，1980年）。《周禮》是有關先秦制度的重要典籍，書中有十八「盟」十七「誓」之多，但鑑於該書內容駁雜，而且時代特徵不明顯，例如，《周禮》的十八個「盟」字，有兩個以「盟約」一詞形式出現，此詞只見於《戰國策》中出現（參見下文註49第4例），而未見於戰國以前的典籍，應該是屬於後期的資料。該書「盟書」一詞也有同樣情況，既不見於春秋時代，也不見於戰國文獻，應該是更後期的產物，參見註32。職是之故，本文不擬據以考察《左傳》以前盟誓的演變。

而且兩書這個比例又都相當接近。《尚書》表官方的誓字有二十二個，而盟字只有一個，[14]誓與盟的比例為 22:1；《左傳》表官方的盟字有四百九十四個，而表官方的誓字只有十八個，[15]盟與誓的比例為 494:18＝27:1。這和《尚書》的 22:1 都是相差懸殊的比例。這是很有趣的現象。從語言學的角度來看，兩書有關官方盟和誓的資料在歷史發展上其實構成了互補分佈（complementary distribution）的關係，即是說誓偏重出現在周代前期（《尚書》），而盟則偏重出現在周代後期（《左傳》）。結合兩書的時代背景和盟誓偏重出現的情況，可以說，官方的誓主要行用於西周時期，而官方的盟主要行用於春秋時期。這是通過《左傳》所反映的戰國以前盟誓的發展線索。

　　我們根據《尚書》和《左傳》兩書中誓字和盟字的互補分佈情況判斷誓行用於西周，盟行用於春秋，並非只憑數字統計。從先秦流傳下來的各種有關盟誓起源的說法，幾乎每一條資料都支持這樣的看法，並且沒有一條跟上述結論抵觸。《左傳》昭公四年記載了楚人椒舉所說盟誓的歷史：

> 夏啟有鈞臺之享，商湯有景亳之命，周武有孟津之誓，成有岐陽之蒐，康有酆宮之朝，穆有塗山之會，齊桓有召陵之師，晉文有踐土之盟。（頁1250-51）

很清楚，文中提及的是官方的誓和盟，椒舉正把誓放在西周初年（武王），把盟放在晉文公時代（636-628 B.C.），這大概分別是官方誓和盟在歷史上的

---

14 《尚書》的唯一一次盟字見〈呂刑〉：「罔中于信，以覆詛盟。」（黃懷信整理：《尚書正義》，上海市：上海古籍出版社，2007年，頁771）「詛盟」在《周禮》作「盟詛」。《周禮・秋官・司盟》：「凡民之有約劑者，其貳在司盟；有獄訟者，則使之盟詛。」（孫詒讓：《周禮正義》，頁2856）可見盟詛與審判（獄訟）有關，也是一種官方盟誓。

15 這兩個數字是把《左傳》中全部盟字次數減去私盟次數和把全部誓字次數減去私誓次數得到的。但《左傳》誓字的情況比較複雜。第一，軍誓以外的誓字不易判斷是否屬於私誓；第二，在「盟誓」（共六次）一詞的結構中，誓字的意義是消失的（見註25），這些誓字要不要計算在內，一時不易確定。為謹慎起見，現在只把全部誓字次數減去可以確定為私誓的四次（隱公元年、宣公十七年、成公十一年、襄公十八年），就得到十八次。

代表時期。[16]雖然《淮南子·氾論訓》有「殷人誓，周人盟」的話，[17]時代略有不同，但仍把誓放在前，盟在後。《淮南子》的話還可以進一步解釋。《禮記·檀弓》說：

> 殷人作誓而民始畔，周人作會而民始疑。（孫希旦：《禮記集解》，頁292）

引語中的「會」字與「盟」字通用，[18]而兩個「作」字都應該是「起、創始」的意思，因此，《淮南子》的話簡單來說其實就是「殷人作誓，周人作會」。《禮記》和《淮南子》從發生學的觀點出發，並非把有關盟誓的時間提早；何況「民始畔」當是殷末之時，正好和武王時代相接，同時這個「始」字在句中也和「作」字相應。

相反，從盟誓尚未出現前的角度說明盟誓歷史的也有兩條資料。一是《荀子·大略》：

> 誥誓不及五帝，盟詛不及三王，交質子不及五伯。（《荀子校釋》，頁1100）[19]

所謂三王，通常指夏禹、商湯、周文王或周武王，因此這段引文定出了盟誓的時代上限，即盟的形式不早於周初。[20]另一條是《公羊傳》桓公三年

---

16 如果考慮到戰國時期文獻中盟誓大幅度減少的情況，正如我們在本文開頭說春秋時代為盟的時代也不為過。在有代表性的戰國文獻中，《戰國策》有「盟」字十五個，「誓」字一個；《墨子》有「盟」字三個，「誓」字二十個；《孟子》有「盟」字二個，「誓」字三個；《莊子》只有「盟」字三個，沒有「誓」字。《墨子》、《孟子》的「誓」字偏多，是因為二書多次引用了《尚書》篇目的緣故。又上引李衡梅、劉伯驥的著作中也有盟誓至戰國而漸少的意見，分別見二人上引著作，頁82及頁463。

17 劉文典：《淮南鴻烈集解》（北京市：中華書局，1989年），頁430。

18 見註11。

19 《穀梁傳》隱公八年（717 B.C.）也有「誥誓不及五帝，盟詛不及三王」這兩句。見范甯集解、楊士勛疏：《穀梁傳注疏》（臺北縣：藝文印書館，1965年影印清嘉慶江西南昌府學重刊十三經注疏本），頁24上。下引《穀梁傳》同此本。

20 三王是戰國以來常見的一個歷史名詞，也見於《孟子·告子下》（焦循：《孟子正

（720 B.C.）：

> 古者不盟，結言而退。（《公羊傳注疏》，頁50上）[21]

文中的古者，相對於桓公時代而說。桓公為東周早期魯君，所以古者就是東周以前。《左傳》中，最早的盟正好見於成王勞周公、太公。[22] 綜合上述四條資料，可見誓比盟發生的早，盟是周代才有的。[23]

　　在《左傳》記事中，春秋時期盟特別盛行，當時的人也有把官方的盟稱為「盟誓」。例如成公十三年（578 B.C.）：「申之以盟誓，重之以昏姻。」

義》，北京市：中華書局，1987年，頁839）、《尸子（《四部備要》本）》（臺北市：臺灣中華書局，1966年，卷下，頁12B）、《穀梁傳》（隱公八年，頁24上）等書。《孟子》趙岐（約108-201）注以為是夏禹、商湯、周文王三人；《尸子》以為是商湯、周文王、武王三人；《穀梁傳》范寧（339-401）注以為是夏禹、商湯、周武三人。各說雖不盡相同，但最晚也不晚於周武王時代，即周初。

21 何休解詁、徐彥疏：《公羊傳注疏》（臺北縣：藝文印書館，1965年影印清嘉慶江西南昌府學重刊十三經注疏本）。

22 見《左傳》僖公二十六年（頁440）。其他書籍記載最早的盟，有《呂氏春秋・誠廉篇》的周武王之盟，見註37所引。

23 陳恩林《先秦禮制研究》認為作為軍事刑罰的「誓」，可以早到夏朝。他說：「從甲骨文和文獻上（引按：指《墨子・明鬼下》所引的〈禹誓〉）看，可以認定為軍事刑罰的，則仍保持在夏代的水平上。……可見，殷代的軍事刑罰同夏代一樣，也具有臨時性，並以『誓』名，條文簡約。（頁205-206）陳戍國《先秦禮制研究》在西周禮（周禮）以前不立盟會專節，也不提及盟會禮；他在第五章「盟會禮在春秋」一節則說：「上章說周禮，沒有為西周盟會禮立一專節。其實當時行過此類禮儀，僖公二十六年（前634）《左傳》魯展喜回憶周成王時周公、大公『載在盟府』可為證。『盟』與『會』，東周史裏常見，而春秋時期最多。」（頁329）似乎認為盟會禮始於西周初。

　　甲骨文資料未見「誓」字；殷墟及周原甲骨文則有盟字，但不能以此說明盟誓之「盟」最早見於商朝。因為殷甲骨文的「盟」字，羅振玉（1866-1940）、胡厚宣（1911-1995）等人隸為「血」字，屈萬里（1908-1979）釋為以牲血「薦祭」而不釋作盟誓（《甲骨文字集釋》，頁2273），徐中舒（1898-1991）主編之《甲骨文字典》（成都市：四川辭書出版社，1989年，頁749）釋為「用牲法」，周原甲骨文之「盟」字只見於 H11：1片，《周原與周文化》的編者把它編入於「卜祭」類（見該書圖版，頁59），因此二者顯然與祭祀有關而非上文所說的約信行為。盟誓的最早記載至今仍以古籍資料為主。

（頁861）襄公九年（564 B.C.）：「盟誓之言，豈敢背之？」（頁971）這些「盟誓」都是諸侯之間的盟而不是軍中的誓。《左傳》的「誓」雖然有二十二個，但真正屬於春秋時期的軍誓只有昭公六年（536 B.C.）和哀公二年（493 B.C.）兩次。[24]從「誓」字在當時典籍的數量看，可知誓在當時社會已經淡退，所以在「盟誓」二字的複詞中，意義也讓給了「盟」。這點和盟、誓二字在《尚書》和《左傳》中的出現頻率所反映的情況是一致的。從語言變化的角度看，這是由於「誓」字的意義逐漸弱化——從具有特殊義意的「軍誓」因使用頻率減少而弱化為一般意義的「盟」。[25]因此在以下的討論中，我們提到「盟誓」時，仍然偏指盟而不及誓。

---

24 昭公六年：「（棄疾）誓曰：有犯命者，君子廢，小人降。」（頁1279）哀公二年：「簡子誓曰：范氏中行氏反易天明，斬艾百姓，欲擅晉國而滅其君。寡君恃鄭而保焉。今鄭為不道，棄君助臣，二三子順天明，從君命，經德義，除詬恥，在此行也。克敵者，上大夫受縣，下大夫受郡，士田十萬，庶人、工、商遂，人臣隸圉免。」（頁1613-1614）

25 當然這是指官方的盟誓而言，非官方的盟誓則作別論。複詞中意義弱化的現象，過去有不同的看法。例如最初王肅（195-256）稱之為「足辭句」，孔穎達（574-648）稱之為「連類而及」，黎錦熙（1890-1978）稱之為「偏義複詞」，王力（1900-1986）稱之為「併合語」，見鍾如雄：〈偏義複詞成因初探〉，《西南民族學院學報》1991年5期，頁74-75。雖然各人的說法不同，但都一致認為，這類複詞的含義只偏於其中一個構詞成分的意義。至於語義弱化的事實，在歷史上是確實存在的，有關情形可參閱齊佩瑢（1911-1961）：《訓詁學概論》（北京市：中華書局，1984年），頁79，「變弱式」。馬真認為「市井」、「場圃」屬於「兩個成分結合後，其中一個的意義消失了，只保留一個成分的意義」的一類複詞（〈先秦複詞初探〉，《北京大學學報》1980年5期，頁56）。其實官方的「盟誓」在結構上和「場圃」（《詩經‧豳風‧七月》）一類複詞更為相似，詞中「誓」字的意義因變弱而至消失。又如果《左傳》的語言能真實反映事實的話，誓字的弱化可能就在「盟誓」一詞出現的時候，即在魯成公（590-573 B.C. 在位）、襄公（572-542 B.C. 在位）之間，約為春秋中晚期。這也是《左傳》十二公中盟字最多的時期（其中較多的幾次為僖公五十八次、成公六十二次、襄公一百二十一次、昭公九十九次，其餘各公不超過五十次）。黃志強〈偏義複詞成因初探〉（頁134-136）舉「卿士」一詞偏義於「卿」為例，說明《左傳》中有一種同類相關型的偏義複詞。「盟誓」也應該歸於這一類。

二 盟誓的名稱和文字憑證

上文看到，春秋時期官方的盟除了叫做「盟誓」之外，還可以叫做「會」。[26] 在這兩個名稱之外，《左傳》中官方的盟又可以叫做「言」或「命」。例如，襄公十八年（555 B.C.）「（晉、齊）尋湨梁（地名）之言」，與隱公三年（722 B.C.）「（齊、鄭）尋盧（地名）之盟」無論在語法或意義上，「言、盟」二者都非常相似。尋盟，就是溫盟的意思，楊伯峻以為是當時常語。[27]《左傳》只有「尋盟」，沒有「尋誓」，可見上引襄公十八年的「言」應該是「盟」而不是「誓」。此外，《左傳》有某種「命」字，也應該是盟。例如：

（一）秋七月，（諸侯）同盟於亳。……載書曰：「凡我同盟，毋蘊（薀）年，毋壅利，毋保姦，毋留慝，救災患，恤禍亂，同好惡，獎王室。或間茲命（楊注：間，犯也。），司慎、司盟，名山、名川，群神、群祀，先王、先公，七姓十二國之祖，明神殛之，俾失其民，隊命亡氏，踣其國家。」（襄公十一年，頁989-990）

（二）臧昭伯率從者盟，載書曰：「戮力壹心，好惡同之。信罪之有無，繾綣從公，無通外內！」以公命示子家子。子家子曰：「如此，吾不可以盟。羈也（引按：子家子名）不佞，不能與二三子同心，而以為皆有罪。或欲通外內，且欲去君。二三子好亡而惡定，焉可同也？陷君於難，罪孰大焉？通外內而去君，君將速入，弗通何為？」乃不與盟。（昭公二十五年，頁1465-1466）

（三）荀躒言於晉侯曰：「君命大臣：始禍者死，載書在河。今三臣（逵賈云：範、中行、趙也。）始禍，而獨逐〔趙〕鞅，刑已不鈞矣。請皆逐之。」（定公十三年，頁1591）

---

26 見註11。

27 《春秋左傳注》，頁30。

（四）〔知〕文子使告於趙孟曰：「……晉國有命：始禍者死，二子
（引按：指範氏、中行氏）既伏其罪矣，敢以告。」（定公十四年，
頁1595）

第（一）例「或間茲命」按楊注即「或犯茲盟」的意思。此句的「命」
解作「盟」，古來注家雖然沒有注釋，但從文意可以推知。此外，版本的異
文也可以證實「命」字解作「盟」。《經典釋文》記錄了上引「茲命」本或作
「茲盟」的一條異文，[28] 顯然不是偶然的巧合或錯亂（即使陸德明認為異文
的「盟」字是錯的。）第（二）例「以公命示子家子」的「公命」，是指臧
昭代魯昭所擬的載書。第（三）、（四）兩例，屬於晉國「範、中行氏之亂」
（497 B.C.）的同一件事。從第（三）例「載書在河」看，例子中的君命或
晉國之命，顯然是一種國君與大夫之間的盟約。杜預對此句注亦云：「為盟
書沉之河。」這些解作（國君的）盟約或盟書的「命」字，過去似乎未見有
人提出，值得注意。

至於陳夢家（1911-1966）據《尚書》、《左傳》、《周禮》、《墨子》、〈洹
子孟姜壺〉銘文及《史記》等資料認為盟誓又可稱「誓命」、「誓」、「命」、
「號」，[29] 其說雖有新意，但在利用這些資料時，陳氏既沒有注意盟、誓之
分，也沒有對資料的含義加以確定（例如所引〈洹子孟姜壺〉之「命」不一
定是盟的意思），所引材料的時代也有失於廣泛之嫌。

由於《左傳》出現了「私盟」一類名稱（見上文），因此我們把官方的
盟誓統稱為公盟，而割臂割心一類的非官方做法統稱為私盟。[30]

根據《左傳》的資料看，私盟在訂盟者之間大概沒有文字憑證，所以才
割臂割心；公盟原則上都訂有文字作為約束的依據，這種文字憑證在春秋時
代的盟誓活動中是個很重要的部分。在《左傳》的記事中，這種文字憑證稱

---

28 陸德明：《經典釋文（上、中、下三冊）》（上海市：上海古籍出版社，1985年），頁
　　1015。

29 陳夢家：〈東周盟誓與出土載書〉，《考古》1966年5期，頁271。

30 割臂的例子見《左傳》莊公三十二年（662 B.C.），頁253；割心的例子見定公四年
　　（506 B.C.），頁1547。所謂割心，杜注云：「當心前割取血以盟，示至心。」

為「載」、「書」、「載書」或「盟載」。[31]今天學者把出土的盟誓文字憑證稱

31　《左傳》不但「載」、「書」、「載書」、「盟載」四種名稱都有，而且在其他先秦古籍中
都可以找到同樣用例。在四種名稱中，《左傳》以「書」、「載書」的例子最多，前者
五次，後者十次；「載」二次，「盟載」一次。茲將《左傳》四種盟誓文字憑證的名稱
各舉一例，並附以先秦古籍中的相同用例：
稱「載」例：
《左傳》　載在盟府，大師職之。（僖公二十六年，頁440）杜注：「載，載書也。」
《國語》　〔齊桓公〕與諸侯飾牲為載，以約誓于上下庶神。（《齊語》，頁242）
《周禮》　凡邦國有疑會同，〔司盟〕則掌其盟約之載及其禮儀，北面詔明神。（《周禮
正義・秋官・司盟》，頁2853）
稱「書」例：
《左傳》　宵，〔秦人〕坎血加書，偽與子儀、子邊盟者。（僖公二十五年，頁435）杜
注：「掘地為坎，以埋盟之餘血；加盟書其上。」
《呂氏春秋》　為三書同辭，血之以牲，埋一於四內。（陳奇猷：《呂氏春秋校釋・誠
廉》，上海市：學林出版社，1984年，頁634）；並請參見註37。
稱「載書」例：
《左傳》　君命大臣，始禍者死，載書在河。（定公十三年，頁1591）杜注：「為盟書
沉之河。」
《孟子》　五霸桓公為盛，葵丘之會諸侯，束牲載書而不歃血。（《孟子正義・告子
下》，頁843）按此句「載書」意義訴訟紛紜，有以「載書」即「盟書」，有以「載」
即「加」義，至今未有定論，姑將此條置於本例中，並請參見註38。有關各家說法見
上引書，頁845-846。）
稱「盟載」例：
《左傳》　無乃非盟載之言，以闕君德，而執事有不利焉。（襄公二十八年，頁1143）
《周禮》　司盟，掌盟載之法。（《周禮正義・秋官・司盟》，頁2852）
除上舉四種名稱之外，《周禮》尚有「載辭」、「盟書」之稱。例如「〔詛祝〕作盟詛之
載辭。」（《周禮正義・春官・詛祝》，頁2061）、「凡邦之大盟約，涖其盟書，而登之
於天府。」（《周禮正義・秋官・大司寇》，頁2756）鑑於《周禮》一書內容複雜，而
且該二名又是孤例，不見於其他先秦文獻，恐怕不是先秦沿用的名稱，請參見註13及
下註。又，白川靜〈載書關係字說〉（《甲骨金文學論集》（東京都：朋友書店，1979
年）認為「載」是「載書」的單稱（頁309），這種說法恐怕顛倒了該詞的發展次序，
而且也沒有照顧到「載書」還可稱為「書」的事實。此外，「載書」一詞的最早用法
見於襄公九年（564 B.C.），屬於春秋晚期，比「載、書」用法屬於春秋中期早段的僖
公（見上引二例）晚了將近七十年。
由於「載書」的用例最多，因此歷來也引起較多的討論，這是值得注意的。上引《周

為「盟書」，是跟從後來注家的叫法。[32]

禮正義》「盟載」下，鄭玄（127-200）注：「載，盟辭也。盟者書其辭於策，殺牲取血，坎其牲，加書於上而埋之，謂之載書。」（頁2852）孫詒讓（1848-1908）認為「載書即盟辭，不關加於牲上而後謂之載書。」（同書，頁2061）同頁又引《左傳》襄公十年（563 B.C.）「〔鄭〕子孔當國，為載書，以位序政辟」，指出「凡策書並通稱載書，不必載之書也。」但孫詒讓似乎把策書通稱載書以及盟書又稱載書二事混為一談，其實這只是語言中一詞多義的情況，正如「書」既是策書的通稱又是盟書另一名稱一樣，不必因「書」有「策書」義而否定其「載書」義。在先秦古籍中，「載書」不解作「盟書」確有其例。例如《墨子·貴義》：「關中<u>載書</u>甚多。」（頁407）這載書正是策書，但不能因此而否是載書有「盟書」之義，楊伯峻《春秋左傳注》（頁981）對襄公十年（563 B.C.）之載書仍解為盟辭。

至於春秋時期的私盟是否全部都沒有載書這問題，根據《左傳》僅有的幾個私盟例子，很難作出確切的判斷。昭公元年（541 B.C.）有這樣的一次私盟：「鄭為游楚亂故，六月丁巳，鄭伯及其大夫盟于公孫段氏。罕虎、公孫僑、公孫段、印段吉。駟帶私盟于閨門之外，實薰隧。公孫黑強與於盟，使大史書其名，且曰『七子』。」（頁1215）當中「書其名」似乎顯示這是一次有文字憑證的私盟。但《左傳》中所有私盟的例子都沒有提及載書，則是事實。這可能涉及另一問題：訂盟的文字憑證是否經過一定的儀式（如下文的歃血告神等）才可以叫「載書」？若考慮到這個問題，則上引《周禮·司盟》鄭注「殺牲取血，坎其牲，加書於上而埋之，謂之載書」的話是很有意思的；相反，孫詒讓「不關加於牲上而後謂之載書」的反駁就顯得考慮不周了。（藏於盟府的也叫載書，則因為它是經歷儀式後的載書的副本，見下文。）高木見智：〈春秋時代の結盟習俗について（關於春秋時代的結盟習俗）〉，《史林》第68卷第6號（1985年11月），頁44-53。把春秋的盟分為〔諸侯〕會盟、國內之盟、個人之盟三種，認為前二者結盟時有用牲血和告鬼神儀式，而後者則無。如果這樣，用牲血和告鬼神可能是公盟（高木的會盟和國內之盟）和私盟（高木的個人之盟）的分辨特徵。但須注意，不管這些儀式的規模怎樣，儀式的使用仍以載書為主體部分。而且，若考慮到當時盟誓的文字憑證為甚麼不叫「盟書」（這是後人的名稱，見下註。）而叫「載書」這個問題時，就更能看到載書這個名稱和盟誓儀式之間可能存在的密切關係。

32 「盟書」在先秦只見於《周禮》一次，見上註。然而漢魏以來，注家似乎喜歡用「盟書」一詞來稱呼盟誓的文字憑證。例如，《禮記·曲禮下》「涖牲曰盟」鄭玄注：「涖，臨也。坎用牲，臨而讀其盟書。」孔穎達疏云：「……取〔牲〕血盛以玉敦，用血為盟書，成乃歃血而讀書。」（《禮記集解》，頁140）又《左傳》襄公二十五年（548 B.C.）：「宵，〔秦人〕坎血加書，偽與子儀、子邊盟。」（頁435）杜注：「掘地為坎，以埋盟之餘血，加盟書其上。」據此，頗懷疑《周禮·大司寇》孤例之「盟書」為後人所改（見上註）。同樣，上引《周禮》「載辭」這一孤例也有類似嫌疑。

　　在歷史上，和盟書有關的，還有盟府。盟府在《左傳》出現了三次。據原文看，盟府應該是收藏盟書的地方。但這三次記載，沒有一次屬於春秋時代的盟府，它們都是有關較早時期的制度的傳說，而且在魯襄公（572-542 B.C.在位）以後就不見於記載。[33]我們懷疑，盟府是一個古老的制度，在春秋時期，它實際已經不存在，只保留在當時的傳說中罷了。因此，連專門記載周代制度的《周禮》，也不見它的蹤影。[34]

「盟書」一詞之結構不但與「載書」或「盟載」重覆，而且「載辭」一語也引起了唐代注疏家的「書」、「辭」之辨，見註35。

[33] 這三次是：僖公五年（655 B.C.）：「〔虢仲、虢叔〕為文王卿士，勳在王室，藏於盟府。」（頁308）僖公二十六年（634 B.C.）：「成王勞之〔引按：指周公、姜太公〕，而賜之盟。……載在盟府，太師職之。」襄公十一年（562 B.C.）：「夫賞，國之典也，藏在盟府，不可廢也。」（頁994）不過第一條資料所顯示的盟府是收藏功勳紀錄而非盟書。楊伯峻（1981）在上述僖公五年引文下注，以為前人以《周禮·秋官·司盟》的「司盟」解「盟府」一事，實與《左傳》不合。至於《周禮》司盟一官，在《左傳》中似乎不存在。《左傳》全書僅在襄公十一年（562 B.C.）記述了一條含有「司盟」的盟辭：「凡我同盟，毋蘊年，毋雍利，毋留慝；救災患，恤禍亂，同好惡，獎王室。或間茲命，司慎、司盟、名山、名川、群神、群祀、先王、先公、七姓十二國之祖、明神殛之，俾失其民，隊命亡氏，蹐其國家。」（頁989-990）杜預注，孫詒讓《秋官·司盟》疏，均以司盟為天神或盟神（《周禮正義》，頁2854）；段玉裁於《說文解字》「盟」字注，則以為《左傳》之「司盟」本作「司命」，為明神之一（頁314下-頁315上）。關於《周禮》和《左傳》在制度上的歧異，楊伯峻在上引注中以為「《周禮》為戰國晚期私人著作，以之解《左傳》，自有齟齬，不必強合。」（頁308）其實除盟誓制度之外，以《周禮》跟其他先秦古籍中制度比較，也有不相合的例子。例如，陳恩林在研究先秦軍事制度時，利用《尚書》、《詩經》、《國語》、金文資料和《周禮》比較，也發現「《周禮》所載的軍制與西周早期的軍制明顯不同。」（《先秦禮制研究》，頁77）。因此，不能因《周禮》與古文獻不同而輕率地以《周禮》來否定古文獻。

[34] 不但這樣，周禮中的盟禮可能早已失傳。鄭玄在《禮記·曲禮下》「約信曰誓，涖牲曰盟」下注云：「〈聘禮〉今存，〈遇〉、〈會〉、〈誓〉、〈盟〉禮亡。」（《禮記集解》，頁140）《周禮》雖無盟府，但〈春官下〉有天府之職。〈秋官·大司寇〉：「凡邦之大盟約，涖其盟書，而登之于天府。」（《周禮正義》，頁2756）孫詒讓以為天府即《左傳》定公四年（506 B.C.）「〔晉文公為踐土之盟，盟書〕藏在周府，可覆視也」之「周府」，即周室之盟府。另外，《左傳》中之公府，作用也類似盟府。例如昭公四年

三　盟書的擬寫和使用

盟誓時盟辭由誰擬訂，由誰書寫？這個問題《周禮》略有提及，但不夠清楚。《周禮・春官・詛祝》：

> 詛祝掌盟、詛、造、攻、說、檜、禜之祝號。作盟詛之載辭，以敘國之信用。（《周禮正義》，頁2060-2061）

「載辭」即載書，[35]這段話似乎說，載辭是由詛祝之官擬訂的。

《周禮・秋官・司盟》：

> 司盟掌盟載之法。凡邦國有疑會同，則掌其盟約之載及其禮儀，北面詔明神。既盟，則貳之。（同上引書，頁2852-2853）

貳之，鄭玄（127-200）注以為即「寫副」。[36]言下之意，盟書的副本由司盟

（538 B.C.）：「書在公府而弗以，是廢三官也。」（頁1259）這可能是盟府制度廢弛後，由公府兼負盟府的作用。

35 見孫詒讓《周禮正義・春官・詛祝》疏，頁2061。孫氏並認為賈公彥分「載辭」和「載書」為二，是不對的。黃以周（1828-1899）引鄭眾（？-114）之說，以為〈春官・詛祝〉之「載辭」即《春秋傳》「使祝為載書」之「載書」，見黃以周：《禮書通故》（臺北市：華世出版社，1976年），卷30，頁724上。

又本文「盟書擬寫」、「盟辭擬訂」提法中「擬寫」或「擬訂」一詞，是作者自己的用語，它大概相當於這裡所引《周禮》「作盟詛之載辭」的「作」字以及下引《左傳》襄公九年（564 B.C.）「為載書」的「為」字。梅祖麟教授閱讀本文初稿時，認為「擬寫」或「擬訂」一詞可以和 formula（格式或程式）的概念一起考量，因為無論從銅器銘文或《詩經》作品看，當時的寫作都有某些成式可據，因而出現了多次重覆的句型或用語；他甚至懷疑盟書的「擬寫」頗類似今天律師為客人擬訂法律文件一樣，是有成式可援的。因此當時盟書的擬寫在很大程度上和今天的寫作情況不一樣，前者只是有限度的對具體內容作出規定。從《左傳》記載的盟辭和各類侯馬盟書之間都有相同或頗類似的開頭或結束用語看，我們認為梅教授的意見很有見地，我們這裡的「擬寫」或「擬訂」應該就是有成式可據的針對某些具體內容的擬稿。

36 《周禮正義・秋官・司盟》，頁2853。所引鄭注。

書寫，但正本由誰負責書寫則沒有提及。在實際的記載中，早期的盟書是有副本的；春秋時的盟誓，已不見有「寫副」的記載。[37]

　　根據《左傳》所記，擬訂盟書的人可以是主盟人。例如：

〔晉、鄭〕將盟，鄭六卿公子騑、公子發、公子嘉、公孫輒、公孫蠆、公孫舍之及其大夫、門子，皆從鄭伯。晉士莊子（士弱）為載書，曰：「自今日既盟之後，鄭國而不唯晉命是聽，而或有異志者，有如此盟！」公子騑趨進曰：「天禍鄭國，使介居二大國之間，大國不加德音，而亂以要之，使其鬼神不獲歆其禋祀，其民人不獲享其土利，夫婦辛苦墊隘，無所厎告。自今日既盟之後，鄭國而不唯有禮與彊可以庇民者是從，亦如之！」

荀偃曰：「改載書！」（襄公九年，頁968-69）

可見盟書由雙方的代表擬訂，而且有時是臨時擬訂，甚至可以臨時更改。

　　另一方面，也可以由祝一類的官員擬訂。例如：

〔宋〕大尹謀曰：「我不在盟，無乃逐我？復盟之乎！」使祝為載書。六子（六卿三族）在唐盂，將盟之。祝襄以載書告皇非我。（哀公二十六年，頁1731）

此例的盟書明顯由祝擬訂（「使祝為載書」），並且在事前擬好，這樣才可以

---

[37] 《呂氏春秋・誠廉》篇：「〔武〕王使叔旦就膠鬲於次四內（地名），而與之盟曰：『加富三等，就官一列。』為三書同辭，血之以牲，埋一於四內，皆以一歸。又使保召公就微子開於共頭（地名）之下，而與之盟曰：『世為長侯，守殷常祝，相奉桑林，宜私孟諸。』為三書同辭，血之以牲，埋一於共頭之下，皆以一歸。」（《呂氏春秋校釋》，頁634）。《莊子・讓王》也有這篇盟辭，但比較簡略。）這是早期盟書有貳的例子；上述註33所引盟府的例子，也應屬於有貳之例。但在《左傳》中，找不到解作副本的「貳」字，這也可能與盟府的廢弛有關。參見註34。孫詒讓據上引《呂氏春秋》一文推斷：「蓋凡盟書，皆為數本；一本埋於坎，盟者各以一本歸，而盟官復書其辭而藏之。」（《周禮正義・秋官・司盟》，頁2855）

在訂盟前將之告訴別人。[38]

　　盟書正本由誰書寫，《左傳》中沒有明確的資料。從上一段哀公二十六年引文看，正本大概由祝書寫；不過，從《左傳》其他記事看，這些陳信於鬼神的盟辭，史有時也有參與的機會。例如《左傳》襄公二十七年（546 B.C.）記載：

> 子木問於趙孟曰：「范武子之德何如？」對曰：「夫子之家事治，言於晉國無隱情；其祝史陳信於鬼神無愧辭。」（頁1133）

又桓公六年：

> 祝史正辭，信也。（頁111）

又註三十一所引昭公元年的一條資料，也可以證實史官的確參與了盟辭的書寫工作。可見在正常的情況下，盟辭由祝史擬訂和書寫，參盟人是無需動筆的。從出土的侯馬盟書中屬於同一參盟人的盟書而筆跡有所不同看，同樣可以證實這點。[39]但祝史是一種職位還是兩種職位，在《左傳》中就很不清

---

38 《左傳》以下這則記載也可以看到盟書是事前擬好的：
　　　臧昭伯率從者盟，載書曰：「戮力壹心，好惡同之。信罪之有無，繾綣從公，無通外內！」以公命示子家子。子家子曰：「如此，吾不可以盟。羈也（子家子名）不佞，不能與二三子同心，而以為皆有罪。或欲通外內，且欲去君。二三子好亡而惡定，焉可同也？陷君於難，罪孰大焉？通外內而去君，君將速入，弗通何為？」乃不與盟。（昭公二十五年，頁1465-1466）
　　文中可見在將盟之前，盟書已經寫好，而且子家子看了盟書之後，才決定不與盟。又《左傳》下列一則「載書」是否即「盟書」是有爭論的（參見註31）：
　　　〔鄭〕子孔當國，為載書，以位序、聽政辟。大人、諸司、門子弗順，將誅之。子產止之，為請為之焚之。子孔不可，曰：「為書以定國，眾怒而焚之，是眾為政也，國不亦難乎？」子產曰：「眾怒難犯，專欲難成，合二難以安國，危之道也。不如焚書以安眾。子得所欲，眾亦得安，不亦可乎？無專欲成，犯眾興禍，子必從之！」乃焚書於倉門之外，眾而後定。（襄公十年，頁981）
　　如果從盟書有事前擬訂的例子看，則這段的「載書」解作盟書是無所窒礙的；相反，如果堅執「載書」為策書或法律，則廢之則可，無需焚之。
39 最明顯的是，同一參盟人的人名寫法不同。例如同名為「政」和「豎」的幾篇，

楚。[40]總之，《左傳》中「祝史正辭」和《周禮·春官》「（詛祝）作盟詛之載辭」（《周禮正義》，頁2061）的記載是比較接近的。

訂盟時，寫好的盟書正本往往要在儀式上宣讀，然後掘地為坎埋之。[41]

「政」字和「豎」字的筆跡和文字構形都不同，不似出於同一人手筆。詳情請參閱曾志雄：《侯馬盟書研究》（香港：香港大學博士論文，1993年），第三章，頁54。

40 祝和史楊伯峻認為都是春秋時祭祀之官（《春秋左傳注》桓公六年，頁111），二字在《左傳》中經常連用，甚至衛國有人名祝史揮，因此這裏的祝史不知道是指祝還是祝、史兼指。《春秋左傳注》的標點有時「祝史」相連（如此處的兩個引文），有時則「祝、史」點斷（如昭公二十年（522 B.C.）同樣記述范武（范會）之德說：「其祝、史祭祀，陳信不愧；其家事無猜，其祝不祈。」頁1415）。此外，主張盟辭由祝、史書寫，《侯馬盟書》的編者也有同樣的意見（頁295）。有關《左傳》祝史連用或並稱的問題，呂文郁（《周代采邑制度研究》，臺北市，文津出版社，1992年，頁144）有以下看法：「祝、卜、宗、史都是為卿大夫之家掌管祭祀、祈禱、卜筮和宗族禮儀的官吏。這四項職務是各自獨立的，但由於他們的職權範圍和工作性質互相有密切的聯繫，有時常由一人擔任其中的兩項職務，如祝與宗、史與史、卜與史等就常由一人兼任。《左傳》和《國語》等書在涉及卿大夫之家的祝、宗、卜、史時，經常把祝宗、祝史等聯用或並稱，就是因為這些職務經常由一個人來兼任。」《詩經》有「祝」（例如〈小雅·賓之初筵〉）、有「史」（例如〈小雅·楚茨〉），但沒有「祝、史」連用例。

41 宣讀盟書例見《穀梁傳》僖公九年（651 B.C.）：「葵丘之會，陳牲而不殺，讀書加於牲上。」（頁80上、下）掘地為坎例見《左傳》僖公二十五年（635 B.C.）：「秦晉伐鄀，……以圍商密，昏而傅焉。宵，坎血加書，偽與子儀、子邊盟者。」（頁434-435）杜預注：「掘地為坎以埋盟餘血，加書其上。」所埋的盟書是不是正本，過去論及此問題的人不多。張頷：〈侯馬盟書叢考續〉，《古文字研究》第一輯，1979年，頁96；楊伯峻：《春秋左傳注》，頁1202。都認為告於鬼神而埋於地下的是正本。但孫詒讓在《周禮正義·秋官·大司寇》疏（頁2756）及〈秋官·司盟〉疏（頁2855）中有不同看法，他以為「盟書正本登于天府藏之」（頁2756），又說「其（盟書）正本藏天府及司盟之府」（頁2855）。孫氏的說法是不合邏輯的。因為不管怎樣理解「正本」，正本只能有一本，不可能既藏於天府又藏於司盟之府；而且孫氏此說也正與他在《周禮正義·序》中「司會、天府、大史臧（藏）其副貳」和〈秋官·司盟〉「盟官復書其辭而藏之」（頁2855，參見註37）之說自相矛盾，同時也沒有照顧到春時代盟府制度不顯（見上文）和《左傳》中沒有「寫副」的情況，所以我們不採孫說而採張、楊二氏之說。如果考慮到侯馬盟書出土時同一坑中盟書往往一式多份，而且《左傳》中又沒有春秋時代的盟府紀載，也許春秋時代的實際情況是正本與副本共埋而不存於盟府的。

孫詒讓認為宣讀盟書即《周禮‧秋官‧司盟》所說的「北面詔明神」；[42]而在埋書之前，一般都會殺牲取血微飲之，稱為「歃血」，並且將餘血與盟書共同埋之。[43]但也有不殺牲，甚至不掘坎而沉盟書於河的。[44]

坎，是埋盟書土坑的古稱。但土坑的形狀怎樣，古書沒有說清楚。《禮記‧曲禮下》「涖牲曰盟」孔《疏》云：「盟之為法：先鑿地為方坎，……。」（《禮記集解》，頁140）似乎以為坎是方形的，深度則沒有說明。「坑的深淺不一致，淺者四十至五十釐米，深者達六十釐米以上。坑口的大小也各有差異，最大的長一米六，寬六十釐米；最小的長五十釐米左右，寬二十五釐米。」（《侯馬盟書》，頁15）這個報告給坎作了一個很具體的描述。關於訂盟的各種儀式細節，由於書缺有間，不擬在此討論。有興趣的讀者可以參閱黃以周《禮書通故》卷三十〈會盟禮通故〉、孫詒讓《周禮正義》卷六十九〈秋官‧司盟〉疏、劉伯驥《春秋會盟政治》第八章及呂靜《春秋時期盟誓研究》第五章第一節「盟誓祭儀儀式」。

42　《周禮正義‧秋官‧司盟》疏，頁2853。

43　歃血的例子見《左傳》隱公七年（718 B.C.）：「及鄭伯盟，歃如忘。」（頁55）以餘血及盟書共埋坎中的例子見註41「坎血加書」及杜注。至於先讀書還是先歃血，也有不同的說法。《禮記‧曲禮下》「涖牲曰盟」孔穎達《疏》認為「歃血而讀書」（《禮記集解》，頁140）；楊伯峻《春秋左傳注》（頁7）以為「讀盟約（古謂之載書，亦省稱載或書）以告神，然後參加盟會者一一微飲血，古人謂之歃血。」《左傳》襄公二十五年（548 B.C.）有一則訂盟的記載可證楊說是合理的：「崔杼立〔齊景公〕而相之，慶封為左相，盟國人於大宮，曰：『所不與崔、慶者——』晏子仰天歎曰：『嬰所不唯忠於君、利社稷者是與，有如上帝！』乃歃。」（頁1099）很明顯這是讀盟書而後歃向的例子。今從楊說。

歃血所用的牲血，從上引侯馬盟誓遺址暨坑中坑底一般有牛、馬、羊、雞骨看，所用牲應為牛、馬、羊、雞等。這與《禮記‧曲禮下》孔《疏》云「盟牲所用，許慎據韓《詩》云：天子諸侯以牛豕，大夫以犬，庶人以雞。」（頁92下）是頗類似的。王宇信對用牲與埋書之間有這樣的補充：「多數『坎』的北壁靠近底部有一小壁龕，內放玉器（即幣）。從出土時的跡像判斷，掩埋時先在壁龕內放玉幣，然後放入『犧牲』並加盟書。這就使我們對古代的禮制，有了較為直觀的認識。」見〈考古報告《侯馬盟書》的特色〉，《考古》1980年1期，頁90。

44　不殺牲的例子見註41所引《穀梁傳》僖公九年；沉盟書於河的例子見《左傳》定公十三年：「君命大臣：始禍者死。載書在河。」（頁1591）杜預注：「為盟書沉之河。」

四　盟誓的衰微

　　在上文，我們已看到春秋時代是中國歷史上盟誓的鼎盛時期，因而先秦典籍留下大量有關盟誓的記載。在《左傳》反映出來的，以魯襄公年代「盟」字最多，可見盟誓的高峰時期圍繞在襄公在位期間（572-542 B.C.）前後，爾後則漸漸衰落。[45]盟誓衰微的時間和衰微的原因，過去討論的人不多，目前大多數的意見認為，「降自戰國，關於盟誓便很少見於典籍了。」[46]在這裡，我們試圖利用《左傳》的「盟」字次數，顯示當時盟誓活動的盛衰變化，並結合《戰國策》等資料的數字對盟誓衰微的年代和原因作初步說明。

　　以下我們統計出《左傳》十二公各時代「盟」字（地名的「盟」字不算）的總次數如下：

　　隱公（十一年）二十六次；桓公（十八年）二十一次；莊公（三十二年）八次；閔公（二年）一次；僖公（三十三年）五十八次；文公（十八年）三十次；宣公（十八年）二十七次；成公（十八年）六十二次；襄公（三十一年）一百二十一次；昭公（三十二年）九十九次；定公（十五年）二十六次；哀公（二十七年）四十六次。

　　從總次數看，魯成公（590-573 B.C.在位）的「盟」字次數增加最明顯，而以襄公時代為最高點，其後則依次減少。定公（509-495 B.C.在位）和哀公（494-468 B.C.在位）的總次數表面上不呈順坡下降，是因為定公在位年數短而哀公在位年數長。如果自成公以後用括號內的年數除「盟」字頻次，就會得到一個很漂亮的下降曲線：成公時代平均每年盟字 3.44 次，襄公時代平均每年盟字 3.9 次，昭公時代平均每年盟字 3.09 次，定公時代平均每年盟字 1.73 次，哀公時代平均每年盟字 1.7 次。曲線的高峰在成公、襄公

45　並見註25。

46　李衡梅〈盟誓淺說〉，頁82。陳戍國《先秦禮制研究》更清楚指出，「周制會盟之禮的根本（與聘禮一樣），也已不復存在〔於戰國〕了。」（頁396）

之間，這和上文的觀察是一致的。[47]從平均數值看，昭公和定公是曲線下滑
較大的缺口；直至戰國時代，整部《戰國策》二百三十五年的記事中，紀錄
的「盟」字只有十五次，[48]平均每年只有 0.06 次，比起春秋晚期任何一年的
平均次數來說真是微乎其微了。所以春秋晚年，尤其是昭公、定公之間，應
該是先秦盟誓的衰落時期；至於戰國時代的零散盟誓，只不過是盟誓衰微後
的偶而繼續使用罷了。[49]

---

47 呂靜有〈春秋中期後半國內盟誓一覽〉表及〈春秋後期國內盟誓一覽〉表，統計了成
　公以後各國具體的國內之盟。計成公時有4次，襄公時有15次，昭公時有13次，定公
　時有5次，哀公時有8次。平均成公時每年盟誓0.22次，襄公時每年盟誓0.48次，昭公
　時每年盟誓0.4次，定公時每年盟誓0.33次，哀公時每年盟誓0.3次，也是以襄公時期
　為盟誓最高點，然後依次下降（《春秋時期盟誓研究》，頁253-260）。

48 根據于鬯（1854-1910）《戰國策年表》，《戰國策》記事始於周貞定王十四年（544
　B.C.），終於秦王政二十六年（221 B.C.），前後跨越二百三十五年。于鬯的《年表》
　見於〔漢〕劉向輯：《戰國策》（上海市：上海古籍出版社，1978年。下文所引即據此
　本），頁1221-1275。又《戰國策》的十五次盟字中，有五次可能是擬託的，見下註。

49 實際上，在以下《戰國策》的十五次盟字中，屬於真正行使的盟大概只有第2，3，
　11，14等四次：

　1，2.〔秦〕王曰：「寡人不聽〔疑臣〕也，請與子盟。」於是與之（甘茂）盟於息
　　　壤。（《秦策》二，頁150）

　3，4.是人謂衛君曰：「……且臣聞齊、衛先君，刑馬壓羊，盟曰：『齊、衛後世無相
　　　攻伐。有相攻伐者，令其命如此。』今君約天下之兵以攻齊，是足下倍先君盟約
　　　而欺孟嘗君也。」（《齊策》三，頁382）

　5，6.游騰為楚謂秦王曰：「……王（秦王）不如與之（楚王）盟而歸之。楚王畏，必
　　　不敢倍盟。」（《楚策》二，頁530-531）

　7. 夫三家（按指知氏、韓氏、魏氏）雖愚，不棄美利於前，背信盟之約，而為危難
　　　不可成之事，其勢可見也。（《趙策》一，頁586）

　8. 日者秦、楚戰於藍田，韓出銳師以佐秦，秦戰不利，因轉與楚，不固信盟，唯便
　　　是從。（《趙策》一，頁615-616）

　9.〔大王〕今天下之將相，相與會於洹水之上，通質刑白馬以盟之。（《趙策》二，
　　　頁641）

　10.合從者，一天下，約為兄弟，刑白馬以盟於洹水之上以相堅也。（《魏策》一，頁
　　　793）

　11.楚王登強臺而望崩山，左江而右湖，以臨彷徨，其樂忘死，遂盟強臺而弗登，
　　　曰：「後世必有以高臺陂池亡其國者。」（《魏策》二，頁487）

　　以下《左傳》中的幾則記事，不但可以看到盟誓衰微的原因，也印證了上文有關盟誓衰微的年代：

　　（一）〔魯哀〕公會吳於橐皋，吳子使大宰嚭請尋盟。公不欲，使子貢對曰：「盟，所以周信也，故心以制之，玉帛以奉之，言以結之，明神以要之。寡君以為苟有盟焉，弗可改也已。若猶可改，日盟何益？今吾子曰『必尋盟』，若可尋也，亦可寒也。」乃不尋盟。（哀公十二年，頁1671）

　　（二）秋，衛侯會吳於鄖。〔魯哀〕公及衛侯、宋皇瑗盟，而卒辭吳盟。（哀公十二年，頁1672）

　　（三）小邾射以句繹來奔，曰：「使季路要我，吾無盟矣。」使子路，子路辭。季康子使冉有謂之曰：「千乘之國，不信其盟，而信子之言，子何辱焉？」（哀公十四年，頁1682）

　　這是在《左傳》中所能找到的幾則對盟誓厭倦和失望的記錄。它們和之前「尋盟」、「請盟」、「乞盟」、「求盟」的訴求表現對盟誓充滿熱切寄望和信任的態度是很不同的。[50]這三則紀錄不約而同地出現在哀公中期（483-481 B.C.），不但印證了上述盟誓衰微的時間，而且充分顯示當時人們內心對盟誓的厭惡和鄙視：[51]他們寧願相信一個可靠的人也不願意相信一次盟誓的儀

---

12. 今趙不救魏，魏歃盟於秦，是趙與強秦為界也。（《魏策》三，頁866）
13. 昔者，吳與越戰，越人大敗。……越王使大夫種行成於吳，請男為臣，女為妾，身執禽而隨諸御。吳人果聽其辭，與成而不盟。（《韓策》三，頁1012）
14. 魏王為九里之盟，且復天子。（《韓策》三，頁1033）
15. 今王若欲轉禍而為福，因敗而為功乎？則莫如遙伯齊而厚尊之，使使盟於周室……。（《燕策》一，頁1068）
　　其中3，4，9，10，15等五次繆文遠《戰國策考辨》（北京市：中華書局，1984年）更疑為依託之作（分別見該書頁108、176-177、213-214及300-301）。如此，則戰國時代行使之盟次更少了。
50 「尋盟」例見《左傳》隱公三年（頁30），「請盟」例見僖公八年（頁319），「乞盟」例見僖公五年（頁306），「求盟」例見昭公十三年（頁1355）。
51 例如第一則的「不欲」，第二則的「辭盟」。

式，這應該是春秋晚期盟誓衰微的主要原因。[52]

此外，《國語》、《戰國策》各有一則關於吳人敗越而不盟的記載，可以作為春秋盟誓衰微的歷史的補充：

> （越王命諸稽郢行成於吳，）將盟，越王又使諸稽郢辭曰：「以盟為有益乎，前盟口血未乾，足以結信矣；以盟為無益乎，君王舍甲兵之威以臨使之，而胡重於鬼神而自輕也。」（《吳語》，頁596）
>
> 昔者，吳與越戰，越人大敗，保於會稽之上。吳入越而撫之。越王使大夫種行成於吳，請男為臣，女為妾，身執禽而隨諸禦。吳人果聽其辭，與成而不盟……。（《韓策》三，頁1012）

吳敗越是春秋晚期霸主爭霸的一件大事，時間在魯哀公元年（494 B.C.）；越國大敗，請求「辭盟」，而吳國也只接受越國的求和而不與之訂盟，這是與整個春秋時期爭霸結盟的作風迥異的。可見盟誓在此時此刻的國際大事中已不如往昔的受到重視了。[53]

到戰國末期的荀子（340-284 B.C.），更指出「約信盟誓」一類手法，不但不能用來事奉強暴之國，反而同割地賂貨一樣，是自取滅亡的禍根：

> 事強暴之國難，使強暴之國事我易。事之以貨寶，則貨寶單（殫）而交不結；約信盟誓，則約定而畔無日；割國之錙銖以賂之，則割定而欲無猒。事之彌煩，其侵人愈甚，必至於資單（殫）國舉然後已。（《荀子校釋·富國》，頁468）

---

52 此外，滋賀秀三指出，盟誓的解體過程中，有一點是不能忽視的，是隨著人智的開化，人們對盟咒魔力的原始迷信也開始動搖，見〈中國上古刑罰考〉頁9。下引《國語·吳語》「胡重於鬼神而自輕也」一句也反映了不信鬼神的觀點。

53 從更廣泛的歷史角度看，吳、越戰爭一直被視為整個春秋爭霸過程的尾聲。這個觀點早在戰國時代已經形成，《墨子·所染》、《荀子·王霸》甚至把吳王闔閭和越王勾踐列入春秋五霸之中。一戰而霸，會盟諸侯，原是春秋鼎盛時期霸主稱霸的模式。如今吳敗越，與之成而不盟，可見盟在稱霸大事中已不受重視，盟的儀式功能已漸漸減退了，這也應該是盟誓衰微過程中的一個重要標誌。

無怪乎戰國的年平均盟誓數字只有 0.06 次了。

　　戰國人這種鄙棄盟誓的心理，在《莊子》書中也有所反映。《莊子·讓王》篇有以下的記述：

> 昔周之興，有士二人處於孤竹，曰伯夷、叔齊。二人相謂曰：「吾聞西方有人，似有道者，試往觀焉。」至於岐陽，武王聞之，使叔旦往見之，與盟曰：「加富二等，就官一列。」血牲而埋之。二人相視而笑曰：「嘻，異哉！此非吾所謂道也。昔者神農之有天下也，時祀盡敬而不祈喜；其於人也，忠信盡治而無求焉。……今周見殷之亂而遽為政，上謀而下行貨，阻兵而保威，割牲而盟以為信，揚行以說眾，殺伐以要利，是推亂以易暴也。」郭慶藩：《莊子集釋》（臺北市：河洛圖書出版社，1974年），頁987-988

其中「割牲而盟以為信，揚行以說（悅）眾，殺伐以要利，是推亂以易暴」幾句，實是總括戰國當時的實情，來「剽剝儒墨」（司馬遷語，見《史記·老子韓非列傳》，頁2144）的。這些話不但帶有豐富的時代色彩，同時也極盡諷刺之能事，把戰國人鄙棄盟誓作用的心理，闡述得透徹不過。[54]

五　總結

　　以下為全文各節要點的總結：

　　（一）先秦盟、誓原先的社會功能不同，盟是古代諸侯會面時所制訂的約信，而誓則是軍中的戒律。《左傳》內「誓」字極少而「盟」字極多，這現象在其他文獻的參照下，顯示以下的歷史意義：官方的誓主要行用於西周時期，官方的盟則主要行用於春秋時期。

54　《莊子·讓王》過去被人認為抄自《呂氏春秋》，劉笑敢不但力辨其非（《莊子哲學及其演變》，北京市：中國社會科學出版社，1987年，頁40-43），而且指出「一部書作於甚麼時代總會對這個時代有所反映」（同上引書，頁46）。從盟誓的興衰發展看，我們認為這個看法是對的。

（二）《左傳》中盟除了稱為「盟誓」之外，還稱為「會、言、命」。當時盟誓可分為公盟、私盟兩大類，私盟不一定有文字憑證，公盟原則上都有文字憑證。這些文字憑證當時稱為「載」、「書」、「載書」或「盟載」；「盟書」一名不見於秦漢以前的材料，可能是後起的名稱。春秋時公盟的文字憑證是否收存在「盟府」裡頭，今天已無法確定。

（三）《左傳》所見，盟書可以由主盟人擬訂，也可以由訂盟雙方代表或祝史一類祭祀官員擬訂；可以預先擬好，也可以臨時商訂。參盟人無需執筆書寫，有文書人員代書。訂盟時，盟書正本要在儀式上宣讀，然後掘坎埋之。埋書之前，參盟者一般都會殺牲取血微飲之，稱為「歃血」，並且將餘血與盟書共同埋之。但也有不殺牲，甚至不掘坎而沉盟書於河的。

（四）以數量觀察，先秦盟誓的高峰時期圍繞在魯襄公在位期間（572-542 B.C.），爾後則漸漸衰落，至戰國時已少見盟誓活動。盟誓衰微的原因，除了由於當時各國君主對盟誓厭倦和失望之外，還因為人智開發，對盟咒原始魔力的迷信開始動搖。

世變與經學
——《國粹學報》、《國故月刊》及《學衡》
裡的《左傳》論述

蔡妙真
國立中興大學中國文學系副教授

一　緒論

　　一部經學史，大約就是歷代儒者在舊典籍中尋找新方略的歷史，而新與舊銜接之可能，就在學者孜孜矻矻的闡釋裡，因之這闡釋，就不完全是「回頭看」的姿勢，反而「向前指」的眺望之姿急切些，即便是以考據研故為主的探索，仍是存有著「明往古乃係為救當世、垂後訓」的想望的。[1]

　　由清末到民初，整個中國由政治到教育都有著大矩度的變動，牽動文化社會認知的重新洗牌，一向握有話語主導權的傳統儒學，如何面對變革？又如何在西方文化不斷湧入形成的新鏡面裡形構新的自我認知？本文以鎔裁文史、義經體史的《左傳》為觀察抽樣，以清末至民初五四以來鼓起的新文化運動時期為時間軸，探究世變日亟的清末以及充斥「迎新送舊」氛圍的民初時期，經學闡釋如何與現實世界互動、甚至在外來文化衝擊中，構築出怎樣

1　清代樸學先師顧炎武即曾云：「窮經待後王，到死終罷勉。」參見《亭林詩集》卷5
　　〈春雨〉，收入於王雲五編：《四部叢刊初編》（臺北市：臺灣商務印書館，1965年），
　　冊77，頁60。亭林先生講授《易經》之後也強調「憂患自古然，守之俟來哲」《亭林
　　文集》卷4〈德州講易畢奉東諸君〉，頁51。在在強調其「窮經」「守經」為的都是當
　　下現實乃至往後的實用性。

的自我鏡像。

　　至於為何以《國粹學報》、《國故月刊》及《學衡》為研究文本？首先是話語場域的改變。傳統學者發聲的空間在著書立說，在講壇辟雍，在廟堂書表，但隨著傳教士帶入及留學生帶回的辦報、辦刊等風氣漸開，「（甲午戰敗，知識份子）開始懂得利用報紙作為啟迪民智及製造輿論的利器了。」[2]具體表現就是維新派與革命派的報刊競爭：「戊戌政變以後，康有為、梁啟超等亡命海外，組織保皇黨，創刊報紙，做著勤王復辟的宣傳，同時又與革命黨對抗，雙方對壘達十餘年之久。」[3]也就是埋首書房的學者，開始意識到「大眾傳播媒介是其他變革的『擴大器（multiplier）』。」[4]當時積極迎戰世變的士人，大多曾投注心力、財力於辦報或辦雜誌，希冀透過掌握傳播媒介，從而重新取得話語主導權，至終則求造成社會風氣的扭正。當然，孰為「正」，則是各自表述了。

　　其次是群體性，這些雜誌是一群具有共同主張的士人所共辦、共撰，即便偶或有為了表示「客觀公正性」而刊登一、二篇對立文字，整體說來，其編者群、作者群乃至讀者群，皆有極為顯著而具區別性的意識形態。因此，以雜誌作為觀察文本，有助於掌握一時一地儒者群體的文化主張及自我認同往何處傾斜。

　　第三是這三本刊物皆具有時代標竿意義，《國粹學報》（1905-1911）利用《春秋》攘夷大義，喚起了民族主義，間接促成了革命的成功。《國故月刊》（1919-1919）除了有承繼《國粹學報》精神作用之外，[5]激發刊物成立的當下事件是民國八年新文化運動之風起雲湧，所以雖然只發行了四期，在

2　曾虛白編：《中國新聞史》（臺北市：國立政治大學新聞研究所，1966年），頁191。

3　同前註，頁192。

4　陳世敏：《大眾傳播與社會變遷》（臺北市：三民書局，1992年），頁118。

5　《國故月刊》（臺北市：成文出版社，1985年）第1期（1919年3月）〈記事〉提到創刊
　　動機云：「慨然於國學之淪夷，欲發起學報，以圖挽救。」，故以「昌明中國故有之學
　　術為宗旨」，總編輯為劉師培、黃侃；特別編輯有馬敘淪、黃節等《國粹學報》健
　　將，兩者之承續關係昭然可睹。以下凡引《國故月刊》者，但標期號、頁碼以便檢
　　索，不再標註出版資料。

針對「新文化運動」這件事上又可視為《學衡》（1922-1933）的先聲。《學衡》雖也介紹西學新知，但亦標榜「昌明國粹」、「以見吾國文化有可與日月爭光之價值」，[6]精神脈絡與《國粹學報》、《國故月刊》有所相承，且被視為我國最早的史學刊物[7]及當時之代表刊物。[8]綜觀這三本刊物之間實具有精神傳承或編撰人員之間的師生關係，且皆被劃歸為「文化保守主義」，[9]出刊目的也都具有極強的針對性，因此本文以之作為蠡測範圍。

二　清末民初文化保守派的經學論述——以《左傳》為觀察角度

（一）《國粹學報》的《左傳》論述

1　《國粹學報》創刊背景與宗旨

6　〈學衡雜誌簡章〉，《學衡》（臺北市：臺灣學生書局，1978年）第1期（1922年1月）。以下凡引《學衡》者，但標期號、頁碼以便檢索，不再標註出版資料。

7　方豪於〈民國以來的歷史學〉一文指出：「我國各著名學府和學術機關的定期學術刊物，亦多在這一時期創刊。」方豪所稱「這一時期」指民國十七年至二十六年抗日戰爭之前，「社會比較安寧，學術界也能安心工作」的「民國史學的順利時期」。但他緊接著說：「只有《學衡》創刊於十一年……全國史學界人士所精心撰著的論文，多在上列各專門刊物發表。」則《學衡》是其心目中最早的史學刊物。《方豪六十自定稿》（臺北市：著者發行，1969年），頁2178。

8　張其昀於〈六十年來之華學研究〉一文中，將民國元年至五十九年之華學（中華學術）研究分為六期，每十年為一期，並「各舉其具有代表性之刊物與思想家」，其中民國十年至二十年的代表刊物即為《學衡》，代表思想家為柳詒徵。參見《張其昀先生文集》（臺北市：國史館及文化大學，1989年），頁10240-10241。

9　《國粹學報》與《國故月刊》的文化本位主義較為明顯，至於《學衡》的學術傾向，詳見本文第二－（三）－1節。另，沈衛威有專著顏曰：「《回眸學衡派：文化保守主義的現代命運》」（臺北市：立緒出版社，2000年），所以此處所稱「被劃歸為文化保守主義」乃相較於這些報刊所欲抗衡的西學派、新文化運動後「全盤西化」等傾向而言，故借用一般對此三報刊的標籤式概稱，而標籤當然是概略性的描述，未能百分之百與內容指涉重疊。

　　《國粹學報》創刊於光緒三十一年（1905）正月，迄宣統三年（1911）八月停刊，共六年八個月，參與編務或主要撰稿人有黃節（1873-1935）、鄧實（1877-1951）、章絳（1869-1936）、[10]劉光漢（1884-1919）、[11]陸紹明（生卒年待考）、廖平（1852-1932）等數十人，學報內容大分七項：社說，政篇，史篇，學篇，文篇，叢談，撰錄。第三年調整增入「博物」、「美術」兩項。清末以來朝野在面對政治、軍事成敗以及文化衝擊時的思維，大抵是圍繞在張之洞提出的「體用說」打轉，由「師夷長技」到「變法維新」，西方文化在中國知識分子的論述中，逐步由「用」的層級進到「體」的主導地位，《國粹學報》創刊的時間點正是「中學不能為體」這樣的慕西氛圍之下，國粹學人認為這種對自我民族文化的否定才是真正的「亡國」，呼籲「學亡則亡國；國亡則亡族」，故亟需挽救國學，重建民族自信：

　　　　學亡則亡國；國亡則亡族……嗚呼！不自主其國而奴隸於人之國，謂
　　　　之國奴；不自主其學而奴隸於人之學，謂之學奴；奴於外族之專制故
　　　　奴，奴於東西之學說，亦何得而非奴也。[12]

這段宣言隱隱然已將學術與民主、民族主義等主張聯結。因此，《國粹學報》對經學尤其是《左傳》闡釋時的期待視野也就呼之欲出了——在救亡圖存的訴求下，新焦點主要是對「民族」、「民權」思想之極力闡發。王雲五（1888-1979）就盛稱該刊「具有新思想」：

　　　　《國粹學報》者，清末具有新思想之國粹學者，以發明國學，保存國

---

10 章絳即章太炎，於《國粹學報》名稱有五，早期（第9期，1905年9月20日）以前自署「章太炎」；中期（第20期至第67期（1906-1910））則署「章絳」；最後一期則署「章炳麟」。以下行文概稱「章太炎」，引文附註則從其發表姓名。

11 劉師培早期於《國粹學報》筆名「光漢」，亦可見其呼應保存國粹之用心。唯自第二十六期（光緒三十三年（1907）1月20日）起則以本名行。以下行文時概稱劉師培，引文附註則從其發表姓名。

12 黃節：〈國粹學報敘〉，《國粹學報》第1期（1905年1月20日）《景印國粹學報舊刊》（臺北市：臺灣商務印書館，1974年），頁15。

粹為宗旨……內容實大體提倡民族與民權主義……循是宗旨，故該報
之首，每號輒附中國歷代學人或民族主義者之遺像遺書，以資鼓舞。[13]

由《國粹學報》中堅份子馬敘倫（1885-1970）的自敘，也可以想見其時知
識分子之焦慮與義憤所在，也更能掌握《國粹學報》焦點意識之形成：

> 說到我的革命思想，是發生在十六歲。那時，我讀了王夫之的《黃
> 書》，黃宗羲的《明夷待訪錄》……一類的書，有了民族、民權兩種
> 觀念的輪廓，這年（1900）又碰上了義和團的事變，八國聯軍衝破了北
> 京，就浚深了我的民族觀念，又讀了些孟德斯鳩的《法意》，盧梭
> 《民約論》的譯本和提摩泰的《泰西新史攬要》一類的書，不知不覺
> 地非要打倒滿洲政權，建立民主國家不可。[14]

> 這時，正是清朝的政治日漸腐敗，英、德、俄、法、日本等帝國主義
> 在中國「為所欲為」的時候，因為庚子以後，清朝的帝、后和「權貴」
> 都怕他們，正是「唯命是聽」了。但是，知識份子對政治改革的要求
> 日見強調，革命思想灌輸到知識青年，也像油在水面擴充不止。[15]

《國粹學報》創刊宗旨是為了掊擊大清帝國之病入膏肓，沈痾難癒，因此主
張唯有革命一途，才是刮骨療瘡的不二法門：[16]

> 吾國之國體，則外族專制之國體也；吾國之學說，則外族專制之學說
> 也。[17]

---

13 王雲五：〈景印《國粹學報》舊刊全集緣起〉，收入《景印國粹學報舊刊全集》，頁1-
　　2。
14 馬敘倫：《我在六十歲以前》，收入張玉法、張瑞德主編：《中國現代自傳叢書》（臺北
　　市：龍文出版社，1994年），第4輯，冊7，頁15。西元年為筆者所加。
15 同前註，頁16。
16 魯迅稱：「民國以前的議論，因時代關係，自然多含革命精神，《國粹學報》便是一
　　例。」，見〈一是之學說〉，收入《魯迅全集》（臺北市：谷風出版社，1989年），頁386。
17 黃節：〈國粹學報敘〉，《國粹學報》第1期（1905年1月20日）《景印國粹學報舊刊》，

這是揭櫫報端的隱微說法，事後馬敘倫在記章太炎行誼時，曾說《國粹學報》根本就是以「擠覆滿洲政權為職志」：

> 清末光緒二十八九年間（1902-1903），俄法皆有事於我，上海愛國之士日聚張園，號召民眾，以謀救止……余昔固與太炎共鳴於《國粹學報》，彼時乃以擠覆滿洲政權為職志。以民族主義之立場，發揚國粹，警覺少年，引入革命途徑。[18]

甚而以「鼓吹民族革命之《國粹學報》」為題，細數創刊經過：

> 既而乃有《國粹學報》之組織……實陰謀藉此以激動排滿革命之思潮。[19]

在異族侵陵的氛圍之中，在救亡圖存的鵠的引導之下，《國粹學報》表面談的是一國學術之粹，實際進行的是民族、民權思想之散播，這就使得對經學的論述與世變更緊密扣合。

2 《國粹學報》的《左傳》論述

（1）春秋大義：華夷之辨

以《國粹學報》當時情況而言，對內有清廷的顢頇，對外有西來列強環伺瓜分的危機，兩相激發，很容易將訴求聚焦於「民族主義」，問題是，如何將「提振民族自信、講唱國粹」等學術論述與「宣揚排滿、締建民主政體」等政治主張聯結在一起？學報創刊重要人物黃節，曾專文申論國粹（在此文中專指《春秋》大義）、種族與國恥三者的連帶關係，就是一篇典型的論述模式：

頁13-14。

18　馬敘倫：〈章太炎〉，《石屋餘瀋》，收入《民國叢書》（上海市：讀者書房，1936年），第3編，冊87，頁43-45。西元年為筆者所加。

19　馬敘倫：〈鼓吹民族革命之《國粹學報》〉，《石屋餘瀋》，收入《民國叢書》（上海市：讀者書房，1936年），第3編，冊87，頁192。

> 予往者受經草堂，嘗取三傳之切於攘夷大義者，錄為一編……於茲十
> 年，世變益大，而國恥所叢、人事所敝，靡不由於經誼弗明。邇者泰
> 西民族主義淘淘東侵，於是愛國之士，輒欲辨別種族而先行於域內，
> 則涉於政治者，亦間有一二。[20]

很明顯的，國恥之所以叢起，乃由於經義不明，黃節眼中的《春秋》大義主
要指「攘夷大義」，而「國恥」則專指外族之侵陵。救國起武於域內辨別種
族，如此就成功地將「攘夷」行動與「排滿」、「救國」等目標聯結；而「華
夷之辨」也成了亟需闡釋發揚的國粹之一了。

細查《國粹學報》前幾期篇目，不論是「國學原論」、「國學發微」、「週
末學術史敘」，還是「讀經致用」、「讀經通今」、「古政述微」，皆夾帶申述
「種族」論；更有「黃史總敘」、「黃史種族書」、「黃史列傳」、「國土原始
論」、「氏族原始論」等，其發揚國粹、發揚種性的民族主義傾向極為明顯。

在這種焦點意識底下，《國粹學報》裡諸多論述《左傳》的篇章，自然
很容易就往「華夷之辨」傾斜，家傳《左傳》的劉師培甚至聲稱《左傳》最
看重的就是「華夷之界」：

> 《公》、《穀》二傳之旨，皆辨別內外，區分華戎。吾思邱明親炙宣
> 尼，備聞孔門之緒論，故《左傳》一書，亦首嚴華夷之界。僖二十三
> 年傳云：「杞文公[21]。書曰：『子』，杞，夷也。」二十七年傳云：「杞
> 子[22]來朝，用夷禮，故曰：『子』。」此《左氏傳》之大義，亦孔門之
> 微言也。賈、服諸儒為《左氏》作注，進夏黜夷，足補傳文所未及。[23]

為了強化《左傳》黜夷之義，劉師培不憚其煩地掘舉例證以說明《左傳》對

---

20 黃節：〈春秋攘夷大義發微〉，《國粹學報》第20期（1906年7月20日），「學篇」，頁10
　　（《景印國粹學報舊刊》，頁2457-2458）。

21 筆者按：當為「成公」。

22 筆者按：當為「杞桓公」。

23 劉光漢：〈讀左劄記〉，收入《國粹學報》第1期（1905年1月20日），「叢談」，（《景印國
　　粹學報舊刊》，頁112-113）。

《春秋》書法的解釋也有「進夏黜夷」之意，緊接此段之後，又列舉了諸多
《左傳》進夏黜夷之例以申證之，如：

> 隱元年天王使宰垣來歸惠公仲子之賵。賈注云：「畿內稱王，諸夏稱
> 天王，夷狄稱天子。」非區別夷夏之意乎？僖四年楚屈完來盟於師，
> 服注云：「言來者，外楚也。」僖二十八年楚殺其大夫得臣，賈注
> 云：「不書族，陋也。」[24]

其下又分別舉了許多《左傳》屬辭比事以申黜夷大義之例，如哀公十三年：
「公會單平公、晉定公、吳夫差于黃池」，劉師培認為《左傳》書與會各國
的次序之中也寓含進夏黜夷之意，故引賈注說明先晉後吳有「外吳」及「屏
斥夷蠻」之意。又昭公九年：「夏四月，陳災。」劉師培引賈、服說法曰：
「閔陳不與楚，故存陳而書之，言陳尚為國也。」昭公二十三年：「吳敗
頓、胡、沈、蔡、許之師于雞父。」引賈注曰：「夷之（吳），故不書晦。」
成公三年鄭伐許，引賈注云：「鄭小國與大國爭諸侯仍[25]伐許。不稱將帥，
夷狄之，刺無知也，所以禁中國之效夷狄也。」結語並稱這些書例皆所以
「禁蠻夷之窺中國乎，《春秋》古誼賴此僅存。」[26]

　　在〈兩漢學術發微論〉一文中，劉師培更是舉證西漢諸儒憤戎狄侵華，
故寓種族之學、攘夷大義於經解中，屢有「內夏外夷之言」，如《左傳》：

> 《春秋左氏》親炙孔門，備聞宣尼之緒論，故《左傳》一書斥杞子之
> 從夷（僖二十二年傳云：「杞文公卒，書曰：『子』杞夷也。」二十七年傳云：「杞伯
> 來朝，用夷禮，故曰子。」），先晉人之有信（襄二十七年），辨別華戎，大義
> 凜然。及賈逵、服虔詮釋傳文而進夏黜夷之誼隱寓其中，天王天子，
> 夷夏殊稱（隱公元年云：「天王使宰垣來歸惠公仲子之賵」賈注云：「畿內稱王，諸

---

24 同前註，頁113。「宰垣」當作「宰咺」。

25 筆者按：疑當作「乃」。

26 以上二條引文見劉光漢：〈讀左劄記〉，《國粹學報》第1期（1905年1月20日），「叢
　　談」，（《景印國粹學報舊刊》，頁113。）

夏稱天王，夷狄稱天子。」……），則華夷殊等，典禮不同，彰彰明矣。即外楚外吳亦含屏斥夷蠻之旨（僖公四年云：「楚屈完來盟於師。」服注云：「言來者，外楚也。」……哀公十三年傳云：「乃先晉人」賈注云：……吳先歃，晉亞之，先歃晉，晉有信，又以外吳也。」），推之記陳災則存陳為國（昭九年云：「陳災」賈注云：「閔陳不與楚，故存陳而書之，言陳尚為國也。」……），書吳戰則退吳為夷（昭二十三年云：「吳敗頓胡沈蔡之師於雞父」賈注云：「雞父之戰，夷之，故不書晦也。」），非禁蠻夷之入伐乎（又成公三年鄭伐許，賈注云：「鄭小國與大國爭諸侯，仍伐許，不稱將帥，夷狄之，刺無知也，所以禁中國之效夷狄也」）？然攘夷大義，咸賴賈服而僅存，此《左氏》之微言也。[27]

許守微〈論國粹無阻於歐化〉一文，說明吸收外學史有前例，但在此之前得先存國粹，守住自己的文化精神本體，如此則國粹無阻於歐化，文前先舉《左傳》效夷亡國之例，申述華夷不辨則學亡，學亡則國亡之意：

> 國粹存則其國存，國粹亡則其國亡……昔辛有見披髮於伊川，而知其不百年為戎；原伯魯之不悅學，而仲尼斷其亡國……此皆覘之前史而信者也。[28]

章太炎也以《左傳》之記事，大申《春秋》攘夷之義：

> 《春秋》諸夏用夷則夷之，吳、楚是也。本在荊揚之域、九州之內，祖則高陽，族則太伯，為宗周建國。顧其地雜有荊蠻山越，一失其職，下漸汙俗，則比之蕃人。及楚貢苞茅，復其舊常，屈完於是入錄，自爾與中國同辭。吳諸會同征伐，皆從狄例，以吳祝髮文身，其俗又下于楚，然君卒則書名爵，為其本宗周胤胄也。至於命札以聘諸姬，救蔡以撻不庭，請冠以奉王職，莫不進之諸夏，由其素非夷狄。

27 劉光漢：〈兩漢學術發微論〉，《國粹學報》第11期（1905年11月20日），「叢談」，（《景印國粹學報舊刊》，頁1321-1322）。
28 許守微：〈論國粹無阻於歐化〉，《國粹學報》第7期（1905年7月20日），「社說」，（《景印國粹學報舊刊》，頁751-758）。

> 其真為夷狄者，君與大夫名爵不通，惟潞子嬰兒，晉與之婚，復殘滅
> 之，書爵所以罪晉，明親暱戎狄者在晉人。[29]

章太炎以《左傳》記事分析吳、楚出現在《春秋》的名爵書例，說明當其行
華夏之道則《春秋》以宗族視之；當其用夷則夷之。至於潞子嬰兒本為夷狄
之君，名爵當與中原不通，《春秋》之所以稱之為「子」，是為了激射晉親暱
戎狄之罪一；與之結婚姻卻又覆滅之，罪其行為不義二。

馬敘倫發表於《國粹學報》諸篇中，以闡發孔子政治學的長文〈孔氏政
治學拾微〉最著，該文以《公羊》家的角度談《春秋》如何是「治人之
學」，故有「建三世之義，託魯為新王」[30]等論述。文中每每痛心於「數十
百年而禍亂蜂起，夷狄謀夏，綱紀淪喪，此未通於《春秋》之義故也」，[31]
其中又不免引《左傳》作為例證，如反駁「《春秋》貴仁義而賤勢力，故恥
伐喪」之說時，就舉潞子嬰兒之例：

> 潞子嬰兒躬行仁義而入於晉，則服於晉而又坿於婚姻之好者也。以是
> 觀之，處據亂、昇平之世，毋論小國、大邦，武力不足而徒務仁義，
> 以為文德可以洽四國者，祇就於滅亡。而彼瞽儒之說，誣《春秋》之
> 義，而有國者從之，故至夷狄謀夏，綱紀淪喪。[32]

潞子嬰兒之賢與行義見於《公羊》、《穀梁》，但與晉結婚姻之好則見於《左
傳》。於此例可見到，即使是今文學者，一旦需要具體討論華夷關係時，仍
有所仰仗《左傳》的「見之行事之深切著明」，乃得以申明「《春秋》之
義」。

馬敘倫在其他篇章也曾直接引《左傳》來談《春秋》黜夷之旨：

29 章太炎：〈駁皮錫瑞三書・春秋平議〉，《國粹學報》第65期（1910年3月20日），「通論」，（《景印國粹學報舊刊》，頁8894-8895）。
30 馬敘倫：〈孔氏政治學拾微〉，《國粹學報》第21期（1905年8月20日），「政篇」，（《景印國粹學報舊刊》，頁2554）。
31 同前註，頁2556。
32 同註30，頁2559。

> 種類之防，天理也……傳有言曰：「戎狄豺狼，不可厭也。」……是
> 故三代以降，有能斬令支、轢卑耳、拓西戎、刈潞氏者……不致見譏
> 於《春秋》也。[33]

這裡的「傳有言曰」引的是《左傳》閔公元年管仲勸齊桓公救邢之語；「拓
西戎」則用《左傳》文公三年秦穆公用孟明遂霸西戎之典；「刈潞氏」則指
宣公十五年伯宗對晉景公論狄有五罪，必伐之的故事。馬氏歸結夷狄之所以
謀夏，正因為《春秋》攘夷之義不明，他的諸般論述雖非闡釋《左傳》之
語，但因引用了《左傳》作為論證，已隱然將《左傳》華夷之辨與《春秋》
大義的掌握串聯起來了。而這般的串聯，很明顯是對當時排滿、列強侵淩、
以及西學襲捲等時勢的回應，有藉古痛今之意。

　　除了以上的專論，劉師培於〈節孝君陳母傳〉中，將陳去病（1874-
1933）讀書能發揮古誼「於《春秋》華夷之辨，斷斷持之尤力」，[34]歸功於
陳母：

> 予束髮受書，即治《春秋左氏傳》，於三傳異同，辨之尤析。嘗謂
> 《穀梁》導源于夏，微言大誼，不悖孔門。於襄公三十年傳，既嘉伯
> 姬之貞，復記澶淵之會，謂「夷狄不入中國者，八年」，其故何歟？
> 蓋伯姬[35]之貞，伯姬之能守其志也……今陳母既苦節以終而去病又抱
> 攘夷之志，其於聖經，殆相吻合，予故樂推《春秋》大義，而為之
> 論。[36]

宋伯姬因待姆而不下堂，終逮火而死，《穀梁》於此事之後雖記澶淵之會，

---

33 馬敘倫：〈歗天廬古政通志‧四裔志序〉，《國粹學報》第5期（1905年5月20日），「政
　篇」，（《景印國粹學報舊刊》，頁520-524）。

34 劉光漢：〈節孝君陳母傳〉，《國粹學報》第13期（1906年1月20日），「文錄」，（《景印
　國粹學報舊刊》，頁1607）。

35 筆者按：當為「姬」之形近而誤。

36 劉光漢：〈節孝君陳母傳〉，《國粹學報》第13期（1906年1月20日），「文錄」，（《景印
　國粹學報舊刊》，頁1607-1608）。

但說明此會「救（宋）災以眾」，且「更宋之所喪財也」，更明明白白的記載：「澶淵之會，中國不侵伐夷狄，夷狄不入中國，無侵伐八年，善之也。晉趙武、楚屈建之力也。」[37] 除了言明八年的偃兵息鼓多賴兩國大夫的努力，夷狄不侵中國也是因為「中國不侵伐夷狄」的後續效果，但劉師培為了強調華夷之辨，採納徐邈的解釋，硬是將伯姬卒之事與夷狄不入中國連接在一起，然後用以稱許陳去病受到母親守志之教，乃能「抱攘夷之志」。《公羊》、《穀梁》皆嘉宋伯姬之貞賢，獨《左傳》引君子之言頗不以為然，但劉師培以贊同《穀梁》之褒，稱其不悖孔門微言大義，前言曰：「予束髮受書，即治《春秋左氏傳》，於三傳異同，辨之尤析。」隱然以《左傳》未能於此發揮華夷之義為憾，結語又曰：「予故樂推《春秋》大義，而為之論。」則其屈曲牽連之論，除了「置入性行銷」華夷之辨，實亦有訂補《左傳》之意。

（2）重民思想：宣揚民主、民權

對清末革命家而言，「排滿」與「推翻帝制」是同步的，「推翻帝制」為的是建立符合時代潮流的「民主社會」。《國粹學報》的中堅編撰者，有不少是主張革命的積極成員，如黃節、馬敘倫、劉師培、陳去病等人皆曾參加同盟會，常在《國粹學報》發表文章的章太炎更有「有學問的革命家」之稱。

「排滿」是手段，「民主政體」才是革命家的終點，所以在民族主義之外，亦得導入民權、民主等思維，否則在國際互動頻仍、文化互有交滲的時代，一味強調偏側「黜夷」的民族主義，是無法行之久遠的，馬敘倫早有此體悟：

> （創辦《國粹學報》）以民族主義之立場，發揚國粹，警覺少年，引
> 入革命途徑，（吾）固不謂經國致治永永可由於是矣……豈可久滯種
> 種區分，若種若國若貴若富而不懸一共達之鵠！[38]

---

37 《穀梁傳》襄公三十年。
38 馬敘倫：〈章太炎〉，《石屋餘瀋》，頁45。

因此《國粹學報》在講唱「民族」之餘，更沒忘了宣揚民權思維。如何在封建體制所形成的經書系統中找到「民權」主義？對既有語言的重新詮解定義是第一步。

　　第一個阻礙民權主義的是封建政治體系下的「君臣」語域，所以得先重新定義「君臣」語義及關係：

> 《左傳》一書責君特重而責民特輕。宣四年傳云：「凡弒君稱君，君無道也；稱臣，臣之罪也。」杜註謂：「稱國以弒，言眾所共絕。」[39]

這是《國粹學報》第一期的「預告」性質文字，宣示「君」不是一種絕對權威的存在，他若未盡君道而被殺，還會被歷史追加一筆。到了第四期，就開宗明義點出「君臣平等」的政治同僚關係：

> 君臣平等，字無專屬之詞，是猶民利君為忠，而君之利民亦為忠。（《左傳》曰：「上思利民，忠也。」）。臣殺君為弒，而君之殺臣亦為弒也（見《公羊》）。後世以降，尊君抑臣，以得為在君，以失為在臣，由是下之對上也，有一定之詞；上之對下也，有一定之詞，而宋儒之苛論起矣。[40]

既然君臣是平等的，只是責任有別而已，由此就可再帶出「民主、民權」的概念，亦即「君」是可由眾人廢立的，劉師培就將《左傳》隱公元年釋經的一段文字詮解為「君由民立」：

> 隱四年傳云：「書曰：『衛人立晉』，眾也。」《荀子・王霸》篇云：「……君者何也？曰：『能群也』」〈大略〉篇曰：「天之生民，非為君也；天之立君，以為民也。」此皆君由民立之義，《左氏》之說……

39　劉光漢：〈讀左劄記〉《國粹學報》第1期（1905年1月20日），「叢談」，（《景印國粹學報舊刊》，頁113）。

40　劉光漢：〈讀左劄記〉，《國粹學報》第4期（1905年4月20日），「叢談」，（《景印國粹學報舊刊》，頁471）。

得《荀子》而證之，其說益明，蓋《左傳》所謂眾，即《荀子》所謂
群也。[41]

定公八年傳云：「魏虞公[42]欲叛晉，乃朝國人，使王孫賈問焉。」哀
元年傳云：「陳懷公朝國人而問焉。曰：『欲與吳者右；欲與楚者
左。』」足證春秋之時，各國之中，政由民議，合於周禮詢危詢遷之
旨。而遺文佚事，咸賴《左傳》而始傳，《左氏》之功甚巨矣。[43]

事實上，《左傳》這裡的「眾」只是指「多數人」，與劉師培意指的「民」
（全民或平民）是有差距的；[44]至於「國人」的身分是否即是平民，則更有
爭議。[45]無論如何，「民權」思維就這樣藉著經典闡釋而得到張揚；「推翻專
制，創立共和」之主張亦得由此置入。
　　除此之外，劉師培也「援引舊籍互相發明，以證晢種所言君民之理，皆
前儒所已發」，他擴大並混論《左傳》中愛民、民本的思想為民權主義，是
為第二步：

41　劉光漢：〈群經大義相通論〉，《國粹學報》第13期（1906年1月20日）「學篇」，（《景印
　　國粹學報舊刊》，頁1565）。
42　筆者按：應為「衛靈公」。
43　劉光漢：〈讀左劄記〉，《國粹學報》第3期（1905年3月20日，）「叢談」，頁4（《景印國
　　粹學報舊刊》，頁375）。
44　當然《左傳》裡的確有指稱平民、被統治者的「民」，如桓公六年：「夫民，神之主
　　也」。成公十五年：「盜憎主人，民惡其上。」但衛人立晉裡的「眾」，應該是有參與
　　政事權利的宗族之人，亦即下文的「國人」。
45　「國人」身份詳參童書業：《春秋左傳研究》（北京市：中華書局，2006年）；陶興
　　華、賈瑩：〈西周、春秋時期「國人」的社會角色〉，《青海師大學學報》（哲學社會科
　　學版）》第121期（2007年2月），頁54-58；晁福林：〈論周代國人與庶民社會身份的變
　　化〉，《人文雜誌》2000第3期，頁98-105。學者大抵認定國人是介於貴族與平民之間的
　　一種社會階層（陶興華、賈瑩，頁54），通常居國都（童書業，頁120），擁有土地或
　　私人經濟（楊伯峻《春秋左傳詞典》：「自由民以上之國民，或國都中之自由民以上階
　　層人士，頁597），有參政權（晁福林，頁98）。

襄十四年，傳載晉師曠之言曰：「天之愛民甚矣，豈[46]可使一人肆於
民上，以縱其淫，以棄天地之性？必不然矣。」成十五年，晉人執曹
伯，《左氏傳》云：「不及其民也。凡君不道於其民，諸侯討而執之，
則曰：『某人執某侯』，不然則否。」[47]

馬敘倫也力闡《春秋》有「掊專制立共治」的思想，故開宗明義即揭「讓
國」之義：

夫欲撥亂而反諸正，其道必自剖專制而立共治始，故《春秋》首立讓
國之義。[48]

其後則轉而論「譏世卿」，因為「授官惟賢能」，公官乃所以扞抗君主而屏翰
百姓者，若淪為世卿制，則專制之主起佞人、躋其子孫，豢之以為爪牙，因
此「《春秋》欲掊專制而立共治則譏世卿」。[49]這裡表面上是由《公羊》家的
思想來闡發《春秋》的民主立場，事實上，《公羊》雖言隱公有讓國之義，
卻明言隱之讓乃由於「桓幼而貴，隱長而卑」，而「隱長又賢，何以不宜
立？立適以長不以賢，立子以貴不以長。」[50]《公羊》以貴賤論即位的正當
性，其實與馬敘倫抨擊的「世官則貴者長貴，賤者長賤」矛盾。三傳中，
《穀梁傳》根本不以隱公之讓國為義，反而大大譏刺隱公「不正」、「忘君父
以行小惠」。[51]真有一點首立讓國之義的，反倒是《左傳》的「不書即位，
攝也。」比較接近。此外，馬敘倫於論述中所引例證，如尹氏王子朝、崔杼
等世卿專政的具體狀況，也得於《左傳》的記事中得其詳。所以，在這一篇

46　《左傳》原文作「其」。

47　劉光漢：〈讀左劄記〉，《國粹學報》第3期（1905年3月20日）「叢談」，頁4（《景印國
　　粹學報舊刊》，頁375）。

48　馬敘倫：〈孔氏政治學拾微〉，《國粹學報》第17期（1905年閏4月20日），「政篇」，（《景
　　印國粹學報舊刊》，頁2047）。

49　本段引文同出馬敘倫：〈孔氏政治學拾微〉，分見頁2047，2048。

50　並見《公羊傳》隱公元年。

51　並見《穀梁傳》隱公元年。

論述《春秋》有民主思想的專文中，馬氏雖由《公羊》立論，其實是申明了
《左傳》的立場。

　　章太炎也引《左傳》宣公四年「弒君稱君，君無道也。」來論《春秋》之
治，是「急於公卿大夫，緩于士庶」的，所舉論證，則多為《左傳》所記：

　　宋人弒其君杵臼，君則無道。

　　樂書弒君而下拊揗黎庶，戴其德者則民也。晏嬰深譬陳氏，猶言陳氏
　　雖無大德，有施於民，明其有小德也。弒君為不義，拊民為有恩。[52]

章氏於文中細論幾種不同的弒君狀況，歸結於「君惡不貸」，且將君惡與不
拊民、弒君與拊民做了聯結，將《左傳》以愛民為「德」以及以民為本，甚
而民重於君的思想，作了全面的歸納闡釋。

　　《左傳》的「愛民」、「重民」思想，係儒家「仁愛」觀在政治領域的實
踐；強調「民為邦本」，係為了平衡封建體制的單向權力設計，並非跨越封建
體制、賦予平民政治實權之思維；與馬氏、劉氏因讀孟德斯鳩《法意》，盧
梭《民約論》而主張之共治、民權等民主政治制度，本質就不同。但學報諸
人，急於宣揚革命、力於傳遞新知，不得不有局部放大乃至強作比附之處。

（3）六經皆史：著重典章制度

　　清末康有為（1858-1927）宣揚孔子為一「託古改制」之聖王，藉《公
羊》三世三統等說法，以使變法維新合乎「正統」，因而有將孔子絕對神聖
化，乃至「神化」孔子、倡立孔教之議。為了駁斥以康有為、梁啟超（1873-
1929）為首的改良派，章太炎重拾實齋（1738-1801）「六經皆史」理念，以
經史合一為其論述核心，甚至匯入子學的研究，以子證經，這樣的論調與當
時的懷疑風氣[53]相激盪，成功地引領了風潮，將學術研究帶向下一個典範：

---

52 章太炎：〈駁皮錫瑞三書・春秋平議〉，《國粹學報》第65期（1910年3月20日），「通
　 論」，（《景印國粹學報舊刊》，分見頁8892，8894）。

53 方豪：〈民國以來的歷史學〉提到：「使中國學術界不知不覺中獲得近代治學的科學方
　 法的，無疑的是明末清初的天主教教士……利瑪竇等且很大膽的要求中國學者直接去

　　（章太炎）援引西學來研究儒學，把經學發展為歷史學，把儒學發展
為國學中的一門，已開現代學術研究之端緒。[54]

《國粹學報》有不少撰述者屬於古文家，自然反對康有為的《新學偽經
考》，自章學誠至章太炎視孔子為述而不作的教育家、史學家的主張，因之
常被提及：

　　章實齋曰：「六經皆史也」。古人不著書，古人未嘗離事而言理，六經
　　皆先王之政典也。[55]

　　六經皆史（見《龔定盦文集》、《章氏遺書》），各具一體……諸子之學，得於
　　六經（見《章氏遺書》）……[56]

　　六經非孔子所作。夫六經掌於專官，均見于《周禮》、《左氏傳》，孔
　　子六經之學亦得之史官，如《易》與《春秋》得之魯史……[57]

　　《左傳》、《國語》、《國策》……乃史官記事之遺。[58]

研究經書的本文，他們把中國經學分為『古儒』『今儒』，實際是等於提倡懷疑精
神……（使得中國學者）本於西洋科學方法，研究經學，亦亟於實證的獲得。」《六
十自定稿》，頁2169。

54 張昭軍：《儒學近代之境——章太炎儒學思想研究》（北京市：社會科學文獻出版社，
　　2002年），頁298。

55 鄧實：〈國學講習記〉，《國粹學報》，第19期（1906年6月20日）「社說」，（《景印國粹
　　學報舊刊》，頁2284）。

56 陸紹明：〈史學稗論〉，《國粹學報》，第16期（1906年4月20日）「史篇」，（《景印國粹
　　學報舊刊》，頁1925）。

57 劉光漢：〈論孔子無改制之說〉，《國粹學報》第24期（1906年11月20日），「政篇」，
　　（《景印國粹學報舊刊》，頁2941-2942）。

58 劉光漢：〈文章源始〉，《國粹學報》，第1期（1905年正月20日）「文篇」，（《景印國粹
　　學報舊刊》，頁89）。

《國語》、《左傳》、《國策》皆富議論。《公》、《穀》、《春秋》文簡義精，斷制嚴謹，亦饒議論。議論之史，推是為勝。由議論而一變至於實錄。[59]

章太炎「經史合一」的主張，除了在《國粹學報》他人的論述中一再被提及，學報諸人，往往也以實際的行動作呼應，因此，學報裡有大量以經證史的論述，尤其具有上古史料價值的《左傳》，更是常被引以為證據：

《左傳》曰：「祚之土而命之氏，此氏字最古之義，是古時之氏大抵從土得名，無土則無氏矣。」[60]

晉獻公作二軍，公將上軍，未有其號；魏獻子、衛文子始有「將軍」之稱。[61]

又以《左傳》證之，有行人相儀而賦詩者（見襄公二十六年傳，國景子賦蓼蕭、賦黍之柔矣；子展賦緇衣又賦將仲子兮），有行人出聘而賦詩者（見襄公八年傳，范宣子賦摽有梅），有行人乞援而賦詩者（見襄公十六年傳，魯穆叔賦圻父又賦鴻雁卒章），有行人涖盟而賦詩者（見襄公二十七年傳，楚薳罷賦既醉），有行人當宴會而賦詩者（見昭元年穆叔賦鵲巢、采蘩；子皮賦野有死麕；趙孟賦常棣），又行人答餞送而賦詩者（見昭十六年傳，子齹等賦野有蔓草諸篇餞韓起），是古詩每為行人所誦矣。蓋採風侯邦本行人之舊典，故詩賦之根源惟行人研尋最審（吳季札以行人觀樂于魯亦其證也），所以賦詩當答者，行人無容緘默（《左氏傳》昭公十二年，傳云：「宋華定來聘，公享之，為賦

---

59 陸紹明：〈論史學之變遷〉，《國粹學報》，第10期（1905年10月20日）「史篇」，（《景印國粹學報舊刊》，頁1165）。

60 劉光漢：〈古政原始論‧民族原始論〉，《國粹學報》，第4期（1905年4月20日），「政篇」，（《景印國粹學報舊刊》，頁417）。

61 劉光漢：〈古政秘論‧封建秘論〉，《國粹學報》，第11期（1905年11月20日），「政篇」，（《景印國粹學報舊刊》，頁1285-1286）。

蓼蕭，不知又不答賦，叔孫昭子曰必亡。」）；而賦詩不當答者，行人必為剖陳（《左氏》文四年傳云：「衛寧武子來聘，公與之宴，為賦湛露及彤弓，不辭又不答賦，使行人私焉，對曰：『臣以為肆業及之也……』」）。由是言之，行人承命以修好，苟非登高能賦者，難期專對之能矣。[62]

又如馬敘倫論諸夏上世世系「太嶽出乎高陽，皆五帝之裔」時，也分別引《左傳》隱公十一年：「夫許，太嶽之胤也。」及文公十八年：「高辛氏有才子八人」杜預之注：「高辛，帝嚳之號，八人亦其苗裔。」以為論證。[63]

劉師培論古樂原始，也引《左傳》「夫舞，所以節八音而行八風」，論古時「以歌節舞，復以舞節音」。[64]

其他考據類的篇章，只要涉及春秋以前者，鮮有不引《左傳》為史料證據者，如劉師培〈論古學出於史官〉（第一期）、〈春秋時代地方行政考〉（第二十二期）、〈春秋時代官制考〉（第三十一、三十三、三十四期）、陸紹明〈古政備於周官〉（第十期）、簡朝亮〈禮說〉（第四十五期）、薛蟄龍〈毛詩動植物今釋〉（第三十九至四十五期）、江慎中〈用我法齋經說〉（第六十八期）等……，皆是「以經為史」概念的具體呈現。但整體說來，這些論述以《左傳》為佐證之史料而並非有系統地闡釋《左傳》意蘊。

（4）今古文之爭

除了宣揚民族、民權主義等言論，《國粹學報》關於《左傳》的其他論述，則不脫傳統《春秋》學史曾出現的範疇，亦即在積極引導民意、宣揚革命思想之餘，《國粹學報》仍費了不少筆墨與今文派齗齗爭辯，當然，這除了是沉積已久的歷史公案，更與今古文學家對「六經」觀念的不同有關，而在《國粹學報》時期，六經是歷史文獻或為孔子著作，牽涉的已不僅只是學

---

62 劉光漢：〈論文雜記〉，《國粹學報》第2期（1905年2月20日），「文篇」，（《景印國粹學報舊刊》，頁704）。

63 馬敘倫：〈歊天廬政學通義〉，《國粹學報》第12期（1905年12月20日），「政篇」，（《景印國粹學報舊刊》，頁1419）。

64 劉光漢：〈古政原始論〉，《國粹學報》，第11期（1905年11月20日），「政篇」，（《景印國粹學報舊刊》，頁1295）。

術問題，而是延伸至政治革命的戰場，[65]因而有極明顯的針對對象，如〈簡
竹居復康太學書〉[66]就力辨劉歆偽造《左傳》之說，也深非《公羊》家（於
本書信中指康有為）主張孔子有「王魯新周故宋之義」；劉師培更分期刊登
〈論孔子無改制之說〉長文，批駁《公羊》家的主張：

> 孔子之修《春秋》，首用周正，《左氏傳》發其義曰：「王周正月」，
> 《公羊傳》亦曰：「王者孰謂？謂文王也。」……取捨不同，由於所
> 見之書不同，及所持之義不同耳，是猶漢儒均尊孔子而有今古文之不
> 同；宋儒均尊孔子而有朱陸之不同也。[67]

> 若今古文之不同，乃文有今古之分，非制有今古之殊。[68]

在這兩段文字中，劉師培除了強調孔子是「修」《春秋》而非「作」《春
秋》，並引《公羊》與《左傳》意見一致之處，說明最初始今古文之別，原
只不過是秦火後今古文字之不同。但隨著文字之訛誤，說解義理竟也逐漸分
歧，比如下面這個例子：

> 《公羊》宣十六年成周宣榭災，傳云：「外災不書，此何以書？新周
> 也。」此「新」字明係「親」字之訛，蓋外災均不書，因周與魯最
> 親，故書其災。文義至為易明，至「親」誤為「新」（亦猶《大學》
> 「親民」之當作「新民」）漢儒不解其詞，遂有新周之謬說，若夫故
> 宋之說，不過以宋為古國之後耳。（黜杞者，以其用夷禮也，明見于

---

65 張昭軍：《儒學近代之境——章太炎儒學思想研究》云：「傳統的經學由于被革命家所
　　掌握，也成為中國近代……民主革命鬥爭的武器。」，頁293。

66 簡朝亮：〈簡竹居復康太學書〉，《國粹學報》第2期（1905年2月20日），「撰錄」，（《景
　　印國粹學報舊刊》，頁254-256）。

67 劉光漢：〈論孔子無改制之說〉，《國粹學報》第25期（1906年12月20日），「政篇」，
　　（《景印國粹學報舊刊》，頁3071-3072）。

68 劉光漢：〈論孔子無改制之說〉，《國粹學報》第25期（1906年12月20日），「政篇」，
　　（《景印國粹學報舊刊》，頁3073）。

《左傳》而《公羊》家引為黜夏之義，誤之甚矣。）史公蓋親見古書，能據其文以證董生之謬，《春秋》之義所以不晦者，賴有此耳。[69]

「親」、「新」之別，與「故」字的詞品歧異，竟而推衍出孔子改制思想，這是劉師培發揮古文學家考據專長，以《左傳》直搗《公羊》論述核心的典型例子。

文字流傳會有今古變異，從而有望文生義「誤之甚矣」的危險，所以歸結說來，推究行事始末才是掌握《春秋》屬辭比事之教的法門，利用這樣的理路，劉師培成功地將「重事」的《左傳》提高到三傳之首：

> （《史記》）記孔子修《春秋》也，謂孔子西觀周室，論史記舊聞，興於魯而次《春秋》。則《春秋》本據古史之舊聞，特將未修之《春秋》加以編次，故《公羊傳》以未終之《春秋》證已修之《春秋》……又《禮記・經解》篇曰：「屬辭比事，《春秋》教也。」《史記》論孔子作《春秋》，謂「欲載之空言，不如見之行事之深切著明。」是《春秋》一書所重者事也。今也舍事而言義言制，非史公所謂「空言」乎？[70]

此段隱然等同《左傳》為孔子據魯史舊聞、具論其語以見行事之深切著明的《春秋》（已修之《春秋》），較諸其他二傳，是更合《春秋》屬辭比事之教的。

除了零星之論，劉師培〈讀左雜記〉更以多期分論《左傳》於劉歆校書之前已流傳漢初諸儒著作、講論之中，可見漢初諸儒以《左傳》為釋經之書：

> 劉向素以《穀梁》義難《左傳》（向傳），而于《左傳》之傳授言之甚

---

69 劉光漢：〈論孔子無改制之說〉，《國粹學報》第23期（1906年10月20日），「政篇」，（《景印國粹學報舊刊》，頁2813）。

70 劉光漢：〈論孔子無改制之說〉，《國粹學報》第24期（1906年11月20日），「政篇」，（《景印國粹學報舊刊》，頁2943-2952）。

詳，則《左傳》為釋經之書，又《穀梁》家所承認矣……邱明為《春秋》作傳，史公已明言之，而張蒼賈誼亦傳之，足證漢初諸儒莫不以《左傳》為釋經之書。[71]

《淮南子》一書作於景、武之間，在史公之前，而書中多引《左傳》之文……《淮南》所言，悉本《左傳》，則劉安傳《左氏》之學，親見《左氏》之書，彰彰明矣。故高誘注《淮南》亦多引《左傳》之語也。[72]

《呂覽》一書多成於荀卿門人之手，荀卿為《左氏春秋》之先師，故《呂覽》一書多引《左氏》之文。足證秦火以前，《左氏》一書久行於世，諸子百家均見其書。[73]

此外，更以大篇幅論《荀子》與《左傳》大義多有相通之處，且由師承而論，「則《左氏春秋》學，固荀子所傳之學矣。故《荀子》一書，于《左傳》大義或明著其文，或隱詮其說。」[74]其後更另文循線論證《韓非》一書多引《左傳》，可見「《左氏》之學，當戰國時已盛行於世」：

不惟此也，外儲篇記鄭弒昭公之事，其論斷之語，悉本《左傳》，足證《左氏》一書，戰國學者咸獲睹其全文，並足徵「君子曰」以下之文，非劉歆所增益。[75]

---

71 劉光漢：〈讀左雜記〉，《國粹學報》第8期（1905年8月20日），「叢談」，（《景印國粹學報舊刊》，頁981-982）。

72 劉光漢：〈讀左雜記〉，《國粹學報》第13期（1905年8月20日），「叢談」，（《景印國粹學報舊刊》，頁1617-1618）。

73 劉光漢：〈讀左雜記〉，《國粹學報》第18期（1906年5月20日），「叢談」，（《景印國粹學報舊刊》，頁2245）。

74 劉光漢：〈群經大義相通論·左傳荀子相通考〉，《國粹學報》第13期（1906年1月20日），「學篇」，（《景印國粹學報舊刊》，頁1563）。

75 劉光漢：〈讀左雜記〉，《國粹學報》第13期（1905年8月20日），「叢談」，（《景印國粹

劉師培以細密的考據核校之功，力證劉歆之前，甚至戰國時期《左傳》就已
流傳學者之中，則今文家視《左傳》為偽書之說自然不能成立。這些論述和
以子證經，很明顯都是受到章太炎諸子學研究的影響。

　　除此之外，陸紹明也認為《左傳》成書於漢前，並肯定《左傳》立說能
符合《春秋》大義：

> 《左氏春秋》（此左氏為六國時人，作邱明者誤，鄭漁仲言之甚詳……）肆言妖
> 鬼，光怪陸離，亦好言巫卜五行之事。[76]

> 《左氏》立說皆循經義，其言道論德實為麟經之教。[77]

這兩條論述看似矛盾，但大方向與古文家是一致的，比如雖不認為《左傳》
作者為與孔子時代相當的左邱明，但肯定此左氏是戰國時代之人，如此則可
破今文家劉歆偽竄之說；第一條雖以《左傳》肆言妖鬼、好言巫卜五行之事
為憾，但依然肯定《左傳》在言道論德等重要關鍵處皆循經義。

　　乍讀《國粹學報》這些今古文論述，會疑惑於一本以革命為職志的刊
物，何以又走了回頭路，依然在傳統的學術範式中打轉，但按循其思路軌轍
與時代氛圍，不難見出其力破清代《公羊》顯學、企圖扭轉舊範式之努力。

（5）字詞訓詁

　　承前一節所言，《國粹學報》古文家主張「今古文之不同，乃文有今古
之分，非制有今古之殊。」[78]因此，字詞訓詁就成了弭平今古文義理差異的
前步驟，劉師培引漢學大師戴震（1723-1777）之語，說明「明道」還得由
載道的文字著手：[79]

　　學報舊刊》，頁1615-1617）。

76　陸紹明：〈論史學之變遷〉，《國粹學報》，第10期，頁1165。

77　陸紹明：〈古政宗論〉，《國粹學報》，第13期（1905年10月20日，）「政篇」，（《景印國
　　粹學報舊刊》，頁1527）。

78　劉光漢：〈論孔子無改制之說〉，《國粹學報》第25期（1906年12月20日），「政篇」，
　　（《景印國粹學報舊刊》，頁3073）。

79　馬宗霍《中國經學史》云：「震之學由聲音文字以求訓詁以尋義理。」（臺北市：臺灣

> 昔東原戴先生之言曰：「經之至者，道也；所以明道者，其詞也；所
> 以成詞者，字也；由字以通詞，由詞以通其道，必以漸求。」(〈與是
> 仲明論學書〉)[80]

「清人《左傳》研究中成績最大的是在文字訓詁方面。」[81]所不同於清代漢
學家的是，「清代的漢學家們一向標榜『實事求是』。而他們中的多數人的
『實事求是』，又僅限於文字訓故與專門考證方面，以為文字明、名物制度
明，則道理自明。他們已經把自己局限於微觀考據之中，缺乏在理論上開拓
的精神。」[82]《國粹學報》裡間或出現的字詞訓詁則不同，反而有承繼漢學
訓詁成就，繼續往明道理、「在理論上開拓」的路前進，所以大多以字詞精
細的探究始，然後轉以之作為論述的證據，如下面這些例子：

> 故秉公理以行事者為忠，如《左傳》有云：「上思利民，忠也。」曾
> 子：「為人謀而不忠乎？」……是「忠」字為普通之字，非僅指對君
> 主言也。今也以對於君者為忠，豈對於人民者不當曰忠耶？[83]

在這段文字裡，劉師培先對「忠」字作訓釋，接著轉而論君民關係，這與他
強調君臣是平等的、君由民立等概念是一致的，都希望由此帶出「民主、民
權」的概念。又如〈理學字義通釋〉一文，也是利用漢學家考據訓詁之長，
去重新詮解宋明理學的性、理、仁、義等語域：

> 《左傳》襄七年韓無忌曰：「參和為仁。」參和者，即與人相耦之
> 義，亦即與人相親之義也，是為仁字最古之訓。[84]

商務印書館，1986年)，頁146。

80 劉光漢：〈理學字義通釋〉，《國粹學報》，第8期（1905年8月20日），「學篇」，(《景印
　國粹學報舊刊》，頁921)。

81 劉家和：《經學與思想》(臺北市：唐山出版社，2006年)，頁320。

82 同前註，頁329。

83 劉光漢：〈讀書隨筆‧理學不知正名之弊〉，《國粹學報》，第15期（1906年3月20日），
　「叢談」，(《景印國粹學報舊刊》，頁1867)。

84 劉光漢，〈理學字義通釋〉，《國粹學報》，第8期，頁935。

義字從我，謂己身恪守其威儀也。儀字從人，謂與他人交盡其威儀也（……《左傳》:「民受天地之中以生，是以有威儀動作之則。」[85] 禮義與威儀不同，此其確證……故《左傳》言「有義而不象謂之儀」[86]）……後世之儒不辨禮義禮儀之分……而古人造字之精義淪矣……義之為言我也，義之法在正我，不在正人，我不自正，雖能正人，弗予為義……自正其身，即能不納於邪，[87] 即能不加損害於他人……故義之為德，所以抑制一己之自由而使之不復侵犯他人自由也，古人義利並言，蓋無害於人之謂義……古人所謂義，乃於自由之中加以制限，非因裁制己身之故而並失身體之自由也，惜宋儒之不名此義也。[88]

又如〈吳南屏致戴子高書〉引《左傳》之語，辨析「賦」、「丘」之名義典章，再延伸論《中庸》「為天下至誠」一節裡的仁民使養老等思想，學報編輯稱吳氏如此治學實為:「會融漢宋，兼通性理、典章之學」:[89]

《春秋》經書用「田賦」，《公》、《穀》無所指解，惟《左氏》有「丘亦足矣」之言，是田賦名從丘甲上增加。而所謂「賦」者，軍賦也……杜注謂:「丘賦者，因其田財，通出馬一匹田三頭」[90]……如

---

85 《左傳》成公十三年，成肅公受脤不敬，劉康公論其將死，原文為:「民受天地之中以生，所謂命也。是以有動作禮義威儀之則，以定命也。能者養之以福，不能者敗以取禍。是故君子勤禮，小人盡力……」

86 原文見《左傳》襄公三十一年北宮文子與衛侯論「威儀」之語，劉氏引文有誤，原文當作:「有威而可畏謂之威，有儀而可象謂之儀。」

87 「不納於邪」亦出於《左傳》，隱公三年石碏諫寵州吁:「臣聞愛子，教之以義方，弗納于邪……」。

88 劉光漢:〈理學字義通釋〉，《國粹學報》，第9期（1905年9月20日），「學篇」，（《景印國粹學報舊刊》，頁1059-1062）。

89 〈吳南屏致戴子高書〉，《國粹學報》，第4期（1905年4月20日），「撰錄」，（《景印國粹學報舊刊》，頁485）。吳南屏名敏樹，有岳州怪才之號。

90 《春秋》成公元年:「三月，作丘甲。」杜預注曰:「周禮，九夫為井，四井為邑丘，四邑為丘，丘十六井，出戎馬一匹，牛三頭;四丘為甸，甸出長轂一乘，戎馬四匹，

杜說，田賦二字殊不相屬，且是驟加一倍，不合情理。考經書用田賦，《左傳》則云「以田賦」，「以」即「用」也，謂賦本不以田，而今以田起之也，賦之名義雖通於租稅，在當時則專指車乘兵甲之事……《中庸》言君子之道，造端乎夫婦……民各自有其親，仁之使皆各親其親，即文王導其妻子，使養其老是也。若孟子所言布縷粟米力役三者之征，即後世粗庸調之法也……[91]

諸如以上的例子，展現的是清初以來漢學字詞訓詁的另一種面貌，或可說是前述「六經皆史」、「以子證經」等治學精神的擴大，也就是說，這樣的文字訓釋，比較像是「用」《左傳》而非研究《左傳》，由此可以略窺《國粹學報》學者對經學的態度，已由傳統純經學往文化視野下的經學跨步，所以「經」可以與「垂訓誡」的史書有互通之處；與「致遠恐泥」的子學，卻也在急於治世的考量底下，可以互相證發。

（二）《國故月刊》的《左傳》論述

1 《國故月刊》的創刊背景與宗旨

　　《國故月刊》除了有承繼《國粹學報》發揚國學之精神外，激發刊物成立的當下事件是民國八年鼓吹白話文運動等刊物蜂起，《國故月刊》不滿當時部分知識分子「傷國勢之陵夷」卻出之以崇新貶舊之法，「新」之優窳未辨，倒是一心「掃蕩故言，誚為無用」，[92]加上捨本逐末，但求富強之術，長此以往，將使「道德毀墮、廉恥道喪，人體獸行，無所忌憚。」[93]故學報

牛十二頭，甲士三人……此甸所賦，今魯使丘出之，譏重斂，故書。」《左傳》哀公十一年：「季孫欲以田賦。」杜注：「丘賦之法，因其田財通出，馬一匹，牛三頭。今欲別其田及家財，各為一賦，故言田賦。」依此，吳氏所謂「田三頭」當為「牛三頭」。

91　〈吳南屏致戴子高書〉，《國粹學報》，第4期，頁482-485。「粗庸調」當作「租庸調」。

92　黃侃：〈題辭〉，《國故月刊》第1期（1919年3月），頁7。

93　薛祥綏：〈講學救時議〉，《國故月刊》第3期（1919年），頁53。

「以昌明中國固有之學術為宗旨」以救國學之淪夷。[94]正因出之於這樣的新舊爭辯，在《國故月刊》裡常可看到以故為新的論述：

> （儒者，其學主於循舊）故晏嬰對齊侯數言修禮（……《左氏》昭二十三年傳）。[95]

> 明古而可通今也。古也者，昔日之今也，今也者，來世之古也……明乎往跡，則可以識變遷、正得失，始能盡古今之情。[96]

> 前修未密，後起轉精，迺為國故中之通例……使之日新月異，以應時勢之需，則國故亦方生未艾也……新也，其所根據以求未知與新者，已知者也，故也……舊學術思想之更易形色而為更新之學術思想者……各著名哲學學說類同然也。[97]

這些論述旨在說明新之與舊並非截然對立的兩個面向，反而是「故」中可生「新」。另一方面，對國故也非全盤照收，而應是「明之」、「修之」，為國故補苴罅漏，使能應時勢之需。談到應時勢之需，當然也會強調治學當求體用相兼，以致用為目標的理想：

> 夫形上為道，所以明體者也；形下為器，所以致用者也。昔之君子躬行道德，重明體而忽致用，誠為憾事。而今人僅求致用，略於立體，亦殊形偏缺，極其至也，捨本逐末，而人心詭譎，機詐百出，雖欲求治，不可得也。[98]

> 六經固典制之倫，諸子亦事實之資……夫通辭達訓，古莫盛焉；章隱

94　〈本社記事錄〉，《國故月刊》第1期（1919年3月），頁609。
95　陳鐘凡：〈諸子通誼〉，《國故月刊》第1-4期，頁191。
96　薛祥綏：〈學通〉，《國故月刊》第2期（1919年），頁36-37。
97　張煊：〈駁新潮國故和科學的精神篇〉，《國故月刊》第3期（1919年），頁55-57。
98　薛祥綏：〈講學救時議〉，《國故月刊》，頁54。

發微，世莫重焉⋯⋯今世微道敝，學者宜明蹈實之方，切發躬踐之
義⋯⋯來士研學，無取泥古，弘廓矩式，恢張法度，然後達應變之
方⋯⋯則足以言致用矣。[99]

前一則引文實與前述薛祥綏〈講學救時議〉裡說的「道德毀墮，廉恥道喪」
相呼應，譏評新潮諸人但求富強之術（器也），輕忽一向作為支撐社會價值
的國學（體也），以至道德隳敗，求治而不可得，則連「器」之為用也失去
了。後一則強調不論章隱發微的今文，或通辭達訓的古文，皆應闡明蹈實之
方，不宜再泥於往古範式，乃能求於有用。由此可以很明顯看出《國故月
刊》對國學乃至救國方略，均未脫《國粹學報》「溫故而知新」、「觀會通以
禦世變」的範式。因此，月刊中之《左傳》論述，未見有新面向，依然談華
夷之辨，依然力證《左傳》非劉歆偽造，依然以《左傳》為史料，考核上古
禮儀典章制度。但雖曰未有新方向的開發，內在肌理卻已有所轉變，試分說
如下。

2 《國故月刊》的《左傳》論述
（1）調和漢宋與三傳：《左傳》思想之闡發

由於《國故月刊》只出四期，並未見專篇的《左傳》論述，在各種論題
中卻常可見到引述《左傳》以為證例者，較特別的是劉師培闡說《中庸》之
理，幾乎全以《左傳》發其義：

《中庸》記者，蓋子思贊述《春秋》之書，以與《左氏傳》相為表裡
者也⋯⋯孔子作《春秋》，所以明中德也；子思作《中庸》所以明
《春秋》之用也。《左氏傳》曰：「民受天地之中以生，所謂命也，是
故有動作威儀之則，以定命也。能者養之以福；不能者敗以取禍，是
故君子勤禮，小人盡力。」⋯⋯非子思不能作，非證以《春秋左氏

---

99 俞士鎮：〈古學鉤沉申義〉，《國故月刊》第1期（1919年3月），頁31-33。

傳》，亦弗能詮明其誼也。[100]

整篇的理路與劉氏《國粹學報》時期的〈理學字義通釋〉[101]相類，或可視為相關研究的延伸，表面上是闡釋《中庸》章句，實則是申述《左傳》文句以論證《左傳》與《中庸》思想疊合。當然也談華夷之辨，宋育仁〈《春秋》經世微〉即大談「《春秋》由內其國而外諸夏，內諸夏而外夷狄」的經世思想，雖以《公羊》三世說立論，但舉例則混同三傳而論，比如說書長狄之名「僑如」是「進」之，而三傳唯《左傳》書長狄之名。結語甚至說：「奉行王政」是「《春秋》經世先王之志也，是即神明聖王合於黃老之治也。」[102]

此外也有談《左傳》於尊王之外，特重君臣平等之義者：

> 春秋大意，非止尊王（如貳於虢、王叛王孫蘇，洪容齋以為君之於臣不當言貳與
> 畔，實則《左傳》書「畔」，著天王反覆之罪。足證尚世君臣平等非必尊王）[103]

這些論述看似老調重彈，但其中的確也有「函雅故通古今」、[104]「因乎時殊則思補往闕」[105]的精神，薛祥綏在〈學通〉一文曾提到「學問多方，其道大通」，而學通之方有四端：守正而不廢探奇，崇實而不廢虛，明古而可通今，述聞而可創說。[106]以劉師培的〈中庸說〉為例，藉由疏通《左傳》與《中庸》思想，將訓詁考據的漢學與追索心性的宋學結合在一起，正是具體落實《國故月刊》「體用兼備」與「崇實而不廢虛」的呼籲與宣言。以宋育仁〈《春秋》經世微〉而言，引《左傳》證《公羊》，復又將《春秋》大同境

---

100 劉師培：〈中庸說〉，《國故月刊》第4期（1919年），頁337-340。《左傳》引文與原文略有出入，詳見註85。

101 劉光漢：〈理學字義通釋〉，《國粹學報》第8、9期。

102 宋育仁：〈《春秋》經世微〉，《國故月刊》第3期（1919年），頁47-51。長狄僑如事見文公十一年。

103 俞士鎮：〈古學鉤沉申義〉，《國故月刊》第1期，頁30-31。

104 俞士鎮：〈古學今學術鉤通私議〉，《國故月刊》第1期（1919年3月），頁11

105 俞士鎮：〈古學鉤沉申義〉，《國故月刊》第1期，頁30。

106 《國故月刊》第2期（1919年），頁36-37。

界比附為黃老之治，凡此皆可視為《國粹學報》倡言會通，治經也治子、史
學風之承繼與擴大。

（2）會通古今：《左傳》是釋《春秋》諸傳之一

考證《左傳》的作者以及出世時間等論述，看似今古文爭的延續，事實
上，在《國故月刊》時期，與之對壘的已非《公羊》等今文學家，而是仰慕
西方科學的「新潮」知識份子，因此，《國故月刊》論《左傳》時，少了
《國粹學報》的義憤與鬥爭之氣，反而只是淡淡帶過，甚至有調和三傳的趨
勢，如論漢初即有《左傳》學，是《春秋》五家之一：

> 昔仲尼沒而微言絕，七十子喪而大義乖，故《春秋》分為五⋯⋯
> （注：韋昭曰：「《春秋》謂《左氏》、《公羊》、《穀梁》、《鄒氏》、夾
> 氏」）[107]

或於箋注《漢志》「太史令尹咸校術數」句時，引史載尹咸治《左傳》事，
以證《左傳》非劉歆偽造：

> （「太史令」），〈劉歆傳〉作「丞相史」，能治《左氏》，諫大夫尹更始
> 之子⋯⋯案：歆傳：「時丞相史尹咸以能言《左氏》，與歆共校經傳，
> 劉歆從咸及翟方進受質問大義。又案：尹咸，汝南人，嘗受《左
> 氏》、《穀梁》之學於其父更始。[108]

或重彈三傳同出於孔子之舊調：

> 三傳同出於孔子，《公》、《穀》二傳實同《左傳》之拾遺，故其義有
> 為《左傳》所有者，如五始之說⋯⋯有與《左傳》稍異者，如《左
> 傳》譏世爵而《公羊》則譏世卿⋯⋯《春秋》三傳其分歧始於漢初，
> 漢代以前同為說《春秋》之書，治《春秋》者或並治其書以同條共

---

107 許本裕：〈漢書藝文志箋〉，《國故月刊》第1期（1919年3月），頁153-154。同樣的文
　　字又見於薛祥綏：〈七略疏證〉，《國故月刊》第2期（1919年），頁267。
108 許本裕：〈漢書藝文志箋〉，《國故月刊》第1期，頁158。

貫，故子夏為《公》、《穀》之先師，而其言有與《左氏》同者，足證
子夏傳《春秋》未嘗與丘明立異；荀卿一身兼通三傳，足證三傳之學
同出一源。[109]

劉子政學主《穀梁》，頗述《左》義，先弗拒後，賓不淩主，通之至
也⋯⋯若有人焉，特立獨行，蠲除私學，觀其會通，不為偏論，是誠
豪傑之士也。[110]

但是在重申《左傳》非劉歆偽作時，並不詆排今文學，反而申論三傳解經是
「稍異而有所同」，所以漢代及其以前之學者多兼通之，強調於三傳當觀會
通或互為駁正——亦即要能有「弗拒」他學的精神，才能達到「通之至」的
境界。類似的論點又如：

李育之難《左氏》（《後漢書·李育傳》以為前世陳元、范升之徒更相非折而多引
圖讖不據理證，於是作難《左氏》義四十一事），服虔之駁何休（虔傳又以《左
傳》駁何休所駁漢事六十條），說尚駁正，古斯然矣⋯⋯異說蔓延，繁言固
陋，凡屬古籍，皆所難免，是則駁正舊說，辨發古義，後儒所當事
也。[111]

俞士鎮以漢時《左傳》的今古文爭為例，引伸說明不同學派之間實可互為證
發，並歸結「不為偏論而駁正舊說」，才是新時代的治學範式。前述宋育仁
〈《春秋》經世微〉引《左傳》證《公羊》，也是出於這樣的思維。

（3）六經皆典禮：徵史於《左傳》

承繼前述調和鼎鼐的精神，《國故月刊》也主張六經為「古之典禮」，甚
至諸子百家也是「禮教之支與流裔」。[112]而且在重申六經皆史時，往往以

---

109 薛祥綏：〈七略疏證〉，《國故月刊》第2-4期（1919年），頁268-269。
110 薛祥綏：〈學通〉，《國故月刊》第2期，頁38-39。
111 俞士鎮：〈古學鉤沉申義〉，《國故月刊》第1期，頁31-32。
112 陳鐘凡：〈諸子通誼〉，《國故月刊》第1-4期，頁179，又見於頁183。

《左氏》所載來論證《春秋》本質為史，亦為先王禮制之所寄：

> 傳稱韓宣子觀書魯太史，見易象與魯春秋。曰：「周禮盡在魯矣。」
> 賈景伯曰：「周禮盡在魯矣，史法最備。」故史記與周禮同名……許
> 叔重《五經異義‧左氏說》曰：「孔子作《春秋》，《春秋》者，禮
> 也。」然則《春秋》一經與史同名，亦與禮同名矣。[113]

> 《大戴禮》曰：「內史，大史左右手也。」（〈盛德〉篇）是左史、右史
> 即《周官》之內史、大史。《尚書》、《春秋》者，內史、大史所掌之
> 籍也……《春秋》為喪祭師旅遷國及會同朝覲之典；《尚書》者，敘
> 事策命制祿賞賜之籍，則《春秋》、《尚書》皆禮經之明證也。故觀於
> 大卜、大師、大司樂、大史、內史，皆宗伯之屬，則其所掌易、詩、
> 書、禮、樂、春秋皆先王之典禮，昭然若揭，奚待韓宣子適魯而後知
> 易象春秋之為周禮哉？（《左氏》昭二年傳）」[114]

> 六經昉於周公，則統名周禮。《左傳》引太史克曰：「昔者周公制周禮
> （文十八年傳）」即指其成六經而言（……《春秋》者，魯史記之名，孟子謂王
> 者之跡熄而詩亡，詩亡然後《春秋》作。願聞周公作《春秋》之說焉。曰：「吾聞諸杜
> 預矣，韓宣子所見易象與春秋，蓋周公之舊典禮經也，仲尼因策書成文而志其典禮，
> 上以遵周公之制，下以明將來之法，其發凡以言例，皆經國之常制，周公之垂法，史
> 書之舊章云云。是則《春秋》本周公舊典，仲尼從而修之者也。謂周公制六經，非臆
> 說矣。」）[115]

六經為先王禮書政典，而《左傳》確為釋《春秋》之傳，這些概念確立之
後，當然少不了引《左傳》論禮俗、訂古史傳說等論述。如論「古人婚冠之
年」，則引《左傳》「歲星為年紀，十二而一周天」，證「人君年十二可以

---

113 劉師培：〈中庸說〉，《國故月刊》第4期（1919年），頁337-338。
114 陳鐘凡：〈諸子通誼〉，《國故月刊》第1-4期，頁181。
115 陳鐘凡：〈諸子通誼〉，《國故月刊》第1-4期，頁182。

冠」。[116]甚至以《左傳》考訂古書記事、篇目、文字，如薛祥綏〈中國言語文字說略〉、劉師培〈禮經舊說考略〉、〈補文心雕龍隱書第冊篇〉、張煊〈求進步齋音論〉、馬敘倫〈列子偽書考〉、陳漢章〈楚通江淮證〉、陳慶麒〈毛詩傳序相應說〉、易培基〈孫子雜記〉、陳玉澍〈爾雅釋例〉、孫鏘鳴〈呂氏春秋高注補正〉……等多有引《左傳》作為論證之處，[117]朱駿聲更大量引《左傳》來疏證《尚書》文字。[118]又如王仁俊〈禮記篇目考〉引《左傳》考訂孔子以前之禮：

> 《春秋》定、哀以前，時人所引之禮，乃聖人未訂之禮也。其篇或曰「周制」或曰「禮經」，而目則不可考。如《左傳》隱七年「告終，稱嗣，繼好息民，謂之禮經。」注：「周公所制」。[119]僖二十五年[120]成風曰：「崇明祀，保小寡，周禮也。」文十八年史克曰：「周公制周禮曰：『則以觀德』。」昭二十三年，叔孫婼曰：「列國之卿，當小國之君，固周制也。」[121]

凡此治學範式實出於「六經皆史」的邏輯，也皆合於月刊揭櫫的「昌明中國固有之學術」、「躝除私學，觀其會通」等宗旨。

---

116 劉師培：〈禮經舊學考略〉，《國故月刊》第1-4期，頁97。「歲星為紀」事見《左傳》襄公二十八年：「春，無冰。梓慎曰：『歲在星紀，而淫於玄枵……』」楊伯峻注曰：「歲即歲星，亦即木星。木星公轉周期為十一又百分之八六年……中國古天文家初則以歲星紀年，而又以十二支配之，十二支又謂之太歲。」

117 分見《國故月刊》各期，薛祥綏〈中國言語文字說略〉（頁71-78）；劉師培〈禮經舊說考略〉（頁91-118）、〈補文心雕龍隱書第冊篇〉（頁513）、張煊〈求進步齋音論〉（頁125-152）、馬敘倫〈列子偽書考〉（頁211-222）、陳漢章〈楚通江淮證〉（頁257-266）、陳慶麒〈毛詩傳序相應說〉（頁309-312）、易培基〈孫子雜記〉（頁313-332）、陳玉澍〈爾雅釋例〉（頁397-424）、孫鏘鳴〈呂氏春秋高注補正〉（頁439-470）。

118 朱駿聲：〈尚書學〉，《國故月刊》第1-4期，頁374-377。

119 《左傳》談諸侯薨之赴告禮，原文作：「告終，稱嗣也，以繼好息民，謂之禮經。」杜預注：「此言凡例，乃周公所制禮經也。」

120 當為僖公二十二年。

121 王仁俊：〈禮記篇目考〉，《國故月刊》第1期（1919年3月），頁389。

（三）《學衡》的《左傳》論述

1 《學衡》創刊背景與宗旨

自五四運動以來，「全盤西化」的主張逐漸成了主流，「後五四新文化運動」隨之興起，對中國傳統文化「持全盤否定的態度」，[122]金耀基稱此為中國文化史的分水嶺：

> （五四新文化運動）所表現出來的卻是政治上的民族主義和文化上的反傳統主義，雖然沒有使中國傳統文化整個消失……在知識份子的心靈世界中一個有機的「整個」的傳統圖象卻崩解了。「中學為體」的「體」已經全面動搖，這個「體」在最好的情形下只成為「整理國故」下的一些知識（國學、漢學），再不是統攝人生和社會政治秩序的文化信仰體系；而「西學為用」的「用」則逐漸佔據了「體」的地位，「科學」與「民主」已不止是中國自強的「手段價值」，也是一種人生社會嚮往的「目的價值」了。[123]

也就是在文化趨勢推波之下，新文化運動健將握有符號資本（symbolic capital），具有定義認知領域和社會現實的符號權力（symbolic power），從而使得「『全盤西化』這個詞藻已經不再具有術語學（terminology）上的意義，而是充斥著意識形態的意蘊。」[124]《學衡》的創刊，正是與這種「已然成功」的意識形態抗爭的保守主義代表。

122　周陽山：〈五四與中國——論有關五四的研究趨向〉，收入周陽山主編：《五四與中國》（臺北市：時報文化出版公司，1990年），頁702。

123　金耀基：〈中國文化意識之變與反省五四與——從「五四」到「四五」的歷史轉折〉，收入周陽山主編：《五四與中國》，頁462-463。

124　顧昕：《中國啟蒙的歷史圖景：五四反思與當代中國的意識形態之爭》（香港：牛津大學出版社，1992年），頁136。

　　周策縱將五四新文化運動的時間定為一九一七至一九二一年，[125]《學衡》則創刊於一九二二年元月，此時，新文化運動已在政治、社會乃至學術、教育等各個方面形成「西方科學思想、實證主義」等文化語域，並使白話文成了基礎教育的通行語言，難怪胡適覺得《學衡》的反對根本無足輕重：

> 《學衡》的議論，大概是反對文學革命的尾聲了。我可以大膽的說，文學革命已過了討論的時期，反對黨已破產了。[126]

事實上，《學衡》也許激於白話文運動而起，但其宗旨與實際展現，卻不僅止於文學運動，今觀其品類，分為「插畫」、「通論」、「述學」、「文苑」、「雜綴」、「書評」等欄，即可見出有統括文化各面向的意圖。雜誌簡章標明宗旨曰：

> 昌明國粹，融化新知。[127]

> 於國學則主以切實之功夫，為精確之研究以見吾國文化有可與日月爭光之價值……於西學，則主博極群書，深窺底奧，然後明白辨析，審慎取擇。[128]

所以《學衡》除了昌明國粹之餘，其實也大量引介西方文化思想，如第一期「插畫」欄將蘇格拉底像與與孔子像並置，第二期的「插畫」欄則全為泰西名畫；　第一期的「述學」欄介紹「近今西洋史學之發展」，第二期則是「馬克斯學說及其批評」。由此可以看出《學衡》並非僅只於一本維護古文（相

125　周策縱著，鍾玲譯：〈《五四運動史》選譯・「五四運動」的定義〉，收入周陽山主編，《五四與中國》，頁17。周策縱書原名 *The May Fourth Movement: Intellectual Revolution in Modern China*, (Cambridge, Massachusetts: Harvard University Press, 1960)。

126　胡適：〈五十年來中國之文學〉，收入《胡適作品集》（臺北市：遠流出版公司，1986年），冊8，頁149。

127　〈雜誌簡章（一）宗旨〉，《學衡》第1期（1922年1月），頁3。

128　〈雜誌簡章（二）體裁及辦法〉，《學衡》第1期（1922年1月），頁3。

較於白話文的古文）或獨標國粹的刊物。

　　再由第一期首篇專論來看，論題為〈學者之精神〉，開頭幾句就點出了
《學衡》所處的時代背景：

> 吾國近今學術界，其最顯著之表徵，曰「渴慕新知」……然其趨向新
> 奇，或於新知之來，不加擇別。貿然信之，又或剽竊新知，未經同
> 化，即以問世，冀獲名利，其他弊端，時有所聞。[129]

隨後標出治學者當具有五種精神，前兩種意有所指的分別是「自信之精神」
與「自得之精神」。第二篇專論馬上就直接點名批判新文化運動與教育、哲
理、文學、美術等教育、文化領域的寖壞脫不了干係：

> 國人倡言改革，已數十年，始則以歐西之越我，僅在工商製造也。繼
> 則慕其政治法制，今且及其教育哲理文學美術矣。其輸進歐化之速，
> 似有足驚人者，然細考實際，則功效與速度是成反比例……故國人言
> 政治法制，垂二十年，而政治法制之不良自若；其言教育哲理文學美
> 術，號為「新文化運動」者，甫一啟齒，而弊端叢生，惡果立現……
> 夫言政治法制之失敗，盡人皆知，無待余之嘵嘵；獨所謂提倡「新文
> 化」者，猶以工於自飾，巧於語言奔走，頗為幼稺與流俗之人所趨
> 從，故特揭其假面，窮其真相，縷舉而條析之。[130]

《學衡》與《國粹學報》的處境有若干相似之點，一是皆有迎戰西學護守傳
統文化的使命感；二是為了表明非「死守文化化石」之流，故在昌明國粹的
同時又得引進西學；三是皆有鮮明的反對對象，《國粹》反對《公羊》學改
制、素王之說，也反對當時日本語言之「傾銷」中國；《學衡》則強力針對
新文化運動之否定自我文化，並反對以「文言」「白話」作為文學死亡與進
化之分。

---

129 劉伯明：〈學者之精神〉，《學衡》第1期（1922年1月），頁13。
130 梅光迪：〈評提倡新文化者〉，《學衡》第1期（1922年1月），頁17。

2 《學衡》的《左傳》論述

（1）修訂前賢之說：《左傳》華夷、民權思想再論

《國粹學報》以《春秋》黜夷之論鼓吹革命；到了《國故月刊》，華夷之論大量減少，所持觀點已由種族論進步到文化觀；[131]到了《學衡》時期，中西文化交流更深入更頻繁了，編撰者多具有海外留學經驗，則所謂「華夷」不但以文化之別視之，更有嘉許異族文化進步神速之意，如：

> 春秋之時，蠻夷戎狄雜處內地，各為風氣，與周之侯國人民迥然不同。

> 孔子修《春秋》，以國家文教之差，為諸夏夷狄之別……蓋當時所謂蠻夷戎狄，初非異種，特其禮教政術異於華夏，故廣別其種，發以示貶斥。至於交通既久，文化演進，則亦不復別之。

> 左史倚相之於史學……吳出太伯，固亦華裔，然至春秋，其民猶不知乘車及戰陣之術，待楚人敗之，始與諸夏交通……然自成公至襄公時，僅四十年而季札聘於魯請觀周樂於〈國風〉、〈雅〉、〈頌〉之精義，言之無或爽者，其進步之速，又可駭焉。[132]

此時「戎狄」這個語符，只是指不同種族的人民，不再是不可厭的豺狼，或不可化而需禁之、屏斥之之蠻，這個詞彙語意場裡的「動物、低等無學習力」等貶義已然趨於消失。

《學衡》與《國粹學報》所處環境最大的不同是政治制度，《國粹學報》為了推翻專制締造民主而大談《左傳》裡有民主、民權思想，到了《學衡》時代，已是實施民主的社會，這對《左傳》研究的民本論述有何影響？

---

131 宋育仁〈《春秋》經世微〉稱內諸夏外夷狄等華夷論述是「世界進化之序……世界由野而文，是進化之敘。」（《國故月刊》第3期（1919年），頁50。）

132 柳詒徵：〈中國文化史〉，《學衡》第51期（1926年3月），引文分見頁6985、6986、6988。

柳詒徵談周代文化即有重民思想時，引《左傳》師曠告晉悼公之言為證：

> 《左傳》襄公十四年，師曠曰：「天生民而立之君，使司牧之，勿使
> 失性……天之愛民甚矣，豈其使一人肆於民上，以從其淫，而棄天地
> 之性，必不然矣。」

然後總結曰：

> 總之吾國先哲立國要義，以民為主，其立等威、辨上下，亦以為民，
> 而非為帝王一人或少數武人、貴族縱欲肆虐而設，故雖未有民主立憲
> 之制度，而實有民治之精神，惟其制禮既密，施教亦久，故遇暴虐之
> 君如厲王者，人民雖知群起而逐之，而仍必委政權於國之大臣素負眾
> 望者，初無削除貴族悉以平民執政之意。[133]

柳詒徵指出《左傳》中有「以民為主」之立國精神，也直言其中仍未脫「貴
族執政」的體制設計，比起《國粹學報》直言由《左傳》可證春秋之時「政
由民議、君由民立」等言論，柳氏說法較為持平且合乎事實。比較特別的
是，《國粹學報》由《左傳》出發倡民主、民權思想，在初嘗民主制度二十
餘年後，《學衡》也從《左傳》回頭檢視這個制度的流弊：

> 貴民重民者，曰民權，曰民力，使以權相爭，以力相奪，而不以愛相
> 結，此亡國之道也……自民權之說昌，民皆欲得夫權而據之，然共之
> 則泛而無所屬，分之則亂而無所繫……上之視下如寇讎之後追也而狼
> 顧；下之視上如盜賊之先竊也而力奔，此上下交征之道也。上下交征
> 而其國可亡矣……下者曰：「自治之府，蓋民力之萃也；代議之士，
> 蓋民權之表也……」上者亦姑聽之，一旦有不慊於心，則從而扼其
> 吭，拊其背曰：「此非真民力、真民權也，未能操刀而使割者，必傷
> 其手……。」好言莠言，反覆口吻間，是上下交相詐之道也。[134]

---

133 同前註，頁6972。

134 林損：〈政理古微四：愛民〉，《學衡》第46期（1925年10月），頁6268。「操刀使割」典

文中並舉例若干，歸結到《左傳》的「愛民」思想，「愛民」才是治本之
道，蓋「權」可與亦可奪，「心之不愛，而徒言貴民重民，此不得其本者
也。」唯有「愛之極，無人我之界，無上下之別……我與眾民本一體也，一
體之權力，宜交相舉者矣。」[135] 這樣的論述模式，其實也合於《學衡》創
刊時懲於時勢之重技術講器用，慕西學者求速效，但「國人言政治法制，垂
二十年，而政治法制之不良自若」，林損認為此蓋因輕忽本體，則「工於自
飾，巧於語言」，再好的制度都會流弊叢生。

（2）立本論：《左傳》倫理人文等思想之闡發

　　《學衡》主張為學當切實辨析，不論國學、西學，都當「精確研究」、
「深窺底奧」，因此在討論《左傳》義理的部分，多已不再爭論其勝於
《公》、《穀》之處有若干，而是側重倫理辨析以及人文精神之闡發，尤其辨
析倫理的部分與《國故月刊》調和漢宋的路數頗為接近，如：

> 《春秋》之義在正名分，寓褒貶……（……孔子成《春秋》不能使後世無亂
> 臣賊子，而能使亂臣賊子不能全無所懼。自《春秋》大義昭著，人人有一《春秋》之
> 義在其胸中，皆知亂臣賊子人人得而誅之……），蓋《春秋》之義，亦至難
> 言，後世所執者，僅得其半，而尤嚴於亂臣，若以《左傳》凡例論，
> 則君臣相對，《春秋》未嘗不責無道之君（《左傳》宣公四年「凡弒君稱君，
> 君無道也；稱臣，臣之罪也。」……故傳例曰：「凡弒君稱君君無道；稱臣臣之罪。稱
> 君者，唯書君名，而稱國人以弒，眾之所共絕也。」）。[136]

這是以對君臣倫理的辨析，重新檢視「正名分」的底奧，意指在封建社會，
君臣雖有上下之別，但並不表示「在上者」就具有無限上綱的權威，由此推
衍，則社會倫理所賴以維繫的「名分」，只不過是作為某種身分的責任
（道），未盡責任（如「無道之君」）應受到當下的唾棄（「眾之所共絕」）與
史筆的責備（「稱君，君無道也」）。

　　出《左傳》襄公三十一年子產止子皮用尹何為邑。
135　同前註，分見頁6268、6269。
136　柳詒徵：〈中國文化史〉，《學衡》第51期，頁7018-7019。

　　除此之外，亦有考證名分親疏之別，以作為行事準則者，如林損引《左傳》「齊襄陰斃魯桓於車中，桓公之子弗能報也，國人譏之」[137]為例，談到倫理裡有關係相似而不能相為例的情形，如父子甥舅、父子君臣師弟、兄弟姊妹嫂叔之間，各有不可相例者，結果一類之中紛紛然，如申無宇分人為十等之說：

> 申無宇為之說曰：「天有十日，人有十等，下所以事上，上所以共神也。故王臣公，公臣大夫，大夫臣士，士臣皁，皁臣輿，輿臣隸，隸臣僚，僚臣僕，僕臣臺，馬有圉，牛有牧，以待百事。」[138]

這十等同為上下隸屬關係，但其相處之道卻不可相推移，以是倫理常道日愈趨於支離破瑣，而使得拘墟之士、附會之倫起，則欲正名更形不易。因此，林損認為不可以後起之名亂之，當「執其本則賅矣」：

> 夫道之有無，不可以上下男女言也，惟處之之有變。故在君為仁，在臣為忠……皆此道也，其所用心一也。分一道為七名者，權也。權所以適道，而非所以去道，而小儒鄙生之倫，必守其偏而遺其中，責其下而縱其上，彼豈尊其上歟？夫使上無道而尊之，彼誠何心也？尊之而歸以無道之名，賢者不屑受也。

很清楚地，「執其本」的「本」，指的就是「道」，而這裡的道，就是前引柳詒徵〈中國文化史〉意指的身分責任。身分或關係（名）可以有多般不同，但「其所用心」（道，盡責任）則一也。如此一來，在行事之際，就能權變適道，所以林氏接著以《左傳》等書之記事，申論「無道而尊之」不僅不是適道，反而會因「尊之而歸以無道之名」，如此則反是去道的行為了：

> 夫父母之於子女，慈多而恩勝，其過也恆毗於陽，一朝而反之，且猶

---

137 林損：〈倫理正名論〉，《學衡》第47期（1925年11月），頁6401。
138 同前註，頁6402。申無宇之說見《左傳》昭公七年。

　　有殷高宗、晉獻公、楚平王之事。[139]

當君不仁、父不慈，則為臣為子者亦必不能忠其上、孝其父，申生自縊，徒歸其父「無道」之名，如此一來，連己身之於孝道也有所虧。人世難免有「行不可以兼成，名不可以兩立」的兩難時候，比如雍姬面對丈夫雍糾欲弒其父祭仲，在子道與妻道之間為難，母親就為他做出權衡：

　　《左傳》載雍姬之問其母曰：「父與夫孰親？」其母曰：「人盡可夫也，父一而已胡可比也。」[140]

難怪林氏要長文大論「倫理正名」，且批判傳統夸夸談維繫「綱常道義者」，「僅以為卑弱者之桎梏，此不知權之患也。」因此「正名」的同時懂得「權變」，才能「捨其輕而就其重，補其短而截其長。」[141]

　　除了闡析倫理之「名」，林損也對執行倫理之道以及隨之而來的價值評判有深入的剖析：

　　夫仁之不可為懦，殷湯周文是也……懦之不可為仁，徐偃宋襄是也……不重傷，不禽二毛，不掩其為懦也……仁之中有懦，懦之中有仁；非懦不足以成其仁，非仁不足以流於懦……即以仁與懦言之，欲求其實，宜正其界。[142]

林損利用商湯、周文王及徐偃、宋襄等為例，辨析「仁」與「懦」這兩個相似行為的不同，除了辨別「仁」的本質與展現，主要更是用於說明治學當「分觀」又當「合觀」，才不會淪為「必欲執一端以求之」的偏者，或成為「盜其機為，出入於其間」的黠者，本篇論述充分展現治學解蔽辨惑的精神。

---

139 同前註，頁6412。「晉獻公」指殺太子申生事，見《左傳》僖公四年；「楚平王」指奪太子建之妻及使城父司馬殺太子建事，見《左傳》昭公十九、二十年。

140 林損：〈倫理正名論〉，《學衡》第49期，頁6684。雍姬事見《左傳》桓公十五年。

141 以上引文見林損：〈倫理正名論〉，《學衡》第47期，頁6412-6413。

142 林損：〈倫理正名論〉，《學衡》第48期，頁6532-6533。

除了上述義理的闡發，柳詒徵更提出《左傳》人文思想初萌的重要成就：

> 國家之興亡，影響於社會至鉅，愚者推求其故而不得，則歸之於運
> 數。而星象卜筮之術昌。觀《左氏傳》所載，多前知之言，如懿氏卜
> 妻敬仲，知其將育於姜（莊公二十二年）；畢萬筮仕於晉，決其子孫必復
> 其始（閔公元年）；虢公之奔，兆之童謠（僖公五年）；曹社之亡，始以妖
> 夢（哀公七年）；以及季友手文（閔公二年）；穀也豐下（文公元年）之類，
> 一人一家之休咎，均有若前定者，蓋其時之人。考索興衰之理，不盡
> 關於人事，故廣求之於術數，從而附會之也。然社會心理雖多迷信，
> 而賢哲之士，轉因之而知盡力於人事，如季梁、史囂、叔興、臧文
> 仲、子產諸人皆以人事為重，不以神怪之說為然。[143]

以上對《左傳》的闡釋，有延續前人風氣者，如談君臣平等，談民本、愛民
思想。亦基於《學衡》「治學求真」的宗旨之下，多方考索反思，以是所論
更深入；而且在發揚《左傳》「彼時」的文化精神的同時，也呈現了學者
「此時」的治學會通精神。

（3）觀會通與以《左傳》為史料

前一節提到《學衡》在創刊時提到不論國學、西學，治學當求博、深、
明，因此，雖然尚有零星討論今古文的文章，如張爾田〈與王靜安論治《公
羊》學書〉、〈與王靜安論治今文家學書〉，[144]孫德謙〈《左傳》漢初出張蒼
家說〉[145]等，但通常還是主張會通，以得廣博之功，「世亂方亟，撥亂反
正，莫尚於《春秋》，非兼通三傳，不足以治《春秋》之學。」[146]。追究其
內在脈絡，仍是與六經皆史的觀念有關：

> 自《隋書‧經籍志》經史子集四部之名既定，唐以後學者，不知經之

---

143 柳詒徵：〈中國文化史〉，《學衡》第51期，頁6982-6984。

144 《學衡》第23期（1923年11月），頁30。

145 《學衡》第30期（1924年6月），頁4151-4153。

146 柯劭忞：〈《春秋穀梁傳》序〉，《學衡》第64期（1928年7月），頁8918-8920。

原出出於史也久矣。夫古無所謂經也，史而已矣……《莊子》曰：
「《春秋》經世，先王之志。」吾謂孔子之志在經世，群經皆然，亦
豈僅《春秋》一經為然哉……章實齋先生長於史學者也，當乾嘉時，
說經之士莫不致功於聲音文字……至於支離破碎，博而寡要，失之繁
瑣……先生見風會所趨，舉世滔滔務為考據，而於六經之微言大義，
則不復推求……此六經皆古昔帝王之政典，尋章摘句甚無謂也。於是
一言蔽之曰：「六經皆史」。嗚呼！先生可謂能觀其會通矣。[147]

蓋以歷史的角度觀之，則三傳咸具史料價值，而互核考訂，正是比對史料以
求逼近真實的方法，如此乃能於博之外，又得其深切與明白。因此，在《學
衡》仍可見到大量引《左傳》證古學或訂古禮、古書的論述。最具代表性的
篇章就是柳詒徵〈中國文化史〉，尤其講論秦漢以前的文化，就常見到引述
《左傳》文字，如引《左傳》證唐虞政刑之簡、[148]春秋之時吾族即有
「華」稱、又名為「中國」；[149]言吾國水患非只一次，故治水著名者非只一
人；唐虞時天下分為九州，州之長一名「牧」；普通教育專重倫理；而當時
官吏，殆多由大臣舉用；十里為「成」；夏朝時禹卑宮室，而啟有鈞臺；有
遒人及樂正之官；[150]夏又曾發生羿浞之篡；周公憚殷民之思恢復，故時時
遷徙之分散之；[151]由《左傳》也可睹周之尚禮；以及春秋時期諸國併吞，
以其國地為縣；也可得知當時之郡縣官制及田賦兵制[152]……等。雖說是以
《左傳》為史料，其實也等於對《左傳》做了地理、曆日、政治制度、禮
制、歷史……等諸多面向的研究整理。

---

147 孫德謙：〈申章實齋六經皆史說〉，《學衡》第24期（1923年12月），頁3245。
148 柳詒徵：〈中國文化史〉，第46期，頁6313。
149 柳詒徵：〈中國文化史〉，第46期，分見頁6329（繆鳳林：〈中國民族西來辨〉第37
　　期，頁5025有同樣說法）；頁6325。
150 柳詒徵：〈中國文化史〉，第48期，分見頁6570；6578；6582；6585；6592；6594；
　　6596。
151 柳詒徵：〈中國文化史〉，第49期，分頁6719；6737。
152 同前註，第51期，分見頁6973-6975；6977；6977-6978；6979-6982。

三　結論

劉家和先生總結清代《左傳》研究之不足處有二，一為未能掌握《左傳》的時代精神，以及未能開發《左傳》思想文化方面的資源：

> 清人《左傳》研究的重要缺陷是對《左傳》所表現出的當時的時代精神缺乏理解。《左傳》中有鮮明的民本思想……對於《左傳》中有民本思想的部分，清廷所修官書一概予以淡化或批駁……在清代學者當中，對於《左傳》中的民本思想也很少有人敢於或能夠有所注意和發揮……如果概括來說，我以為，清代的《左傳》研究在文獻學和歷史學兩方面是很成功的，而在思想文化資源的開發上則很不理想。[153]

那麼，清末民初這些文化保守主義報刊對《左傳》的研究方向，恰恰補足了清代《左傳》研究所欠缺的這兩塊。

《左傳》的時代精神是什麼？劉先生提出了「民本」一端，事實上「夷夏之防」一般被認為是最主要的「春秋大義」，論者以為春秋時期華夷雜處，而華夏禮制崩壞，孔子懲於文化之消泯而有黜夷之論。故夷夏之辨也應當是《左傳》所表現出的時代精神。由本文第二節可以看出，《國粹學報》對《左傳》的闡發，主力就是在華夷之辨與民本思想，造成這種學術興趣或闡釋焦點的轉移的，正是時勢。如劉先生所言，清廷頗為全面地防堵《左傳》中民本思想的部分，這是時勢的壓制；而《國粹學報》之所以強化《左傳》中的黜夷與民本思想，是對清政府之反彈，這種物極必反的力道，也是時勢。時勢造經解，我們也可以由《國故月刊》看到這種明顯變化。《國故月刊》時期，清朝已被推翻，民主社會已然締造，知識份子所要面對的不再是專制帝王的好惡，而是社會風氣，或曰話語主導權的流動。此時持文化保守主義的士子所要面對的時勢，是「崇新貶舊」的社會輿論，以是《國故月

---

153 劉家和：《經學與思想》（臺北市：唐山出版社，2006年），頁323-327。

刊》裡華夷與民本論述較諸《國粹學報》大量減少，反而致力於國學之會通，有統合整體國學之「道」以抗衡西學之「術」的味道。而《學衡》則仿若為這一路的昌明國粹運動作反思與轉化，委婉地將《國粹學報》時期的華夷種族論，轉為文化論述；將《國粹學報》「以民本為民主民權」的衝刺拉回來，申論制度是末端，「愛民」才是根本，這樣的論點反而更貼近《左傳》的愛民、重民論述。

此外，就貫穿三份刊物的重要概念──六經皆史來看，也能窺得世變如何影響經學之闡釋。《國粹學報》談「六經皆史」，內在理路是今古文之爭，對康有為的神化孔子有極強的針對性；到了《國故月刊》時的「六經皆史」，又因迎擊崇新廢舊思潮，而刻意強調「禮制政典」，將六經皆史擴大為「六經皆先王之典禮」；再到《學衡》，為了抗衡「全盤西化」的時勢，而言治國學當求博與明，因之是以「觀會通」的精神混論經史乃至諸子。我們可以很明顯看到，一條「六經皆史」的內在脈絡，在時勢的衝擊之下，可以呈現出怎樣的不同焦點或變形。

張素卿研究清代漢學時，提到「以禮為解經的仲介環節」是清代漢學家的《左傳》學特色。而這種尚禮的經說取向，又與治經不忘致用的現實關懷有關：

> 回顧清代學從「古義」到「新疏」的整體脈絡，標榜信古以通經，而尤尊於「漢」，因此以述古為起點，勤於輯存賈、服等漢儒之舊說……。由於漢儒經說之中，多舊典古制之遺，清儒於是關注於考索相關的典章制度，從中抽繹出尚禮的經說取向。匡正杜、孔，逐漸集中於訓詁、地理、曆法以及典制等方面，尤其以「禮」為宗，強調「釋《春秋》必以周禮明之」……以禮為解經的仲介環節，尤具特色。尚禮的經說取向，其實關聯著清儒治經不忘致用的現實關懷。[154]

事實上，這段話拿來觀察清末民初這三份刊物的內在脈絡也是允當的。首

154　張素卿：《清代漢學與《左傳》學》（臺北市：里仁書局，2007年），頁330。

先，創辦報刊，本就具有改造現實的情懷，因此，不論是《國粹學報》、《國故月刊》或《學衡》，皆有不少談到「致用」的篇章，他們也的確將《左傳》用於不少論題上：訂文字、證歷史、說禮制、論治國、詮理學……。其次，《國粹學報》為了對康有為《新學偽經考》進行以子之矛攻子之盾策略，也特別關注漢儒經說，「勤於輯存賈、服等漢儒之舊說」，甚至更進一步企圖由先秦諸子中找到《左傳》經說；這到了《國故月刊》則變成以禮會通諸子的取向。

至於《學衡》，受到引介西方思想文化的影響，對經學的研究，已由有形之禮制，更近一層往倫理義理等哲學人文層面闡發，不再侷限於傳統經解的範式與範疇，正補足了劉先生所說的清代《左傳》學「在思想文化資源的開發上很不理想」的缺憾。

從本研究可以看出，經學的闡釋的確會受到時勢世變的激揚而有大幅度的波瀾，浪頭如果夠大，甚至可以反過來改變世局，而這正是傳統知識份子引以為使命的經解「力場」；不過，我們同時也看到經學闡釋如何受到期待視野所局限而有了偏側，乃至為「己用」而解經，經淪為第二義，成了工具，如此一來，經學本身的主體性反而消失，這算是經學的開拓或歧路？這又是另一個論題了。

北平「明經學會」講著
《春秋正議證釋》初探

馮曉庭

國立嘉義大學中國文學系副教授

一　前言

　　清代末葉以降，由於西方學術思想追隨著軍事以及經濟力量的腳步不斷東傳，致使中國地區的知識份子必須毫無選擇地明瞭並接受，除了中國傳統學術之外，寰宇之中還存在著同樣足以擔當富國強兵、群眾教育、德性修養法式規範的學說與思維方向。西方學術思潮的確實存在與傳佈，不僅為中國的實質發展指引出不同於舊經驗的可能性，同時也提供中國的知識份子有別於歷史傳統的智識追尋理路；從歷史的實際進程來看，姑且不論東傳的西方學術思想相對於中國傳統學問是否能夠以「新」做為狀態表述的概念，也不論對中國的整體發展產生的影響若何，不同於傳統的文化關照與智識思維，確實改變了中國知識份子的價值觀，並且促成針對傳統學術而發的反省或者檢視風潮。身處如是風潮之內的中國知識份子，或者全盤接受西方思想，或者中西兼采，或者經過審慎省察之後而仍舊信守固有學術，所謂的「國學派」或「國粹派」的形成、以宣揚孔子（551-479 B.C.）或儒家思想為創建宗旨的「孔教會」、因為闡發經部典籍功能而樹立的「讀經學會」，就是知識份子堅持中國固有學術思想仍然具備相當現代價值、足以引領中國持續發展概念的具體表現。

　　在眾多支持或信守傳統學術的組織之中，包括了一個成立於北平、名為

「明經學會」的機構。由於文獻史料不足,「明經學會」成立的確切時間以及創會宗旨,今日已經無從考得,現下可以肯定的,是該會活動於北平地區、由民國初年為北洋軍閥奉系首領的吳佩孚（1874-1939）擔任會長、曾經刊印發行《春秋》學作品《春秋正議證釋》一書。

　　《春秋正議證釋》於中華民國二十八年（己卯,1939）暮春由北平文華齋刻書處刊印發行,全書四卷、五百九十頁、三十二萬二千一百五十二字,為「明經學會」說解詮釋《春秋》以及《左傳》的專著。《春秋正議證釋》是「明經學會」會員的集體創作,綜合全書內容以及會員倪寶麟（-1939-）於書前的敘述,可以知道全書至少蒐羅了七個學者的意見,分別是:

　　其一,會長吳佩孚,名號「智玄」,其說解意見以「師承本義」、「師承正義」、「本解故事」、「本解時用」、「本解新義」、「本解時義」、「智玄餘義」做為標識。「師承本義」與「師承正義」在性質上並無二致,為吳佩孚因循師說針對《春秋》與《左傳》進行的講述與發揮;「本解故事」僅僅在吳佩孚對於《左傳》「《經》前《傳》」的解說中出現過一次,吳佩孚因為《傳》文對魯惠公妻室以「孟子」、「聲子」、「仲子」為稱,所以認定「吾國女人稱子者,因本傳之義」[1],就此看來,所謂「故事」,指的應該是流傳已久的舊習典故,而「本解故事」,應該是對於舊習典故源流的釐清追尋;「本解時用」、「本解新義」、「本解時義」三者的說解方向相同,為吳佩孚伸展《春秋》經文與《左傳》傳文現代意義以及實質作用的環節,然而出現的次數並不多;「智玄餘義」所載錄的是吳佩孚針對《春秋》經文、《左傳》傳文、師說、前人經解的提出的贊否意見或者闡析發揮,較前述諸項更能整體且詳實地體現吳佩孚的對於《春秋》或《左傳》要義的觀點,也是全書最為緊要的部分。

　　其二,副會長江朝宗（-1939-）,名號「慧濟」,其說解意見以「慧濟餘義」做為標識。

---

1 吳佩孚等著:《春秋正議證釋》（北平市:北平文華齋刻書處己卯〔中華民國二十八年,1939〕暮春刊本,1939年）。本書徵引的《春秋正議證釋》原文,全數依此為準,以下僅標卷、頁,不再重複紀錄版本。

其三，會員王錦渠（-1939-），名號「悟真」，其說解意見以「悟真贊義」（又做「悟真贊注」）做為標識。

其四，會員田步蟾（-1939-），名號「性直」，其說解意見以「性直附解」做為標識。

其五，會員沈抱淑（-1939-），名號「大靜」，其說解意見以「大靜附解」做為標識。

其六，會員曹靜波（-1939-），名號「太溶」，其說解意見以「太溶附解」做為標識。

其七，「太義淺釋」，由於不見於倪寶麟紀錄之中，同時書中也沒有任何註明，所以僅能依照全書慣例推知應該是名號為「太義」的「明經學會」會員所述，無法確知究竟出於何人之手。

至於參與本書校刊工作的，則有會員蘇熊昭（-1939-）、名號「明光」，會員倪寶麟、名號「真明」、會員李泰棻（-1939-）、名號「陽原」等三人。

《春秋正議證釋》基本上以吳佩孚以及江朝宗二人的解說為全書主幹，上述七人的解說詮釋，以吳佩孚講述的「師承本義」、「師承正義」與「智玄餘義」篇幅最鉅，為全書最重要環節，只要《春秋》經文與《左傳》傳文有所書記，「師承本義」、「師承正義」與「智玄餘義」必定有所評述論釋，絕無遺漏；而出自副會長江朝宗的「慧濟餘義」，則與「智玄餘義」相同，對於《春秋》與《左傳》的載述必有詮說，同時絕大多數編排於吳佩孚的「智玄餘義」之後；至於王錦渠的「悟真贊義」，田、沈、曹三人的「附解」以及「太義淺釋」，出現的頻率則較為低緩。除了上述七項可以確定作者的說解之外，書中也常常出現以「時評」圍標識的意見，與環繞《春秋》經文以及《左傳》傳文的說解不同，「時評」一項所敘述的，是對於各會員經說的簡略評斷，由於沒有特別註明，而且評論涵蓋了所有會員的意見，所以無法考知為何人所作。

事實上，從經說的篇幅鉅細與出現頻率的高低等外在因素著手，固然可以體察到吳佩孚的見解確實是《春秋正議證釋》成書的重心，而各會員的詮釋幾乎是吳佩孚意見的延伸，同時論說之中每每可見針對「智玄餘義」而發

的稱頌讚許，也從內在理路突顯出吳佩孚主導「明經學會」研讀《春秋》或者《左傳》的絕對性格。筆者以為，如是的絕對性格，似乎說明瞭《春秋正議證釋》一書應該是「明經學會」會員集體講述研讀《春秋》以及《左傳》的實況記錄。

除了「明經學會」會員關於《春秋》經文以及《左傳》傳文的解釋申說之外，還徵引了若干前人的經說，事實上，這些前人的經說對於「明經學會」會員的觀點並沒有明顯或直接的影響，在性質上通常是聊備一說，只是吳佩孚偶而會對這些說法提出臧否。同時，「明經學會」會員並且針對經文與傳文進行白話疏釋，也就是一般俗稱的白話翻譯，由此似乎也可以看出「明經學會」推廣讀經或者經學研究的目標性格。

雖然《春秋正議證釋》僅僅疏解《春秋》「魯隱公」的部分，對於經書的字辭的意義或者讀音也未加著墨，但是分析全書，卻能夠清晰地體察到「明經學會」會員對於《春秋》與《三傳》關係的看法、說解《春秋》以及《左傳》的特色，同時也可以發現「明經學會」會員的思想特性及對於經學現代化與實用化的觀點，以下便就此數點進行論述。

二　《春秋正議證釋》對於《春秋》與《三傳》關係的看法

孔子因魯史而作《春秋》，隨後學者各有創述，解說紛陳，自漢代以來，《公羊傳》、《穀梁傳》、《左傳》三家逐次成為學者研讀以及瞭解《春秋》經的最重要依據，由於基本立場有所不同、所執行的詮釋路線也不一致，導致《三傳》之間存在著重大的隔閡與歧異，而這些根本性的差異，不但造成「《春秋》學」研究者固執地墨守家法或是惶惶無所適從，甚或更隱沒了蘊藏於《春秋》之中的義理。因此，無論所信守的家數為何，歷來對於《春秋》經進行系統研究的學者幾乎都會論及《春秋》與《三傳》的關係，而針對這個一向為「《春秋》學」研究者重視的命題，《春秋正議證釋》如是論述道：

> 邱明立《傳》，闡發《春秋》之義，以其與宣聖同時，故所記較確，
> 或預啟要旨，或踵明大義，一本宣尼筆削微意。至其當時所諱，語焉
> 不詳，寓意於言外者，公（公羊氏）、穀（穀梁氏）乃得以再傳弟子
> 發其餘蘊。要皆闡明麟經、顯揚至道，使人治準諸天秩，而弗紊於
> 世，以立吾大夏經常於無窮者也。（卷1，頁2下，「師承本義」）

分析上述言論，可以發現，「明經學會」會員認為：

其一，由於作者左邱明（？-？）與孔子「同時」，曾經親受孔子教論，
因此《左傳》傳文所載所述較為正確，而無論是旨趣的申說或者是義理的闡
發，也與孔子的筆削原意較為貼近。

其二，與孔子作因魯史作《春秋》相仿，左邱明作《左傳》，礙於時代
的現實因素，對於某些史事無法直言不諱，必須有所隱避，公羊氏、穀梁氏
身為孔子的再傳弟子，由於所處時代稍晚，因此能夠發揚隱藏於《春秋》經
文中、《左傳》所未曾詳述的「言外之意」。

其三，大體而言，《左傳》、《公羊傳》、《穀梁傳》著成傳世的最終目
的，都在於詮釋闡明《春秋》經、宏顯孔子的筆削大義，致令人君的施為政
務能夠取法於上天所垂示的典彝而無踰矩紊亂，並且為華夏民族樹立經常不
易的典型。

顯然，對於《三傳》的高下或重要性，吳佩孚等人已經懷抱著先決認
識，認為《左傳》不但在史事上的記載詳實可信，相較於《公羊傳》、《穀梁
傳》的「發其餘蘊」，對於《春秋》義理的闡發，左邱明的撰作更具備性格
全面而且正確性高的特質。從這個視角加以推衍，《左傳》優於《公》、
《穀》，似乎是《春秋正議證釋》對於《春秋》與《三傳》關係的第一個觀
點。

另一方面，儘管「明經學會」會員認定《三傳》之中以《左傳》為優，
但是從「要皆闡明麟經、顯揚至道，使人治準諸天秩，而弗紊於世，以立吾
大夏經常於無窮者也」等言論中，學者仍然可以體察到《春秋正議證釋》肯
定《公羊傳》與《穀梁傳》在《春秋》詮釋學上確有貢獻的思維，因此，吳

佩孚等人又說道：

> 不意後世俗儒，各本所受，互相標攻，鄭、王、賈、蔡、胡、何之
> 徒，尚所不免，況於其他？顧學術之興，不爭不明，如數子之執距，
> 固甚可嗤！其獨標真解，補偏拾遺，實皆有裨於聖經一端，無可厚非
> 矣……（卷 1，頁 2 下-3 上，「師承本義」）

很明顯地，「明經學會」會員認為：

其一，《三傳》的撰作與傳世，對於《春秋》義理的發揚原本各有助
益，然而後世學者卻各本所承、固執師說家法，因而黨同伐異、相互攻訐、
彼此論難，即使如鄭玄、王肅、賈逵、蔡邕、胡母生、何修等大儒，也同樣
無法脫離這個窠臼。

其二，在學術發展的進程中，理念不同的學派之間相互論辯，致使學問
的脈絡越發清晰，是相當正常的狀態，鄭、王、賈、何等學者各是所宗、堅
持己見的行為固然可笑，但是各人標舉確實可信的疏解、修補擷拾師說家法
的偏失闕遺，都是有助於「聖經」的正面表現，就此而言，學者信守家法師
說，應該是無可厚非的。

《三傳》成書並傳世以來，由漢至唐中葉，研習《春秋》的學者大多專
守一家；自唐代中葉啖助、趙匡以後，學者又大多主張直探《春秋》經，不
拘守舊說，雖然並未盡廢《三傳》，《三傳》的地位卻因而降低；清代漢學復
興，古學先盛，《左傳》於是再受學者重視，隨後今學昌明，《公羊傳》、《穀
梁傳》又受推崇；在《春秋》學發展史之中，似乎鮮少有學者或學派與《春
秋正議證釋》一般，在追求《春秋》大義的過程中抱持著既專守一家、又試
圖擷取他家長處的態度。筆者以為，如是的寬容認識，不但說明瞭「明經學
會」會員研習《春秋》學「大旨則以《左氏》為主，重親炙也，餘《傳》為
輔，備諸義也」（卷1，頁3上，「師承本義」）基本觀點的由來，似乎也說明
瞭「明經學會」諸會員的確能夠摒除門戶之見、擺脫傳統的束縛，試圖追求
全面圓融而且合理經說的基本態度。

除了開宗明義地道出《左傳》優於《公》、《穀》，治《春秋》宗《左

傳》而兼蓄《公》、《穀》之長之外,「明經學會」會員在申說《春秋》與《左傳》的書記之際,也表現出如是的信念:

> 隱公元年夏四月
>
> 《經》無書。
>
> 《左傳》:夏,四月,費伯率師城郎。不書,非公命也。(《左傳‧隱公元年》,卷 2,頁 15 上) [2]

魯隱公元年四月,魯大夫費伯率領魯師在郎地築城。關於這項史事,《春秋》、《公羊傳》、《穀梁傳》並未加以記載,《左傳》則有書錄,左邱明認為,孔子之所以未書其事,是因為「城郎」的行動是出自費伯的自我意念,並非奉魯隱公的敕命。

對於《左傳》獨書「費伯率師城郎」一節,《春秋正議證釋》認為:

> 按費伯城郎一役,舊史不書,……當日城郎之舉,或別有隱情,不見公命,故史不書於策,而《經》亦因之。……《經》、史無書,《公》、《穀》亦無書,而《左氏傳》獨書者,何也?則是有微意焉。丘明得侍孔子,故《傳》皆依《經》而作,惟其據前後事實,而見費伯之城郎,絕非無為而為……安知非稟承聖訓,而特為補書於《傳》者,仍云非公命不書,以存舊史之真,而補書於《傳》。(卷 1,頁 37 上-37 下,「大靜附解」)

分析以上意見,可以發現,「明經學會」會員認為:

其一,費伯城郎的史事是絕對存在的,由於其事暗藏機隱,所以魯隱公未曾明命費伯,因為魯國國君未曾明頒敕令,所以魯國舊史與《春秋》也就不予書記。

2　舊題〔周〕左丘明著,〔晉〕杜預(222-284)集解,〔唐〕孔穎達(574-648)正義:《左傳》(臺北縣:藝文印書館,1985年12月影印清仁宗嘉慶二十年(1815)江西南昌府學刊《十三經注疏》本)。本書徵引的《左傳》原文,全數依此為準,以下僅標卷、頁,不再重複紀錄版本。

其二，左邱明身受孔子教諭，衛師命撰作《左傳》，按理說應該是「《傳》皆依《經》而作」——《傳》文均依附《經》文而發。然而城郎一事，《春秋》無書，《左傳》卻有記載，二者之間之所以存在歧異，是因為左邱明因據相關史策，考察前後史事，得知費伯「率師城郎」的行為，並定不是「無為而為」，毫無由來，因此，左邱明很有可能是受到孔子的指示，於《左傳》之中以「費伯率師城郎，不書，非公命也」為書，以彌補《春秋》因魯史不載而有所遺漏的闕失，並且保存魯國舊史記的原貌。

事實上，《左傳》有錄而《春秋》無書的現象，在左邱明的撰著中所見多有，是不是每個類似的情況都具有如是的理由，已經是很難論定，同時，魯史、《春秋》、《公羊傳》、《穀梁傳》均不書城郎一事，《左傳》的記錄是否正確無誤，也是值得深入思量的環節，因此，吳佩孚等人所作的設想是不是能夠契合真相，的確必須詳加評估。然而，處於如是的先決障礙之下，《春秋正議證釋》仍舊全力彌縫《左傳》與《春秋》的歧異、汲汲於《左傳》載錄合理化的做法，相當清晰地突顯出「明經學會」會員認為《左傳》的書錄絕對符合孔子筆削大義，絕對優於《公》、《穀》的先決性信仰態度。

三　《春秋正議證釋》說解《春秋》與《左傳》的特點

《春秋正議證釋》說解《春秋》經文或《左傳》傳文，除了針對經文與傳文進行白話翻譯之外，全然著重於經書大義的發揮，而在「明經學會」會員針對經文或傳文所進行的大義闡釋中，可以歸納出兩項較為顯著的特色，以下便一一敘述。

（一）以己身認識加強申說《春秋》與《左傳》

1 隱公元年秋七月

《經》：秋，七月，天王使宰咺來歸惠公仲子之賵。（《左傳·隱公元

年》，卷 2，頁 10 下）

《左傳》：秋，七月，天王使宰咺來歸惠公仲子之賵。緩，且子氏未薨，故名。……贈死不及屍，弔生不及哀，豫凶事，非禮也。（《左傳·隱公元年》，卷 2，頁 21 上 -24 下）

杜預《集解》：咺贈死不及屍，弔生不及哀，豫凶事，故貶而名之。

（《左傳·隱公元年》，卷 2，頁 10 下）

　　魯隱西元年七月，周平王派遣宰臣咺赴魯國饋送魯惠公與魯夫人仲子的喪儀，《春秋》以「秋，七月，天王使宰咺來歸惠公仲子之賵」為書。左邱明認為：由於魯惠公早已安葬，而魯夫人仲子尚未去世，所以宰咺的行為是「贈死不及屍」──在逝者安葬之後方才饋送喪儀、「弔生不及哀」──喪家已經成喪止哭方才前來弔慰、「豫凶事」──提前致送生人喪儀，行為失禮，孔子因此直書其名，以「宰咺」為記，表示譏刺之義。

　　「明經學會」會員篤信《春秋》與《左傳》，對於當中載錄，自是尊崇不疑。然而周平王遣使「歸惠公仲子之賵」這段史事，不但牽涉到「聲子」與「仲子」孰為魯惠公夫人、魯隱公以及魯桓公孰為魯惠公嫡嗣、周天子的饋送是否合理的問題，同時也牽涉到周平王饋送喪儀在時間上是否合乎禮制的問題，在《春秋》以及《左傳》的敘述都不足以解除疑惑的狀態之下，《春秋正議證釋》於是有所表述申說。

　　對於周平王「歸仲子之賵」是否合理，也就是「聲子」、「仲子」究竟孰為魯惠公夫人這項問題，《春秋正議證釋》如是說道：

……長嫡歿，而以德、以次立娣為繼室，而不容越次者，別嫌疑、防爭亂，名義之末教，所以障流俗，而非古帝上聖道德之盛也。魯惠西元妃孟子卒，繼室應立者，為孟子娣聲子，雖生隱公，而仲子適以手文天命來歸惠公，則此乃以道（古謂天命，……苟有此等道端，則一切禮制名義，皆所不論）、以德（自軒轅顓頊，各以五德遞嬗而王，後遂各以所感生之帝為受德受姓之始）為繼室夫人者也，而又生桓公之男子，當立貴之地位。在此春秋初時，所尚如此，而前後嫡庶之名

義，未足以勝天命明德之昭示。故惠公儷以仲子為夫人，隱公亦確以
桓公為太子，當日不但魯之君臣，即王朝與諸侯，亦皆曉然於此事，
而無疑議者也。故當惠公既薨、仲子病危之際，天王以為其夫婦皆
歿，而遂並賵之耳。（卷 1，頁 54 下-55 上，「師承正義」）

剖析上述文字，可以發現，吳佩孚等人以為：

其一，所謂元妃嫡妻逝世，則應該依據嫡妻娣媵的長幼排行立繼室、不
可僭越的規範，僅只是為了杜絕疑惑與紛爭，可以說「名義之末教」——正
名份概念下的現象，並非古先聖王的純美大道，而古先聖王的純美大道，便
是一切形式與天命氣運相契合；所謂「前後」、「嫡庶」的規範，是不能與天
命的指示相提並論的。

其二，魯惠公以聲子為繼室，聲子雖然生魯隱公，但是在性質上屬於
「名義之末教」。仲子因手文為魯惠公夫人，是天命德性的主導，因此，雖
然聲子已經立為繼室，並且生魯隱公，但是仲子仍然應該依照天命、取代聲
子為魯惠公夫人，而魯桓公也毫無疑問的應該為魯惠公嫡嗣。

其三，仲子既然因天命而為魯惠公夫人、無由抹滅，所以當時不但是魯
國君臣，即便是周王朝與各諸侯國，應該都通曉此事而毫無疑議。既然天下
皆知仲子為魯惠公夫人，那麼在魯惠公已逝、仲子病危之際，周平王「以為
其夫婦皆歿」，因而遣使一並賵送喪儀，應該是合理而無可非議的。

「天王使宰咺來歸惠公仲子之賵」一事，《春秋》的記載僅止於周平王
派遣宰咺赴魯國致贈魯惠公以及仲子的喪儀一事，而《左傳》則針對《春
秋》書法略加敘述，點明《春秋》經文中所蘊藏褒貶深義，至於周天子饋送
仲子喪儀是否合理、仲子地位若何、周平王致贈魯惠公以及夫人喪儀的最初
意念等《春秋》學研究者可能提出的命題，均無所顧及；然而，在檢讀了
《春秋正議證釋》的說法之後，學者應該可以發現，「明經學會」會員以己
身的認識，為仲子必定為魯惠公夫人、周天子饋送喪儀合乎體制、周平王致
贈喪儀的心理狀態，作了充分的詮釋，儘管所推演的不見得合乎歷史真相，
但是從內在層次而言，卻可以說是條理分明而合乎道理。筆者以為，如是的

表現，除了說明「明經學會」會員努力探尋完美整體解說的治經基本態度之外，同時也證明瞭吳佩孚等人的確具備以己身認釋加強申說《春秋》與《左傳》的概念與行為。

對於天王之贈，《左傳》以「緩」以及「豫凶事」為由，認定《春秋》稱「宰咺」隱含譏貶之意，對於《左傳》的說法，吳佩孚等人除了全盤接受之外，並且推衍了之所以會出現「緩」以及「豫凶事」等狀態的原因：

> ……當惠公初薨時，魯之卿士大夫者，有主張立隱者，有覬覦非分者，幸隱公獨排眾議，獨斷專行，尊仲子為夫人，立桓公為太子，決意實行，遣使如周，赴報一切，難免不耽延時日，其緩一也。洛京距魯約千餘里，中隔曹、宋、杞、陳、鄭等國，彼時郵電路政，均未發達，加以途中陰晴變化，天時不常，亦未免耽延時日，其緩二也。及魯使入周，報告詳情，便中與王朝卿士談及仲子因夫死子幼，焦灼萬狀，當臨行時，病在垂危，現在存否，尚難預卜；周王聞之惻然，……因命宰咺贈惠公賵，並備仲子之賵，……然此時喪期過否，實難揣測，其緩三也。周王命賵仲子，其意謂仲子果卒，免勞往返，仲子仍在，原賵帶回；乃宰咺至魯，明知仲子未薨，竟貿貿然一併賵之，是辱命瀆職，故左氏斥以「豫凶事，非禮也」。（卷1，頁56下-57下，「智玄餘義」）

顯然，對於周天子之賵之所以晚至，《春秋正議證釋》有獨到的見解，認為：

其一，魯惠公謝世之初，卿士大夫或主張立魯隱公，或抱持非分之想，魯國政局動盪，魯隱公力排眾議，尊仲子為魯惠公夫人、立魯桓公為太子、而自身居攝。至局勢底定，方才遣使赴周稟報天子，折衝服眾之間，時日難免有所延緩。

其二，魯國與雒邑相距千里，其間相隔曹、宋、杞、陳、鄭諸國，當時通訊以及交通均不發達，再加上「天時不常」，路途之上難免因天候變化而有所阻隔，奔波勞頓之間，時日難免有所延緩。

其三，魯使抵達雒邑，詳報魯國現況，言及仲子因「夫死子幼」而病在
垂危，生死難卜，周天子「聞之惻然」，因此「命宰咺贈惠公賵」，同時「備
仲子之賵」，然而由於種種時間上的遷延，魯惠公是否已然入葬，實在難以
確知，周平王之賵當然有可能緩至。

此外，對於周天子派遣宰咺「歸惠公仲子之賵」的心理狀態，《春秋正
議證釋》認為：由於魯使以仲子病重垂危相告，周平王於是命宰咺備妥魯惠
公以及仲子的喪儀，其原意是倘若仲子果然謝世，那麼宰咺便將二人之賵一
併交予魯國，以免往返的勞苦，而倘使仲子仍在人世，那麼宰咺便將仲子之
賵攜歸雒邑。不料宰咺至魯，「明知仲子未薨」，仍舊貿然地將二人之賵一併
交予魯國，這是「辱命瀆職」的行為，所以《左傳》以「豫凶事，非禮也」
為辭，譏刺宰咺。

事實上，魯惠公謝世之後，魯國的政治局勢是否真的有所波動，因此拖
延了魯使赴周告喪的時間；魯國與雒邑之間的千里路途、天候陰晴，是否的
確對於魯使的行程造成影響，因此延遲了魯使赴周告喪的時日；而仲子是否
真的因為夫死子幼而憂心病危，魯使是否的確於周王廷之上陳述仲子的狀
況，促使周平王命宰咺備仲子之賵；種種狀態，都是無從確知考據的問題。
倘若經過仔細思量考覈，學者應該能夠同意，《春秋正議證釋》所敘述的狀
態，包含了太多想當然耳以及自我認知的理想狀態。也就是說，「明經學
會」會員的自身意識主導了經書詮釋的路向。客觀地說，吳佩孚等人的說
法，確實有推論過當的缺失，然而從學說的自我圓融性來看，《春秋正議證
釋》為「天王使宰咺來歸惠公仲子之賵」一節所設想推衍的說解，不但為
《春秋》經所載錄的歷史事件描繪了一個理路清晰而且合宜的理想狀態，同
時也突顯出「明經學會」會員以自身認識加強申說《春秋》與《左傳》的基
本態度。

2 隱公元年冬十月

《經》無書。

《左傳》：新作南門，不書，亦非公命也。（《左傳‧隱公元年》，卷2，頁28下）

魯隱公元年十一月，魯國新修築國都的南城門，《左傳》認為，由於修築南門並非出自魯隱公的命令，所以《春秋》不予書記。

對於魯國修築南門而《春秋》不書一事，《春秋正議證釋》如是闡述道：

> 此節無甚要義，似不必論。但城門有因年久失修，破壞不堪，須重新修築，以資堅固者；有因地方日漸發達，人民日臻繁盛，舊門妨礙交通，將其加寬加大，或於舊門而外另開新門者；果係如是，何妨以公命行之。而《傳》云「非公命」者，蓋南門因有宋師，曾遭蹂躪，今魯宋新結，遽令修城，恐宋滋疑；或因豫與鄭盟，而魯隱即存渝盟之心，但恐宋覺師來，難資抵禦，故密令司空，特修南城之門，以為異日軍事上之準備也。（卷1，頁86下，未標何人說）

分析上述言論，可以知道，「明經學會」會員認為：

其一，之所以新修城門，可能是因為舊城門「年久失修，破壞不堪」，必須重新修築，或者是因為人口滋蕃，舊城門不敷交通所需，必須擴建或者另築新門；而無論是年久失修或者是不敷使用，由魯隱公敕令修築，可以說名正言順，並無不妥。

其二，《春秋》不書魯國新修「南門」，有可能是因為魯惠公晚年曾與宋國軍隊於黃交兵，南門因而遭到毀壞，魯隱公即位，與宋國修好，魯、宋初結盟，魯國便修築南門，為了不使起疑，所以魯隱公並未明令，而魯國史書也因此不書，《春秋》依魯史而作，因此也不見載錄。

其三，《春秋》不書魯國新修「南門」，也有可能是因為魯隱公預備與鄭國結盟、準備毀棄與宋國的盟約，為了避免宋國察覺而招致兵災、難以預防，所以魯隱公密令司空營造「南門」，由於並未明令，所以史書不載，《春秋》也因此不書。

魯國修築「南門」，《春秋》無書而《左傳》有所載錄，由於史料文獻闕如，兩者之間的差異到底是不是蘊藏著某項深層意義，今日已經無從考定。然而，《春秋正議證釋》以《左傳》「非公命」的說法為基礎，依據自身的認知，確定倘若「南門」是為了破舊或者不敷使用而修，那麼魯隱公必定會明令修築，而魯隱公既然未有明令，則「南門」的修建必定有特殊意義。在認定「南門」修築必定包含著特殊意義之後，吳佩孚等人又綜合前後史事，斷定魯隱公之所以未明令修造「南門」，均與魯國與宋國的盟約有關。事實上，魯惠公敗宋師於宋邑「黃」，魯國「南門」是否遭到宋師破壞，並無歷史事實可資考據，魯隱公是否惠因為盟證而毀棄與宋國的盟約，也是猜測的成分較為濃厚，《春秋正議證釋》的說法，很有可能是因為宋國位於魯國南方。在經過上述的檢覈之後，學者應該能夠同意，吳佩孚等人的說法的確充滿了自我意識，也充滿了過分推論的闕失，筆者以為，雖然所言所述的可信度值得檢討，但是如是強烈的自我意識，卻充分地表現出「明經學會」會員以己身認識加強申說《春秋》以及《左傳》的基本詮釋性格。

（二）以謀略戰術觀點解析《春秋》與《左傳》的記載

1 隱公元年冬十二月

《經》：冬，十有二月，祭伯來。（《左傳・隱公元年》，卷 2，頁 12 上）

《左傳》：十二月，祭伯來，非王命也。（《左傳・隱公元年》，卷 2，頁 26 下）

魯隱公元年十二月，祭伯來魯國，《春秋》以「冬，十有二月，祭伯來」為書，《左傳》因為祭伯赴魯並非奉周天子之命，所以以「十二月，祭伯來，非王命也」為書。

歷來學者討論祭伯赴魯一事，完全著重於祭伯乃周天子卿士、王畿內諸侯，赴魯為不當這項命題上，對於祭伯赴魯的動機與目的，均不曾論及，

《春秋正議證釋》異於前修，對祭伯赴魯一事詳加剖析道：

> 祭伯此行，豈漫無其故哉？諸儒謂私交，誠然，而就不明其私之安在，交之從何也。祭伯之來，既非聘、又非朝，亦非為己以私交於魯也，蓋實陰受鄭指，而潛為周試探耳。周室東遷，晉、鄭是依，故晉、鄭親王，而王之親戚世族，亦間仕於晉、鄭，晉之魏氏、鄭之祭仲皆是。鄭莊於斯時，尤極力親周及毛、虢諸王臣，欲以行其尊上令下之霸國。翼盟之後，深知魯隱之憾有所未釋，邾子之請，魯豫之行，雖間其外，而實未察其內。衛交未絕、宋成新結，甚恐海岱之間，有大不利於鄭也。然狐壤以來，格不相協，既未便於通問，更無所行其媒介，乃因祭、魯之舊好，遂藉以施其覘視之計，儻可入以辭說，未始不可使魯絕宋而親己。（卷 1，頁 88 下-89 上，「師承正義」）

根據以上的文字，可以知道，《春秋正議證釋》認為，祭伯之所以赴魯，既非行聘問之禮、亦非行朝覲之禮、更不是為了自身的私交，是基於受了鄭國（鄭莊公）的請託，而鄭莊公之所以有託於祭伯，是因為：

其一，周王室東遷之後，晉、鄭兩國為周天子所倚賴，兩國與周王室關係親密，而周天子的親屬卿士，也有若干「仕於晉、鄭」，晉國的魏氏、鄭國的祭仲，便是其中之一。鄭莊公在當時更是極力與周王室以及毛公、虢公等天子卿士親近交通，想藉此「尊上令下」，成為諸侯之霸主。

其二，然而，鄭莊公深知魯隱公對於魯國公子豫私自與邾人、鄭人結盟於翼之事耿耿於懷，而邾子請兵同伐衛、魯公子豫私往，雖然致使魯、衛二國表面上產生嫌隙，但實際情況如何，仍然難以掌握；而且當時魯國與衛國交好不絕，又與宋國新締盟約，鄭莊公更深恐東方諸國不利於鄭，有害於鄭國霸主地位的建立。然而自從魯隱公為公子之際與鄭師交戰於狐壤以來，鄭、魯兩國隔閡而無所往來，鄭莊公「既未便於通問，更無所行其媒介」，所以因著「祭、魯之舊好」，託請祭伯赴魯，試圖藉此開通與魯國交涉的管道，而使魯隱公背宋國而親於鄭國。

祭伯赴魯，究竟所為何事，由於史料不足，實在無從考知，而歷來學者

至多也僅僅是依照《左傳》「非王命」的記載認定祭伯赴魯是為「私交」，
《春秋正議證釋》認為祭伯赴魯是「陰受鄭指」的想法，大抵上應該是出自
己身對於前後史事的觀察以及推測，一家之言，基本上不足深信。然而，在
這項說法之中，鄭莊公藉親善周王室、交好天子卿士試圖成為諸侯霸主的基
本心理，藉祭伯行使權謀、爭取外交奧援的折衝手段，魯隱公由於種種因素
對於鄭國而心存芥蒂，都被富饒趣味地表現出來。筆者以為，儘管《春秋正
議證釋》的敘述在沒有相關文獻的佐證之下顯得不可深信，但是如是的推
斷，除了突顯吳佩孚等人極力申說《春秋》與《左傳》的基本態度之外，更
明顯地展現出「明經學會」會員以謀略戰術的角度檢釋歷史人物的行為以及
《春秋》、《左傳》文字的特有性格，而或許這樣的特殊性格與吳佩孚的軍旅
經歷有著密不可分的關係。

2 隱公九年夏

　　《經》：夏，城郎。(《左傳‧隱公九年》，卷 4，頁 14 上)

　　《左傳》：夏，城郎，書不時也。(《左傳‧隱公九年》，卷 4，頁 14
　　上)

　　魯隱公九年夏季，魯國在郎地築城，《春秋》以「夏，城郎」為記，而
《左傳》則認為《春秋》之所以載錄此事，是因為「城郎」的時間不正確，
公家勞役，應該於農閒時節。

　　依據《左傳》的記載，可以知道《春秋》之所以書記「城郎」一事，是
為了表現魯隱公徵用民力不合乎規範，對於這樣的說法，《春秋正議證釋》
並無異議，而在這項概念之外，又加以申說道：

　　　郎為魯西方鎖鑰，戎夷間其左，齊、宋倚其右；杞、向之屬，固常附
　　　庸於宋，而邾、莒之輩，情每暱近於齊。魯隱雖應鄭與齊，而為之伐
　　　宋，唯恐我出彼入，伐虢而亡虞也；應之，寔懼左右之侵；不應，又
　　　必招鄭、齊之兵。與其受大國之師，不如固圉集力，預以為防，或且

可以支撐一時也。……（卷4，頁21下-22上，「師承正義」）

很明顯地，對於《左傳》認為《春秋》書錄魯隱公「城郎」以為譏貶的詮釋重心，《春秋正議證釋》並未全力遵守，而是從魯國的國際處境切入：

其一，「郎」為魯國西陲的軍事重鎮，戎夷居於其左側，而齊、宋二國緊鄰其右端；當間的小國如杞、向則為宋國附庸，而邾、莒則親附於齊國。魯國位處其間，可以說是孤立無援。

其二，魯隱公雖應承鄭國與齊國的邀盟，出師與二國共同伐宋，但是卻深懷「我出彼入」、唇亡齒寒的疑懼。應承鄭、齊的邀盟，則有遭受戎狄與宋、杞、向左右交攻的顧慮；而不應承鄭、齊的邀盟，則有招來二國軍隊侵伐的顧慮。

其三，基於種種考量，魯隱公於是於「郎」修墻築城，集中防衛力量，事先作預防，期盼能夠於事端滋生之際支撐抵擋一時。

在閱讀了《春秋正議證釋》的意見之後，學者應該都能同意，雖然《左傳》抱持著極度尊崇的態度，但是在針對《春秋》書「城郎」一節上，兩者關懷的角度顯然有所不同。《春秋正議證釋》以魯國的國際處境剖析魯隱公必須於農忙之際徵用民力、築城於郎，雖然從歷史實證的角度來看顯得說服力薄弱，但是從問題關懷的角度入手，卻可以發現「明經學會」會員所側重的，是全體國民的生命保障與國家安全等命題，在如是的命題之下，軍事的部署或者防禦工事，於是乎顯得重要而且絕對有必要關注。筆者以為，就思想的層次來說，《春秋》或《左傳》突顯魯隱公「城郎」使民不以時的闕失，固然顯得大義凜然，而《春秋正議證釋》從國家安全與軍事需要的角度解析「城郎」的急迫性，似乎也可以提供研究者若干思考空間。另一方面，《春秋正議證釋》的詮釋路線，除了證明吳佩孚等人在解釋《春秋》或者《左傳》之際的確懷抱著謀略戰術的觀察意識之外，也說明瞭經書的確具備能夠接受各種思考以及闡釋視角、足以因應背景各自不同的詮釋者發揮自身認識的寬容基本性格。

四　《春秋正議證釋》對於通經致用概念的闡發

由於文獻不足,「明經學會」的創建宗旨,今日以無從得知,然從《春秋正議證釋》書中所錄「本會救世,宜自入汙池」(卷 1,頁 93 上)一語,可以知道「明經學會」成立的目的,絕對不僅止於讀經講經的理論宣揚,應該還包括了與時代結合、通經致用的實踐部分。既然宗旨包含了通經致用時代意義,「明經學會」會員在講學之際,當然會針對此項議題有所敘述,所以,「明經學會」會長吳佩孚就在解釋《左傳》「書前傳」的文字中如是說道:

> 明經所以致用救時,今日滄海倒流,不畏天、不脩德,名教掃地,而上下、內外、嫡庶之義盡弛,男女夫婦之間,輕合輕離,人道日窳,故世劫方滋。夫婦者,乃嫡庶、上下、內外之始教,而始配者,又為夫婦陰教陽教之緣起,得則皆得,失則皆失,天演之所汰,民族之競存,胥根乎斯,《春秋左傳》之大經大法始此,貴能引而申之於時俗,以救其敝焉。(卷 1,頁 5 上,「本解時用」)

吳佩孚之所以出此言論,是因為在解說《左傳》「經前傳」之際,認識到由於魯惠公沒有確認「仲子」與「聲子」孰為夫人、「魯隱公」與「魯桓公」孰為嫡子,魯國於是從此存在著嫡庶不分、上下失序、內外失據(內外指的是夷夏的區別,「明經學會」會員認為,魯隱公因為地位不穩固,所以在即位的第二年便與戎君盟會於潛,混亂華夷之別)的混亂狀態,醞釀日久,終於造成魯隱公遭弒的慘痛事蹟,而《左傳》以此段記載做為全書啟始,其中正蘊藏著深義夫婦為人倫之始、夫婦諧和則萬事順當的深義。基於這樣的認識,吳佩孚等人認為寔正夫婦的倫理,便可以拯救嫡庶上下內外紊亂的狀態,更認定物種民族國家之間競爭的勝利與否,全都取決於夫婦之倫是否正當順暢,而研讀經書,最為主要的目的便是致用救時,因此,研治《春秋》與《左傳》,最為緊要的就是將這個概念推廣於世,致令夫婦之倫正當順

暢，夫婦之倫順當，萬事萬物的秩序也將因而調理和諧。

　　「夫婦者，乃嫡庶、上下、內外之始教」固然正確不誤，而《左傳》是否真如吳佩孚所說以「經前傳」突顯夫婦之倫的重要性，其中的正確性則應該再加以深入思考。筆者以為，從經說正確與否的角度來看，《春秋正議證釋》說法雖然不見得經得起考驗，然而，吳佩孚所標舉「明經所以致用救時」、經書所載之大經大法「貴能引而申之於時俗」的見解與用心，不但顯顯出「明經學會」會員的確具備著通經致用的時代性格與思想，同時也確實地道出研讀經書、研習經學最為遠大的目的。

　　除了瞭解釋「經前傳」之際開宗明義地道出通經致用的原則之外，「明經學會」會員在解說《春秋》與《左傳》的其他記載時，也會以經書義理與現實事件相比附，試圖尋得適當的解決方式。

1 隱公元年冬

　　《經》：公子益師卒。（《左傳‧隱公元年》，卷 2，頁 12 下）

　　《左傳》：眾父卒，公不與小斂，故不書日。（《左傳‧隱公元年》，卷 2，頁 26 下）

　　魯隱公元年冬季，魯國公子益師（眾父）謝世，《春秋》以「公子益師卒」為書。《左傳》認為，《春秋》之所以不書益師的忌日，是因為魯隱公沒有參加「小斂」，所以以「眾父卒，公不與小斂，故不書日」為書。

　　《春秋正議證釋》在對於《春秋》與《左傳》的記載有所申述之後，緊接著提出自身的意見道：

　　《中庸》云：「敬大臣，則不眩；親親，則諸父昆弟不怨，大臣兼親。」其益師之謂乎？魯隱之於其生也，宜親之以德，使作股肱；於其卒也，宜優之以禮，施及後嗣。如此，則一族感恩，他族化之。……隱公無此遠慮，於益師之卒，似露幸心，故不與小斂，其他族觀感所及，能無離心離德乎？……夫以王侯之尊，得罪宗族，尚難

免失位喪身之巨禍。……苟開罪於民族，將何以立國乎？尚冀以魯隱
為殷鑑，特於民族中之元勳元老，尊崇而優異之；其去世者，撫其後
嗣，賢者官之，不肖者食之。如此則中華民族根本既固，何憂乎歐
風？何恤乎美雨？何畏乎赤狄島夷？……（卷 1，頁 97 上-98 下，
「悟真贊注」）

綜合上述的意見，可以知道，《春秋正議證釋》以為：

其一，魯隱公對於公子益師，在生時應該「親之以德」，以之為公室輔
弼；至其謝世，則應該依禮優渥相待，並施德澤於其後世；如此則益師一族
感佩魯隱公恩德，而其他公卿世族則受其感化。魯隱公於公子益師在世時，
不能與之親善，待到益師謝世之後，更存著幸災樂禍的心理，不參與小斂，
不但與益師一族產生嫌隙，更使其他公卿世族「離心離德」，終於導致遭弒
身死、喪權失位。

其二，魯隱公開罪於公卿世族，終於導致殞命失位，而開罪於民族全
體，更難以存立於家國之中。主政者應當見微知著，以魯隱公與公子益師的
事蹟為借鏡，對於有功於民族的「元勳元老」，存世者則加以崇敬優遇，至
於已經謝世者，其後人賢而有能，則任以官職，其後人不賢無才，則予以安
養照撫。如此，則人人感恩於懷，而中華民族的根本穩固；民族的根本既然
穩固，那麼就不必竟日憂心於西風凜冽、列強侵淩。

在閱讀了《春秋正議證釋》的意見之後，學者應該可以發現，吳佩孚等
人的看法相當淺顯，指涉的範圍也頗為狹隘，雖然關乎全民族的教育感化，
而實際上僅限於主政者與元勳元老相互對待的層面。這則見解，應該是對於
當時主政者的諫言，而其中是不是與吳佩孚的境遇有關、存在著吳佩孚的個
人立場，則頗為耐人尋味。筆者以為，雖然「明經學會」會員的意見淺顯易
懂，但確實出自於《春秋》與《左傳》所載史事以及其中大義的激發，可以
說是通經致用、以經術指引時代事物發展的典型。

2 隱公二年春

《經》：二年，春，公會戎於潛。（《左傳‧隱公二年》，卷 2，頁 27
上）

《左傳》：二年，春，公會戎於潛，脩惠公之好也。戎請盟，公辭。
（《左傳‧隱公二年》，卷 2，頁 29 下）

魯隱公二年春季，魯隱公與戎君會盟於潛，《春秋》以「二年，春，公
會戎於潛」為書。《左傳》追記其事，記載較詳，以「二年，春，公會戎於
潛，脩惠公之好也。戎請盟，公辭」為書。

《春秋正議證釋》認為：魯隱西元年發生了「紀人伐夷」[3]一事，夷人
與華夏諸國產生衝突、兵戎相接，為了防範未然，魯隱公於是與戎君相會於
潛，確定舊有的友好關係，並試圖「以戎制夷」。基於上述的看法，《春秋正
議證釋》於是進一步敘述道：

> 隱公之意，不過以去秋未得志於夷，今春尚可修好於戎，失東隅，收
> 桑榆，將來以戎制夷，未始非兵略上應有之計劃也。詎知晉通吳上
> 國，用以制楚，楚衰而晉亦不競；宋通金海外，用以制遼，遼亡而宋
> 亦受制；……中日戰後，墨斯科條約，何非以俄制日？而庚子匪亂，
> 東省竟陷於俄；日俄戰罷，營口條約，何非以日制俄？而辛未邊釁，
> 東省竟歸日領。是《春秋》書「會戎」，不僅為當時警，且為後世防
> 也。……故今日有欲以夷制夷者，須以此為鑑，信勿徒恃外好而虛內
> 務，再蹈危機也。（卷 1，頁 105 上-106 上，「智玄餘義」）

根據以上的論述，可以得知：姑且不論華夏與夷狄相會是否存在錯誤，也不
論魯隱公心存機謀而不修仁德是否有為正義，吳佩孚等人對於魯隱公「以戎
制夷」的做法，基本上並不贊同。而延續著這個觀點，《春秋正議證釋》綜
合歷來「聯外制敵」或「以夷制夷」的實例，證明這項做法將會牽制自身的

3　《左傳‧隱公元年》：「紀人伐夷，夷不告，故不書。」（《左傳》，卷2，頁24下）。

毀滅，根本是行不通的。當然，對於歷史的觀察人人皆能，但是，為某項史
識或史觀尋得能夠依據的源頭，則非人人可達。筆者以為，魯隱公是不是真
的試圖「以戎制夷」，雖然難以論斷，但是「明經學會」會員經由歷史發展
的脈絡而尋得「以夷制夷」非上策、善修「內務」方為可行之道的意識，卻
是因為《春秋》與《左傳》載錄的啟發。由此可見，「明經學會」研讀經
書、治理經學，必然包含著通經致用、以經書大義指導時事發展的實踐環
節。

五　結論

　　在大略敘述《春秋正議證釋》的特色之後，筆者以為，「明經學會」會
員在本書之中所表現出的獨特性，或許可以提供學者些許研治《春秋》或者
探索一九四九年以前中國地區經學研究概況的思考路徑：

　　其一，在面對《三傳》的態度方面，雖然「明經學會」會員以及《春秋
正議證釋》以《春秋》經文與《左傳》傳文為絕對的遵循標準，但是對於
《公羊傳》以及《穀梁傳》，又抱持著絕對有裨益於《春秋》與《左傳》的
態度。除此之外，吳佩孚等人更認為《春秋》與《左傳》基於時代因素，在
記載上總是會有些許隱諱，而《公羊傳》與《穀梁傳》因為時代較晚，能夠
擺脫現實因素，因此能夠清晰地闡明孔子的微言大義。這種認為《三傳》均
善、皆有可取的態度，在以家法師法為尊的《春秋》學發展史上是相當少見
的。筆者以為，倘若是一己之見，或者是隨意議論，解釋者的態度若何，當
然無足重視，但是從「明經學會」會員人人認識一致，同時《春秋正議證
釋》之中確實包含著可取的經說、並非隨意放言的現實狀態來看，《三傳》
皆善、均有可取的態度似乎說明瞭拋棄家法師法的門戶限制、在廣大的史料
中探尋最合乎「文本」原義解說的新詮釋概念，在當時似乎正在形成之中。

　　其二，對於《春秋》或者《左傳》所載史實的箇中深義，「明經學會」
會員總是會以自身認識詳加申述。在史料文獻不足以證明孰是孰非的狀況之
下，相對於流傳千百年的前人舊說，《春秋正議證釋》的說法顯然一時難以

取信於人。然而，從經說的內在理路以及圓融性來看，吳佩孚等人為《春秋》以及《左傳》所載史是所進行的申述，雖然充滿個人的理想性格，事實上卻可以說是首尾相貫、理路協調，並且絕對具有說服力，是對於「文本」的絕佳詮釋。《春秋正議證釋》針對《春秋》與《左傳》所進行的講說解釋，從研究者以及經學研究的整體環境來看，代表了學術環境的自由開放以及學者拋棄「舊典範」的學術特色；而從經書本身來看，無論做成的時代是先是後、撰作的學者具備何種先決屬性，只要是能夠自圓其說、自成體系，幾乎都能夠給予做為「文本」的經書完善的解說，這樣的全面符合性，基本上展現出經書本身的寬容性。筆者以為，就是因為這樣的寬容性，經書的流傳與經學研究方才能夠源源不絕，持續地符合時代需要，使任何時代的學者都能夠創造出具有時代性的「現代詮釋」，成為在任何時代都具備「現代性」意義的學科。

　　其三，《春秋正議證釋》治《春秋》的一大特色，便是通經致用、試圖以經書義理指導時代事物的發展。當然，這樣的行為，一直是來經學研究者的期盼，也是經學研究最終目標與意義所在，並非「明經學會」會員首創；然而，吳佩孚等人將《春秋》與《左傳》的記載義理或原則化，成為足以指導當代行事的參考，的確是表現不凡。但是，從歷史現實層面來看，在變動微小的古代社會之中，持續不變的「最高原則」或者「典範」，或許能夠通行久遠，而在變動劇烈的現代社會之中，標準不斷地改易，「舊典範」或者「舊原則」是否有持續存在的空間，又以何種方式存在，不得不令人質疑。筆者以為，為「舊典範」探尋新生命或者新生存空間固然必須嘗試，而倘若以錯誤的方式強硬地扭轉更易經書的基本性格使之符合己用，不單會使「舊典範」因為變質而失去生存空間，即便是研究者自以為是的「時代性詮釋」，也會變得毫無意義。

　　　　——原載《先秦兩漢學術》第 10 期（2008 年 9 月），頁四一～六〇

《左傳微》裡的「微詞眇旨」

蔡妙真

國立中興大學中國文學系副教授

一　《左傳微》及其作者

　　《左傳微》作者吳闓生（1877-1949）出身桐城古文大家，其父吳汝綸（1840-1904）曾協辦過洋務，本身治學也強調致用，故主持蓮池書院時，刻意促進書院中外文化交流的風氣，除了招收外國留學生，也常與來訪外籍學者晤談，據吳闓生回憶：「先君喜接納外國人及歐美名師，上下議論……英美人林樂知、李提摩太之屬，皆慕交先君……日本人之在中國者，無論道路遠近，必踵門求謁，丐書詩文通，款洽為榮。」[1]。吳汝綸晚年曾赴日考察，也曾為嚴復（1854-1921）翻譯的《計學》（《原富論》）、《天演論》作序，對亞當·斯密（Adam Smith, 1723-1790）的經濟理論與達爾文進化論頗有涉獵。在這樣的家學淵源底下，吳闓生兼受中西學術，並不令人意外。一九〇一年，吳闓生依父命留學日本，一年後思欲返鄉應科舉考試，反而被科舉出身的吳汝綸以書信攔下：

> 汝若久在日本學一專門之學……當較科舉為可喜……理財、外交，尤吾國急務，或擇執一業，汝自酌之，學成一門，便足自立也。[2]

1　吳闓生：〈先府君事略〉，收入〔清〕吳汝綸著，施培毅、徐壽凱校點：《吳汝綸全集·附錄一·傳狀》（合肥市：黃山書社，2002年，初版），頁1159。

2　〔清〕吳汝綸：〈尺牘·諭兒書〉，收入《吳汝綸全集》，卷3，頁599。

以是兼有中西教育薰陶的吳闓生除了有《左傳微》、《周易大義》、《尚書大義》、《詩義會通》、《古文範》、《吉金文錄》等傳統學術著作,也曾任度支部財政處總辦、教育部次長、國務院參議、奉天萃升書院教授、北京古學院文學研究員等。

　　《左傳微》屬評點之作,評點之興與舉業息息相關,[3]桐城派本身就是評點大宗,光是吳汝綸一人之評點,就有九十九種。[4]吳闓生腳跨新舊兩世代,身受傳統與外洋教育,早年為科舉習業,卻在及冠之後,被父親勸阻科考之路,囑以關注理財、外交等實務之學,整個治學方向乃至人生規劃有大轉彎。《左傳微·例言》明言此書初稿完成於宣統初元年,故往前推估,該書規模粗具的時間,大約與吳闓生留日時期相前後。[5]因之,本文好奇的是,在世局變動的影響下,這本《左傳》的評點之作,有無異乎其他「時文範本」的評點?在父親致用與鼓吹西學的叮嚀聲中,《左傳微》對《左傳》的闡解是否別有新意?

　　首先是體例,《左傳微》並非選文之作,如方苞《左傳義法》及王崑繩《左傳評》者;吳闓生甚至認為選文是「撓亂次第」,以致「華離枂析,終不獲覩其全」,[6]所論又「無當於大旨」,是「務細而遺大」[7]的不可取作法;

3　桐城派曾國藩認為評點風氣大盛乃至施之古書,實仿科場「勾股點句之例」參見〈經史百家簡編序〉,《曾文正公全集·文集》(臺北市:文海出版社,1974年,初版),頁19;「制義家之治古文,往往取左氏、司馬遷、班固、韓愈之書,繩以舉業之法,為之點,為之圈圍以賞異⋯⋯為之評注以顯之⋯⋯」(〈謝子湘文集序〉,《曾文正公全集·文集》,頁13)。

4　詳參劉聲木:《桐城文學撰述考》(臺北市:臺灣商務印書館,1962年,初版)。

5　吳闓生赴日留學是在一九〇一年,根據《左傳微》曾序,該書係出版於一九二三年;但宣統元年(1906)十月吳闓生〈與李右周進士論《左傳》書〉已提到「粗有所見,為兄陳之」,而所提的意見,皆具體呈現在《左傳微》的評點與編排之中。詳參蔡妙真:〈未許經典向黃昏——《左傳微》評點的時代特色〉,《興大中文學報》第27期(2010年6月),頁235。

6　吳闓生:〈與李右周進士論《左傳》書〉,《左傳微》,收入林慶彰主編:《民國時期經學叢書》(臺中市:文听閣圖書公司,2008年),第二輯,冊40-41,頁5。

7　曾克端:《左傳微·序》,頁2。

該書亦未據自晉杜預以來的分傳依經版本，如馮李驊《左繡》者，他甚至指斥經生「割截文本，以散入於經」[8]乃至為之申明書法、釋例等，都是「支離牽附」，[9]出於尊經卻反導致《左氏》不傳《春秋》之疑；[10]故其體例依馬驌《左傳事緯》之體「而稍加更定，馬氏以事為主，今以文為主」，依文之本末完具作考量，將「歷二千年」為了附經而「割裂不完」的《左傳》「移易次第，分別聯綴」，[11]共得文一百八篇，分為十二卷。至於評點的內容，依吳闓生門生曾克端（1900-1975）序所稱，《左傳微》一書之作乃為了彰顯《左傳》「玄微之旨」；[12]吳闓生「例言」第一則也揭明「此編專以發明《左氏》微言為主，故名《左傳微》」。[13]

　　這就有討論的空間了，究竟吳闓生對《左傳》本質的看法如何？如說視之為經，或解經之作，卻又任意移易次第，且刻意屏除《春秋》的「干擾」，令《左傳》復獨立成書，這樣的作法與傳統「尊經」的敬謹態度頗見違背；如說視之為「史」，卻又認為強調其編年之體者，是把《左傳》看成了「記簿」，「寧能勸人觀覽，興其勸懲哉」？[14]也認為馬驌《左傳事緯》太重史事，造成《左傳》文本有舛謬失次之處，故要「以文為主」；如說是視《左傳》為「文」，卻又屢屢強調要發掘左氏闡釋孔子「聖門之學」裡的「微言眇旨」。因此，究竟吳闓生對《左傳》抱持怎樣的態度？他如何界定《左傳》的本質？他是否也曾想於其中找到父親叮嚀的「國家急務」之解藥？他以此書傳授弟子時，是否如當時《國粹》學人般的，企圖為傳統發聲，或處理中學西學的爭勝？[15]要釐清這些疑惑，細細探看吳闓生如何品析

8　吳闓生：〈與李右周進士論《左傳》書〉，頁5。

9　曾克端：《左傳微・序》，頁2。

10　吳闓生：〈與李右周進士論《左傳》書〉，頁5。

11　以上引文分見吳闓生，〈例言九則〉，《左傳微》，頁19-20。

12　曾客端：《左傳微・序》，頁3。

13　吳闓生：《左傳微・例言九則》，頁19。

14　曾克端：《左傳微・序》，頁3。

15　詳參蔡妙真：〈溫故而知新？——《國粹學報》裡的《春秋》論述〉，《興大中文學報》第22期（2008年6月），頁177-204；蔡妙真：〈世變與經學——《國粹學報》、《國

《左傳》文本，並於其中抉出何等「微旨」，就變成「直接找證據」的不二法門，「序」或「例言」等等言論，都可看成某種「宣示」，而「宣示」畢竟帶有理想或揄揚成分，真正落實時，或有來自作者本身都尚未察覺的參差。

二　《左傳微》裡的「微言眇旨」

　　吳闓生在《左傳微・例言》第一則提到：「聖門之學，有微言有大義，《左傳》一書於大義之外，微言眇旨尤多。此編專以發明《左氏》微言為主。」[16]可見得吳闓生是認同《左傳》解經功能的，只是它解經的模式「異於《公》、《穀》」，[17]蓋《左傳》對聖門大道的承繼，是「寄意於幽微，託趣於綿邈」的，所以必得由文本結構中「抉摘搜剔」，甚至有時必須玩味其「隱其意於語言之表者。」[18]因而也就不宜「割截文本，以散入於經」。吳闓生認為割截文本會造成經生不能首尾俱全地讀完《左傳》篇章，以致諸般注解易流於「臆測盲斷，壞亂失真」。[19]故讀《左傳》必得「以文為本」，務求「每事自為一篇」。[20]可以看出，吳闓生這樣的思維仍然不脫桐城派「義法」的概念。

　　深究吳闓生之所抉微者，乃人物行事的幽隱心思，故《左傳微》篇目多以「人事」為題，如〈鄭共叔段之亂〉、〈晉惠之入〉……等，且篇目之下附注對人物品德、行事的評騭。[21]吳闓生認為同樣以人事統領史事，《左傳》之體仍是高於《史記》的紀傳體，他稱揚《左傳》「局勢雄遠」，能於個人行

　　故月刊》及《學衡》裡的《左傳》論述〉，「變動時代的經學和經學家（1912-1949）第三次學術研討會」（臺北市：中央研究院中國文哲研究所，2008年7月）。

16 吳闓生：《左傳微・例言》，頁19。
17 曾克端：《左傳微・序》，頁3。
18 吳闓生：〈與李右周進士論《左傳》書〉，頁14。
19 曾克端：《左傳微・序》，頁1。
20 吳闓生：《左傳微・例言九則》，頁20。
21 詳參蔡妙真：〈未許經典向黃昏——《左傳微》評點的時代特色〉，《興大中文學報》第27期（2010年6月），頁237。

事中「綜挈列國時勢」,「而二百餘年天子、諸侯盛衰得失,具見其中,芒粒無漏失。」[22]而司馬遷「立為紀傳,但記一人一事,而(《左傳》)此體,夐絕不可復見。」[23]

綜合以上分析,吳闓生是將「微言」視為一種表現手法,而不是有別於「大義」的「眇旨」存在。「眇旨」只是「深淵奧美」的「大義」,由於忌時、憤世而出之以深曲或「正言若反」的表達方式罷了。《左傳微》裡的品評多隨著個別人物的事件而發,故有瑣碎之處,本文目的係探討《左傳微》抉發的《左傳》微言眇旨為何,故只舉其如何以「微言」寄託大義者以為辨析,至於針對個別人物的品評,則有待來茲努力。

(一)尊周

1 傷周室之衰

《左傳》桓公二年,師服論封建之制曰:「吾聞國家之立也,本大而末小,是以能固。故天子建國,諸侯立家,卿置側室,大夫有貳宗,士有隸子弟,庶人工商,各有分親,皆有等衰。是以民服事其上,而下無覬覦。」[24]「本大末小」才能維繫住「民事上而無覬覦」的有序社會,但周室東遷,靠的是鄭、晉、秦等諸侯的協助,「本大末小」的形勢已改變,也就是說到了春秋時期,封建之制已然岌岌可危。《左傳》開篇第三年,王室想更換卿士而不得,甚至還得以交質取得信任,而最後猶不免繻葛一戰,王室地位胥淪為侯國,甚至是弱小可欺之國。其後諸侯稱霸,先是以「勤王」為名,而實欲「求諸侯」;再其後,則連王室都不在意識底下了,《左傳》昭公九年叔向云:「文之伯也,豈能改物……自文以來,世有衰德,而暴滅宗周,以宣其

22　吳闓生:〈與李右周進士論《左傳》書〉,頁6。

23　吳闓生:〈與李右周進士論《左傳》書〉,頁6。

24　為節省篇幅,以下凡引《左傳》說明原典者,版本據《十三經注疏‧左傳》(臺北縣:藝文印書館,1982年),於行文中說明出自「某公某年」,不再另行加註出版資料與頁次。

佟……。」此正孟子所嘆之「世衰道微」。《左傳》所記諸事,正成了這一場
舊制度趕不及新變化的見證,故《左傳微》認為其中充滿對周室衰落不振之
感傷,屢言「左氏每敘及周事,輒有無限悲涼嗚咽之意」、[25]「左氏言及周
事輒有無限悲歎」。[26]

《左傳微》提到的「傷周室」之例,在〈周鄭繻葛之戰〉論之最顯:

> 此篇以鄭莊之不臣為主,惜王綱之始墮也。(卷 1,頁 10)[27]

周鄭交質,鄭取成周之禾,乃至鄭伯率師禦王,明顯都是「無君已極」的行
為,「周綱之墜,實自茲役始,左氏傷之至矣。」[28]但,何「微言」之有?
吳闓生另由《左傳》屬辭之中抉其傷歎,所以《左傳》錄「君子引〈采
繁〉、〈行葦〉諸詩論二國結信」、「周桓公論鄭有助周之東遷之功」、「王遷盟
向」等記事,吳闓生皆認為其中有傷周室之微旨存焉:

> 「二國」句尤妙。周、鄭既已等夷相待,故作者亦止可以二國目之,
> 此所謂微文諷刺也。(卷 1,頁 11)
>
> (行之)以禮四字,其意自見……引〈采繁〉、〈行葦〉諸詩,正以明
> 天子、諸侯之分際也。(卷 1,頁 11)
>
> 鄭為懿親,記此惜王之不能有鄭。又見王室之已夷也。(卷 1,頁 12)

「尊周」乃大義也,但出之以「微文諷刺」,就是「微言眇旨」了。除了於
用詞中考究,又有由比事以見微旨的,如莊公四年紀侯因不肯屈服齊國而
「大去其國」,紀形同亡國,吳闓生在〈齊之滅紀〉篇就將此事件與桓公八
年「祭公來遂逆王后于紀」聯結,然後評曰:

---

25 〈王子帶之亂〉,《左傳微》,卷2,頁121。

26 〈晉霸之衰〉,《左傳微》,卷8,頁570。

27 為便於觀覽與節省篇幅,以下凡引《左傳微》評點者,版本皆據林慶彰主編:《民國
   時期經學叢書》,第2輯,冊40-41。獨段引文者,於引文末說明出自「某卷某頁」,不再
   另行加註出版資料與頁次。

28 《左傳微》,卷1,頁13。

紀昏王室，而不能自存，以見周之衰弱。（卷1，頁48）

又有「反射」寄意之法：「言出於此，意涉於彼，如湯沃雪，如鏡鑒幽。」[29]如桓公十六年〈衛朔之亂〉，文本記衛公子爭位事，但吳闓生再三強調此實寄歎王室無能，已失去因「本大末小」而來的穩固力量：

以王室不能救衛為主。（卷1，頁49）

非獨為二公子寄慨，乃深慨歎王室之不振也。（卷1，頁50）

「本之不枝」乃慨歎王室之詞。（卷1，頁50）

其他如〈王師敗于茅戎〉篇，劉康公欲趁晉國調解周、戎之後，攻戎於不備，晉國叔服斥劉「背盟而欺大國」，《左傳微》也認為《左傳》記下晉對周自稱「大國」，是「傷王室之微，痛詞也」。[30]成公二年晉齊鞌戰之後，晉派大夫鞏朔獻齊捷於周，周天子以不合先王之禮辭之，卻又宴而私賄之，並交代禮官：「非禮也，勿籍。」《左傳微》於此句下評曰：「寫王之畏晉，所以哀之也。」[31]襄公二十六年，晉韓宣子聘于周，周王稱讚他「辭不失舊」，《左傳微》於此句下評曰：「微旨，慨王室也。」[32]〈晉霸之衰〉篇中，吳闓生結合昭公元年「子產論晉侯溺女色致疾」、昭公七年「晉治杞田」、昭公八年「築虒祈之宮」等記事，歸結此為晉失諸侯三大因；然後於昭公九年「周甘人、晉閻嘉爭田」、叔向以「王辭直」為由勸韓宣子尊周等事，評曰：

晉之失霸，屏杞其事，而蔑周，其本也。故以城杞起，而於王室責言特低徊往復而出之。（卷8，頁571）

與王較曲直，所以寄深痛也。（卷8，頁571）

昭公十八年，閔子馬論周臣原伯魯不樂學時，說：「下陵上替，能無亂乎？」

29 吳闓生：〈與李右周進士論《左傳》書〉，頁8。

30 《左傳微》，卷4，頁242。

31 《左傳微》，卷4，頁255。

32 《左傳微》，卷8，頁552。

《左傳微》於此句下評曰：

> 於王室之亂，悲憤之慨尤深，作者忠耿之懷所發也。（卷 9，頁 625）

文公元年晉因諸侯來朝，獨衛不來而伐之，晉先且居曰：「請君朝王，臣從師。」《左傳微》仍認為插入此請是「譏其不知有王」。[33]可見在「尊周」為第一義的原則之下，五霸即便有「勤王」名目，終究志在得諸侯，故仍是應受撻伐的。但較諸後來的諸侯乃至執政權臣，齊桓、晉文猶有若干尊周之思，吳闓生認定《左傳》正是著眼於此，故於兩霸仍有所肯定的：

> 五霸，聖門所不道，而《傳》於桓、文頗張之者，重其尊周室也。
> （卷 11，頁 798）

尊周、黜霸原是一事，但霸者之間對王室的態度猶然有別，吳闓生皆能細膩為之辨析，兩原則之間亦有層級差別，於此可見其評點看似不出桐城講論文法一脈，而實心中已有若干大義存焉，而後就此大義尋其文法裡的微言眇旨，故所論能超乎時文講壇之倫。

2 責僭臣

柱歪則樑塌，樑塌則椽斷，椽斷則頂陷牆崩，封建制度解紐亦復如斯。諸侯蔑周室，而後卿大夫僭越君侯，所以如果視「尊周室」為對原有制度及軌道的擁護，則責僭臣亦屬「尊周」思維之一環，「明責其僭，所以尊王也。」[34]權臣現象的產生，正是封建禮制更形崩壞的表徵，以是，吳闓生認為《左傳》對權臣的責備更是不少假借。此由《左傳微》許多篇目也可看出，如〈宋華督之亂〉、〈慶父之亂〉、〈襄仲之亂〉、〈楚越椒之亂〉、〈晉趙氏之亂〉、〈宋桓族之亂〉、〈季孫專政〉、〈陳二慶之亂〉、〈齊崔慶之亂〉、〈陪臣之叛〉……等，吳闓生並屢致感嘆曰：「君臣之義，其時之人不知久矣，記

33　《左傳微》，卷3，頁165。
34　《左傳微》，卷3，頁148。

此所以傷之也。」[35]說宋桓族之亂肇因於「公室卑而不能正」；[36]晉齊鞌之戰「晉侯不欲動兵而卒不得，自此以後晉權遂旁落矣」，故文中屢「記郤克之橫」，所以記孔子叮嚀「唯器與名不可假人」之語，說是「仲尼此論極為痛切，譏晉侯失權，強臣恣橫也。」[37]在衛則有「孫、寧之橫」；[38]而魯「季孫之無君，開後世篡竊之端」。[39]

　　堅持君臣之道，使吳闓生對《左傳》記無道之君竟也有說詞，申言如果文章字面看來責國君有失，或寫無道被弒之君，重點不在「君」或「無道」，而是為了突顯權臣專橫的偏宕表達法：

> 凡列國君臣之叛，文無不罪其君而恕其臣，固是正本窮源之論，亦以其時列卿專橫，國君失勢，不得不為此偏宕之詞，所以洩其悲憤也。[40]
> 凡被弒之君，必疏其無道之由，左氏常法，然其意固不注在是也。[41]

其例如稱《左傳》特記孔子批評范宣子著刑書一事，是為了斥責「三家分晉」、痛惜君臣大義之滅絕，但礙於權臣專橫，也只能借孔子酒杯，澆自己心中的塊壘了：

> 三家公為篡逆以分其君國，大義於是乎滅絕。《左氏》於魏舒，既已著之矣。三家，趙尤為大，不可不著，故借聖言而痛斥責之，曰：「守唐叔之法度」，曰：「貴賤不愆」，曰：「無序無以為國」，皆惜晉國之將亡而痛逆臣之無道也。意並不為刑鼎而發，但其實三家之勢方盛，《左氏》記此以存紀綱於萬一，維人道於不墜，固不得不深隱其

35　《左傳微》，卷4，頁210。
36　《左傳微》，卷5，頁317。
37　以上見《左傳微》，卷4，頁243、244、247。
38　《左傳微》，卷6，頁374。
39　《左傳微》，卷6，頁361。
40　《左傳微》，卷6，頁378。
41　《左傳微》，卷6，頁365。

文辭耳。[42]

而正因僭臣或權臣專橫，所以其譏刺更形隱微，有時甚得借用「反形」手
法，如桓公十五年鄭厲公結合雍糾欲殺祭仲，祭仲女雍姬問母：「父與夫孰
親」，母答以「父一而已，胡可比也」，《左傳微》就認為記此事是為了以兩
女對話，反向「誚祭仲等不知有君臣之義」；[43]又如宣公十八年季文子於宣
公去世之後，言：「使我殺適立庶，以失大援者，仲也夫。」吳闓生評曰：

> 文子之罪於此微微一露。然公薨，敢為是言，又見其無君之心也。
> （卷3，頁187）

並認為《左傳》在其後特記臧宣叔怒責文子「當其時不能治」等語，是為了
使「前文之義益明矣」。

　　吳闓生對宣公二年趙盾「弒君」一事尤認為處處有微言，故相關記事，
一般題名為「晉靈公不君」，《左傳微》卻偏命名為「晉靈之難」，且於題下
注云：「此篇以趙盾為主。盾弒君之賊，文無一字貶詞，最見精心結撰
處。」吳闓生認為《左傳》除了借太史氏史筆「大書特書」趙盾之奸，「反
不討賊」等語更是就董狐之口「正言以痛責之」。更隱微之刺則在「寫士會
之恭謹以反形趙盾」；又說士會引「仲山甫補過」等語是《左傳》「從士會口
中斥責趙孟之詞也」。靈公伏甲兵欲殺趙盾，趙盾危急逃出公宮時，怒責靈
公「棄人用犬」，吳闓生也斥之為「無君處，明目張膽言之矣」，甚至孔子明
明論定趙盾是「古之良大夫也」，吳闓生卻只緊抓「為法受惡」一句，說
「見其惡固已無可辭矣」。[44]

　　魯國於諸侯中，向來以遵周公禮義見稱，故莊公三十二年魯有慶父弒君
之難，閔公元年，齊侯問「魯可取乎」，仲孫湫認為魯「猶秉周禮」「未可動
也」。而如此標榜周禮的諸侯國，卻仍不能免於權臣「季孫專政」，此已不只

42　《左傳微》，卷10，頁728。

43　《左傳微》，卷1，頁33。

44　以上所引趙盾諸評見《左傳微》，卷4，頁191，202-204。

是魯國大痛，更是禮制崩毀的顯徵，所以《左傳微》奮力挖掘「武子欺君」
之證，說《左傳》於襄公十一年詳記魯作三軍之事，是因「三家兼併公室，
始此」；襄公二十一年記「邾庶其來奔」事，是刺「武子即魯之大盜，借庶
其發之。」說記臧武仲「子召外盜，而大禮焉」一段論述是為了「痛斥季孫
之姦，所謂一字之誅嚴於斧鉞者也。」[45]

　　與吳闓生時代相當的柳詒徵（1880-1956），也認為「《春秋》大義」有
後世不易掌握者，可以明確掌握的是大義中對「君臣分際」的看重，只不
過，與吳闓生不同的是，柳詒徵認為君臣是一種相對關係，《春秋》誅亂
臣，也責無道之君：

> 《春秋》之義在正名分，寓褒貶……（……孔子成《春秋》不能使後
> 世無亂臣賊子，而能使亂臣賊子不能全無所懼。自《春秋》大義昭
> 著，人人有一《春秋》之義在其胸中，皆知亂臣賊子人人得而誅
> 之……），蓋《春秋》之義，亦至難言，後世所執者，僅得其半，而
> 尤嚴於亂臣，若以《左傳》凡例論，則君臣相對，《春秋》未嘗不責
> 無道之君（《左傳》宣公四年「凡弒君稱君，君無道也：稱臣，臣之
> 罪也。」……故傳例曰：「凡弒君稱君，君無道；稱臣，臣之罪。稱
> 君者，唯書君名，而稱國人以弒，眾之所共絕也。」）。[46]

但與柳詒徵意見不同，吳闓生認為「責君無道」乃「偏宕之詞，所以洩其悲
憤」罷了，真正的篇旨不在「君」。那麼，《左傳微》又如何處理諸如「凡弒
君稱君，君無道；稱臣，臣之罪。稱君者，唯書君名，而稱國人以弒，眾之
所共絕也。」等文字呢？他一概歸之於後世經師之妄竄：

> 凡《左傳》中解釋經文者，大率皆後之經師之所附益。（卷1，頁2）
> （書曰：「宋人弒其君杵臼」，君無道也）此亦經師妄解失經旨者。
> 《左氏》文中雖數言昭公無道，乃深曲之文，不似此句淺率如此。

45　以上所引季孫諸評見《左傳微》，卷6，頁355-360。
46　柳詒徵：〈中國文化史〉，《學衡》第51期，頁7018-7019。

（卷3，頁175）

有亂臣干權或爭權而各有擁立，而後有逆子弒奪之禍，所以襄公十四年師曠曰：「天生民而立之君，使司牧之，勿使失性。有君而為之貳，使師保之，勿使過度。是故天子有公，諸侯有卿，卿置側室，大夫有貳，宗士有朋友，庶人工商皂隸牧圉，皆有親暱，以相輔佐也⋯⋯。」《左傳微》在此段之後，錄劉宗堯的分析，解釋何以《左傳》特重誅亂臣：

> 春秋弒奪之禍最慘最劇，推原其故，不得謂非握君權者之所自開。載師曠之言，不專論衛，此作者已亂之心之申告當世者。（卷6，頁378）

由以上例證可以看出吳闓生隨文點評的背後，實有其定見以為評騭準則。

（二）黜霸

　　霸者為王室整頓秩序，時有勤王之功，何以見黜？昭公七年楚國無宇引《詩》論封建階層管理的精神：「普天之下，莫非王土，率土之濱，莫非王臣，天有十日，人有十等，下所以事上，上所以共神也。故王臣公，公臣大夫，大夫臣士，士臣皂，皂臣輿，輿臣隸，隸臣僚，僚臣僕，僕臣臺，馬有圉，牛有牧，以待百事。」既然「率土之濱，莫非王臣」，如若不是有不臣者，何須霸者勤王？所以霸者的產生，正正昭示王綱之不振。更何況，霸者的「目中無王」舉措反而成為仿傚的對象，致「治一而勸百」；齊桓、晉文之後，所謂霸主，索賄淩弱之強國耳，與「親有禮，因重固，間攜貳，覆昏亂，霸王之器也」的期待完全沾不上邊了。依吳闓生意見，春秋霸主，「不務令德而勤遠略」，其稱「勤王」者亦不過「假王命以自重」，行的是強淩弱之實，以下舉例分述之。

1 不務德而勤遠略

　　莊公十年齊以譚無禮而滅之，但譚無禮的事實是「齊侯之出也，過譚，

譚不禮焉，及其入也，諸侯皆賀，譚又不至」，其後以類似理由滅遂，故吳闓生評曰：

> 以恩怨侵陵小國，最無霸者之量。開首記此，本末已見，晉文之於曹衛亦然，皆深刺之也。（卷 2，頁 61）
>
> 齊之始霸，先記其滅譚滅遂，便見其肆意侵略，無方伯之度。（卷 2，頁 61）

正因齊國霸業始於如此蠻橫的心態，所以吳闓生於僖公九年代表齊桓霸業頂峰的葵丘之盟，特意尋找《左傳》菲薄齊桓霸業的蛛絲馬跡，故在宰孔評論齊侯「不務德而勤遠略」處，大加圈圍並評注曰：

> 此全篇（按本篇題名為〈齊桓霸業〉）大頓束處，藉宰孔口中斷定，想其意中菲薄特甚。（卷 2，頁 72）

僖公十九年宋子魚評「齊桓公存三亡國以屬諸侯，義士猶曰德薄。」時，吳闓生也趕緊提點：「不滿齊桓，偶而一露。」[47] 為了加強這樣的論點，吳闓生甚至刻意忽略史料因遠近而有疏密不同的狀況，認定《左傳》對齊桓霸業描寫分量較少，是出於刻意黜落之意：

> 敘桓公九合諸侯，皆用簡括之筆以為章法，實亦寓輕忽之意。（卷 2，頁 62）

至於晉文，《左傳》細寫重耳出亡，多借時人議論以見其得人能興，[48] 但吳闓生在黜霸原則之下，卻將重耳逃亡過程闡釋成「譏晉文之無大志」；[49]

---

[47] 《左傳微》，卷1，頁115。

[48] 簡師宗梧認為叔詹勸鄭伯的話是《左傳》藉以描寫重耳具「能得人」的領袖特質：「《左氏》借僖負羈妻、叔詹、楚子之口，在在說明重耳之得國，得力於從亡數人。當然，《左傳》寫晉文公之所以得人，也強調了他本身的條件，叔詹之言，已見其端倪。」，《鎔裁文史的經典——《左傳》》（臺北市：黎明文化公司，1999年），頁70。

[49] 〈晉文之入國〉題下注，《左傳微》，卷1，頁127。以下本段所引對重耳之評，分見頁128-130。

「言從者之賢，則公子為凡人可知」；「語多歸重天命，皆薄之之詞也」；叔詹之論，也截取「公子，姬出也，而至於今」一段，評曰：「通篇多菲薄之意，此尤顯。」何以吳闓生如此苛責晉文？蓋其有召王（僖公二十八年）、請隧（僖公二十五年）等僭越不臣之心，故於召王事下，又申述晉文之無德：

> 「明德」者，明晉侯之不德也……此處揭出其不臣之實，一字之誅嚴於斧鉞矣。（卷3，頁147）

所以晉文所行諸般伐原示信、大蒐示禮等舉措，皆被批為「假信義以服人」，「『於是乎』字凡三見，所謂假仁義也」。[50]吳闓生並引父親吳汝綸之評曰：

> 《左氏》於桓文譎正及以力假仁處，皆各如其分，不失銖兩。與孔孟所論符同，此所以為良史也。（卷5，頁298）

晉國後來其他霸主也不能免於類似的批判，如〈晉襄之霸〉：「主諸侯而不務德」；[51]「不能與楚爭衡，而欺陵小國」；於晉景則「譏其失霸主之道」；且「抗楚猶可曰攘夷也。以陪臣之忿而伐與國，晉於是為失刑矣。故以王命深責之。」總之晉之成霸是假信義以求諸侯，而晉失諸侯更是因為「德則不競」。

　　但是對復晉霸業的悼公，吳闓生注意到《左傳》引君子論晉「於是乎有禮」；又借杞桓公驟朝與請昏等舉動，顯示悼公修德以來遠人。在不願打破黜霸的主張之下，吳闓生著眼於晉悼的霸業至多只不過重整晉國內部秩序，恢復公室威望，連屬部分諸侯耳：

> 《左氏》於悼公多諛詞而無損抑，其由中國無霸已久，故張之歟？（卷5，頁322）

---

50 以上分見《左傳微》，卷3，頁137，140。
51 《左傳微》，卷3，頁165以下對晉國霸業的批評分見頁209、244、254、256。

這句評論除了用了個不肯定的收尾，還趕緊接著「肯定」地申明這些史料非邱明自撰：

> 然全書本由集錄而成，非出於一手，此等亦皆有所本，固非邱明自撰之文也。（卷5，頁322）

全然不顧這段話與全書認定的「《左傳》細密編織文本以傳遞聖門之學」的宗旨相違背。吳闓生一方面否定文本的來由，一方面卻又於文本中一再尋找作者並非真正肯定晉悼成霸的證據：

> 是時諸侯已叛，悼公能復屬之，其所謂霸者，在此而已。（卷5，頁323）
> 譏晉之不能（有陳）也。（卷5，頁329，330）
> 實誚晉之無能也。（卷5，頁338）

又於范宣子「諸侯道弊而無成，能無貳乎」句之下，評注曰：「文中眼目」。[52] 從晉悼公的例子，可以看出吳闓生黜霸主張之強烈，以至一旦文本顯然與他的主張不同時，也不惜費力彌縫之。

不務德當然就是比武力，受苦的自然是小國以及百姓，所以在〈宋閔之弒〉一篇中，例外地未強調宋萬弒君之事，反倒在篇目之下注云：「此篇以桓公恤民為主」；[53]《左傳》僖公四年於齊伐楚蔡一事中，插入伏筆，記陳鄭大夫轅濤塗與中侯因齊軍回師路線而產生嫌隙，吳汝綸認為此段「見齊外示強而內怯」，吳闓生則說「兼寓師行，煩擾苦民之意」[54]；〈晉滅虞虢〉篇題注曰：「虞虢無罪，以見侵陵於強大而滅。」[55]並強調細寫宮之奇諫戒之語是因「并兼之禍始於春秋，晉楚為甚。《左氏》記此等議論，有恫心

---

52 《左傳微》，卷5，頁342。
53 《左傳微》，卷1，頁54。
54 《左傳微》，卷2，頁67。
55 《左傳微》，卷2，頁82。

矣。」[56]隱公十一年君子論息國犯了五不韙而將亡，吳闓生也認為這是「憤
詞并兼之世，別無是非，惟以強弱為是非也。」[57]以強弱為是非則同姓亦可
滅，僖公二十五年衛禮至甚至刻銘自得於滅邢之功，吳闓生認為《左傳》記
此銘正是微言表達法：「譏衛之滅同姓，卻於禮至銘中見意。」[58]

　　綜合以上對霸者作為之微言指斥，可以看出吳闓生黜霸之思，除了強調
霸者的存在正形王室之衰以外，令其不忍而在三措意的是「小國困於事
大」，夾在霸者或爭霸的大國之間「小國難自立」，[59]這才是真正《左傳》
「痛世之微旨」。[60]

2 假王命以自重

　　莊公二十八年齊桓公伐衛，「數之以王命，取賂而還」，吳闓生於其中讀
出屬詞微旨：

> 於「王命」句下記此四字，冷語以譏之也。（卷5，頁62）

在齊國正思建立霸業之初，吳闓生就點破霸主「尊王」的虛假性。僖公九年
諸侯葵丘之盟時，周襄王派宰孔賜齊侯並免其下拜受胙，齊桓公以「敢貪天
命」自謙不敢，吳闓生於此更不假詞色地評曰：「假王命以自重，伯者之作
用也。」[61]

　　晉文稱霸路數亦同，故吳闓生於〈晉文之霸〉一篇中，指《左傳》屢揭
晉文不臣之心，故所謂「勤王」者全是為了自重：

> （「求諸侯莫如勤王」）：揭明本旨，所謂五霸假之也。（卷 3，頁
> 136）

56　《左傳微》，卷2，頁85。
57　《左傳微》，卷2，頁88。
58　《左傳微》，卷2，頁113。
59　以上參見《左傳微》，卷4，頁204；卷5，頁332、340、341。
60　《左傳微》，卷4，頁263。
61　《左傳微》，卷2，頁72。

　　揭其無君之心。（卷 3，頁 136）

　　勤王大業也，乃處處揭其陰私，無一字美詞。（卷 3，頁 137）

　　振旅愷以下數語，實敘戰勝後定霸之圖，此下緊接召王，以誅其不臣之罪。（卷 3，頁 147）

目中無王，是深瞭王室權落因而敢行其藐視不敬，此已是不臣之極；「假王命以自重」則是對天子僅存的「名位」進行最後壓榨，對周天子而言真是情何以堪？此何以吳闓生認定《左傳》於此必有冷語譏之、借言刺之、處處有揭之誅之的微言眇旨的原因。

（三）攘夷

　　「攘夷」一詞，見於《公羊》、《穀梁》，[62] 而未見於《左傳》；言「夷狄」而主張「不與夷狄之主中國」、「反夷狄」、「不以中國從夷狄」……等，亦只見於《公羊》、《穀梁》[63]。《左傳》雖稱「蠻夷」，但似乎只是稱「文化低落於中國」的邊疆民族，[64] 當然，這不表示《左傳》沒有「攘夷」思維，只是未見如《公》、《穀》激而顯且數見者，其較接近者如昭公九年：「戎有中國，誰之咎也？」《左傳》攘夷之論不若《公》、《穀》之激切可由劉師培〈讀左劄記〉看到：

　　《公》、《穀》二傳之旨，皆辨別內外，區分華戎。吾思邱明親炙宣尼，備聞孔門之緒論，故《左傳》一書，亦首嚴華夷之界。[65]

---

62 《公羊傳》僖公四年：「桓公救中國，而攘夷狄。」《穀梁傳》定公四年：「吳信中國而攘夷狄，吳進矣。」

63 以「中央研究院漢籍典子文獻」檢索三傳「夷狄」一詞，《公羊傳》論「夷狄」有十七處；《穀梁傳》十九處；《左傳》無。

64 如《左傳》襄公十三年：「撫有蠻夷，奄征南海，以屬諸夏。」成公七年：「中國不振旅，蠻夷入伐。」都顯然只是將「夷」「夏」當成兩種有高低落差的文化體之對稱，與僖公二十五年：「德以柔中國，刑以威四夷」類似。

65 劉光漢：〈讀左劄記〉，《國粹學報》第 1 期（光緒三十一年（1905）1 月 20 日），「叢

由此可見時人多就《公》、《穀》求攘夷思維，而忽略了《左傳》，因此劉師培疾呼「《左傳》一書，亦首嚴華夷之界」，但這也顯示《左傳》嚴華夷之旨其實並不明顯，因此還得透過「賈、服諸儒為《左氏》作注，進夏黜夷，足補傳文所未及。」[66]由此說來，「攘夷」既非《左傳》顯目，則《左傳微》所能發掘的攘夷微旨應當有限，加上以吳闓生之庭教與留洋受過新式教育的背景，於「華夷之辨」理當不甚措意或有別於他人的闡解。但或許與清末以來論三傳必提攘夷的風氣有關，或《左傳微》一書相關見解形成於吳家接受西洋思潮更早時期，總之吳闓生於此微言頗為注意，甚至認為《左傳》寫「中國不振旅，蠻夷入伐而莫之或恤」是「《左氏》憂世之衷，橫溢而四出者。」[67]因此，攘夷亦是霸者「恤諸夏護王室」的責任之一：

> 攘夷狄，親諸夏，定霸本謀。（卷2，頁63）

而對僖公二十二年被髮祭於野之事，更表明是《左傳》「慨嘆甚深，《春秋》所以尊中國攘夷狄也。」[68]只是吳闓生所提出的攘夷微言，其實有具體的針對性：楚與越耳。明顯的，這是種族論述而非文化論述，此在論吳、越時最是明顯，值得注意的是，這與《左傳微》出版當時的攘夷論述頗有差異。

1 鄙楚

　　僖公六年楚圍許，許君面縛銜璧請罪於楚，吳闓生評此事曰：「記此見齊霸方盛，楚已憑陵中國」[69]一方面表達對齊霸業的輕視——稱霸而不能攘夷狄，恤諸夏；一方面又對楚以蠻夷之邦而「偪我諸姬，入我郊甸」的事實憤慨。

　　前節提及吳闓生的黜霸原則，唯一例外的是宋襄公，吳闓生對宋襄的評

　　談」，參見《景印國粹學報舊刊》（臺北市：臺灣商務印書館，1974年），頁112-113。
66 同前註。
67 《左傳微》，卷5，頁314。
68 《左傳微》，卷9，頁613。
69 《左傳微》，卷2，頁69。

價簡直可以「慈眉善目」稱之。如對宋襄圖霸一事，說《左傳》有惜之眇旨，蓋「宋為商後，有可圖霸之基，而不能也。」連《左傳》記子魚對宋襄公的諸多勸諫指責，也轉折為「宋襄之志在興商，非同漫舉……亦並無何等過惡也。」細究吳闓生如此曲為之解的原因則是將宋襄圖霸等同於抗楚，加上反正宋襄霸業未成，故不罪其求諸侯，反贊其攘夷之志。所以吳闓生強調寫宋襄正是側寫楚爭霸中原之不果遂：「敘宋襄旁及楚子之不遂霸，多鄙夷之辭」。[70]

　　秉持鄙楚的主張，《左傳微》對堪稱英君的楚莊王竟也不輕饒，比起對宋襄的春陽之詞，於楚莊可說是冷風刮面不假詞色，原因只因他是夷狄：

> 宗堯云：《左氏》於桓、文之霸，多微辭；於楚子之霸也，則顯折之，所以攘夷狄也。（卷4，頁217）
> 實敘楚莊霸略，而從士會口中虛寫，……此篇以鋪張楚莊霸業為主，而行文專從晉師一面敘述……有內中國而外夷狄之意也。（卷 4，頁222）

放在《左傳微》書前具有前言功能的〈與李右周進士論《左傳》書〉中，吳闓生提到《左傳》文法多奇，有許多「旁擊側映」之處，論述精到，顯見其人於敘事一事甚有掌握。但此處為了推敲出攘夷微言，竟連宣公十年晉楚城濮之戰裡運用的敘事技巧，如「對面烘托」與「對比」之法都扯上「外夷狄」之意。連帶晉伯宗「鞭長莫及」等為晉國背盟自我辯解之語，分明顯見晉之背信無義，吳闓生竟也視為是以汙垢菲薄楚莊的微言：

> 「納汙含垢」等詞，菲薄已甚。（卷4，頁236）

晉楚爭霸延續不休，昭公元年諸侯會於虢，晉楚爭盟，《左傳》記晉大夫祁午諫誡執政趙文子不可讓楚得逞，使晉功業「終之以恥」，吳闓生於此評曰：

---

70 以上對宋襄之評見《左傳微》，卷2，頁113-117。

晉為盟主而偷安下楚，實為國恥。《左氏》不肯明言，特於祁午口中
見之。（卷7，頁460）

這幾乎就是《公羊》「不與夷狄之主中國」的概念了。

2 遏越

　　除了楚國，春秋後期吳越與中原諸國互動也增加了，甚至逐漸成了《左
傳》敘事裡的要角。吳國亦屬姬姓國，[71]根據《史記》記載，周太王長子太
伯與次子仲雍，因賢弟季歷之子昌，故遠避荊蠻以使昌能繼帝位，後立為吳
國。[72]《左傳》時人談到吳世系時也多同此說法，如閔公元年士蒍勸晉太子
申生逃國以避難時，就引吳太伯之例相勉：「為吳大伯，不亦可乎？」哀公
七年子貢答吳太宰伯嚭時也稱：「大伯端委以治周禮，仲雍嗣之，斷髮文
身，臝以為飾，豈禮也哉？」而越則出於夏，[73]此何以哀公元年伍子胥以少
康中興諫吳越之行成，申論越也將如少康靠「有眾一旅」而「復禹之跡」，
所以比較之下，吳是姬姓血脈，越是外夷，吳闔生於此大論遏越矜吳的原

---

71 童書業疑吳當與楚系出同源：「我疑心吳、越的王室都是楚的支族：《史記》說仲雍的
玄孫叫做熊遂，「熊」是楚國王室的氏，楚的君主的名上都有一個「熊」字。《史記》
說太伯、仲雍逃奔荊蠻，〈楚世家〉又記熊渠封三子于江上楚蠻之地，其少子執疵封
于越章，越章就是豫章，古豫章在淮南江北之間，可見楚的勢力早已發展到長江下
游。所以說吳、楚王室是一族，並不算很武斷；何況吳本是楚的屬國呢。吳的冒為姬
姓當在春秋時。大約自從吳與晉交通，勢力漸漸北上，他們就頂了已亡的虞國的祖宗
（「虞」、「吳」古是一字），自認為周的支族，以便參預中國諸侯盟會。這似乎是一個
很近情理的假設。(《春秋史》)

72 《新校本史記》卷三十一〈世家‧吳太伯世家〉：「吳太伯，太伯弟仲雍，皆周太王之
子，而王季歷之兄也。季歷賢，而有聖子昌，太王欲立季歷以及昌，於是太伯、仲雍
二人乃犇荊蠻，文身斷髮，示不可用，以避季歷。季歷果立，是為王季，而昌為文
王。太伯之犇荊蠻，自號句吳。荊蠻義之，從而歸之千餘家，立為吳太伯。」（臺北
市：鼎文書局，1995年，8版，頁1445）。

73 《新校本史記》卷四十一〈世家‧越王句踐世家〉：「越王句踐，其先禹之苗裔，而夏
后帝少康之庶子也。封於會稽，以奉守禹之祀。文身斷髮，披草萊而邑焉。」（臺北
市：鼎文書局，1995年，8版，頁1739）。

因：

> 春秋無義戰，故作者於列國盛衰無所偏袒，獨於王室之不振時致憤
> 慨。洎於定哀之間，王室益微，而霸主之晉亦衰，獨吳起於蠻夷，為
> 周室之長，若可望其興復者，而卒蹶不振，《左氏》蓋尤傷之。此處
> 引少康中興為喻，皆其微意所寄，非漫然也。（卷11，頁797）
> 歎悼姬衰，神氣尤為遠出，乃本旨之所寄也。（卷11，頁797）
> 夫差兇暴，而周室之裔，故傳亦矜之；至越句踐，起於夷狄，而專以
> 陰謀取勝，乃《左氏》所不屑道，故從無一特敘之筆。范蠡、文種
> 輩，其姓名絕不載入傳中，可見左公用意處也。（卷11，頁798）
> 圍吳三年，此何等大事，文乃掩抑過絕，了無一字紀載，轉從趙孟來
> 使，寫出吳王末路，筆墨蹊徑非復人間所有。（卷11，頁798）
> 《國語》、《史記》於種、蠡諸人功業，斤斤侈言之；《左氏》不著一
> 字，識量之高，非他人所敢望也。（卷11，頁798）

明明吳闓生也說過：「夫差兇暴」，「縱恣無禮」，「夫差為人進則見惡，退則
有謗言」；「吳無道」，「對列國狂謬」，[74] 但只因是周室之裔，所以認為《左
傳》有矜憐之意；而勾踐，根據伍子胥得觀察，是「能親而務施，施不失
人，親不棄勞」的明君，但在吳闓生攘夷的原則底下，是陰謀取勝的蠻夷
耳，故就吳越相爭的歷史而言，其微言眇旨的發抉，充滿了因「內其國而外
諸夏，內諸夏而外夷狄」而來的偏袒。

三　《左傳微》闡發微言的特色

　　自明末以來，評點《左傳》著作不少，不論評點者強調要開發或闡解
《左傳》的那個面向，其評點不可避免的都帶有「八股」的視角，此固染於
習氣，也與八股實乃當時士人生命中難以轉而不睬的現實有關。可是，當時

---

74 以上分見《左傳微》，卷11，頁798、799、808、801、805。

代之輪轉到吳闓生身上時，士人耳聞目資的，已非單一的學術或價值觀，西方各式與中國傳統文化衝突的思想不曾稍歇的直滾而來；而大多數士子將來必須賴以維生的科舉，已成一副搖搖欲墜的舞臺，要不要循著前輩腳步登上這座舞臺，都成為難。吳闓生幸有活躍於政治、教育界的父親成為他在新舊世界往來的橋樑，所以在他身上似乎嗅不到王國維依戀舊時代的痛苦，[75]或五四時部分新學之士對西學的完全傾慕，這樣一位特殊的人物，他對《左傳》的品評能於桐城義法之中別開生面，兼顧《左傳》敘事文本之本質，又能擺落因八股而來的關照角度，而致力於經義的闡發。解經方面，不再糾纏於《左傳》之成書究竟是否專為解《春秋》而作的論述，反而就文本中發掘其傳遞聖門大義之用心，如此一來，《左傳》之作不論是否出於解經，其列於《春秋》三傳的資格是無可否定的。

在這種策略之下，《左傳微》闡發微言的特色有二，一是全面辨析《左傳》屬辭比事之各種語藝模式，尤其評語中屢見的「深曲」、「詭詞」等曲折表達法。如前一節提到的「『二國』句尤妙。周、鄭既已等夷相待，故作者亦止可以二國目之，此所謂微文諷刺也。」[76]則是由用語揣測作者可能寓含的褒貶。而宣公四年記越椒出生事，《左傳微》引劉宗堯語，認為取此材料，是為了引出子文「必滅若敖氏」、「敖氏之鬼不其餒」等語；而屢記這些預言，是為了警戒謀逆者：

> 此篇為謀亂逆者戒，故屢述子文滅宗之言。（卷4，頁211）

而先記越椒出生及子文預言，後再及其逆亂之事，這種次序也有其用心，故評曰：「逆攝驚矯」、「同一記事，若倒置文後，便索然無味，此可悟逆筆之妙。」此或僅及於修辭效果論，而莊公二十八年齊桓公伐衛，「數之以王命，取賂而還」，吳闓生就大申因材料擺放位置而來的微旨：

---

75 說詳陳寅恪：〈王觀堂先生輓詞〉，《王國維先生全集》（臺北市：大通書局，1976年，初版）。

76 《左傳微》，卷1，頁11。

於「王命」句下記此四字，冷語以譏之也。（卷 5，頁 62）

秉持這種精神，吳闓生透過推敲《左傳》敘事時的遣詞用語，以及段落次第等，挖掘人物表面行為底下隱藏的心機，以證明推褒行事的表像底下，《左傳》作者是藏有頗不以為然的真意的。比如鄭莊迎母，和樂融融；入許之役，君子稱其「有禮」，但《左傳微》誅莊公不孝不臣，為陰狠險詐之徒，[77]故曰「其所褒美，如鄭莊、宣孟之徒，皆其所深訶痛斥而極之於不堪者也。」[78]而於宋襄公之求霸，則如前節所分析，因連帶有抗楚之效，所以吳闓生強調《左傳》對宋襄頗有憐惜不忍苛責之意。其所分析，事實上已觸及、甚至部分深入今日符號學、敘事學、修辭學討論的範疇；[79]凡此皆是吳闓生等人力圖掌握語言符號的曲折表達之美，是《左傳微》最為突出的成就。

第二個特色是其評點有內在脈絡的一貫性。全書雖隨篇點評，但實以「尊王」、「黜霸」、「攘夷」等大義一以貫之，且注意到三者之間輕重之別，所以即使是對君臣個人行為的評騭，或《左傳》字面與吳闓生所發之微言有別，都能提出含納在大義考量之下的辨析。如：

宗堯云：於公則直謫其短，於季氏則深隱其詞，此《左氏》全書之通例。蓋春秋權臣之世也，故誅姦多用微辭；而貶時君反得直謫之也。（卷 9，頁 643）
此正痛惜公室之詞，非斥責之也。（卷 9，頁 643）
此憤嫉之詞也，直以季孫之貳魯侯為天經地義而不可易者。（卷 9，頁 661）

---

77 詳參《左傳微》，卷1，〈鄭共叔段之亂〉及〈周鄭繻葛之戰〉。

78 同前註，頁10。

79 如周振甫就以修辭角度談「春秋筆法」，詳參《古代作家寫作技巧漫談》（北京市：人民出版社，1986年，初版）。而申小龍以語言學的角度談春秋筆法「幾乎是對上古社會政治倫理規範的一種句法學解釋，其要義是以『尊尊』為序。」申小龍：《語文的解釋——中國語文傳統的現代意義》（瀋陽市：遼寧教育出版社，1991年，初版），頁38。

凡此皆《左傳》字面顯責君之不君者,《左傳微》以「迫於時勢,不得不曲折表示」或出於「痛惜、憤慨」而詭詞述之等方式闡解之,使「尊尊」之大義得以一貫乎《左傳》全書。

四　結論

　　吳闓生在《左傳微・例言》第一則提到《左傳》長於孔門微言之學,故他對《左傳》的評點也側重「發明《左氏》微言」,可見得吳闓生是認同《左傳》解經功能的。至於他所採取的闡釋策略,是於「行文之法」中求義理,此實仍不脫桐城派「義法」的概念。

　　其次,吳闓生認為割截文本會造成經生不能首尾俱全地讀完《左傳》篇章,以致諸般注解易流於臆測。但是,吳闓生如何解釋自己對《左傳》文本的移易,不也一樣是「割截文本」?他強調《左傳微》對《左傳》篇章的移易次第、分別聯綴,不只是跨過杜預的散傳入經,甚且暗示是恢復劉歆之前《左傳》的原貌,但這也僅只於夫子自道,未見更進一步的證據支持《左傳微》篇章的安排的確是《左傳》「原貌」或「更接近原貌」,他只強調正因為割截文本,「漢太常博士與劉歆力爭,謂『《左氏》不傳《春秋》』,殆為此也。」[80]「而其玄微之旨,伏沈九幽,闇而不章者,蓋二千歲於茲矣。」[81]嘉慶年間(1760-1820)吳亮吉撰作《春秋左傳詁》,於序言強調該書不只訓詁遵漢儒,體例卷帙亦「遵《漢書・藝文志》例也。」[82]張素卿研究清代學術,指出其中有「漢學」復古現象,亦即喜「標榜直承兩漢經師」,[83]而吳闓生等則較清儒更進一步,強調《左傳微》呈現的是《左傳》更早於漢儒染指過的本貌,讀者因而能「幾若坐無黨於周秦魯衛間,與邱明相上下其議論

80　吳闓生:〈與李右周進士論《左傳》書〉,頁5。

81　曾克端:《左傳微・序》,頁3。

82　〔清〕吳亮吉:《春秋左傳詁・序》(北京市:中華書局,2008年,初版),頁3。

83　詳參張素卿:《清代漢學與《左傳》學》(臺北市:里仁書局,2007年,初版),第1章第2節。

也。」[84]由此也可見出，吳闓生既強調復古，其所論之微言眇旨，就只是對傳統《春秋》大義的爬梳，故其評點中，少見對西學之比附，或針對時局的轉諷，倒是刻意強調「恤民」思維，屢提點霸者爭戰，「徒以苦民」之處，或有亂世流離之嘆。劉家和認為「民本思想」是《左傳》重要的時代精神，[85]則吳闓生恤民諸評，於此庶或有之。但另一方面，以種族論談攘夷，則明顯地接近清末排滿斥洋時期的主張，與民國以後華夷論述轉向文化觀點的風氣有所不同，此亦與其教育背景不甚相合，值得進一步探討。

　　作為《左傳》評點學領域裡幾乎是收尾之作，《左傳微》有其承繼與擺落。圈評點讀之間，雖然猶帶桐城派品文時「詞章、義理、考據」兼具之習，也偶露時文結構之思，但吳闓生也的確致力證明詮釋經典可以有不同的模式——經注不一定非得長得像傳統訓詁；詮解大義，也不一定非要如《公》、《穀》的申說不可。對敘事的探討，層級也由文學美更兼而探究符號、結構等造成意義流蕩的問題。而全書雖出之以評點的體例，卻能如經生解經般，以一致之思貫串脈絡，使全書中心思想突顯而出，能側面點出《左傳》之成書，絕非一二儒者割裁抄措他書而可得，且更能落實《左傳》與《春秋》或儒家的不可分割關係。

　　但這二大特點都有操持太過的缺點產生。朱熹曾告誡弟子：「只將聖人書玩味讀頌，少間意思自從正文中迸出來，不待安排，不待杜撰。如此，方謂之善讀書。」[86]但《左傳微》一味強調《左傳》曲折表達的語言模式，往往推敲微言太過，竟連直書貶斥也視為「正言若反」，則又落入朱熹所說的「屑屑求之」，反而遠違聖人本意了。[87]其次，以「尊尊」大義視為全書一貫的精神並無大錯，但大原則底下理當有視個別情況而來的辨析，此何以晏

---

84 曾克端：《左傳微·序》，頁3。

85 劉家和：《經學與思想》（臺北市：唐山出版社，2006年，初版），頁323-327。

86 〔宋〕朱熹著，黎靖德編，《朱子語類》（北京市：中華書局，1986年初版），卷137，頁3258。

87 「聖人光明正大，不應以一二字加褒貶於人。若如此屑屑求之，恐非聖人之本意。」同前註，卷115，頁2148。

子不死君難也，[88]如若堅持太過，往往有生硬拗折之處，乃至前後矛盾者亦偶或有之，則與前人談「書法」、釋「書例」而一再被「例外」弄得左支右絀，相去幾何？

---

88 關於「晏子不死君難」與「忠」之辯證，詳參拙著：〈變焦鏡頭──《左傳》價值辯證手法〉，《興大中文學報》第21期（2007年6月），頁227-252。

讀章太炎《春秋左傳讀》記

郭鵬飛

香港城市大學中文、翻譯及語言學系副教授

　　餘杭章炳麟（1869-1936，字枚叔，號太炎）是中國近代史上的傑出人物，既是「有影響的民主革命家和思想家，也是一位著名的學者。」[1]他治學的層面十分廣泛，舉凡哲學、經學、小學及歷史等均有精湛的研究。於經學方面，章氏首重《春秋左傳》，而其《春秋左傳讀》，被譽為「近代《左傳》學中舉足輕重的經疏。」[2]可惜專門研究此書的著作不多，[3]未能深入瞭解其中幽微之處。今讀是書，於章氏精湛的小學功底，敏銳的觸覺，以及勇於創新的精神，深有所感；但其文亦屢有不及周詳的地方。現就書中所及，略陳己見，以觀其要。

一

　　《春秋左傳讀》一書，處處顯露章太炎深厚的學養，巧妙的心思，今略舉數例以明之：

1　上海人民出版社編：《章太炎全集・出版說明》（上海市：上海人民出版社，1982年），冊1，頁1。

2　黃翠芬：《章太炎春秋左傳學研究》（臺北市：文津出版社，2006年），頁7。據黃氏考證，《春秋左傳讀》一書撰寫於光緒十七年（1891）到二十二年（1896）之間（頁142），而遲至一九一三年始有石印本面世（頁145）。

3　單周堯教授著有〈論章炳麟《春秋左傳讀》時或求諸過深〉一文，乃導夫先路之作。見氏著：《左傳學論集》（臺北市：文史哲出版社，2000年），頁111-130。

（一）叔父有感於寡人　隱公五年十二月：

隱五年：「叔父有感俗作藏。於寡人，寡人弗敢忘。」案：感當讀為箴
規之箴，皆從咸聲。即諫觀魚。是弗敢忘者，弗敢忘其箴，非弗敢忘其
因不聽而恨也。[4]

筆者案：《尚書・盤庚上》：「無或敢伏小人之攸箴。」[5]陸德明《經典釋
文》：「箴，馬云：『諫也。』」[6]《左傳・宣公十二年》：「箴之曰：『民生在
勤，勤則不匱。』」杜預注：「箴，誠。」[7]「箴」本有「諫」義，章氏以
「感」（憾）為「箴」，雖無版本上的證明，但文意通達，可備一說。

（二）不庭　隱公十年六月

隱十年：「以王命討不庭。」杜預注：「下之事上，皆成禮於庭中。」
麟案：不庭之常訓為不直，故《韓奕》：「榦不庭方。」傳：「庭，直
也。」箋云：「當為不直，違失法度之方，作楨榦而正之。」但據上
年《傳》言「宋公不王」，則此不庭自謂不朝王，與常言不庭者異。
此說須有左證。考《管子・明法解》云：「故羣臣皆務其黨，重當脫一
重字。臣而忘其主，趨重臣之門而不庭，故明法曰：十至於私人之
門，不一至於庭。」是臣不朝君，曰不庭也。《莊子・山木》云：「莊

4　上海人民出版社編：《章太炎全集》，冊2，頁100。案：「俗作藏」之「藏」似應作
　　「憾」。

5　〔漢〕孔安國著，〔唐〕孔穎達疏：《尚書注疏》，收入《十三經注疏附校勘記》（北
　　京：中華書局影印，1980年），上冊，卷9，頁169上。

6　〔唐〕陸德明著，黃焯斷句：《經典釋文》（北京市：中華書局影印，1983年），卷3，
　　《尚書音義》上，頁43上。

7　〔晉〕杜預注，〔唐〕孔穎達疏：《春秋左傳注疏》，收入《十三經注疏附校勘記》，卷
　　23，頁1880中。

周反入，三月不庭。」司馬注：「不出坐庭中三月。」是亦不至庭曰不庭之證。[8]

　　筆者案：「不庭」一詞歷來有兩種解釋，一為「不朝」，一為「不直」。主張前者如杜預、南宋林堯叟、今之楊伯峻等，《杜注》見上，林堯叟《左傳句解》引用杜說，並曰：「猶言不趨走於王庭也。」[9]楊伯峻《春秋左傳注》曰：「庭，動詞，朝於朝廷也。」[10]主張後者如惠棟《春秋左傳補註》，曰：「《尒疋·釋詁》：『庭，直也。』謂諸侯之不直者。」[11]洪亮吉《春秋左傳詁》曰：「《爾雅》：『庭，直也。』按：謂諸侯之不直者。杜注殊屬曲說。韋昭《周語注》即云：『庭，直也。』不直，謂不道也。」[12]劉文淇《春秋左氏傳舊注疏證》曰：「按：洪說是也。《周語》云：『以待不庭不虞之患』，義與此《傳》『不庭』同。《詩·大田·傳》：『庭，直也。』」[13]衡諸文意，「不庭」釋為「不朝」，實較訓「不直」為佳。[14]章氏舉《管子·明法解》「趨重臣之門而不庭」以明「不庭」為「不朝君」，甚有識見。

8　上海人民出版社編：《章太炎全集》，冊2，頁112。

9　〔明〕王道焜、趙如源編：《左傳杜林合注》，收入《四庫全書》（上海：上海古籍出版社，1987年影印文淵閣《四庫全書》），冊171，卷2，頁354下。

10　楊說最為詳細，而文中亦引《管子·明法解》作證，可見楊受章太炎影響。參楊伯峻：《春秋左傳注》（修訂本）（北京市：中華書局，1990年），冊1，頁68-69。

11　〔清〕惠棟：《春秋左傳補註》收入文淵閣《四庫全書》，冊181，頁125上。

12　〔清〕洪亮吉撰，李解民點校：《春秋左傳詁》（北京市：中華書局，1987年），上冊，頁203。

13　〔清〕劉文淇：《春秋左氏傳舊注疏證》（京都市：中文出版社，1979年），頁53。又見《續修四庫全書》（上海市：上海古籍出版社，2002年），冊126，頁122。

14　案：「不庭」一詞，《左傳》三見，除本《傳》外，亦見於《成公十二年》：「謀其不協，而討不庭」（頁1910中）；《襄公十六年》：「晉侯與諸侯宴於溫……盟曰：『同討不庭。』」（頁1963上）前者乃晉、楚會盟，相約討伐背叛晉、楚之侯國，「不庭」正指這個特定情況。後者是說一起征討不敬盟會的人，故無論「不朝」或「不直」，均不能切合這兩個語境。考彝器銘文不見「庭」字而只見「廷」，「不廷」是「不來王廷」，後引申為「不直」、「不敬」、「不從命」之意，其義擴大，於不同語境便有不同的含意。詳見郭鵬飛：《洪亮吉左傳詁斠正》（臺北市：臺灣商務印書館，1997年），頁23-27。

（三）成事也　桓公二年冬

桓二年:「特相會。往來稱地,讓事也。自參以上,則往稱地。來稱會,成事也。」麟案:「成」與「讓」對文。「成」之言「貞」也,《書》「我二人共貞」是也。「成」之言「丁」也,《詩》「寧丁我躬」是也。「成」之言「正」也,《易》「正乎凶也」是也。「成」之言「聽」也,《傳》「戎昭果毅以聽之」是也。「成」之言「鼎」也,《漢書》「天子春秋鼎盛」是也。皆當任之意,言肯為會主,正與讓反也。杜預注以為成會事,遂以讓為不成會事。不知二人相會,莫適為主,非謂事竟不成也。[15]

筆者案:杜預曰:「特相會,公與一國會也。會必有主,二人獨會,則莫肯為主。兩讓,會事不成,故但書地。」[16]二人相會,讓不為主,所謂「讓事」也,並非「會事不成」。楊伯峻曰:「參同三,會者三國以上,必有一國擔任主人,成有當、任之義,此與讓事之讓相對成文,說詳章炳麟《春秋左傳讀》。」[17]章氏批評杜說言之成理,而釋「成」有「當任之意,言肯為會主,正與讓反也」,則更鞭辟入裡。

（四）將王　莊公二十一年

莊二十一年:「鄭伯將王,自圉門入。」按:《釋言》:「將,送也。」《詩·召南·鵲巢》:「百兩將之。」《莊子·大宗師》云:「其為物,無不將也,無不迎也。」《應帝王》云:「不將不逆。」《知北遊》云:「無有所將,無有所迎。」《寓言》云:「其往也,舍者迎將。」

---

15 上海人民出版社編:《章太炎全集》,冊2,頁127。

16 〔晉〕杜預注,〔唐〕孔穎達疏:《春秋左傳注疏》,卷5,頁1743下。

17 楊伯峻:《春秋左傳注》(修訂本),冊1,頁91。

以將與迎逆對文，是將為送也。送王自圉門入，猶今人言護送也。或
曰：《詩・周頌・我將》云：「我將我享。」箋云：「將，猶奉也。」
將王，言奉王，亦通。[18]

筆者案：竹添光鴻《左氏會箋》曰：「將，扶進也。《詩・小雅》『無將
大車』之『將』。」[19]楊伯峻曰：「《詩・周頌・我將》：『我將我享。』《鄭箋》
云：『將猶奉也。』」[20]「將」有多義，《詩・小雅》「無將大車」之「將」，
鄭玄釋為「扶進」，孔穎達申之，曰：「言將猶扶進者，以大車須人傍而將
之，是為扶車而進導也。」[21]「扶車而進導」之「將」與「將王」有別，竹
添之說猶有間格。章氏「奉王」之訓，是楊伯峻所本。至於「將送」的解
釋，章氏見「將」、「迎」往往對舉，故訓為「護送」，此亦見其敏銳之思。

（五）豈敢以至　　僖公十五年九月

僖十五年：「豈敢以至。」林氏《句解》云：「豈敢至於已甚？」麟
按：林于《傳》意得之，然未通訓詁也。《孟子》：「充類至義之盡
也。」注：「至，甚也。」古字「以」、「已」通，「以至」即「已甚」
也。「至」與「質」聲通，「至」之訓「甚」，猶「質」之訓「椹」
矣。《考工・弓人》注、《穀梁》昭八年傳注、《漢書・張蒼傳》注皆訓「質」為
「椹」。或曰：至借為銍，《說文》：「銍，忿戾也。」言「己所以行此事
者，以踐晉之妖夢。豈敢以私忿乎？」亦通。[22]

筆者案：《左傳》本文曰：「秦獲晉侯以歸。晉大夫反首拔舍從之，秦伯

18 上海人民出版社編：《章太炎全集》，冊2，頁200。

19 竹添光鴻：《左氏會箋》（成都市：巴蜀書社影印，2008年），冊1，頁299-300。

20 楊伯峻：《春秋左傳注》（修訂本），冊1，頁216。

21 〔漢〕毛亨傳，〔漢〕鄭玄箋，〔唐〕孔穎達疏：《毛詩注疏》，收入《十三經注疏附校
勘記》，卷13之1，頁463下。

22 上海人民出版社編：《章太炎全集》，冊2，頁260-261。

使辭焉，曰：『二三子何其慼也！寡人之從君而西也，亦晉之妖夢是踐，豈敢以至？』」[23]「豈敢以至」，杜無注，林堯叟訓為「豈敢至於已甚」，劉文淇從其說。[24]竹添光鴻曰：「以至，與下請以入應，言非縶縛以入國，不使縱歸也。」[25]竹添以「入」釋「至」，「豈敢以入」與上下文不協，說非。章氏舉《孟子・萬章下》「夫謂非其有取之者盜也，充類至義之盡也」，[26]釋「至」為「甚」，較林堯叟說更為透徹，楊伯峻亦從章氏之言。[27]今考《莊子・人間世》：「剋核大至，則必有不肖之心應之。」唐成玄英疏：「夫剋切責核，逼迫太甚，則不善之心歘然自應。」[28]此亦「至」為「甚」之證。

（六）以我為虞　成公八年秋

> 成八年：「其孰以我為虞？」杜預注：「虞，度也」此未塙。案：《方言》：「虞，望也。」當從此為訓。以我為望者，以我之國邑可取，而望得之也。望猶覬覦云爾。[29]

筆者案：自杜預訓「虞」為「度」，歷來無甚異議，如劉文淇、[30]安井衡[31]、竹添光鴻[32]等皆循杜注。章氏另提新說，引《方言》為證，釋「虞」

23 杜預注，孔穎達疏：《春秋左傳注疏》，卷14，頁1806中。

24 劉文淇：《春秋左氏傳舊注疏證》（中文出版社本），頁320。手稿本只見林堯叟名而不錄其文，見《續修四庫全書》，冊126，頁802。

25 竹添光鴻：《左氏會箋》，冊1，頁476。案：下文曰：「大夫請以入」，竹添光鴻曰：「以入，即上文以至也。」（頁477）

26 〔漢〕趙歧注，〔宋〕孫奭疏：《孟子注疏》，收入《十三經注疏附校勘記》，卷10下，頁2743下。

27 楊伯峻：《春秋左傳注》（修訂本），冊1，頁357。

28 郭慶藩：《莊子集釋》（北京市：中華書局，1961年），上冊，頁160。

29 上海人民出版社編：《章太炎全集》，冊2，頁444。

30 劉文淇：《春秋左氏傳舊注疏證》（中文出版社本），頁850。《續修四庫全書》所收稿本止於宣公十八年，未有此條。

31 安井衡：《左傳輯釋》，（臺北市：廣文書局影印，1979年），上冊，卷13，頁15。

32 竹添光鴻：《左氏會箋》，冊2，頁1026。

為「望」[33]，猶「覕覤」之意。此說十分巧妙，比《杜注》更能切合文意，楊伯峻亦從其解說。[34]

二

以上數例，均可見章氏對典籍文獻十分嫺熟，對文章語境有極其敏銳的觸覺，從而發掘問題，提出新解，並列舉相關文例以證，往往有出人意表的創獲。章氏才識甚高，時有發明，讀書但有己見，便勇於立說，故難免有不備之處，今亦舉例以明之：

（一）賤妨貴　隱公三年冬

隱三年：「且夫賤妨貴，少陵長，遠閒親，新閒舊，小加大，淫破義。」案：《管子・五輔》云：「賤不踰貴，少不陵長，遠不閒親，新不閒舊，小不加大，淫不破義。」下五句誼皆同，而妨獨作踰，然則妨不當訓害矣，當借為斜。《說文》：「斜，量溢也。」〈東京賦〉：「規摹踰溢。」是溢與踰同誼。故薛綜注云：「踰，越也。本《說文》。溢，過也。」而《說文》云：「越，度也。」「過，度也。」是越、過同誼，則踰、溢同誼可知。然則斜訓溢，亦得訓踰矣。斜、踰同誼，猶唪、喻同誼。《說文》：「唪，譆聲。唪，喻也，從口，旁聲。司馬相如說淮南、宋、蔡舞唪喻也。」唪字列「嗑，多言」之下，「嘼，高氣多言」、「谷，高氣」之上，《說文》無喻。凡高氣者，亦有踰越之

意，是知嫖喻亦取誼于此矣。賤踰貴與少陵長，誼又相比。[35]

筆者案：「妨」，《說文・女部》訓「害」，[36]孔穎達曰：「妨，謂有所害。」[37]劉文淇亦引《說文》為證，並以《管子・五輔》作比較，曰：「與《左傳》略同，當是古語……《晉書・荀勗傳》：『時帝欲省吏，勗議曰：『重敬讓，尚止足，令賤不妨貴，少不陵長，遠不間親，新不間舊，小不加大，淫不破義，上下相安，遠近相信。』又以此為用人之法，蓋猶詩之斷章取義也。』」[38]古籍文辭互見，尋常可覓，略有更動，亦本自然，劉說相當通達，朱駿聲、[39]竹添光鴻、[40]楊伯峻[41]亦主「妨害」說。「以賤害貴」，語義清晰，歷來無甚異議，章氏固守《管子》之文，以「妨」為「斜」之借字，並無確證，實覺不必。

（二）以三軍軍其前　　隱公五年四月

隱五年：「鄭祭足、原繁、泄駕以三軍軍其前，使曼伯與子元潛軍軍其後。」案：《說文》：「軍，圜圍也。」《廣雅・釋言》：「軍，圍也。」《疏證》曰：「《呂氏春秋・明理》篇註：『氣圜繞日周帀，有似軍營相圍守，故曰暈也。』《淮南子・覽冥訓》註：『運讀連圈之圈。』運者，軍也。將有軍事相圍守，則月運出也。軍、運、圈，古聲並相近。」以上《廣雅疏證》。然則軍其前、軍其後者，圍守其前、圍守其後也。[42]

35　上海人民出版社編：《章太炎全集》，冊2，頁96。

36　〔漢〕許慎：《說文解字》（北京市：中華書局，1963年影印），頁263上。

37　〔晉〕杜預注，〔唐〕孔穎達疏：《春秋左傳注疏》，卷3，頁1724中。

38　劉文淇：《春秋左氏傳舊注疏證》（中文出版社本），頁23。又見《續修四庫全書》，冊126，頁49。

39　〔清〕朱駿聲：《說文通訓定聲》（北京市：中華書局影印，1984年），頁926下。

40　竹添光鴻：《左氏會箋》，冊1，頁56。

41　楊伯峻：《春秋左傳注》（修訂本），冊1，頁32。

42　上海人民出版社編：《章太炎全集》，冊2，頁100。

筆者案：章氏以「圍守」釋「軍」，稍有不及。「軍」於此為「攻」，《周禮・秋官・朝士》：「凡盜賊軍鄉邑及家人，殺之無罪。」孫詒讓曰：「王安石、鄭鍔並釋軍為攻圍，屬下讀之，江永云：『軍猶攻殺也。』」[43]《左傳・桓公十三年》：「及羅，羅與盧戎兩軍之，大敗之，莫敖縊於荒谷，羣帥囚於冶父。」[44]又《襄公二十六年》：「楚師輕窕，易震蕩也。若多鼓鈞聲，以夜軍之。楚師必遁。」[45]楊伯峻曰：「軍之，猶言全軍合攻之。」[46]此皆「軍」為「攻」之證也。

（三）不賴盟矣　隱公七年十二月

隱七年：「不賴盟矣。」案：賴，訓贏，訓利，訓蒙，訓恃，訓取，訓善，訓讎，於此文皆迂遠。當是借為嬾。《孟子》：「富歲子弟多賴。」阮芸臺謂賴當借為嬾，其說是也。此亦同。《說文》：「嬾，懈也，怠也。」不，為發語之詞，猶不顯、不寧、不康之類。不嬾盟，即嬾盟。嬾盟，謂怠於盟。上《傳》：「歃而忘。」從《說文》。服子慎注云：「臨歃而忘其盟載之辭，言不精也。」惟其懈怠，是以不精。怠盟則不念鄰國之好，是以知五父不免，卒為蔡人所殺，其以此夫！[47]

筆者案：章氏否定「賴」的各個意義，而以「賴」為「嬾」之借。「嬾」為「懈怠」，「懈怠於盟」，甚為不辭，章說並不可取。以「利」訓「賴」則較合文意。《說文・貝部》曰：「賴，贏也。從貝，剌聲。」[48]清儒對此多有考證，指出《說文》另本「賴」為「利」。桂馥《說文解字義證》

43　〔清〕孫詒讓著，王文錦、陳玉霞點校：《周禮正義》（北京市：中華書局，1987年），冊11，頁2830，2831。
44　〔晉〕杜預注，〔唐〕孔穎達疏：《春秋左傳注疏》，卷7，頁1757上。
45　同前註，卷37，頁1991下。
46　楊伯峻：《春秋左傳注》（修訂本），冊3，頁1121。
47　上海人民出版社編：《章太炎全集》，冊2，頁105。
48　〔東漢〕許慎：《說文解字》，頁130下。

卷一八曰：「贏也者，《漢書音義》引作『利也』。《史記‧高祖紀》：『大人常以臣無賴』，晉灼曰：『無利入於家也。』[49]《晉語》：『君得其賴。』韋云：『賴，利也。』《衛策》：『為魏則善，為秦則不賴矣。』高云：『賴，利也。』《史記‧樗裡子傳》集解云：『賴，利也。』《晉語》：『已賴其地。』韋云：『賴，贏也。』」[50]段玉裁《說文解字注》同。席世昌《讀說文記》曰：「賴注贏字，當是傳寫之誤，宜從《漢書》注改正。《史記正義》晉灼注同。」[51]沈濤《說文古本考》更指「今本蓋二徐所妄改。」[52]「賴」意為「利」，先秦文獻多見其用，《國語》、《戰國策》之外，又如《呂氏春秋‧離俗》：「其視富貴也，苟可得已，則必不之賴。」高誘注：「不之賴，不賴之也。賴，利也，一曰善也。」[53]《傳》文「不賴盟矣」，是以五父不以盟為國之利，故泄伯言其將不免。

（四）晉　桓公二年冬

桓二年：「晉穆侯之夫人姜氏。」洪氏詁曰：「高誘《呂覽》注『暗，國名也，音晉，今為晉，字之誤也。』此說未詳。然古人或有依據。」麟案：譬從矤，即古文日字，見《汗簡》。〈熒王彝〉「熒」字，阮釋為炅字，是也。暗從三日，則即晶字，蓋古韻真、臻與耕、青得通，故晶、晉通用，今諸經史無暗字，蓋亡新以三日大盛，盡改為晉耳。譬字非古文所無，以為字誤，說大過。[54]

---

49 案：裴駰《史記集解》引晉灼曰：「許慎曰：『賴，利也。』無利入於家也。」見司馬遷：《史記》（北京市：中華書局，1963年），冊2，卷8，頁387。

50 〔清〕桂馥：《說文解字義證》（上海市：上海古籍出版社影印，1987年），頁539下。

51 〔清〕席世昌：《讀說文記》，收入丁福保編纂：《說文解字詁林》（北京市：中華書局影印，1988年），冊7，頁6490下。

52 〔清〕沈濤：《說文古本考》，收入《說文解字詁林》，冊7，頁6490下。

53 陳奇猷：《呂氏春秋新校釋》（上海市，上海古籍出版社，2002年），下冊，頁1243，1249。

54 上海人民出版社編：《章太炎全集》，冊2，頁128。

筆者案：「晉」，甲文作〔甲文字形〕拾一三・一，[55]金文作〔金文字形〕格伯作晉姬簋、〔金文字形〕晉人簋、〔金文字形〕䣄羌鐘等，[56]上從〔字形〕，即「垡」，為二矢，非日字，《汗簡》「晉」字作〔字形〕，[57]上為〔字形〕之訛變，亦非日字，章氏「暗從三日」說，誤。

（五）其能久乎　桓公二年冬

桓二年：「今晉，甸侯也，而建國。本既弱矣，其能久乎？」按：此久，與它言久者稍別。《說文》引《周禮》曰：「久，諸牆以觀其橈。」今〈考工・廬人〉久作灸，注云：「猶柱也。」然則久者，支柱之義。言本既弱矣，其能支柱所建之國乎？即末大必折之義。襄十八年云：「君固無勇，而又聞是，弗能久矣。」亦謂弗能支也。[58]

筆者案：《說文・久部》：「久，以後灸之，象人兩脛後有距也。《周禮》曰：『久諸牆以觀其橈。』」[59]又〈火部〉曰：「灸，灼也，從火，久聲。」[60]「久」與「灸」甲文、金文同形，作〔字形〕甲二九〇八、〔字形〕菁三・一、[61]〔字形〕盂鼎、[62]〔字形〕䣄公簋，[63]形構不明，詹鄞鑫釋為銅格的側面視圖，本義為炮烙，「久」為「灸」的初文，[64]其說甚巧，可參。何琳儀認為二者為一字分化，

---

55 中國社會科學院考古研究所編：《甲骨文編》（北京：中華書局，1992年），頁284。

56 容庚編著，張振林、馬國權摹補：《金文編》（北京：中華書局，1985年），頁456-457。

57 黃錫全：《汗簡注釋》（武昌：武漢大學出版社，1990年），頁249。

58 上海人民出版社編：《章太炎全集》，冊2，頁129。文中引《周禮》曰：「久，諸牆以觀其橈。」案：此語應作「久諸牆以觀其橈。」今本《周禮・考工記・廬人》作「灸諸牆以眠其橈之均也。」見〔漢〕鄭玄注，〔唐〕賈公彥疏：《周禮注疏》，收入《十三經注疏附校勘記》，卷41，頁927上。《全集》本斷句誤。

59 〔漢〕許慎：《說文解字》，頁114上。

60 同前註，頁209上。

61 中國社會科學院考古研究所編：《甲骨文編》，頁488。

62 容庚編著，張振林、馬國權摹補：《金文編》，頁817。

63 同前註，頁818。

64 李圃主編：《古文字詁林》（上海市：上海教育出版社，2004年），冊5，頁719-720。

曰：「秦國文字 ⺀ 形釋久，六國文字 ⺀ 形釋乒。」[65]今考《睡虎地秦墓竹
簡‧封診式‧賊死》：「男子丁壯，析（皙）色長七尺一寸，髮長二尺；其腹
有久故瘢二所。」整理者注：「久，讀為灸。灸故瘢，灸療遺留的疤痕。」[66]
又《睡虎地秦墓竹簡‧秦律十八種‧工律》：「公甲兵各以其官名刻久之，其
不可刻久者，以丹若鬃書之。」整理者注：「刻久，刻上標記。」[67]火灸留
痕，自為標記，引申為「長久」，而從火的「灸」如何為「支柱」義，則未
能解釋。《左傳》「久」字凡六十七見，皆作「久長」義，章氏釋「久」為
「灸」，作「支柱」解，雖別出心裁，但稍覺牽強。

（六）善自為謀　桓公六年六月

　　桓六年：「善自為謀。」案：若因太子言「自求多福，在我而已」，故
為此言美之，則棄援無可美。預謂「獨絜其身，謀不及國」，又與因
太子之言而為言之意不合。案：善借為嬗。《說文》：「嬗，好枝格人
語也。」好枝格人語者，好抵拒人語也。如是者，其人必剛執慻戾。
《說文》：「婼，不順也。」「婞，很也。」「嫛，易使怒也。」「嬗，
好枝格人語也。」「娺，疾悍也。」疾，即嫉。嫉悍，猶妬悍也。五篆相
連，誼訓必近，故《說文》：「嬗，一曰靳也。」靳，即好枝格人語之
謂。一曰者，一名也。張衡〈應閒〉曰：「婞很不柔，以意誰靳
也。」言婞很不柔，欲以意觚拒誰人乎？《廣韻》訓「嬗」為「偏
伎」，蓋嬗與婞音誼同。婞亦作悻。《論語》「硜硜然小人哉」，《孟
子》注引「硜硜」作「悻悻」，則悻、硜通作悂。《說文》「悂，恨
也。」《廣雅‧釋詁》：「很，恨也。」然則悂訓恨，即訓很，與婞實

---

65 何琳儀：《戰國古文字典：戰國文字聲系》（北京市：中華書局，1998年），上冊，頁
　30。

66 睡虎地秦墓竹簡整理小組編：《睡虎地秦墓竹簡》（北京市：文物出版社，2001年），
　頁157，158。

67 同前註，頁44。

一字也。嬎之同婞、悛，猶繕之通勁也。忽拒齊意，故曰偏愎。欲以我致福而不恃大援，故曰自為謀嬎，與自為謀相因，嬎自為謀，誼與剛愎自用同文法，與「強不可使」、「忍弗能與」等同，蓋忽引《詩》而言「在我」，君子謂其言誠是也。而身無致福之才，則徒有其言，而不能如其言之實，是嬎自為謀而已矣。又忽初辭齊昏，時尚未知文姜之惡，則固因不欲昏齊，而非以文姜淫亂也。若使醜聲早播，則魯桓必不聘矣。故其後齊侯欲以他女妻之，而忽亦辭之不許，明其非為文姜矣。君子探其不欲昏齊之意，而責其坐失大援，故以嬎自為謀為刺，乃括前後二次辭昏言之，非專指辭取文姜也。[68]

筆者案：章氏認為君子曰「善自為謀」的「善」為「嬎」的借字，並同「婞」、「悛」，指鄭太子忽推辭齊婚，是剛愎自用的舉措，而非君子讚揚太子忽的言詞。[69]今舉《左傳》原文以檢討章說。文曰：「公之未昏於齊也，齊侯欲以文姜妻鄭大子忽。大子忽辭。人問其故。大子曰：『人各有耦，齊大，非吾耦也。《詩》云：『自求多福。』在我而已，大國何為？』君子曰：『善自為謀。』及其敗戎師也，齊侯又請妻之。固辭。人問其故，大子曰：『無事於齊，吾猶不敢；今以君命奔齊之急，而受室以歸，是以師昏也，民其謂我何？』遂辭諸鄭伯。」杜預注：「言獨絜其身，謀不及國。」[70]杜預雖然批評太子忽「謀不及國」，但亦以「善自為謀的「善」如字解說。章氏以太子忽拒婚則失齊國後盾，因而認為「棄援無可美」，進一步解「善」為「嬎」。君子之言遂有美、刺兩個說法。按文意，鄭太子忽兩拒齊婚，君子「善自為謀」之言是針對第一次拒婚時所作。以小辭大，「自求多福」，太子忽有過人之見；「善自為謀」應為嘉美之辭。此外，章氏以「善」為「嬎」說亦可斟酌。先秦兩漢典籍不見「嬎」字用例，《說文·女部》曰：「嬎，好

---

68 上海人民出版社編：《章太炎全集》，冊2，頁151-152。

69 楊伯峻認為「善自為謀」是「美鄭忽辭文姜之詞」，並反對章太炎的說法。見《春秋左傳注》（修訂本），冊1，頁113。

70 〔晉〕杜預注，〔唐〕孔穎達疏：《春秋左傳注疏》，卷6，頁1750下。

枝格人語也。一曰靳也。从女，善聲。」[71]《段注》：「謂不欲人語而言他，以枝格之也。」[72]王筠《說文解字句讀》曰：「謂儳言也。」[73]不欲人語而摻言之，是「嬗」的本義，與章說「好抵拒人語」稍異。章氏更引而申之，指「如是者，其人必剛執慓戾」。從「好抵拒人語」，想像其人「必剛執慓戾」，終連結於「婞」，這種推論實在過於迂迴。「嬗」字典籍不見，章氏遂以「嬗」與「婞」音義皆同。但「嬗」上古音為章母元部，「婞」為匣母耕部，二字聲音遠隔。由是觀之，「嬗」與「婞」音義皆不相同。總括而言，「善自為謀」，「善」作「美善」，文從字順，亦符合《左傳》原意。章以「善」為「嬗」，則曲折難通。

（七）不念寡人　莊公十四年六月

> 莊十四年：「入又不念寡人。」案：《說文》：「念，常思也。」既入國矣，無所用其常思。此念即埝字。《方言》：「埝，下也。」《廣雅疏證》曰：「《靈樞經‧通天》篇：『太陰之人，其狀念然下意。』埝、念同。」麟案：《史記‧項羽本紀》：「未能下。」正義：「以兵威服之曰下。」《史》，《漢》多謂降為下，念字由陷下據《方言》注。引申為降下。不念寡人，即不下寡人；不下寡人，即不降寡人也。又案：《說文》：「惗，下齎也。」《後漢書》注引《說文》：「惗，念也。」《玉篇》、《廣韻》亦云：「惗，念也。」然《說文》「惗」接「愞」下，「愞」云：「駑弱也。」《廣雅》亦云：「惗，弱也。」則「下齎」不誤。下齎，即下資，謂下劣之資也。凡下劣者，多臨事不斷，思念較多，故誼相引申。資下劣者，未有不念然下意，故惗、念引申之誼同。[74]

---

71 許慎《說文解字》，頁263下。

72 〔清〕段玉裁：《說文解字注》（上海市：上海古籍出版社，1988年），頁623下。

73 王筠：《說文解字句讀》，收入《續修四庫全書》，冊219，頁40。

74 上海人民出版社編：《章太炎全集》，冊2，頁194-195。

　　筆者案：章氏以「念」為「埝」，據《方言》卷一三「陷下」之「埝」，輾轉釋之為「降」，解「不念寡人」為「不降寡人」。作「降服」之「下」，先秦兩漢文獻習見，如《左傳・桓公八年》：「季梁請下之：『弗許而後戰，所以怒我而怠寇也。』」杜預注：「下之，請服也。」[75]《僖公七年》：「既不能彊，又不能弱，所以斃也。國危矣，請下齊以救國。」[76]《韓非之・十過》：「襄子謂張孟談曰：『糧食匱，財力盡，士大夫羸病，吾恐不能守矣，欲以城下，何國之可下？』」[77]「下」既為普遍用語，不必以「埝」字代之，何況文獻未見「埝」作「降」的例證。考「念」為「思念」，亦有「感念」之意，《左傳・哀公二十七年》：「二月，盟於平陽，三子皆從。康子病之，言及子贛，曰：『若在此，吾不及此夫！』武伯曰：『然。何不召？』曰：『固將召之。』文子曰：『他日請念。』」杜預注：「言季孫不能用子贛，臨難而思之。」[78]此謂感念子贛之能，可證「念」不徒「思念」而已，章言「既入國矣，無所用其常思」，不確。本《傳》「不念寡人」，猶言心不在寡人，《左傳・襄公二十六年》：「甲午，衛侯入。書曰『復歸』，國納之也。大夫逆於竟者，執其手而與之言；道逆者，自車揖之；逆於門者，頷之而已。公至，使讓大叔文子曰：『寡人淹恤在外，二三子皆使寡人朝夕聞衛國之言，吾子獨不在寡人。古人有言曰：『非所怨，勿怨』，寡人怨矣。』對曰：『臣知罪矣，臣不佞，不能負羈紲以從扞牧圉，臣之罪一也。有出者，有居者，臣不能貳，通外內之言以事君，臣之罪二也。有二罪，敢忘其死？』乃行，從近關出。公使止之。」[79]

　　以上語境與本《傳》相近，今錄其文以茲比較，文曰：「屬公入，遂殺傅瑕。使謂原繁曰：『傅瑕貳，周有常刑，既伏其罪矣。納我而無二心者，

75　〔晉〕杜預注，〔唐〕孔穎達疏：《春秋左傳注疏》，卷7，頁1754中。

76　同前註，卷13，頁1798下。楊伯峻曰：「下齊，下於齊也，猶言屈服於齊。」見《春秋左傳注》（修訂本），冊1，頁316。

77　陳奇猷：《韓非子新校注》（上海市：上海古籍出版社，2000年），上冊，頁214。

78　〔晉〕杜預注，〔唐〕孔穎達疏：《春秋左傳注疏》，卷60，頁2183上-中。

79　同前註，卷37，頁1989上-中。

吾皆許之上大夫之事，吾願與伯父圖之。且寡人出，伯父無裏言。入，又不念寡人，寡人憾焉。』對曰：『先君桓公命我先人典司宗祏。社稷有主，而外其心，其何貳如之？苟主社稷，國內之民，其誰不為臣？臣無二心，天之制也。子儀在位，十四年矣；而謀召君者，庸非二乎？莊公之子猶有八人，若皆以官爵行賂勸貳而可以濟事，君其若之何？臣聞命矣。』乃縊而死。」[80]上文「吾子獨不在寡人」，顧炎武說：「在，如『乃心罔不在王室』之『在』。」[81]「不在寡人，寡人怨矣」，與本《傳》「不念寡人，寡人憾焉」幾乎同調，可見「念」與「在」義近，章氏以「降」釋之，傷之太露。杜預釋「念」作「不親附己」，[82]是說「不念寡人」的言下之意。竹添光鴻曰：「不念寡人，猶曰不以己事置念頭，責其不為己謀也。」[83]亦為通達之言。

（八）因重固　閔公元年冬

閔元年：「親有禮，因重固。」案：因亦親也。《詩·大雅·皇矣》：「因心則友。」傳：「因，親也。」《儀禮·喪服》傳：「繼母之配父，與因母同。」注：「因，猶親也。」《廣雅·釋詁》：「因，親也。」《賈子·傅職》云：「天子不姻於親戚，不惠於庶民。」姻亦親也，即《周禮》「孝友睦姻古文姻」、「任卹之姻」，《詩·小雅·我行其野》「不思舊姻」，《白虎通》引作「不惟舊因」，是因、姻同之證。此亦可補訓故者也。服子慎注：「重不可動，因其不可動而堅固之。」此本襄十四年「因重而撫之」為義，然文不妥。[84]

筆者案：「因重固」的解釋大致有二，一為服虔注，二為杜預注。杜

80 同前註，卷9，頁1771中-下。

81 〔清〕顧炎武：《左傳杜解補正》，收入《顧炎武全集》（上海市：上海古籍出版社，2011年），冊1，卷中，頁73。

82 〔晉〕杜預注，〔唐〕孔穎達疏：《春秋左傳注疏》，卷9，頁1771中。

83 竹添光鴻：《左氏會箋》，冊1，頁280。

84 上海人民出版社編：《章太炎全集》，冊2，頁219。

曰：「能重能固，因而成之。」[85]贊同服說者如李貽德《春秋左氏傳賈服注輯述》、[86]劉文淇《春秋左氏傳舊注疏證》。[87]贊同杜說者如孔穎達《春秋左傳正義》、[88]林堯叟《春秋左傳句解》，[89]與杜相類的有惠棟《春秋左傳補注》。[90]章氏批評了服虔說之不妥，但不加解釋。如服說，「因」如為「就」，乃介詞，如作「因為」，則為連詞，皆不合本文句法，本《傳》文曰：「公曰：『魯可取乎？』對曰：『不可。猶秉周禮。周禮，所以本也。臣聞之：『國將亡，本必先顛，而後枝葉從之。』魯不棄周禮，未可動也。君其務寧魯難而親之。親有禮，因重固，間攜貳，覆昏亂，霸王之器也。』」[91]就句式看，「親」、「因」、「間」、「覆」皆為動詞，無論「因」字作為連詞或介詞，都會破壞這四句句式的嚴謹性。「有禮」、「重固」、「攜貳」、「昏亂」四者之後均有省略的名詞，性質同屬受詞，如以「重」作形容詞，「固」作動詞，亦不合於整體語法，文意亦不通順。故孔穎達批評服虔之說曰：「服虔云：『重不可動，因其不可動而堅固之。』杜以此《傳》四句相類，間攜貳，攜貳者皆間之；覆昏亂，昏亂者皆敗之。知此重固皆因之，則非因重而固之。」[92]孔氏之言甚中肯綮。高本漢（Bernhard Karlgren）亦就句法方面質疑服說。[93]今考《說文・口部》：「因，就也。从口大。」[94]《段注》：「就，下曰：『就，高也。』為高必因丘陵，為大必就基阯，故因从口大，就其區域而擴充之也。《中庸》曰：『天之生物，必因其材而篤焉。』《左

85　〔晉〕杜預注，〔唐〕孔穎達疏：《春秋左傳注疏》，卷11，頁1786中。
86　〔清〕李貽德：《春秋左氏傳賈服注輯述》，《續修四庫全書》，冊125，頁438下。
87　〔清〕劉文淇：《春秋左氏傳舊注疏證》（中文出版社本），頁221-222。又見《續修四庫全書》，冊126，頁491。
88　〔晉〕杜預注，〔唐〕孔穎達疏：《春秋左傳注疏》，卷11，頁1786中。
89　王道焜、趙如源編：《左傳杜林合注》，頁405下。
90　惠棟：《春秋左傳補註》，頁132上。
91　〔晉〕杜預注，〔唐〕孔穎達疏：《春秋左傳注疏》，卷11，頁1786中。
92　同前註，頁1786中。
93　高本漢著，陳舜政譯：《高本漢左傳注釋》（臺北市：國立編譯館中華叢書編審委員會，1979年），頁59。
94　〔漢〕許慎：《說文解字》，頁129下。

傳》曰：『植有禮，因重固。」⁹⁵段氏之言「就」，即今之「依據」、「憑藉」之意，高本漢曰：「『因』字之被解說為『就』，着重在『依據』、『專意於』。如《國語‧鄭語》云：『不可因也。』韋昭注云：『因，就也。』『就』的意思便是『憑藉』、『依靠』。」⁹⁶高說言之成理，考《呂氏春秋‧盡數》：「精氣之來也，因輕而揚之，因走而行之，因美而良之，因長而養之，因智而明之。」高誘注：「因，依也。」⁹⁷據文意，「因重固」的「因」當訓「依」，「依靠」之意。章太炎釋「因」為姻親的「姻」，與上文「親有禮」重覆，亦不如釋「依」之切合。

（九）不以阻隘　僖公二十二年十一月

　　僖二十二年：「不以阻隘也。」《宋微子世家》作：「君子不困人於阨隘。」阨字本通以，困訓阻者，讀阻為祖也。《堯典》：「黎民阻飢。」《漢書》作「祖」，是阻與祖通。《荀子‧大略》云：「患至而後慮者謂之困。」是困者，失諸後也。《史記‧三王世家》褚先生《補傳》云：「祖，先也。」《始皇本紀》：「祖龍者，人之先也。」《小雅‧甫田》傳：「田祖，先嗇也。」是祖訓先，正與後對。古字祖作且。《檀弓》：「夫祖者，且也。」故《墨子‧經說》云：「自前曰且，自後曰己。」亦以且為前，與後相對。按下文云：「隘而不列。」則此祖隘，即上文之「既濟而未成列」，司馬欲擊之也。擊其未列，故曰「祖隘」，言先隘者而動也。己先，則使楚後于事，是在楚為患至而後慮也，故曰：「困人於阨。」史公以楚之後，見宋之先，彼此互推，其誼益明，非承荀子之舊訓，有此精塙乎？⁹⁸

---

95 〔清〕段玉裁：《說文解字注》，頁278上。

96 高本漢著，陳舜政譯：《高本漢左傳注釋》，頁59。

97 陳奇猷：《呂氏春秋新校釋》，上冊，頁139，141。

98 上海人民出版社編：《章太炎全集》，冊2，頁270-271。

筆者案：章氏訓「阻」為「祖」，論證較為牽強。章氏先舉《史記》「君子不困人於阸隘」作證，說：「阸字本通以，困訓阻者，讀阻為祖也。」「阸字本通以」，如以「以」代「阸」，則文不可讀。「困訓阻者，讀阻為祖也」，則以史遷亦讀「阻」為「祖」，這恐怕是強加之辭。「困人於阸隘」，目寓即明，何勞以《荀子》為祖訓？且「困」訓「阻」，可，訓「祖」，則不可。章氏以「困者，失諸後」，推衍史遷下「困」字之由，實毫無根據。今錄本《傳》原文，以作分析，文曰：「公曰：『君子不重傷，不禽二毛。古之為軍也，不以阻隘也。寡人雖亡國之餘，不鼓不成列。』子魚曰：『君未知戰，勍敵之人，隘而不列，天贊我也；阻而鼓之，不亦可乎？猶有懼焉。且今之勍者，皆吾敵也。雖及胡耇，獲則取之，何有於二毛？明恥、教戰，求殺敵也。傷未及死，如何勿重？若愛重傷，則如勿傷；愛其二毛，則如服焉。三軍以利用也，金鼓以聲氣也。利而用之，阻隘可也；聲盛致志，鼓儳可也。』」[99]文中明言「隘而不列，天贊我也；阻而鼓之，不亦可乎？」則知「阻」決不訓「祖」，章氏則只言「隘而不列」，而忽略「阻而鼓之」一語，因而致誤。「阻隘」，杜預曰：「不因阻隘以求勝。」[100]劉文淇曰：「阻隘，猶阨也。」[101]安井衡曰：「衡案：阻，隔也，言不以兵隔絕之險隘之地也。下文『隘而不列』，自彼言之；『阻而鼓之』，自我言之，阻、隘分言，可以見矣。」[102]俞樾曰：「樾謹按：《傳》文曰：『古之為軍也，不以阻隘也。寡人雖亡國之餘，不鼓不成列。』下文子魚曰：『隘而不列，天贊我也；阻而鼓之，不亦可乎？』是阻與鼓對，隘與不成列對，故又曰：『利而用之，阻隘可也；聲盛致志，鼓儳可也。』鼓、儳二字不平列，則阻、隘二字亦不平列。阻者，扼也。《尚書·堯典篇》：『黎民阻飢。』《正義》引《鄭注》曰：『阻，扼也。』方楚人之未既濟，即扼而擊之，是謂阻其隘。杜解未得

99 〔晉〕杜預注，〔唐〕孔穎達疏：《春秋左傳注疏》，卷15，頁1814上。
100 同前註，頁1814上。
101 〔清〕劉文淇：《春秋左氏傳舊注疏證》（中文出版社本），頁353。《續修四庫全書》本不見此語。
102 安井衡：《左傳輯釋》，上冊，卷6，頁16。

其旨。」[103]筆者案：從「阻而鼓之」一語可知「阻隘」並非平列同義詞，而如俞說「阻其隘」，為動賓結構。「阻」當如安井衡說為「隔」，《周禮‧夏官‧司險》云：「司險掌九州之圖，以周知其山林川澤之阻，而達其道路。」鄭玄注：「達道路者，山林之阻則開鑿之，川澤之阻則橋梁之。」[104]此「阻」為「隔」義之證。

（十）以務烈所　宣公十二年六月

> 宣十二年：「撫弱者昧，以務烈所，可也。」麟案：所，借為斦，為戶。《方言》：「斦，文也。」〈西京賦〉：「赫斦斦以弘敞。」李善引《埤倉》云：「斦，赤文也。」〈論語摘衰聖〉：鳳有九苞，「八曰音激揚，九曰腹文戶。」王懷祖曰：「戶，亦文采貌也。」所，從戶聲，故得通斦、戶。古烈文多並言。〈周頌‧烈文〉云：「烈文辟公。」雍云：「既右烈考，亦右文母。」哀三年《傳》云：「烈祖康叔，文祖襄公。」是也。[105]

章氏以「所」為「斦」的借字，釋「文采」。筆者案：「所」、「斦」未見通假之例。[106]章所舉《詩經‧雝》及《左傳‧哀公三年》的「文母」、「文祖」，「文」實為「文德」之稱。王引之《經義述聞‧毛詩下‧亦右文母》曰：「引之謹案：文王之『文』，謚也。文母之『文』，則美大之稱，猶言皇

---

103 俞樾：《羣經平議‧春秋左傳》，收入《續修四庫全書》，冊178，頁406下。竹添光鴻全錄俞說而不具名，見《左氏會箋》，冊2，頁520-521。楊伯峻贊同俞說，並謂阻其隘為動賓結構，較《杜注》以阻與隘為同義詞平列連用為長。說見《春秋左傳注》（修訂本），冊1，頁398。高本漢贊同《杜注》而非議俞說，見高本漢著，陳舜政譯：《高本漢左傳注釋》，頁98。

104 〔漢〕鄭玄注，〔唐〕賈公彥疏：《周禮注疏》，卷30，頁844上。

105 上海人民出版社編：《章太炎全集》，冊2，頁395。案：章氏原文作「烈祖康叔」，《左傳》原文為「祖烈康叔」。又此乃哀公二年《傳》文，非章云「三年」。見〔唐〕杜預注，〔唐〕孔穎達疏：《春秋左傳注疏》，卷57，頁2157上。

106 案：「所」為生母魚部，「斦」為匣母魚部，韻部相同而聲紐遠隔。

妣、皇母耳。……《漢書・元后傳》：『太皇大后當為新室文母大皇大后』、《後漢書・鄧騭傳》：『伏惟和熹皇后聖善之德，為漢文母』、《何敞傳》：『伏惟皇大后秉文母之操』，皆本〈周頌〉為義。彼言文母，並是文德之稱，非因其夫之謚文而稱之也。古人贊美先世多謂之文，〈堯典〉『受終于文祖』，傳曰：『文祖者，堯文德之祖廟。』……此詩以烈考、文母對舉，烈、文皆贊美之詞。〈周頌・烈文〉篇『烈文辟公』，傳曰：『烈光也。』《晉語》及哀三年《左傳》並曰『烈祖康叔，文祖襄公』，韋昭注《晉語》曰：『烈，顯也。文，言有文德也。』其明證矣。」[107]王說擲地有聲，楊樹達讚揚王說，並於〈靜𣪘再跋〉曰：「〈靜𣪘〉銘末云：『王錫靜鞞剝，靜敢拜頜首對揚天子丕顯休，用作文母外姑尊𣪘，子子孫孫其萬年用。』按彝銘稱『文祖』、『文考』者屢見不一見，『文考』或稱『文父』……其女子稱文者，〈庚嬴卣〉有『文姑』，其文云：『庚嬴對揚王休，用作𦔉文姑寶尊彝。』是其例也。『文姑』外有『文母』，見於此銘及〈帥隹鼎〉。〈帥隹鼎〉云：『帥隹戀兄念王母勤旬疑讀為勞，自乍後王母㡋商𦔉文母魯公孫用鼎。』是也。……吾人今日幸得讀多數之彝銘，於王氏所舉『文祖』、『文考』、『文人』諸證外，又得上述『文父』『文姑』諸例，而此器銘之『文母外姑』尤足申證王氏文母不關文王之說者也。」[108]

「烈」、「文」並列，固有「光明顯赫」之意，「烈」字獨用，亦有「功業」之意，《爾雅・釋詁下》云：「烈，業也。」[109]郭璞注：「謂功業也。」《尚書・盤庚》：「今不承于古，罔知天之斷命，矧曰其克從先王之烈？」《孔傳》：「天將絕命，尚無知之，況能從先王之業乎？」[110]本《傳》「烈所」之「烈」，當為「功業」解，原文曰：「德立、刑行、政成、事時、典

---

107 〔清〕王引之：《經義述聞》，頁421上-下。

108 楊樹達：《積微居金文說・餘說》（上海市：上海古籍出版社，2007年），頁348-349。林義光亦有相類說法，見氏著：《詩經通解》（臺北市：臺灣中華書局，1985年），頁259-260。

109 周祖謨：《爾雅校箋》（南京市：江蘇教育出版社，1984年），頁16。

110 〔漢〕孔安國著，〔唐〕孔穎達疏：《尚書注疏》，卷9，頁168下。

從、禮順，若之何敵之？見可而進，知難而退，軍之善政也。兼弱攻昧，武之善經也。子姑整軍而經武乎！猶有弱而昧者，何必楚？仲虺有言曰：『取亂侮亡』，兼弱也。《汋》曰：『於鑠王師，遵養時晦』，耆昧也。《武》曰：『無競維烈。』撫弱耆昧，以務烈所，可也。」[111]孔穎達曰：「士會言不須敵楚，兼撫餘諸侯弱者，致討諸侯昧者，以務武王烈業之所可也。」[112]劉文淇曰：「陸粲云：『烈所者，功烈之處所也，猶民知義所之所。』」[113]《傳》文為隨武子論攻敵之道，「兼弱攻昧，武之善經」，是其要旨，接著更引《詩經‧武》「無競維烈」為佐，「烈」者，《毛傳》訓為「業」，鄭箋更云：「無彊乎其克商之功業，言其彊也。」[114]引詩之後，便結以「撫弱耆昧，以務烈所，可也」，明示以「烈」為「業」。孔穎達、陸粲之言中其肯綮，章太炎以「所」、「旿」通假，釋作「文采」，非是。

（十一）投袂而起　宣公十四年夏

宣十四年：「投袂而起。」《呂覽‧行論》篇：「莊王方削袂，聞之曰：『嘻！』投袂而起。」孔氏《經學巵言》曰：「投袂，投其所削之袂也。《傳》文未備，杜氏遂以投為振，壹若拂袖之義，誤已。」麟案：《淮南‧主術訓》：「楚莊王傷文無畏之死於宋也，奮袂而起。」《釋言》：「奮，振也。」《說文》：「振，一曰奮也。」《釋言》奮、振，又皆訓訊。則預說亦有所本。且《廣雅‧釋詁》：「振，棄也。」振訊而棄之，正是投所削之袂，非是拂袖，不必致駁。但預不引《呂

111　〔晉〕杜預注，〔唐〕孔穎達疏：《春秋左傳注疏》，卷23，頁1879中-下。
112　同前註，頁1879下。楊伯峻亦用《孔疏》，見《春秋左傳注》（修訂本），冊2，頁726。
113　〔清〕劉文淇：《春秋左氏傳舊注疏證》（中文出版社本），頁688。又見《續修四庫全書》，冊127，頁665。竹添光鴻《左氏會箋》亦引亦陸說為證而不具名，見是書第2冊，頁885。
114　〔漢〕毛亨傳，〔漢〕鄭玄箋，〔唐〕孔穎達疏：《毛詩注疏》，卷19之3，頁597下。

覽》，不明投袂之由，則可訾耳。[115]

　　筆者案：「投袂而起」一語解釋素有分岐，今錄《傳》文，再行討論。文曰：「楚子使申舟聘於齊，曰：『無假道於宋。』亦使公子馮聘於晉，不假道於鄭。申舟以孟諸之役惡宋，曰：『鄭昭、宋聾。晉使不害，我則必死。』王曰：『殺女，我伐之。』見犀而行。及宋，宋人止之。華元曰：『過我而不假道，鄙我也。鄙我，亡也。殺其使者，必伐我。伐我，亦亡也。亡一也。』乃殺之。楚子聞之，投袂而起。屨及於窒皇，劍及於寢門之外，車及於蒲胥之市。秋九月，楚子圍宋。」[116]杜預注：「投，振也。袂，袖也。」[117]孔廣森《經學卮言・春秋左氏傳》曰：「《呂氏・恃君覽》曰：『楚莊王使文無畏於齊，過於宋，不先假道，還反。華元曰：『是以宋為野鄙也<small>鄙我義如鄙留之鄙</small>，乃殺文無畏於揚梁之隄。』莊王方削袂，聞之曰：『嘻！』投袂而起。屨及諸庭，劍及諸門，車及之蒲疏之市。』然則投袂者，投其所削之袂也<small>削，裁也</small>。此《傳》文未備，杜遂以投為振，壹若拂袖之義，誤矣。」[118]孔氏以《傳》文未備，並以《呂覽》作證，則孔氏以「投袂」一詞不可解，故引《呂覽》「方削袂」，以明袂之可投。洪亮吉、[119]馬宗璉[120]亦贊同孔說。劉文淇則反對孔、洪之言，曰：「因削袂而投袂，此《呂覽》異文，不與《傳》合。孔、洪取之非。《後漢書・朱浮傳》：『浮上書曰：『楚、宋列國，俱為諸侯，莊王以宋執其使，遂有投袂之師。』投袂與《傳》同。《淮南子・齊俗訓》：『楚莊王裾衣博袍，令行乎天下，遂霸諸侯。』注：『裾，裒也。衣，裾也。』衣袍裒博，臨事奮興，振袖而起，彼事情事如此。又〈主術訓〉云：『楚莊王傷文無畏之死於宋也，奮袂而起。』奮袂，

115 上海人民出版社編：《章太炎全集》，冊2，頁408。

116 〔晉〕杜預注，〔唐〕孔穎達疏：《春秋左傳注疏》，卷24，頁1886上-中。

117 同前註，頁1886上。

118 〔清〕孔廣森：《經學卮言》，《續修四庫全書》，冊173，頁306上。

119 〔清〕洪亮吉著，李解民點校：《春秋左傳詁》，上冊，頁426。

120 〔清〕馬宗璉：《春秋左傳補注》，《續修四庫全書》，冊124，頁735上。

即用《傳》投袂意。注亦云：『莊王聞之怒，故投袂而起。』」[121]楊伯峻遵循
劉說，亦引《淮南子‧主術訓》「奮袂而起」為證，認為「投袂」蓋即「奮
袂」。[122]

　　今考《說文‧手部》：「投，擿也。」[123]而先秦文獻，與「投」相配的
字詞、語境，皆從其「擲」義，如《詩經‧小雅‧巷伯》「取彼譖人，投畀
豺虎。豺虎不食，投畀有北。」孔穎達疏：「豺虎若不肯食，當擲予有北太
陰之鄉。」[124]或引申為「棄置」。如上引《詩》，《毛傳》：「投，棄也。」
又《左傳‧文公十八年》「投諸四裔，以禦螭魅。」《杜注》：「投，棄
也。」[125]「投」並無「振」、「奮」等義，本文「投袂」，即從「擲」義引申
為「揮袖」也。章氏批評杜預「不引《呂覽》，不明投袂之由，則可訾耳。」
《呂覽》所記，莊王削袂在先，始有投袂之舉，「投」即「擲」，[126]此本不
與《傳》文合。《淮南》「奮袂而起」，亦是另作描繪，並非解釋《傳》意。
章氏沿舊說以「投」為「振」、「奮」，本有未安，又將之訓「棄」，則是推衍
過度。另竹添光鴻曰：「《莊子‧漁父》：『被髮投袂。』《釋文》引李注云：
『投，揮也。』《後漢‧皇甫嵩朱儁傳論贊》：『斯誠葉公投袂之義。』注

121　〔清〕劉文淇：《春秋左氏傳舊注疏證》（中文出版社本），頁727。又見《續修四庫全
　　　書》，冊127，頁737。
122　楊伯峻：《春秋左傳注》（修訂本），冊2，頁756。
123　〔漢〕許慎：《說文解字》，頁253下。
124　〔漢〕毛亨傳，〔漢〕鄭玄箋，〔唐〕孔穎達疏：《毛詩注疏》，卷12之3，頁456下。
125　〔晉〕杜預注，〔唐〕孔穎達疏：《春秋左傳注疏》，卷20，頁1863上。
126　《呂氏春秋‧行論》陳奇猷注：「削之本義為刀室，所以套刀者，引申其義則以物套
　　　入某物之中謂之削，……此文『削袂』者，謂兩手套入衣袖之中，正形容莊王消閒
　　　自得之狀。孔訓削為裁，莊王裁其袂，是何意義？莊王為萬乘之主，豈親自裁袂縫補
　　　耶？孔說殊不可通。又案：投，擿也。投袂猶言擿袂，即今語所謂甩開袖子。蓋莊王
　　　正套着兩手於袖中，聞文無畏被殺，因甩開袖子振作而起也。」見氏著《呂氏春秋新
　　　校釋》，下冊，頁1409-1410。又是書〈慎人〉「削迹於衛」，陳氏注：「《說文》『削，
　　　鞞也』，又云『鞞，刀室也』，則套刀之室為削，引申之以物套入某物之中亦謂之削，
　　　如〈行論〉『莊王方削袂』，謂莊王將手套入袖中（詳彼），即其例。」見是書上冊，
　　　頁817。案：陳氏言之有理，「投袂」亦為「揮袂」。

云：『投袂、奮袂也。言其怒也。』」[127]按《莊子・漁父》本作「被髮揄袂。」[128]郭慶藩集釋：「揄，揮也。袂，袖也。」陸德明《經典釋文》釋「揄」曰：「李音投。投，揮也。」[129]「揄」、「投」《廣韻・平侯》俱為度侯切，[130]上古同屬定母、侯部。據之，本《傳》之「投」，亦有可能是「揄」之借。《韓非子・內儲說下》：「御者因揄刀而劓美人。」[131]《史記・貨殖列傳》云：「今夫趙女鄭姬，設形容，揳鳴琴，揄長袂，躡利屣，目挑心招，出不遠千里，不擇老少者，奔富厚也。」[132]「揄」有「揮動」之意。

（十二）不可為謀　　昭公十三年五月

　　昭十三年：「不可為謀。」《楚世家》作「不可救也。」按：《荀子・非相》云：「起於上，所以道於下，正令是也；起於下，所以忠於上，謀救是也。」正、令同誼，則謀、救亦同誼，故史公以救訓謀。[133]

　　筆者案：《左傳》本文曰：「王至矣，國人殺君司馬，將來矣。君若早自圖也，可以無辱。眾怒如水火焉，不可為謀。」[134]《史記・楚世家》亦記此事，曰：「王至矣，國人將殺君，司馬將至矣！君蚤自圖，無取辱焉。眾怒如水火，不可救也。」[135]《左》、《史》文字大致相同，而句式稍異。考《左傳》眾多「謀」字用法，無作「救」者。而定公十四年記：「晉人圍朝

---

127 竹添光鴻：《左氏會箋》，冊2，頁916。
128 郭慶藩：《莊子集釋》，卷10上，頁1023，頁1024。
129 《經典釋文・莊子音義》下，卷28，頁401上。
130 〔宋〕陳彭年、邱雍等編著：《鉅宋廣韻》（上海市：上海古籍出版社，1983年影印），頁142。
131 陳奇猷：《韓非子新校注》，上冊，頁635。
132 〔漢〕司馬遷：《史記》，冊10，卷129，頁3271。
133 上海人民出版社編：《章太炎全集》，冊2，頁646。
134 〔晉〕杜預注，〔唐〕孔穎達疏：《春秋左傳注疏》，卷46，頁2070上。
135 〔漢〕司馬遷：《史記》，冊5，卷40，頁1708。

歌，公會齊侯、衛侯於脾、上樑之間，謀救范中行氏。」杜預注：「齊魯叛晉，故助范中行也。」[136]「謀」、「救」本不同義甚明。「不可為謀」，意謂不可與之商量。「不可救也」，不可止息之意，是太史公加強行文語氣的寫法，並非為《左傳》訓詁。至於《荀子‧非相》曰：「是以小人辯，言險；君子辯，言仁也。言而非仁之中也，則其言不若其默也，其辯不若其吶也。言而仁之中也，則好言者上矣，不好言者下也。故仁言大矣，起於上所以導於下，政令是也；起於下所以忠於上，謀救是也。」[137]仁言起於上，則為政令；仁言起於下，則為謀救。《說文‧支部》云：「救，止也。」[138]「謀救」，籌謀勸止之謂。王念孫認為「謀救」本作「諫救」，[139]亦可備一說。章炳麟說則非。

　　總綰前言，《春秋左傳讀》一書處處流露章太炎深湛的學養與細膩的心思，故能推陳出新，新意間出；而其勇於立說，或輕言通假，或求諸過深，亦每每及見。然《春秋左傳讀》一書凡五十萬言，縱有瑕疵，亦無損其書在近代《左傳》經疏的重要地位。

　　　　原載《中華文史論叢》總第 111 期（2013 年 9 月），頁三一三～三三九

136 〔晉〕杜預注，〔唐〕孔穎達疏：《春秋左傳注疏》，卷56，頁2151中。
137 王天海：《荀子校釋》（上海：上海古籍出版社，2005年），卷3，上冊，頁192。「起於上所以導於下，政令是也」，王天海曰：「『導』、『政』二字，今諸本分別作『道』、『正』，並有楊倞注文：『道與導同，正或為政』八字。然宋浙本無。」見同書，頁195。
138 〔漢〕許慎：《說文解字》，頁68下。
139 〔清〕王念孫：《讀書雜志》（北京市：中華書局，1991年），冊2，卷8之2，頁655下。

章太炎《春秋左傳讀敘錄》述評
——論劉逢祿「《左氏》不傳《春秋》」說

張高評

國立成功大學中國文學系教授

一　前言

　　《左氏傳》之作者，是否為與孔子同恥之左丘明？《左氏傳》之成書，是否跟《春秋》經有密切關係？這兩大焦點，相互糾葛交會，形成西漢以降，《春秋》《左傳》學之關鍵議題，更牽涉到今古文之爭，以及經學與史學之分野與流變。

　　魯君子左丘明，為《左氏傳》之作者，曾親炙於孔子而作傳，隋唐以前儒者未嘗異議。至中唐啖助、趙匡《春秋集傳纂例》，始倡「左氏非丘明」之說，遂啟宋元以來疑經疑傳之路。[1]北宋王安石《春秋解》，證「左氏非丘明」者十一事；南宋鄭樵《春秋傳》，亦撰〈左氏非丘明辨〉，列舉八驗，以證「左氏為六國人」。除外，陳振孫、劉安世，元程端學《春秋本義》、清崔述《洙泗考信錄》，亦多推衍啖、趙「左氏非丘明」之說。[2]至晚清劉逢祿（1774-1829）《左氏春秋考證》二卷，更提出「劉歆偽作《左傳》」說，康有為（1858-1927）《新學偽經考》附和之，遂蔚為一大學術公案。

1　〔唐〕陸淳：《春秋集傳纂例》（臺北市：大通書局，1970年），《經苑》本，卷1，〈趙氏損益義第五〉，頁10-13，總頁2361-2363。

2　張高評：《左傳導讀·〈論左傳之作者〉》（臺北市：文史哲出版社，1987年），第三章第一節，頁29-40。

　　劉逢祿、康有為，乃晚清今文學派治《公羊傳》之學者。為尊崇《公羊傳》之解經地位，乃攻伐古文學《左氏》之傳不合《經》，且強調作《傳》之人非受《經》於孔子，「擒賊先擒王」，固其主要策略。錢穆《劉向歆父子年譜・自序》稱康有為《新學偽經考》：「持其說最備，余詳按之皆虛。要而述之，其不可通者二十有八端。」略謂：劉歆並無偽造群經之時間，更無偽造群經之必要。[3]錢賓四先生據事實年譜駁論，鐵證如山，信而有徵。劉逢祿《左氏春秋考證》二卷，為《新學偽經考》之先鋒，立論之偏頗虛妄，經由章太炎先生《春秋左傳讀敘錄》之批駁，是非疑似之間，乃有裁斷與定讞。要之，論《左傳》與《春秋》經之關係，《四庫全書總目》之見最為宏通持平，所謂「刪除事跡，何由知其是非？無案而斷，是《春秋》為射覆矣」；「今仍定為左丘明作，以怯眾惑。」[4]《四庫全書》、章太炎、錢穆等學者，於《左傳》作者問題、經傳關係，雖已作明確之論述，然仍有陳槃《左氏春秋義例辨》、[5]徐仁甫《左傳疏證》、[6]德國佛郎克（O・Franke）、日本津田左右吉、飯島忠夫等，[7]猶掊拾劉逢祿、康有為之說，主張劉歆增竄《左氏》而成《左傳》。此一學術公案，初因劉歆〈移太常博士書〉引發今古文之爭，當時焦點只在立於學官與否，其後衍為經傳依違關係，又孳生為《左氏》作者問題。至晚清劉逢祿、康有為，乃合二者而之，以之抑《左氏》而

3　錢穆：〈劉向歆父子年譜・自序〉，《兩漢經學今古文平議》（北京市：商務印書館，2003年），頁1-7。

4　紀昀等編：《欽定四庫全書總目》（臺北縣：藝文印書館，1974年），卷26，〈經部二十六・春秋類一〉，頁536。

5　陳槃：《左氏春秋義例辨》，《中央研究院歷史語言研究所專刊之十七》（臺北市：中央研究院歷史語言研究所，1993年）。

6　徐仁甫：《左傳疏證》（成都市：四川人民出版社，1981年）。

7　O・Franke, "The Ch'un Ts'ew with The Tso Chuen," *The Chinese Classics.* Vol. V.in 2 parts, Hougkoug. 1972）。津田左右吉：《左傳の思想史的研究》，載《東洋文庫論叢》第二十二，昭和十年。飯島忠夫：《支那曆法起原考》，東京岡書院，昭和五年出版。前後二書并引見《春秋經傳引得・序》。日本新城新藏之說，見《東洋天文學史研究》。法國馬伯樂之說，見"La Composition et la date du tso tchousn," *Me'langes chinois et bouddhiques*,（Bruxelles, Vol, I. 1931-1932），P.137-208。二說均引見《春秋經傳引得・序》。

尊《公羊》。時至今日，學派意氣之爭，理當適可而止。今欲談民國以來之
《春秋》《左傳》學，乃選擇章太炎《春秋左傳讀敘錄》為研究文本，旁及
章氏《檢論·春秋故言》、《春秋左氏疑義答問》、《訄書》，而以章氏批駁劉
逢祿「《左氏》不傳《春秋》」說為核心，進行論述。

　　綜考劉逢祿著《左氏春秋考證》，其核心問題有二：即左氏非丘明，與
《左氏》不傳《春秋》。所謂「左氏非丘明」，看似討論《左傳》作者，其實
更涉及作者與孔子之關係，究竟為師徒或朋友；更擴及親受或傳聞，弟子或
私淑諸問題。如云：

> 劉曰：曰魯君子，則非弟子也；太史時名《左氏春秋》，劉歆《七
> 略》始名《左氏傳》。（章太炎《春秋左傳讀敘錄》，頁810）
> 曰《左氏春秋》，舊名也；曰《春秋左氏傳》，則劉歆所改也。（章太
> 炎《春秋左傳讀敘錄》，頁810）
> 今本《左氏》書法，及比年依《經》飾《左》、緣《左》、增《左》，
> 非歆所坿益之明證乎？（章太炎《春秋左傳讀敘錄》，頁827）

　　凡此，皆由「左氏非丘明」推衍，而有劉歆偽作《左傳》之說。劉逢祿
等之邏輯思維，蓋欲攻傳之不合經義，必先攻作傳之人非受經於孔子；欲攻
伐作傳之人非受經於孔子，故先就「左氏非丘明」發難。彼等以為，若能論
證《左氏傳》為劉歆等偽作，自然有助於「《左氏》不傳《春秋》」之命題。
　　劉逢祿《左氏春秋考證》一書之主要論點，不在「劉歆偽作《左傳》」
論，關鍵在「《左氏》不傳《春秋》」說。如云：

> 曰《左氏春秋》，與《鐸氏》、《虞氏》、《呂氏》並列，則非傳《春
> 秋》也。（章太炎《春秋左傳讀敘錄》，頁810）
> 太史公時名《左氏春秋》，蓋與《晏子》、《鐸氏》、《虞氏》、《呂氏》
> 之書同名，非傳之體也。（章太炎《春秋左傳讀敘錄》，頁821）
> 論本事而作《傳》，何史公不名為《傳》，而曰《春秋》？……經所不
> 及者，獨詳志之，又何說也？《經》本不待事而發。夫子曰：「其義

則丘竊取之矣」，何《左氏》所述君子之論乖異也？（章太炎《春秋左傳讀敘錄》，頁825）

《左氏》所載事實，本非從聖門出，猶《周官》未經夫子論定，則游、夏之徒不傳也。（章太炎《春秋左傳讀敘錄》，頁826）

《春秋》非史文，言《左氏》者以史文視《春秋》，宜其失義也。（章太炎《春秋左傳讀敘錄》，頁845）

左氏生哀公之後，其書惟名《春秋》。班氏以史論《左氏》，知《左氏》者也。（章太炎《春秋左傳讀敘錄》，頁852）

劉逢祿為論證「《左氏》不傳《春秋》」說，曾廣徵博引《史記》、《春秋歷譜牒》、《世本》、《國語》、《漢書》〈藝文志〉、〈劉歆傳〉、〈儒林傳〉、〈王莽傳〉，《後漢書》〈鄭興傳〉、〈范升傳〉、〈賈逵傳〉、〈李育傳〉、〈班彪傳〉，劉向《別錄》、《嚴氏春秋》、《經典釋文》諸書，以建構其理論。考其論點，大抵有六大端：其一，名稱不符；其二，傳體不同；其三，經傳存闕；其四，述論乖異；其五，緣飾增續；[8]其六，以史文視《春秋》。其論點似是而非者多，值得進一步商榷。今取章太炎《春秋左傳讀敘錄》為文本，選擇其中批駁劉逢祿「《左氏》不傳《春秋》」之觀點，稍加述說，徵引學界研究成果作為佐證，以見章氏《春秋》《左傳》學之大凡。為篇幅所限，今只就兩大議題加以討論，其一，左丘明與孔子之關係；其二，《左氏》與《春秋》之依違問題，論述如下：

二　左丘明與孔子之關係

劉逢祿《左氏春秋考證》之論點，主要強調《左氏》與《春秋》之間，並無經傳之依存關係，所謂「《左氏》不傳《春秋》」者是。欲證明「《左氏》不傳《春秋》」，故先否定《左氏》之作者跟孔子之密切關係；欲否定左氏與孔子之關係，遂提出「左氏非弟子」，「其好惡亦大異聖人，必非《論

8　同註2。〈駁《左氏》不傳《春秋》說〉，第五章第二節，頁104-117。

語》之左丘」諸說。邏輯學中之演繹法，有所謂三段論證，若能駁斥大前提不能成立，則小前提與結論亦隨之成為謬說，[9]此乃「擒賊先擒王」之絕佳策略。章太炎《春秋左傳讀敘錄》於此頗有批駁，考察章氏之駁文，大抵可分四大層面：其一，左丘明為孔子朋友，非孔門弟子；其二，作《傳》之左丘明，與《論語》之左丘明同為一人；其三，左氏為魯史官，受學不需師保；其四，左氏與孔子曾同觀周史，經傳相互表裡。分論如下：

（一）左丘明為孔子朋友，非孔門弟子

孔子著《春秋》，左氏為之《傳》，此古文家之說。為問作《傳》之左氏，與孔子之關係為何？是師徒，抑或友朋？劉逢祿據《史記・十二諸侯年表》，稱《春秋》三傳中，惟公羊氏得孔子「口授其傳指」，其言曰：

> 《史記・十二諸侯年表》：「是以孔子明王道，干七十餘君，莫能用，故西觀周室，論史記舊聞，興於魯，而次《春秋》，上記隱，下至哀之獲麟。約其辭文，去其煩重，以制義法，王道備，人事浹。七十子之徒，口受其傳指，為有所刺譏褒諱挹損之文辭不可以書見也。」（章太炎《春秋左傳讀敘錄》，頁810）[10]
> 劉（逢祿《左氏春秋考證》）曰：「此言夫子《春秋》，七十子之徒口授其傳指，今所傳者，惟公羊氏而已。」（章太炎《春秋左傳讀敘錄》，頁810）

9　歐文・M・柯匹（Irving M・Copi）、卡爾・柯恩（Carl Cohen）著，張建軍、潘天群等譯：〈直言三段論〉，《邏輯學導論》（北京市：中國人民大學出版社，2007年），頁251-286。

10　章太炎（炳麟）：《春秋左傳讀敘錄》，初見《章氏叢書》正編（臺北市：世界書局，1958年影印民國八年浙江圖書館校刊本），頁1-28。其後，《章太炎全集》出版，第二冊載有《春秋左傳讀》、《春秋左傳讀敘錄》及《駁箴膏肓評》三書，為標點本，流傳較廣。今徵引《春秋左傳讀敘錄》，為便於查考，皆據此標點本（臺北市：學海出版社，1984年）。

駁曰：左氏、公羊氏皆不在七十子中。而左氏親見素王，則七十子之
綱紀。《公羊》末師非其比也。（章太炎《春秋左傳讀敘錄》，頁810）

《史記・十二諸侯年表序》但言「七十子之徒，口授其傳指」，可見司
馬遷深信受經傳指者為「七十子之徒」，於是劉逢祿坐實「七十子之徒」
中，唯公羊氏受夫子《春秋》之傳指；而章太炎駁斥劉說，以為「左氏、公
羊氏皆不在七十子中」。易言之，公羊氏、左氏，皆不屬孔子弟子。然劉逢
祿已先發制人，曾謂「曰魯君子，則非弟子也」；章氏乃就此闡發，論定左
丘明與孔子「是朋友，而非弟子」，其言曰：

（《史記・十二諸侯年表》）：「魯君子左丘明懼弟子人人異端，各安其
意，故因孔子史記，具論其語，成《左氏春秋》。」（章太炎《春秋左
傳讀敘錄》，頁810）
劉曰：「夫子之經，書於竹帛，微言大義不可以書見，則游、夏之徒
傳之。丘明蓋生魯悼後，徒見夫子之經及《史記》、《晉乘》之類，而
未聞口受微指。當時口說多異，因具論其事實，不具者闕之。曰『魯
君子』，則非弟子也。」（章太炎《春秋左傳讀敘錄》，頁810）
駁曰：至孔子言「與左同恥」，則是朋友而非弟子，易明也。何見必
後孔子者乃稱「魯君子」乎？謂生魯悼後者，以《傳》有悼之四年，
據〈魯世家〉言，悼公在位三十七年，去獲麟已五十年耳，然使左氏
與曾子年齒相若，則終悼世尚未及八十也。（章太炎《春秋左傳讀敘
錄》，頁812）

《史記・十二諸侯年表》先言「七十子之徒」口授孔子傳指；繼又言
「魯君子左丘明」、「因孔子《史記》，具論其語」，上下連讀，容易生發錯
會，以為左丘明乃「七十子之徒」之一。試考察《漢書・司馬遷傳》，未言
左丘明為孔子弟子；《漢書・藝文志》〈諸子略〉亦不過言：「丘明恐弟子各
安其意，失其真」云云，亦未言左丘為孔子弟子。章氏駁論觀點有二：《論
語》載「左丘明恥之，丘亦恥之」，則彼此「是朋友而非弟子」。《傳》載

「悼之四年」，或左丘明壽考，故八十猶能著書；或古籍多後人續書，此乃另一話題（詳下）。由是而衍生下列論點：與孔子同恥之左丘明，與作《傳》之左丘明，是否為不相干之二人？這牽涉到著書體例與道德表現，是否一律不二之課題。

（二）作傳之左丘明，是否即同恥之左丘明？

《論語・公冶長》載孔子之言曰：「巧言令色，足恭，左丘明恥之，丘亦恥之。匿怨而友其人，左丘明恥之，丘亦恥之。」[11]劉逢祿據此，援引《漢書・劉歆傳》，以為「為《左氏春秋》者，必非《論語》之左丘。其好惡亦大異聖人。」劉氏之論點，章氏之批駁，如云：

（《漢書・劉歆傳》）：「歆以為左丘明好惡與聖人同，親見夫子，而公羊、穀梁在七十子後，傳聞之與親見之，其詳略不同。（章太炎《春秋左傳讀敘錄》，頁828）

劉曰：「《論語》之『左丘明好惡與聖人同』，其親見夫子，或在夫子前，俱不可知。若為《左氏春秋》者，則當時夫子弟子傳說已異，且魯悼已稱諡，必非《論語》之左丘。其好惡亦大異聖人，知為失明之左丘。（章太炎《春秋左傳讀敘錄》，頁828）

駁曰：以《論語》之左丘明非失明之左丘明，啖趙輩始為此說，而宋儒祖述之，非有明據。果如劉秀、劉歆之有二，何以〈古今人表〉但有一左丘明耶？縱令誤信子駿，認為一人，然他書別見者，子駿不能盡改，豈孟堅皆未見乎？若他書亦不言有二左丘明，則啖、趙之說為馮臆妄造明矣。且異人同名者，未有相沿不辨之事。……若左丘明果有二人，何以自漢至唐，茫不訾省？啖、趙輩所據何書，而能執此異解？（章太炎《春秋左傳讀敘錄》，頁828-829）

11　〔魏〕何晏集解，〔清〕劉寶楠注釋：《論語正義》（臺北市：文史哲出版社，1990年），卷6，〈公冶長第五〉，頁202-204。

　　《左氏》之作者，為與孔子同好惡之左丘明，自司馬遷《史記》、班固《漢書》、桓譚《新論》、王充《論衡》、許慎《說文解字》，乃至於漢末魏晉之大儒，若賈逵、鄭玄、何休、范甯、杜預等著書，率皆無異辭。至唐趙啖《春秋集傳纂例》始稱：「《論語》所引丘明，乃史佚、遲任之類。[12]後人謂左氏為丘明，非也。」趙匡亦謂：「且夫子自比，皆引往人。……丘明者，蓋夫子以前閒人。」「自古豈止一丘明姓丘乎？何乃見題左氏，悉稱丘明？」可見劉逢祿《考證》，蓋本趙、啖之說。章氏之駁論，以為上述主張，「非有明據」，且以為「異人同名者，未有相沿不辨之事」。力主《論語》之左丘明，即為經作傳之左丘明，同為一人，非二人。然《論語》所載好惡與孔子同恥之左丘明，如何即是「因孔子史記，具論其語，成《左氏春秋》」之左丘明，章氏所言語焉未詳；而左氏身為魯史官之職守，可以回應此一疑難。請看下一節之論述：

（三）左氏為魯史官，受學不需師保

　　《史記・十二諸侯年表》稱：左丘明「因孔子史記，具論其語，成《左氏春秋》」；《漢書・藝文志》稱：「仲尼思存先聖之業，以魯周公之國，禮文備物，史官有法，故與左丘明觀其史記。丘明論本事而作《傳》，明夫子不以空言說《經》也。」二者皆可印證，為經作《傳》者身分為史官。所謂因本事「具論其語」，所謂「論本事而作《傳》」，此揭示修纂《左傳》之體例，實據史料文獻編纂，運以比事與屬辭，作以史傳經之論述，所謂「明夫子不以空言說《經》也」。丘明論事作《傳》，疑以傳疑，信以傳信，據實直書，不容好惡私意挾雜其間，自與道德修養體現之善善惡惡標準殊異不同，如云：

　　　　（《漢書・劉歆傳》）：「初《左氏傳》多古字古言，學者傳訓故而已，

及《歆》治《左氏》，引《傳》文以解《經》，轉相發明，由是章句義
理備焉。」（章太炎《春秋左傳讀敘錄》，頁826）

劉曰：「《左氏》所載事實，本非從聖門出，猶《周官》未經天子論定，
則游、夏之徒不傳也。……」（章太炎《春秋左傳讀敘錄》，頁826）

駁曰：……又謂《左氏》所載事實，本非從聖門出，此尤可笑。十二
諸侯之事，布在方策，非如覃思空理，以聖門所出為貴。假令事非誠
諦，雖游、夏盈千言之，亦足安信？……左氏本是史官（〈藝文志〉
云：「左丘明，魯大史」），受學不需師保，〈藝文志〉所謂「據行事，
仍人道，因興以立功，就敗以成罰，假日月以定歷數，藉朝聘以正禮
樂」者，親聞聖恉，自能瞭如。至如游、夏之徒，玩習經文，人人異
端，豈以聖門之資望，遂能強人信受？言之不從，斷可知矣。（章太
炎《春秋左傳讀敘錄》，頁827-828）

劉逢祿《左氏春秋考證》所言，有二點可資討論：《左氏》所載事實，
大抵是史官所書之歷史；左氏為魯太史，受學不需師保，所載事實當然「非
從聖門出」。章太炎駁論所謂「十二諸侯之事，布在方策，非如覃思空理，
以聖門所出為貴。」此言得之。元趙汸（1319-1369）《春秋師說》載其師黃
澤（1300-1346）之言曰：「夫子修春秋，蓋是徧閱國史。策書簡牘，皆得見
之，始可筆削。」又曰：「策書是重事，史官不以示人，則他人無由得見。
如今國史，自非嘗為史官者，則亦莫能見而知其詳。」又曰：「左氏是史
官，曾及孔氏之門者。古人是竹書，簡帙重大；其成此傳，是閱多少文字？
非史官不能得如此之詳；非及孔氏之門，則信聖人不能如此之篤。」[13] 誠然
觀國史、閱策書是「重事」，史官不以示人，今日猶然。自非嘗為史官者，
則亦莫能見而知其詳；左氏既是史官，孔子因可藉彼同乘觀周，進而「徧閱

13　〔元〕趙汸著，〔清〕徐乾學、納蘭成德校訂：《春秋師說》三卷，收入《通志堂經
　　解》（臺北：大通書局，1970年），冊26。張高評：〈黃澤論《春秋》書法——《春秋
　　師說》初探〉，《春秋書法與左傳學史》（臺北市：五南圖書公司，2002年），頁159-
　　166。

國史」，既得而見之，遂可筆削以成《春秋》。因此，與及、不及「孔氏之門」，了無關聯。

（四）左氏與孔子曾偕觀周史，經傳互為表裡

考諸《漢書‧藝文志》：除揭示「魯周公之國，禮文備物，史官有法」外，又有左丘明與孔子「偕觀史記，丘明論本事而作《傳》」之記載，其文莫詳於《嚴氏春秋》，如：

> 沈氏云：「《嚴氏春秋》引（《孔子家語》）〈觀周〉篇云：『孔子將修《春秋》，與左丘明乘如周，觀書於周史。歸而修《春秋》之經，丘明為之傳，共為表裏。』」（章太炎《春秋左傳讀敘錄》，頁858）
> 駁曰：若《春秋》則孔子自作，異於古書，欲求其義，非親炙則無所受，欲詳其事，非史官則不與知。蓋有覩其事而不知其義者矣，倚相、史儋之屬是也。若未覩其事而求解義，猶未鞫獄而先處斷，斯誠曠古之所未聞。難者曰：誠如是說，寧知左氏非與倚相、史儋同類？答曰：偕觀史記，助成一經，造膝密談，自知其義。惜乎倚相、史儋之徒不遇孔子，若得參預《春秋》之業，亦寧患其不知也？既有左氏，具論本事，為之作《傳》，後世乃得聞而知之。舍此而欲聞知，雖有眇義，亦所謂郢書燕說者爾。（章太炎《春秋左傳讀敘錄》，頁829-830）
> 《經》有丘明所作者矣。《傳》文時舉魏賜繁纓，晉鑄刑書，鄭獻陳捷，紀卻齊田，姑戳豎牛，肸數鬻獄，僑存鄉校諸事，不見於《經》者而稱聖論，定其是非，明諸所錄事狀，獲麟以上，皆造郤受意焉，故《傳》亦秉仲尼作也。此其為書，猶談遷之《記》，彪固之《書》，父子戮力，丸揉不分。故桓譚曰：「《左氏傳》於經，猶衣之表裏，相持而成。《經》而無《傳》，使聖人閉門思之，十年不能知也。」（章太炎《檢論》卷二〈春秋故言〉，《章氏叢書》本，頁532）

　　因為魯國史官有法，故孔子與左丘明同乘觀周。左氏本是史官，受學不需師保；左丘親炙受經，非史官不能；左氏於孔子，偕觀助成，密談知義，由是相得益彰，功德圓滿：「歸而（孔子）修《春秋》之經，丘明為之傳，共為表裏。」太炎先生《訄書‧尊史》稱：孔子西觀周室，取百二十國寶書以著《春秋》，其中最可貴者為經由孔子筆削，表現為「竊取」之「義」，即成寄託褒貶之「微言大義」，故《春秋》若無「見諸行事」之《左氏》為之作《傳》，只是「徒託空言」之歷史哲學而已。《漢書‧藝文志》所謂「論本事而作《傳》，明夫子不以空言說《經》」；《四庫全書總目》稱：「漢晉以來，藉《左氏》以知經義；宋元以後，更藉《左氏》以杜臆說。」[14]故章太炎駁論批評捨傳以解經，「若未覩其事而求解義，猶未鞫獄而先處斷」，猶郢書燕說而已。章氏《檢論‧春秋故言》更枚舉魏賜繁縷以下七事證，謂《左氏》「不見於《經》者而稱聖論，定其是非」，[15]可見《左氏》造刾受意，《傳》秉仲尼。又援桓譚《新論》為證，可知《經》《傳》相表裡。諸家之說，彼此可以交相發明。章氏《春秋左氏疑義答問》亦云：

　　四、孔子修《春秋》緣起……則知丘明述《傳》，本不以弟子異言故。《嚴氏春秋》引〈觀周〉篇：「孔子將修《春秋》，與左丘明乘如周。觀書於周史，歸而修《春秋》之經，丘明為之《傳》，共為表裏。」此則《春秋》經傳同作具修，語見〈觀周〉，嚴氏雖治《公羊》，不能非閒。桓譚《新論》稱云云，言相持而成，則《經》《傳》同修可知。（章太炎《檢論》卷二〈春秋故言〉，《章氏叢書》本，頁532）
　　所以爾者，《經》有從赴告、諱國惡之文，不以實事付之於《傳》，則遠愧南董之直；必改赴告忌諱以從周室史記，則非魯之《春秋》，是以相持成書，事義始備。觀周之役，本兼為《經》《傳》行也。且後人作史，尚不得有本紀而闕列傳，以聖哲參會，鑒不及斯乎？（同上）

14 同註4，《春秋左傳正義》提要，頁537。
15 章炳麟：《章氏叢書》（臺北市：世界書局，1958年）《檢論》，卷二，〈春秋故言〉，頁20，總頁532。

　　章氏再三申說《嚴氏春秋》所引《孔子家語‧觀周》篇，強調孔子與左丘明，共乘觀周，《經》之與《傳》「同作具修」，「相持而成」。因此《左氏》與《春秋》，必須「相持成書，事義始備」，猶後世修史，列傳與本紀，彼此參會，相得益彰者然。桓譚《新論》稱《左氏傳》於《春秋》經，相互表裏之言，於《左氏》傳《春秋》，最稱具體明白。

　　要而言之，左氏傳之作者確為左丘明。國史非史官莫能見而知其詳，一也。古無私家著述之事，惟史官躬與國史之修，二也。左氏集百二國寶書而為《傳》，非史官不能成此重大之簡編，三也。左丘明為魯太史，故《左傳》稱魯為「我」；且太史受學不需師保，能躬閱國史策書，四也。史德據事直書，與修德之惡夫巧佞殊科，作《傳》之左丘明與同恥之左丘明乃一非二，五也。左氏與孔子同時，以修《春秋》必謀之史官，故丘明不入弟子之列，六也。總之，左丘明之為《左氏傳》作者，是太史公稱為魯君子，《別錄》、《七略》以為魯太史，論語稱其「同恥」，而班彪謂在定哀之間，亦下及悼元之世者也。[16]至於《經》、《傳》關係，《嚴氏春秋》強調同乘觀周，桓譚《新論》指稱表裏相成，劉師培〈讀左劄記〉更論證：「《左傳》一書，與《春秋》經文相輔」；「漢初諸儒莫不以《左傳》為釋經之書，不獨劉歆謂左丘明好惡同於聖人也。」[17]其說得之，可與章氏駁論相得益彰。

三　《左氏》與《春秋》之依違問題

　　「《左氏》不傳《春秋》」之說，蓋起於西漢哀帝時，劉歆與五經博士講論經義，諸博士或不肯專對，或曰左氏不祖孔子，或曰左氏不傳《春秋》。後經中唐啖助、趙匡新《春秋》學派之倡導，宋人疑經疑傳風氣之推揚，至清代劉逢祿撰《左氏春秋考證》二卷，乃變本加厲，高舉「《左氏》不傳《春秋》」之說，謂「條例皆子駿所竄入，授受皆子駿所構造」，著《左氏春

---

16 同註1，〈論左氏為丘明〉，頁50-58。
17 劉師培：〈讀左劄記〉，《劉申叔先生遺書》（臺北市：華世出版社，1975年），頁350-351。

秋考證》及《箴膏肓評》，自申其說。於是太炎先生為作《春秋左傳讀敘錄》、《春秋左氏疑義答問》以批駁其非；其他，《劉子政左氏說》、《檢論》、《訄書》，以及〈與劉光漢書〉、〈再與劉光漢書〉，亦隨文申明「《左氏》解傳《春秋》」之義。

　　章氏《春秋》學論著，數其精華聚焦，綱舉目張，則莫詳於《春秋左傳讀敘錄》一書。今就章氏匡謬補闕，訂正得失處，以《左氏》與《春秋》二書之關係為主題，考察其依違離合，以見太炎先生《春秋》《左傳》學之一斑。為方便研討，下分三端論述：其一，《左氏》之自釋《春秋》；其二，諸經傳體之不一；其三，經傳之存闕緣飾：

（一）《左氏》之自釋《春秋》

　　《史記・十二諸侯年表》明言：魯君子左丘明「因孔子史記，具論其語，成《左氏春秋》」；唐孔穎達《春秋疏》引賈逵說，亦謂「魯君子左丘明作《傳》」。由此觀之，太史公固以《左氏》為《春秋》之傳，章氏之言曰：

> 尋太史言：「因孔子史記，具論其語，成《左氏春秋》。」因之云者，舊有所仍，而數暢其恉也。且曰：「懼弟子人人異端，各安其意，失其真。」此謂口授多詭，故作書以為簡別，固明《春秋》之義，非專塗垝其事矣。（章太炎《春秋左傳讀敘錄》，頁811）
>
> 又，〈吳太伯世家〉贊云：「余讀《春秋》古文，乃知中國之虞與荊蠻、句吳兄弟也。」此本《左傳》「太伯、虞仲、太王之昭」為說。若如《呂氏》書，得稱《春秋》古文否？（章太炎《春秋左傳讀敘錄》，頁811）
>
> 又，《曆書》云：「周襄王二十六年閏三月，而《春秋》非之。」此本《左氏》文元年傳，若如《呂氏》書，可單稱《春秋》邪？必若拘牽題號，則《後漢書・樊儵傳》云：「受《公羊嚴氏春秋》。」又云：「儵刪定《公羊嚴氏春秋章句》。」假令《左氏春秋》為《呂氏》之

類，則《公羊嚴氏春秋》何非以《呂氏》之類乎？鐸、虞二家乃演暢《左氏》書者，亦非《呂氏》可比。（章太炎《春秋左傳讀敘錄》，頁811-812）

由《史記》〈太史公自序〉、〈孔子世家〉及著書旨趣觀之，司馬遷《史記》考信於六藝，折衷於夫子之意顯然；史公私淑孔子，《史記》典範《春秋》，劉師培〈史記述左傳考自序〉已發其微，[18] 劉正浩《太史公左氏春秋義述》、張添丁《司馬遷春秋學》、胡豔惠《史記之春秋書法研究》諸論著，多已證成其說。太史公於《史記》中行文，往往以《春秋》指稱《左傳》，前所引〈吳太伯世家〉、〈曆書〉特其顯例。《十二諸侯年表·序》所謂「因孔子史記，具論其語，成《左氏春秋》」云云，亦極明確無疑。班固雖曾質疑《左傳》，然《漢書·藝文志》亦謂：「丘明與孔子觀魯史記，而作《春秋》，有所貶損，事形於傳。懼罹時難，故隱其書。末世口說流行，遂有《公羊》、《穀梁》、《鄒氏》、《夾氏》諸傳。」可見司馬遷、班固、孔穎達等固以《左氏》為解釋《春秋》經之傳，夫復何疑？諸家之質疑，蓋在《左氏春秋》與《左氏傳》之稱謂上，劉逢祿《左氏春秋考證》開宗明義即云：「曰《左氏春秋》，與《鐸氏》、《虞氏》、《呂氏》並列，則非傳《春秋》矣。」此一論斷，似是而非，啟人疑竇。章太炎先生為之批駁曰：

> 駁曰：名者，實之賓。《左氏》自釋《春秋》，不在其名《傳》與否也。正如《論語》命名，亦非孔子及七十子所定。《論衡·正說》篇云：「初，孔子孫孔安國以教魯人扶卿，官至荊州刺史，始曰《論語》。」是《論語》乃扶卿所名。然則其先雖不曰《論語》，無害其為孔子之語也。正使子駿以前，《左氏》未稱得傳，亦何害其為傳經乎？若《左氏》自為一書，何用比坿孔子之《春秋》，而同其年月為？（章太炎《春秋左傳讀敘錄》，頁810-811）
>
> 駁曰：史公亦未嘗不以《左氏春秋》為傳。文有異同，自得泛引。若

18　同前註。〈史記述左傳考自序〉，《左盫集》，卷2，頁1451。

必以題署為言，則漢人稱《公羊春秋》者正多，而《史記》亦無《公
羊傳》三字。惟《儒林傳》云：「董仲舒名為明於《春秋》，其傳《公
羊氏》也。」由仲舒而謂之傳，韓太傅之徒，恐未必許其名號矣。
（章太炎《春秋左傳讀敘錄》，頁854）

　　太炎先生提出「名者，實之賓。《左氏》自釋《春秋》，不在其名《傳》
與否也。」此真一針見血、切中肯綮之論。自劉逢祿以下，康有為、陳槃諸
家，主張「《左氏》不傳《春秋》」者，多從名號稱謂上推衍，以為司馬遷稱
《左氏》為《左氏春秋》，未稱為《左氏傳》，可證《左氏》並非《春秋》之
傳，並非解經之書。進而認為：《左氏傳》、《春秋左氏傳》、《左氏春秋》之
名，皆為劉歆杜撰之名。[19]劉歆是否杜撰《左氏傳》名稱、是否偽作群經及
《左傳》，錢穆著《劉向歆父子年譜》，覆按康有為《新學偽經考》，所謂劉
歆偽造《左傳》云云，皆虛妄不實，「要而述之，其不可通者二十有八端」，
[20]已條舉其非是。太炎先生揭櫫「名者，實之賓。《左氏》自釋《春秋》，不
在其名《傳》與否也。」此真高屋建瓴之論。何況，「文有異同」，致名稱不
一，若執題署為信，則「漢人稱《公羊春秋》者正多，而《史記》亦無《公
羊傳》之名。」以子之矛攻子之盾，可以定猶豫，斷疑似。太炎先生駁語，
中有兩段，足以釋疑定讞，權作小結：

　　總之，《左氏春秋》之名，猶《毛詩》、《齊詩》、《魯詩》、《孟氏易》、
　　《費氏易》、《京氏易》、《歐陽尚書》、《夏侯尚書》、《慶氏禮》、《戴氏
　　禮》，舉經以包傳也。以為不傳孔書而自作《春秋》者，則諸家亦自

19 詳參康有為：《新學偽經考》、陳槃：《左氏春秋義例辨·綱要·左氏春秋之名義》，頁
　37-42。
20 同註2，如云：「歆領校《五經》未數月，即能徧偽諸經，不可通二也」；「謂將以纂聖
　統，則歆既得意，為國師公，莽加尊信，而莽朝《六經》祭酒、講學大夫多出今文諸
　儒，此又何說？不可通十七也。」「歆以前，其父向及其他諸儒，秦記述造，引《左
　氏》者多矣。《左氏》自傳於世，謂盡歆偽，不可通二十二也。」此真鐵案如山，足
　以斷疑讞矣。然後世倡言劉歆偽造《左傳》者，多未批駁錢賓四之論證，是《易傳》
　所謂「遁辭知其所窮」，頁2、4、5。

作《詩》、《書》、《易》、《禮》乎？（章太炎《春秋左傳讀敘錄》，頁
863）

後序：自仲尼作經，弟子既人人異端，故左氏具論本事以為之傳，若
檃括之正曲木，平地之須水準。自是以降，七十子或散在諸侯，猶以
緒言教授，而亦略記《左氏》。（章太炎《春秋左傳讀敘錄》，頁864）

關於春秋以降，諸子經史引述《左氏》者，所在多有，劉師培《讀左劄
記》、《春秋左氏傳古例詮微》、《春秋左氏傳例略》、《左盦集》中論述亦多，
如〈孔子作春秋說〉、〈春秋三傳先後考〉、〈左氏不傳春秋辨〉、〈周季諸子述
左傳考〉、〈左氏學行於西漢考〉、〈史記述左傳考自序〉等，[21]多已發凡
起例，可與太炎先生之批駁辨難相發明。

（二）諸經傳體之不一

夫人之患，在以己度人，先入為主，若闇於自見，師心自用，則容易生
發偏見錯會，導致推論謬誤失準。劉逢祿《左氏春秋考證》論《左氏》既名
《左氏春秋》，遂據名稱作錯誤類比，以為與《晏子春秋》、《呂氏春秋》之
書同名等倫，實「非傳之體」。殊不知諸經傳體不同，甚至於「一人所述，
尚有異端」，何能勉強《左氏》與《公羊》同體？略云：

劉曰：「太史公時名《左氏春秋》，蓋與《晏子》、《鐸氏》、《虞氏》、
《呂氏》之書同名，非傳之體也。《左氏傳》之名，蓋始於劉歆《七
略》。」（章太炎《春秋左傳讀敘錄》，頁821）

駁曰：所謂傳體者如何？惟《穀梁傳》、《禮喪服傳》、《夏小正傳》與
《公羊》同體耳。毛公作《詩傳》，則訓故多而說義少，體稍殊矣；
伏生作《尚書大傳》，則敘事八而說義二，體更殊矣；《左氏》之為

---

21 同註13，《讀左劄記》，頁349-358；《春秋左氏傳古例詮微》，頁389-401；《春秋左氏傳
例略》，頁415-420；《左盦集》，卷2，頁1445-1451。

傳，正與伏生同體。然諸家說義雖少，而宏遠精括，實經所由明，豈
必專尚裁辯乃得稱傳乎？孔子作〈十翼〉，皆《易》之傳也，而
〈彖〉、〈象〉、〈文言〉、〈繫辭〉、〈說卦〉、〈序卦〉、〈襍卦〉，其體亦
各不同。一人所述，尚有異端，況《左氏》與《公羊》，寧能同體？
（章太炎《春秋左傳讀敍錄》，頁821）

　　解經之書，謂之傳；劉氏以《公羊傳》之傳體為本位，據此繩愆規範以
歷史敍事為傳體之《左氏》，自然入主出奴，大相逕庭。《春秋》三傳各有異
同，不害其為解《經》之書；傳體之不同，乃諸家解經視點殊相之當然，劉
氏先入為主，遂有此誤解。因此，除《穀梁傳》、《儀禮・喪服傳》、《大戴
禮・夏小正傳》之傳體，與《公羊傳》同體，多採答問提問式以外，解經之
諸傳無一與《公羊傳》同體。如毛公作《詩傳》，伏生作《尚書大傳》，或孔
子所作《易傳》——〈十翼〉，其體亦各不同；甚至「一人所述，尚有異
端」，何能強求「《左氏》與《公羊》同體」？太炎先生稱：「《左氏》之為
傳，正與伏生（《尚書大傳》）同體」，然則，《左氏》之傳體為何？於解讀
《春秋》經是否有扞格齟齬之處？試看太炎先生所云：

　　《左傳》之為左專，猶鄭氏說《詩》稱《鄭箋》。箋者，表識書也。
　　同此，傳名得兼傳記、傳注二用，亦猶裴松之之注《三國志》，撰集
　　事實，以見同異，間有論事情之得失，訂舊史之譌非，無過百分之
　　一，而解詁文義，千無二三。今因《左氏》多舉事實，謂之非傳；然
　　則裴松之之於《三國志》，亦不得稱注邪？且《左氏》釋經之文，科
　　條數百，固非專務事實者。而云非傳之體，則《尚書大傳》又將何
　　說？（章太炎《春秋左傳讀敍錄》，頁821-822）

　　《史記・十二諸侯年表序》稱左丘明「因孔子史記，具論其語，成《左
氏春秋》」；《漢書・藝文志》亦稱：「丘明論本事而作《傳》，明夫子不以空
言說《經》也。」若據司馬遷、班固之論述，則《左氏》以歷史敍事方式解
釋孔子《春秋》經，最得傳體之神髓，最能妙傳孔子之微言大義。究其原因

有二：其一，《左傳》藉事明義，頗能盡《春秋》「推見至隱」之精神。《史記・匈奴列傳》太史公曰：「孔子著《春秋》，隱、桓之間則章，至定、哀之際則微，為其切當世之文而罔褒，忌諱之辭也。」[22]《漢書・藝文志》亦謂：「《春秋》所貶損大人，當世君臣有威權勢力，其事實皆形於《傳》，是以隱其書而不宣，所以免時難也。」此《左傳・成公十四年》君子曰所謂「微而顯，志而晦，婉而成章，盡而不汙」；前三者為曲筆，盡而不汙為直書，蓋統合敘事、修辭，以體見其義，此《左傳》以敘事解經之法。[23]其二，《左氏》敘事，合於古春秋記事成法。兩者相乘，最有功於解《經》。劉師培〈古春秋記事成法考〉，舉古春秋多「爰始要終，本末悉昭」，記事以詳為尚；推而至於殷墟卜辭、兩周彝銘，以及《尚書》之文體，亦多近《左氏》之敘事。[24]《左氏》以歷史敘事方式解釋《春秋》經，是讓歷史自己講話，系統地、完整地、曲折地、趣味地，將春秋時代之變遷、成就、矛盾、衝突，清楚而生動表達出來；此之謂「以史傳經」，與《公羊傳》「以義傳經」，代歷史講話大不相同。[25]要之，《左氏》以歷史敘事體式解釋《春秋》，故與《公羊傳》以歷史哲學（義）解經不同。劉逢祿於此，曾有質疑，太炎先生亦有辯駁：

> 劉曰：「《春秋》非史文，言《左氏》者以史文視《春秋》，宜其失義也。范辯卿之論甚正，非陳元、賈逵之流曲學阿世所能勝也。」（章太炎《春秋左傳讀敘錄》，頁845）
>
> 駁曰：孟軻言：「其文則史。」〈十二諸侯年表〉亦云：「論史記舊

22 司馬遷著，瀧川資言考證：〈匈奴列傳〉，《史記會注考證》（臺北市：萬卷樓圖書公司，1993年），卷110，頁1201。

23 張高評：〈《左傳》之史筆與詩筆——以形象化、精煉性為例〉，《左傳之文韜》（高雄市：麗文文化公司，1994年），頁165-175。

24 同註13，〈古春秋記事成法考〉，頁1445。劉節：〈古代史籍的雛形及其蛻變〉，《中國史學史稿》（臺北市：弘文館出版社，1986年），頁17-26。

25 徐復觀：《兩漢思想史》，卷3，〈原史〉寫到，「左氏『以史傳經』的重大意義與成就」。見《兩漢思想史》（臺北市：臺灣學生書局，1979年），頁271-276。

聞，興於魯而次《春秋》。」然則《春秋》義經而體史，若云非史，則《詩》亦非樂章，《易》亦非筮辭邪。且〈藝文志〉：《太史公》百三十篇列於《春秋》家。古者經史本非異業，荀勖之分四部，不學無術，明哲所譏。……至於成、哀，長夜向明，固知《春秋》之書猶夫史耳。稱之為史，無害麟筆之尊嚴，正如馬、班二史，與《宋史》、《元史》並列，而體例崇卑，山頭井底不足比喻。佔畢之士，靡不明之。今必謂《春秋》非史，是巫祝之囈言，非學者之平議也。（章太炎《春秋左傳讀敘錄》，頁845-846）

後代所題，《經》稱仲尼，《傳》稱丘明，徒以箸於竹帛，字蹤筆跡之所發者，則據為主名耳。且孔子作《春秋》，本以和布當世事狀，寄文於魯，其實主道齊桓晉文之事。五伯之事，散在本國乘載，非魯史所能具，為是博徵諸書，貫穿其文，以形於《傳》，謂之屬辭比事。……書于《魯史》者，則無嫌于闕文，然後無害凡例，其褒貶挹損亦箸焉。經傳相依，年事相繫，故為百世史官宗主。苟意不主事，而偏矜褒貶者，《論語》可以箸之，安賴《春秋》？（章太炎《檢論》卷二〈春秋故言〉，《章氏叢書》本，頁532）

劉逢祿批評「言《左氏》者以史文觀《春秋》」之「失義」，關鍵前提為「《春秋》非史文」，其認知有待商榷。《孟子‧離婁下》討論孔子作《春秋》，曾稱：「其事，則齊桓、晉文；其文，則史；孔子曰：『其義則丘竊取之矣。』」可見，孔子之《春秋》，由其事、其文、其義三者有機組合而成，「其文」為其中之一。《孟子》趙岐注：「其文，史記之文也。孔子自謂竊取之，以為素王也。」焦循《正義》曰：「《春秋》之文則史也，其義則孔子取之。」[26]無論趙岐或焦循，皆以史文視《春秋》。太炎先生援〈十二諸侯年表序〉為證，而特提《春秋》經之性質，為「義經體史」，此真論《春秋》之洞見與特識。又特提《左氏》以「屬辭比事」之法傳孔子《春秋》，遂與

---

26 〔漢〕趙岐、〔清〕焦循注：〈離婁下〉，《孟子正義》（北京市：中華書局，1987年），卷16，第21則，頁574。

《春秋》相表裡，為百世史官宗主。蓋所謂《春秋》也者，本有魯史《春秋》和孔子《春秋》之別；魯史《春秋》有史法，聖人《春秋》有史義，而史文皆寓乎其間。綜要言之，自杜預《春秋經傳集解》、蘇轍《春秋集解》、趙汸《春秋師說》，以及劉師培、章太炎等古文經學家論《左氏》，皆以為「義經體史」；而啖趙以下疑經疑傳，及今文《公羊》學家如劉逢祿、康有為及皮錫瑞等，多主張「《春秋》是經，《左氏》是史」，[27]古文今文之派分，經史合一或經史異轍，影響《左氏》是否傳《春秋》。

關於史文與《春秋》、《左氏》之關係，宋蘇轍、元黃澤《春秋》學之發明，頗稱具體而切實，如：

> 故凡《春秋》之事，當從史。《左氏》，史也。《公羊》、《穀梁》，皆意之也。蓋孔子之作《春秋》，事亦略矣，非以為史也，有待乎史而後足也。以意傳《春秋》，而不信史，失孔子之意矣。(《春秋集解》卷一，頁4)
>
> 《春秋》者，有待於史而後足，非自以為史也。世之為《春秋》而不信史，則過矣。(《春秋集解》卷九，頁5)
>
> 魯史《春秋》有例，夫子《春秋》無例；非無例也，以義為例，隱而不彰也。(元趙汸《春秋師說》卷上，頁6)
>
> 學《春秋》以考據《左傳》國史事實為主，然後可求書法。能考據事實而不得書法者，亦尚有之；未有不考據事實，而能得書法者也。(同上，卷下，頁4)

蘇轍《春秋集傳》，闡發《左氏》「以史傳經」之特色。[28]謂「《春秋》之事當從史」，「《春秋》者有待於史而後足」，可證劉逢祿質疑「《春秋》非史文」，「言《左氏》者以史文視《春秋》」之乖違事理。以史文視《春秋》，

---

27 皮錫瑞：〈春秋‧論《春秋》是經，《左氏》是史……〉，《經學通論》(北京市：中華書局，1995年影印光緒丁未刊本)，頁49-50。

28 張高評：〈蘇轍《春秋集傳》以史傳經初探〉，《宋代經學國際研討會論文集》(臺北市：中央研究院中國文哲研究所，2006年)，頁378-384。

是謂得其要領，掌握關鍵，未為「失義」。元趙汸《春秋師說》引述其師黃
澤之說，以為《春秋》有義例，因書法「隱而不彰」，故研治《春秋》，當
「考據《左傳》國史事實為主，然後可求書法」；[29]《春秋左傳讀敘錄》曾
引述劉逢祿以「惟務事實」歸咎《左氏春秋》「不知而作」；又批評「班氏以
史論《左氏》，知《左氏》者也」，可謂弄拙成巧，點非成是。班固《漢
書》，實宗法《左氏》者，[30]歷代文論，追本溯源，精確布移如是。班氏
「以史論《左氏》」，是深知《左氏》者。

（三）經傳之存闕緣飾

　　宋型文化與唐型文化不同，議論精神與懷疑精神為其七大頂樑柱之二。[31]
懷疑與議論精神之發用，宋代遂多疑經疑傳之說。[32]就《春秋》經傳而言，
或以《左氏》「於《經》外自成一書」；或謂《左氏》：「《春秋》所無者，或
自為傳」；或評《左氏》「雖依經作傳，實則自為書」；或稱《左傳》「凡言
『君子曰』，是劉歆之辭」，[33]已開啟晚清今文學派「《左氏》不傳《春秋》」
說之先聲。其中，莫詳於南宋永嘉學派陳傅良《左氏章指》之論述：

29　張高評：〈黃澤論《春秋》書法──《春秋師說》初探〉，《元代經學國際研討會論文
　　集》（臺北市：中央研究院中國文哲研究所，2000年），頁591-598。
30　班固《漢書》敘事，專學《左氏》，〔宋〕范溫：《潛溪詩眼》，第十七則載曾鞏言：
　　「司馬遷學《莊子》、班固學《左氏》」；黃庭堅亦云：「司馬遷學《莊子》，既造其
　　妙；班固學《左氏》，未造其妙也！」〔宋〕呂本中：《童蒙訓》第四十八則：「班固敘
　　事詳密，有次第，尚學《左氏》。」參見郭紹虞：《宋詩話輯佚》（臺北市：文泉閣出
　　版社，1972年），卷上，頁403；卷下，頁249。
31　陳植鍔：《北宋文化史述論・宋學精神》（北京市：中國社會科學出版社，1992年），
　　頁287-303。
32　參考葉國良：《宋人疑經改經考》，收入《文史叢刊》（臺北市：國立臺灣大學出版委
　　員會，1980年）。楊新勛：《宋代疑經研究》（北京市：中華書局，2007年）。
33　〔清〕朱彝尊原著，林慶彰、蔣秋華等編審：《點校補正經義考》（臺北市：中央研究
　　院中國文哲所籌備處，1997年），卷169，〈春秋二〉，引王晢曰、劉安世曰、林栗曰，
　　頁519-521。

公之《章指》謂：「君子曰」者，蓋博采善言；禮也者，蓋據史舊
文，非必皆合於《春秋》。或曰後人增益之，或曰後人依倣之；或以
凡例義淺而不取，或以例非《左氏》之意，蓋愛而知其惡者，乃所以
為忠也。又言：莊西元年至七年，及十九年以後訖終篇，多無傳，疑
有佚墜。公之求於傳者，詳矣。（宋樓鑰《攻媿集》卷五十一，〈止齋
《春秋後傳》、《左氏章指》序〉，《四部叢刊》初編，頁467）

　　陳傅良《左氏章指》三十卷，《宋史‧藝文志》曾著錄，清朱彝尊《經
義考》卷一百八十七〈春秋二十〉注明「未見」。據南宋樓鑰序言，《左氏章
指》就「君子曰」與「禮」二大端發論：無論增益或依倣，以為都出於後
人；而所謂「凡例」者，或淺而不取，或非《左氏》之意。其他，又懷疑經
存傳闕問題。陳傅良考求《左氏》如此其詳，雖稱「愛而知其惡」，對於晚
清劉逢祿《左氏春秋考證》、康有為《新學偽經考》之討論《春秋》經傳之
存闕緣飾，不無啟迪作用。

　　《左氏》與《春秋》間經傳之依違關係，劉逢祿《左氏春秋考證》十分
注目。舉凡可以佐助「《左氏》不傳《春秋》」者，無不援引，用資考證。
「傳」也者，既為解經之書，理當依經闡釋發明，不可有所疏離或出入，此
之謂「依經以辯理」、「據經以發義」，如後世之注疏正義者然。劉氏考察
《左氏》與《春秋》，發現存在若干疏離：或經闕傳存，或經有傳無，因而
懷疑《左氏》與《春秋》間經傳關係之出入，遂指為「《左氏》不傳《春
秋》」之事證。尤其經闕傳存問題，更衍申擴大，而有《左氏》緣飾附益諸
學術公案。太炎先生《春秋左傳讀敘錄》，本「因逢祿《考證》訂其得失」，
故多所駁難，如云：

劉曰：「《左氏》記事，在獲麟後五十年。……《經》所不及者，獨詳
志之，又何說也？《經》本不待事而箸。夫子曰：『其義則丘竊取之
矣。』何《左氏》所述君子之論乖異也？」（章太炎《春秋左傳讀敘
錄》，頁825）
駁曰：《傳》稱「悼之四年」者，或左氏壽考，如子夏為魏文侯師，

或悼字乃弟子所改，俱不可知。……詳《經》所不及者，或窮其源委，或言有可采，事有可觀；無非為經義之旁證。觀裴松之之注《國志》，本傳不列其名，而引以相稽者，多矣。《左氏》說《經》，豈有異是？《經》固重義，若謂不待事而箸，則何不空設條例，對置甲乙，以極其所欲言？而必取已成之事，加減損益，如削趾適履者之所為，既誣古人，又不能與意密合。（章太炎《春秋左傳讀敍錄》，頁826）

　　劉逢祿：「《左氏》記事，在獲麟後五十年。」此指《左氏》有附益增續；謂「《經》所不及者，獨詳志之」，此指經傳間存闕依違之問題。附益問題詳後，暫不論。《左氏》與《春秋》之關係，就《經》無《傳》有，《經》闕《傳》詳而言，所謂「詳《經》所不及者」，太炎先生稱「無非為經義之旁證」，其言甚是。蓋左氏躬為史官，國史得見而詳，故傳有舍經而別載行事之文，章太炎《檢論》卷二舉例，如魏賜繁纓，晉鑄刑書，鄭獻陳捷，紇卻齊田，婼戳豎牛，肹數鬻獄，僑存鄉校諸事，其較著者焉。若斯之比，經無而傳有者，章氏以為皆經義之旁證。《經》闕《傳》詳之故，除章氏所言為《經》義之旁證外，又有下列四家之說，頗多發明：

> 據此，則《經》無而《傳》有者，悉皆《經》之微言。仲舒之論《公羊》如此，使仲舒而治《左氏》，則當謂處處皆微言矣。（章太炎《春秋左傳讀敍錄》，頁845）

> 左氏作傳，本不以年分篇……後之編次者因每年必欲以年冠首，年上不容更著一字，於是割置前年之末，而文義之不安者多矣。……此傳與彼不殊。今以經文隔之，遂令孤懸卷首，無所繫屬。（俞樾《群經平議》釋襄二十五年傳「齊人城郟……秦晉為成」，又參《春在堂全書》〈左傳古本分年考〉）[34]

---

34 案：《杜預集解・序》謂：「分經之年與傳之年相附」，知以經冠傳首，始於杜預，而丘明作傳，因與經別行矣。非徒左氏也，即公羊穀梁，亦莫不皆然。證以東漢熹平石

《春秋》文多闕誤，三傳類多附會，而《公》《穀》尤甚。……《春秋》自脩成之後，則為孔氏之私書，又定哀以後多有所刺譏隱諱，故當時游、夏不能贊一辭。……至孟子始標出「知我罪我」，及「其義則丘竊取」之言，而是時去孔子已百年矣。書藏於私家，其補綴脩輯，必不能如官中之勤。闕誤，是理之所有，無可疑者。[35]

《志》稱「《春秋》所貶損大人，當世君臣有威勢力，其事實皆形於傳。」是《經》以約詞為宗，《傳》主弼經而作。《傳》詳《經》簡，所以抒行事而闡譏褒。《傳》有《經》無，所以明刊削而昭簡擇。[36]

　　由此觀之，《經》闕《傳》詳之故，除上述「詳《經》所不及」外，尚有章氏「發揮《經》之微言」，俞樾「因割《傳》以附年」；顧棟高「私書闕誤，理之所有」；劉師培「明刊削而昭簡擇」諸說。另外，據晉杜預《春秋經傳集解・序》稱：《左傳》往往著其「不書」，以見《春秋》之微言大義；不言、不稱之例亦然。[37]若依劉逢祿之批評邏輯，傳與經之關係，依經辯理、據經發義，應為傳體之當然，闡釋之重點。據此而論，《左傳》《解經》

經，知春秋經固與公羊傳分行也（羅振玉說）。其後學者治三傳，為免虛發與混淆，乃以傳文附綴所繫經文之後，此經傳分合之始末也。

35　章太炎《檢論》卷2〈春秋故言〉云：「義者，《春秋》凡例，掌在史官，而仲尼以退吏私受其法，似若盜取，又亦疑于侵官，此其言『罪』言『竊』所由也。」《章氏叢書》本，頁531。顧棟高：《春秋大事表》，卷43，春秋闕誤凡百餘條，備舉自左氏杜預孔穎達以來諸家之說，頗可信據。參見〈春秋闕文表〉（臺北市：鼎文書局，1974年），頁749-758。

36　劉師培：《春秋左氏傳古例詮微》，〈明傳篇第三〉，其《春秋左氏傳例略》舉證以明傳有經無之故。同註13，頁389-390、415-420。

37　不書之例，如隱元傳：「費伯帥師城郎，不書，非公命也。」隱十一年傳：「宋不告命，故不書。凡諸侯有命告則書，不然則否。師出臧否亦如之。雖及滅國，滅不告敗，勝不告克，不書于策。」等皆是也。不言者，若隱元年鄭伯克段於鄢，不言出奔，難之也。莊十八年公追戎于濟田，不言其來，諱之也，是其例也。不稱者，若僖元年不稱即位，公出故也。莊元年不稱姜氏，絕不為親，是其例也。此皆史所不書，即以為義者也。

之功，堪稱《三傳》之冠，《公》《穀》皆望塵莫及[38]要之，《左氏》之所
書，要皆為表裡《春秋》，發明《經》義，不可因《經》闕《傳》存，率指
為「不傳《春秋》」。

　　《左氏》與《春秋》之依違離合，由《經》闕《傳》存，衍生而為《左
氏》傳《經》之緣飾附益問題，更進而指出劉歆偽造《左傳》一書矣。且看
劉逢祿《箴膏肓評》之見，以及章太炎《駁箴膏肓評》，[39]兩造之攻防論
說，其言曰：

　　　何休曰：「說《左氏傳》者曰：『《春秋》之志，非聖人孰能修之？』
　　言夫子聖人，乃能修之。禦叔謂臧武仲為聖人，是非獨孔子。」
　　　《評》曰：「《左氏》好記瑣事，如〈禦叔〉篇全不涉《經》，《左》故
　　也；如〈黑肱〉篇妄增邾字，設為傳《春秋》者，非《左》故也。何
　　君不攻其本而治其末，未為知《左氏》矣。」
　　　駁曰：……劉以《左氏》好記瑣事，不知此以見魯大夫之傲慢，穆叔
　　之明于政體，非細故也。其於《經》亦有旁通之法，故有無《經》而
　　發《傳》者，有《傳》舉他人之言，盈篇累牘而與《經》不涉者，每
　　藉以發別條《經》之誼，非深觀會通，未能明也。……然何休雖妄論
　　《左氏》，猶不至謂陳、劉諸儒所改竄，至劉氏而益狂悖矣。（章太炎
　　《駁箴膏肓評》，〈何休曰〉，頁895-896）

　　劉逢祿《箴膏肓評·何休曰》，援引《經》無《傳》有，《經》闕《傳》
詳之實例，作為「《左氏》好記瑣事」，以見《左氏》「全不涉《經》」，「設為
傳《春秋》者」之論證，亦劉氏「《左氏》不傳《春秋》」之申說。章太炎先

38　《春秋》經文，總數約一千八百七十條，就依經作傳而言，《左傳》有一千三百條以
　　上，無傳者約五百五十條；《公羊傳》依經作者，約五百七十條，有經無傳者約一千三
　　百條；《穀梁傳》依經作傳者，約七百五十條，經存傳闕者，在一千一百條以上。簡
　　言之，有經無傳的現象，《公羊傳》、《穀梁傳》遠較《左傳》嚴重。趙生群：《春秋經
　　傳研究》（上海市：上海古籍出版社，2000年），第五章〈左傳有經無傳辨〉，頁175。
39　章太炎：《駁箴膏肓評》，收入《章太炎文集》（臺北市：學海出版社，1984年），冊
　　2，頁873-900。

生駁論強調，此乃《左氏》所以傳《春秋》之一要領，所謂「旁通之法，故有無《經》而發《傳》者」，亦「有《傳》舉他人之言，藉以發別條《經》之誼」者，《經》闕《傳》存之例，乍看似與傳《經》不涉，實則乃《左氏》以歷史敘事傳《春秋》之一大策略，所謂「無《經》而發《傳》者」，率即此等，而劉逢祿、康有為皆以為「不傳《春秋》」。劉逢祿曾稱揚《左氏》之史筆與文辭矣，卻未許其傳《春秋》經，太炎先生亦有駁難，如云：

> 《左氏》以良史之材，博聞多識，本未嘗求附於《春秋》之義，後人增設條例，推衍事蹟，強以為傳《春秋》，冀以奪《公羊》博士之書法，名為尊之，實則誣之，《左氏》不任咎也。觀其文辭贍逸，史筆精嚴，才如遷、固，有所不逮，則以所據多春秋史乘及名卿大夫之文，固非後人所能附會，故審其離合，辨其真偽，其真者事雖不合於《經》，益可以見《經》之義。……事固有離之則雙美，合之則兩傷者，余欲以《春秋》還之《春秋》，《左氏》還之《左氏》，而刪其書法凡例，及論斷之謬於大義，孤章絕句之依附經文者，冀以存《左氏》之本真。（章太炎《駁箴膏肓評》引劉逢祿《左氏春秋考證》一卷、《後證》一卷、《箴膏肓評》一卷〈敘〉，頁897）
>
> 《左傳》自兩漢以來有議其失者，而未嘗妄說為儒者附益。……武進劉氏益甚，乃至以《左氏》工在文字，而無說經之語。買櫝則還珠，受藉則卻璧，其見淺不見深，亦已明矣。諸舉凡例及所論斷，以為劉子駿所增，而不知墨蹟有異，不可欺人。事異《公羊》，以為不見實書，而不知望文生誼，誣造最甚。（同上，頁898）

劉逢祿《箴膏肓評》正面肯定《左氏》具有「良史之材」，「文辭贍逸，史筆精嚴」，初始與「《春秋》之義」並不相干。由於「後人增設條例，推衍事蹟，強以為傳《春秋》，冀以奪《公羊》博士之書法」，實誣《左氏》。因此，劉氏欲就今本《左氏》「刪其書法凡例，及論斷之謬於大義，孤章絕句之依附經文者，冀以存《左氏》之本真。」於是劉逢祿《左氏春秋考證》明指「今本《左氏》書法及比年依《經》飾《左》、緣《左》、增《左》。」皆

歆所坿益;「劉歆強以（《左氏》）為傳《春秋》，或緣經飾說，或緣《左氏》本文前後事，或采他書以實其年。」如此認知，先入為主，引申發揮之，故劉氏所著三書之旨趣，為「以《春秋》還之《春秋》，《左氏》還之《左氏》」。果如此，則《左氏》遂與《春秋》無關，並非解經之傳矣。為論證其說，劉逢祿更以為《左氏》一書，乃由劉歆等緣飾附益者為多。章太炎《春秋左傳讀敘錄》於此，頗多駁斥。其論點已具見前所引述，不贅。今單就「墨蹟有異，不可欺人」，再加申說。劉逢祿《左氏春秋》三書，再三以為：「諸舉凡例，及所論斷，以為劉子駿所增。」太炎先生以「墨漆新故，勢有不符」反駁之，其言曰：

> 劉氏父子校秘書，乃以秘書校常行本，改常行本之字，而不改秘書之字。若子駿改竄秘書之《左氏春秋》以就己意，則自北平獻書、共王壞壁以至子駿，百年有餘，墨漆新故，勢有不符。設博士求觀其書，寧不自敗？若張、魯二本，一改一否，以不改者示博士，則所建立者，仍非己所改本，亦何苦勞心而為此也？且〈劉歆傳〉云：「河平中，受詔與父向領校秘書，講六藝傳記」云云，如有改竄，又豈能欺其父邪？（章太炎《春秋左傳讀敘錄》，頁834）
> ……武進劉氏益甚。乃至以《左氏》工在文字，而無說經之語，買櫝則還珠，受籍則卻璧，其見淺不見深，亦已明矣。諸舉凡例及所論斷，以為劉子駿所增，而不知墨迹有異，不可欺人。事異《公羊》，以為不見竇書，而不知望文生誼，誣造最甚。（章太炎《駁箴膏肓評》，頁898）

錢賓四《劉向歆父子年譜·序》謂：「向死未二年，歆領校《五經》未數月，即能徧偽諸經，不可通二也」。案：歆父劉向，卒於漢成帝綏和元年（西元前八年）。次年，哀帝即位，王莽舉劉歆為侍中，「遷光祿大夫，後領《五經》」。哀帝建平元年（西元前六年），「歆請建立《左氏春秋》，及《毛詩》、《逸禮》、《古文尚書》，移書讓太常博士。」就時間推算，「向卒至今，纔踰一年。至莽之薦歆，得為光祿大夫領校《五經》，殆不出數月事也。」

因此，錢氏斷定劉歆並無徧偽《五經》之時間。且既已為新莽之國師，亦無「徧偽群經之必要」。[40]其說據史事推斷，事實勝於雄辯，理甚宏通可取。再覆按太炎先生駁語，設使劉歆真能徧偽群經，於時未有紙張，古籍多書諸竹簡，若經改竄附益，則「墨漆新故」昭然顯然瞭然，「墨蹟有異，不可欺人」；新故之間，「其勢不符」，頗難欺瞞。

　　平心而論，《左氏》必有後學之緣飾附益，秦漢古籍皆然，不獨《左氏》；顧不必然即為東漢劉歆所偽造，錢賓四〈劉向歆父子年譜〉已證成其說。太炎先生於此雖有批語，唯楊向奎氏以為「駁辯無力」；「君子之論多乖異」云云，「太炎先生亦無說」。[41]唯《左氏》是否有後人緣飾附益，與《左氏》是否為解釋《春秋》之《傳》，應是二事，似不應混為一談。楊伯峻著有《春秋左傳注》一書，強調「《左氏傳》是「傳」《春秋》的」，《左氏傳》以四大法式解說《春秋》，說明書法，一也。用事實補充，甚至說明《春秋》，二也。訂正《春秋》的錯誤，三也。《春秋》經所不載的，《左傳》出於「無經之傳」發明之，四也。[42]試回顧本文論述，大抵暗合楊說之見解。先賢指稱《左氏傳》與《春秋》經，自有「相互表裏」之依存關係，即謂此等。

　　其他，有關本問題之論述，《左傳》之作者究竟為誰？仍莫衷一是，或以為魯太史左丘明，[43]或據姚鼐說主「吳起之徒為之者尤多」；[44]或以為非左丘明作，亦非劉歆偽作。[45]外此，《左傳》之作者，又有子夏、張蒼、左史

40 同註2。〈綏和元年〉、〈綏和二年〉、〈哀帝建平元年〉，〈劉向歆父子年譜〉，頁63-65、67-68、74-82。

41 楊向奎：〈試論章太炎的經學和小學〉，《繹經室學術文集》（濟南市：齊魯書社，1989年7月），頁35-41。

42 楊伯峻：〈淺談《左傳》〉，《楊伯峻治學論稿》（長沙市：嶽麓書社，1992年），頁55-58。

43 胡念貽：〈論《左傳》〉，《先秦文學論集》（北京市：中國社會科學出版社，1981年），頁116-121。

44 童書業：〈《春秋左傳》作者推測〉，《春秋左傳研究》（上海市：上海人民出版社，1980年），頁351-352。

45 趙光賢：〈《左傳》編撰考〉（上），《古史考辨》（北京市：北京師範大學出版社，1987年），頁150-164。

倚相、子貢諸侯選人。[46]眾說紛紜，文獻不足徵，姑置之不論可也。

四　結論

　　晚清康有為、梁啟超主張變法維新，受達爾文進化論影響，據《公羊》三世說作為理論淵源，以張皇其學說。章太炎早年從事革命活動，反對變法維新，因而批判《公羊》今文學，而表彰《左氏》古文學。章氏《春秋左傳讀敘錄》之著書旨趣，最初本為反對康有為《新學偽經考》而發，[47]終則追本溯源，射人先射馬，擒賊先擒王，批駁劉逢祿之《左氏春秋考證》。筆者探索太炎先生之《春秋》、《左傳》學，選擇《春秋左傳讀敘錄》為主要文本，旁及章氏《駁箴膏肓評》、《檢論‧春秋故言》、《春秋左氏疑義答問》、《訄書》諸作，以章氏所駁劉逢祿《左氏春秋考證》為參照，就劉氏所倡「《左氏》不傳《春秋》」說為核心，初步獲得下列觀點：

　　（一）劉逢祿著《左氏春秋考證》，「本《左氏》不傳《春秋》之說，謂條例皆子駿所竄入，授受皆子駿所構造」；以為「《左氏春秋》，舊名也；曰《春秋左氏傳》，則劉歆所改也」；「《左氏春秋》，與《鐸式》、《虞氏》、《呂氏》並列，則非傳《春秋》也。」由此觀之，其核心問題有二：即左氏非丘明，與《左氏》不傳《春秋》。

　　（二）錢穆《劉向歆父子年譜‧自序》稱康有為《新學偽經考》：「持其說最備，余詳按之皆虛。要而述之，其不可通者二十有八端。」略謂：劉歆並無偽造群經之時間，更無偽造群經之必要。《四庫全書總目》之見最為宏通持平，所謂「刪除事跡，何由知其是非？無案而斷，是《春秋》為射覆矣」，可見《左氏》解傳《春秋》經。

　　（三）關於左丘明與孔子之關係，考察章氏之駁文，大抵有四大層面：其一，左丘明為孔子朋友，非孔門弟子；其二，作《傳》之左丘明，與

---

46 同註1，第三章第一節，甲、〈駁左氏非丘明〉，頁36-50。

47 參考朱維錚：〈重評《新學偽經考》〉、《偽經考》的邏輯和意向，朱一新駁《偽經考》，《中國經學史十講》（上海市：復旦大學出版社，2002年），頁200-204。

《論語》之左丘明同為一人；其三，左氏為魯史官，受學不需師保；其四，左氏與孔子曾偕觀周史，經傳相互表裡。

（四）《左氏傳》之作者，確為左丘明。國史非史官莫能見而知其詳，先秦惟史官躬與國史之修；集百二國寶書而為《傳》，非史官不能成此簡編。左丘明為魯太史，受學不需師保，能躬閱國史策書；史德據事直書，與修德之惡夫巧佞殊科；作《傳》之左丘明即同恥之左丘明；左氏與孔子同時，以修《春秋》必謀之史官，故丘明不入弟子之列。此自《左氏》一書「義經、體史，而用文」，可以知之。

（五）章氏再三申說《嚴氏春秋》所引《孔子家語・觀周》篇，強調孔子與左丘明，共乘觀周，《經》之與《傳》「同作具修」，「相持而成」。因此《左氏》與《春秋》，必須「相持成書，事義始備」，猶後世修史，列傳與本紀，彼此參會，相得益彰者然。桓譚《新論》稱：《左氏傳》於《春秋》經相互表裡，最稱具體切實。

（六）探索《春秋左傳讀敘錄》，以《左氏》與《春秋》二書之關係為主題，考察其依違離合，以見太炎先生《春秋》《左傳》學之一斑。為方便研討，分三端論述：其一，《左氏》之自釋《春秋》；其二，諸經傳體之不一；其三，經傳之存闕緣飾。

（七）太炎先生提出「名者，實之賓。《左氏》自釋《春秋》，不在其名《傳》與否也。」劉歆是否杜撰《左氏傳》名稱、是否偽作群經及《左傳》，錢穆著〈劉向歆父子年譜〉，覆按康有為《新學偽經考》，所謂劉歆偽造《左傳》云云，皆虛妄不實，「要而述之，其不可通者二十有八端」，鐵案如山，已論證其非是。

（八）《春秋》三傳各有異同，不害其解《經》；傳體之不同，乃諸家解經視點之本然，除《穀梁傳》、〈喪服傳〉、〈夏小正傳〉之傳體，與《公羊傳》同體外，解經之諸傳無一與《公羊傳》雷同。如毛公作《詩傳》，伏生作《尚書大傳》，或孔子所作《易傳》，其體亦各不同，何能強求「《左氏》與《公羊》同體」？蓋《左傳》藉事明義，頗能發揮《春秋》「推見至隱」之精神。《左氏》敘事，合於古春秋記事成法。兩者相乘，

最有功於解《經》。

（九）《經》闕《傳》詳之故，除太炎先生提出「詳《經》所不及」、「發揮《經》之微言」外，尚有俞樾「因割《傳》以附年」；顧陳高「私書闕誤，理之所有」；劉師培「明刊削而昭簡擇」諸說。以及晉杜預《春秋經傳集解・序》稱：《左傳》往往著其「不書」、「不言」、「不稱」，以見《春秋》之微言大義。就依經作傳、據經發義而言，《左傳》高居一千三百條以上，數量均超勝《公》、《穀》兩倍左右。有經無傳之現象，《公》、《穀》遠較《左傳》嚴重。要之，《左氏》之所書，要皆為表裏《春秋》、闡明《經》義而發，不可因《經》《傳》闕存，率指為「不傳《春秋》」。

（十）楊伯峻著有《春秋左傳注》一書，強調「《左氏傳》是「傳」《春秋》的」，《左氏傳》以四大法式解說《春秋》，或說明書法；或用事實補充、說明《春秋》；或訂正《春秋》之錯誤；若經所不載者，《左傳》或以「無經之傳」發明之。本文論述，大抵暗合楊說之見解。桓譚《新論》指稱《左氏傳》與《春秋》經，自有「相互表裏」之依存關係，即謂此等。

詮釋與辨疑
──章炳麟《春秋左氏疑義答問》略論

張素卿
國立臺灣大學中國文學系教授

一 引言

　　章炳麟（初名學乘，字枚叔；後改名炳麟；又慕顧炎武而改名絳，字太炎，1869-1936）出身書香世家，博涉經、史、諸子，精於語言文字之學，對佛學也有獨到的造詣，是著名的「國學」大師。他曾長時間投身革命，提倡種族革命，魯迅形容他「七被追捕，三入牢獄，而革命之志，終不屈撓者，並世無第二人」，是「有學問的革命家」[1]，其革命元勳的地位足與孫中山相提並論。

　　晚清民初的學者，面臨西學東漸以及政治上求新求變的時勢洗鍊，繼承或批判清代學術，對惠棟（定宇，1697-1758）、戴震（東原，1723-1777）以來「漢學」思潮的長短得失有所省思，也亟謀轉型。章炳麟正是在此學風激盪下，繼承傳統而向現代學術轉型的先驅之一。他的影響力及重要性一直廣受矚目，研究論著不勝枚舉，或探討其生平事蹟與革命志業[2]，或論述其

1　魯迅：〈關於太炎先生二三事〉，《魯迅全集》（北京市：人民文學出版社，2005年），卷6，頁566-567。
2　這方面的論著甚多，如許壽裳《章炳麟傳：國學大師與革命元勳》及姜義華《章炳麟評傳》等，均兼重其革命事業與學術成就。

學術思想，尤其是他在儒學傳統中的地位[3]。論者往往以康有為（原名祖
詒，後改今名，號長素，1858-1927）與章氏對舉，在政治上，前者主張維
新保皇，後者主張種族革命；在學術上，兩人分別為今文經學與古文經學之
代表。章氏〈致柳翼謀書〉曰：

> 鄙人少年本治樸學，亦唯專信古文經典，與長素輩為道背馳，其後深
> 惡長素「孔教」之說，遂至激而詆孔。中年以後，古文經典篤信如
> 故，至詆孔則絕口不談。[4]

篤信古文經的學術立場，始終沒有改變，而回應今文學者之疑難，致使章氏
一度出現激烈的言論，甚而詆孔，不免對經學或儒學傳統造成衝擊。然而，
面臨五四新文化運動，或上承今文經學餘緒興起的疑古思潮，早年詆孔的言
論乃絕口不提，毅然挑起捍衛傳統的重任。生當變動的時代，章炳麟在學術
轉型的歷程中，無疑是相當具有代表性的學者[5]。

　　專就章氏治經的脈絡而言，他早年延續清代「漢學」門徑，在回顧中進
行批判性的反思，詁經、讀經，大抵由語言文字入手，也注重紬繹其義。生
當晚清常州《公羊》學盛行之時，感受其挑戰與刺激，遂專尚古文經學，尤

3　如王汎森：《章太炎的思想（1868-1919）及其對儒學傳統的衝擊》（臺北市：時報文
　　化公司，1985年），及張昭軍：《儒學近代之境——章太炎儒學思想研究》（北京市：
　　社會科學文獻出版社，2002年）等，其他泛論涉及者不勝枚舉。

4　章炳麟：〈致柳翼謀〉，引文據馬勇編：《章太炎書信集》（石家莊市：河北人民出版
　　社，2003年），頁741。

5　如田漢雲推許章炳麟為「經學近代化的代表」，說見氏著：《中國近代經學史》（西安
　　市：三秦出版社，1996年），第七章第二節，頁425-449。陳平原則以章氏與胡適為中
　　心，考察現代學術轉型的歷程，視野又不限於經學，陳氏強調他著眼的「不是作為經
　　學家的章或作為史學家的胡，而是開一代新風的『大學者』章太炎、胡適之」，說見
　　《中國現代學術之建立——以章太炎、胡適之為中心》（北京市：北京大學出版社，
　　1998年），頁21。馮天瑜、黃長義乃又推舉章氏與嚴復為代表，論述兩家在確立「近
　　代新學」上的地位，說見氏著：《晚清經世實學》（上海市：上海社會科學院，2002
　　年），第十章第二節〈章太炎、嚴復與近代新學的確立〉，頁522-529；又如陳國慶，
　　更逕從「新學」的角度來考察章氏之學術成就，說見氏著：《晚清新學史論》（西安
　　市：三秦出版社，2003年），第十章〈章炳麟的新學及其學術成就〉，頁380-435。

致力於闡述《左傳》，稽覈古義，並辨誣釋疑。從《春秋左傳讀》到《春秋左氏疑義答問》的一系列專著，在「《左傳》真偽」議題上，奠立論證的砥石，也因《公羊》學之激發，他詮解《左傳》重新注重義例並肯定杜預（元凱，卒贈征南大將軍，222-284），逐漸走出「漢學」藩籬。而在「經」、「史」轉軌的學術趨勢中，強調《春秋》、《左傳》亦經亦史的性質，則再次讓古文經說展現新的時代意義。晚年結撰的《春秋左氏疑義答問》，綜理其長年詁經與論辨之成果，堪稱章氏《左傳》學的心血結晶。

　　這篇論文選擇以《春秋左氏疑義答問》一書為中心，梳理章炳麟《左傳》學的軌跡，略論其創說要義。大體而言，辨疑與詮釋，始終交互推導，左右章氏《左傳》學的發展。

二　一系列《左傳》學專著

　　章炳麟早年在外祖及長兄引導下，浸淫於文字聲韻之學，十七、八歲時攻讀《皇清經解》正、續編，對清代「漢學」著述與治學門徑相當熟稔。光緒十六年（1890），章氏年二十三，赴笈杭州「詁經精舍」，師從名儒俞樾（1821-1906），讀書八年，研習群經、諸子，訓詁根柢更加深厚。工夫之精勤，可以從所撰寫的札記《膏蘭室札記》略窺一斑，其內容徧及《六經》與《國語》、《史記》、《漢書》、《墨子》、《荀子》、《韓非子》、《呂氏春秋》、《管子》、《淮南子》、《楚辭》、《史通》、《文心雕龍》等古籍[6]；並有多篇詁經佳作獲俞樾青睞而收入《詁經精舍課藝》第七、第八集[7]。《膏蘭室札記》中多處引述《幾何原本》、《談天》、《地學淺釋》等書，自謂「近引西書，旁傅諸

6　《膏蘭室札記》四卷，今存三卷，說參沈國延：〈膏蘭室札記校點後記〉，《章太炎全集》（上海市：上海人民出版社，1982年），冊1，頁302-307。

7　俞樾主持詁經精舍，取精舍中高材生之訓詁考據文章，纂成《詁經精舍課藝》，第七集收錄章炳麟之作十七篇，第八集收錄二十一篇，《章太炎全集》的編輯將此彙輯成《詁經札記》，說參湯志鈞：〈詁記札記校點後記〉，《章太炎全集》，冊1，頁355-356。

子」，可見當年也頗涉獵西學[8]。

　　時值學風轉變，常州《公羊》學興起，康有為繼劉逢祿（1776-1829）之後，倡言「託古改制」，所撰《新學偽經考》更肆意攻詰《周禮》、《左傳》等古文經，誣指出於劉歆（子駿，50B.C.-23A.D.）偽造。章炳麟不染時風，以「劉子駿私淑弟子」自居，曾刻印表明己志[9]；鑒於劉、康立說的核心在《公羊》學，而攻擊《左傳》最甚，於是致力闡明《左傳》之學以駁正其說。章氏自述：

> 方余之有一知半解也，《公羊》之說，如日中天，學者煽其餘焰，簧鼓一世，余故專明《左氏》以斥之。[10]

章氏關注《左傳》之學的動機，正是為了因應《公羊》學盛行的風尚，故「專明《左氏》以斥之」[11]。《春秋左傳讀》大約撰寫於光緒十七年至二十二年間（1891-1896），這是章氏的第一部《左傳》學專著。他說：

> 〔《春秋左傳讀》〕初名《褲記》，以所見輒錄，不隨經文編次，效臧氏《經義褲記》而為之也。後更曰《讀》，取發疑正讀為義也。……紬微言、紬大義，故謂之《春秋左傳讀》云[12]。

模仿清儒札記的形式，而「發疑正讀」。所謂「疑」，除了訓詁上的問題，也涉及《左傳》真偽之辨。章氏曰：

---

8 說參湯志鈞：《近代經學與政治》（北京市：中華書局，1989年），頁254-255。
9 章炳麟：《章太炎先生自定年譜》（上海市：上海書店，1986年），光緒二十二年條自述云：「專慕劉子駿，刻印自言私淑。」章氏國學講習會排印本，頁4。
10 諸祖耿：〈記本師章公自述治學之功夫及志向〉，引文據姚奠中、董國炎編：《章太炎學術年譜》（太原市：山西古籍出版社，1996年），頁443。
11 依湯志鈞考察，章炳麟自述「三十四歲，始分別古今文師說」，時在光緒十七年，這一年正值康有為《新學偽經考》初版刊行，那麼，章氏著作表面上與劉逢祿諸書針鋒相對而作，其實也因康氏而起，只是早年未便直接攻擊康氏而已，詳參湯氏：《近代經學與政治》，頁256-294。
12 章炳麟：《春秋左傳讀敘錄·序》，收入《章太炎全集》（上海市：上海人民出版社，1982年），冊2，頁808。

及劉逢祿，本《左氏》不傳《春秋》之說，謂條例皆子駿所竄入，授
受皆子駿所構造，箸《左氏春秋考證》及《箴膏肓評》，自申其說。
彼其摘發同異，盜憎主人，諸所駁難，散在《讀》中。[13]

《春秋左傳讀》不僅訓解經傳之古字古言，廣摭先儒古義，從而「紬微言、
紬大義」，還針對劉逢祿之質疑加以反駁。「諸所駁難，散在《讀》中」，《春
秋左傳讀》已將劉氏視為主要論敵，稍後，復針對劉氏《左氏春秋考證》、
《後證》與《箴膏肓評》三書，另撰專著加以針砭，曰：

> 麟素以杜預《集解》多棄舊文，嘗作《左傳讀》，徵引曾子申以來至
> 于賈、服舊注。任重道遠，粗有就緒，猶未成書。乃因劉氏三書，
> 《駁箴膏肓評》以申鄭說，《砭左氏春秋考證》以明《傳》意，《砭後
> 證》以明稱「傳」之有據，授受之不妄。……今《左氏》之見誣久
> 矣，非有解結釋紛之作，其誣伊于何底？[14]

《駁箴膏肓評》、《砭左氏春秋考證》與《砭後證》三書，撰寫於光緒二十八
年（1902），《砭後證》後來改題為《春秋左傳讀敘錄》，於光緒三十三年
（1907）發表在《國粹學報》[15]。章氏曾說：「〔《春秋左傳讀》〕尚多凌雜，
中歲以還，悉刪不用，獨以《敘錄》一卷、《劉子政左氏說》一卷行世」[16]。
《敘錄》之外，《劉子政左氏說》收入《章氏叢書》，於民國四年（1915）刊
行[17]，而《春秋左傳讀》「不欲遽以問世者，以滯義猶未更正也」[18]，此書與

---

13 同前註，頁808-809。

14 章炳麟：《駁箴膏肓評‧敘》，《章太炎全集》，冊2，頁899-900。

15 說參姜義華：《春秋左傳讀‧校點說明》，《章太炎全集》，冊2，頁2。

16 章炳麟：《章太炎先生自定年譜》，光緒二十二年條，章氏國學講習會排印本，頁5。

17 《章氏叢書》初編於民國四年由上海右文社出版，《左傳》專著僅收入《春秋左傳讀
敘錄》一卷、《劉子政左氏說》一卷。說參姜義華：《章炳麟評傳》附錄〈章炳麟年
表〉，頁723。又，《劉子政左氏說》一卷撰於光緒三十四年（1908），手稿收錄於章念
馳編：《章太炎先生學術論著手跡選》（北京市：北京師範大學出版社，1986年）。

18 章炳麟：〈自述學術次第〉，引文據姚奠中、董國炎編：《章太炎學術年譜》，頁211。
其實，章氏曾於民國二年（1913）將《春秋左傳讀》交付學生謄錄出版，但辨識不

《駁箴膏肓評》、《砭左氏春秋考證》等，都遲遲沒有公開發表。民國十八年
（1929）前後[19]，章氏將長年研治《左傳》的心得結撰成書，即《春秋左氏
疑義答問》五卷[20]，自許此書「為三十年精力所聚之書，向之繁言碎辭，一
切芟薙，獨存此四萬言而已。」[21]隨即收入《章氏叢書》續編中，於民國二
十二年（1933）正式出版[22]。

　　章炳麟自述：「余治經專尚古文」[23]，為回應《公羊》家的質疑，對
《左傳》用功尤深，常與劉師培（申叔，左盦，一度改名光漢，1884-
1919）並稱。如趙伯雄《春秋學史》所言：

> 晚清漢學雖已衰微，但仍出了幾位出類拔萃的學者，在《春秋》學方
> 面，當首推章太炎與劉師培。[24]

綜觀章氏一生研究《左傳》的專著，《春秋左傳讀》全書約五十萬言，旨在
訓詁經文、紬繹經義，間有駁難，散見書中；至《春秋左傳讀敘錄》等三
書，則轉以匡謬釋疑為主；晚年結撰《春秋左氏疑義答問》，仍以回應疑義
的形式，綜理相關議題。田漢雲認為：

易，流傳不廣，今中國國家圖書館有當年在北京出版的石印本。關於《春秋左傳讀》
成書與流傳的情形，並參黃翠芬：《章太炎春秋左傳學研究》（臺北市：文津出版社，
2006年），頁142-145。

19 民國十八年（1929）十一月三十日，黃侃《日記》云：「師出《春秋疑義》一冊三
卷，今看得細，讀一過。」此時已撰成三卷，殆未完成。說參姚奠中、董國炎編：
《章太炎學術年譜》，頁411。

20 撰寫此書期間，章炳麟與弟子黃侃（季剛，1886-1935）、吳承仕（檢齋，1884-1939）
等通信，論及此書，或稱《春秋疑義》，或稱《春秋答問》，參馬勇編：《章太炎書信
集》，頁203-205，及頁360-362。書成之後，委由黃侃繕寫，黃氏〈書後〉云：「章公
撰《春秋左氏疑義答問》五卷，侃幸先得受讀而繕寫之。」這篇〈書後〉題於「民國
二十年四月」，見《章太炎全集》（上海市：上海人民出版社，1986年），冊6，頁
342。

21 章炳麟：〈與吳承仕論《春秋答問》作意書〉，收入馬勇編：《章太炎書信集》，頁360。

22 說參姜義華：《章炳麟評傳》附錄〈章炳麟年表〉，頁732。

23 章炳麟：〈自述學術次第〉，收入姚奠中、董國炎編：《章太炎學術年譜》，頁211。

24 趙伯雄：《春秋學史》（濟南市：山東教育出版社，2004年），頁767。

〔《春秋左氏疑義答問》〕這部書確實展示了章太炎關於《左傳》學術
源流、思想價值的深刻認識，代表著近代《左傳》學的最高成就，與
劉師培的《左傳》學堪稱雙峰競秀。[25]

詮釋與辨疑交相牽引，共構出章氏《左傳》學的整體風貌，而《春秋左氏疑
義答問》薈聚其長年詁經、讀經之成果，尤具代表性。

三　繼承「漢學」而出乎「漢學」

其實，若僅僅將章炳麟看作晚清少數依循「漢學」而出類拔萃的學者之
一，還不足以準確定位章氏之學。從《春秋左傳讀》到《春秋左氏疑義答
問》，可以清晰觀察到章氏從繼承「漢學」到跳脫「漢學」藩籬的學術軌
跡。

（一）廣摭先儒舊說以詁經

《春秋左傳讀》略仿《經義雜記》，條列章炳麟早年研讀《左傳》之心
得，代表他在詁經精舍期間訓詁考證的成績。章氏熟稔文字聲韻之學，各條
札記往往引述繁富，廣摭舊說古義以訓詁經傳，引述富贍而勇於裁斷，其長
不可掩。然而，如單周堯所言，其失則時或求之過深，流於穿鑿[26]。如隱元
年「莊公寤生」，章氏上承清儒，解「寤」為「牾」之假借，卻又認為逆生
只是尋常的難產，「懼則有之，驚則未也」，故另採《廣雅·釋詁》「牾，裂
也」之訓，謂「蓋猶女潰生子，剖左右脅，非常之裂也」[27]。又如「不義不
暱」，清儒依《說文》、〈考工記·注〉等，訓「暱」為「黏」，章氏以為「凡

25　田漢雲：《中國近代經學史》，頁434。

26　單周堯：〈論章炳麟《春秋左傳讀》時或求諸過深〉，《左傳學論集》（臺北市：文史哲
　　出版社，2000年），頁111-130。

27　章炳麟：《春秋左傳讀》，《章太炎全集》，冊2，頁83。

民庶親附皆有黏誼」，乃又援引《說文》「黎，履黏也」，以及《爾雅‧釋詁》「黎，眾也」等，輾轉訓解，謂「由黏為眾，由眾為親附也」[28]。諸如此類，不免好立異說，流於凌雜瑣碎，且未必精要允當。毋怪乎「中歲以還，悉刪不用」，只集結精要的論述刊行問世。

　　值得注意的是，章氏訓詁《左傳》，首重古義，曰：

> 《左氏》古字古言，沈、惠、馬、李諸君子既宣之矣。然賈生訓故，確見《新書》，而太史公……諸所改字，又皆本賈生。可知劉子政呻吟《左氏》（見《論衡》），又分《國語》（見〈藝文志〉），寔先其子為古學，故《說苑》、《新序》、《列女傳》三書，孤文犆字，多有存者。惠氏稍稍道及之，猶有不賅。……[29]

針對《左傳》之古字古言，稽覈漢儒古義，此一治經門徑，實繼承沈彤（1688-1752）、惠棟、馬宗璉（？-1802）、李貽德（次白，1783-1832）而來[30]。如章氏所言，「清世說《左氏》必以賈、服為極」[31]，惠棟至李貽德，輯述古義，特別關注賈逵（30-101）、服虔（？-188）兩家舊注，章氏繼之，而考輯範圍又向上追溯，擴及劉向（子政，79-8B.C.）、司馬遷（145-86B.C.）、賈誼（201-169B.C.）等，「惠氏稍稍道及之，猶有不賅」，故章氏廣徵博稽，補其未備，甚至依劉向《說苑》、《新序》、《列女傳》諸書，另行集結成《劉子政左氏說》，殆自信能突出清儒之作。章氏認為：

> 夫《左氏》古義最微，非極引周、秦、西漢先師之說，則其術不崇。[32]

28　同前註。

29　章炳麟：《春秋左傳讀敘錄‧序》，《章太炎全集》，冊2，頁808。

30　沈彤著有《春秋左傳小疏》一卷，略長於惠棟，因此章炳麟列沈氏於惠棟之前。當然，若就確立「漢學」治經典範而言，惠棟應是更具代表性的開山宗師。或以為「沈、惠」的沈指沈欽韓，恐非。

31　章炳麟：〈漢學論（下）〉，《太炎文錄續編》卷1，《章太炎全集》，冊5，頁22。

32　章炳麟：《春秋左傳讀敘錄‧序》，《章太炎全集》，冊2，頁808。

兩漢以上，如荀子、吳起等先秦諸子所述之《左傳》古義，也極力搜羅，非如此則深恐不能闡明微學。光緒二十二年（1896）致書譚獻（1832-1901）時，章氏曰：

> 嘗撢賾於荀、賈，徵文於邃、向，微言絕旨，迥出慮表，修〔案：疑當作「條」〕舉故訓，成《左傳讀》。志在纂疏，斯為屬草，欲使莊、孔解戈，劉、宋弢鏃，則鮞生之始願已。[33]

那麼，章氏之於清代「漢學」，非僅注重訓詁等方法上的關聯而已，研治《左傳》而「志在纂疏」，顯係賡續惠棟以來由古義而新疏的脈絡，欲薈萃清儒詁經之說，集其大成，撰成一部新疏，《春秋左傳讀》特為此起手準備。繼清儒之後，輯述範圍上探西漢諸儒，乃至荀子等先秦諸子，既擴展「漢學」庭廡，也適可反擊莊存與（1719-1788）、孔廣森（1752-1786）、劉逢祿、宋翔鳳（1777-1860）等公羊學者之疑難，庶使「莊、孔解戈，劉、宋弢鏃」。

（二）對「漢學」的省思與批判

章炳麟對清代「漢學」並非盲目繼承，而有其批判性的反思[34]。〈清儒〉、〈漢學論〉等專文，概述「清代學術」（或稱「清學」），諸如吳、皖分幟等說法，曾左右一百年來的「清學」論述，影響不可謂不大。而就其《左傳》學來考察，更可窺見其繼承「漢學」，進而回顧、省思、批判，從而走出「漢學」藩籬的轉變之跡。

首先，就詁經精舍期間，在俞樾引導下，學習並繼承戴震、王念孫諸「漢學」大師訓詁解經之學，同時也有所省思。《春秋左傳讀》是他早期詁

33　章炳麟：〈與譚獻〉，繫年及引文據馬勇編：《章太炎書信集》（石家莊市：河北人民出版社，2003年），頁1。

34　丘為君曾撰專文討論，說參：〈批判的漢學與漢學的批判：章太炎對考據學的反省及其對戴震漢學的闡釋〉，《清華學報》新29卷第3期，頁321-364。

經之作,初名「褕記」,後來特更名曰「讀」,即強調「紬微言、紬大義」。
他批評說:

> 近儒如洪稚存、李次白,劣能徵引賈、服;臧伯辰雖上扳子駿,亦直
> 掊摭其義,鮮所發明。[35]

指斥洪亮吉(稚存,1746-1809)、李貽德、臧壽恭(伯辰,1788-1846)
等,徒知徵引古義,而無所發明。相對的,章氏認為繼起者應當「紬微言、
紬大義」,於是由注重訓詁,轉而標榜紬繹其義,書名由「褕記」改題為
「讀」,正顯示出此一態度的轉變。

　　其次,章氏研治《左傳》,注重紬繹微言、大義的原因之一,是受劉逢
祿、康有為以來疑偽風潮之激發,早年詁經以「發疑正讀」,業已視劉氏為
辨疑的主要目標,後來撰三書以為針砭,策略則是「極引周、秦、西漢先師
之說」,包括曾申、吳起、虞卿、荀子,及賈誼、司馬遷、張蒼、翟方進、
劉向、劉歆諸家之說[36],發明古義,並考其授受流傳之跡,辨明《左傳》非
劉歆所偽作。凡此,一直持續到《春秋左氏疑義答問》,仍為論述的主軸。
辨誣枉、答疑義,這成為論述的一大重心,逐漸逸出清代「漢學」輯古義而
撰新疏的軌轍。

　　第三,章氏由屬草《春秋左傳讀》開始,本有「纂疏」之志,有意接續
清代《左傳》學由「古義」而撰「新疏」的學脈。然而,這並沒有真正成為
章氏學術的重心,只留下若干想法。當時,以累世撰寫《左傳》新疏著稱
的,首推儀徵劉氏,章氏與其傳人劉師培一度交好,曾彼此商略討論。章氏
在〈與劉光漢書〉中論及撰疏的原則,曰:

> ……至夫古義無徵,而新說未鑿者,無妨于疏中特下己意,乃不為家
> 法所困。陳碩甫之疏《毛》,惠定宇之述《易》,皆因執守師傳,以故

35　章炳麟:《春秋左傳讀敘錄·序》,《章太炎全集》,冊2,頁808。
36　章炳麟:《春秋左傳讀敘錄·後序》,同上註,頁866。

拘攣少味，僕竊以為過矣。[37]

如上所述，章氏不滿清儒廣摭古義而少發明的學風，對於惠棟《周易述》、
陳奐《詩毛氏傳疏》諸家新疏，固執漢儒經說，述古義而鮮裁斷的解釋類
型，同樣不以為然。他主張「不為家法所困」，且「無妨于疏中特下己意」。
後來再度致書劉氏，又云：

> 今欲作疏，惟就征南《釋例》，匡救其違，先於篇首為條例數十篇，
> 然後隨事疏證，各附其年，斯綱紀秩如矣。[38]

惠棟以來，清儒治《左傳》標榜以漢匡杜，撰寫新疏，則注重訓詁、典禮，
而罕及義例，劉氏《疏證》的草創者劉文淇（1789-1854）更標榜：「所為
《疏證》，專釋訓詁、名物、典章，而不言例。」[39]相對的，依章氏的構
想，撰疏不僅需參考杜預《春秋釋例》，尚應先梳理義例作為全書綱領，再
依逐年隨事加以疏證。他上承「漢學」脈絡，對於如何撰寫新疏，卻有不同
於前人的構思。

第四，章氏因辨誣而注重紬繹大義，在此趨向下，重新強調《左傳》書
法凡例，進而肯定杜預，不再一味以漢匡杜，這是跨出「漢學」界限尤具關
鍵的指標。光緒三十二年（1906）章氏致書劉師培時，曾說：

> ……始謂劉、賈諸儒曾見《左氏》微言，或其大義略同二傳，而杜征
> 南不見，遂疑諸儒詭更師法。後復紬繹侍中所奏，有云《左氏》同

---

37 章炳麟：〈與劉光漢書〉，收入《章太炎文錄初編》，《章太炎全集》（上海市：上海人
　民出版社，1985年），冊4，頁147。此信撰於光緒二十九年癸卯（1903），光緒三十一
　年乙巳（1905）曾刊登於《國粹學報》，題為〈章太炎再與劉申叔書〉，並參馬勇編：
　《章太炎書信集》，頁71-74。

38 章炳麟：〈再與劉光漢書〉，《章太炎全集》，冊4，頁149。此信不詳撰於何時，光緒三
　十二年丙午（1906）曾刊登在《國粹學報》，題作〈某君與某書〉，並參馬勇編：《章
　太炎書信集》，頁79。

39 劉文淇：〈與沈小宛先生書〉，《劉文淇集》（臺北市：中央研究院中國文哲研究所，
　2007年），頁48。

《公羊》者，什有七八。乃知《左氏》初行，學者不得其例，故傳會
《公羊》，以就其說，亦猶釋典初興，學者多以《老》、《莊》皮傳。
征南生諸儒後，始專以五十凡例為楬櫫，不復雜引二《傳》，則後儒
之勝于先師者也；然以是為周公舊典，抑又失其義趣……。[40]

原先，章氏相信劉歆、賈逵諸儒所述，本於先師微言，說義同於《公羊》、
《穀梁》，實因三傳大義略同，此時想法已有轉變。他認為漢儒的說法頗附
會《公羊》，至杜預「始專以五十凡例為楬櫫，不復雜引二傳」，這是他「勝
于先師」之處；但杜氏以為五十凡例出於周公，對此，章氏則不表贊同。宣
統二年（1910），章氏發表〈春秋平議〉，其中明言：

余謂《左氏春秋》，故訓宜從漢師，凡例宜從杜氏。[41]

訓詁、義例，各於漢儒、杜預擇取其長，章氏的說法此時已經基本上定調。
民國二年（1913），章氏〈自述學術次第〉云：

余初治《左氏》，偏重漢師，亦頗傍採《公羊》，以為元凱拘滯，不如
劉、賈闓通。數年以來，知釋例必依杜氏，古字古言則漢師尚焉，其
文外微言當取二劉以上。[42]

晚年撰《春秋左氏疑義答問》，仍說：

自劉君以上，吳起、荀卿、賈生之屬，已及《左氏》大義，惟科條未
備，故待劉而成。依《後漢書·賈逵傳》，逵奏：「摘出《左氏》三十
事尤箸明者，〔斯〕皆君臣之正義，父子之紀綱。其餘同《公羊》者
什有七、八。」今尋《左氏》凡例與諸書法，絕異於《公羊》，而言

---

40 章炳麟：〈丙午與劉光漢書〉，《章太炎全集》，冊4，頁155。並參馬勇編：《章太炎書
　信集》，頁74。
41 章炳麟：〈春秋平議〉，於宣統二年（1910）刊在《國粹學報》第65期「通論」，頁3
　下。
42 章炳麟：〈自述學術次第〉，收入姚奠中、董國炎編：《章太炎學術年譜》，頁211。

同者「什有七、八」，蓋劉、賈諸公欲通其道，不得不以辭比傅，所
作條例，遂多支離。杜氏於古字古言，不逮漢師甚遠……。要之，杜
君《釋例》，視劉、賈、許、潁為審諦，其於吳起、荀卿、賈傳之
說，苦未能攀取爾。[43]

比較而言，訓詁方面，杜預不如漢代經師；書法義例方面，則杜氏比劉、
賈、許、潁諸儒審諦。然而，章氏也不墨守杜預，認為「文外微言，當取二
劉以上」，仍應上採吳起、荀子、賈誼、司馬遷等人之說，以資補苴。民國
二十一年（1932）致書徐震（哲東，1898-1967），更詳細表陳自己先後觀念
的差異，曰：

> 《春秋左傳讀》乃僕少作，其時滯於「漢學」之見，堅守劉、賈、
> 許、潁舊義，以與杜氏立異。晚乃知其非。近作《春秋左傳疑義答
> 問》，惟及經傳可疑之說，其餘盡汰焉；先儒賈太傅、太史公所述
> 《左氏》古文舊說，間一及之；其《劉子政左氏說》先已刻行，亦牽
> 摭《公羊》，於心未盡于慊也。[44]

明言早年撰《春秋左傳讀》，猶拘泥於「漢學」的治經典範，持論多依劉、
賈、許、潁等漢儒，據以非難杜預。光緒、宣統之際，他致書劉師培，已論
及杜氏解說義例長於漢儒；後來，章氏愈益自信，此一見解遂成《春秋左氏
疑義答問》的主調。雖然如此，撰述期間與弟子黃侃通信，他也表明：

> 鄙言於凡例雖取征南，而亦上推曾申、吳起、賈誼、史遷之說，以相
> 規正，賈、服有善，亦采焉。……駁杜者甚著，然亦不欲如前世拘守
> 漢學，沾沾以賈、服為主。蓋上則尋求傳文，次或采之賈誼、史遷，
> 是鄙人著書之旨也。[45]

---

43 章炳麟：《春秋左氏疑義答問》，《章太炎全集》，冊6，頁258-259。
44 繫年及引文據馬勇編：《章太炎書信集》，頁920。
45 據《黃侃日記》，此信撰於民國十九年（1930），繫年及引文據馬勇編：《章太炎書信
　 集》（石家莊市：河北人民出版社，2003年），頁204-205。

強調不墨守杜預，往往上稽曾申、吳起、賈誼、司馬遷等所述古義，間採賈逵、服虔之善，藉以規正杜預，只是鑒於清儒「拘守漢學」、「沾沾以賈、服為主」之流弊，所以不再標榜尊漢述古，反而有意表彰杜氏釋例之長。民國二十四年（1935）發表的〈漢學論〉更說：

> 余少時治《左氏春秋》，頗主劉、賈、許、潁以排杜氏，卒之婁施攻伐，杜之守猶完，而為劉、賈、許、潁者自敗。晚歲《春秋疑義答問》，頗右杜氏，於經義始條達矣。由是觀之，文有古今，而學無漢、晉。清世經說所以未大就者，以牽於漢學之名，蔑魏、晉使不得齒列。[46]

直指清儒一味宗「漢」，甚至「蔑魏、晉使不得齒列」，這是畫地自限。章氏認為，杜預的《左傳》義例之學，實後出轉精，其成就高過漢儒，晚年結撰《春秋左氏疑義答問》乃「頗右杜氏」，這代表其晚年定論。

從《春秋左傳讀》依循「漢學」矩矱而以漢匡杜，至《春秋左氏疑義答問》「頗右杜氏」，確切表明治《左傳》不復專宗漢儒，而重新肯定杜預，並以義例作為闡述重點。此一歷程，表徵著章炳麟入乎「漢學」而後又出乎「漢學」的學術脈絡。

四　答問釋疑的意向

章炳麟治《左傳》之學，先主訓詁，進而辨偽考證，五十萬餘言的《春秋左傳讀》，晚年將「繁言碎辭，一切芟薙」，精練成約四萬言的《春秋左氏疑義答問》，自許為「三十年精力所聚之書」。《春秋左氏疑義答問》已然逸出「漢學」舊轍，考辨釋疑之說大多聚焦於義例。

為什麼章炳麟三十餘年研治《左傳》的結晶，聚焦於義例？這從書名題曰「疑義答問」，可以略窺一斑。回應疑難的意向，始終牽動著章氏《左

---

46 章炳麟：〈漢學論下〉，《太炎文錄續編》卷1，《章太炎全集》，冊5，頁23。

傳》學的發展重心。

　　清代「漢學」典範下的《左傳》學，關注訓詁、典章制度，對於義例往往存而不論。常州《公羊》學乘勢興起，集矢而攻，高唱《春秋》重義不重事。清季，康有為鼓吹改制，因符合改革維新的社會期待而喧騰一時。章炳麟繼起，乃「專明《左氏》以斥之」，不料其學餘波盪漾，民國時竟又流衍為疑古思潮。依章氏觀察：

> 清世《公羊》之學，初不過人一二之好奇，康有為倡改制，雖不經，猶無大害。其最謬者，在依據緯書，視《春秋經》如預言，則流弊非至掩史實、逞妄說不止。民國以來，其學雖衰，而疑古之說代之，謂堯舜禹湯皆儒家偽託，如此惑失本原，必將維繫民族之國史全部推翻。國亡而後，人人忘其本來，永無復興之望。余首揭《左氏》，以斥《公羊》。今之妄說，弊更甚於《公羊》。此余所以大聲疾呼，謂非竭力排斥不可也。[47]

鑒於康有為「託古改制」之說，甚囂塵上，流毒久未消散，章氏於是標榜「學在求是，不以致用」，晚年講經論學，不再比附時事，早年援引經義以張革命、申民主的說法，《春秋左氏疑答問》已不復見。民國十五年（1926）《古史辨》第一冊出版，一股疑古的思潮蔚然成形，其中不乏拾常州今文學之餘唾者，大肆疑經、疑古史，章氏晚年猶孜孜矻矻於研治《左傳》，力排疑古之論，就是重要的動力。他認為：

> 夫國於天地，必有與立，所不與他國同者，歷史也，語言文字也。二者國之特性，不可失墜者也。昔余講學，未斤斤及此。今則外患孔亟，非專力於此不可。余意凡史皆《春秋》，凡許書所載及後世新添之字，足表語言者皆小學。尊信國史，保全中國語言文字，此余之志

---

47 諸祖耿：〈記本師章公自述治學之功夫及志向〉，收入姚奠中、董國炎編：《章太炎學術年譜》，頁443-444。

也。[48]

「尊信國史」以維國性，這是章氏提振國學，乃至研治《左傳》，一以貫之的學術宗旨[49]，晚年結撰《春秋左氏疑義答問》，正是基於這樣的信念。章氏〈與吳承仕論《春秋答問》作意書〉曰：

> 民國以來，始知信向太史，蓋耕當問奴，織當問婢，《春秋》本史書，故盡漢世之說經者，終不如太史公為明白。觀〈十二諸侯年表序〉，則知孔子觀周，本以事實輔翼魯史，而非以剗定魯史之書。又知《左氏春秋》本即孔子史記，雖謂《經》出魯史，《傳》出孔子，可也。簡煉其義，成此《答問》。……清代《公羊》之學，熏灼一時，至今餘烈未已。僕為此書，能讀者幾何？若云俟諸後世，恐《六經》尚將覆瓿，亦有何於此也？[50]

言下之意，對時勢、學風的變化，不勝感慨。為保存「國之特性」不使泯沒，他特別注重歷史和語言文字。就《春秋》學而言，他既強調「《春秋》本史書」，也說「凡史皆《春秋》」，尊經存史，其實是護持「國之特性」的兩個面向。

　　《史記・十二諸侯年表序》謂左丘明「因孔子史記，具論其語，成《左氏春秋》」，另外，〈觀周〉篇記載：「孔子將修《春秋》，與左丘明乘如周，觀書於周史，歸而修《春秋》之經，丘明為之《傳》，共為表裏」，章炳麟據此加以推闡，提出「《春秋》經、傳，同作具修」之說[51]。既然孔子西觀周室，「本以事實輔翼魯史」，則謂「《春秋》本史書」亦無不可。至於《左傳》，則本於「孔子史記」──即「孔子所錄周之史記」[52]。那麼，《春秋》

---

48 同前註，頁444。
49 依黃翠芬的考察，章炳麟推尋「國性」的思想，承自顧炎武，說參氏著：《章太炎春秋左傳學研究》，頁68-69。
50 引文據馬勇編：《章太炎書信集》，頁361。
51 章炳麟：《春秋左氏疑義答問》，《章太炎全集》，冊6，頁251-252。
52 同前註，頁250。

與《左傳》都是本於史策的實錄。這樣的說法，與「視《春秋經》如預言」的「託古改制」說迥然不同，自然也和疑古派異調歧驅。

　　雖然強調《春秋》、《左傳》均依據史策實錄，而《春秋左氏疑義答問》略去訓詁、典禮之考證，義例成為闡述的重心，這反映章氏撰述此書時，心中所關切的問題還涉及整個時代的變動。清帝遜位，邁入民國，二千餘年的政體幡然改變，那麼，《春秋》經義是否能與時俱進，適用於民主共和的新時代？《春秋左氏疑義答問》首先擬設的問題就是針對這一點，問曰：

> 《孟子》言：世衰道微，臣弒其君，子弒其父，孔子作《春秋》而亂臣賊子懼。今國體變易，臣弒其君，典刑已絕，子弒其父，不涉國事，委諸獄吏耳。將《春秋》果垂法萬世，抑無用於今耶？[53]

孔子作《春秋》有其時代背景，尤其是因應「臣弒其君，子弒其父」的時代亂象，而民國時代已無所謂君臣，不復有「臣弒其君」之事，而「子弒其父」等殺人案件則訴諸法律，那麼，《春秋》還能發揮其垂法治世的經學價值嗎？章炳麟自問而自答之，曰：

> 君臣之與長屬，名號少殊，典禮有隆殺焉爾，之綱之紀，亦何差池？作亂犯上之誅，於今仍未替也。且左氏謂《春秋》之稱，懲惡而勸善；賈子謂：《春秋》者，守往事之合德之理之與不合而紀其成敗，以為來事師法；太史公言《春秋》人事浹、王道備；向、歆父子謂《春秋》因興以立功，〔就〕敗以成罰：非專為懲弒而作。今舉其犖犖大者，如戎狄不稱「人」，所以分北異族；以地叛必書，所以嚴為國防；王人必尊於諸侯，列國不得相役屬，誘執有誅，失地示貶，並於時務為要。其餘推極成敗，表箸賢佞，《經》、《傳》具有其文，斯之法戒，百代同之，安得至今而廢哉？若徒舉當時典禮，則秦、漢以還，浸已變易，豈獨不用於今也。苟易衣裳以鱗介，降民德於毛宗，

　　當爾之時，聖道長絕，又寧獨《春秋經》乎？[54]

「臣弒其君，子弒其父」只是春秋時代的極端亂象，其實《春秋》褒貶，懲
惡而勸善，既表彰賢者，也刺譏奸佞，並就二百四十二年行事論其得失成
敗，誠然「非專為懲弒而作」，自有其超越特定時空的普遍性。尤其民國初
期的中國，屢受列強侵侮，諸如夷夏之辨，尊卑之別，懲戒「以地叛」的行
為，或「誘執有誅」、「失地示貶」等大義，章氏堅信仍具時代意義，除非文
化倒退，人文規範一概棄置不顧，《春秋》之義依然能垂憲於今，警惕世
人。

　　《春秋》、《左傳》記載歷史，在維護「國之特性」方面自深具價值，不
唯如此，經義常道還能垂法示戒，對如何因應時務，發揮規範或指引的功
能。因此，章炳麟晚年結撰三十餘年研治《左傳》的心得，「見諸行事」的
義例，成為首要的關注對象。

五　源於孔子的傳承系譜

　　經、傳同修，而「《傳》出孔氏」，藉以強調《左傳》解經之旨本於孔
子。這是章炳麟首創的說法。章氏在《檢論‧春秋故言》中已有「孔、左同
時作、述」之說[55]，此一說法在《春秋左氏疑義答問》中更大力發揮。

　　依章炳麟所言，左丘明與孔子同觀周室之史，孔子「存其舊文於
《經》，而付其實事於丘明以為《傳》」[56]，他向吳承仕傳達《春秋左氏疑義
答問》的撰述旨趣時，強調「《左氏春秋》本即孔子史記，雖謂《經》出魯
史，《傳》出孔氏，可也。簡煉其義，成此《答問》。」黃侃〈春秋左氏疑義
答問書後〉又進一步闡述其意，曰：

　　孔子作《春秋》，因魯史舊文而有所治定；其治定未盡者，專付丘

54　同前註。
55　章炳麟：《檢論‧春秋故言》，見《章太炎全集》，冊3，頁412。
56　章炳麟：《春秋左氏疑義答問》，《章太炎全集》，冊6，頁261。

明，使為之《傳》，《傳》雖撰自丘明，而作《傳》之旨悉本孔子。公
書所詮明者，梗概如此。[57]

左丘明與孔子同觀周室史策，而當時「所錄周之史記」，即「專付丘明」，所
謂「《傳》出孔氏」，就是強調左丘明「作《傳》之旨悉本孔子」。經與傳同
作具修，那麼，《左傳》解經之旨，最終溯源於孔子。

　　準乎此，則《春秋》與《左傳》的關係，無疑將更加緊密。章氏申論
說：

若乃貫穿百國，辭無鉏吾，引事說《經》，兼明義例，非程功十餘
年，固弗能就，是故《傳》之成也，延及哀公之末，此十餘年之事，
亦附而書，引策書以終孔子，疏牘椟以終哀公，尊聖闕事，寫其餘
意，其十二經中題「哀公」者，亦左氏筆也。（仲尼前卒，不得舉哀
公諡為題。）《傳》稱「悼之四年」，於悼舉諡。趙襄子卒，後於悼公
四年；楚惠王卒，先於悼公三年；《傳》亦並有其諡，則皆晚歲所增
與補箸諡號者也。[58]

融貫諸侯之簡牘史冊，「引事說《經》，兼明義例，非程功十餘年，固弗能
就」，《左傳》成書自然在孔子之後若干年。章氏指出：「仲尼前卒，不得舉
哀公諡為題」，則「十二經中題哀公者，亦左氏筆也」；他甚至認為「《經》
亦自有丘明之筆」，如「君子以督為有無君之心，而後動於惡，故先書弒其
君」之類，往往為「丘明新意，而孔子斟酌焉」；至於《傳》中述及「悼之
四年」、「趙襄子」、「楚惠王」等人諡號，更是後來成書時所補[59]。左丘明既
與孔子同觀周室史冊，本其旨以修《左傳》，書中又載及戰國初年趙襄子等
人的諡號，尤其趙襄子卒於孔子之後五十三年，頗有學者因而質疑作《傳》
者非孔子同時之人。然而，章氏認為：

57 黃侃：〈春秋左氏疑義答問書後〉，見《章太炎全集》，冊6，頁341。
58 章炳麟：《春秋左氏疑義答問》，《章太炎全集》，冊6，頁252。
59 同前註。

　　大氏左氏壽考，與子夏為次比。子夏少孔子四十四歲，孔子卒，子夏
　　年二十有九矣，自爾至於悼公之季，凡五十年，歷元公二十一年，至
　　穆公元年，魏文侯斯十八年也，是時子夏一百一歲，而〈六國表〉稱
　　「文侯受經子夏」，至文侯二十五年，子夏年一百有八，〈魏世家〉猶
　　有受經藝之文。左氏若終於元公之世，則先子夏卒十餘年至二十年，
　　假令生與子夏同歲，趙襄子卒時，（魯元公四年。）左氏年八十三也。
　　（自唐以降，疑仲尼所稱同「恥」者與《春秋傳》人為二，則謂左氏
　　生於六國。此徒以悼公、趙襄子之書諡耳，然何解於子夏耶？）[60]

依《史記‧仲尼弟子列傳》，孔門弟子中小孔子四十多歲者不乏其人，以傳
經著稱的子夏，就比孔子小四十四歲，孔子卒時不過二十九歲，享高壽而能
授經於魏文侯。那麼，如果左丘明年紀與子夏相當，孔子卒時約三十歲，則
趙襄子卒時，不過八十三歲左右。章氏如此詮解設說，既說明《春秋》、《左
傳》的關係，同時也回應了唐以來許多學者的質疑[61]。

　　劉逢祿不僅質疑作《左傳》的左丘明是否能與孔子同觀周室，對於劉向
《別錄》等所述傳授源流也有詰難，康有為《新學偽經考》更誣指《左傳》
出於劉歆偽造，因此，清末民初治《左傳》之學者，相當關注此書先秦至西
漢流傳的情形。章炳麟的一系列《左傳》著作，往往上稽吳起、荀子、賈
誼、司馬遷等先儒古義，自然也有辨誣的用意。早年《春秋左傳讀敘錄》之
作，已針對劉逢祿的詰難加以反駁[62]，《春秋左氏疑義答問》則汰除繁冗，
進而提出左丘明年紀與子夏相仿的假說，並推考《左傳》傳授之跡。章氏
曰：

60　同前註，頁252-253。
61　因應質疑，立說總帶有防衛的意識，為固守己說，有時過猶不及。比如《春秋》、《左
　　傳》「同作具修」之說，有文獻可據，足立一說；然而，為強調兩者關係緊密，謂
　　「《傳》出孔氏」，甚至說「《經》亦自有丘明之筆」，恐怕只會徒生紛擾，過猶不及。
　　諸如此類，暫不贅論。
62　章炳麟：《春秋左傳讀敘錄》，《章太炎全集》，冊2，頁854-856，及頁859-863。

曾申者，首受《春秋傳》於左氏者也，依〈檀弓〉記，曾申下及魯穆公時，其受《春秋》，當在悼、元之世。曾申又以授吳起，《呂氏・當染》篇及太史公書皆稱吳起學於曾子，是也。（〈檀弓〉亦稱曾申曰曾子。）起母死不葬，曾子薄之而與起絕，後歸魏文侯為將，亦在魯之元、穆間，晚又相楚，與悼王同死，則在魯穆公二十七年，去獲麟百歲矣。起以《春秋》授子期，期授鐸椒，椒為楚威王傅，威王元年，上距悼王卒四十二歲，去獲麟百四十二年，去魯悼公卒九十年，而《鐸氏微》始作，逾二年，秦始稱王。自楚威王元年下至楚考烈王六年，凡八十二歲，而虞卿欲以信陵君之存邯鄲為平原君請封，則卿不得直受《春秋》於椒，《別錄》所稱鐸椒傳虞卿者，中間尚有闕奪也。荀卿趙人，虞卿相趙，荀卿得見之，其後荀卿客春申君，為蘭陵令，春申君死而荀卿廢，在邯鄲解圍後十九年，固得受《春秋》於虞卿。自荀卿之廢，又十八年，秦并天下，時張蒼為御史，主柱下方書，計蒼以漢孝景五年薨，年百餘歲，秦并天下時，蒼已三十餘矣，而時荀卿尚在，《鹽鐵論》稱李斯為相，荀卿為之不食，故蒼得從受《春秋》，且其身在柱下，無所不觀，所見方書，當在始皇三十四年焚書以前，故其譜牒時有出《左氏》外者。此其授受可知者也。[63]

左氏首授曾申，約當魯悼公、元公之世，然後吳起及其子期，與鐸椒、虞卿、荀子、張蒼等，章氏一一稽考其所處時代，衡酌其年壽，雖然鐸椒至虞卿時距較大，「中間尚有闕奪」，基本上《別錄》所載《左傳》的早期傳授系譜應可信從。這樣務實地推考徵驗，有回應劉歆偽作《左傳》說的用意。劉逢祿、康有為批評《左傳》等古文經，對於可資證驗的文獻材料也不憚疑難，不唯不信，且推說一併出於劉歆篡亂，康氏甚至提出劉歆分《國語》為《左傳》之說，面對如此強悍的懷疑論者，章氏援引文獻以資考證的因應方式，未必能使論敵封口[64]；然而，學術的發展趨勢具體表明：章氏務實的治

63　章炳麟：《春秋左氏疑義答問》，《章太炎全集》，冊6，頁253。

64　關於《左傳》真偽之辨，章炳麟與劉師培類似，主要著眼於先秦至西漢《左傳》的流

學態度，畢竟有助於後學走出「疑古」迷霧，推動學術的進程[65]。

先秦至漢，《左傳》傳授不絕，那麼，為何「《漢書·劉歆傳》以為《左氏》章句義理至劉歆始備」？杜預《春秋釋例》又為什麼「獨與劉、賈、許、潁相駁」？對此問題，章氏回應說：

> 自劉君以上，吳起、荀卿、賈生之屬，已及《左氏》大義，惟科條未備，故待劉而成。依《後漢書·賈逵傳》，逵奏「摘出《左氏》三十事尤箸明者，〔斯〕皆君臣之正義，父子之紀綱。其餘同《公羊》者什有七、八。」今尋《左氏》凡例與諸書法，絕異於《公羊》，而言同者「什有七、八」，蓋劉、賈諸公欲通其道，不得不以辭比傳，所作條例，遂多支離。杜氏於古字古言，不逮漢師甚遠，獨其謂《經》之條貫必出於《傳》，《傳》之義例總歸諸凡，推變例以正褒貶，簡二《傳》而去異端，實非劉、賈、許、潁所逮，終之子翰父蠱，禹修鯀功，所以伸其難遂之懷，成其未竟之緒，非以相伐也。[66]

《左傳》解經之義，賈誼以前已見傳述，並非始於劉歆，至劉歆才大力表彰，庶使學者不囿於《公》、《穀》二傳依經起問的體式，注意到《左傳》於敘事之外，還有種種論說經義的形式。這如同杜預詮解《左傳》，經由他有系統地梳理，區分義例為凡例、變例等，並依此義例系統注釋經傳，同樣的經文、傳文，藉由適切的解釋，於是意旨更加顯豁，所謂《左傳》章句義理

傳或傳授系譜，這類說法固有助於辨析疑議，卻不夠充分，未能針對康有為指劉歆分《國語》為《左傳》此一說法，有效地祛蔽匡謬，後來，錢穆、高本漢及張師以仁等學者接續考辨，才漸漸撥開雲霧。說參拙著：《左傳稱詩研究》（臺北市：臺大出版委員會，1991年），頁11-13。

65 近年來，李學勤等學者重新關注《史記·十二諸侯年表序》、《別錄》及《經典釋文·別錄》等文獻，據以考論、推闡，並廣徵於新出土的材料，這對於探討《左傳》傳授源流無疑具有積極的作用。李學勤相當重視章炳麟的推考，說參氏著：〈帛書春秋事語與左傳的流傳〉，《古籍整理研究學刊》1989年第4期，頁6；並參張昭軍：《儒學近代之境──章太炎儒學思想研究》，頁112。

66 章炳麟：《春秋左氏疑義答問》，《章太炎全集》，冊6，頁258。

至劉歆而詳備，亦大抵如是。其間的差別在於，劉歆、賈逵諸儒闡述義例雖有所承，為獲得當世學者認同，也不免比附二傳，「所作條例，遂多支離」；杜預則「簡二《傳》而去異端」，不再勉強牽合，致力闡述《左傳》本身的義例系統。因此，章氏最終肯定杜預詮解義例之功，當居劉、賈、許、潁之上。

　　依上所述，左丘明本於孔子之旨而撰《左傳》，傳授曾申、吳起以迄張蒼，賈誼以前，雖頗述大義而「科條未備」，至劉歆大力表彰，乃條例分明，而學者益眾。由於《公羊》、《穀梁》二學立於學官，漢儒闡述《左傳》大義，有時不免流於比附支離。有鑒於此，杜預於是重新回歸《左傳》，呈現其義例的系統性，而「伸其難遂之懷，成其未竟之緒」，換言之，杜氏未嘗不能說是實現並貫徹了漢儒闡明《左傳》義例的初衷。整體而觀，章炳麟在設問自答中，經由詮解論析，梳理出先秦、兩漢至晉杜預之時《左傳》學的發展脈絡。

六　立基於文外微言的義例詮釋

　　如前所述，章炳麟「不欲如前世拘守漢學，沾沾以賈、服為主」，相對的，他對「宋儒說《春秋》多務刻深」，也不以為然，宋儒之中，雖推崇葉適「特為卓犖」，仍認為「終是粗疏，于劉、賈以前古文諸師傳授之事，絕未尋究」[67]。晚年撰《春秋左氏疑義答問》，強調「頗右杜氏」，肯定杜預解釋義例「視劉、賈、許、潁為審諦」，也不忘指出「其於吳起、荀卿、賈傳之說，苦未能攀取爾」，以為「文外微言，當取二劉以上」，往往援引吳起、荀子、賈誼、司馬遷以及劉向等先儒遺說，用以補苴匡謬。章氏不滿意宋儒，不願拘泥清儒之「漢學」典範，也不墨守杜預一家之言，卻又擷取其長，左右採獲，這是基於《左傳》早期傳授源流的推考探究，由此建立起一套《春秋》、《左傳》的學術史觀。唯其視先儒遺說為「文外微言」而據以立

67　章炳麟：〈與黃侃〉，收入馬勇編：《章太炎書信集》，頁203-204。

論，章氏之說往往與杜預以降各家，頗有參差，異同互見，形成獨特的論
述。

　　關於《春秋》的緣起，章炳麟區分了「周春秋」、「百國春秋」、「魯春
秋」，以及孔子之《春秋》，他認為「周春秋」起於周宣王時，孔子因舊史而
修《春秋》，「要在襃周室、尊方伯、攘夷狄，及諸朝會遣使之事」[68]，強調
《春秋》「襃周室」，異於公羊家之「黜周王魯」，此說本於司馬遷[69]。尊周
之義，不僅與孔子「郁郁乎文哉，吾從周」的思想相脗合，而且可以求徵於
《左傳》。針對隱元年《春秋》書：「元年春王正月」，《左傳》曰：「元年春
王周正月」，轉述經文而增一「周」字為解，段玉裁指出這是「寓訓詁於述
經中也」，「云『王周』者，所以釋『王』字」。朱彝尊更闡述說：「視經文止
益一『周』字耳，而王為周王，春為周春，正為周正，較然著明。後世黜
周、王魯之邪說，以夏冠周之單辭，改時改月之紛綸聚訟，得左氏片言，可
以折之矣。」[70]又如宣十一年楚莊王入陳，原本有意滅之而以陳為楚縣，因
及時採納申叔時的諫言，乃復封陳，《左傳》云：「書曰：『楚子入陳。內公
孫寧、儀行父于陳。』書有禮也。」襃揚楚莊王此舉為「有禮」，依《史
記‧陳世家》的記載，孔子確有賢莊王之論，謂：「孔子讀史記，至楚復
陳，曰：賢哉，楚莊王！輕千乘之國而重一言。」章氏認為〈陳世家〉之
說，即「曾申、吳起以來所傳大義，足以釋《傳》。」[71]援引《史記》，誠能
參證《左傳》義，至於是否即曾申、吳起以來所傳，則不能使人無疑。此
外，《說苑‧建本》記載，魏武侯曾問吳起「元年」之義，吳起以為：「言國
君必慎始也。」賈誼《新書‧胎教》亦云：「《春秋》之『元』，《詩》之〈關
雎〉，《禮》之〈冠〉、〈昏〉，《易》之〈乾〉〈坤〉，皆慎始敬終云爾。」章氏
援引二家之說，認為此係《左傳》義，曰：「《左氏》先師吳起、賈誼於此明

68　章炳麟：《春秋左氏疑義答問》，《章太炎全集》，冊6，頁248。

69　同前註，頁250。

70　《左傳》「尊周」之義，說詳拙著：《敘事與解釋──左傳經解研究》（臺北市：書林
　　出版公司，1998年），頁43-45，及頁229-238。

71　章炳麟：《春秋左氏疑義答問》，《章太炎全集》，冊6，頁293。

《春秋》之旨。……吳在二《傳》以前，賈在胡毋生、董仲舒箸錄《公羊》
以前，所說《左氏春秋》大義如此。」[72]雖然舉證歷歷，可惜《春秋》稱
「元年」是否寓有「慎始」之義，《左傳》本身無法覆驗。尊周之義有徵，
慎始則《傳》無明文，諸如此類，依所謂先師之「文外微言」說《左傳》大
義，能參證《傳》文者，自然更具說服力，否則，似應多聞而闕其疑。章氏
立說，勇於自信，故往往得失互見，有待讀者之明辨審擇。

　　「周春秋」起於周宣王時，這也是章氏的一家之言，他並由此推論：
「《傳》稱五十凡者，亦宣王之史所遺，書法政度悉依時制，非周公舊籍
也」，然而，五十凡例亦非悉依舊法，「其間尚有魯史所增，如文公《傳》
稱：『凡諸侯會，公不與不書，諱君惡也。』若周史之法，必不為邦君諱
矣。」[73]依杜預，五十凡例為周公之垂法，而章氏以為出自周宣王時的史
官，間或為魯國史官所增，兩家說法明顯不同。舉例而言，宣四年《左傳》
曰：「凡弒君，稱君，君無道也；稱臣，臣之罪也。」章氏明指此一凡例為
宣王時太史所訂。「弒君」凡例分論君、臣罪責，或疑與《周禮》大司馬九
伐之法所謂「放弒其君則殘之」，說法不同，章氏的解釋以為：《周禮》九伐
之法為西周盛世訂定的綱紀，至春秋時代，「九伐之法〔已〕不足恃，惟在
邦君之自正耳」，「是以宣王太史蚤見其端」云云，指「弒君」凡例出自周宣
王之太史，而孔子修《春秋》乃因舊史之義。他申述說：

> 於「弒」尚君、臣分罪，於「放」則專斥其君，顯指失御之過，以示
> 泛駕之由，使知蹈道循理，則永終福祿如彼；行離軌物，則舉國委棄
> 如此；邦君讀其書而履其義，則放、弒之原自絕。蓋史官之道，貴以
> 善敗勸戒，其於亂世尤要焉。世之儒者聞孔子作《春秋》而亂臣賊子
> 懼，億以為明法底罪之書，何其淺歟！凡書臣之罪者，戮辱止乎其
> 身；書君無道者，戒厲及於永世。（何休以為當絕，亦非，此本示

72　同前註，頁267-268。

73　同註71，頁249。

戒，非以明罰。）⁷⁴

強調《春秋》記事，其褒貶並非僅僅著眼於個別的人或事，為之明法定罰而已，經旨大義，乃在戒厲永世。「弒君」事件，君、臣分罪，尤其能對君主發揮垂法示戒的警惕功能，使「邦君讀其書而履其義」，從而杜絕亂源。

　　由此延伸，關於魯國弒君之事，內諱而不書弒君，章氏綜稽經傳而論曰：

> 《春秋》之懼亂賊也，或以名治，或以事戒。在外者名治、事戒兼之，在內者惟以事戒，其效一也。計魯凡弒四君，其賊則公子翬、公子遂、哀姜也。于公子翬也，隱公《經》書：「翬帥師會宋公、陳侯、蔡人、衛人伐鄭」，《傳》曰：「羽父請以師會〔之〕，公弗許。固請而行。故書曰：翬帥師。疾之也。」疾之者，謂隱公疾之也，隱公惡惡而弗能禁，于是身弒于翬矣。于公子遂也，文公《經》書：「冬十月壬午，公子遂會晉趙盾，盟于衡雍。乙酉，公子遂會雒戎，盟于暴。」《傳》曰：「書曰公子遂，珍之也。」（杜謂：「遂不受命而盟，宜去族。善其解國患，故稱公子以貴之。」恐不然。詳壬午、乙酉，相去三日，依例當書「公子遂會晉趙盾盟于衡雍，遂會雒戎盟于暴。」今兩書「公子遂」，故為貴之。）珍之者，謂文公珍之也。文公寵異一臣，用過其任，以長恣睢，于是嗣子弒于遂矣。于哀姜也，莊公《經》先書：「冬，公如齊內幣。」繼書：「夏，公如齊逆女。」繼書：「秋，公至自齊。八月，丁丑，夫人姜氏入。」繼書：「戊寅，大夫宗婦覿，用幣。」所以示哀姜之媚妒孟任而公委曲以順之也。媚妒弗釋，則子般危，因以旁通慶父，而閔公又危，于是二子弒于姜與慶父矣。其豫戒之明如此，雖韓非〈姦劫弒臣〉之篇不過，後之為上者因是以知所儆，則亂賊自無所藉手，何為而不懼乎？⁷⁵

---

74 同註71，頁275-276。

75 同註71，頁276-277。

所謂「魯凡弒四君」，是指魯隱公、子般、閔公及子惡四事，般與惡尚未正式即位稱君就被殺，故稱「子」。章氏一一引述經傳加以解說，最後綜結其義，曰：「其豫戒之明如此」，又云：「後之為上者因是以知所儆，則亂賊自無所藉手」，一再強調其預示儆戒的旨趣。然則，不只凡例旨在示戒，書、不書諸稱之義例也旨在預儆。

五十凡例是否出於宣王史官，固不無商榷餘地，然而，依章氏的詮釋，《左傳》凡例雖出於史官，前有所承，經傳因以儆戒來者，其意義已超越了對特定時空、個別人事之賞罰，如「弒君」義例即寄望於「邦君之自正」、「後之為上者因是以知所儆」，旨在正本清源，這才是經傳取義的深層義涵。由此觀之，章氏研治《春秋》、《左傳》，顯然非僅注重其記載歷史的價值，他關切仍是揭示常道的經學特質。

七　結語

從晚清邁入民國時期，政治、文化都歷經劇烈變化，值此世局變動之際，經學面臨前所未有的巨大挑戰。當此之時，研經不輟，尤其闡述《左傳》不遺餘力而卓有貢獻者，當首推章炳麟與劉師培兩家。

章炳麟之《左傳》學，從早年撰寫《春秋左傳讀》，到晚歲結撰《春秋左氏疑義答問》，這一系列專著，在《左傳》真偽的議題上，力闢榛蕪，為相關論述奠立砥石。他意識到清代「漢學」的侷限，也深切感受常州《公羊》學，乃至疑古一派的疑難攻詰，一方面紬繹先儒遺說之義蘊，一方面匡謬闢誣、回應異議，詮釋與辨疑兩股力量始終交互牽引，推導其《左傳》學的發展。由入乎「漢學」而走出「漢學」，重新肯定杜預，關注義例，強調「《春秋》本史書」，也說「凡史皆《春秋》」，尊經而存史，一本護持「國之特性」的初衷。而且，章氏研治《左傳》，緊守著經學的特質，故闡述經傳注重義例，並揭示其戒厲永世、指引常道的深層義涵。

綜觀章氏的《左傳》學，既不滿宋儒「多務刻深」，也不願如清儒之「拘守漢學，沾沾以賈、服為主」，更不墨守杜預，構築成一己獨特的論

述。《春秋》、《左傳》「同作具修」，這是《春秋左氏疑義答問》的一項創
說，如此則經傳互為表裡，關係更形緊密，且《左傳》解經之旨最終本於孔
子。他還進一步推考《別錄》所載傳授系譜，用以回應劉歆偽造之說，並依
此線索稽考先秦兩漢文獻所載之「文外微言」，復據「文外微言」闡述《左
傳》大義。諸說蹖駁，得失互見，有待讀者之明辨審擇，雖然如此，章氏上
下採獲，對《左傳》有不少獨到的見解，卓爾成一大家。

《古史辨》中對《春秋》兩種立場
的對話及其反省[*]

劉德明

國立中央大學中國文學系副教授

一　導言

　　在二十世紀之初，有許多學者基於種種因素，對古籍展開了一連串的質疑與反省，其中最有名、影響力最大的，當推在民國十五年（1926）問世，由顧頡剛主編的《古史辨》第一冊。此後學者對於古史相關的討論文章陸續集結出版，直至民國二十九年（1940）由呂思勉、童書業所編的《古史辨》第七冊出版後方才大致告一段落。[1]在這十五年所陸續出版的七大冊《古史辨》中，幾乎包含了近二十年來關於古史辨運動的相關文章。[2]其中多數文章是想推翻自古以來對典籍的由來說法及典籍中對歷史的諸多記載，但也同

---

* 本文初稿宣讀於中央研究院文哲研究所於二○○七年十一月十九至二十日舉辦之「變動時代的經學和經學家」會議。此文題目承東華大學吳冠宏教授建議而改，亦感謝政治大學林啟屏教授、車行健教授對內容不吝指正。

1 王樹民說：「聞原計劃將有關古代歷史地理的論文編為第八冊，而未能成書。」所以正式出版之《古史辨》為七冊。見王樹民：〈《古史辨》評議〉，《河南師院學報》（社會科學版）1997年第2期（1997年4月），頁39。

2 柳存仁說：「《古史辨》自從第一冊出版以來，經過差不多二十個年頭。」見氏著：〈紀念錢玄同先生〉，《古史辨》冊7，頁1。此文寫於民國二十九年十月，距民國十五年應不到二十年。但查《古史辨》冊1中錢玄同的〈論近人辨偽見解書〉寫於民國十年一月二十九日。柳存仁所謂的「二十個年頭」當近實情。

時有贊成傳統說法學者而對疑古者之說提出質疑。所以《古史辨》一書「是一個討論集，不是一個單純的學派的集子，而是有多種觀點的。」[3]它所代表的是當時學者對於重要學術問題的熱烈討論。

　　古史辨運動對於近代學術發展影響之大無庸待言，李學勤即言：「二十世紀的疑古思潮，確實是一件很重要的事情。」[4]王汎森更從史學發展的角度來評價古史辨運動的價值說：

> 它對近代史學發展最大的意義是使得過去凝固了的上古史系統從解榫處解散開來，使得各各上古史事之間確不可變的關係鬆脫了，也使得傳統史學的視野、方法及目標有了改變，資料與資料之間有全新的關係。[5]

對於在近代學術史上產生這麼重大影響的運動，學者有從學術及時代的角度，說明「古史辨」之所以產生的脈絡，或進一步反省「古史辨」的「疑古」思潮所代表的意義。王汎森指出：

> 在整個古史辨運動的發展過程中，康有為等今文學家的論點是有相當影響力的……不能不承認康有為對這個運動的影響是相當持久的。[6]

又說：

> 康氏的《偽經考》與《改制考》這兩部書決不是平地特起的，它們主要還是清代今文學長期發展的結果。[7]

古史辨運動之所以興起主要是受到康有為等人主張的影響，而康有為的說法

3　李學勤：〈疑古思潮與重構古史〉，《中國文化研究》第23期（1999年1月），頁3。

4　李學勤：〈疑古思潮與重構古史〉，頁2。

5　王汎森：《古史辨運動的興起：一個思想史的分析》（臺北市：允晨文化公司，1987年），頁295-296。

6　王汎森：《古史辨運動的興起：一個思想史的分析》，頁289。

7　王汎森：《古史辨運動的興起：一個思想史的分析》，頁293。

則是清代今文學一路發展的結果。王汎森在書中詳密的論述由劉逢祿、淩曙、陳立等人對在詮解《春秋》因而提出的「薪蒸說」與「筌蹄說」,再進一步發展到廖平、康有為直接宣稱《春秋》中的史事全部不是在真實歷史裡發生的事件,全部是一種「符號」。[8]由此更進而發展出對經書中的記錄產生懷疑的想法。王汎森以學術發展脈絡的說法廣泛被學界接受。除此之外也有其他學者並言古史辨運動除了今文學的影響外,還受到其他因素的影響,廖名春即言:

> 王汎森認為古史辨運動興起的關鍵性因素是以康有為作為代表的晚清今文家的歷史觀,這無疑是正確的。但除此之外,還有一些次要的因素值得正視。白鳥庫吉的「堯舜禹抹殺論」就是其中一個不可輕視的因素。[9]

廖名春並不否認王汎森主張清代今文學家對古史辨的影響,但他同時提出除了今文學外,日本學者白鳥庫吉的「堯舜禹抹殺論」亦是不可輕忽的因素之一。廖名春主要從錢玄同與顧頡剛同是古史辨運動的關鍵人物談起,並透過錢玄同去過日本、懂日文,故有可能看過白鳥庫吉的《支那古傳說的研究》;顧頡剛雖不懂日文,但「日文中漢字多」所以顧氏可能「粗淺地瞭解一下文章的觀點」,加上「顧頡剛『層累地造成的中國古史』說與白鳥說更像」[10]等等跡象,推證錢玄同、顧頡剛雖然「具有強烈愛國主義」,但卻因否定堯舜、六經,進而「動搖中華民族的自信心」,做到了「侵略者想做而難以做成的事」。[11]廖名春之所以如此立論,主要是因為學者在評價錢玄同、顧頡剛等人時往往從「政治層面來肯定它」,而廖文則在指出即使從政

8　王汎森:《古史辨運動的興起:一個思想史的分析》,頁131。

9　廖名春:〈試論古史辨運動興起的思想來源〉,收入《中國學術新證》(成都市:四川大學出版社,2005年),頁172。

10　廖名春:〈試論古史辨運動興起的思想來源〉,頁172。

11　廖名春:〈試論古史辨運動興起的思想來源〉,頁175。

治層面亦「不能只對它作正面的肯定」。[12]廖名春此說引起一些後續的討
論,如李學勤即認為「白鳥庫吉的『堯舜禹抹殺論』從日本的史學史上來
看,也有一定的進步意義。」[13]即從史學思想的角度立論,說白鳥庫吉的說
法也並非一定要從侵略者思想戰的角度來理解不可。而張京華更直指廖名春
在「關鍵的結論上」是「沒有證據的」。[14]由這些討論中不難探知學界對古
史辨運動的重視。

　　除此之外,學界對於對古史辨運動的研究還有另一個重要方向——對古
史辨運動中重要人物的學術歷程的研究——尤其是對錢玄同及顧頡剛的研究
最為豐富。僅以專書而論,從較早美國學者施耐德所著《顧頡剛與中國新史
學》[15]到彭明輝的《疑古思想與現代中國史學的發展》[16]、陳志明的《顧頡
剛的疑古史學:顧頡剛的疑古史學》[17]及吳奔星《錢玄同研究》[18]等書,都
是緊扣著顧頡剛與錢玄同兩位學者在古史辨中的成果而作。而以此為題的單
篇論文,數量更多成果極為豐碩。[19]

---

12 廖名春:〈試論古史辨運動興起的思想來源〉,頁176。
13 李學勤:〈疑古思潮與重構古史〉,頁2。
14 張京華:〈談廖名春評價顧頡剛的方法論問題〉,《淮陽師範學報》(哲學社會科學版)
　　第24期(2002年),頁334。
15 史耐德著(Laurence A Schneider),梅寅生譯:《顧頡剛與中國新史學》(Ku Chieh-
　　kang and China's New History)(臺北市:華世出版社,1984年)。
16 彭明輝:《疑古思想與現代中國史學的發展》(臺北市:臺灣商務印書館,1991年)。
　　彭書雖以「疑古思想」為名,但其中大部份焦點集中在對顧頡剛的討論。
17 陳志明:《顧頡剛的疑古史學——及其在中國現代思想史上的意義》(臺北市:商鼎文
　　化出版社,1993年)。
18 吳奔星:《錢玄同研究》(南京市:江蘇古籍出版社,1991年)。
19 如丁亞傑、倪芳芳在〈顧頡剛的疑古思想:漢儒、孔子與經典〉,《元培學報》第11期
　　(2004年12月)。附錄中即有〈臺灣地區近二十年研究顧頡剛資料索引〉,其中單篇論
　　文即超過四十篇以上。更遑論中國大陸學者的相關研究。如在二〇〇六年山東大學文
　　史哲研究所即曾舉辦「上古史重建的新路向暨《古史辨》第一冊出版八十週年」國際
　　學術研討會,其中超過五十位學者參與討論。見劉秀俊:〈「疑古」與「走出疑古」的
　　第一次正面交鋒——《古史辨》第一冊出版八十週年國際學術研討會綜述〉,《文史
　　哲》第298期(2007年1月),頁164。

　　綜觀這些研究成果不論是研究《古史辨》中重要學者的主張及其學術歷程，或研究《古史辨》中各個不同學者所提出來的論題，予以論述並進一步思考其意義，都成果斐然。相形之下，對於引發古史辨運動的《春秋》的相關討論則較少學者注意。其實《古史辨》中並不是沒有相關的討論，但是正如王汎森所言，古史辨運動在思想脈絡上是起源於清代《公羊》學，所以大部份研究古史辨運動的學者亦大都順著這個思路而發：

> 春秋經之性質，及左傳與國語之關係分別是古史辨中的大論題。……
> 仍是為清理清代今古文之爭中左傳作者的老問題而作。[20]

王汎森將《古史辨》中對於《春秋》的討論分成兩個部份：《春秋》的性質與《左傳》相關問題。但在現實上，則是因為學者們主要關心的焦點是《古史辨》中對於《左傳》相關問題的論述，所以反而常常忽略了《春秋》經的問題，王汎森言：

> 他們主要討論三個問題：一、左傳是否傳春秋？二、《左氏春秋》這個名稱是怎麼來的？三、左傳與國語的關係。在這些問題上，錢玄同、顧頡剛、張西堂都是繼承劉、康之說，並反擊章太炎對劉逢祿的駁難。張西堂強調左傳由國語改編是個正確論斷，而且支持康有為的說法，認為不惟《春秋左氏傳》是冒名，就是《左氏春秋》這名稱也是假的（此說比劉逢祿更為激烈，劉氏只說左傳原名左氏春秋）。在這場論戰的後期最引人注目的文章是胡適介紹了高本漢的《左傳真偽考》……以上這些論點都有所指，很明顯的是要回答清季今文家的老問題。[21]

若僅由這三個問題內容來看，其討論內容果然是「清季今文家的老問題。」但事實上《古史辨》中有一個被忽視但卻又是《春秋》學中非常核心的議

20　王汎森：《古史辨運動的興起：一個思想史的分析》，頁258。
21　王汎森：《古史辨運動的興起：一個思想史的分析》，頁258-259。

題：關於《春秋》一書作者的討論。這個問題並非今文家的舊問題——它甚至是在傳統學術中不曾被懷疑與討論的問題——但卻是在古史辨運動中被普遍討論的新問題，而這也是比較少被研究者注意到的問題。[22]

　　筆者擬由整理七冊《古史辨》中對相關問題的論述資料，分述疑古者與質疑疑古者的意見，再將兩方看法相互對比檢討，由辨偽方法的角度，來反省古史辨運動中對《春秋》作者的討論。

　　筆者認為這種反省對《古史辨》中關於《春秋》作者的討論，至少有幾個意義：

　　一，如王汎森所言，古史辨運動由今文家論述而來，而《春秋》正是劉逢祿、淩曙、陳立以至於康有為等人所據以論述的核心經典。《古史辨》中對《春秋》的討論更是超出前人軌範：今文家（甚至古文家也一樣）基本上都承認《春秋》作者為孔子，而且相信《春秋》中含有孔子之「大義」。錢玄同、顧頡剛等人則根本認為「孔子作《春秋》」之說為偽造，這對中國學術史無疑是投下一個極大的震撼彈。因為若此說得以確立，則今文家、甚至於整個《春秋》學都必須重新考慮其價值。所以對《春秋》作者的討論應是個非常核心的問題。

　　二，古史辨運動中雖然在開始時是以古史為中心，但在實際的發展中，對古書的討論亦是一個無可避免的重要議題。在《古史辨》中所收錄的文章，討論的問題「主要可分為史實傳說和古籍整理兩大類。」[23]而這兩類問題在論述時常常是彼此相互交疊。顧頡剛即指出「有許多偽史是用偽書作基礎的。」[24]職是之故，對古書的考辨在《古史辨》中亦是一個重要問題，尤其是對「經」的考辨。錢玄同即言：「我以為『經』之辨偽與『子』有同等

---

22 筆者並非認為《古史辨》中關於《春秋》作者問題沒有被學者研究過，相關的討論也常被學者提及，但其通常是在論述疑古者主張的脈絡下作為一個例證，很少研究者特別將《古史辨》中相關的論述做出詳細的討論。

23 王樹民：〈《古史辨》評議〉，頁39。

24 顧頡剛：〈古史辨第一冊自序〉，收入《古史辨》（臺北市：藍燈文化公司，1987年），冊1，頁42。

之重要─或且過之……『經』則自來為學者所尊崇，無論講什麼，總要徵引它，信仰它。」[25]也許透過《春秋》作者問題的討論，可以進一步探知及反省在古史辨運動中，疑古者及其反對者兩方面對古書的辨偽方法及其限制。

　　三，就古史辨運動中的疑古者來說，他們尤其自認其所處的時代環境較前人更好，顧頡剛即認為自己可以「不受家派的節制」，沒有了傳統思想的束縛，所以「成績一定比他們好。」[26]錢玄同也說對於古書「全以自己的眼光與知識為衡，決不願奉某書為唯一可信據的寶典。」[27]等於宣告以全新的視角來重新審視「經」。顧頡剛本人及許多研究者都表示這是受到了胡適「科學方法」的影響，[28]疑古者本身亦多以此「新方法」、「新態度」來理解並處理文獻為傲。但廖名春等人則觀察到許多後人肯定古史辨運動是在「政治層面來肯定它」，也就是說贊揚的往往不在於古史辨學者所引以為傲的學術研究成果，而是在於其對社會政治的影響力。也許透過《春秋》作者的相關討論，對於為何會有這兩種不同層次的評價落差可以有更深入的瞭解。

二　質疑《春秋》者的論點及理由

　　《春秋》的作者在儒學傳統中本無異說，從孟子以下，三傳、董仲舒、司馬遷都明確的記錄其作者為孔子。就算是唐代劉知幾對《春秋》內容不滿，也僅能委婉的表達「其未諭者有十二」，而仍認為《春秋》是「夫子所修之史」。[29]清代學者姚際恆、崔述等人極富有疑古精神，但兩人也依然相

---

25 錢玄同，〈論編纂經部辨偽文字說〉，《古史辨》，冊1，頁41。

26 顧頡剛：〈論辨偽工作書〉，《古史辨》，冊1，頁26。

27 錢玄同（疑古玄同）：〈論《說文》及《壁中古文經》書〉，《古史辨》，冊1，頁231。

28 這幾乎是研究顧頡剛者的共同看法，見彭明輝：《疑古思想與現代中國史學的發展》，頁130；陳志明：《顧頡剛的疑古史學──及其在中國現代思想史上的意義》，頁91-92。

29 〔唐〕劉知幾：〈惑經〉，《史通》（上海市：商務印書館，1922年影印四部叢刊初編），卷14，頁1。

信孔子作《春秋》一事。[30]但是《春秋》一書的內容實在極為簡略，與孔子
博學好古的形象有所差異，所以不免啟人疑竇。錢玄同對此的說法最為直
接：

> 弟以為此書只有兩個絕對相反的說法可以成立：（一）認它是孔二先
> 生的大著，其中蘊藏著許多「微言大義」及「非常異義可怪之
> 論」……這樣，它絕對不是歷史。（二）認它是歷史。那麼，便是一
> 部魯國底「斷爛朝報」，不但無所謂「微言大義」等等，並且是沒有
> 組織，沒有體例，不成東西的史料而已。這樣，便決不是孔子先生做
> 的；[31]

錢玄同雖然以《春秋》為孔子所作之說「還有些意思」，但其最終仍以「《春
秋》非孔子所作」的說法為是。[32]這並不只是錢玄同一人之見，在當時尚有
顧頡剛、周予同、馮友蘭等人秉持相同的看法。他們之所以持此說的理由大
致有以下五點：

（一）《論語》中沒有關於《春秋》的記載

　　懷疑《春秋》並非孔子所作，第一個理由就是在《論語》之中並不見有
關於「孔子作《春秋》」的記載，甚至於整本《論語》中無一語提及《春
秋》。這個說法是基於一個更基本的觀點：要談論孔子之前，必須先確認那
些關於孔子的文獻記錄是可信的？錢玄同說：

---

30 〔清〕姚際恆言：「聖人据魯史以修《春秋》。」見〔清〕姚際恆著，張曉生點校：
　　〈春秋論旨〉，《春秋通論》（臺北市：中央研究院中國文哲研究所，1994年），頁1。
　　〔清〕崔述則言：「《春秋》終於獲麟，則成於獲麟之後可知。」又言：「孔子以東周
　　之世禮樂征伐自諸侯出，故修《春秋》以尊王室。」見氏著：《洙泗考信錄》，收入
　　《崔東壁遺書》（臺北市：河洛出版社，1975年），卷4，頁1及頁3。
31 錢玄同：〈論春秋性質書〉《古史辨》，冊1，275-276。
32 錢玄同：〈論春秋性質書〉《古史辨》，冊1，276。

咱們若欲知孔學之真相，僅可於《論語》，《孟子》，《荀子》，《史記》
諸書求之而已。（這是四年前的見解。現在我覺得求真孔學只可專據
《論語》。至於《孟子》，《荀子》，《史記》中所述的孔學，乃是孟
軻、荀況、司馬遷之學而已，不得遽目為孔學。至於解「經」，則古
文與今文皆無是處。一九二五年九月十四日，玄同。）[33]

錢玄同此文原寫於一九二一年，當時他還以《論語》、《孟子》、《荀子》、《史
記》四書為研究孔子之可信材料。但在一九二五年時，其則將材料緊縮至
《論語》一書。但不論如何，《論語》始終被錢玄同目為研究孔子最核心的
資料。其實在一九二三年時，錢玄同即以《論語》中沒有關於《春秋》的記
載而懷疑《春秋》非孔子所作：

關於《春秋》的話，簡直一句也沒有。「答子張問十世」和「答顏淵
問為邦」兩節，今文家最喜徵引，說這是關於《春秋》底微言大義，
但我們子細讀這兩節話，覺得真是平淡無奇，一點也看不出是什麼
「非常異義可怪之論」，而且《春秋經》，《公羊傳》，《春秋繁露》中
也並沒有和這兩節相同或相近的話。這樣一件大事業，《論語》中找
不出一點材料來，不是極可疑的嗎！[34]

顧頡剛在此年寫信給錢玄同，顧在信中第一次較有條理的提出其有名的「層
累地造成的中國古史」說，並以禹為例，說明禹如何在歷史上不斷被增添的
形象。錢玄同讀後大有同感，並將焦點轉至對「經」的研究。[35] 認為「孔子
作六經」之說也是在歷史過程中逐漸成形的，六經實際上並非孔子所作。[36]

---

33 錢玄同：〈論今古文經學及《辨偽叢書》書〉，《古史辨》，第1冊，頁30-31。

34 錢玄同：〈答顧頡剛先生書〉，《古史辨》，冊1，頁73。

35 錢玄同很早就認為對「經」的辨偽很重要，甚至較對子書的重要性「或且過之」。見
〈論編纂經部辨偽文字書〉，《古史辨》，冊1，頁41。

36 錢玄同：〈答顧頡剛先生書〉，《古史辨》，冊1，頁69。錢氏於此時主張六經均非孔子
所作，但因本文主要在討論《春秋》相關問題，所以若無需要並不旁涉其他經典的問
題。

錢玄同對《春秋》的說法基於兩個理由：一是思想上內容的判斷；一則是文獻上的判斷。從思想內容來看，錢玄同並不認為《春秋》與《論語》在思想內容上有什麼相干的部分；又就文獻上的判斷來說：若《春秋》真為孔子所作，則此事當為孔子晚年極為重要的大事，但《論語》中對於《春秋》並沒有任何記載，這豈非不可想像？[37]由此，錢玄同認為孔子作《春秋》一事極為可疑。顧頡剛亦十分贊同錢氏此說，顧亦常用「《論語》中無孔子作《春秋》事」[38]來否定《春秋》為孔子所作的說法，其言「在《論語》上，我們絕沒有看見《春秋》二字。」[39]顧頡剛在眾多古籍中，對《論語》此一文獻的信心是眾所皆知的，[40]彭明輝即說：

> 從顧頡剛所運用的材料來看，他是比較相信《詩經》和《論語》的……易言之，顧氏比較肯定的材料其實就是《論語》。[41]

從實際的運用來看，錢玄同與顧頡剛不僅用《論語》中明文記載的部份來對比其他古籍所述的真偽，也同時以《論語》中沒有記載為理由，用以反證《春秋》並非孔子所著。

（二）《孟子》所言不可信

正如前文所述，《論語》中確實沒有關於《春秋》的記載。而《春秋》之所以在儒學中地位崇高，其中一個重要的原因在於在《孟子》中明文指出

---

37 顧頡剛在一九二一年即寫信告訴錢玄同他認為「六經非孔子所作」，並以《論語》中沒有提及孔子作六經為證。見氏著：〈論孔子刪述《六經》說及戰國著作偽書書〉，《古史辨》，冊1，頁42。

38 顧頡剛：〈答書〉，《古史辨》，冊1，頁276。

39 顧頡剛：〈春秋時的孔子和漢代的孔子〉，《古史辨》，冊2，頁136。

40 雖然顧頡剛也說過：「研究孔子之重要書籍五種：即《論語》、《史記‧孔子世家》、《孔子家語》、《孔子集語》及《洙泗考信錄》。」但實際上顧對《論語》的信任程度遠超過其他四種。顧頡剛說見：〈夏大之孔誕祝典〉，《古史辨》，冊2，頁128。

41 彭明輝：《疑古思想與現代中國史學的發展》，頁120。

《春秋》為孔子所做，而這個說法歷來儒者們也毫無異議的接受。《孟子》
對《春秋》的說法之所以被接受，主要可能基於幾個原因：一，孟子本身在
儒學中的地位崇高，尤其是自宋朝以後更是如此。二，孟子與孔子年代相距
不遠，而且在傳世儒家典籍中，少有成書時間早於《孟子》。三，《孟子》一
書歷來懷疑者不多，大都相信其內容即是孟子的主張。但是不信孔子著《春
秋》者，對《孟子》之說深表懷疑。顧頡剛說：

> 試看舜，在孔子時只是一個沒有事蹟的古帝……孔子之後，有人做了
> 一部〈堯典〉……舜從此成了一個孝子。到孟子時，大家更造了他許
> 多孝蹟：「焚廩捐階」是他，「號泣旻天」是他，「五十而慕」是他，
> 「不告而娶」是他……可見他那時已做了「惟一的孝的模範人物」
> 了。……其實《尚書》上的〈堯典〉已是偽造，《孟子》上的引文更是
> 因了〈堯典〉去踵事增華所做，可見那是自有一班專門造偽書的。[42]

顧頡剛對於傳統儒者所認定的堯、禹、舜形象多所懷疑，其對堯、禹、舜的
研究及主張幾乎成為顧氏在學術成就上的重要特色。顧氏經由《論語》及
《孟子》的對比，發現《孟子》中舜的形象較《論語》豐富，故認為《孟
子》之言不盡可信，甚至暗指孟子是「專門造偽書的」。也就是說顧頡剛由
《孟子》對舜的記載，進而懷疑《孟子》的可信度。顧氏的說法在錢玄同手
裡有進一步的發展，錢玄同說：

> 孟軻因為要借重孔丘，於是造出「《詩》亡然後《春秋》作」；「孔子
> 成《春秋》而亂臣賊子懼」的話，就這部斷爛朝報，硬說它有
> 「義」，硬說它是「天子之事」。[43]

認為孟子之所以創造孔子作《春秋》之說，並且主張《春秋》有「義」，主
要是基於現實的考慮：因為孟子要與當世其他各種學說競爭，所以必須借用
孔子之名來增加說服力。錢氏在文章中另一段說的更清楚：

---

42 顧頡剛：〈論孔子刪述《六經》說及戰國著作偽書書〉，《古史辨》，冊1，頁42。
43 錢玄同：〈答顧頡剛先生書〉，《古史辨》，冊1，頁78。

《春秋》因為經孟軻底特別表彰，所以二千年中，除了劉知幾以外，沒有人敢對它懷疑的。……他全書中講到《春秋》，共有三處……：A，孟子曰：世衰道微……孔子成《春秋》而亂臣賊子懼。B，孟子曰：王者之跡熄而《詩》亡，《詩》亡然後《春秋》作。……C，孟子曰：《春秋》無義戰。……B 的話實在不通，《詩》和《春秋》的系統關係，無論如何說法，總是支離牽強。我以為這三則都是孟軻要將自己底學說依託孔丘……他要闢楊墨，為了他們是「無君無父」的學說，所以有 A 說；他是貴王賤霸的，所以有 B 說；他是說「善戰者服上刑」的，所以有 C 說。A 底後面，有「吾為此懼，閑先聖之道」和「我亦欲正人心，息邪說，距詖行，放淫辭，以承三聖者」等語，則依託孔丘以肩道統之意昭然若揭了。[44]

「《春秋》為孔子所作」是基於孟子的權威，所以傳統儒者很少會去懷疑《春秋》是否真為孔子所作。錢玄同認為在《孟子》全書中提及《春秋》三次，[45]此三次的說法主要都是針對楊墨之說，分別展現孟子的尊重君父、貴王賤霸與反對爭戰之說。錢氏認為孟子之所以提及孔子，即是在展現了孟子欲直承孔子道統的意圖。

　　錢玄同批評《孟子》記孔子作《春秋》不可信的說法也得到顧頡剛的贊同，顧氏說：「孟子以前無言孔子作《春秋》的。孟子的話本是最不可信的。」[46]顧氏也觀察到孟子是史上最早提出孔子作《春秋》的人，在孟子之前的典籍中並沒有相關記載，加上孟子之言可信度不高，所以《春秋》作者並不是孔子。顧頡剛說：

---

44 錢玄同：〈答顧頡剛先生書〉，《古史辨》，冊1，頁78-79。

45 《孟子》全書中是有三段話提及「春秋」，但是否都應當書名理解，儒者稍有不同的看法。朱熹認為「春秋無義戰」的「春秋」指的是「春秋之時」，而非《春秋》此書。趙岐與焦循則認為是指《春秋》一書。見〔宋〕朱熹：《四書章句集注》（臺北市：大安出版社，1986年），頁364。〔清〕焦循注：《孟子正義》（臺北市：文津出版社，1988年），卷28，頁954。

46 顧頡剛：〈答書〉，《古史辨》，冊1，頁277。

> 一部《左傳》，人家說它記述的全是些戰爭，應當喚作『相斫
> 書』……一班熱心救世的人看得難過極了，要想抑制國君的慾望，就
> 痛罵『以力服人』，推崇『以德服人』，於是堯舜禹湯一班古人就成了
> 道德的模範，儒家的理想就都成了堯舜禹湯早已行過的『王政』。孟
> 子就是這樣的一個好例。[47]

顧頡剛此說類於錢玄同，論及孟子等人之所以要偽造古書主要的原因就在於
可以增加自身主張的說服力，其與錢氏稍有不同的則是顧將此說重點放在
「堯舜禹湯」的問題中來理解。但顧氏也明確的表示過：「孟子等遂在《春
秋》內求王道。」[48]可見顧頡剛亦認為孟子之所以主張孔子作《春秋》，主
要是由其自身學說的需要，而非歷史上的實情。

　　錢、顧兩人不信《孟子》之說的態度亦獲得周予同、馮友蘭的贊同。周
予同不但引述錢玄同的說法，認為錢玄同是「新古史學派」的代表，而且根
本反對讀經。甚至說經「只是個殭屍……牠將伸出可怖的手爪，給你們或你
們的子弟以不測的禍患。」[49]而馮友蘭也同意錢、顧兩人的說法，更進一步
指出：由《左傳》記晉董狐、齊南史氏兩太史能正確對歷史作出判斷，主張
使「亂臣賊子懼」根本是中國史家的傳統，而非由孔子所獨創。馮友蘭說：

> 據孟子說，孔子作「春秋」之目的及功用在使「亂臣賊子懼」……據
> 此則至少春秋時晉齊二國太史之史筆皆能使「亂臣賊子懼」，不獨
> 「春秋」為然。……「其義」不止是「春秋」之義，實亦是「乘」及
> 「檮杌」之義，觀于董狐史筆，亦可概見。孔子只「取」其義，而非
> 「作」其義。孟子此說，與他的孔子「作《春秋》」之說不合，而卻
> 近於事實。[50]

---

47 顧頡剛：〈秦漢統一的由來和戰國人對於世界的想像〉，《古史辨》，冊2，頁5。
48 顧頡剛：〈答書〉，《古史辨》，冊1，頁277-278。
49 周予同：〈殭屍的出崇—異哉所謂學校讀經問題〉，《古史辨》，冊2，頁267、270。
50 馮友蘭：〈孔子在中國歷史中之地位〉，《古史辨》，冊2，頁196-197。

馮友蘭用《左傳》中記弒晉靈公者實為趙穿，但太史董狐卻在晉史中書記
「趙盾弒其君」為例，推證史書中含有「大義」是普遍的情況，這也相當符
合《孟子》中孔子言：「其義則丘竊取之矣。」[51]的意思。馮由此反推《春
秋》中縱有「大義」，其實也非孔子所創。在「作」與「取」中，馮友蘭主
張《孟子》記孔子「作」《春秋》是不可信的，也因而判定《春秋》並非孔
子所作。

（三）西漢魯恭王壁中書之說不可信

在反對孔子作《春秋》的眾多理由中，有一種說法是錢玄同所獨有的，
那就是利用古文家自相矛盾的說法來否定《春秋》為孔子所作，錢玄同說：

> 《說文·序》又說：「孔子書《六經》，左丘明述《春秋傳》，皆以古
> 文。」「壁中書者，魯恭王壞孔子宅，而得《禮》，《禮記》（下「禮」
> 字依段注補），《尚書》，《春秋》，《論語》，《孝經》；又北平張蒼獻
> 《春秋左氏傳》。」這是說孔二先生用古文寫了《六經》，藏在他府上
> 的牆壁裡，後來給魯恭王挖了出來；左老頭用古文寫了《左傳》（不
> 知藏在哪兒），後來給張蒼獻了出來。所以若認這古文是真的，那就
> 應該承認是孔左兩公所寫的。那兩公所寫的古文，至遲也只能是春秋
> 時候的文字（這話其實不對，照《說文·序》的口氣看來，這古文應
> 是「周宣王太史籀著〈大篆〉十五篇」以前文字），決不能是晚周文
> 字。若是晚周文字，則非請孟軻荀況之流重抄不可（！）。但即使請
> 孟荀用晚周文字重抄《六經》，還是不能與壁中書及張蒼所獻的《左
> 傳》併為一談。既然相信張蒼獻傳跟魯恭得經是真事實，則非相信這
> 古文是周宣王以前的真古文不可。此用舊說而與舊說又不合者也。[52]

---

51 〔清〕焦循注：《孟子正義》，卷16，頁575。
52 錢玄同（疑古玄同）：〈論《說文》及《壁中古文經》書〉，《古史辨》，冊1，頁239-
　　240。

魯恭王在孔壁中發現古文經之事，一直被康有為等今文學家質疑，錢玄同也贊成康有為透過對比《史記》與《漢書》的差異來否定有所謂古文經之事。[53] 錢玄同此說本來主要在論述《說文》中的「古文」並非是真正的古文，其多是劉歆等人所造的「偽古文」，錢氏要為康有為否定壁中書之說增加一項有力的證據。錢玄同說：「《說文》所錄出壁中書之古文……為後人偽造，非真古字。」[54]而《說文》中的「古文」「有些字顯然是依傍小篆而改變者。」[55]但錢玄同在此時又較康有為更進一步否定有「孔子定六經」之事。因為若壁中書為偽造，則許慎說壁中書中有《春秋》一事便不可信。錢玄同由此反推所謂孔子作《春秋》根本是子虛烏有的事。

（四）《春秋》中有闕文

在現存的《春秋》中有一些闕文，其中最有名的當推桓公十四年的「夏五」及莊公二十四年的「郭公」兩則。歷來對《春秋》這些記錄或直接標明「蓋經闕誤也」，[56]或曲為之說。[57]顧頡剛認為若《春秋》真經過孔子之手，則不應出現如此的問題，他說：

> 如果處處有微言大義，則不應存「夏五」「郭公」之闕文。存闕文是
> 史家之事。……《春秋》為魯史官所記的朝報。這些朝報因年代的久

---

53 錢玄同贊成康有為認為魯共王壞孔子宅而得古文經之說是假造的。見氏著：〈論《說文》及《壁中古文經》書〉，《古史辨》，冊1，頁237。又見〈重論經今古文學問題〉，《古史辨》，冊5，頁32-34。

54 錢玄同（疑古玄同）：〈論《說文》及《壁中古文經》書〉，《古史辨》，冊1，頁239。

55 錢玄同（疑古玄同）：〈論《說文》及《壁中古文經》書〉，《古史辨》，冊1，頁238。

56 〔周〕左丘明傳，〔晉〕杜預注，〔唐〕孔穎達正義：《春秋左傳注疏》（臺北縣：藝文印書館，1985年影印清仁宗嘉慶二十年江西南昌府學刊《十三經注疏》本），卷10，頁4。

57 如《公羊》及《穀梁》均將「郭公」與上文「赤歸於曹」連在一起解釋，認為赤即是郭公。說見傅隸僕：《春秋三傳比義》（北京市：中國友誼出版公司，1984年），上冊，頁309。

遠，當然有闕文；又因史官的學識幼稚，當然有許多疏漏的地方。[58]

顧氏認為「夏五」與「郭公」是闕文而且是《春秋》成書時即已存在，若《春秋》為孔子所「作」，則怎麼可能出現這種情形？這分明是以「保存史料」為優先的史官才有的習性，加上史官見聞不廣，所以現存《春秋》中內容的殘缺自是可以想見。錢玄同亦有類似顧頡剛這種以內容闕漏來推證《春秋》與孔子無關的意見：

> 沒有組織，沒有體例，不成東西的史料而已……以他老人家那樣的學問才具，似乎不至於做出這樣一部不成東西的歷史來。[59]

顧氏之說主要在《春秋》記錄上的缺漏，而錢玄同更以「組織」、「體例」等等標準來推證，以孔子之才學斷不可能寫出如《春秋》這樣的書籍。兩人由《春秋》內容來推證其非孔子所作的理由都是類似的。[60]

（五）從孔子言論的傾向加以判斷

以上四個疑古者否定《春秋》為孔子所作的理由，大都是著重於文獻本身的可信度。除此之外，顧頡剛還曾提出過一個很特別的說法：

---

58 顧頡剛：〈答書〉，《古史辨》，冊1，頁277。

59 錢玄同：〈論春秋性質書〉，《古史辨》，冊1，275-276。

60 附帶一提的是錢玄同與顧頡剛對「原來的《春秋》」到底書記到什麼時間點，兩人的看法並不相同。顧頡剛認為：「獲麟以後定為『續經』沒有憑據。」但「原來的《春秋》」記錄到底止於何時，顧頡剛自己則沒有一致的看法，或言：「《春秋》本至『孔子卒』。」或言：「《春秋》當然不至「孔丘卒」而止，但因儒者的尊重孔子，故傳習之本到這一條就截住了。」而錢玄同則依康長素、崔覯甫之說，主張「原來的《春秋》」只寫到哀公十四年，「獲麟以後底『續經』并非魯史之舊，乃是劉歆他們偽造的。」這個問題與孔子是否作《春秋》關係不大，所以筆者並不將此列於正文之中。顧頡剛說見：〈答書〉，《古史辨》，冊1，頁276-277。錢玄同說見：〈論獲麟後續經及春秋例書〉，《古史辨》，冊1，頁278。

我們讀《論語》便可知道他修養的意味極重，政治的意味很少。不像孟子，他終日汲汲在行王政，要救民於水火之中……他們以為孔子也是像孟子這般的。恰巧有一部儒家所傳習的魯史記《春秋》，說是孔子所作，於是就在這一部書上推求孔子的政治見解。[61]

《春秋》自孟子開始即將此書內容主要定位在家國政治的層次：「王者之跡熄而詩亡，詩亡然後《春秋》作。」[62]「孔子成《春秋》，而亂臣賊子懼。」[63]不論是因春秋時已不見王者，或是要使亂臣賊子知所恐懼收斂，都是緊扣著治國立論。之後董仲舒亦說：

> 仲尼之作《春秋》也，上探正天端王公之位，萬民之所欲，下明得失，起賢才，以待後聖，故引史記，理往事，正是非，見王公，史記十二公之間，皆衰世之事，故門人惑，孔子曰：「吾因其行事而加乎王心焉。」[64]

這更是將《春秋》一書視為理政的寶典，是孔子將魯國十二公之事加以「王心」褒貶評斷，以為「後聖」立法的典籍。後儒在理解《春秋》時，大致也是與孟子與董仲舒方向相類，趙伯雄即言：「《春秋》經傳就屬於較為遠離心性之學的那一類。」[65]而顧頡剛卻據此為由判斷《春秋》並非孔子所作！

　　顧氏的判斷其實基於三個理由：一，《論語》是理解孔子最基本也是最核心的材料，所以其他與《論語》記錄不同的典籍均值得懷疑。二，在《論語》中孔子學說主要在個人修養，《春秋》內容則偏於家國政治，明顯有所差異。三，儒家對政治的關心主要是孟子以下儒者才發展出來的，孟子等人

---

61 顧頡剛：〈春秋時的孔子和漢代的孔子〉，《古史辨》，冊2，頁135-136。
62 〔清〕焦循注：《孟子正義》，卷16，頁573-575。
63 〔清〕焦循注，《孟子正義》，卷13，頁453-459。
64 〔漢〕董仲舒著，〔清〕蘇輿義證：〈俞序〉，《春秋繁露義證》（北京市：中華書局，1992年），卷6，頁158-159。
65 趙伯雄：《春秋學史》（濟南市：山東教育出版社，2004年），頁599-600。

是偽稱《春秋》為孔子所作，來論述其政治觀點。[66]

　　以上五點大致上是主張《春秋》並非孔子所著者所提出來的理由。值得注意是雖然錢、顧等人主張孔子沒有寫《春秋》，但他們都猜測孔子曾經看過《春秋》，甚至有人主張孔子曾拿《春秋》來教導學生。錢玄同說：

> 對於所謂「經」也者，只認為是古代留下來的幾篇文學作品，幾本檔案粘存，幾張禮節單子，幾首迷信籤詩，幾條斷爛朝報而已。這些東西，孔二先生大概是看過的，但他老人家所看的跟傳到現在的，多少詳略，大概總不見得恰恰一樣吧？[67]

所謂「幾條斷爛朝報」指的就是《春秋》，錢玄同認為孔子應該看過，但他也承認孔子所見《春秋》與現存《春秋》未必相同。顧頡剛也說：

> 孔子勸人讀書，但當時實無多書可讀，《詩》、《書》是列國所共有的，《易》與《春秋》是魯國所獨有的（依《左傳》所記），均為七十子後學者所讀之書。[68]

顧認為《春秋》在孔子前就存在了，但是卻沒有肯定的說孔子曾拿來做教材教其學生，僅謂「七十子後學者所讀之書」。也就是說錢玄同與顧頡剛都沒有正式說孔子曾以《春秋》為教材。相較之下，馮友蘭則主張孔子曾以《春秋》教授學生：

> 孔子果未曾製作或刪正六經；即令有所刪正，也不過如「教授老儒」之「選文選詩」；[69]

---

66 顧氏認為「春秋時的孔子是君子」，亦是強調其專注個人道德修養之故。見〈春秋時的孔子和漢代的孔子〉，《古史辨》，冊2，頁139。

67 錢玄同：（疑古玄同），〈論《說文》及《壁中古文經》書〉，《古史辨》，冊1，頁242-243。

68 顧頡剛：〈答書〉，《古史辨》，冊1，頁277-278。

69 馮友蘭：〈孔子在中國歷史中之地位〉，《古史辨》，冊2，頁196。

又說：

> 以六藝教人或不始於孔子；但以六藝教一般人使六藝民眾化則實始於
> 孔子。[70]

馮友蘭認為「春秋」在孔子之前，「早已成教人的一種課本」[71]，所以孔子最多「刪正」過《春秋》，而且用以教授學生。孔子在歷史上最大的貢獻在於六藝（包含《春秋》）原只用於教導貴族，而孔子則將其用來教育一般的民眾。

正因為不相信《春秋》為孔子所作，所以懷疑傳統之說的學者亦連帶的對《春秋》一書評價極低，其中錢玄同說：「『六經』之中最不成東西的是《春秋》」[72]是眾人中最差的評語。而歷史上王安石稱《春秋》為「斷爛朝報」之說亦常被疑古者所沿用。錢玄同說：

> 王安石（有人說不是他）說它是『斷爛朝報』，梁啟超說它像『流水
> 賬簿』，都是極確當的批語。[73]

馮友蘭也說：「《春秋》離了《公羊》等傳，不過是『斷爛朝報』。」[74]這都是認為《春秋》本身並沒有什麼價值。但是值得玩味的是，在傳統儒學中，認為《春秋》中有「義」及「例」的說法，在疑古學者中卻有不同的看法。錢玄同早先並不認為《春秋》中有「例」：

> 《春秋》乃是一種極幼稚的歷史……不但極幼稚的《春秋》無例可
> 言，即很進步的《史記》、《漢書》等亦無例可言。[75]

---

70 馮友蘭：〈孔子在中國歷史中之地位〉，《古史辨》，冊2，頁204。

71 馮友蘭：〈孔子在中國歷史中之地位〉，《古史辨》，冊2，頁198。

72 錢玄同：〈答顧頡剛先生書〉，《古史辨》，冊1，頁78。

73 錢玄同：〈答顧頡剛先生書〉，《古史辨》，冊1，頁77-78。

74 馮友蘭：〈儒家對于婚喪祭禮之理論〉，《古史辨》，冊2，頁214。

75 錢玄同：〈論獲麟後續經及春秋例書〉，《古史辨》，冊1，頁280。

錢玄同在此時並不認為《春秋》有例,《春秋》不但沒有例而且也沒有義:

> 我現在對於於「今文家」解「經」全不相信我而且認為「經」這樣東
> 西壓根兒就是沒有的,「經」既沒有,則所謂「微言大義」也者自然
> 是「皮之不存,毛將焉附」了。[76]

其實錢玄同在此書中主張《春秋》沒有例也沒有義是針對顧頡剛之說而來,
因為顧頡剛在寫給錢氏是信中雖不信《春秋》為孔子所作,但認為「春秋為
魯史所書,亦當有例。故從《春秋》中推出些例來,不足為奇。」[77]從上下
文來看,顧頡剛似乎主張《春秋》中有例。但顧氏對《春秋》中到底有沒有
「例」?他自己的看法都未必那麼一致,因為就在同一封信裡顧氏也說:
「《春秋》中稱名無定,次序失倫(舉例見《六經奧論》卷四「例」條)如
果出於一人之手,不應如是紊亂。」似乎又不認為《春秋》中有例。加上顧
氏表示:

> 因為許慎的書本就沒有例,我們現在所有的《說文》的例都是後來人
> 替牠尋出來的,與春秋家替《春秋》尋例一般。[78]

顧頡剛認為《春秋》與《說文》本來都沒有「例」,所謂的「例」都是後人
「尋出來」,這似乎是說「例」是被後代學者所創造出來的。[79]

　　雖然《春秋》中究竟有沒有「例」,疑古者的說法未必全然一致,但是
他們在《春秋》的作者問題上則有一致的看法:《春秋》並非孔子所作!

---

76 錢玄同:〈論獲麟後續經及春秋例書〉,《古史辨》,第1冊,頁280。

77 顧頡剛:〈答書〉,《古史辨》,冊1,頁277。

78 顧頡剛:〈答柳翼謀先生〉,《古史辨》,冊1,頁227-228。

79 但若從顧頡剛所有對《春秋》的看法來說,顧氏或還是比較傾向《春秋》中有
「例」。丁亞傑說:「顧頡剛再三指出《春秋》是魯史官所作,但《春秋》確有褒貶的
筆法。」見氏著:〈顧頡剛春秋學初探〉,《國立中央大學文學院人文學報》第23期
(2001年6月),頁75。

三　對質疑《春秋》者的質疑

在《古史辨》中，不相信《春秋》為孔子所作的學者分別提出自己的看法及理由，但書中也同時收納了許多維護傳統者或對疑古者之說有所質疑的看法。這些論點分見於不同的文章中，現分別整理敘述如下。

（一）對《論語》中沒有關於《春秋》記錄問題

若從單一論題來看，並沒有學者針對疑古者以《論語》沒有《春秋》的記錄為由，進而懷疑其非孔子所作的說法提出質疑；反對者是從普遍方法的運用角度，質疑疑古者這種論述的可信度。

劉掞藜是最早對「《論語》沒記載就是不存在」這種說法提出反對看法的人：

> 「《論語》較為可靠」是顧君承認的……今顧君只因沒有看見重重複複地將堯舜禹的事實寫上，遂以為〈堯典〉，〈皋陶謨〉，〈禹貢〉是在《論語》之後編造完備，那末，我們也沒有看見《詩經》上詩篇重複複複地寫在《論語》裡，我們遂可以說「在《論語》之後，後稷、文王、武王的事蹟編造完備了，於是有〈生民〉，〈大明〉，〈皇矣〉等出現」嗎？[80]

劉掞藜的說法主要是在質疑顧頡剛關於堯舜禹的主張，其論證要點有三：一，顧頡剛認為《詩經》及《論語》是先秦典籍中較可靠的。二，顧頡剛以《論語》中沒有關於堯舜禹的詳細記載而懷疑傳統對堯舜禹之說，認為其為後出。三，但同樣的，《論語》中也沒有關於後稷、文王、武王的記載，為

---

[80] 劉掞藜：〈讀顧頡剛君「與錢玄同先生論古史書」的疑問〉，《古史辨》，冊1，頁88-89。

何顧氏卻相信《詩經‧生民》等篇不是後來偽作的？劉掞藜的說法頗有「以子之矛，攻子之盾」的味道，劉氏此問的目的未必在於推翻顧說，而實是因為顧說的「證據和推想是很使人不能滿意的。」[81]劉氏認為《論語》中沒有提及舜為孝子，可能僅是孔子個人論述的習慣：

> 《論語》上孔子不舉舜作例以答問孝的門人，這是孔子不好舉例的慣性，並不足以引來證明有《論語》後才有〈堯典〉。[82]

劉掞藜的態度很簡單：不能因為《論語》中沒有提到的，就代表它不存在。也許劉氏的批評顧頡剛的說法，用在關於堯舜禹相關論題的討論上不免有過於簡化之嫌，[83]但是將此說放在對《春秋》的討論上無疑是十分適合的。在劉掞藜之後，正式以理論方式提出質疑疑古者論證，最有名的當推張蔭麟的「默證說」：

> 凡欲證明某時代無某某歷史觀念，貴能指出其時代中有此與此歷史觀念相反之證據。若因某書或今存某時代之書無某史實之稱述，遂斷定某時代無此觀念，此種方法謂之「默證」（Argument from silence）。默證之應用及其適用之限度，西方史家早有定論。吾觀顧氏之論證法幾盡用默證，而什九皆違反其適用之限度。[84]

張蔭麟的「默證說」也是一個普遍方法的質疑，其主要討論的核心乃是堯舜禹的問題。由張蔭麟說：「試問《詩》、《書》（除〈堯典〉，〈皋陶謨〉）是否當時歷史觀念之總記錄……又試問其中有無涉及堯舜事蹟之需要？」[85]類推，張氏的看法與劉掞藜似乎沒有太大差別，因兩人都主張：不可因為《論

---

81 劉掞藜：〈讀顧頡剛君「與錢玄同先生論古史書」的疑問〉，《古史辨》，冊1，頁92。

82 劉掞藜：〈讀顧頡剛君「與錢玄同先生論古史書」的疑問〉，《古史辨》，冊1，頁91。

83 在此特別要說明的是顧頡剛等人並不是單純因為《論語》沒有詳細提及堯舜禹的事跡，於是就說傳統堯舜禹之說為假造，顧氏的論證過程複雜了許多。

84 張蔭麟：〈評近人對於中國古史之討論〉，《古史辨》，冊2，頁271-272。

85 張蔭麟：〈評近人對於中國古史之討論〉，《古史辨》，冊2，頁273。

語》沒有記載，即斷言孔子沒有作《春秋》！

　　劉掞藜與張蔭麟的發言立論都不是直接對《春秋》的作者問題，但傅斯
年對於「以《論語》論孔子」則有一段意味深長的說法：

> 《論語》當然是有子、曾子一派的。這派人總是少談政事，多談修
> 養，好弄些禮貌的架子。……我有一個非常自信的成見……我們只能
> 以《論語》為題，以《論語》之孔子為題，不能但以孔子為題。孔子
> 問題是個部分上不能恢復的問題，因為「文獻不足徵也。」……今以
> 《論語》為單位，尚可抽出一部分的孔子來，其全部分的孔子是不可
> 恢復了。[86]

傅斯年在此封寫給顧頡剛的信中委婉表示兩個不同於顧頡剛的看法：一，
《論語》是孔子部份弟子編成的，[87]就算《論語》可信，這也一定是帶著特
殊角度的，所以《論語》不等同於孔子相關文獻的全部記錄。傅斯年這個看
法與劉、張兩人相當接近：因為若《論語》不能涵蓋孔子全部的記錄，那麼
用《論語》中沒有記錄為由來否定其他典籍的做法並不可取。二，傅斯年對
於歷史研究採取一個較保守的態度，他並不認為顧頡剛以「春秋時的孔子」
或「漢代的孔子」為題的研究是個可行的做法。他認為歷史學家僅能做到研
究「《論語》中的孔子」，至於《論語》以外的部份，則因文獻不足而無法研
究。[88]

86　傅斯年：〈評「春秋時的孔子和漢代的孔子」〉，《古史辨》，冊2，頁140-141。

87　這個看法與朱熹相同，朱熹曾引程子的說法：「《論語》之書，成於有子曾子之門人，
　　故其書獨二子以子稱。」見〔宋〕朱熹：《四書章句集注‧論語序說》（北京市：中華
　　書局，1983年），頁43。

88　依據顧頡剛的說法，傅斯年在一九二四至一九二六年間寫信給顧氏，其中有論及「孔
　　子與《六經》」的部分，但是傅則以「自以為多年不讀中國書，所發的議論不敢自
　　信，不願發表。」顧氏雖然以「在荊榛中闢路」為由力勸傅發表，但傅斯年「終不為
　　可」。所以顧頡剛在編《古史辨》第二冊時，即把傅斯年的看法拿掉。由此可見傅斯
　　年為學風格與顧氏不同。見傅斯年：〈談兩件「努力週報」上的物事〉，《古史辨》，冊
　　2，頁301。又據《傅斯年全集》中所收錄此信全文，傅氏並不贊同錢玄同的說法，認

　　綜而言之，在《古史辨》中雖沒有學者直接針對「《論語》中沒提及《春秋》」論證提出質疑，但整體來看，其所提出的質疑仍是疑古者以「《論語》無記」為理由可否算是一個有效的論證？

（二）關於《孟子》的可信度問題

　　《孟子》是現存最早也是最明確指出孔子作《春秋》的文獻，疑古者並不質疑《孟子》成書的時間，而是質疑孟子之言的可度信。有趣的是對於疑古者懷疑《孟子》中所記並非全真之說大致都獲得學者們的認同，劉掞藜也同意：「孟子的話，我間或有些不敢相信。」[89]劉氏並舉出孟子言伊尹「五就湯，五就桀」與武王伐紂是「仁人無敵於天下」兩事，說明孟子之言未必可以全信。但是劉掞藜同時也指出這不代表就可以由此而懷疑《孟子》的每一個記錄：

> 以上兩例，略表示我對於經書或任何子書不敢妄信，但也不敢閉著眼睛，一筆抹殺；總須度之以情，驗之以理，決之以證。……但不能因一事不可信，便隨便說他事俱不可信；因一書一篇不可信，便隨便說他書他篇皆不可信。[90]

劉掞藜與疑古者最大的不同在於：錢、顧等人或因為《孟子》記堯舜禹之事不確，所以推證其記孔子作《春秋》一事亦為不確。劉掞藜則主張所有文獻必須一條一條的討論而後才能確證，不可以因其一部分不真就直接推論其書全部為假。劉氏並提出情、理、證三個標準用以判斷文獻真假。雖然劉掞藜

為孔子與《春秋》關係「不能一言斷其為無」，「即令《春秋》不經孔子手定，恐怕也是一部孔子後不久而出的著作。」又說「《春秋》不大類孟子的工具」。詳見歐陽哲生主編：〈與顧頡剛論古史書〉，《傅斯年全集》（長沙市：湖南教育出版社，2000年），卷1，頁454-458。因傳文此部份沒有收入《古史辨》中，所以筆者不加深論。

89　劉掞藜：〈討論古史再質顧先生〉，《古史辨》，冊1，頁163。

90　劉掞藜：〈討論古史再質顧先生〉，《古史辨》，冊1，頁164。

沒有直接提到《春秋》問題，可是由其論述，大約可以相信其對疑古者在沒有其他證據或理由下就懷疑《孟子》關於《春秋》的記錄是頗為不滿的。

相較之下，另一位學者梅思平則就直接表述其相信《孟子》的說法：

> 孟子說：……《春秋》這部書是孔子政治思想所寄託，乃是無可致疑的。不過《春秋》的義例未必完全是孔子創造的。司馬遷說：「孔子因魯史而作《春秋》。」《公羊傳》載孔子自己的話：「其事則齊桓、晉文，其文則史，其義則丘竊取之矣。」可見孔子是因魯史之文而取其義。[91]

雖然梅思平也認為孔子在《春秋》中之「義」的內容「至少有兩種錯誤」，[92]但是他卻是直接接受了《孟子》、《史記》以至於《公羊傳》中的說法。值得注意的是梅氏接受了傳統的見解，但卻沒有對疑古者的看法提出任何批評或說解。

（三）關於孔子思想中的政治意味問題

在疑古諸人中只有顧頡剛提出《論語》中「政治意味很少」，所以以家國政治內容為主的《春秋》並非孔子所作。這個說法在《古史辨》的相關討論中最常被提及，而且最多人表示顧氏的看法有誤。

首先傅斯年即說：

> 孔子不見得是純粹的這麼一個君子，大約只是半個君子而半個另是別的……至於「他修養的意味極重，政治的意味很少，」這話恐怕不盡然。《論語》上先有這麼些政治的意味的話。[93]

傅氏以為《論語》不代表孔子全部的言論之意前已提及，傅氏更進一步否定

91 梅思平：〈春秋時代的政治和孔子的政治思想〉，《古史辨》，冊2，頁189。
92 梅思平：〈春秋時代的政治和孔子的政治思想〉，《古史辨》，冊2，頁191。
93 傅斯年：〈評「春秋時的孔子和漢代的孔子」〉，《古史辨》，冊2，頁140。

顧頡剛對《論語》中孔子的看法，其不認為孔子的政治意味少，雖然傅斯年並沒舉出《論語》中實際話語做為例證。對此，張蔭麟也持相似的立場，而且論述更為完整：

> 實則就《論語》考之，孔子救世之熱情初未嘗減於孟子。（不過其時遊說之風未盛，故《論語》中無如孟子遊說人主之辭耳。）……何得謂孔子「政治的意味很少！」[94]

張蔭麟並舉出微生畝、晨門等人對孔子的質疑，[95]反襯出孔子有很強的用世之心等等例子，對顧頡剛之說提出明確的反擊。梅思平則更是從孔子有名的「正名」思想出發，論述《春秋》書名書爵等褒貶，分明就是《論語》中的正名思想的展現，而將孔子與《春秋》相連結：

> 孔子讀史到了這種地方，一定是得意的了不得。……所以他想拿制度的形式來恢復制度的實際。他是迷信「名分」的，「名不正則言不順；言不順則事不成。」他以為如果把名分表彰出來，那些放肆的君主及亂臣賊子一定會顧名思義而有所反省。……各國君臣如果都依他們的名分，固守他們的職位，一切國內的篡弒爭奪也都可以免除了。[96]

孔子與子路對談中提到「名正言順」的主張十分有名，[97]梅思平認為《春秋》就是孔子展現這種思想的具體例證。雖然梅思平未必相信孔子這種「正名」的做法有效，但是他認為《論語》與《春秋》在思想上確有關連。有趣的是，就連當時不認為《春秋》為孔子所作的馮友蘭，亦相信《春秋》與孔子「正名思想」間是有關連的：

---

94 張蔭麟：〈評顧頡剛「春秋時的孔子和漢代的孔子」〉，《古史辨》，冊2，頁142。
95 微生畝與孔子、晨門與子路的對答均見〔宋〕朱熹：《四書章句集注‧論語集注》，卷7，頁157、158。
96 梅思平：〈春秋時代的政治和孔子的政治思想〉，《古史辨》，冊2，頁191。
97 孔子回答子路問：「衛君待子而為政，子將奚先？」孔子則回答：「必也正名乎！」見〔宋〕朱熹：《四書章句集注‧論語集注》，卷7，頁141。

孔子主張「正名」是《論語》上說過的。不過按之事實，似乎不是孔
子因主張「正名」而作「春秋」，如傳說所說；似乎是孔子取「春
秋」等書之義而主張「正名」，孟子所說「其義則丘竊取」者是也。[98]

馮友蘭與梅思平不同的是：梅氏主張孔子是將正名思想展現在《春秋》之
中，而馮友蘭因為不相信孔子作《春秋》，所以主張孔子是從晉《乘》、魯
《春秋》等等各國史書中「歸納出一個『正名』之抽象的原理」。雖然梅、
馮兩人對「正名」思想與《春秋》一書的先後關係主張不同，但是兩人都認
為《春秋》中有正名思想則是無可懷疑的。

　　總而言之，若從《論語》與《春秋》的思想關連問題看來，不論贊成或
反對《春秋》為孔子所作的學者，大都反對顧頡剛將《論語》與《春秋》思
想完全分割開來的說法。[99]

　　最後特別要說明的是：對懷疑《春秋》者的質疑，並不一定代表其就贊
成「孔子作《春秋》」的傳統說法，有些質疑僅止於不滿疑古者的論述方式
而已。也就是說對疑古派提出質疑的學者，大多迴避了《春秋》價值的問
題，更不用說有進一步申述《春秋》之「義」。其中僅有梅思平對於「斷爛
朝報」一詞有個與疑古派不太一樣的說法：

　　《春秋》是「斷爛朝報」，這話沒有說得更好了。「朝報」就是現在的
　　「政府公報」……我們現在看政府公報，也有很可奇異地方：第一、
　　公報是注重法定的名稱……第二、公報是注重事實的形式。……第

98　馮友蘭：〈孔子在中國歷史中之地位〉，《古史辨》，冊2，頁198

99　W.Hummel 說：「胡適博士那樣看重《春秋》哲學方面而不看重歷史方面的人，大概
　　相信《春秋》所述很可以代表孔子的「正名」主義。」可見主張《春秋》中有「正
　　名」思想者之眾。見 W.Hummel 著，王師韞譯：〈中國史學家研究中國古史的成績〉，
　　《古史辨》，冊2，頁451-452。在《古史辨》中胡適雖然沒有對此事表示看法，但胡
　　適曾說：「《莊子〈天下〉篇也說：『《春秋》以道名分。』這都是論《春秋》最早的
　　話，該可相信。」又詳論《春秋》中三層「正名」的方法。由此可見胡適贊成《論
　　語》與《春秋》在思想上相關連。見胡適：《中國古代哲學史》（臺北市：遠流出版公
　　司，1991年），頁88。

三、公報是有一定的程式。[100]

梅氏並沒有否定《春秋》是「斷爛朝報」的說法，反而從「朝報」去立論，說明《春秋》中的記錄其實是有法度而且著重事實。這分明是想從中肯認《春秋》中有「例」，進一步說則是《春秋》有「義」。但令人玩味的是梅思平並沒有對「斷爛」兩字有任何說解，這或許代表他們縱使《春秋》真為孔子所作，但仍價值不高！

四　疑古者與質疑疑古者論述評析

對比雙方對於「孔子作《春秋》」的爭論的雙方說法，筆者認為大致有以下的歸納與反省：

首先，懷疑傳統說法的學者共提出的五個理由，而質疑疑古者則僅對其中三個說法提出質疑。就數量而言，兩者並不相稱，也就是說對「闕文」與「魯恭王壁中書」兩個問題，反對疑古者並沒有加以討論。而在三個看似有交集的論述中，雙方對於《論語》與《春秋》在思想上的關連問題，討論最為熱烈、看法也最為一致，因為除了顧頡剛本人外，其他人幾乎都認為顧頡剛說《論語》中沒有對政治的關懷是錯的。甚至有學者正面的以「正名說」將《春秋》與《論語》兩者關聯起來，而顧頡剛對此也沒有提出任何後續的辯解。但是《論語》與《春秋》兩書在思想內容上有相通之處，並不就代表《春秋》一定是孔子所作，這可以是兩個不同的問題。對比馮友蘭與梅思平的看法，可以提出一個更深入的問題：究竟是孔子透過《春秋》呈顯「正名」思想，還是孔子因《春秋》而歸結出「正名」思想？其實這兩種可能性都有，但是雙方的說法也僅止於論述《春秋》與《論語》關係，並沒有進一步討論何者為先的問題，更不用說對這個問題提出一些判斷的準則及論述。

其次，關於《孟子》的說法也是比較單純的：因為雙方對《孟子》記「孔子作《春秋》」的說法基本上都是「各言爾志」的態度：疑古者不相信

---

100 梅思平：〈春秋時代的政治和孔子的政治思想〉，《古史辨》，冊2，頁190。

《孟子》所記，而反對者則認為不可一概不信孟子之說，甚有直接相信《孟子》者。錢玄同、顧頡剛等人也沒有進一步提出反駁，說明孟子關於孔子之言論是否全然不可信及其理由。而劉掞藜也沒提出《孟子》關於《春秋》之記錄為何可信的理由。梅思平則是直接接受了傳統之說，但也沒有提出任何理由。衡諸雙方論點，劉掞藜的問題其實是很有意義的：可否因為一本典籍中有部分或不可信，就判斷此典籍中其它記載也不可信？當然顧頡剛等人也可反過來說：正因其可信度有問題，所以對其說可以有「合理的懷疑」！但可惜的是雙方對這個問題都沒有進一步的論述。此外值得注意的是，孟子之說無疑是雙方爭論的焦點，顧頡剛否定孟子說法的另一個理由是：「孟子以前無言孔子作《春秋》的。」[101]但衡諸顧氏當時對於傳統經書子書的看法，真正成書在《孟子》之前的大約僅有《詩經》、《論語》與一部份的《尚書》。《詩經》與《尚書》當然不可能記載孔子作《春秋》之事，而《論語》本來就沒有記載與《春秋》相關之事，在沒有其他出土文獻的情況下，要如何去找一本可能成書在《孟子》之前，而且記有「孔子作《春秋》」的典籍？在當時的文獻狀況下，顧頡剛這樣的要求是否合理？若反問顧頡剛，在當時要如何（或滿足什麼條件）可能真正成為有說服力的論述？這恐怕是顧氏也沒有考慮過的問題。

　　至於對於《論語》的問題則較為複雜。因為錢、顧兩人都以《論語》沒有關於《春秋》的記載為由，判定《春秋》不是孔子所作。這個說法可以有兩個方面的考慮：一，在疑古者中，馮友蘭雖不認為孔子作《春秋》，但其主張孔子曾以《春秋》教授學生。錢、顧兩人的質疑同樣亦可適用在馮友蘭的主張上：若孔子曾以《春秋》教學生，為何《論語》中沒有記載？尤其是疑古者大都承認孔子看過《春秋》。若是如此，為何《論語》中沒有提及《春秋》？錢、顧、馮三人似乎都沒有考慮過這個問題，更遑論提出看法。二，以《論語》中無記就加以懷疑的作法是錢、顧常用的論證方式（尤其是顧），張蔭麟對其所提出的「默證的限度」質疑亦早被研究者所熟知，而且

101　顧頡剛：〈答書〉，《古史辨》，冊1，頁277。

自紹來、梁園東、徐旭生、陳桓、陳寅恪等人以來都認為張氏對顧說的批評
極有道理，[102]彭明輝也說：

> 張蔭麟批評顧頡剛的根本方法有所謬誤後，出乎意料外的，顧頡剛並
> 未加以反擊，也未見他對「層累說」有若何修正⋯⋯顧頡剛明白表示
> 那些個別史實的辯論，其是枝葉而不是本幹，所以論敵們反駁或否定
> 他某一事件、某一材料的解釋有誤，是完全不影響其基本架構的，而
> 這基本架構就是顧頡剛一生所信奉不渝的「層累造成說」。[103]

「層累說」是否能成立並不是本文主要關心的問題，但就《春秋》問題而
論，顧頡剛及錢玄同顯然沒有對張蔭麟的批評提出回應。從學者們的這些論
述看來，似乎張蔭麟的「默證的限度」對於錢、顧而言是個無可反駁的批
評。但彭國良在〈一個流行了八十餘年的偽命題──對張蔭麟「默證」說的
重新審視〉[104]中提出了與前賢對「默證」不同的見解。彭國良文中從張蔭麟
引用的「默證」的源頭──法國實證主義史家朗格諾瓦（Ch.V.Langlogis）
與瑟諾博斯（Ch.Seignobos）合著之《史學原論》及相關文獻，歸納出使用
「默證」的諸多條件：

> 要想正確使用默證，必須滿足以下條件：作者有能力記錄某事；作者
> 有理由記錄此事；同類的作者都有可能記錄此事。[105]

彭文指出在歷史現實上，以《史學原論》中所謂能正確使用默證的情形根本
不可能出現，因為「默證能夠成立的大前提就是人們能夠把握一切資訊，排

---

102 盧毅：〈試論民國時期「整理國故運動」的缺失〉，《史學理論研究》（2004年4月），頁
　　107。
103 彭明輝：《疑古思想與現代中國史學的發展》，頁90。
104 彭國良：〈一個流行了八十餘年的偽命題──對張蔭麟「默證」說的重新審視〉，《文
　　史哲》第298期（2007年2月），頁51-60。
105 彭國良：〈一個流行了八十餘年的偽命題──對張蔭麟「默證」說的重新審視〉，頁
　　53。

除所有的偶然性。」[106]這不論在當時或後代都是不可能的。既然現實上並不存在正確使用默證的情況，那所謂「默證的限度」問題也只能是個「偽命題」。彭國良並進一步指出對「歷史」的不同理解，才是默證之可用與否的分別：

> 認為通過對史料的精密考證可以認識歷史本體時，默證是個邏輯謬誤，無從使用。當否定通過對史料的精密考證可以認識歷史本體，不以認識歷史本體為歷史學的目的時，默證可用。[107]

彭氏認為對於「歷史」有兩種不同的認知，相對的，默證的使用也有其適合的限度與情形。[108]彭氏由此而立論：

> 顧頡剛的研究思路則是：歷史本體不可達到，史料不能再現客觀歷史本身，而僅僅是史料所成的年代人們思想觀念的產物。……如果 A 時代中記載道：B 時代有某人或某事，那麼只表明，在 A 時代人們的思想中，B 時代有某人或某事，他不會據此史料去追究 B 時代究竟有沒有此人或此事。[109]

彭文指出顧頡剛（當然可能也包括錢玄同等人）對「歷史」的理解重點不在於理解「歷史本體」，而是在理解史料當時所呈顯的思想觀念。若是如此，張蔭麟對顧氏所謂超出默證限度的批評便是一個無用的批評。彭國良的看法基於兩個理解：對默證說的理解與對顧頡剛說法的理解。默證的限度及「歷史」究竟為何，是個很大的問題，筆者無法在此多做說明。但顧頡剛（或旁

---

106 彭國良：〈一個流行了八十餘年的偽命題──對張蔭麟「默證」說的重新審視〉，頁53。

107 彭國良：〈一個流行了八十餘年的偽命題──對張蔭麟「默證」說的重新審視〉，頁57。

108 彭國良對於「歷史」的不同理解或彭對「默證」的理解恰當與否，並不是本文討論的重點。本文主要著重在論述彭氏對顧頡剛的理解及其對張蔭麟的批評是否恰當。

109 彭國良：〈一個流行了八十餘年的偽命題──對張蔭麟「默證」說的重新審視〉，頁58-59。

及其他疑古者）的歷史觀是否如彭國良所言，則較容易討論。顧頡剛在研究「歷史」時，是否不涉及「歷史本體」，而為史料史的研究？就顧頡剛對禹及孔子在戰國與漢代形象諸多問題的討論中或許近於這樣的立場，陳志明即言：

> 顧氏本來就是要觀察在〈商頌〉、《論語》中的禹的形象變遷之跡，而不是要探究『歷史前的人物』的禹……所以他自稱自己是在研究「戰國秦漢的思想史和學術史。」[110]

但這樣的理解對顧頡剛的歷史研究而言應只是部份正確而不是全部。因為就《春秋》的例子來看，顧頡剛、錢玄同等人分明是試圖對「孔子作《春秋》」這個「歷史本體」做出判斷與理解，而非僅是理解《孟子》或者是後儒心中的《春秋》而已。雖然「孔子作《春秋》」並不是「歷史本體」的全部，而僅是一項歷史事件，但對此事件的討論無疑的會觸及到對「歷史本體」的相關討論。也就是說顧氏做為一個歷史學家，其或許自覺的想與傳統研究「歷史」的學者有所區隔，但是在某些論題他往往又不自覺地回到原來所熟悉的認識與討論裡。[111]

　　如果這樣的理解是對的，那麼張蔭麟的批評是否有效？筆者認為張蔭麟對於錢、顧等人《論語》「默證」的批評仍是有效的，因為在這個問題上他們爭論的仍是「歷史上孔子到底有沒有作《春秋》？」這個與「歷史本體」相關的問題。而且依彭氏之意，試圖對「歷史本體」做研究時，默證本就是

---

110 陳志明：《顧頡剛的疑古史學——及其在中國現代思想史上的意義》，頁11。
111 相對的，對顧頡剛、錢玄同「《論語》沒有記載《春秋》」論述提出批評的傅斯年，反而是比較接近彭國良所描述的態度。傅斯年言：「以《論語》之孔子為題，不能但以孔子為題」、「全部分的孔子是不可恢復了」（見前引）豈不是彭氏所言研究「史料所成的年代人們思想觀念的產物」。就顧頡剛而言，其或許不想觸及「歷史本體」的研究，所以有〈春秋時的孔子和漢代的孔子〉一類的文章。但學者在進行實際學術研究時，往往較純粹概念分析來得更加複雜，顧氏在實際的研究時並不能完全謹守「觀念史」式的研究，而是無可避免的會觸及到某部份「歷史本體」的論述。這或許是誠實面對歷史的研究者均會面臨的困境。

個「邏輯謬誤」而「無從使用」，當然也不存在著「限度」的問題。換句話說，若是進行研究「歷史本體」時，默證的使用根本是一個方法學上的誤用。[112]但必須注意的是：張蔭麟對顧頡剛超出使用默證限度的批評，僅可止於張氏認為「《論語》沒有記錄《春秋》，所以《春秋》非孔子所作」這個主張是錯的，並不就代表張蔭麟在主張「《春秋》為孔子所作」。因為張氏等人也沒有提出正面的證據來證明「孔子作《春秋》」。也就是說，如果僅限於《春秋》此書而言，雙方對於其作者為誰這個問題都未能提出具說服力的說法。

　　綜合以上三個雙方彼此共同觸及的論題，可以看出一個明顯的特點：雙方對於《春秋》的作者到底是不是孔子，都沒有提出一個決定性的說法及證據，甚至彼此是在進行一場不太有交集對話：雙方大都各說各話，然後回到各自最初的起點。相信傳統說法與其反對者，對此議題都沒能提出有力的證據。

　　最後筆者認為，在《古史辨》中關於《春秋》與孔子關係的討論，主要不是文獻問題而是立場問題：相信與懷疑《春秋》作者為孔子的學者，並不是因其在文獻上可以證明或否定什麼，而是由其一開始所持的立場就已決定他的看法。錢玄同在古史辨運動初期時，即主張研究國學的人應該要知道三件事：「（一）要注意前人辨偽的成績。（二）要敢於『疑古』。（三）治古史不可存『考信於《六藝》』之見。」[113]由此可見其基本立場即主張要「疑古」，於是他們也勇於疑古，並也在學界引起很大的風潮。但弔詭的是，一旦立場改變時，對於《春秋》的看法也可以有很大的不同。錢玄同本身就是一個很好的例子。

---

112 當然依彭氏的說法，張蔭麟認為有些時候可以使用默證的說法也是錯的，因為彭氏認為對研究「歷史本體」時，根本不能採用默證法。但張蔭麟對默證的理解有問題並不一定就代表其對顧頡剛的批評是錯的，因為張蔭麟之意主要在批評彭氏對「默證」的錯誤使用，而非在論述「默證」可用於歷史研究。此外，筆者推測彭氏根本認為從事「歷史本體」的研究是不可能的，由此才發展出對「默證」的種種說法。

113 錢玄同：〈研究國學應該首先知道的事〉，《古史辨》，冊1，頁102。

　　一般論及錢玄同的經學立場時，通常重點放在他在一九〇六年在日本時即以章太炎為師，但在一九〇九年至一九一七年則轉為頗宗今文家言。尤其是一九一一年讀了康有為、崔適書後，則成為專宗今文。至一九一七年時，錢又認為今古文都不可相信。到了一九二一年後則開始撰寫辨偽的文章，徹底懷疑經學。[114]本文要特別指出的是錢氏在一九三一、一九三二年寫過〈《左氏春秋考證》書後〉及〈重論經今古文學問題〉兩篇文章。[115]一般研究者對兩篇內容通常著重在說解錢玄同對於《左傳》來源及《左傳》是否解《春秋》的兩個問題。這當然是兩文的重點，但在其中，錢玄同也透露出其對《春秋》的看法與先前有所不同。

　　首先，錢玄同在此時仍然認為「孔壁古文經」之說是劉歆所偽造，他說：

　　　　「孔子書《六經》，左丘明述《春秋傳》，皆以古文」之為讕言；而
　　　　「孔壁古文經」本無此物，全是劉歆所偽造，實為顛撲不破之論也。[116]

錢氏除了由字體的形構來判定「古文」為偽外，[117]錢玄同認為許慎記古文經之事為假，這本是錢氏否定《春秋》為孔子所作的理由之一。但就《春秋》一書來說，錢氏的說法至少有兩個問題：第一是許慎的記載本來就有問題，許慎的原文是：

　　　　至孔子書六經，左丘明述《春秋傳》，皆以古文。……時有六書：一

114　錢玄同經學立場改變之自述見〈論今古文經學及《辨偽叢書》書〉，《古史辨》，冊1，
　　　頁30。又林慶彰對錢氏經學態度改變有一綜合敘述，見氏著：〈顧頡剛與錢玄同〉，
　　　《中國文哲研究所集刊》第17期（2000年9月），頁411-413。

115　〈重論經今古文學問題〉一文原先寫於一九三一年，是為方國瑜所標點之《新學偽經
　　　考》寫的序。但是在出書後，錢玄同又將此文「大大的增改了一番」。見錢玄同：〈重
　　　論經今古文學問題〉，《古史辨》，冊1，頁101。及吳奔星：《錢玄同研究》，頁144。

116　錢玄同：〈《左氏春秋考證》書後〉，《古史辨》，冊5，頁5。

117　錢氏以「三體石經」中的「古文」與甲骨刻辭及殷周兩代鐘鼎款識相對比，他更相信
　　　「古文」非「殷周之真古字」。見〈《左氏春秋考證》書後〉，《古史辨》，冊5，頁5。

> 曰古文，孔子壁中書也。……壁中書者，魯恭王壞孔子宅而得《禮記》《尚書》《春秋》《論語》《孝經》。又北平侯張倉獻《春秋左氏傳》。[118]

其實，魯恭王壞孔子宅而取得壁中書裡有《春秋》一書是許慎獨特的說法，印諸《漢書》關於壁中書的記載，其中並沒有提及有《春秋》一書，[119]段玉裁早就注意到這個問題，所以他說：

> 《春秋》蓋謂《春秋》經也。……班云《春秋》古經十二篇，《左氏傳》三十卷，皆謂蒼所獻也。而許以經系之孔壁，以《傳》系之北平侯恐非事實，或曰《春秋》二字衍文。[120]

不論是許慎之誤或者是「春秋」兩字為衍文，段玉裁認為《說文解字》中記魯恭王壁中有《春秋》的說法是不可信的。接下來的問題是：若許慎之說不可信，對孔子作《春秋》之說會不會有決定性的影響？事實上，魯恭王壁中書一事確是今古文經的一個重要爭論焦點，[121]但是歷來關於《春秋》之作者問題，本極少有學者引用《說文解字》之說為據，而多採《孟子》、《史記》之說。也就是說，這是兩個幾乎不相關的問題，這也可從錢玄同對《春秋》前後不同的判斷中看出。在一九三一年後錢玄同對《春秋》有了與之前不太一樣的說法：

118　〔東漢〕許慎著，〔清〕段玉裁注：《段注說文解字》（臺北市：萬卷樓圖書公司，2002年），卷15上，頁17-18

119　〔東漢〕班固等著：《漢書》（臺北市：洪氏出版社，1975年）。《漢書・藝文志》中記：「武帝末魯共王壞孔子宅，欲以廣其宮，而得《古文尚書》，及《禮記》、《論語》、《孝經》凡數十篇，皆古字也。」（卷30，頁1706）又在《漢書・楚元王傳》中記：「魯恭王壞孔子宅，欲以為宮，而得古文於壞壁之中，逸《禮》有三十九篇，《書》十六篇。」（卷36，頁1969）。都沒有說魯恭王壁中書有《春秋》。

120　〔東漢〕許慎著，〔清〕段玉裁注：《段注說文解字》，卷15上，頁18 。

121　順帶一提，路新生認為錢、顧兩人依康有為之說，懷疑《漢書》中對魯恭王壁中書的記載，其三點「皆疲軟很難成立。」見氏著：《中國近三百年疑古思想潮研究》（上海市：上海人民出版社，2001年），頁564。

《春秋》一定是一部「託古改制」的書。你看它對於當時的諸侯各國，稱某某為公，某某為侯，某某為伯，某某為子，某某為男，用所謂「五等封爵」也者把他們都限定了，不能隨便亂叫。今取鐘鼎款識考之，知道全不是那麼一回事；原也「王，公，侯，伯，子，男」六個字都是國君的名稱，可以隨便用的。然則《春秋》中那樣一成不變的稱謂，一定是儒家「託古改制」，特地改了來表示「大一統」和「正名」的理想的。又如「公子慶父如齊，齊仲孫來；」「公朝于王所，天子狩于河陽；」「孟子卒」等等，都是用特殊的「書法」以明「義」，不是普通記載事實的態度。所以《春秋》的原本雖是魯國真歷史，但既經「筆削」，則事實的真相一定改變了許多，斷不能全認為史料。[122]

錢玄同在這段話中對《春秋》的判斷顯然與之前有很大的不同：一，之前說《春秋》是「最不成東西」而且「無例可言」，但是在此顯然認為《春秋》中稱諸侯有「五等封爵」並且「不能隨便亂叫」。錢氏也承認《春秋》中有「書法」及「義例」，《春秋》不僅只是純粹的事實記錄而已。二，認為《春秋》是由魯史「筆削」而來。錢氏雖然沒有明指「筆削」之人為孔子，但是《春秋》成書在孟子之前，並且錢氏用「托古改制」、「正名」來說《春秋》的內容。這種種跡象無一不表示此時錢玄同已經默認《春秋》之作者為孔子。錢氏所以改變立場，就其自陳的理由是與其對鐘鼎款識的瞭解有關。但是單由鐘鼎款識中的諸侯稱謂不一，就推論出是《春秋》作者開始統一稱謂，本身就是一個極大的跳躍。[123]更不用說《春秋》中有「『大一統』和『正名』的理想」，更不太可能是因其對鐘鼎款識的瞭解而推證出來。要特別注意的是：此時錢玄同仍認為恭魯王壁中書為劉歆所偽造，所以就《春

---

122 錢玄同：〈《左氏春秋考證》書後〉，《古史辨》，冊5，頁17。

123 相對的，顧頡剛則一直主張筆削者為史官而非孔子，兩人看法不同。但顧氏也沒有其他的證據來支持他的說法。見丁亞傑：〈顧頡剛春秋學初探〉，《國立中央大學文學院人文學報》第23期（2001年6月），頁76。

秋》作者問題而言，魯恭王壁中書根本是個無關緊要的論據。而且錢氏此時完全不再提及《論語》中不記《春秋》，因而對《春秋》作者有所懷疑的說法。從這個證據看來，錢玄同對《春秋》看法的轉變，並不是基於文獻上的理由，而是對經典基本立場的改變。

在立場改變後，其對於文獻的解讀往往會產生一些有趣的對比。錢玄同既然認為《春秋》有例有義，對現存《春秋》內文的看法也往往不同於以往：

> 桓公十八年中有十四年不書「王」，據我的猜想，大概早一點的《春秋》本子並不如此，所以《公羊》無說。質言之，即《公羊春秋》此十四年本有「王」字，傳寫脫去耳。若本無「王」字，《公羊》烏得無說？假使不解，也應該來一句「無聞焉爾」，如「紀子伯」，「夏五」，「宋子哀」之例。……今乃無說，是《公羊傳》著作之時，此十四年皆有「王」字也。[124]

此段本來是錢氏論定《穀梁》因襲《公羊》時所提的證據，值得觀察的是錢玄同的論證理路：《春秋》在桓公十八年中僅有元年、二年、十年、十八年書「王正月」，其餘則僅記「正月」，錢氏認為《公羊》並沒有對此有特別的解釋，所以判斷原來每年均應有書「王」，是後來才脫漏掉了。若將錢玄同的說法，與前文顧頡剛由《春秋》中有闕文為由進而判定《春秋》非孔子所作之說，兩者相互對比，則不免令人產生奇異的感覺：同樣都認為今本《春秋》有闕文，為何會有如此大的差距？其實不論是顧頡剛的闕文說或是錢氏的看法，其與《春秋》作者問題的相關性根本不大，因為闕文可能產生的因素太多，縱使《春秋》中存有闕文又何以能夠成為判定是否為孔子所作的證據？《春秋》闕文產生於何時，在現存文獻上沒有任何證據，更別說如何可以用以做為懷疑作者的論據。所以當錢玄同對《春秋》作者的立場有了轉變時，自然會用較認同《春秋》的方式來說解闕文的問題。

---

124 錢玄同：〈重論經今古文學問題〉，《古史辨》，冊5，頁75。

五　結語

　　在繁瑣的檢視《古史辨》中兩方關於《春秋》作者的相關討論後，筆者有幾點簡單的結論：

　　一，關於《春秋》作者問題：歷來《春秋》的研究者極多，但大都不懷疑「《春秋》為孔子所作」之說。今古文家最多彼此質疑三傳的來源與解經效度，宋明儒者以下亦或不信三傳，但仍尊信《春秋》一書。但自《古史辨》後，學界對《春秋》作者的討論日漸興盛，《春秋》的研究者幾乎都必須對「《春秋》是否為孔子所做？」進行討論，這不能不說是《古史辨》對《春秋》學的一大貢獻。因為參與古史辨運動的學者，在交互討論中確定了這是《春秋》學裡一個重要而且根本的問題。這個問題的提出，就《春秋》學本身的確是非常基礎與重要的推展。雖然兩方對此問題的答案，都未能提出很好的論據，所以最後雙方只好同樣面臨一個抉擇：對孟子以下「孔子作《春秋》」的說法採取相信或懷疑，由於雙方都沒有對各種文獻的可信度做出不同層次的說明，所以最後不免只能是堅持原先的立場。

　　二，對於雙方的對話的效度問題：乍看之下，疑古者與質疑疑古者雙方對於《春秋》作者的問題似乎分別提出各自的論述與觀點，也爭論的十分熱鬧。但在仔細檢視雙方說法後，除了在《春秋》與《論語》之思想有無相關這一問題，大多數學者有比較相近的共識外，對其他各種說法大都是以「各言爾志」的方式在進行。而且進一步反省雙方說法後，發現其所持的理由與論據大都也與《春秋》之作者問題無關。所以這場看似熱烈的討論，根本不是一場有效的對話，雙方除了表明自身立場外，幾乎沒有對何以如此主張的理由與證據進行更深入的討論，也就是說大部分的論題都是處於失焦的情況，在內容上並沒有形成有效的對話。

　　三，關於解讀古籍的問題：從疑古者對孔子作《春秋》的懷疑來看，其主要是立場的選擇，而非是證據下的選擇。這或可以衍生出兩個在進行歷史研究時的方法問題：（一）在沒有其他證據的情況下，對於古籍記載應採取

何種態度？是應傾向相信抑或傾向懷疑？或許疑古者與其質疑者對「學術」抱持著兩種不同的態度：疑古者通常是在沒有足夠證據下就先行提出質疑；而保守者則認為沒有足夠的證據所提出的質疑本身即應被質疑。也就是說疑古者是否有責任提出正面足夠的證據才能據以懷疑古籍記載？在這點上，疑古者與質疑者兩方並沒有共識，這意味著雙方對於所謂的「學術論據」有著或強或弱的不同標準。（二）閱讀者對於古籍的理解，可不可能在「沒有特定立場」下解讀？疑古者本標榜其「不受家派的節制」的態度與「科學方法」用以疑古。但胡適所主張的「科學方法」早為識者所批評，[125] 疑古者自信可以不帶家派立場來的理解文獻，但從實際的情況來看此說亦屬空言，因為這些學者是受到時代環境很強的影響。這對任何一位自信是「客觀」的解讀者來說，無疑是一個很好自我提醒的例證。

　　最後，疑古者因為沒有足夠的文獻證據來支持其懷疑孔子作《春秋》之說，所以他們也容易因為各種主客觀因素而改變原先所持的立場。錢玄同對《春秋》作者及評價的改變即是個明顯的例子，而周予同日後也認為《春秋》是孔子所作，[126] 甚至顧頡剛也「隱約承認《春秋》與孔子有相當關連。」[127] 這都與原來的看法有所不同。而這種改動的原因並非是基於在文獻上有新的發現或新的理解，而僅是基本立場與態度的轉變。[128] 這也或是

---

125 許冠三說：「胡適講求方法學四十年，確是『只有淺出，並無深入，』難怪近三十年來海內外有識之士或譏其淺薄，或責其不長進。以『大膽的假設，小心的求證』來簡括『科學方法，』非只曲學，且有玩弄鄉愚之嫌。」見許冠三：《新史學九十年》（臺北市：唐山出版社，1996年），上冊，頁164-165。

126 周予同說：「孔子把《春秋》當作「密件」，不肯與學生講。對于孔子的「修」或者「作」，不能看死。「修」與「作」有聯繫，都從一定的立場出發，「作」中有「修」，「修」內有「作」。」此說一方面對《論語》不記《春秋》做出解釋，另一方面主張孔子並非全新創作《春秋》一書。見周予同：〈經典研究〉，收入《周予同經學史論著選集》（上海市：上海人民出版社，1983年），頁923。

127 丁亞傑：〈顧頡剛春秋學初探〉，《國立中央大學文學院人文學報》第23期（2001年6月），頁84。

128 值得注意的是馮友蘭的說法，在當時諸位疑古學者中，是最接近傳統的。而馮友蘭的看法則一直沒改變，他認為《春秋》可能是魯國國史，正名則是「孔丘從當時國史

後人並不純粹只以學術的角度來評價《古史辨》中的疑古者最主要的原因，
因為他們在文獻討論上的貢獻往往比不上其對歷史社會上的影響。

的『書法』中引申出來的」。見《中國哲學史新編》（北京市：人民出版社，2001年），
上卷，頁187。

經學視野下的史學論述
——讀柳詒徵《國史要義》

蔡長林
中央研究院中國文哲研究所副研究員

一　前言

　　柳詒徵（1888-1956），字翼謀，一字希兆，號知非，晚號劬堂，江蘇鎮江丹徒鎮人。具有歷史學家、古典文學家、圖書館學家、書法家等多重身分。是中國近現代史學先驅，中國文化學的奠基人，現代儒學宗師。在史學方面的重要著作，計有《歷代史略》、《中國文化史》、《國史要義》，後人尚編有《柳詒徵史學論文集》等。清末新式學校普遍設立，急需新的歷史教科書，以供課堂教學之用，柳詒徵先生的治史生涯，就是從編寫教科書開始的。他編寫了多種歷史教材（如《中國教師史》、《中國商業史》等），其中第一部，也是最重要的一部，即為《歷代史略》。此書開中國新式歷史教科書章節體編寫風氣之先，極大推動了中國歷史編纂學的發展，較夏曾佑《最新中學中國歷史教科書》的編纂時間尚早，「從清末到現在，除寫作上由文言變為語體，觀點上由舊變新外，大體上還是保存了這種編寫形式，柳詒徵開創之功，是不可磨滅的」[1]《中國文化史》是在五四運動大背景下，關於中國傳統文化命運未來出路的討論之派生

---

[1] 詳細討論，請參卞孝萱、孫永如：〈史家柳詒徵的學術貢獻與道德風範〉，《寧波大學學報》第12卷第3期，頁70；卞孝萱：〈柳詒徵與《中國文化史》〉，《柳翼謀先生紀念文集》（鎮江市：中國人民政治協商會議鎮江市委員會文史資料研究委員會，1986年），頁113。

物。當時知識界圍繞著如何看待中國傳統文化和西方文明，以及誰更適合中國未來發展之路等展開激烈論戰。一些學者開始重新探討中國傳統文化得失，並從文化的視角重新審視中國歷史，柳詒徵的《中國文化史》撰著背景在此。[2]

　至於《國史要義》，則為柳氏晚年的著述，代表了柳氏由博入約的治學特色。此書是柳氏於抗戰時，任教重慶中央大學研究院柏溪分校期間，為研究生講授中國史學原理的講稿所彙編，作為大學用書，於一九四八年二月由上海中華書局承印出版。同時，此書是一部不可多得的系統省察傳統史學的論著[3]，計分〈史原〉、〈史權〉、〈史統〉、〈史聯〉、〈史德〉、〈史識〉、〈史義〉、〈史例〉、〈史術〉、〈史化〉十篇，完成了對中國史學精義的深度闡釋，乃繼劉知幾、章學誠二氏後，論述中國史學義法之鉅著[4]，甚至被譽為超越《史通》、《文史通義》的現代「命世奇作」。[5]對闡釋中國史學的起源、史書編纂、史家修養、史學功能以及歷史研究法，做出了重要貢獻[6]，全書歷溯兩千年史書源流，遍收諸子百家名論，既有史學起源、演進方面史跡的梳理，也不乏經史義理與史書編纂的精彩評點。尤其獨創的以經證史，以史證經之論，有似江魚迴游、從容而瀟灑。[7]

2　相關討論，可參張文建：〈柳詒徵和《中國文化史》〉，《學術月刊》（1985年5月），頁68-72；房曉軍：〈柳詒徵史學成就述評〉，《歷史教學問題》，1999年第5期，頁14-17。

3　張文建：〈傳統史學的反思——柳詒徵和《國史要義》〉，《中國史學集刊》第1期（1987年4月），頁173-191。

4　柳定生：〈柳詒徵先生年譜〉，收入《華岡文科學報》第18期，頁368、370。

5　蘇淵雷：〈序〉，收入柳曾符、柳定生選編：《柳詒徵史學論文集》（上海市：上海古籍出版社，1991年），頁559；張其昀：〈吾師柳翼謀先生〉，收入《劬堂學記》（上海市：上海書店出版社，2002年），頁113。另外，康麗虹亦推介其價值較劉知幾《史通》與章學誠《文史通義》有過之無不及，甚至把它與梁啟超的《中國歷史研究法》相媲美，認為兩書相得益彰，其異同得失，各有千秋，皆是近今史學思想的代表。不過王家範則認為與之同類的著作，與其說是梁啟超的《歷史研究法》，毋寧說是梁漱溟的《中國文化要義》，兩者聲氣相求，互為奧援。康麗虹：〈論梁任公的新史學和柳翼謀的國史論〉，《幼獅學志》第10卷第2期，頁1-65；王家範：〈柳詒徵《國史要義》探津〉，《史林》2006年6期，頁1。

6　孫永如：《柳詒徵評傳》（南昌市：百花洲文藝出版社，1993年），頁160。

7　王家範：〈柳詒徵《國史要義》探津〉，《史林》2006年第6期，頁1。

　　柳氏認為中國史學與政治發展甚有關係，因歷史發展是個人與環境的相互關係，治史者必要探討歷史發展的背景，史學又是表現儒家史學經世的思想。[8]換言之，柳氏史學或《國史要義》所關注者，實在政治一端，尤其是中國的倫理傳統以及以德治為重點的社會與政治秩序。[9]與當時以梁啟超、胡適、顧頡剛為代表的新派史學，在如何研究歷史或對待中國歷史的價值與立場上，有根本之異。[10]《國史要義》撰著的背景維何？有無假想之對象？其史學經世之思維如何形成？又是如何借助經學來表達其史學經世的理念？此皆討論《國史要義》要義所不得不注意者。

二　出發點與學術目的

　　探討柳氏史學的出發點與學術目的，是理解《國史要義》的關鍵之處。張文建提到：「柳詒徵一生治學，以昌明中國傳統文化為己任，堅決反對那種對傳統文化自暴自棄的民族虛無主義，特別是在國力不振或國難當頭，民族自卑心理自擾之際，尤能激發他高度的民族意識和愛國主義精神，《國史要義》正是在這種『表彰國光』的思想指導下，通過考鏡源流和中外史學的比較研究，強調國史的優越性，揭櫫國史的民族性，寄託著強烈的民族自尊心、自信心和自豪感。」[11]張氏所論，基本上已掌握住柳氏治學之精神，及其一生學術斷向之所在。然其說仍有必要仔細分疏，因為柳氏在概念上雖然是史學的，然而用以表

8　區志堅：〈書評：柳詒徵評傳〉，《人文中國學報》第3期，頁236。

9　相關討論，請參施耐德（Axel Schneider）：〈民族、歷史與倫理──中國後帝制時期（post-imperial）史學之抉擇〉，《新史學》第19卷第2期（2008年6月），頁47-82。作者專文討論柳詒徵的史學理論以及在他心目中歷史與倫理的關係。作者認為柳詒徵雖然在很多方面像是個採用新方法與觀念的現代史家，但是在一九二五至一九二六年之後，歷史與史學之理解越來越依賴「史學以倫理為核心」的傳統觀念。

10　相關討論，可參康虹麗：〈論梁任公的新史學和柳翼謀的國史論〉，《幼獅學志》第10卷第2期，頁1-65。

11　張文建：〈傳統史學的反思──柳詒徵和《國史要義》〉，《中國史學集刊》第1期（1987年4月），頁58。

述其國史精義論述者，卻是經學的語彙。欲理解柳氏此一論述特色，必須將經學在清末民初的蛻變，以及與史學在當時特殊的時代語境相互參照，方能有較為全面之認識。

　　何謂經學？從經學的派別來說，有今文古文的異同；從經學史的劃分來說，有漢學、宋學的區別；從經學的方法論來說，有訓詁、義理之側重；從經學的性質來分，有道問學、尊德性之歧出。但是儒家經學的最原質主義，應該是一種通經致用的現實關懷。然正如龔自珍所言，國朝學術之運在道問學[12]，表示出他對清代經學性質的觀察，是落在知識性的學術作為這一側面。不論後代學者如何以個別經生為實例，強調他們的生命意識當中，具有豐富濃郁的通經致用精神，從乾嘉以來漢學家所操持知識的整體結構觀其性質，清代考證之學的政治性始終讓位於知識性。這樣的學術性格當然有其積極之一面，例如對知識的側重具有現代性意義，但這種側重卻背離了儒家以及經典傳承的大傳統。也就是說，掌握經典解釋權的知識份子對現實政治的疏離，或者不刻意強調通經致用為治學第一義，大概是清代漢學家的學術共性。擺落知識追求背後的各種雜質，正是乾嘉考據學為新史學所欣賞之處。反過來說，當乾嘉大師及其繼承者在有意無意之間繼續深化經學與政治的疏離之感，朝著純粹學術之路邁進的同時，經學的政治性格大致著落在幾個學術組合之上，並且隨著時勢之推移而逐漸擴大其影響力，在晚清民初之間，各自有其擁護的勢力。其一是講究微言大義的今文《公羊》之學，其一是綰合宋學義理與文章之道的桐城一脈，其一則是章氏「六經皆史」說與古文經學的結合。

　　從純粹經學的角度來談，晚清今文學大概是傳統經學政治性大於知識性的最後餘輝，在進入民國之後，失去政治環境的溫養以及面對民族主義意識抬頭下史學的勃興，今文學的政治性格除了保留在少數具有文人特性的遺老遺少身上之外[13]，基本上也轉化為史學的語言，成為新時代史學敘事的背後幽靈，不

---

12 龔自珍：〈江子屏所著書序〉，《龔自珍全集》（上海市：上海人民出版社，1975年），頁193。

13 蔡長林：〈「《六藝》由史而經」──張爾田對經史關係之論述及其學術歸趨〉，《書目季刊》第43卷第4期，頁1-28。作者指出，張爾田認為章氏「六經皆史」之說無法解

論是顧頡剛、錢玄同之於康有為、崔適,或是蒙文通、李源澄之於廖平,今文經學理論不論處在古史辨的疑古氛圍,或是民國時期的古史學界,都有其一席之地,成為此派學人建構其歷史想像的重要基石。

　　與此相反的是,當今文學的政治性逐漸淡化於史學論述場域之際,古文經學的經世情懷,卻藉由章氏「六經皆史」之說的史學經世理念所啟動。來看柳詒徵的一則論述。在《中國文化史》裡,柳詒徵提到:

> 世尊乾嘉諸儒者,以其以漢儒之家法治經學也,然吾謂乾嘉諸儒獨到者,實非經學,而為考史之學。考史之學,不獨趙翼《二十二史劄記》、王鳴盛《十七史商榷》,或章學誠《文史通義》之類,為有益於史學也。諸儒治經,實皆治史,或輯一代之學說如惠棟《易漢學》之類,或明一經師之法如張惠言《周易虞氏易》之類,于經義亦未有大發明,特區分畛域,可以使學者知此時代此經師之學若此耳。其於三《禮》,尤屬古史之制度,諸儒反復研究,或著通例如江永《儀禮釋例》、凌廷堪《禮經釋例》之類,或著專例如任大椿《弁服釋例》之類,或為總圖如張惠言《儀禮圖》之類,或為專圖如戴震《考工記圖》、阮元《車製圖考》之類,或專釋一事如沈彤《周官祿田考》、王鳴盛《周禮軍賦說》、胡匡衷《儀禮釋官》之類,或博考諸制,如金鶚《求古錄禮說》、程瑤田《通藝錄》之類,皆可謂研究古史之專書。即今文家標舉《公羊》義例如劉逢祿《公羊何氏釋例》、凌曙《公羊禮說》之類,亦不過說明孔子之史法,與《公羊》家所講明孔子之史法耳。其它之治古音、治六書、治輿地、治金石,皆為古史學,尤不待言。[14]

　　柳詒徵的看法可以說是晚清章太炎、劉師培、陳鍾凡、王仁俊等《國粹學

決孔子以後,六經成為聖典的歷史事實,所以提出「六藝由史而經」之說,對六藝由古史而聖經之轉變提出合理解釋。其敘述背後,有一層今文學優於古文學、經學優於史學、萬世教材優於時政紀錄的價值判斷,且持論之根據實為浪漫文人的《公羊》學傳統,一種儒者通經致用的學術情懷。

14 柳詒徵:《中國文化史》(揚州市:江蘇廣陵古籍刻印社,1992年),頁273。

報》、《國故月刊》一系學術主張的進一步延伸，其論述背後的思維意識在於經史不分，以經為史，經學與史學相互交融。[15]當然，章、劉之主張，有其現實之意義。緣於今文學者康有為宣揚孔子為一「托古改制」之聖王，藉《公羊》三世三統等說法，以使變法維新合乎「正統」，因而有將孔子絕對神聖化，乃至「神化」孔子、倡立孔教之議。為了駁斥康、梁為首的改良派議論，章太炎重拾實齋「六經皆史」理念，以經史合一的古文學立場為其論述核心，甚至匯入子學的研究，以子證經，不但使經學一變而為歷史學，並且在其民族主義意識操作之下，使經學成為國學之一門。

其實，乾嘉以來的漢學家並不認為他們的學術考索工作非經學，或者說有一天他們的工作會被視為史學或者通於史學。陳寅恪先生就認為清人以經學見長，幾乎無史學。[16]這樣的見解，顯然不是立足於章氏「六經皆史」的角度所進行的論述。個人認為，如果從今文經學的角度來談經學的政治性，或純就經學與政治的關係來看經學的學術之運，則章氏「六經皆史」之說，當是經學從成立以來所面臨的最大威脅，而且是至今尚未為立足於經學本位的研究者充分正視的一道難關。[17]其中的關鍵處即在於將經學與史學的區隔消除，晚清民初許多國粹學者基本上都是採信實齋之說的古文經學家，如章太炎、劉師培、鄧實、陸紹明等人，因為古文經學家基本上不排斥經學的史學性格。更關鍵處是章學誠提出的史學經世理論，在經學衰落的時代，這句口號更是讓經學家怵目

---

15 詳細討論，可參蔡妙真：〈世變與經學——《國粹學報》、《國故月刊》及《學衡》裡的《左傳》論述〉，「變動時代的經學和經學家學術研討會」第三次會議論文（臺北市：中央研究院中國文哲研究所，2008年7月17-18日）。

16 陳寅恪：〈陳垣元西域人華化考序〉，《陳寅恪文集》（臺北市：里仁書局，1981年），冊2，頁238。

17 錢鍾書即指出「六經皆史」之說與今文經學存在抵牾。個人以為，這不僅是因「六經皆史」之說有古文經學的背景，導致與今文經學在孔子地位、孔子與六經的關係，以及六經性質等方面存在著認識上的差異，更重要的是經史合流所產生的巨大能量，尤其是史學經世的理念補足了古文經學在經世或通經致用這一方面論述的不足。這一方面的論述最成功者，當屬章太炎、劉師培在《國粹學報》中的言論。錢鍾書：〈復堂日記續錄序〉，《錢鍾書集·寫在人生邊上的邊上》（北京市：三聯書店，2001年），頁178。

驚心，因為這代表話語權的喪失。如果經典的研究者連最後的政治性格都保不
住，無法發揮經典傳統賦予的政治話語權力，只能在古典語文學裡討生活，則
經學出路何在？以文字、聲韻、訓詁相號召的乾嘉傳統，在史學經世的口號
下，顯得蒼白而褪色。

　　然而，悖論亦於焉產生。「六經皆史」說在晚清國粹學派的古文經學家手
上，來了一個主客異位之勢。既然「六經皆史」，則經即是史，經學即史學。史
學既然可以經世，經學當然可以經世。因為不論經學或史學，都是儒家意識形
態的根源或衍生物。所以當史學在理論上能通經史之郵，同時成為近代以來掌
握話語權力的知識體系，則儒家經世致用的理論意識，尤其是其現實意義，表
面上是從經學轉移到史學，不過此時史學的意義，在一定程度上是與經學相通
的。晚清國粹派的史學中心論，從另一個角度來看，也是經學中心論，二者立
場相輔相成，邏輯上一致。這可以從劉師培〈古學出於史官論〉、鄧實〈國學微
論〉中找到其論調。

　　只不過這一經史合一的思維意識，從經學陣營的角度來看，雖然意義巨
大，影響深遠，卻並沒有在史學陣地裡據有上風，她還有更大的挑戰，這種挑
戰甚至是上升到文化本質的層次在進行著。隨著近代民族主義的興起，民族國
家相繼建立，培養認同感，確立一國之魂的有效手段，無非是對本身歷史的強
調，歷史教育因此被特別重視，對史學的講究亦隨之而來。就流派而言，民國
史學內部本身亦經過一番勢力消長，在敘事上，基本上是新取代舊，求真壓倒
致用。梁啟超先生可以說是新派史學的代表人物，在《中國史敘論》、《新史
學》等史論專著中，梁啟超尖銳地批判中國舊的史學傳統，提出以進化論為指
導，以年鑒學派整體史理論為核心，「探察人間全體之運動進步，即國民全部之
經歷及其相互之關係」[18]的新史學理論。梁氏認為，中國舊史學有四弊二病：
即知有朝廷而不知有國家、知有個人而不知有群體、知有陳跡而不知有今務、
知有事實而不知有理想，能鋪敘而不能別裁，能因襲而不能創作，是帝王將相

---

18 梁啟超：〈中國史敘論‧史之界說〉，收入《飲冰室合集》（北京市：中華書局，1989
　年），冊1，文集之6，頁1。

家譜、墓誌銘、蠟人院,必須要徹底改造,來一場史學革命。[19]與梁啟超同氣
相求者,如胡適、顧頡剛、錢玄同、魏建功等,若非對舊傳統不滿,即是疑古
過甚,而隱藏在背後的,其實是一種以知識論為根柢的文化革命思維;與之對
抗者,即是以《學衡》為陣地,提倡傳統人文教育的柳詒徵、吳宓等人。[20]由
於柳詒徵對進化論持保留態度,強調物質世界與精神世界對進化論適用之差異
性,又反感新史學對古人之批評,認為那些攻擊古人的,大都不瞭解古人,是
陳援庵所謂的讀書少,膽子大之人[21],故而特別強調傳統德治與倫理之重要
性,因此招來許多新史學、新文化運動立場者的批判,逕稱柳詒征為文化保守
主義者。

柳詒徵自己的立場何在?柳氏因其乾嘉學術師承的緣故[22],治學強調實
證,所以給許多人之印象,是一位地道的實證主義者。實則,柳氏史學之魂,
乃是政治實用主義,他強調經世致用,強調歷史的政治性高於一切。他的裔孫
柳曾符在新版《國史要義》的〈後記〉裡,除了強調柳詒徵是古今中外、南北
學術交流的關鍵人物之外,最強調他的《國史要義》是實學致用或為經世之
學。[23]換言之,在柳詒徵心目中,實用與政治關係,實為其治學的第一義。正

---

19 按:梁啟超云:「今日欲提倡民族主義,使我四萬萬同胞強立于此優勝劣敗之世界
   乎?則本國史學一科,實為無老、無幼、無男、無女、無智、無愚、無賢、無不肖所
   皆當從事,視之如渴飲饑食,一刻不容緩者也。然遍覽乙庫中數十萬之著錄,其資格
   可以養吾所欲,給吾之所求者,殆無一焉。嗚呼!史界革命不起,吾國遂不可救。悠
   悠萬事,惟此為大。新史學之著,吾豈好異哉,吾不得已也。」梁啟超:〈新史學・
   中國之舊史〉,收入《飲冰室合集》,冊1,文集之9,頁7。
20 詳細討論,可參王信凱:〈《學衡》中的柳詒徵〉,《中國歷史學會史學集刊》第35期,
   頁251-293。
21 按:此為陳氏諷刺章學誠之語,見《勵耘書屋問學記》(北京市:三聯書店,1982
   年),頁89。
22 許多人對柳詒徵師承的介紹,除了提到繆荃孫之外,還記載柳氏曾入王先謙、黃以周
   主持的南菁書院,受二人學術之薰陶,並據此推衍柳氏學術與二人之傳承脈絡,實則
   柳氏並未入南菁書院從二先遊,已為柳氏之孫柳曾符指出。參其為張其昀〈吾師柳翼
   謀先生〉文間按語。
23 柳曾符:〈新版後記〉,《國史要義》(北京市:中國人民大學出版社,2007年),頁
   237。

因如此，才會與梁啟超的新史學、顧頡剛的古史辨立場之間，存在著理念上極大的歧異。簡單來說，這是兩種歷史認識論的分歧，也是求真與致用立場的差異。柳氏的學術態度基本上是信古不疑古，經世致用的精神凌駕於求真的態度，關心政治教化與世道人心多於史實的真偽辨析，所以是政治實用主義者，而非學術實證主義者。並且在中西文化的態度上，維持著中體西用的立場。這些態度，都是其《國史要義》所堅持，可以說是一個中國文化本位主義者。

正因為柳詒徵的文化本位主義色彩，所以他倚之與新史學理論對抗的，自然而然就是舊史學的傳統。於是晚清國粹派的經史理論，就成為他論述國史的主要手段。周予同先生早已指出，《中國文化史》在學術傳承上主要受古文經學影響，[24] 所以古文經學的典型觀點「六經皆史」，柳氏持之甚篤。正因為有六經皆史的觀念，所以「治史莫先於讀經，讀經就是讀史」這種看法，在《國史要義》中才會頻頻出現。如〈史德〉篇說：「《詩》、《書》、《禮》、《樂》，皆史也，皆載前人之經驗而表示其得失以為未經驗者之先導也。」[25]〈史術〉篇說：「史術即史學，猶之經學亦曰經術，儒家之學亦曰儒術也。吾意史術通貫經術，為儒術之正宗。」[26] 又說：「普通人以為孔子刪訂的書叫做經，其實都是史。」[27]「由治經而治史，最易得一種明瞭之界說。」[28] 所以就史學淵源而言，柳氏史學實為晚清國粹派史學的邏輯延伸；就經學與史學的互動而言，則柳氏史學可視為其經學立場在史學領域的展開。但歷史學之所以在柳詒徵的知識結構中處於綱領位置，是因為他認為「史」乃灌注了儒家經世理念，與「經」具有同質性，所以史術能通貫經術。則柳氏所謂的「史」，既可以包涵「經」的概念，也可以說是「經」的政治義涵之進一步擴大，「史」與「經」不但相互貫通，而且都是儒學的正宗。根據柳曾符所記，「先生嘗言須先讀諸經、《史》、《漢》諸

---

24 朱維錚編：《周予同經學史論著選集》（上海市：上海人民出版社，1983年），頁523。

25 柳詒徵：〈史德第五〉，《國史要義》，頁113。

26 柳詒徵：〈史術第九〉，《國史要義》，頁261。

27 柳詒徵：〈講國學宜先講史學〉，收入柳曾符、柳定生選編：《柳詒徵史學論文集》，頁500。

28 柳詒徵：〈史學概論〉，收入柳曾符、柳定生選編：《柳詒徵史學論文集》，頁101。

書，然後方知吾書之妙」[29]，其意不外乎《國史要義》之精神由經史化出。當然，柳氏所言「史術通貫經術」，並非就「六經皆史」這個層次而言，而是就「史學經世」這個層次而言。史學與經學都是儒家學說的載體，具有鮮明的政治關懷傾向。「史術通貫經術」是就史學具有經學的政治性來講的；若從對政治性的掌握這個角度來看，則是經學概念在史學的擴大或延伸，此所以筆者以「經學視野下的史學論述」為題之緣故。

三 史學貫通經學

許多學者都觀察到由中國史學的政治性而生發的以史官制度為中心的史學理論，是柳詒徵史學體系的重要內容。認為柳氏關於中國上古史官制度富有政治性的看法深具卓見，而且將上古史官制度的政治性與中國史學的政治性作內在聯繫，用上古史官制度的政治性來解釋中國史學何以具有政治性，實為一大發明。[30]對於政治性的把握，相信是理解《國史要義》的重要視角，十篇內容論述的視角雖各有不同，卻都是圍繞著政治而展開，爰舉數例分析之。

例如在第一篇〈史原〉中，他暢論中國歷史記述和史學的起源，從傳統中的文字創始人倉頡為史官談起，敘述了《周官》五史的職掌、《春秋》的產生及其《三傳》，特別是對《春秋》義法予以了詳細評述。指出中國是「由贊治而有官書，有官書而有國史」，這與外國不同，決定了中國史書對政治的記載特別詳細。[31]柳詒徵認為儒家經學，或簡稱儒學的核心乃是禮。而禮的最高層次，是認同與向心力，因為它規定了秩序。用傳統概念來說，是上到天子，下到庶民；用現代概念說，則是國家和民族的一切。所以，禮是名教，是政治，具有實用和實效。不論出以經，或出以史，在柳詒徵心目中，脫離了這個大目標，歷史學也就沒有價值。正因為因為柳詒徵的學術思想不是為學術而學術，而是

---

29 柳曾符：〈新版後記〉，《國史要義》（北京市：中國人民大學出版社，2007年），頁327。

30 孫永如：《柳詒徵評傳》，頁167。

31 喬治忠：〈導讀〉，收入《國史要義》，導讀頁1。

以政治為思考的出發點，所以他才會強調國史以禮為出發點與核心。正如政治性是與史俱來，為傳統史學的根本，「史官掌全國乃至累世相傳之政書，故後世之史，皆述一代全國之政事，而尤有一中心主幹為史法、史例所出，即禮是也」。[32]例如「《三傳》之釋《春秋》也，各有家法，不必盡同，而其注重禮與非禮則一也。……其它言禮與非禮者，不可勝舉。後史承之，褒譏貶抑，不必即周之典法，要必本於君臣、父子、夫婦、兄弟之禮以定其是非，其飾辭由筆，無當於禮者，後史必從而正之，故禮者，吾國數千年全史之核心也。」[33]不僅史法、史例要必本于君臣父子夫婦兄弟之禮，以定其是非；史書著述形式本於禮，如班、馬史之書志本於官禮，而且史家全書之根本皆系於禮。他說：

> 何其視禮之隘也。夫本紀、世家何以分，分於禮也。封爵交聘何以表，表以禮也。列傳之述外戚、宦官、佞幸、酷吏、奸臣、叛逆、伶官、義兒，何以定名，由禮定之也。名臣、卓行、孝友、忠義，何以定名，以禮定之也。不本於禮，幾無以操筆屬辭，故禮者，吾國數千年全史之核心也。[34]

柳氏所指之禮，用他自己說的話，就是政治關係；用陳寅恪所引《白虎通》的話，就是儒家的三綱六紀等綱常名教。必貴尊卑、等秩序、序親疏、然後上下燦然有倫，此禮之大經也。既以這樣的立場為前提，故柳詒徵不但不像梁啟超那樣否定中國傳統史學的政治性，而且給予褒揚，認為政治性是中國史學悠久而優良的傳統。這樣，就可看出他的文化思想最終以政治實用主義為依歸，並貫穿在他的整個學術思想。

熊十力函云：「公精於禮，言史一本於禮。」[35]柳氏言禮之處頗多，如〈史原第一〉中，禮起源於歷史，皆本于天然之秩序，條舉人類之倫理，而典章制

---

32 柳詒徵：〈史原第一〉，《國史要義》，頁7。

33 柳詒徵：〈史原第一〉，《國史要義》，頁7。

34 柳詒徵：〈史原第一〉，《國史要義》，頁8。

35 轉引自王家範：〈柳詒徵《國史要義》探津〉，《史林》2006年第6期，頁1。

度節文等由之而漸行制定，非一王一聖所垂創，實由民族之聰明所致；[36]〈史義第七〉中，吾國之禮，相當外國之法，制裁君權，不亞於他國憲法；[37]〈史化第十〉內，人之平等者，惟在道德；禮之精髓，能合智愚賢不肖而平等；[38]以及〈史原第一〉裡：禮者，吾國數千年全史之核心，吾國以禮為核心之史，則凡英雄宗教物質社會依時代之演變者，一切皆由以禦之，而歸之人之理性。[39]王家範認為，柳氏全書以「吾之人本主義，即王氏所謂合全國為一道德團體者。過去之化若斯，未來之望無既。通萬方之略，弘盡性之功，所願與吾明理之民族共勉之」。終篇此處指王國維在〈殷周制度論〉對「周禮」歷史地位與歷史功能所在作概括，將禮昇華至哲學境界。[40]

　　第二篇〈史權〉敘述和讚揚了古代中國史官所具有的職權以及社會責任感。作者指出春秋時期史官有著尊貴的地位和職權，中國史權之尊，彷彿外國的司法獨立制度，但精義有所區別。別國的權力分立往往出於對峙而相爭，中國史權對政權的牽制，多出於尚德而互助。後世雖有衰退，但仍起一定作用。對此，本書羅列了不少歷史資料，敘述史官建制及其與政權的錯綜關係，史權對政權仍具有制約作用，從而得出「二千年中之政治，史之政治也；二千年中之史，亦即政治之史也」的結論。[41]

　　柳氏以為中國史之由來，與政治密不可分，史之內容，為政教之記錄，史官之由來，由政權分出。因此，史亦具有無上的權威：

　　　　周之太史所掌典則法制，既與冢宰相同，而王者馭臣出治之八枋，悉由內史所詔，國法國令之貳，咸在史官，以考政事，以逆會計，臚舉其目，則治教禮教刑事，總攝六官。官屬、官職、官聯、官常、官成、官法、官刑、官計，賅括百職。祭祀、法則、賦貢、禮俗、田役，既無不

36 柳詒徵：〈史原第一〉，《國史要義》，頁12-13。
37 柳詒徵：〈史原第七〉，《國史要義》，頁197。
38 柳詒徵：〈史原第十〉，《國史要義》，頁298-299。
39 柳詒徵：〈史原第一〉，《國史要義》，頁11-12。
40 王家範：〈柳詒徵《國史要義》探津〉，《史林》2006年第6期，頁2。
41 喬治忠：〈導讀〉，收入《國史要義》，導讀頁1。

知，而所謂祿位、刑賞、廢置，尤為有國大權，必操于元首及執政者，太史掌之，內史亦掌之。舉凡爵祿、廢置、殺生、予奪，或王所未察及其未當者，均得導之佐之，是史雖僅僅文官幕僚之長，而一切政令皆其職權所司，由是可知周之設官，惟史權高於一切。[42]

除了輔助政治，史官還能據法典來諫諍君主，他說：

則古史之職，以書諫王，其源甚古，不必始于周代，其原則實在「天子不得為非」一語。使一人肆於民上以從其淫，其禍至烈，而吾族聖哲深慮預防之思想，乃以典禮史書限制君權，其有失常，必補察之，勿使過度，雖其事不似他族以憲法規定，而歷代相傳以為故事，則自甚惡如桀、紂、屬、幽，失其約束之效力者外，凡中材之主，皆可賴此制以維持於不敝。夫自天子失度，史可據法以相繩，則塚宰以降，孰敢縱恣？史權之高於一切，關鍵在此。[43]

　　順著柳氏的思考模式看來，古史不但如不成文法對臣民有規律的效力，更有監察之權，由此，史書、史官與中國政治的關係及其相互影響即可概見。故柳氏又云：

古之史官，本以導相天子為職，其所詔告，及所記錄爵祿、廢置、生殺、予奪，何一非天子之事？孔子修《春秋》，特遵史官之職而為之，非欲以私人僭行天子之事。其恐人之罪之者，以為雖遵史法而身非史官耳。[44]

　　孔子修《春秋》，孟子以為行天子之事，實則孔子所行亦史官之事。
　　關於第五篇〈史德〉的議論，柳氏云：

人類之道德，稟於天賦之靈明，所謂「天生蒸民，有物有則，民之秉

---

42 柳詒徵：〈史權第二〉，《國史要義》，頁24-25。
43 柳詒徵：〈史權第二〉，《國史要義》，頁27。
44 柳詒徵：〈史權第二〉，《國史要義》，頁41。

彝，好是懿德」也。而其靈明所由啟發而養成，則基於積世之經
驗。……爰以前事為後事之師，始可免于嘗試之勞，及蹈覆轍而猶不悟
之苦，故《易》曰：「君子以多識前言往行，以畜其德。」非甘為前人之
奴也，積前人之經驗，為吾所未經驗之經驗，其用始捷而宏也。[45]

又云：

> 古史孔多，孔門歸之六藝，《戴記·經解》所言某書之教有其特長，亦有
> 其流失，得其長而祛其失，則治史而能明德，故古人之治史，非以為著
> 作也，以益其身之德也。[46]

〈史德〉講的其實是史家的修養、心術，強調史家道德修養是為人之本，
不是要到撰著史書時才強調敬恕之義。維繫史德、維繫史書信實，要靠整個社
會風氣的端正，「若社會上下道義蕩然，且無先哲垂訓，決不能生心術端正之史
家」。[47]在評價中國古代史學在史德方面的總狀況時，作者認為「吾國史籍，自
古相承，昭信核實，以示群德」。[48]雖然出現失實的史書和失實的記載，但後來
的史家必然將之改正，「吾國史德，正由後先補益，而益進于忠實」。[49]這裡，
作者一方面贊同和闡發中國傳統史學，「信以傳信，疑以傳疑」的原則，同時又
強調：「使其積德也不素，則其臨文也無本，而挾考據懷疑之術以治史，將史實
因之愈淆，而其為害于國族也亟矣」。[50]很顯然，這是在攻擊疑古學派的歷史考
據，可見作者基本立場主要是傾向於維護中國「歷代相承之信史」，反對「卑蔑
而自誣」的歷史觀點。[51]

柳氏所謂的道德，是一種正義感。包含熱愛國家、尊重傳統、崇尚氣節、

---

45 柳詒徵：〈史德第五〉，《國史要義》，頁86。
46 柳詒徵：〈史德第五〉，《國史要義》，頁87。
47 柳詒徵：〈史德第五〉，《國史要義》，頁115。
48 柳詒徵：〈史德第五〉，《國史要義》，頁131。
49 柳詒徵：〈史德第五〉，《國史要義》，頁131。
50 柳詒徵：〈史德第五〉，《國史要義》，頁140。
51 喬治忠：〈導讀〉，收入《國史要義》，導讀頁3。

端正人格、勤奮工作、一絲不苟等豐富內涵，但核心是心術問題，出發點是現實政治。正如前引王家範之說所提到，柳氏曾言：「吾之人本主義，即合全國為一道德之團體者。」與此相適應，《國史要義》專列〈史德〉篇，修正劉知幾、章學誠、梁啟超等人關於史德的論說，按以己意，重新申說，力圖兼本末、包內外，合道德文章而一之，與政治實用主義相配合，形成一套獨特觀點。章學誠補《史通》之不足，在史學、史才、史識而外，再倡史德一說。梁啟超《歷史研究法》正續兩書對史德均有自己的發揮。柳先生對章、梁之論有所不滿，認為無論是指心術端正，還是指忠實或鑒空衡平，都是舍本求末，易使學者誤認平時不必修德，而臨文乃求其敬。他認為：「學者之先務，不當專求執德以馭史，而惟宜治史以畜德。」「古人之治史，非以為著作也，以益其身之德也。」[52]

在柳氏的史德論中，他將歷史、史家、道德作一個交互為用的循環論證。史書或經書是培養人類道德修養的源泉。「吾國古代教育，首以《詩》、《書》、《禮》、《樂》為植德之具。《詩》、《書》、《禮》、《樂》皆史也，皆載前人之經驗而表示其得失以為未經驗者之先導也。」[53]史家帶著道德感去寫史，又通過撰史活動增進自身及社會的道德感。「吾國聖哲深于史學，故以立德為一切基本，明於此，然後知吾國歷代史家所以重視心術端正之故。……言德不專為治史，而治史之必本於德則自古已然。」[54]此即其所云「宜治史以畜德矣」[55]「而挾考據懷疑之術以治史，將史實因之而愈淆，而其為害于國族也亟矣。」[56]這反映出他批判古史辨或持考據懷疑之術者的深刻用心。蓋因梁啟超處處拿西方治史方法准衡中國史，乃譏諷「吾中國所以數千年無良史者，以其于進化之現象見之未明」。[57]柳詒徵則以為如對自己國家歷史沒有敬的態度，如何論史家之德，治史以修德之語？故以近乎教訓口吻言之云：

52 柳詒徵：〈史德第五〉，《國史要義》，頁86。
53 柳詒徵：〈史德第五〉，《國史要義》，頁86。
54 柳詒徵：〈史德第五〉，《國史要義》，頁88。
55 柳詒徵：〈史德第五〉，《國史要義》，頁86。
56 柳詒徵：〈史德第五〉，《國史要義》，頁91。
57 梁啟超：〈新史學〉，《飲冰室合集・文集之九》，頁9。

吾族徒震於晚近之強弱，遂拾其新說，病吾往史，則論世之未得其平
也。……國不自振，誇大之習已微，以他族古初之蒙昧，遂不信吾國聖
哲之文明，舉凡步天治地，經國臨民，宏綱巨領，良法美意，歷代相承
之信史，皆屬可疑，……至其卑蔑已甚，遂若吾族無一而可，凡史跡之
殊尤卓絕者，匪藉外力或其人之出於異族，必無若斯成績，此等風氣雖
為梁氏所未料，未始非梁氏有以開之，故論學立言，不可不慎。[58]

　　言下之意，求真與實用是統一的；如果不統一，就應當將其統一到實用原
則中去。立足於現實而非歷史，卻又不是不德，因為上述觀念恰恰又符合古人
的史德觀，是古人以立德為一切基本的用意所在。到了這個階段，柳詒徵的史
德觀，實已擴展到現實政治，以維護國家民族利益為宗旨，指明了史家有賴於
史的修德途徑與作用，並不認為史學致用是不德。

　　柳氏對史學借鑒資政的理解，並不侷限於襄君治政，而是包括了持身、涉
世、謀國、用兵等方面。即通過史書提供的歷史上政治得失的實例，吸取有益
的歷史經驗，在入仕參政、修身持己、方略謀畫等方面，使經史所蘊儒家經世
之道足以適天下之用。

　　第八篇〈史例〉，講古代史書義例，對史學義例的發展作了概括敘述。作者
收集了關於史籍凡例的若干資料，如《春秋三傳》對《春秋》義例的發微，《史
通》、《通鑒》、《通鑒綱目》以及清人對史例問題的闡述等等。所謂史例，應是
史籍在撰著中自覺制定的範圍、取捨、體裁、書法等方面的規範，本篇收集了
中國古代在史例方面的豐富資料，顯示了中國傳統史學在歷史編纂學上的成熟
狀況。[59]劉知幾曾言：

　　史之有例，猶國之有法，國無法則上下彌定，史無例則是非莫准。[60]

　　柳氏則云：

---

58 柳詒徵：〈史德第五〉，《國史要義》，頁107。

59 喬治忠：〈導讀〉，收入《國史要義》，導讀頁1。

60 劉知幾：〈序例〉，《史通》，頁2。

史之有例，吾國所特創也，他國史家莫之能先，而東亞各國之為史者，多承用吾史之例，……溯著述之有凡例，殆始于《易》之爻辭，《易》卦皆六爻，爻象陰陽，曰九曰六，此全書之通例。……此非群書凡例之始乎？[61]

又云：

《左氏傳》之發凡計五十則，杜元凱綜而論之曰：其發凡以言例，皆經國之常制，周公之重法，史書之篇章，仲尼從而修之，……去取差等，則編年紀事之史，皆所必望。原本《春秋》，根據禮義，非此不足為史也。[62]

又云：

杞君來朝，用夷禮而稱子；鄭克叔段，示滅兄弟之恩；晉殺申生，以彰父子之變；崩薨卒葬，區內外而有書否。卅國名字，別夷夏而示進退；伯姬朝子，則一語參譏；繒子同謀，則婚姻不正。[63]

又云：

（《左傳》隱公）十一年，凡諸侯有命告則書，不然則否。師出臧否亦如之。雖及滅國，滅不告敗，勝不告克，不書於策。[64]

史例之起源，除了因以竹編為書，文字尚簡，故必需用最簡單的語字表達，史例更是表達史義的好方法，既可表達史家的判斷，又可避免繁複。如《春秋》之法，其屬辭比事，褒貶予奪，即史例；馬、班紀傳書表之式其聯繫分合之故，特不書之秘，亦即史例；《史》、《漢》而下，如歐陽修之《五代史

61　柳詒徵：〈史例第八〉，《國史要義》，頁162。
62　柳詒徵：〈史例第八〉，《國史要義》，頁165-175。
63　柳詒徵：〈史原第一〉，《國史要義》，頁15。
64　柳詒徵：〈史例第八〉，《國史要義》，頁164。

記》、司馬光之《通鑑》、朱熹之《綱目》，皆有其例。他認為史例並非史家個人憑喜怒哀樂判斷，而有其共同必守的法則，且其源不自孔子《春秋》始，實皆本於禮，依禮而成。這又回到國史以禮為核心的論點，而禮也可以說是政治的古代代名詞。

四 結語

　　本文從民國初年經史關係論述重整的時代語境入手，思考經學的話語權力逐漸消失，並且須借助史學內涵的注入而尋得其政治活力等相關問題，討論柳詒徵《國史要義》撰著的時代背景、動機與目的。就民國學壇而言，相對於經學的逐漸退出舞臺，史學也正漸漸佔據學術核心，不論是在方法論上的以實證口號相召，或是以西方文化為根據，對傳統文化底蘊的一番清洗，史學都起帶頭的作用。雖然柳詒徵是史學家，其著作亦都與歷史相關，但在個人看來，與其說柳氏想要在史學領域與新史學派爭一長短，不如說他借用傳統經史話語，為國族命脈的延續，作最後一搏，其間之悲壯慘烈，實不能僅以一文化保守主義詞彙輕輕帶過，非深入其境，不足以體會而形容之。

六藝由史而經
——張爾田對經史關係之論述及其學術歸趨

蔡長林

中央研究院中國文哲研究所副研究員

一　前言

　　《公羊》學在晚清民初之間，可謂聲勢浩大，錢穆先生在回顧晚清的學術歷程時，形容常州今文《公羊》之學是：「足以掩脅晚清百年來之風氣而震盪搖撼之。」[1]這當然不是錢先生的一家之言，來看幾個見證人的描述，張之洞〈學術〉詩自注云：「二十年來，都下經學講《公羊》，文章講龔定盦，經濟講王安石，皆余出都以後風氣也。遂有今日，傷哉！」[2]周予同云：「到了清代的中末葉，因為社會、政治、學術各方面趨勢的匯合，於是這骸骨似的今文學忽而復活，居然在學術界有『當者披靡』的現象。當時所稱為『常州學派』、『公羊學派』，就是這西漢博士的裔孫。現在清朝覆亡已十六年，但這今文派的餘波回響仍然在學術界裏存在著，並且似乎向新的途徑發展。」[3]陳寅恪則云：「曩以家世因緣，獲聞光緒京朝勝流之緒論。其時學術風氣，治經頗尚《公羊春秋》，乙部之學，則喜談西北史地。後來今文《公羊》之學，遞演為改制疑古，流風所被，與近四十年間變幻之政治，浪漫之文學，殊有連繫。此稍習國聞之士所能

1　錢穆：《中國近三百年學術史》（臺北市：臺灣商務印書館，1995年），頁595。

2　〔清〕張之洞：《張文襄公詩集》（上海市：集益書局，1917年石印本），卷4，頁4b。原詩為：「理亂尋源學術乖，父仇子劫有由來。劉郎不嘆多蔘蓡，只恨荊榛滿路栽。」

3　周予同：〈敘言〉，《經學歷史》（臺北縣：藝文印書館，1990年），頁2。

知者也。」⁴諸位先生用上了「震盪搖撼」、「當者披靡」、「流風所被」等強烈的
形容字眼，足見今文《公羊》之學在晚清民初聲勢之盛，套句夏曾佑的話：「好
學深思之士，大都皆信今文學。」⁵至於《國粹學報》中，章、劉以康、梁《公
羊》之學為論敵，則又早為探究晚清民國學術者所知悉矣。

　　但是百年光景一回顧，吾人印象中的今文《公羊》之學，雖是光彩奪目，
卻又似乎略顯單薄，與上述親身經歷者的描述存在一段頗大的差距。就晚清民
國之間的《公羊》學而言，學者的目光，除了龔、魏、康、梁一系論說之外，
眾多《公羊》學者的努力，幾乎被排除在思想學術史的視綫之外。正如張笑川
所言：「歷來對今文經學的認識，多注重於康有為等『好為政論』的一派，而缺
少對『專意述學』者的注意。」⁶即使是與康、梁關係密切，結合《公羊》三世
之說與進化論史觀，以《最新中學中國歷史教科書》（1933年重版時改名《中國
古代史》）成名，對中國歷史書寫形式的轉變有重大影響的夏曾佑（字穗卿，
1863-1924），在當今已難以進入今文學敘事的框架之內；又不必論自五四以
來，因為觀點相異，被占據思想學術舞臺的新文化派所排斥到邊緣的學人，如
崔適（字懷甫，1852-1924）、張爾田（字孟劬，號遯堪，1874-1945）等人。

　　以張爾田為例，在民國學術界，張爾田是很活躍的學術人物，可以說是陳
寅恪筆下「浪漫之文學」的代表人物之一。早歲寓居北京，與夏曾佑、孫德謙
交往密切，在《蘐守齋日記》中，張氏留下許多彼此論學的珍貴紀錄。⁷旅居上
海時，又與王國維、孫德謙齊名交好，時人譽為「海上三子」。⁸張氏與晚清四

4　陳寅恪：〈朱延豐突厥通考序〉，收入《陳寅恪文集一》（臺北市：里仁書局，1981
　　年），頁144。

5　夏曾佑：《中國古代史》（臺北市：臺灣商務印書館，1968年），頁340。

6　張笑川：〈經史與政教──從《史微》看張爾田對中國古代學術思想的解讀〉，《史
　　林》2006年第6期，頁184。按：這種情況，應當是相對於思想史的大敘事而言。事實
　　上，在經學與史學的論域中，對《公羊》學的闡釋或對古文經的辨偽，其研究傳統一
　　直延續至今，未曾斷絕。

7　據錢穆所記：「爾田先生早年治詞章之學及諸子。光緒三十一年（1905）、三十二年
　　（1906）間，與仁和夏曾佑穗卿，在北京論學。」《中國近三百年學術史》，頁459。

8　鄧之誠：〈張君孟劬別傳〉，《燕京學報》第30期，頁324。

大詞家皆有交誼，亦是詞學名家。曾參與《清史稿》的編纂，撰有著名的《玉
谿生年譜會箋》，曾整理沈曾植《蒙古源流箋證》，又任教南北各地，為多種期
刊雜誌撰文，其代表作《史微》，整合浙東與常州之學術觀點，又能別出新見，
在民初經史思維轉化的過程中，佔有重要的地位，讀之可以窺晚清民初學術思
潮之演變。[9]但是在後人的學術視野中，卻鮮見張爾田此類學人的踪影，這是否
顯示出吾人現今所理解的晚清民國學術史，出現了出於學術偏見或視野侷限所
造成的斷裂？在那一段西潮競湧，舊學湮危的年代裡，如張爾田這般的隱儒遺
少，是很難為藉新術以取得學術話語權者所青睞的。正如桑兵所言：「如果社會
乃至學術界均以成名與否判斷學人的學術地位，則由『術』成名易，以『學』
成名難，一般人明知名實不符，也會反治學之道而行之，舍學而求術。而由術
得名者，必以術固其位，長此以往，循環往復，本末倒置，反而成為學術界的
天經地義。這樣的偏見不僅左右當時學人的從學之道，也影響後世學人的回顧
目光。判斷近代學術史上派分的主流與否，多少依據從眾的聲勢，而非實際的
貢獻。換一角度看，主流或許剛好是誤入歧途，偏離了治學的軌道。」[10]桑兵
所論，潛藏著對民國學術主流的批判意識，可謂慨乎言之，與陳寅恪先生之
言，正可相發明。[11]當然，作為研究者，或不必認定從眾聲勢浩大的主流，一
定是誤入歧途；也不必以重寫學術史的激情，刻意為隱儒遺少做學術平反。只
需要以客觀的學術眼光，闡明學者曾經有的論說，以及發掘其學術群體所曾構

9　有關張爾田之生平學術大略，及其師友交誼，可參錢仲聯：〈張爾田評傳〉，《夢苕盦
　　論集》（北京市：中華書局，1993年），頁448-454；張克蘭：〈張爾田學術師友敘論〉，
　　《漢江大學學報》2002年第6期，頁68-74。

10　桑兵：〈緒論〉，《晚清民國的國學研究》（上海市：上海古籍出版社，2001年），頁4。

11　按：桑兵之說，可與陳寅恪藉表彰楊樹達所發感慨相發明，其言云：「先生（楊樹
　　達）少時即已肄業於時務學堂，後復遊學外國，共同時流軰，頗有遭際世變，以功名
　　顯者，獨先生講授於南北諸學校，寂寞勤苦，逾三十年，不少間輟。持短筆，照孤
　　燈，先後著書高數尺，傳誦於海內外學術之林，始終未嘗一藉時會毫末之助，自致於
　　立言不朽之域。與彼假手功名，因得表現者，肥瘠榮悴，固不相同，而孰難孰易，孰
　　得孰失，天下後世當有能辨之者。」陳寅恪：〈楊樹達積微居小學金石論叢續稿序〉，
　　《金明館叢稿二編》，收入《陳寅恪先生文集（二）》，（臺北市：里仁書局，1982
　　年），頁230。

築之學術天地，使表白於天下，就是一種學術貢獻。此在今日，或可謂發潛德
之幽光也。

二　莊方耕與章實齋

　　戴震與章實齋學術之交鋒，早已成為研究清代思想史的一個熱門話題，影
響了許多學者關於清代思想學術的論述。然而即使生前少有交集，章實齋與莊
存與學術之合流，亦即張爾田所言浙東史學與常州經學之交匯，對晚清民初思
想學術之影響，卻也是不容忽視。錢穆先生《中國近三百年學術史》曾用力著
墨於理順龔自珍與章實齋的關係，但似乎並未引起足夠的重視，學者多仍關注
龔氏藉助常州今文學話語所發議論，對中國迎向近代之意義。其實，浙東與常
州固有可會通之處，由龔自珍而譚獻而張爾田，線索清晰。先來看錢仲聯的說
法：

> 學誠揭櫫「六經皆史」之說，把他推及一切立言之書，而闡明其義例，
> 比於漢代劉向的流略之學。繼之而起的為仁和龔自珍，夏曾佑又張其
> 說。爾田是這派學說的後勁。[12]

錢仲聯的論述，著重在龔自珍、夏曾佑、張爾田對浙東學術的傳承。[13]但是正
如夏曾佑贈梁啟超詩所云：「瑗人（龔）申受（劉）出方耕（莊），孤緒微茫接
董生（仲舒）。」[14]梁氏認為「此言『今文學』之淵源最分明」。[15]龔自珍既有
莊、劉一系之傳承，則私淑龔氏的夏曾佑、張爾田二人，當然在宗旨章氏之
外，還浸染常州一系的今文《公羊》之學。吾人可以藉由張爾田的敘述，作為

12　錢仲聯：〈張爾田評傳〉，《夢苕盦論集》，頁449。
13　錢基博亦云：「『《易》、《書》、《詩》、《禮》、《樂》、《春秋》六經，皆史也。』會稽章
　　學誠倡焉；仁和龔自珍、餘杭章炳麟、錢唐張爾田推衍焉。」《周易解題及其讀法》
　　（臺北市：臺灣商務印書館，1989年），頁1。
14　夏曾佑：〈贈新會梁卓如孝廉〉七首之四，夏麗蓮編：《夏曾佑穗卿先生詩集》（臺北
　　市：文景書局，1997年），頁41。
15　梁啟超：《清代學術概論》（臺北市：臺灣商務印書館，1985年），頁123。

補充。張爾田題《味經齋遺書》曰:

> 孟子有言,古之人所以大過人者無他焉,善推其所為而已矣。七十子後
> 學治經皆如是,惟西漢今文家學獨得其傳。莊先生深於今文家法,然亦
> 不盡墨守今文家之言,故所著書,皆攄其所自得,期符乎古聖之心,幡
> 天際淵,與道大適,文辭古茂,賈、董之儔,不必以考據家陳言議其得
> 失,校其離合也。先生猶子葆琛氏及劉、宋諸儒,皆從先生出,始以今
> 文學起其家。其別子為江都淩氏,傳陳卓人先生。門人有孔廣森、邵晉
> 涵。廣森別名他師,晉涵頗究心義訓,不欲以考據學自畫,是為先生之
> 道與浙學棣通之始。其後仁和龔氏、邵陽魏氏,皆私淑而有得者,以其
> 所術,一變至史。龔氏之後,為譚仲修;魏氏之後,又有皮鹿門。然而
> 擬諸先生,則有間矣。道之精微,通於神明,信乎弘之者在人與!余生
> 平治學,涂轍宗會稽章氏,而於先生書,則服膺無間然,尋誦再周記
> 之。爾田。[16]

這是張爾田晚年心迹的自我表白。其中既有對莊氏經術文章之讚揚,也強調不
應以考據學眼光評論莊氏學術之優劣。然筆者以為,這一則記載的重點不在於
他對莊氏學術之揄揚,而在於他對莊氏學術傳衍之敘述。就一般的常州學術系
譜言之,重在莊氏而劉、宋,劉、宋而龔、魏,龔、魏而康、梁之繼承關係;
然張氏此處所記,一則突顯出浙東與常州合流之跡,他記龔、譚,是出於浙東
與常州合流的觀察,著重在所謂「以其所術,一變至史」這一層次,而不單純
是就一般所謂今文學的傳衍論定之;一則表明自身學術的價值立場,既宗實
齋,亦服方耕,可謂與定盦、復堂一脈相承。許多談論張爾田學術者,多就其
與章實齋之關係論之,強調其融合浙東與浙西之史學造詣[17],實則常州莊氏之

---

16 王鍾翰錄:〈張孟劬先生邂堪書題〉,《史學年報》第2卷第5期,頁399。

17 如鄧之誠云:「世方重錢、王史學,以補苴考訂為工。君獨明體例,弘鑒裁,鳩集眾
　　事,志在紀述,欲自謝山,以窺黃、萬,遙接東萊、博厚、身之之緒,以光大浙東史
　　學。所撰行世者,有《史微》八卷,本章學誠之旨,求證於群經諸子,窮源竟委,合
　　異析同,以推古作者之意,識學誠為通類知方,燦然有緒。……君素服膺章學誠、龔

學在張氏日後建構其學術藍圖時，所起作用並不亞於章實齋對張爾田之影響。
從《史微》一書的內容可以明顯的看出，張爾田力圖透過對經、史關係作妥善
論述，以綰合莊方耕與章實齋二家之學；而從〈邂堪書題〉、〈屋守齋日記〉等
著作中，則可以鉤勒出張氏此一學術目的形成的過程。所以，討論張爾田的學
術，決不能僅就與實齋學術傳承這一面討論之，而應正視其兼綜實齋史學與莊
氏經學之事實。

　　張爾田著意於經史關係的學術主張，與龔自珍、譚獻二氏對他的影響密不
可分。梁啟超言：「光緒間所謂新學家者，大率人人皆經過崇拜龔氏之一時
期。」[18]然爾田於龔氏，可謂終身服膺。既仿其「瑰麗之辭」，又承其學術緒
論。據錢穆先生所記，爾田之家，與龔氏累世姻婭[19]，他自少至老，喜讀《定
盦文集》，對龔氏學行，有一分難以言喻的孺慕之情。[20]形諸文字，頗哀感動
人，值得詳細錄出。如言：

> 余少好定盦文，今老矣，好益篤。嘗衡三百年文士之卓卓者，汪容甫及
> 定庵而已。容甫文從經出，定庵文從子出。容甫學漢、魏，不寫放其
> 貌，而取其神；定盦學周、秦，不規橅其辭，而得其意，是二家皆與古
> 代興者也。定盦憂患來世，其言尤危苦，語極詭詭，意蘊沉悲。天方降

自珍，維此不敢苟同，余皆與君合，以是稱至契。」〈張君孟劬別傳〉，頁323。持此
　　說法者，尚可參錢仲聯：〈張爾田評傳〉，頁449-450；張克蘭：〈張爾田學術師友敘
　　論〉頁68-74；張豈之、麻天祥編：《民國學案・張爾田學案》（長沙市：湖南教育出
　　版社，2005年），卷2，頁131-138；張笑川：〈經史與政教──從《史微》看張爾田對
　　中國古代學術思想的解讀〉，頁177-186。
18　梁啟超：《清代學術概論》，頁122-123。
19　錢穆：《中國近三百年學術史》，頁613。
20　此處引錢穆先生一則記載，作為補充。其言云：「一日，余去北大有課，攜《清華學
　　報》所刊余近撰〈龔定盦〉一文，過孟劬家門前，囑其門房遞進。及課畢歸，見孟劬
　　留有一紙條，乃知孟劬已來過余家，蓋不知余赴北大有課也。余遂即去孟劬家，孟劬
　　娓娓談龔定盦軼事，意態興奮，若疑余有誤會。孟劬與余亦屬忘年之交，前輩學者，
　　於昔人事，若不干己，而誠誠懇懇不肯輕易放過至此。」錢穆：《師友雜憶》，收入
　　《錢賓四先生全集》（臺北市：聯經出版公司，1994年），冊51，頁186。

癙吳會，丰昌之土，淪為山越。衰病徂年，鍵戶獨處，炳燭誦斯集，迴憶三十年前，又一人世間矣。所以哲者不苟作，必顯一世，常然之符也，詎不信歟。丁卯元夕燈下記。[21]

此處由文論龔氏與汪中，乃出於傳統文人重文章之視野。然「文」與「學」本非界域涇渭，往往前者為後者之表現，後者為前者之根柢。值得注意的是，他對定盦憂患來世的感慨，亦可謂對其自身所處時代之感傷的投射。在關心世變的文人本質上，二人可謂若合符契，此蓋陳寅恪所謂「浪漫之文學」者。又曰：

余髫辮誦定盦文慈母帷中，中間肴饌百家，整齊六籍，籀三千年史氏之簡，與定盦涂轍，或合或否。年三十矣，治文章家言，斐然不自揆度，成《史微》三十餘篇。既殺青，可繕寫，世或以定盦許我，謝未遑也。雖然，定盦之文奇，而吾之文正；定盦之文隱，而吾之文由隱以至顯；定盦文圓而神，法天；吾之文方以智，法地。至於覃微極思，遠見前覩，則未知於定盦何如也。會稽竹箭，東南之美，得一定盦，而余小子乃恢其緒，斯亦足以自慰矣。赤眚稽天，坤軸將毀，藏山之業粗成，襄陵之禍已及，魂魄一去，便同秋草，日暮塗殫，聊復書之。丁丑二月遯堪居士張爾田記。[22]

此處則是張氏將自己的治學與龔自珍相比較，雖然對世人以定盦許之，稱謝未遑，實則深心之中，亦自有一分承繼定盦緒論的期許，所以說「余小子乃恢其緒，斯亦足以自慰矣」。當然張氏所恢龔氏之緒，不僅止於龔氏的文章而已，還有定盦的學術。龔氏學術之雜染常州與實齋之學，錢穆先生論之已詳，所謂「定盦之學，雖相傳以常州今文目之，而其最先門徑，則端自章氏入。亦以章氏學之與常州，若略其節目，論其大綱，則同為乾、嘉經學之反響，故遊其樊

21　王鍾翰錄：〈張孟劬先生遯堪書題〉，《史學年報》第2卷第5期，頁383。
22　同前註。

而得相通也」[23]，這是一個相當重要的觀察。

　　至於張爾田與譚獻的關係，據其弟張東蓀所記，是「少曏聞鄉先生譚復堂緒論」。[24]而譚氏的學術傾向，又是兼有常州與實齋二家之說。據夏寅官所記：「（譚獻）二十五六以後，潛心經訓古子，有志於微言大義。……淡於仕進，銳志著書，盛推武進莊方耕侍郎，會稽章實齋為當代絕學。」[25]譚獻也曾說：「於今人之經學，嗜莊方耕（存與）、葆琛（述祖）二家。」[26]而在譚獻的《復堂日記》中，則隨處可見評論常州與實齋之學的記錄，如論常州則曰：

　　閱莊先生《春秋正辭》，此絕業也。兼采程伊川、胡康侯，或者《尚書既見》之意乎？博大至深，條舉件繫，卓乎屬辭比事之教也。[27]

　　閱劉申受《書序述聞》，說《尚書》精深，源于宗伯公。吾故謂莊氏家學

---

23 按：錢穆先生對常州與章氏學術合流之討論，主要體現在《中國近三百年學術史》中論章學誠及龔自珍兩章，讀者可參。

24 張東蓀：〈重定內篇目錄序〉，收入張爾田著，黃曙輝點校：《史微》（上海市：上海書店，2006年），頁156。按：從〈屨守齋日記〉中，可以看出爾田對譚獻的尊重之意，每以復堂之意見為意見。如記譚獻對夏曾佑的規過之語，言：「復堂先生亦好《公羊》者，嘗以破壞《六藝》規穗卿，蓋老輩之用心如此。」又論周濟《晉略》曰：「保緒此書有聲於當世，鄉前輩譚復堂亦極稱之。」張爾田：〈屨守齋日記〉，《史學年報》第2卷第5期，頁363、367。

25 〔清〕夏寅官：〈譚獻傳〉，《清碑傳合集》（上海市：上海書店，1988年），冊4，總頁3743。按：《復堂日記》列有〈師儒表〉，列十一種學人門類，他將莊存與和章學誠同列絕學，置諸最前列。章學誠的年輩稍後於莊存與。他有關史學和史料編纂學性質的論著一直受到冷落，直到二十世紀因胡適與內藤湖南的研究才引起重視。莊存與之名在其逝世後大約五十年的十九世紀中葉，因劉、宋、龔、魏大倡《公羊》學說而為人所知。然而，莊氏的學術精神，即使於今日，亦少有深入發掘者。在當時，則誠如譚獻所云，乃絕學也。

26 〔清〕譚獻：〈諭子書一〉，同前註，總頁3747。章太炎亦云：「譚先生好稱陽湖莊氏。」《章太炎先生自定年譜》（上海市：上海書店，1986年），頁4。

27 譚獻著，范旭蒼、牟曉朋整理：《復堂日記》（石家莊市：河北教育出版社，2001年），頁3。按：《尚書既見》為莊存與討論《尚書》之專著，主要為依據孟子之說，描繪三代聖王的理想世界。

精于惠、大于王也。[28]

記實齋則曰：

於書客故紙中搜得章實齋先生《文史通義》、《校讎通義》殘本，狂喜，
與得《晉略》同。章氏之識冠絕古今，予服膺最深。[29]
閱《文史通義‧外篇》，表方志為國史，深追官禮遺意，此實齋先生所獨
得者。……懸之國門，羽翼《六藝》，吾師乎！吾師乎！吾欲造〈學論〉
曰：「天下無私書，天下無私師。」正以推闡緒言，敢云創獲哉！[30]

在《復堂日記》中，隨處可見對二家之學的推闡。錢基博有見於此，故其論定
譚獻之學術曰：

以吾觀復堂，就學術論，經義治事，蘄向在西京，揚常州莊氏（莊存
與、述祖、綬甲祖孫）之學；族類辨物，究心於流別，承會稽章氏（學
誠）之緒。惟《通義》徵信，多取《周官》古文，而譚氏宗尚，獨在
《公羊》今學。蹊術攸同，意趣各寄。近人錢塘張爾田孟蓬著為《史
微》一書，以《公羊》家言而宏宣章義，實與譚氏氣脈相通。[31]

另外，錢基博在〈近代提要鉤玄之作者〉一文中，評論《史微》為：

紹述文史，匡謬拾遺，不為墨守。然章氏以《周官》為門戶，媿於古
文；張氏此書，以《公羊春秋》為根極，所主今學。而張氏調停其說，
頗多新義。[32]

錢基博之說，既指出譚獻以《公羊》學轉換實齋論說之核心，並且指出張爾田
《史微》與譚獻學術觀點的繼承關係，所謂「以《公羊》家言而宏宣章義」、

28　同前註，頁4。按：宗伯公即莊存與，官至禮部左侍郎，擬諸《周官》，為少宗伯。
29　同註27，頁17。
30　同註27，頁20。
31　錢基博：〈序〉，收入《復堂日記》，頁5。
32　錢基博：《錢基博學術論著選》（武漢市：華中師範大學出版社，1997年），頁156。

「以《公羊春秋》為根極,所主今學」者,已是對章氏史學,作核心概念之轉換。在張氏《史微》及其他相關的論述中,可以看到如下的思維模式:首先,根據經學今、古文之概念論定實齋《六經》皆史之論為古文說;其次,則以今文《公羊》家言取代實齋所主古文《周官》之言,作為其經史關係演變的理論軸心。錢基博的觀察,對我們辨章張氏的學術根柢,有重要的參考價值。

張爾田之學既自龔、譚而來,二人之議論,又兼綜莊氏、實齋二家之說。所以,可以預見的是,即使張爾田已明言其「生平治學,涂轍宗會稽章氏」[33],又說「曩嘗纂《史微》,闡明實齋《六經》皆史之誼」[34],然在概念與操作上,必有與章氏宗旨異趣之處;更何況他亦自言:「生平為學,從實齋出不從實齋入,世謂余為章氏學,斯未敢言。」[35]所以有必要從釐清張氏相關言論的過程中,尋得其撰述《史微》的學術脈絡,從而理清其心目中經、史地位之輕重。在這些言論中,既有依據常州今文《公羊》之學的經學觀點,同時亦雜有浙東史學之緒論。若能離析清楚,將有助於說明張爾田的學術歸趣及其經史立場。

首先,是對莊存與學術的推崇。這裏牽涉到張爾田究竟是以實齋為宗主,還是究極於莊氏的推斷。張氏曾言:

> 讀《味經齋遺書》,莊先生深於《易》、深於《禮》、深於《春秋》、深於天官、曆律、五行,故能博大精微,根極道要,延今文家一線之傳,斯為真漢學,斯為真經學。嘗謂莊葆琛言〈夏小正〉,劉申受言《三傳》,陳勾溪、淩曉樓言《公羊》,龔定盦言史、言諸子,無不淵源莊氏。嗚呼!若莊氏者,可為百世之師矣。[36]

又曰:

33 王鍾翰錄:〈張孟劬先生遯堪書題〉,《史學年報》第2卷第5期,頁399。
34 張爾田:〈漢書藝文志舉例序〉,《亞洲學術雜誌》第2期,頁9。
35 王鍾翰錄:〈張孟劬先生遯堪書題〉,《史學年報》第2卷第5期,頁384。
36 張爾田:〈屏守齋日記〉,《史學年報》第2卷第5期,頁352。

再讀《味經齋遺書》，經學至此，真能分漢、宋兩家言理之界限，元和惠
氏、婺源江氏不及也。[37]

在記載讀書心得的私人日記中寫下「幡天際淵，與道大適」、「博大精微，根極
道要」、「斯為真漢學，斯為真經學」、「可為百世之師」等稱頌語彙，若非真心
服膺，何能如此推許。而其所謂「真能分漢、宋兩家言理之界限」者，豈不謂
舉與宋學對立的漢學正統歸之莊氏，以故言「元和惠氏、婺源江氏不及也」。而
且張氏由年輕到年老，對莊存與都尊稱莊先生，這是極為罕見而尊重的稱呼，
戴震與乾、嘉諸老輩無此禮遇，惟方耕與實齋當之。不過張氏於方耕書，是
「服膺無間然」；於實齋所撰作，則多少亦有些批評。並且這些批評，又都具有
在關鍵處與本質上決定二家高下的意義。如曰：

閱章實齋《文史通義》，《校讎通義》，全從《漢藝文志》、《文心雕龍》、
《史通》發窌得來。宗旨嫥壹，勇於冥獲，故能辨章六朝以前學術源
流，而不為後儒所惑，惜乎其知史而不知經也。孫受之（德謙）云：「章
氏所言，皆後世史例，於《漢志》用力尚粗。」穗卿（夏曾佑）云：「國
朝言古文學家，未有深通如實齋者也。」[38]

章學誠曾批評戴震「不解史學」[39]，他對戴震學術的挑戰，也是從史學入手。
在章氏看來，求道之路，不僅只在「經傳訓詁」一路，「文史校讎」同樣是通向
道的康莊坦途。張爾田反其道來批評實齋「知史而不知經」，頗有從根源處下手
之意味。所以在《史微》中，雖有援實齋論史學之意，然於實齋「《六經》皆

---

37 同前註，頁353。

38 同註36，頁341。

39 按：章氏又批評東原「於史學義例、古文法度，實無所解」。此處所言古文，非指古
文經學，而是韓、柳古文。他說：「馬、班之史，韓、柳之文，其與於道，猶馬、鄭
之訓詁，賈、孔之義疏也。戴氏則謂彼皆藝而非道，此猶資舟楫以入都，而謂陸程非
京路也。」其意蓋謂文史之學與經義訓詁皆是通往道之門徑。〔清〕章學誠：〈記與戴
東原論修志〉、〈書朱陸篇後〉，《章學誠遺書》（北京市：文物出版社，1985年），頁
128、16。

史」之說實有所修正，而以為「《六藝》由史而為經」。[40]這一說法，實際上含有以經今文學之說對實齋理論作修正的意思。此處需稍作分疏，從經、史的區分來看，張爾田認為章氏所業乃史學，故批評其「知史而不知經」；然若以經學概念分，則章氏「《六經》皆史」之說實近於古文經學一路，這也是為何《國粹學報》章、劉一系能輕易綰合實齋之說與古文經說之故。所以張爾田援引夏曾佑之言，認為國朝言古文學家，未有深通如實齋者，自有其深刻意涵在內。在張爾田看來，章實齋「《六經》皆史」的史學理論，乃真古文家之言，較乾嘉老輩（汪中除外）之考據識見更深，也非莊存與之後，淪入辨偽考據的今文家言可比，只不過尚未達到西漢今文家的識見層次而已。在今（經）、古（史）文之間，爾田明顯地偏向今文學。這一偏向，與其以經史、政教平分今、古文經學的觀點密不可分；這一偏向，同時也是他轉換實齋之說的關鍵之處。

三　浪漫文人的《公羊》情懷

　　其次，從不斷地為《公羊》學的辯護中，反映出以《公羊》學說作為其學術見解核心的價值意識。來看〈與王靜安論治公羊學書〉，其言曰：

　　得書曠若復面，且知近治《公羊》之學，甚善。《公羊》孤經，失其傳者二千年矣。國朝儒者，孔巽軒、劉申受輩，稍稍創通大義，而立言不慎，反招嫉者之口。沈文起作〈左傳補注序〉，遂至醜詆《公羊》，不餘遺力。浸尋至於近代，一二猖狂者出，撥亂反正之書，一變而為犯上作亂之媒介，吁！可嘆已。夫《春秋》不過聖經之一，而《公羊》亦不過《春秋》之一，當公羊高與其弟子胡毋生著之竹帛時，何嘗思以此書奪《左》、《穀》之席哉！漢之博士，爭立學官，兩家始成水火；迨至宋儒，以尊王發揮《春秋》，而《公羊》益為世所詬病矣。夫苟以末流之失言，天下學術，固未有無蔽者。《公羊》黜周王魯，固當在不赦之科；彼《左傳》所載周、鄭交質，王貳於虢等語，吾亦未見其義深君父也。平

---

40 張爾田：〈明教〉，《史微》，頁228。

心論古，不宜如是。[41]

沈文起即沈欽韓，著有《春秋左氏傳補注》。在〈序〉中，沈氏以學術史的眼光回顧《左傳》之傳承，以為凡經四厄，第一厄即直指兩漢《公羊》學者之排抵，使《左傳》不能立於學官。[42] 蓋沈氏治《春秋》，專主《左傳》，故對惠棟《左傳補注》出入《公》、《穀》二家，頗致其不滿。又不滿於當時劉逢祿一系治《春秋》專主《公羊》，乃時出譏諷之言。[43] 然沈氏於《左傳》，實有其獨到之處，尤其是詳於禮制、禮義，嚴分今古，較惠氏多有進展。[44] 惟好為譏評，所論有失平正嚴謹，亦不為學者所喜。[45] 從張爾田的言論中，可以看出他為《公羊》學辯護的立場。首先，由他稱許王國維治《公羊》之學為「甚善」，其偏祖《公羊》的立場已不言可喻。其次，他稱《公羊》為「孤經」，其同情《公羊》的態度亦極明顯。再次，他大致由《公羊》學在清代的發展，指出《公羊》學招致批評的原因。最初孔廣森、劉逢祿等人「創通大義」，乃有功於《公羊》；但因「立言不慎」，而招致如沈文起等「嫉者之口」。此處他雖也指出孔氏、劉氏等人可能的缺失，卻更嚴厲指責批評者乃因「嫉」而出批判之語。到

---

41 張爾田：〈與王靜安論治公羊學書〉，《學衡》第23期，頁2。

42 〔清〕沈欽韓：〈左氏傳補注序〉，《幼學堂文稿》（上海市：上海古籍出版社，1995年影印嘉慶十八年刻道光八年增修本），冊1499，頁252。按：其餘三厄分別為：二厄於杜《注》孤行，漢儒古訓因而掩沒不彰；三厄於孔《疏》曲詢杜氏，使賈度之學「始歇終亡」；四厄於中唐以降三《傳》束諸高閣，士人拘於科舉習氣，使「宏辭從橐」，而「應官之文，匄其膏腹」。

43 如致書劉文淇諷其舅氏淩曙為劉逢祿所誤，溺於《公羊》。沈欽韓：〈與劉孟瞻書〉，《幼學堂文稿》，頁283。

44 相關討論，可參張素卿：〈《左傳》古義之學術脈絡與發展趨勢〉，《清代「漢學」與《左傳》學——從「古義」到「新疏」的脈絡》（臺北市：里仁書局，2007年），頁171-191。

45 如李慈銘云：「閱沈文起《左傳補注》，其〈自序〉極詆《公》、《穀》及杜預《集解》，言雖雋快，而以胡毋生等為漢之賤儒，以杜氏為起紈袴之家，習篡殺之俗，以孔冲遠為賣國之諂子，以啖助等為懷惡，以宋人為吮杜預之涕唾，以元、明人為目不識丁，以近人劉申受等為聖世之賊民；至謂以《左氏》視《公》、《穀》，如二八妙姝與盲母狗，殊病偏激，不似儒者之言。」李慈銘：《越縵堂讀書記》（臺北市：世界書局，1975年），頁124。

了清末，《公羊》之學因「猖狂者」出而有「末流」之弊；卻又明確指出，《公羊》學雖有弊，然非《公羊》之過。故極力指出「末流之失言」與學術之本質並不等同的情況。這是張爾田深慨於《公羊》之學經廖、康之流的發揮闡釋，成為人所詬病之「末流」的事實，並對此所作的回應。最末他更直入核心，舉出《左傳》義理不必然高於《公羊》之例，以回應前文所舉沈欽韓以《左傳》立場對《公羊》之醜詆，畢竟《公羊》與《左傳》皆有遭人垢病之處，討論學術，不應偏袒，故云論古宜「平心」而論。為此，他舉歷史上習《公羊》而立身正直者為例，以明《公羊》非猖狂末流之學。如云：

> 《公羊春秋》多非常異義可怪之論，治之者宜發狂。然漢之嚴彭祖、何休，晉之王愆期，唐之殷侑，其人立身，皆有本末，歷考史傳，亂臣賊子，殆無有焉。復堂先生亦好《公羊》者，嘗以破壞六藝規穗卿，蓋老輩之用心如此。程子嘗言，有〈關雎〉、〈麟趾〉之意，方能行《周官》之法。余亦謂有惻隱古《詩》之意，方可讀《公羊》之書。斯誼也，殆非康、廖輩所曉也。[46]

此處所舉，皆與前述「末流」相對比的歷史上純正之《公羊》學者，以為「平心而論」的根據。他指出自漢之嚴彭祖、何休，晉之王愆期，唐之殷侑等，不但沒有末流的「犯上作亂」，成為「亂臣賊子」，且其立身「皆有本末」，具見史傳。明乎此，再懷著一顆「惻隱古《詩》」之意，則《公羊》之價值出，惜乎此意康、廖輩所不能曉。張爾田對《公羊》，除了理智上的學術價值之依歸，其於《公羊》之深厚的溫情，亦躍然紙上。再來看他對蘇輿《春秋繁露義證》的評論：

> 蘇氏書與余同時而出，其疏通《公羊》大誼，時有與余說不謀而合者。而持論多傷於固，又以改制受命新王諸口說一切素王權濟之微恉，悉舉而歸諸漢儒篤時之言，不知聖人遠見前觀，固非為一姓告也，特一姓亦不能外耳。龔定盦有言，大橈作甲子，一歲用之，一章、一蔀亦用之，

---

46 張爾田：〈屠守齋日記〉，《史學年報》第2卷第5期，頁363。

斯為通識。謂劉、宋諸儒鑿之使深，今又矯之使淺，其為失也均，寧有
異乎？其他類是者多，是此書之一病。要其隨文詮釋，大體完善，則固
優於淩氏遠矣。《繁露》無善本，《公羊》又易為奇袤所託，得此差正津
涂。[47]

此處所引文字，雖多為對蘇氏書之批評，然亦可由此見出其於《公羊》見解之
大要。蓋爾田於蘇氏疏釋之善者，不掩其美；至於改制受命、素王權濟之言
等，乃《公羊》學之核心理論，蘇輿因康有為、廖平之故，悉舉而歸諸漢儒篤
時之言，而非聖人為萬世所制之法，故不為張氏所肯定。張氏舉龔氏之言為
據，其意蓋謂聖人之制作，既用於當下，用於將來，亦萬世可用也，斯為通
識。

　　另外，朱一新《無邪堂答問》曾對莊、劉之學大加批判，為張爾田所不
滿，其言曰：

　　與夏穗卿閱《無邪堂答問》，穗卿云：「日記、答問書，最足見一生學問
　　力量。」余謂朱氏論學，多漢、宋騎牆之見。……至其箴砭常州莊、劉
　　《公羊》之學，所謂強不知以為知者也。[48]

其實朱一新對常州之學的批評，有褒有貶，如謂：「漢學家略涉宋學藩籬，而以
之攻宋儒者，惟戴東原。能窺漢儒學術者，若陽湖莊氏之流，亦僂指可數，其
他可言學問，不可言學術。」[49]朱氏將莊存與和戴震並列，以能窺漢儒學術許
之，並且與只能言學問者對舉，可謂看高一線。不過朱氏對劉逢祿、宋翔鳳、
戴望、龔自珍等人則是嚴厲批評，少有許可，如言：「劉、宋、戴諸家，牽合
《公羊》、《論語》為一。于庭復作《大學古義》以牽合之，但逞私臆，不顧上
下文義。定庵專以張三世穿鑿群經，實則《公羊》家言惟張三世最無意義，何
注『恩王父』之說，亦復不詞。定庵以此為宗，烏足自名其學？凡此云云，皆

---

47 王鍾翰錄：〈張孟劬先生遯堪書題〉，《史學年報》第2卷第5期，頁394。
48 張爾田：〈屛守齋日記〉，《史學年報》第2卷第5期，頁341。
49 〔清〕朱一新：《無邪堂答問》（北京市：中華書局，2000年），卷1，頁4。

所謂以艱深文淺陋也。」[50]又曰:「《公羊》家多非常可怪之論,西漢大師自有
所受,要非心知其意,鮮不以為悖理傷教。故為此學者,稍不謹慎,流弊滋
多。近儒惟陳卓人深明家法,亦不過為穿鑿。若劉申受、宋于庭、龔定盦、戴
子高之徒,蔓衍支離,不可究詰。凡群經略與《公羊》相類者,無不旁通而曲
暢之,即絕不相類者,亦無不鍛鍊而傅合之。舍康莊大道而盤旋於蟻封之上,
憑臆妄造以誣聖人,二千年來,經學之厄,蓋未有甚於此者也。」[51]大概唯有
對陳立的評價,是朱氏與張爾田有交集的地方,其他傳《公羊》之學者,皆遭
到朱氏的嚴屬批判,這當然為推尊《公羊》學的張爾田所不滿,所以批評他
「強不知以為知者」。事實上,張爾田與朱一新皆批評劉逢祿以下,然二人所側
重者並不相同。朱氏之批評,有《公羊》學已形成一傳承譜系的思維在內;張
氏則否認此一傳承譜系,以為自莊述祖、劉逢祿以外,如凌曙、陳立、孔廣
森、邵晉涵、龔自珍、魏源、譚獻、皮錫瑞等,各得莊存與之一端,並發展出
自己的特色。又以為述祖、逢祿以下,治經受考據學影響,不逮存與遠甚。換
言之,張爾田對《公羊》學的傳承,以及對莊述祖、劉逢祿以下常州學術的評
價,另有一番見解。

　　所以再其次,是重建晚清今文學的傳承系譜,重點在於強調凌曙、陳立一
系之傳承,以及釐析龔自珍對常州之學的轉換。張氏之說,與通行的常州學術
系譜,有很大的出入。來看張氏致書李詳所言:

　　審言先生惠鑑:損書,並〈《清代學術概論》舉正〉一篇,匡謬正俗,切
　　理饜心,讀之益人神智。尚論一代之學術,譚何容易?梁本妄人,又篤
　　信其師,安得不妄?國朝漢學,自亭林後,定宇、辛楣、以及戴、段、
　　高郵父子,皆不岐視古今文。同時最服膺戴氏者,為孔顨軒,且著《公
　　羊通義》,以講明西京絕學。陽湖莊氏,雖獨尚何休,原未嘗顯立門戶。
　　至劉申受始攻難《左氏》。其後沈文起著〈《左傳補注》序〉,遂痛詆《公
　　羊》,為之報復。然申受之學,一傳而為凌曉樓,再傳而為陳卓人,無不

50 同前註,頁20-21。
51 同註49,頁21。

義據通深，已不遵用其師說。即莊氏彌甥宋于庭，亦莫不然。陳碩甫經學，出自若膺。申毛抑鄭，與莊氏無涉。惟同時魏默深，喜為翻案，說近猖狂。然魏氏本非經師，又無所授，承學者不甚宗之。仁和龔氏，則以金壇外孫，為申受所薦士，遂自名為劉氏學。而經術淺薄，既不可以之附金壇，又豈可以之污申受。梁氏無端分河飲水，別出今文一派，以與古文家角立，為位置其師張本。彼兩漢博士爭立學官，故有今古水火之異，此諺所謂「飯碗問題」也。我輩生千載後，何必揚其波而汨其泥？即此一端，其書雖拉雜燒之可也。[52]

梁啟超曾言：「自他們（莊、劉）專提今文以後，今文學在學術界很有極大的勢力。繼他們而起的，有兩種人，籍貫雖然不是常州，然不能不說是常州一派。一個是魏源，……一個是龔自珍，……南海康先生的學風，純是從這一派衍出。」[53]此一莊、劉、龔、魏、康、梁的今文學系譜建構，在梁氏晚年的《清代學術概》中，又得到進一步的強化，成為近百年來探討晚清今文學的基本框架。但是梁氏的說法並不是毫無疑問的，在當時另有一派私淑龔自珍的學者就頗不以為然。張爾田在信中對梁氏之說所以大加批判，在於他心中自有一套常州學派的傳承系譜。他以不分今古的角度論定莊存與之治學特色，原與漢學家如惠棟、錢大昕、戴震、段玉裁、王氏父子無大異。正如同孔廣森雖服膺戴震，同時也講明西京之學一樣，當時並不存在今古文的門戶問題。其後雖有劉逢祿之攻難《左氏》，引起衛護者如沈欽韓的反擊，然經淩曙、陳立、宋翔鳳修正之後，已不遵用逢祿之說。至於陳奐，其學出自段玉裁，其申毛抑鄭既非申西漢抑東漢，更非申今文抑古文，當然也與莊氏一系無涉。至於與龔氏同時，喜為翻案的魏源，既非經師，又學無所受，當然也不能把他歸諸於莊氏一系帳下。而龔自珍雖以科場因緣，自名為劉氏學，不過經術淺薄，其學既不可以之

---

52 李稚甫、章文欽整理：〈李審言交游書札選存・張爾田先生書札第五函〉，收入蘇晨主編：《學土》第1期（廣州市：廣東高等教育出版社，1996年），頁42。

53 梁啟超：〈兩千五百年儒家變遷概略〉，《儒家哲學》第5章，收入《飲冰室合集・專集之103》（北京市：中華書局，1989年），頁69-70。

附金壇，也不可以之污申受。

　　張氏此處所論，可謂與梁氏之說針鋒相對，是否合理，且先不論。不過有一點必須疏理的是，他既否定了龔自珍與劉逢祿的關係，則常州與龔自珍的關係又將如何安排？筆者認為，這是張爾田處理常州與龔自珍學術傳承關係最具特色之處。在他看來，龔自珍與莊存與的關係，並非透過劉逢祿，而是透過邵晉涵而來。上引張氏題《味經齋遺書》，提到透過邵晉涵，是為莊氏之道與浙學棣通之始。其後龔氏、魏氏，皆私淑而有得者，並「以其所術，一變至史」。而龔氏之後，則為譚獻；魏氏之後，則為皮錫瑞。由莊存與而邵晉涵而龔、魏而譚獻、皮錫瑞的傳承譜系，雖罕見論及，然若詳讀龔自珍、譚獻、夏曾佑、張爾田等人之著作，此一傳承又是頗為分明。錢穆先生曾經為後人找出這一條經學史學對話的一半線索，可惜後人對此並未多加留意。

　　張氏既不滿於梁氏所述的《公羊》學系譜，所以他對《公羊》學的傳承，亦自有其看法。在他看來，常州今文學之傳承，在劉逢祿、宋翔鳳以後，是別子為正宗，推崇的是凌曉樓、陳卓人一系。在〈屠守齋日記〉中，留有許多對陳立的贊語。如云：

> 穗卿來言近閱陳樸園、陳勾溪經說，頗可觀。蓋二家皆能分別今古文流派者也。[54]
> 閱陳勾谿《公羊義疏》，引證甚繁密，是以考據家法治今文之學者。[55]
> 閱《白虎通》，類聚經義之書，今文口說，多賴以存，可寶也。勾溪《疏證》，能分別家派，尤便初學。[56]

他對陳立的推許，集中在能傳承今文經學的立場上；至於龔自珍與魏源，則認為只能算私淑而有得者，而且也已根據自身原有的學術傳承，將所得於常州之緒論，轉化為史學。張氏言「龔定盦言史、言諸子，無不淵源莊氏」者，當由此觀之。正因為出於否定梁啟超以龔、魏上承劉、宋之統的說法，所以他也就

---

54 張爾田：〈屠守齋日記〉，《史學年報》第2卷第5期，頁347。
55 同前註，頁357。
56 同註55，頁358。

在策略上極力撇清龔、魏與劉、宋之關係。在他看來，龔自珍傳承常州學術之媒介，與其說是劉逢祿的今文《公羊》路線，不如說是邵晉涵的史學路線來得恰當。由是他批評梁氏無端分河飲水，別出今文一派，以與古文家角立的緣故，是欲為位置其師張本。張爾田所謂「浸尋至於近代，一二猖狂者出，撥亂反正之書，一變而為犯上作亂之媒介」者，以及「《公羊》又易為奇衰所託」者，指的都是梁啟超所張本的廖平、康有為一系。類似的論調，尚可見於其評論淩曙之學的議論中。其言曰：

> 淩氏《公羊》之學，當有所受。據洪梧〈序〉，曉樓從游阮侍郎之門，誨之曰：「武進劉君申受於學無所不窺，尤精《公羊》，與之講習，庶幾得其體要。」於是所見益廣，所業益進，三載歸，《繁露》諸篇皆能通究本末，則淩氏固亦常州之傳也。其後再傳而為陳卓人，實事求是，今文之學，遂與古文考據家方駕。後又有皮鹿門，本之以治他經，疏通西經墜誼，其源皆導於此。近有序皮氏書者，鈞宋、劉、龔、魏諸儒於陳、皮之外，知大誼而撥微言，殆非篤論。此注創通弘恉，統緒可尋，實較蘇輿《疏證》為有家法，非徒斤斤訓詁名物者比。惟引書多不具出處，蹈明人陋習，未免貽餖師之誚耳。董仲舒書與先秦諸子頡頏，治之者必綜貫名理，觸類比物，方能窺其奧藏。惜乎淩氏章句之儒，所得僅此。然以視世之假今文家言，敢於邪說誣民者，則又不可同日語矣。[57]

張氏曾言常州之「別子為江都淩氏，傳陳卓人先生」。不過為了加強他有別於梁啟超所建立的《公羊》傳承系譜，特別考證淩曙亦曾親受逢祿，已非別傳。[58] 淩氏而後，有陳立，其對今文學的貢獻是「實事求是，今文之學，遂與古文考據家方駕」。陳立而後，有皮錫瑞，能「本之以治他經，疏通西經墜誼」。至於序皮氏書者，止述宋、劉、龔、魏之傳承，而斥陳、皮在常州今文序列之外，

---

57 王鍾翰錄：〈張孟劬先生遺堪書題〉，《史學年報》第2卷第5期，頁393-394。

58 按：張氏致書李詳，特言：「淩曉樓之學，出於申受，系阮文達語，可檢《揅經室集》一核。」李稚甫、章文欽整理：〈李審言交游書札選存·張爾田先生書札第四函〉，《學土》第1期，頁41。

張氏認為殆非篤論。張氏此處由莊存與而劉逢祿而凌曙而陳立而皮錫瑞之今文
經學傳承譜系，既欲以此奪梁氏所建劉、宋、龔、魏之《公羊》統宗，以排拒
「假今文家言，敢於邪說誣民者」，又可與其由莊存與而邵晉涵而龔、魏而譚
獻、皮錫瑞的由經學而史學的傳承譜系相對照，看出常州之學，由莊存與而
下，所開出的兩條傳承路線。

　　最後，則是張爾田對今古文經學的認知及價值評斷。這裡牽涉到對《史
微》性質的認定，以及《史微》論述的價值依據。同時又展現在綜合與餖飣、
義理與訓詁、經與史、政與教等問題之上，留到下一節對《史微》的解讀一併
討論。

四　《六藝》由史而經

　　張爾田曾言：「余曩纂《史微》，頗救正今古文家末流之失。」[59]王鍾翰亦
言：「讀先師《史微》一書，則二千年來今古文家學之諍亦可以息也夫。」[60]從
這些議論中，可以捕捉到橫亙在張爾田意識深處的學術大問題，即經學上的今
古文之爭。而張氏「救正今古文家末流之失」，或是「息今古文家學之諍」的方
法，即是援引實齋的史學義例，作經學（今文）史學（古文）之調和。然張氏
與實齋絕異之處，在於爾田無法放棄其學術價值觀中，居於核心地位的今文經
學。故即使雖未明言，然經史在張氏心目中，無疑是經重於史，今文學重於古
文學。

　　所以，平分今古，息今古文之爭，以及對經史性質的轉變作妥善安排，或
許是張爾田在客觀上所欲達到的學術目的。但是在主觀上，並不能隱藏他對今
文家的偏好。錢基博言張爾田欲「揚西漢之微言，薄東京之古學」[61]，是有其
理據的。甚至從張氏對今古文經學的態度，也可以推測出究竟是莊存與抑或是

---

59 同前註，頁394。

60 王鍾翰：〈點校本序〉，收入張爾田：《史微》（上海市：上海書店，2006年），卷首，
　　頁1。

61 錢基博：〈茹經堂外集序〉，收入《錢基博學術論著選》，頁612。

章學誠之說，才是他論說最後的價值根源。以下依序從幾個步驟來討論這個問題。

首先是對學問型態的取捨，牽涉到的是治學方法的高低。爾田有一長文曰〈與王靜安論今文家學書〉，談論的正是這個問題，其言云：

> 兄論《公羊》三統三世，樹義精確，可謂不隨俗耳食之談。惟弟尚有欲進於兄者，則以不知兄之此言，係讀書得間歟？抑從有系統中綜合而得之歟？吾人研究一學，必須先定方法，方有軌道可言。兄嘗謂清朝三百年學術，惟古韻之學成就，即以其能從至繁極賾中綜合之，成一統系也。雖其後有分十八部者，有分二十一部者，此不過密以加密，而終不能違越其大體。使非然者，則但可謂之讀書得間。讀書得間，固為研究一切學問之初步，但適用於古文家訓故之學，或無不合；適用於今文家義理之學，則恐有合有不合。何則？古訓之學，可以目驗，可以即時示人以論據；義理之學，不能專憑目驗，或不能即示世人以證據故也。兩漢今文學家，上蛻化於戰代諸子，下以開章句。佚書雖亡，今見之於世者，伏生之《書》，韓嬰之《詩》，董生之《春秋》，殆無一不用周、秦說經家法。周、秦說經之家法，大抵皆根極名學，而最通用者，在《論語》謂之反，而在《孟子》則謂之推，七十子後學之傳記，及其引經演義，殆無不然。即如孟子之說〈武成〉，說〈雲漢〉之詩，幸而出於亞聖，使出於後人，考據家見之，有不目笑者耶。惟其所用之家法不同，故古今文兩家流別亦遂碩異。……故弟嘗謂不通周、秦諸子之學，不能治今文家言。雖然，此之家法善用之，則為益無方；不善用之，亦流蔽茲大。嘉道以來，不乏治今文諸經者，語其成果，乃無一人，終不能與金壇、高郵諸儒同其論定者，凡以此也。[62]

由他詢問王國維對「三統三世」說的解釋係「讀書得間」或「從有系統中綜合而得之」，可見張爾田將治學分為兩個大層次。而由後面稱許清代古韻之學為

---

62 張爾田：〈與王靜安論今文家學書〉，《學衡》第23期，頁3。

「成一系統」者，及以讀書得間為「研究一切學問之初步」觀之，此二層次之高低已顯然可見。他接著又說「讀書得間」的層次，用於古文家訓故之學或無不合，用於今文家義理之學則或有不合者，則古文學於張爾田心中，屬於較低的層次已可概見。而「讀書得間」之所以不盡合於今文學，乃因義理之學不能專憑目驗。相對於目驗者，則為心會，即所謂「推」、「反」之運用，張氏舉其義於孟子說〈武成〉、〈雲漢〉以見之。孟子說〈武成〉，見〈盡心下〉。蓋〈武成〉篇記武王伐紂時，「攻于後以北，血流漂杵」。對此，孟子曰：「吾於〈武成〉，取二三策而已矣。仁人無敵於天下。以至仁伐至不仁，而何其血之流杵也？」其說〈雲漢〉，見〈萬章上〉。孟子反駁咸丘蒙之問，以為「舜南面而立，堯帥諸侯北面而朝之，瞽瞍亦北面而朝之」之說，乃「齊東野人之語也」。並舉〈雲漢〉之詩為參照，而曰：「『周餘黎民，靡有孑遺。』信斯言也，是周無遺民也。」這兩個例子，都可見孟子對經文的理解，是跳脫文字框架，而以對武王及舜的整體人格之理解，配合儒家所堅守的道德原則、行事原則等，作為理解經典意涵的基礎。相對而言，這是比「讀書得間」的訓故之學更高一層的綜合系統之學問。他認為今存伏生之《書》、韓嬰之《詩》、董生之《春秋繁露》，乃至《論語》、《孟子》中所見孔、孟所論讀經之法，以及七十子後學傳記所見引經演義之說，皆得此周、秦說經根極名學之「家法」。此「家法」若能善用之，則「為益無方」。可惜，嘉道以來雖不乏治今文諸經者，然其成果，卻始終無法與金壇、高郵諸儒比肩，其故在於不善用今文家承自周、秦說經之「家法」，故流蔽茲大。

　　所以，張爾田雖然認為今文學是較高層次而有系統的綜合性學問，但他並不認為當時的今文家之說就無可非議。而此處所謂的今文家，並不單純是指他所厭惡的廖、康一系等「末流」，還包括常州莊（述祖）、劉一系。如言：

> 今文家皆師師相傳，其所用治經之法，蓋近名學，與諸子相出入，覷《春秋繁露》可見，古文家則但就書本考訂耳。故今文學有家法有統緒，古文學但有家法。欲治今文，必先恢復其統緒。常州莊、劉實有見於此。惜乎其所推繹，尚多不合乎名理，後之讀莊、劉書者，但師其意

可耳。[63]

此處指出莊、劉之學雖已見今文統緒，但其所推繹尚多不合名理。從治學方法的角度來看，所謂不合乎名理者，是不能重拾西漢今文「家法」，與周、秦諸子相出入，而仍雜有考據之法在焉。這一點，從上述張氏對淩曙、陳立、皮錫瑞的評論皆可看出。筆者嘗謂常州自莊述祖以下，皆以考據之法論定家族學術[64]，張爾田殆亦有見於此。與此一論點相關者，尚所在多有，如言：「語受之曰：本朝儒者於周、秦諸子之學太疏，不過校勘之勤而已。受之曰：『然，此經學所以衰也。』」[65]爾田又曰：「《史微》之為書也，蓋為考鏡《六藝》、諸子學術流別而作也。」[66]我們有理由相信，他將《六藝》與周、秦諸子合觀之因，與其認為西漢今文家法上承《六藝》與周、秦諸子的觀點有關，而當時莊述祖、劉逢祿一系之所為，遠未能副其意；至於考據襞績之學，則又不必論矣。

另外，與今文綜合、古文襞績之觀點相類者，尚有以今文為義理、古文為考覈之說。來看他的〈與王靜安論治公羊學書〉：

> 大抵治義理之學，較考覈名物訓詁者難且百倍。考覈名物訓詁但使強有力之證據，即可得一結論。治義理之學，既無實在證據取供吾用，則必須縱求之時間，橫求之空間，從至繁極賾中籀一公例，綜合而比較之，而後結論乃成。自古成家之學，殆未有無如是者。儒者立言，往往循於風會，輒據一時所見，一隅所指，妄欲議古人成家之學之是非，此遺經之所以難治也。兩漢傳《公羊》者，董生固為大師，而能參異己之長者，厥維劉子政氏。其見之於言者，無不淵然粹然，不似董生巖岸氣象。昔程子嘗言，有〈關雎〉、〈麟趾〉之意，方能行《周官》之法。余

---

63 張爾田：〈屏守齋日記〉，《史學年報》第2卷第5期，頁352-353。

64 詳細討論，請參拙著：〈論常州學派的學術淵源——從錢穆《中國近三百年學術史》的評論談起〉、〈莊綬甲與常州學派〉，收入《從文士到經生——考據學風潮下的常州學派》（臺北市：中央研究院中國文哲研究所，2010年5月），第2章、第5章。

65 張爾田：〈屏守齋日記〉，《史學年報》第2卷第5期，頁345。

66 張爾田：《史微》，「凡例」，頁1。

亦謂有惻隱古《詩》之志，方可治《公羊》之學。兄真其人矣。[67]

此處一仍前述由治學方法論《公羊》之長。所謂「縱求之時間，橫求之空間，從至繁極賾中籀一公例」者，相較於考覈名物訓詁，雖似無「實在證據」，但其證據所在，卻是從更龐雜繁複的資料中抽繹出條理規律。他推崇劉向過於董生，殆有見於劉向的流略學背景，能兼綜繁賾，抽繹公例。而此「家法」較諸一時所見，一隅所指的考覈名物訓詁，其高下之間，豈在上床下床而已。甚至他對清代乾嘉以來的考據學之不滿，也是根植於以今文為義理的綜合之學，較古文的訓故考訂為高的意識下所發。〈屠守齋日記〉有云：

> 國朝儒者尚考據，乾嘉以後，風氣所趨，至有一書首尾尚未綜貫，而專以扶瑕摘纇為能事者，甚或每說一事，神經怪牒，累牘不休，非是，則人以寡見笑之。俞理初輩，蓋其尤也。昔人有愈雅愈俗之說，此殆所謂愈博愈陋乎？物窮則變，樸學樸學，此法滅在人矣。[68]

如前所述，張爾田不認為講大義可以無限制地天馬行空，故反對康有為等猖狂恣肆之說，而謂有系統之學問，需「從至繁極賾中籀一公例，綜合而比較之」。然而，若乾嘉以來所謂漢學之摘一字一句而考證，只可謂「愈博愈陋」。又如云：

> 保緒此書（《晉略》）有聲當世，鄉前輩譚復堂亦極稱之。……當嘉道之末，蒐儒淺夫群溺於考據襞績之學，成家宏作，有此斐然，亦可謂不自詭隨者也。[69]
> 見王先謙《荀子集解》，注荀卿書者，以楊倞為差可，此解多采近儒說，餖飣瑣碎，無當宏恉，徒便綴學而已，雖不作可也。[70]
> 此書（《經義圖說》）多據《周禮》為說，兼採及宋、明諸儒舊解，每一

---

67 張爾田：〈與王靜安論治公羊學書〉，《學衡》第23期，頁2-3。

68 張爾田：〈屠守齋日記〉，《史學年報》第2卷第5期，頁367。

69 王鍾翰錄：〈張孟劬先生遯堪書題〉，《史學年報》第2卷第5期，頁367-368。

70 張爾田：〈屠守齋日記〉，《史學年報》第2卷第5期，頁344。

制度，必詳其義。雖所列之圖，不甚可據，然較之考古專家蔽於名物度數，轉復勝之。[71]

總之，張爾田認為清代經學之衰，與乾、嘉諸儒專尚考據，而不能在方法上上觀《六藝》與周、秦諸子之學，有莫大關係。雖莊、劉已能窺此與周、秦諸子一脈相承的西漢今文學家法，可惜在實際治學過程中，卻又無法擺脫考據學的羈絆，故不盡符合張氏期望。

張爾田對今古文問題的看法，除了從上述義理與考覈，綜合與襞績等角度相對照之外，又可以從經史與政教的角度來觀察。爾田嘗言：

《六藝》皆古史，而諸子又史之支與流裔也。[72]

又曰：

《六藝》皆史也，百家道術，《六藝》之支與流裔也。[73]

又曰：

《周易》為伏羲至文王之史，《尚書》為堯舜至秦穆之史，《詩》為湯武之陳靈之史，《春秋》為東周至魯哀之史，《禮》、《樂》為統貫二帝三王之史。[74]

又曰：

古無所謂經，史而已；古之治史者，無所謂傳注，子而已。故諸子實古經說也。[75]

既然《六藝》皆古史，諸子百家又是古史的傳注，皆古經說，則張爾田又何必

---

71 王鍾翰錄：〈張孟劬先生邐堪書題〉，《史學年報》第2卷第5期，頁388-389。
72 張爾田：《史微》，「凡例」，頁1。
73 張爾田：〈原史〉，《史微》，頁1。
74 張爾田：〈史學〉，《史微》，頁5。
75 張爾田：〈宗經〉，《史微》，頁5。

有經史之分？這裡牽涉到一個對實齋學的重大修正，就是據今文家說，提出孔子對舊史的改造。龔自珍詩云：「姬周史統太銷沉，況復炎劉古學瘟，崛起有人扶左氏，千秋功罪總劉歆。」[76]以往對此詩的引述多集中在下聯對劉歆扶翼左氏的批評，然上聯實寓有定盦獨特之經史觀。龔氏此處所講的姬周史統，若按張爾田之意來看，指的應是《六藝》、百家等古史之學，即使在漢代，此消沉的古史學傳統仍沒有多大起色。正因如此，使得《左傳》這部周代史書被劉歆竄改得不成面貌。張爾田則轉換龔自珍的觀點，將姬周史統解釋為定於孔子，傳於七十子後學的《六經》。他認為因為東周之遷，天子失官，孔子憫焉。「於是以儒家思存前聖之業，觀書於周，問道於老聃，追跡三代之禮，序《書》傳，上紀唐虞之際，下至秦穆編次其事。《詩》三千餘篇，去其重，取可施於禮義，上采契、后稷，中述殷、周之盛，至幽厲之缺，三百五篇皆弦歌之，以求合韶、武之音，正樂雅頌。贊《易》，繫〈彖〉、〈繫〉、〈象〉、〈說卦〉、〈文言〉。因史記作《春秋》，上至隱，下訖哀，據魯親周故殷，運之三代，自是《六藝》之文咸歸孔氏矣，七十子後學因相與尊之為經。」[77]張爾田援引這一大段源自於司馬遷《史記》的文字，無非用以說明《六經》雖是古史，然在孔子整齊《六藝》之後，史統已歸於孔子；又經七十子後學傳習之後，《六藝》已由史而為經；再經漢武帝廢黜百家，表彰《六藝》，而後孔子之史統定於一尊，於是《六藝》就變成《六經》。

在張爾田看來，《六藝》因為孔子刪定的關係，於是有了經與史的區別。而經與史的區別，又導致今文經與古文經的區別，溯源其根本，則在於政與教的區別。本來《六藝》只是古代的史書，但是《六藝》經過孔子的刪定，就由記載古代帝王事績的史書，變成孔子為後王立法，體現孔子思想的經書。[78]其〈明教〉篇云：

---

76 龔自珍：〈己亥雜詩〉，《龔自珍全集》（北京市：中華書局，1999年），頁514。

77 張爾田：〈原史〉，《史微》，頁2。

78 張笑川：〈經史與政教——從《史微》看張爾田對中國古代學術思想的解讀〉，《史林》
　2006年第6期，頁180。

經與史之區分，政與教之所由判也。由前而言，《六藝》皆三代之政也，故謂之史；由後而言，《六藝》皆孔子之教也，故謂之為經。史主於記事，經主於明義，孟子述孔子修《春秋》之旨曰：「其事則齊桓晉文，其文則史，其義則某竊取之。」以《春秋》之為魯史，而孔子竊取其義焉，則經固分有常尊矣。[79]

正是從孟子論《春秋》性質推導而來，張爾田由是批評章實齋知史而不知經。其言曰：

後世辟儒，其知《六藝》為史者鮮矣，其知《六藝》由史而為經者更鮮矣。知《六藝》為史者，輓近獨一章實齋，可謂好學深思而不隨流俗之士也。然章氏祇知《六藝》之為史，而不知《六藝》之由史而為經，故其持論曰：「古之所謂經，乃三代盛時典章法度見於政教行事之實，而非聖人有意作為文字以傳後世也。」又曰：「《六藝》皆周公之典章。孔子有德無位，不敢操制作之權，惟取周公典章申明之，所以學周公也。」夫《六藝》為周公之典章法度，是固然已，然典章法度歷代不相沿襲者也，《六藝》雖周公舊史，苟非經孔子刪定纂修，垂為萬世不刊之經，又何取乎歷代不相沿襲之典章法度以垂教後王也？[80]

從這一段話，可以清楚看到張氏認為經孔子刪定纂修後之《六藝》，已非典章制度可盡，其實質乃由史轉變而為經。經主明義，為孔子垂教後王之所具。這樣的言論，放在其他地方，或者只是儒者之常談；然而放在號稱欲闡明實齋《六經》皆史之誼、宣究其史學義例的《史微》中，就有了不同的意義在焉。這樣的觀點，也出現在其〈屠守齋日記〉中，如云：

《六經》皆史也，而孔子刪定之。史官皆所優為，何必聖？曰：此正孔子所以為聖也。史，往跡也，非經孔子加以意義，則不能以開來。故治

79　張爾田：〈明教〉，《史微》，頁228-229。

80　同前註，頁228。

經在明其義，知其義，則雖先王，未之有可以義起也。[81]

如上所言，史主於記事，經主於明義。那麼，經與史的關係，就產生了經學上今文和古文兩大派別。「今文者，孔子說經之書而弟子述之者也；古文者，舊史說經之書而孔子采之者也。」[82]「《六藝》之有今古文也，古文為舊史說經之言，今文為孔子說經之言。」[83]「故《六藝》有兩大派焉，一曰古文，一曰今文。古文者，舊史說經之書而孔子采之者也；今文者，孔子說經之書而弟子述之者也。純乎明理者今文也，兼詳紀事者古文也。」[84]「夫《六藝》皆周公之舊籍也，而有經孔子別識心裁者，則今文諸說是也；有未經孔子別識心裁者，則古文諸說是也。今文為經，經主明理，故於微言大義為獨詳；古文為史，史主紀事，故於典章制度為最備。」[85]如前所言，由經與史之分，進而為政與教之別。但是在張爾田心目中，相比於政，教更有長久的意義。先來看一則皮錫瑞的說法：

> 孔子……晚定《六經》以教萬世，尊之者以為萬世師表。自天子以至於士庶，莫不讀孔子之書，奉孔子之教，天子得之以治天下，士庶得之以治一身，有舍此而無以自立者。此孔子所以賢於堯、舜，為生民所未有，其功皆在刪定《六經》。[86]

皮氏以為孔子所以賢於堯、舜之處，在於刪定《六經》以教萬世。張氏此一教高於政的經典觀，正是今文家認為孔子以《六經》垂教萬世之說的進一步引申。所以他說：

> 周公之政，歷代沿襲不同者也；孔子之教，天不變道亦不變者也。天下

---

81 張爾田：〈孱守齋日記〉，《史學年報》第2卷第5期，頁354。

82 張爾田：《史微》，「凡例」，頁4。

83 張爾田：〈原史〉，《史微》，頁3。

84 張爾田：〈原藝〉，《史微》，頁15。

85 張爾田：〈古經論〉，《史微》，頁208-209。

86 〔清〕皮錫瑞：〈序〉，《經學通論》（臺北市：臺灣商務印書館，1989年），頁1。

> 有敢於更張周公典章法度之人，必無敢於滅裂孔子名教之人。周公創制
> 典章法度，以為一世致太平；孔子本周公之典章法度加以王心，以為萬
> 世立名教。[87]

其實孔子之教，就是經他刪述《六藝》，以為後王立法的大義。透過這樣的聯
結，那麼經與史，政與教，今文與古文之高下，亦已判然。雖然他曾言著《史
微》的目的，是要救正今、古文家末流之失。並且也再三強調：

> 非考古文不知孔子刪削之原，非考今文不足知舊史損益之善，道故相須
> 而成也。[88]

又曰：

> 夫孔子大聖人也，周公亦大聖人也，周公之聖為一代致太平，孔子之聖
> 為萬世立名教，孔子之微言大義莫備於今文，周公之典章制度莫詳於古
> 文，古文明而周公致太平之道明，周公致太平之道明，而後孔子損益舊
> 史、垂教萬世之義亦明。苟知此義，則古今文之哄可以不作矣。[89]

但是我們仍然可以從他的一系列論述中，品出《史微》一書有輕古文而重今
文，輕史而重經，輕政而重教的味道。正如張笑川所言：「既然《六藝》中蘊含
著政與教的區別，相比之下，闡明孔子的教義更為重要，因為『周公之政歷代
沿襲不同者也，孔子之教天不變道亦不變者也』。儒者通經的目的在于明教，而
為了明教則不得不借助于今文經學。因此張爾田在《史微》中雖自稱于今古文
無所偏廢，但無疑更重視今文，因為今文經學才是孔子的真傳，所以錢基博認
為張爾田、孫德謙『專意述學』，康有為、梁啟超『好為政論』，但有共同的特
點，即同樣是要『歸于揚西漢之微言，薄東京之古學』。」[90]所以錢基博所謂張

87　張爾田：〈明教〉，《史微》，頁231。
88　張爾田：〈原藝〉，《史微》，頁18。
89　張爾田：〈古經論〉，《史微》，頁220。
90　張笑川：〈經史與政教——從《史微》看張爾田對中國古代學術思想的解讀〉，《史林》
　　2006年第6期，頁183。

爾田欲「恢史統以紹孔統」[91]的實質意義，說穿了就是以今文家說對章實齋經史觀的改造。[92]再引一例張爾田日記之說，以作為本文之結束。其言曰：

> 乾嘉諸儒治經學，今古文多不甚區別，定宇、東原皆然。道咸以來，兩派始漸有角立之勢，自廖平輩出，而今文弊矣。自章枚叔輩出，而古文又弊矣。今文之弊易見，古文之弊難見。易見其患淺，難見其患深。患淺者不過亡國而已，患深者且將滅種。道之興廢，豈不在人哉！偶與受之談，為之三歎。[93]

我們或者可以說，張爾田撰作《史微》的潛意識，其實是目覩經學衰蔽的有感而作。在他看來，今文之弊易見，古文之弊難見。他心目中的古文學，是可以洞悉古史之源，如汪中、章學誠之所論。[94]然古文學之弊，其故在於古文學之治經型態，前已言之，其禍患且將有滅種之虞，此其憂患也。然則其深心之中，經學之振衰起蔽，豈不有待於今文學乎！而今文學之重心，或者說張爾田之所以看重今文學，其實是出於內心深處《公羊》家的浪漫情懷。畢竟《公羊》學始終是晚清今文學的代表。

五　結語

　　常州學派治經最著名的論斷，是「《春秋》非記事之史」，堅持《春秋》的

---

91 錢基博：〈茹經堂外集序〉，收入《錢基博學術論著選》，頁612。

92 又錢基博云：「一生問現代史學之趨勢若何？余告之曰：現代治國史者不外兩派：大抵言史例、史意者一派，紹明章學誠之緒論；如張爾田、何炳松是也。一派考證上古，以疑經者疑史，揚康有為之唾餘；顧頡剛為此中健者。」蓋張氏所言史意，其著力處正在「恢史統以紹孔統」一言。錢基博：《古籍舉要》（臺北市：新文豐出版公司，1979年），頁95。

93 張爾田：〈屏守齋日記〉，《史學年報》第2卷第5期，頁366。

94 按：張爾田對汪中評價頗高，幾與章實齋等同。如言：「閱汪容甫〈左氏春秋釋疑〉，洞悉古史之源，與章實齋所言，不謀而合，非深通古文家學者不解也。」〈屏守齋日記〉，《史學年報》第2卷第5期，頁360。

經學性，亦即堅持經典的經學性。此一原則自莊存與經莊述祖而劉、宋，無不堅持，實難與實齋《六經》皆史之命題有其會通之處。然張氏《史微》利用經學今文、古文之命題，以明周公孔子、經史政教之分，既承認《六藝》皆古史，也強調藉孔子之手，《六藝》產生由史而經之轉換，然後常州與浙東，可以有對話的可能性。即此一點，張爾田之功，已足表彰。然吾人觀書，須穿透表象，直達本質。張爾田之客觀目的，或欲平分今古以熄爭，然在輕重之間，已破壞實齋之理論體系。此點亦早為錢基博所窺破，惜乎乏人問津也。張氏書成之後，褒者有之，如其弟子王鍾翰；[95]貶者有之，如胡適與王國維。[96]以筆者觀之，與其將《史微》看作張氏對古代學術的解釋，不如將它看作是張氏努力統整兩大學術流派的嘗試，希望藉此而得到一種理想的學術方法。其所論列，或非客觀之古代史實，而頗似西方之歷史哲學。當然，除了上述目的之外，張氏論述另一重點在於重排晚清今文學的學術系譜，以為若執著於龔、魏、康、梁之圖式，將有害學者對晚清今文《公羊》之學的通盤理解，此在今日研究晚清學術，尤其具有重大意義。此為個人讀後心得，爰記筆端，方家是正。

——原載《書目季刊》第 41 卷第 3 期（2007 年 12 月），頁一～二九
後收入《從文士到經生——考據學風潮下的常州學派》，頁四六三～五〇五

---

95 王鍾翰：〈讀張孟劬先生《史微》記〉，《燕京大學圖書館報》第128期。

96 例如胡適評孫德謙《諸子通考》曰：「此書究竟可算是近年一部有見地的書，條理略遜江瑔的《讀子巵言》，而見解遠勝於張爾田的《史微》。」又王國維亦批評《史微》多無根之談。曹伯言編：《胡適日記全編（3）》（合肥市：安徽教育出版社，2001年），頁410；吳澤主編：《王國維全集‧書信》（北京市：中華書局，1984年），頁124。

憤憾書寫
——馮玉祥《讀春秋左傳札記》

蔡妙真

國立中興大學中國文學系副教授

一　緒論

　　馮玉祥（1882-1948），一個只受過一年三個月私塾教育的軍閥；[1]《左傳》，一本歷代學術菁英爭論精義的千年古書。把這麼兩極的元素媒合成一本札記，詭異而令人好奇。

　　孫悟空由石頭迸出之前，還得先受天地日月之精華；馮玉祥《讀春秋左傳札記》自非憑空而來、無的放矢。如果視馮玉祥《讀春秋左傳札記》為時代拼圖的碎片，則這個時代的大環境色澤如何左右每塊殘片配得的色彩？這塊小拼片花樣如何？置入大拼圖後，吾人可以看到怎樣的圖案？

　　馮玉祥一生，不僅跨越清末帝制至民國民主社會兩種「世代」，甚至參與了國共政治意識型態之爭，他面對的永遠是兩極的價值與政治體系的爭執

---

[1]　〔美〕薛立敦著，邱權政、陳昌光、符致興譯：《馮玉祥的一生》（杭州市：浙江教育出版社，1988年），頁50-51。「一年三個月」指其正式上私塾就學而言，事實上，依馮玉祥自述，其一生勤學不倦，所讀書籍涵蓋古今中外，除了中國傳統經、史，早期多從文字簡易的說部入手，治軍後喜讀名將家書等；成為軍閥之後，更常聘師講學，也勤學外文。除了自己學習，帶軍也致力於編書、辦教育等事，詳見馮玉祥：《我的生活》（北京市：世界知識出版社，2006年），頁25、64、66、73、80、142、252-253等，及薛立敦前揭書，頁108-109。但馮之「勤奮好學」是與大部分軍閥相較，在時人眼中，他依然被視為「多謀而無學」。（薛立敦前揭書，頁59）。

——封建與民主，資本與共產。在這個時期，世事猶如簸箕揚穀，顛甩翻滾，有人逐風吹落，有人蹦縱竄跳。尤其一九一六年至一九二八年間，民國軍閥混戰時期，[2]「連年不息的軍閥混戰給國民經濟帶來了浩劫，北洋軍閥統治時期軍閥混戰極為頻繁。各自為政的軍閥割據已經極大地阻礙了現代經濟的發展，而長年累月的兵連禍結，對於生產事業的破壞尤為嚴重。軍閥軍隊所到之處，無不燒殺擄掠，塗炭城鄉……。」[3]

　　不論各省系軍閥形成的背後因素是什麼，依照當時大部分軍閥的行事風格來看，軍閥的存在與理念是與民主社會背馳的。「（軍閥）各有一支為自己爭權奪利而服務的軍隊、他們各有一塊可以任意搜刮和統治的地盤、大都是帝國主義在中國進行統治的工具。」[4]這三個界定「軍閥」的元素，恰恰對反於孫中山（1866-1925）革命時提出的「民權」、「民生」、「民族」主義。如果再以列強侵吞中國的時代傷痕來檢視，「民族主義」理當是自辛亥革命（1911）以來的核心精神：推翻滿清須賴民族主義之宣揚，抵禦帝國殖民主義更須張揚民族主義。但軍閥最受詬病的，不是其踐踏生民，反而是背後有帝國主義幽靈：

> 中國的軍閥混戰，是英、美、日、法、德等幾個帝國主義國家，為了侵略中國，劃分它們各自的勢力範圍，利用和操縱封建軍閥，使之成為它們侵略中國的工具。因此，軍閥混戰的背後，實質是幾個帝國主

2　「軍閥混戰的時代一般說來，是從一九一六年總統袁世凱去世，一面持續到一九二六年蔣介石領導的北伐。」見〔美〕安德魯‧斯考貝爾：《中國的用兵模式》（劍橋市：劍橋大學出版社，2003年），頁38。

3　中國人民大學書報資料社編：《中國近代史：第7-12期》（北京市：中國人民大學出版社，1980年），頁92。又根據時人的回憶，「那時候，新舊軍閥混戰，一個小小的城鎮，不可能經常駐有軍隊維持地方治安，於是處處盜匪為患，百姓驚恐莫名，不可安居。股匪之大者，會被收編，成為維持地方安寧的團隊。我的那個縣，收編後由仙遊縣的一股土匪駐守。他們沒有軍營，也不進駐廟宇，而隨隨便便進駐民間，成為食民糧，用民財的苛擾百姓的雜牌軍。」見王光前：《陳年舊痕》（臺北市：秀威資訊科技公司，2006年），頁37。

4　來新夏：《三學集》（北京市：中華書局，2002年），頁201。

　　義國家為了爭奪侵略中國的勢力範圍所進行的瓜分中國的鬥爭。[5]

　　日本眾議員尾崎行雄質問寺內首相扶助中國北方軍閥。[6]

　　難怪學者要指出:「軍閥主義作為一種社會現象,其實質是反民族主義的。民族主義渴求國家統一,而軍閥主義卻是在分裂中起家的⋯⋯民族主義要求肅清外來控制和特權,而軍閥主義卻為外國的軍事入侵、政治干涉和經濟剝削打開方便之門⋯⋯軍閥主義只能以犧牲民族主義為代價而生存。」[7]那麼,作為一位軍閥「當事人」,馮玉祥如何看待自己的身分?如若他所思所為有別於一般軍閥,那麼在大環境的不得不然以及軍閥存在的本質中,他曾感到為難?為什麼他會刻意去研讀《左傳》?

　　除了道德價值,《左傳》談的是尊尊、是攘夷,無可否認的,《左傳》即使論「禮」,也因事例對象皆為封建政治制度下的君臣,使得書中許多評議乍看是傾向「維護封建制度」的。此處曰「乍看」,正是為了強調一般讀者對《左傳》意涵的掌握狀況,就如同未受任何影像、音樂訓練的人,第一次看電影的注意焦點大概都在情節發展,未暇其他;必得在有若干聲影相關知識或背景引導等,乃「看到」剪接技法、配樂、燈光、隱喻種種。簡單說來,對如馮玉祥這樣未受經學教育的「素人」受眾來說,[8]《左傳》談的是

<hr />

5　張創新:《中國政治制度史》(北京市:清華大學出版社,2005年),頁397。又《山東省志・軍事志》也提到:「袁世凱篡奪辛亥革命成果,建立起在帝國主義操縱下的封建軍閥統治政權之後,地方軍閥也依賴帝國主義的支持實行封建割據。各帝國主義國家為了爭奪在中國的勢力範圍,不斷支援慫恿其豢養的軍閥挑起戰爭,使中國陷入連年不斷的軍閥混戰。」見山東史地方史志編纂委員會:《山東省志・軍事志》(濟南市:山東人民出版社,1996年),頁734。

6　郭廷以:《中華民國史事日誌1912-1925(民國元年壬子——十四年乙丑)》1917年6月27日(臺北市:中央研究院近代史研究所,1978年),頁311。

7　〔美〕薛立敦:《馮玉祥的一生》,頁34。

8　馮玉祥讀過《易經》、《左傳》等經書,但「讀經書」不等於受過「經學」教育,所以他常嘆自己對古籍掌握不足:「我是一個行伍出身的人,常常感覺自己讀書太少,學識不足。」(馮玉祥:《我的生活》,頁142)「我看《彭公案》、《施公案》、《封神演義》等小說書,句句都懂,看《綱鑑》、《列國演義》,就囫圇吞棗,許多地方看不

「尊君、為忠臣」，而這些就民主時代大環境來說，並不合時宜；《左傳》又
申攘夷之義，對須仰賴帝國主義陰助的軍閥來說，讀來豈不芒刺在背？

　　終歸說來，本研究的動機來自於一個疑問：為什麼馮玉祥在受到挫敗、
隱居泰山之際，特意請了先生來為他講授《左傳》？由此延伸的問題是：以
馮玉祥的角度來看，為什麼他不嫌辭費，寫了偌大這一本札記？以經學的角
度來說，我們常看到經學家對《左傳》的研讀與闡解，或看到史冊裡眾臣
「通經致用」的努力，卻幾乎不曾看到「君」本身對《左傳》的想法，以及
在現實政治的具體做法。就實質的執政功能而論，馮玉祥的軍閥身分某種層
度相當於古時的諸侯，本文側重的觀察是馮如何將《左傳》與現實聯結？他
的札記是對經典的印證還是批判？抑或亦思有以通經致用？對《讀春秋左傳
札記》這些面向的探討，其意義當遠大於對他是發揚經義或誤讀經典的追
究。

二　馮玉祥其人其事

　　馮玉祥，原名基善，字煥章，民國時期軍閥。十一歲以軍眷身分加入清
朝淮軍系統，改名玉祥。[9]馮祖籍安徽巢縣，因隨馮父居服役地，成長於保
定府，直至十五歲（1896）正式入伍，開赴安肅縣巡防。[10]光緒二十八年

懂。」（馮玉祥：《我的生活》，頁66）」。後來讀了近百篇古文，甚至背誦，「再來翻閱
　　《綱鑑易知錄》一類的書……這時很容易就懂了。」（馮玉祥：《我的生活》，頁67）。
　　我們很難確認馮的「懂了」是到怎樣的層次，但依其自述的背誦與多讀古文之法，可
　　能指的是明白文句意思，而非義理，故他總結自己往日苦讀的結果，竟說：「所讀的
　　書，又都是修身齊家治國平天下一套舊東西。以此來應付這激變期的中國社會，時時
　　顯得格格不能相入……有時甚至覺得我以前讀書幾乎都是走的冤枉道路。」（馮玉
　　祥：《我的生活》，頁142）。
9　根據馮玉祥自傳，改名是因補兵匆促之際，由父執苗大人隨手所命。詳參馮玉祥：
　　《我的生活》，頁19。
10　馮玉祥：《我的生活》，頁23。

（1902）加入袁世凱（1859-1916）新建陸軍，[11]隨後在時代的漩渦中，或邊緣或中心地捲入反清革命（1894-1911）、[12]二次革命（1913）黎元洪（1864-1928）段祺瑞（1865-1936）府院之爭、溥儀（1906-1967）復辟（1917）、討伐張勳（1853-1923）、北伐（1926-1928）、國共之爭（1945-1948）……等國內擾攘，以及自清末以來列強之欺淩，日本之侵虐。「清末到民國，是中國歷史劇變的時期，天崩地折、魚龍變化……要找眼光之敏銳、手段之高妙，能夠跨越各個時代，而始終扮演要角如馮玉祥者，倒也不可多得。」[13]

擔任低階軍官又有鴉片煙癮的馮父並不能提供家人優渥生活，[14]家計艱難之中，馮玉祥與一般貧困農村兒童一樣，常得為簞瓢屢空奔波於田疇曠野，張羅於里市當鋪。[15]這段童年生活淬煉為他生命樣態的核心：較諸其他軍閥，馮玉祥以節儉、鐵腕禁毒、禁賭出名。他認為自己的「革命」性格也是得之於此：

　　農民生活的艱苦，如果不去實際體驗，怎麼樣也是難以想像的。勞動
　　者的苦楚，只有勞動者自身才能夠知道。後來我自己怎麼樣也難以克

11　馮玉祥：《我的生活》，頁49。

12　以國父孫中山建立中興會為起始，至民國建立。

13　張家昀：《模範軍閥：馮玉祥》（臺北市：萬象圖書公司，1996年），頁3。本書「模範軍閥」之名，並非標示作者立場，蓋馮曾被譽為「模範軍閥」，故取此以論其人之爭議性。該書上篇為「馮玉祥傳」，下篇為「是非爭議」，總論馮之性格為「堅強、多變、家長式領導、簡樸」（頁150），書中也以「倒戈將軍」與「模範軍閥」對看。

14　馮玉祥於自傳中談及父母煙癮對家中經濟的影響：「父母早年都染有鴉片煙的嗜好。這在清末，已成為一種最普遍的風氣，尤其軍政界，簡直無人不吸……我父親每月只有十二兩銀子的餉，維持全家日用必需，已經捉襟見肘，當然難有餘力來負擔一筆鴉片煙的開銷。」（馮玉祥：《我的生活》，頁11）。

15　馮玉祥於自傳中詳述童年拔草拾柴、擘剝高粱葉以貼補家用的情形：「上頭熱辣辣的太陽曬著，蹲在高。粱田裡頭，簡直是麵包烘在火爐裡……這種苦，自然不是我自己願意受的。但一想起家裡的情形，又不能不狠著心，咬著牙，強打精神去擘。」（馮玉祥：《我的生活》，頁9）。比起肉體的勞動，上典當鋪必須承受的羞慚更讓他難以釋懷，甚至惱恨不如坐牢：「這種羞怯的心理……代替而來的是一股憤懣之氣……每次進當鋪，總要使我感到一種莫可名狀的苦惱……那時心裡不禁反覆地想：『這比坐監牢好些嗎？』」。（頁10-11）。

服的農民性格，都是我過去的生活遺留給我的。這種生活與環境，深
切地影響到我日後的思想與情緒，影響到我日常處理事務的習慣，以
及我訓練軍隊的方法，同時直接間接也使我必然地傾向革命，並且時
時刻刻忘不掉改革勞苦大眾生活的職志。[16]

　　根據這段馮對自我形象的描述，其核心有二：一是疼惜勞苦大眾，一是
革命傾向。[17]愛民的主張與實踐，的確也為他贏來「基督將軍」、[18]「模範軍
閥」的別號，[19]他自奉簡樸，[20]治軍紀律嚴謹，力求不擾民，[21]注重農業與
治安，從而嚴禁種植鴉片，[22]從根源解決農村糧食與治安兩大問題，即便已
失去權勢地位，出訪美國時還特地找人來教水利工程，並參訪考察大壩。[23]

---

16 馮玉祥：《我的生活》，頁8。

17 馮在自傳裡屢屢提到自己有革命性格，如「自己本來就是個不能安於腐惡的現狀、懷
　有反抗情緒的人。」（馮玉祥：《我的生活》，頁81）；〔美〕薛立敦卻稱他愛「自我標
　榜老革命榮耀」。（《馮玉祥的一生》，頁75）。

18 馮玉祥於一九一四年受洗成為基督徒。詳薛立敦前揭書之考證，頁72。這個封號含有
　雙關意。

19 馮玉祥曾在一九二二年一項英文雜誌社所辦的民意調查中被選為「十二名在世的最偉
　大中國人」第二名（得票數為1217/11293），僅次於孫中山。詳見薛立敦前揭書，頁
　153。但薛立敦對馮一生的評價持嚴屬批判的態度，書中專立一章討論所謂的「守德
　行的軍閥」（第十二章），雖標目為「守德行」，文中依然保留史界對馮兩面性的爭
　議，並未做蓋棺式的論定。

20 張家昀：《模範軍閥：馮玉祥》，前言，頁154。又簡又文：《馮玉祥傳》（臺北市：傳
　記文學出版社，1982年）云：「（馮玉祥）一向是刻苦簡樸，粗衣糲食，真能與士卒同
　甘苦。」（頁144）。

21 《馮玉祥日記》1930年9月5日云：「我在軍隊一天，絕不能不管事。於酒嫖賭，在所
　必戒；守紀律，愛百姓，在所必行。」（冊3，頁352）此時正是中原大戰反蔣軍系已
　成敗局之勢，馮猶在對憲兵學校官生講話時，重申此意。

22 馮治常德時著力翦除三惡：「吸毒、賭博和賣淫。」（薛立敦前揭書，頁121）。馮在
　《我的生活》中也屢屢提到他對抗種植鴉片之事，詳參該書第二十八章。又馮在民政
　方面獨重農業問題，與修水利、植樹造林等措施，皆是重農思維的具體實踐。詳參李
　玉才、王衛平：〈馮玉祥的「重農」思想和實踐〉，《中國農史》2007年第1期（2007年
　1月），頁77-85。

23 「在美國……教授（馮）水利課程的是加拿大的愛夏瑞（Etchenerry），他是美國灌溉

則其憫念民生之思，當係不假。

　　至於革命傾向，是馮常掛在嘴邊標榜的精神，馮宣稱自己革命意識萌芽甚早，而且有確切的歷史事件推動他從事相關的「具體」行動：

> 我對於滿清政治不滿，對於革命抱著同情，已非一日。但有了行動的決心，這是我到新民府第二年的事。那時〈中日安奉鐵路協約〉剛簽訂，接著又發生了關島問題（吳祿貞抵抗日軍，其英勇義烈使我深受感動）。[24]

　　這裡所稱的具體行動就是以「武學研究會」名義，在清軍營從事革命意識之宣傳；[25]他也聯結自己讀書經驗說明自己政治意識之改變。[26]其後，身在袁營而在袁稱帝時參與倒袁活動；[27]擔任陸軍檢閱使時發動首都革命；[28]

工程的權威……我們出發去看水利工程。第一次看的彷彿是夏德斯大壩（Shasta）。」詳見章元義：〈記馮玉祥在美國的那一年〉，頁423。（收入簡又文：《馮玉祥傳》，附錄4，頁417-447）。

24　馮玉祥：《我的生活》，頁80。

25　「軍中一部分有良心熱血的官長，對於清廷的昏庸誤國，也都憤恨不平，深惡痛恨。在這種無形的一致要求之下，我們常在一起的一些朋友，遂想到暗自組織一個團體，大家磋商鼓勵，從而做推翻腐敗政權的工作。」「採用讀書會的形式……定名為『武學研究會』，以掩上峰耳目……我們所知道的，只是清廷的昏庸，政治的腐敗與日本侵略的可恨。我們知道欲抵禦日本及其他列強，必須先推翻清廷的統治。我們欲利用現成的武力，作為推翻的工具，希望新的漢族的政府早日出現。我們每天聚到一處，以讀書為名，暗中即討論些擴大人數，運動軍隊等等的具體問題，或是互相報告各人所得的時事新聞：何處新起革命運動，何時又有朝廷貴冑賣官盜爵的黑幕等。」（馮玉祥：《我的生活》，頁81、82）。

26　早些年，馮愛讀《曾文正公家書》，甚至編成簡易教本讓軍中士兵誦讀，但在友人推薦下讀了《嘉定屠城記》與《揚州十日記》，之後就「誓志要報仇雪恨，恢復種族的自由」。「關於滿清種族上的怨仇，以前我雖然知道一些，但僅僅是一個籠統的概念，滿清入關的時候，虐殺漢人的種種事實，我是絲毫都不知道的。等我看完這兩本血淚寫成的書，我出了一身冷汗。閉起眼來，看見靼子們殘酷猙獰的面目，聽見數百萬雞犬不如的漢人的慘號，不由我咬牙切齒，誓志要報仇雪恨，恢復種族的自由。」（馮玉祥：《我的生活》，頁80-81）。

27　馮是否真正參與了倒袁軍事行動，史家看法不一，郭廷以《中華民國史事日誌》一九

加入國民黨後又親與中原大戰反蔣介石。[29]凡此行動，他皆在自述或訓示屬
下時標榜「革命」精神，但也被輿論界稱為「倒戈將軍」。

　　中原大戰後，馮開始隱居讀書生活，他自省失敗之因在於行動背後缺少
「革命主張」：

> 余一向僅有革命行動而無革命主張，致政權屢得屢失。人民亦隨之受
> 遭受莫大犧牲。再度山居以來，即潛心研究革命主張。[30]

　　因而這個時期他開始大量閱讀，書籍類別也由傳統古書、西學論著，轉
向馬列思想或魯迅等左翼作家的作品，[31]但與《讀春秋左傳札記》一書關係

一六年四月二日云：「四川北軍旅長馮玉祥與蔡鍔聯合，謀倒袁擁馮（國璋）。」（頁
230）；〔美〕薛立敦則認為這些斷言馮加入護國軍的論斷都是源於馮的自述，故薛費
了不少篇幅一一考訂馮說之自相矛盾及含糊處，以及與史事不相疊合處，而總結曰：
「馮對護國軍持同情態度是毫無疑問的。但是，從歷史角度來看，對馮而言，這種同
情是次要的。馮在川的行動清楚地表明：他最關心的是怎樣才能保存自己的實力，種
種考慮均為此目的。」（《馮玉祥的一生》，頁81）。

28　一九二四年十月二十三日，馮玉祥揮軍北京，「斷絕交通，守護各要隘」、「通電全
　　國」、「佈告商民」、「數吳佩孚之罪狀」見《馮玉祥日記》（南京市：江蘇古籍出版
　　社，1992年），第1冊，頁635-636；同年十一月二日，馮告知丁汝沅：「曹總統定於今
　　日退位」（《馮玉祥日記》，冊1，頁642）。馮於《我的生活》稱此為「首都革命」（第
　　31章），顯見依然標榜「革命」；一般稱做「首都政變」或「北京政變」。

29　《馮玉祥日記》一九三〇年三月十五日：「二三四各集團軍將領聯銜討蔣之日」（冊
　　3，頁142）；同年四月二十九日「集合軍上各處官佐訓話，告以……凡是討蔣的都是
　　我們的好朋友……對於黨務，我們以閻（錫山）先生之主張為主張。」（冊3，頁
　　191）。關於反蔣行動，馮依然強調自己秉持的是革命精神。（詳見《馮玉祥日記》
　　1930年5月24日，冊3，頁217）。郭廷以《中華民國史事日誌》1930年4月2日云：「閻
　　錫山令反蔣各軍均聽馮玉祥節制指揮。」（頁568）；同書1930年4月5日云：「馮玉祥電
　　勸駐防南陽之楊虎城合作倒蔣。」（頁569）。

30　《馮玉祥日記》1931年1月1日，冊3，頁354。

31　《馮玉祥日記》一九三二年七月十四日：「讀列寧著的《國家與革命》一書，今天開
　　始讀第一章：階級社會與國家……說的很透徹、詳盡……以後需用心的去讀它、研究
　　它。」（冊3，頁655）；一九三二年六月二十五日：「魯迅先生的著作生動深刻，使我
　　敬佩之至，以後需多找些來讀，並介紹朋友讀。」（冊3，頁645）。

最密切的，則是隱居泰山，[32]不同於以往的獨自摸索式的「閱讀」，他找來先生授課，並開始傾心唯物思想。[33]

中原大戰之後，「蔣（介石）將西北軍全部改編，剝奪了馮的軍權。馮的軍閥生涯實際至此結束。」[34]期間，馮雖一度離開泰山組織察哈爾抗日同盟軍，[35]也多少有些戰績，卻「在日、蔣聯合進攻下……忍痛收束軍事。」[36]又歸隱泰山。馮此次行動，雖以抗日為號召，但時人頗疑其通俄聯共，馮多次電通否認，俄方也出面聲明否定助馮，[37]真相不得而知，由此卻可看出馮

32　馮玉祥自述：「民國二十二年的秋天，我從察哈爾抗日歸來，又回到泰山讀書。除了繼續攻讀政治，經濟等學科以外，我開始抽暇來讀《春秋左傳》。差不多費了三個多月的光景，把這部書讀完了。隨讀的時候，有了感想，就寫了下來，積成這部札記。」（馮玉祥：《我的生活》，自序，頁5）。馮對自己何以會「抽暇來讀《春秋左傳》」並無進一步說明，連結上一句來推測，可能是《左傳》乃十三經中唯一有具體人事可按核的中國政治經濟之書；又觀吳佩孚等其他軍閥亦有《左傳》相關札記著作。見吳佩孚：《春秋正議證釋》，收入林慶彰主編：《民國時期經學叢書》（臺中市：文听閣出版社，2009年），第4輯，冊33-34。故馮玉祥之研讀而闡解《左傳》是否有時代風潮之影響，值得進一步探究。

33　「聽陳先生講哲學，講的是觀念論與唯物論之區別。我是贊同唯物論的，在今日科學的世界裡，哪裡還有觀念論存在的餘地。」（《馮玉祥日記》1932年5月2日，冊3，頁618）。

34　〔美〕薛立敦：《馮玉祥的一生》，頁319。

35　馮玉祥：《馮玉祥日記》一九三三年五月二十六日：「本日又可為一小小的紀念日了。就民眾抗日同盟軍總司令職。」（冊4，頁83）。這是馮二度公開與蔣介石決裂，主因是對抗日態度的不同，郭廷以《中華民國史事日誌》一九三二年十月七日：「馮玉祥離泰山北上，主以武力收復失地」（頁197）；同日「馮玉祥到張家口，通電指摘國聯調查團報告書謬談」（頁198）；同年十一月三日：「馮玉祥自張家口通電陳述時局意見，列舉實現真正統一，勵行民主政治，打破自私自利等五事（對蔣委員長表示不滿）。」（頁204）；一九三三年五月二十六日：「馮玉祥在張家口通電就任民眾抗日同盟軍總司令」（頁268）6月2日：「馮玉祥在察哈爾徵兵」（頁271）。

36　〔美〕薛立敦：《馮玉祥的一生》，頁329。又郭廷以《中華民國史事日誌》一九三〇年八月五日云：「馮通電收束軍事，政權歸諸政府，宋亦通電復職。」（頁290）；同書八月六日：「馮玉祥通電將察省一切軍政事宜交宋哲元負責辦理。」（頁290）。

37　郭廷以：《中華民國史事日誌》一九三三年六月十一日：「馮玉祥通電，否認聯俄投共」（頁274）；同書七月三日：「馮玉祥通電明志，否認赤化」（頁282）；同書七月十六日：「蘇俄大使館聲明，否認援助馮玉祥」（頁284）。

玉祥政治思想必已有所轉變。在泰山隱居期間，馮玉祥同時「正式」地學習
唯物辯證、馬列主義，與《春秋》、《左傳》。[38]除了講課，還聯結對時事的
討論，這些因素，後來就匯集成了他《讀春秋左傳札記》的主旋律。

三　《讀春秋左傳札記》旨趣

　　來到這樣一個任何道德價值都已分崩離析的時代，經典闡釋權大概是最
先確實「民主化」的。亦即，人人都可藉由對經典的闡釋，宣示自己的意識
型態；更趨而下之者，則是忽視原典的背景與意涵，完全任意宰割、謾罵，
或以之為指桑罵槐的鬥爭工具。

　　馮玉祥的《讀春秋左傳札記》從一開始就不是學術之作，所以他在凡例
中就申明「傳統註解繁瑣」、自己「不究版本」：

> 余素無宋版明本或其他珍貴版本書籍。故余所讀之《春秋左傳》係坊
> 間通行同治年間所刊欽定《春秋左傳》讀本。竄改訛誤之處，在所不
> 免。（《讀春秋左傳札記》，凡例1，頁3）[39]

> 《左傳》之註解頗繁，以杜註為最完善，而欽定本則兼採各家之說，
> 為免涉於蕪雜，故刪之。（《讀春秋左傳札記》，凡例2，頁3）

　　這種宣示，與傳統治學者小心翼翼搜求版本、校對出入、綜核各家之說
等作法，完全不同。對《左傳》的態度也少了傳統「經學神聖」的包袱，此
點在排版上即可看出，馮還為此特書一例：

38　「二次歸隱泰山，馮開始與諸多先生學習，「禮聘了好幾位學者去助他研究，如陳豹
　　隱、李達、范明樞、王譓、薛德育、宣斐如、吳組湘及陶宏。課程有政治、經濟、社
　　會、自然科學、天文、地理、文學、歷史、《春秋》、《左傳》，以致辯證法唯物論……
　　此外，每日他還要苦讀英文。」（簡又文：《馮玉祥傳》，頁358）。
39　馮玉祥：《讀春秋左傳札記》，收入林慶彰主編：《民國時期經學叢書》（臺中市：文听
　　閣圖書公司，2008年），第一輯。以下為節省篇幅與檢閱方便，凡獨立引文引自《讀
　　春秋左傳札記》者，直接於文末註明卷數與頁數，不另行加註。

本書排列秩序以經為先，傳次之，傳則後列余之札記。為醒目計，札
記特以四號字排印之，以示區別。（《讀春秋左傳札記》，凡例3，頁
3）

此外，一般學者會強調所書所記乃沉潛深造之所得，馮卻直言此本札記
前後只費了三個月工夫，也非前後繹思勾深之作，只是隨讀隨記的感想。[40]
顯然他的札記不是為了弘揚儒學或闡解《左傳》，更不是要告訴讀者「孔子
或左丘明說了什麼」，而是「我馮玉祥有話要說」。[41]那麼，馮玉祥說了什
麼？

或許與書寫當下的關注焦點有關，馮玉祥的《讀春秋左傳札記》借古諷
今之意極明顯，許多他所譏刺的「今之人」，其實多非泛指，稍有時事概念
者，很容易就可對位，明白馮所指是誰。但畢竟此書完成於其人生的中晚
期，許多經義、政治思想，以他縱大浪的人生經歷看來，體會絕對與書齋裡
的文儒不同。前賢猶納芻蕘之謀慮，更何況，馮雖非經生大儒，也絕非芻蕘
之流，其言或有可觀可思者，茲簡述全書旨趣如下。

（一）對《春秋》及《左傳》的看法

馮玉祥之所以在排版上敢「縮小先聖，放大自己」，表示他對《春秋》
及《左傳》已有既定的、異乎傳統「神聖地位」的意見，他稱《春秋》為
「斷爛殘報」，而這斷殘的片片段段雖曰事實，卻是「掩飾了事實的真象」，
因為裡面「充滿了許多歌功頌德，粉飾太平的話」，而建構在這種「不真實
的真實」之上的所謂大義，就不是真理，而只是「腐儒們搖頭晃腦的加上許
多曲解陋說」。這就是《春秋》不能卒讀的原因。至於《左傳》，也好不到哪

---

40 詳參註32，自序，頁5。

41 自序又說：「我們倒勿庸去顧到這書的著者的時代和著者名姓的探求，或去做書的真
偽的考證工作，更沒有餘暇去爭論陳腐的今古文經的問題。這裡所有的，只是我讀完
了這部書以後，所得到的一點感想而已。」（馮玉祥：《讀春秋左傳札記》，自序，頁
6）。

裡去，雖然敘事比《春秋》詳盡，卻與《春秋》一樣缺乏「真實性」。更「致命」的，是這兩書的論述中心是「王者聖賢英雄」，討論的事件是「『朝代』興亡治亂」，全非「今日所需」。[42]所以總括說來，這兩本聖典根本沒有研究的必要了。利用這種「破壞」開題，馮玉祥接著才好建立自己的議論空間：他認為今人還得研讀《左傳》的原因只是因為尚未有其他可替代的史料，所以重點不是史料本身，而是讀者怎麼讀。馮玉祥就是這樣建立他的「讀者自主性」根基，他不只把作者推走，更把文本排開，好讓自己可以在一個他「自認為」更高的層次上對代表傳統價值的《春秋》、《左傳》挑戰。

　　他對《左傳》所記諸人事蹟與道德教訓，雖充滿了大量的批判，卻並非全盤否認，其實仍有選擇性接受的部分。否認的部分較多屬於前述激憤的抒發，此時讀者的身影遮蔽了大部分文本的存在；而肯定的部分則較能看出其闡解在經學流變史上的意義。

（二）對傳統價值之反思

1 馮所肯定的傳統價值

　　綜觀《讀春秋左傳札記》全書，馮所肯定的傳統價值，最主要的有忠、勇、勤、慎、謙、儉。但對忠、勇之肯定，是放在「國家社稷」這個角度來論的，甚至刻意撇清此道德價值與君臣倫常之關係；而對「慎」、「謙」與「儉」三者則尤致意焉，這部分又可見出讀者本身的期待視野[43]如何左右文本意義的落實。

　　馮玉祥對「忠」的肯定，來自於《左傳》桓公六年記了季梁「上思利

---

42 馮玉祥：《讀春秋左傳札記》，〈自序〉，頁5。

43 「期待視野」是姚斯建立接受美學的重要先鋒概念，姚斯認為「文學的歷史性並不在於一種事後建立的『文學事實』的編組，而是在於讀者對文學作品的先在經驗。」所以期待視野就是「一個假設的個人可能賦予任一本文的思維定向」。（〔德〕Hands Robert Jauss〈文學史對文學理論之挑戰〉，收於 Hands Robert Jauss、R. C. Holub 著，周寧、金元浦譯：《接受美學與接受理論》（Aesthetics of Reception and Reception Theory），引文分見頁26、28、 341）。

民，忠也」等語，馮玉祥大加讚揚：

> 季梁說「上思利民，忠也。」這句話真值得我們玩味，從前的人解釋
> 「忠」字，總是下對上才盡忠，而這裡居然說統治者應該對人民盡
> 忠，實在是一種很合理的解釋。統治者忠於人民，其實就是他應盡之
> 責，並沒有什麼過分的地方……為少數人的幸福，算不得什麼。必要
> 為最大多數的人謀最大之幸福才有價值。（卷2，頁41）

為了更闡明「忠」的本質，他也舉昭公十三年楚靈王自縊，「申亥以其二女
殉而葬之」做反例，辯證忠與「愚忠」之別：

> 楚靈王既不得民心，又為諸侯所忌，所以失敗，愚昧而可憐的申亥還
> 要殺二女以殉葬，真是殘暴至極。申亥以為這是忠，何嘗是忠，完全
> 是迷信！況靈王胡作亂行，不顧人民利益，也不值得為他效忠……如
> 果一個兇暴無恥的人，你也對他忠，那就是「愚忠」。（卷10，頁481）

所以馮玉祥其實讀出了《左傳》對「忠」的定義，[44]才會說出「忠於民，忠
於社稷，至死不忘，這是當政者人人應有的義務。」等語。[45]

其他對於勇、勤的肯定，也是以公事為衡量：

> 勇於公戰，怯於私鬥者，始得謂之勇。（卷5，頁116）

> 現在「怠惰」已成了社會上一般的病根……官吏怠於事務，學生怠於
> 讀書……現在正有許多人高唱「復興民族」、「挽回國家利權」。像這
> 樣下去，怎有達到這種「目的」的希望？（卷9，頁386）

較值得注意的是，馮玉祥特重慎、謙與儉三者，尤其對「儉」屢致意焉。其
論謹慎者，如以莊公十年蔡侯止息嬀之事，論大體與小節皆不可苟：

---

44 關於《左傳》對「忠」價值的辯證，詳參蔡妙真：〈變焦鏡頭──《左傳》價值辯證
　手法〉，《興大中文學報》第21期（2007年6月），頁227-252。
45 《讀春秋左傳札記》，卷9，頁331。

很多的人不拘小節，以為大體不錯，就是一切言行，都非常隨便，因
此惹出許多是非，甚至國破家亡都會發生。有學問的人大概都知道這
點，對於言行都異常慎重，必三思而後行，實在值得人們的效法。
（卷3，頁65）

又如批評魏舒未復命而田，身後乃遭範獻子去其柏槨，[46]就是行事不謹慎的
下場：

自己能小心謹慎的作事，自然能以成功，否則必受人之攻擊而失敗無
疑。（卷11，頁551）

定公十年，晉衛交戰，晉知衛叛係因涉佗等人曾無禮於衛靈公後，殺涉佗以
求成於衛。[47]《左傳》藉「君子曰」以及引《詩》大論「禮」之重要。《左
傳》這裡談的禮看似泛論德行之禮，但整個事件的糾葛，來自於立盟時的禮
儀問題，[48]甚至含帶有「為臣而不敬君，故無禮」之意，故馮玉祥於此避談
「禮」，轉以「謹慎」做焦點。[49]這與他對《左傳》言「禮」的批判，立場
是一致的，這部分說詳下節。其他如評鄭太子忽諫勿用高渠彌是「論人不
慎」；[50]批評齊景公輕率不能成事；[51]批評魯哀公與武孟伯「食言而肥」等言

46　《左傳》定公元年：「晉魏舒合諸侯之大夫于狄泉，將以城成周。魏子涖政⋯⋯是行
　　也，魏獻子屬役於韓簡子及原壽過，而田於大陸，焚焉，還，卒於甯。范獻子去其柏
　　槨，以其未復命而田也。」見《十三經注疏》（臺北縣：藝文印書館，1982年），頁
　　941。以下引《左傳》皆用此版本，不再一一註明。

47　《左傳》定公十年：「晉人討衛之叛故，曰：『由涉佗、成何。』於是執涉佗以求成於
　　衛。衛人不許。晉人遂殺涉佗，成何奔燕。君子曰：『此之謂棄禮⋯⋯《詩》曰：「人
　　而無禮，胡不遄死？」涉佗亦遄矣哉！』」（頁978）

48　《左傳》定公八年晉衛立盟：「衛人請執牛耳。成何曰：『衛，吾溫、原也，焉得視諸
　　侯？』將歃，涉佗捘衛侯之手及捥，衛侯怒。」（頁965）

49　「為人須謹慎，苟不小心，必遭大禍。」（《讀春秋左傳札記》，卷11，頁573）

50　「論事論人之是非，必須慎重，稍有疏忽，即遭大禍。」（《讀春秋左傳札記》，卷2，
　　頁53）但他又感慨：「由於（語言因致糾紛）這樣的結果，人人不敢說一句老實話，
　　都是用些假話去敷衍應酬。」（《讀春秋左傳札記》，卷2，頁54）。太子忽諫勿用高渠
　　彌事見《左傳》桓公十七年。

語交鋒而造成上下交惡是「說話不慎」。[52]

　　而對「謙讓」的論述，通常是聯結謹慎而來，「為人須要謙遜，對人不恭不敬，極易招禍。」[53]不謹慎則驕而不謙，不謙則草率輕敵，其誤事一也。如論慶封當政卻「驕妄之至，焉得不敗？」[54]又如評桓公四年「秦師侵芮，敗焉，小之也。」曰：

> 凡事驕必敗。秦是大國，以為一個小小的芮國，何容放在眼裡，結果卻是大敗而回。這可以給人一個很好的教訓，要曉得無論做什麼，不是輕率可以成功的。必須要謹慎從事，才是正理。（卷2，頁37）

關於驕兵必敗這點，[55]馮玉祥倒是謹記在心，也成為他治軍的信條，[56]所以他將與駢敗秦師計謀之不得成功，歸咎於趙穿因得寵而驕的性格：

> 趙穿……有寵，有寵就有所恃，便容易暴露他的弱點……輕浮的氣質，嫉妒的心理，更使他妄而自持（按：疑當作「恃」）有理，不顧整個計畫而一意孤行。作戰時有此種將領真是危險之至。總而言之，這都是軍紀不嚴之過！（卷6，頁185）

驕兵輕敵而致敗，故治軍時，對敵要「知己知彼」，對內要嚴紀律：

---

51 「齊侯輕率，不能成事。凡輕率之人無不敗事，因輕率而不謹慎，遇事皆草草了了，還能成功嗎？」（《讀春秋左傳札記》，卷11，頁576）齊景公輕率指與衛聯合伐晉，卻於宴會上戲弄衛靈公事，見《左傳》定公十三年。

52 「說話不可不慎，稍有不小心，弄得彼此不快，這又何必呢？」（《讀春秋左傳札記》，卷12，頁632）。「食言而肥」事見《左傳》哀公二十五年。

53 《讀春秋左傳札記》，卷9，頁362。

54 《讀春秋左傳札記》，卷9，頁385。

55 馮屢言「傲慢是失敗的根源。」（《讀春秋左傳札記》，卷8，頁267。）卷10，頁512又提了一次：「驕傲是失敗的根源，人人都該留意才好。」；卷12，頁610及頁632都言及：「驕者必敗。」。

56 「卻說我在陝西接到洛吳發來的急電，叫我們部隊火速集中洛陽，我在三小時內便把隊伍調度完畢，開始出發。因為我們駐在陝西，日日準備著作戰，毫無過太平年的心意。」（馮玉祥：《我的生活》，頁292）。

> 鄭子罕因伐人而敗，乃輕敵之故。「知己知彼」，始能對付敵人。吾人欲國雪恥，收復失地，就不能輕易忽略此點。（卷8，頁267）

> 治軍最要緊的就是「紀律」，沒有紀律，動作便不能一致……但是如何能有紀律呢？這完全在於平日的教育與訓練。（卷7，頁226）

> 晉國已成強弩之末，而觀虎猶自恃其勇，輕視敵人，才被俘虜，完全是無軍紀的結果。（卷11，頁554）

這是馮玉祥在經義與實踐層面深有所得的部分，而且也確實落實在治軍風格上，故薛立敦總評馮玉祥的治軍云：「馮部仍不失為一支紀律嚴明的軍隊。」[57]

前節述馮玉祥生平，提到他自幼貧困，因而養成節儉習慣，即使貴為將軍，依然自奉簡樸，甚至對同僚、屬下皆有同樣的期許。[58]這點在《讀春秋左傳札記》中也明顯可以看到。而且他論儉德，依然從愛民等公益角度出發：

> 統治者能以克勤克儉為人民利益著想，人民也就心悅誠服。遇到人民有難的時候，統治者以能減衣縮食與民共甘苦，則民也感到相當的滿足。（卷9，頁393）

> 儉是實在的愛民的德行。侈是害民的壞行。（卷3，頁78）

簡單歸納，馮玉祥所肯定的傳統道德，都跟他心目中的公共利益有關，也就是一種愛民之思。所以他肯定「上思利民」這個視角定義的「忠」；他強調

57　〔美〕薛立敦：《馮玉祥的一生》，頁103。

58　根據曾為馮下屬孫連仲將軍回憶：「有一次在中山陵請客，一個雞腿分成兩片，一個饅頭，兩個燒餅，就這樣請客了，讓人家吃不下去，也吃著害怕。有時開會……還說：『二盤水果，四盤點心，怎麼對得起前線吃苦的戰士。』給開會的人難堪。」見孫連仲：〈我在馮軍經過及對馮玉祥的認識〉，頁416。收入簡又文：《馮玉祥傳》，附錄3，頁394-416。

義勇奉公之勤、謙謹而不誤國的態度，以及因愛民而儉樸的生活實踐。由此出發，他對於公而忘私的行為或價值多予以肯定，如肯定石碏大義滅親，[59] 讚美葉公不顧自己的利害而為民謀利等；[60] 對非公益的行動則表示不屑，如批評鱄諸助公子光奪位是錯誤的，不只自己白白犧牲，又不是「為國家爭利益爭光榮」；[61] 所以，他之所以否定某些傳統價值，大抵也是以公益為準衡，只要與公眾利益沒有太大或直接關係的，就會被他貶抑，認為不合時宜。

2 馮所否定的傳統價值

承前節所述的「公益」原則，馮玉祥對勞民傷財的「禮」批判最多，馮玉祥認為儒家禮儀的繁縟，不只傷財，對百姓更無其他益處，「這些虛偽的禮節，把人束縛得一絲不動，實在毫無疑（按：當是「意」）義。」[62] 他批評婚禮的貴族性，[63] 批評宣西元年「公子遂如齊逆女」是勞民傷財：

> 不是公子娶親，就是公主出聘。無非是些勞民傷財，毫無意義的事。今日富者訂婚的禮儀，亦是繁雜不堪，奢侈的程度較當時有過之而無不及。（《讀春秋左傳札記》，卷7，頁201）

比起婚禮，儒家尤其看重喪禮，因此喪禮更是馮玉祥抨擊的重點：

---

59 「石碏這種『大義滅親』的舉動，是值得贊佩的。」（《讀春秋左傳札記》，卷1，頁14）。

60 「葉公得民心，就是因為他能不顧自己的利害，而為人民謀利益的緣故。凡事為人民的事，他無不擔當起來，所以他一舉兵便很順利的成功，將白公逐出去，也是得到人民的鼓勵與幫助的關係。反過來說，只圖自身利益，殘害人民，必定失敗無疑。」（《讀春秋左傳札記》，卷12，頁621）。

61 「鱄諸殺吳王，只為公子光取得政權，於他自己是毫無利益的，可是他去為人利用，當然也是錯的……」這裡要注意一點，就是能犧牲一己，為民族、為國家利益爭光榮的人，也是值得稱頌的。」（卷10，頁534）。

62 《讀春秋左傳札記》，卷2，頁36。

63 「氏族社會，群婚時代……彼時當然沒有什麼婚姻禮節……男女匹配要先告祖廟。有祖廟的是什麼人？都是貴族。」（《讀春秋左傳札記》，卷1，頁24）。

> 歷代帝王無一不厚葬！都是用的老百姓的血汗。（《讀春秋左傳札記》，卷8，頁243）

> 彼時的「禮」葬，正是現在一般有錢有勢的人大辦喪事的根源。辦喪事的鋪張消耗……都是極端要改革的事。（《讀春秋左傳札記》，卷3，頁81）

　　表面看來，馮玉祥批判的只是「禮儀」，他也的確曾引「喪與其奢也，寧戚」論禮不宜形式化。[64]但事實上他很清楚儒家之所以看重婚禮，是因為它是倫常之始；[65]儒家之所以重視喪禮，是因為喪禮是親親思想之反映，但在馮眼中，「喪禮繁複，乃封建社會之產物。」[66]這都是「統治階級故意制定森嚴的等級，使平民不敢做踰越等級的想望，人到了死，還有這許多等級的差別。」[67]所以他甚至直指「禮」是封建社會裡「統治者對被壓迫者的欺騙」：[68]

> 封建時代的禮儀，都是為了維持等級的森嚴。禮儀越隆重，人民的血汗也流得越多。（《讀春秋左傳札記》，卷5，頁140）

> 各國誰都為自己的利害著想，表面上用些「禮儀道德」哄人而已。（《讀春秋左傳札記》，卷5，頁109）

他不思考葬禮背後的文化意義，乃至與「孝」道的關聯，只抓住末世走偏的儀式，錯誤歸因，所以連葬禮的孝思也被他舉偏例說成了功利：

> 死者的子孫為了他們自己的「升官發財」，找不到好風水的塋地，則

64　《讀春秋左傳札記》，卷9，頁337。

65　「到了封建社會，統治者與被統治者的關係要固定了，就有所謂君臣、父子、夫婦間的隸屬關係，要維持隸屬，始定出種種禮節儀式。」（《讀春秋左傳札記》，卷1，頁24）。

66　《讀春秋左傳札記》，卷12，頁616。

67　《讀春秋左傳札記》，卷1，頁4-5。

68　「統治者制定了許多禮儀束縛人民。」（《讀春秋左傳札記》，卷5，頁101）。

任先人的屍體暴露腐蝕，多年不葬。更有因爭家產而無暇顧得先人的葬事的。一般所謂孝子者，大都這樣。其實這些「孝子」都是為自己打算。(《讀春秋左傳札記》，卷3，頁58)

馮玉祥所言是部分真實，但以部分事實且是歪曲的禮儀而上溯根源，完全否定封建制度，則顯得以偏概全，也歸因錯誤，但這就是他常用的辯證法。所以認定一切敗壞的本質來自於封建制度：

要得到安定的統治，必須有嚴格的等級差別的規定，使統治者不敢做踰越的想頭。所謂「天有十日，人有十等」這些荒誕無稽的話來欺騙被壓迫者，使他們知道一生可（按：當為「以」）來，就已經確定了他的命運，決無翻身之機會。(卷1，頁17)[69]

由此更進一步，馮玉祥批判「維護封建制度」的人，這之中，當然包括「最熱心」的孔子，[70]以及亞聖孟子。他屢屢說孔子「是一個極力想維持封建制度的人，他希望封建制度下的嚴格的階級，永遠這樣維持下去。」[71]所以他給孔子一個封號——「不識時務的人」。[72]他責備孟子「勞心勞力」之說，與「無以賤妨貴」等說法都是「荒唐無稽的欺人之談」；[73]他雖讚賞晏嬰儉樸之風，但責備他「也是一個封建等級的維持者，他也主張『君君、臣臣、父父、子子』這一類的理論。」[74]但又肯定晏子不像孔子死腦筋，晏嬰

69　相同的意見又見《讀春秋左傳札記》，卷10，頁455-456，此條札記對封建制度嚴格的等級規定有極度不滿的批評，大抵扣合「貴族以此階級說，代代剝削勞苦的農奴」立論，文長不錄。

70　「孔子是維持封建等級最熱心的一個人，他非但要嚴格地區分貴賤的等級，而且希望周室封建制度下的名分關係永遠維持著。」(《讀春秋左傳札記》，卷10，頁543。)

71　《讀春秋左傳札記》，卷5，頁114。這段話原本是批評管仲的，但馮玉祥緊接著說：「孔子、孟子，都與管仲是一樣的人。」又《讀春秋左傳札記》，卷12，頁589、606、615皆明言：「孔子是封建等級的維持者。」

72　《讀春秋左傳札記》，卷5，頁153。

73　《讀春秋左傳札記》，卷10，頁455。

74　《讀春秋左傳札記》，卷10，頁533。

「很明瞭時代的趨勢……所以我們可以說晏子在當時是比較進步的，而孔子
卻完全是落伍的，復古的。」[75]而孔子之所以能在我國歷史上佔很重要的地
位，「是因為它的學說有利於帝王的統治。」所有歷代的迂夫腐儒以及大學
裡的老學究，竟不思考此點，而贊頌、教授這些陳腐封建思想，簡直荒謬之
極。[76]

（三）《讀春秋左傳札記》的焦點意識

　　馮玉祥既然從根源上否定《左傳》的價值體系，何以他仍然聘師講解
之，並出版札記？根據他的說法「我們拏二千年前春秋時代的政治及社會，
來與如今比擬的意義，不外兩點：一方面，我要在這部札記裡，暴露出當前
政治的醜惡；另一方面，我當然並不是消極的指摘與批評，亦不是希望今日
執政當道者去學春秋時代聖明的統治者，或者希求再有像子產，晏子，管
仲……等的統治者的出現；而是更積極的加重說明今日政治的醜惡之本質，
並啟示民眾必須有深刻的覺悟。」[77]但是如何從這堆「不真實的史料」淬取
出可以暴露當前政治醜惡本質的東西？馮玉祥只含糊的說「如果能夠戴上一
付新的眼鏡去仔細觀察，不難把裡面所隱藏著的真實性提取出來。」[78]那麼
他的新眼鏡是什麼？在這付新眼鏡的協助下，他觀察到了什麼？

　　由前節馮玉祥的生平可知，他頗得意於自己「體恤貧苦農民」及「革
命」兩個根柢性格；如果再聯結他退居泰山的撰書時間點，可以看出他意識
的焦點，除了前兩者，還有馬列思想唯物論等「新所聞知」，這應該才是他
的「新眼鏡」，兩者相乘，不難想像馮玉祥階級論述的生發，其來有自。加
上與蔣介石反目成仇的憤恨還有失去權位的大挫敗，更觸發他以憤世嫉俗的
眼，火光四射地借古諷今以消心頭恨。因此，「執政腐敗」與「抗日之思」

75　《讀春秋左傳札記》，卷10，頁533。
76　《讀春秋左傳札記》，卷10，頁455。
77　馮玉祥：《讀春秋左傳札記》，〈自序〉，頁24。
78　馮玉祥：《讀春秋左傳札記》，〈自序〉，頁5-6。

成了《讀春秋左傳札記》最常出現的「感想」；前者展現他對貧苦勞動大眾
的憐憫與不平，以及透過此本札記對經典（「腐敗的根源」）革命；後者以罵
日本帝國主義折射蔣介石、張學良誤國之罪，用以展現他作為革命軍人不低
頭的傲骨。

　　馮玉祥在「自序」裡宣示「我要在這部札記裡，暴露出當前政治的醜
惡」，可見這部書的撰作主要目的就是揭弊。在自序裡舉出的撰書第二目的
是「積極加重說明今日政治醜惡之本質」。這就說得有些抽象夾纏，似乎這
兩個目的其實只能算是一個，後者頂多是解釋腐敗的根源，而這根源就是
《左傳》所載、延續了二千年的封建制度及此制度所造成的封建思想與行
為。前文提到馮玉祥否定封建制度，又因生命經歷而力行儉樸生活。所以，
他在整本札記裡指陳的社會弊病其實歸趨性很強，大抵不外乎因反對封建制
度，隨之而控訴階級不平等；且他對階級不平等的具體指控又集中在當權者
藉權勢「奢侈享樂」從而「貪汙」，此事因完全背離他一向主張的勤儉愛民
政策，故在他眼中幾乎是罪加一等，他所謂「當前政治的醜惡」，幾乎就等
於貪汙索賄，而貪汙索賄者，幾乎就等於蔣氏政權。

　　其二是他雖沒有特別提到，但透過前一章馮玉祥的生平與本章前二節馮
玉祥針對《左傳》價值觀的批判，大約可掌握其人在著書立說時的焦點意
識：除了前述對統治者之抨擊，就是懲於時局的抗日之思了。自甲午戰後，
日本對中國的步步進逼與囊中取物的嘴臉，造成時人普遍有仇日心態。加上
馮玉祥的軍閥身分，又讓他站在政治、軍事的第一線，使他對日本帝國主義
有極深刻的認識。此外，他人生最尖銳的轉折——失去權柄而隱居泰山，當
然與決裂於蔣介石有關；而他與蔣之關係，之所以由友而敵，與抗日主張之
不同有關。所以，真正造成他今日國愁私恨鬱結難解的罪魁禍首，自然是日
本，因此札記中充滿了抗日的呼籲，並聯結到民族自強的思想。以下就以這
兩項焦點，來看馮玉祥如何藉由經典與現代的聯結，抒發個人憤憾情緒。

1 奢侈與貪汙賄賂

　　依馮玉祥的思考邏輯，在位者生活豪奢，入不敷出，只能藉由貪汙索賄

遂行私慾，惡性循環下，又去壓榨百姓，「貪便是促成賄賂的一個主要條件。不貪的人，便沒有方法向他行賄。想要不貪則必要減低物質的欲望。」[79]所以他對奢侈深惡痛絕，說「奢侈汰侈，小者傷身敗家，大者亡國滅種……尤其是為民表率的人，更應力持節儉。」[80]

　　貪汙與賄賂是並行的兩個罪惡，必因在上位者之貪汙，在下者乃有行賄之思，[81]骨牌反應就是法治之不行、政治之敗壞，馮玉祥這麼痛恨貪汙索賄，就是因為在他眼前，貪賄從沒收斂過：「收受賄賂已成了若干年來的一種普遍習慣，甚麼非法的行為都可以用賄賂去遮掩。」[82]「賂賄的力量太大了。牠可使人做它所不願作或不當作的事。」[83]所以他藉襄公二年楚公子申貪賄見殺一事，延伸而論今日官僚之貪汙享樂：

> 楚公子申多受小國之賄，結果被殺，這是貪賄的下場。現在文官刮地皮，武官扣軍餉，賄賂公行，貪汙無諱。因貪賄而得的大量資產如何去消耗呢？就是在租界上吃喝玩樂。（《讀春秋左傳札記》，卷9，頁291）

> 瑕禽說：「自王叔之相也，政以賄成，而刑放於寵，官之師旅，不勝其富。」這把封建時代的貪汙情形，活現紙上。我們再看看兩千年後的今天，要想做縣長，有錢便可能買，這不是賄成嗎？司法官吏也公然受賄，有權勢者也能支配司法……至於大小官僚因受賄而發財置產，則更不必說了。（《讀春秋左傳札記》，卷9，頁318）

整本札記在他的焦點意識作用下，幾乎就是一本現代官僚奢華貪汙現形記，下面這個例子可以更清楚看到焦點意識如何影響馮玉祥對經典的解讀：

79　《讀春秋左傳札記》，卷9，頁336。
80　《讀春秋左傳札記》，卷7，頁202。
81　《讀春秋左傳札記》，卷8也提到「賄賂與貪污是分不開的。要免除賄賂必殺盡貪。」（頁260）。
82　《讀春秋左傳札記》，卷3，頁82。
83　《讀春秋左傳札記》，卷5，頁155。

「見不仁者誅之，如鷹鸇之逐鳥雀也。」如今真正的革命家應該對於
這班土豪劣紳，跋扈軍閥，貪官汙吏……亦如鷹鸇之逐鳥雀一般，剷
除淨盡，才算盡了革命的職責。（《讀春秋左傳札記》，卷9，頁370）

襄公二十五年的這一筆記事，並未言明「不仁」的確切指涉，但馮玉祥直接
將之比附為土豪劣紳，跋扈軍閥，貪官汙吏。此外，他也將國家或諸侯之間
的禮尚往來，解釋成納賄：

小國對於大國是這樣，大臣對於君主也是相同；至於小臣對於大臣都
要賄賂。這種事實，至今還常可以看見：聽說如今做大官的人，每年
必要為他的父母、兄弟、甚至於他的太太做壽或陰壽，於是屬下都要
送禮，而且公然扣薪。這不等於賄賂嗎？此外賣官鬻爵，那更是不用
提了。如果這樣的壞制度不打破，空提倡「建設廉潔政府」、「新生活
運動」又有甚麼意義呢！（《讀春秋左傳札記》，卷11，頁555）

其實馮玉祥所言，的確是當時的社會現象，甚至到如今讀來，都覺得他句句
宛如針對「現在」的某些政客。但上面這條引文很明顯看到馮玉祥的打擊對
象不是「普遍的一般官僚」，他總是在看似泛論之中，夾入與蔣介石相關的
關鍵詞，比如「定都南京的政府」、「遷都南京的權貴」，而最常用的就是
「新生活運動」。這種侷限性，反而把他難得的社會觀察與呼告熱誠，被政
治鬥爭的質疑給遮蔽了。

比如他以大篇幅肯定晏子儉風，反駁前人之疑晏子矯情，然後聯結自己
的簡樸主張與實踐，最後歸結到這是革命家該有的精神：

（晏子毀新宅而復裡室，皆如其舊）有人批評他是沽名釣譽罷……在
這樣民不聊生的當兒，大多數人都住著破舊不堪的草房裡，我們忍心
住在高樓裡嗎……晏子這種舉動是正確的。是值得我們欽佩與效法
的。我生平就主張採取晏子的精神，有許多不瞭解我的人亦曾作種種
意義的諏詆，說我的行動完全是一種沽名釣譽，不合情理……我覺得
革命是犧牲一己為大眾謀幸福的，大眾正在過著極痛苦的生活，我們

不能為他們解除絲毫的痛苦，反倒自己享受起來，試問該不該？現在
正有許多號稱革命的人們，他們握得了政權，盡量的壓迫榨取人民，
供他們一己的享受⋯⋯這也配得上稱革命家嗎？這就算革命成功了
嗎？真令人羞煞！我們只曉得，真正革命者，是要犧牲自己的一切。
什麼困難、障礙，我站在眾人的前面去排除、擔當；有什麼享福的
事，先讓眾人去，我要站在最後面⋯⋯。(《讀春秋左傳札記》，卷
10，頁432-435)

這裡引一大段，是要呈現馮札記的結構特色。首先，他的思路跳躍，常由某
個主題跳至別的議題，有時有點相關，有時跳脫得厲害，但大抵都類似上文
結構：先評議《左傳》所記人物的得失，再過渡到自我經驗。自我經驗的部
分也有熟套結構：先言自己與他人之異，再對時人加以嚴厲批判。即使不刻
意提出己之異於他人者，也因對他人之指責，而有分割群與己的意思。這讓
他在《讀春秋左傳札記》裡塑造的自我形象，頗有屈大夫踽踽獨行、為國愁
腸百結的味道。

　　對時人嚴厲的批評，通常即如前引文所稱的「貪汙奢侈」(壓迫榨取人
民以圖一己之享樂)，有些的確具有古今不堪對看之嘆，但連篇累牘皆如
此，不免引人有「自我標榜」與「唯統治者是為罪」之印象。其中尤引人詬
病的是，馮所評議之事，本當為社會共病，則此札記將因關懷民瘼的情懷而
有一種時代高度，但馮所譏議的「許多號稱革命的人們」或「當權者」其實
都非泛指，而是蔣介石一人，範圍再大一些，也不過就是國民黨官僚，比如
本段所謂「號稱革命的人們」，看似泛指，但舉「住高樓」就有明顯針對
性，因為他在本書其他札記中，屢屢訶罵「南京政府」忙著「上海跳
舞」，[84] 趕著起高樓，[85] 而這些紙醉金迷的生活都是建立在貪汙腐敗之上的。[86]

---

[84] 「政府在南京，卻有許多要人把時間花費在上海的跳舞場中，這是為人民嗎？要貧苦
辛勞的人民實行新生活，自己卻打麻將打到大光，這能取信於民嗎？」(《讀春秋左傳
札記》，卷9，頁303)；「現在南京上海兩地的文武官吏們吃完飯以後，就說：『做八圈
新生活消遣』，其實就是打八圈麻將，原來所謂提倡新生活，就是如此。」(《讀春秋
左傳札記》，卷1，頁20)；「坐在衙門裡刮地皮的官老爺大講『新生活運動』的真義，

這種「由古論今」結構是整本札記的主要論述策略。又如前二節馮玉祥肯定
謹慎謙遜的美德，當他在強調謙謹之重要後，也沒忘了再給當今統治者一記
回馬槍：

> 無功受祿，驕奢成習……像這樣的人，現在亦很多。（卷2，頁45）

> 這裡都是教人「做人」的大道理，忠、信、謙讓都是「做人」的要
> 素。現在有許多驕傲自大不忠不信的人，當以為戒。（卷10，頁429）

> 「富而不驕者鮮」，今日驕奢淫佚的統治階級，應有深刻的覺悟。並
> 且牢記，「未有驕而不亡」的這句話。（卷11，頁577-578）

談儉德時也是採用這樣的論述結構，第一、二句泛論「儉為美德」之後，馬
上又是對時人的批判：

> 古之君主諸侯以及當政的士大夫，今之官僚軍閥，雖大都標榜節儉，
> 戒除侈奢，但實際能做到的真是太少了。這有個根本原因，就是這些
> 人都是以實行經濟剝削為目的。換言之，他們都是以搜刮為目的。要
> 想把儉的美德普遍於執行公共事務的人們中間，則必先消除他們「搜
> 刮的目的」。今日蘇聯政府中人，他們大都儉樸可風，就是想侈奢也
> 做不到了。（卷3，頁78）

這樣的套路，使得他一腔的熱血，都只讓《左傳》淪為鬥爭的工具，滿滿的

也不過是聊以自慰而已。」（《讀春秋左傳札記》，卷5，頁115）；「現在雖然失去東北
　四省，三千五百萬同胞淪亡於敵人，可是他們卻並無戒懼之心，每日仍然在上海南京
　花天酒地的享樂著……。」（《讀春秋左傳札記》，卷11，頁565）
85　「諸侯觀晉國的虒祁之宮以後，皆有貳心。如今南京各部正建築高樓大廈，各要人亦
　紛紛修蓋精美的洋房，各省行政長官，除迎頭趕上，大肆搜刮，努力上行下效……。」
　（《讀春秋左傳札記》，卷10，頁483）
86　「他們再也想不到二千年後的中國人民，受著比從前更要劇烈的壓迫……所謂革命成
　功後的政府，比從前更腐敗了……我們再看一看那些自（稱）革命家的新興貴族們
　呢，正在租界裡紙醉金迷的享受著……。」（《讀春秋左傳札記》，卷10，頁432-433）

一本札記純然成了個人抒憤的場地。如此一來，不論經典詮釋或時代反映的
企圖都被消泯了。

2 抗日與民族自立

　　馮玉祥的抗日情結幾乎與其一生相始終，他從軍後的第一椿出任務，就
是隨父親移駐大沽口修築砲臺，馮玉祥形容當時十三歲的自己看到日本軍艦
就威脅在「家」門口，很受刺激，心裡決定：「今日我不當兵則已，要當
兵，誓死要打日本，尺地寸土絕不許由我手裡讓日本奪了去！」[87]雖然日後
北京政變時，馮曾見疑接受日本援助，[88]但由其日記、對下屬之演講及抗日
行動等，仍清楚地看出他仇日情結極深，所以張家昀認為日援說恐係學者研
判資料有誤，「終其一生，他的態度並未改變。從甲午到抗戰，他貫穿了五
十多年『抗日』的情緒。」[89]其實，不只到抗戰，即便在歸隱泰山，表明不
再有任何政治活動之時，[90]仍常致電蔣介石申明抗日主張。[91]《讀春秋左傳
札記》的撰作時期正是馮玉祥為了抗日與蔣介石決裂之後，書中的仇日情緒
時時可見，將春秋史事與抗日主張聯結者極多，比如哀公十九年越圍吳，馮

87　馮玉祥：《我的生活》，頁21。這座砲臺對馮玉祥的意義，是聯結父子私人情感與捍衛
　　家園壯志的，所以聽到辛丑合約中規定拆除砲台時，馮玉祥形容自己「肝膽欲碎」。
　　詳見馮玉祥：《我的生活》，頁21-22，45-46。

88　〔美〕薛立敦：《馮玉祥的一生》云：「一向反日最烈的馮玉祥，此次的舉動卻是實際
　　上受日本經濟上的援助。」（頁178）。

89　張家昀：《模範軍閥：馮玉祥》，頁166。

90　郭廷以《中華民國史事日誌》一九三三年三月六日：「馮玉祥赴泰山」（頁147）。八月
　　十七日：「馮玉祥自濟南到泰山」（頁293）。十一月四日：「山東省政府主席韓復榘到
　　泰安，晤馮玉祥」、「馮玉祥在泰山表示，不作政治活動」（頁321）。

91　郭廷以《中華民國史事日誌》一九三三年七月三十一日：「馮玉祥通電，指責中央，
　　謂決抗日到底，拒絕汪、蔣勸告。」（頁289）；一九三五年十月十九日：「蔣委員長電
　　邀泰山之馮玉祥入京出席中央第六次全體會議。馮玉祥電覆蔣委員長，申明抗日主
　　張。」（頁519）；一九三三年三月三十日：「馮玉祥再致書蔣委員長，主拼命抵抗，並
　　列舉辦法十二條。」（頁245）；一九三五年十二月一日：「馮玉祥、于右任商抗日及對
　　俄對共辦法。」（頁535）「馮玉祥、于右任再談聯俄抗日事。」（頁536）。

玉祥藉吳王之不能覺悟而致國亡，引論不抗日者亦如斯；[92]哀公二十一年齊譏魯「數年不覺」，馮也引為中國對失去東北猶「苟且偷安，未曾覺悟」；[93]最顯著的例子是昭西元年魯伐莒事，《左傳》只記：「季武子伐莒，取鄆。」前後文並未提到莒之敗因，馮玉祥卻直指莒國之敗，乃因不抵抗：

> 魯國侵莒國，莒人在不抵抗之下失去了土地。（《讀春秋左傳札記》，卷10，頁415）

這「不抵抗」三字也是《讀春秋左傳札記》裡的關鍵詞，就跟他喜用「那些提倡新生活的官吏們」來指諷蔣介石，[94]他也屢用「不抵抗將軍」來譏刺張學良，如：

> 子玉生前雖自傲自大，因而誤事，但最後自縊而死，也算有志氣有骨氣。現在的不抵抗將軍，失地之前，雖已有疏忽不備之過，但是事後能自責自劾也算好啊！不幸，挨盡了責罵仍是留戀祿位，究有何面目再見人呢？能不愧殺！（《讀春秋左傳札記》，卷6，頁181-182）

> 樂寧縣長因失城於劉桂棠而被槍決；同日，失東北三省得不抵抗將軍卻在漢口就副司令職。（《讀春秋左傳札記》，卷9，頁301）

> 不抵抗之下失地四省，合乎什麼「禮義」……難道還有比「收復失地」「復興民族」更重要的事嗎？（《讀春秋左傳札記》，卷10，頁446）[95]

> 「守臣喪邑」是古今都有的事，但總沒有像這一次喪失東北四省那樣容易。戰而喪邑，沒有什麼出奇，惟獨不抵抗而喪失土地，才是莫大

---

92 「今日我國受日本帝國主義之宰割，而吾人始終在睡夢中，等待各帝國主義的吞蝕。」（《讀春秋左傳札記》，卷12，頁626）。

93 《讀春秋左傳札記》，卷12，頁627。類似的意見又見卷3，頁61。

94 詳見本文前節所述，及《讀春秋左傳札記》頁20、115、348、446、555。

95 此處其實同時又諷刺當時「新生活運動」提倡「禮義廉恥」。

的恥辱。(《讀春秋左傳札記》,卷10,頁458-459)

張學良不抵抗而見譏於馮玉祥,最大的原因是他不抵抗的對像是日本:

> 日本帝國主義自「九一八」以後,侵略了我國四省土地,殘害了我們
> 多少同胞!我們卻又低聲下氣的屈服了,非但不敢抵抗……他們還和
> 日本帝國主義講「中日親善」呢!(《讀春秋左傳札記》,卷1,頁7)

> 如今日本帝國主義侵我東北四省,不抵抗而退兵,真是「我未及齮,
> 而有城下之盟,是棄國也。」(《讀春秋左傳札記》,卷12,頁600-
> 601)

所以,罵張學良是不抵抗將軍,其實主要是仇日。再回頭看馮玉祥對魯伐莒
事的後續批評,《左傳》說:「莒人告於會。」馮玉祥洋洋灑灑寫了三四頁的
札記,論述此事與中國在九一八之後,訴諸日內瓦國際聯盟的相似性,而國
際聯盟又如何操縱在英法各帝國主義之下,[96]所以,要國存除了圖強自救,
沒有他法;而圖強自救,得先抗日:

> 「九一八」事件發生以後,我們中國正與莒國一樣,在不抵抗之下失
> 去了東北四省的土地……所以在「九一八」事變以後,我就極力主
> 張:「我們要生存,就要抗日。」……當局者始終置如罔聞;接著我
> 們就看見日本帝國主義步步進逼,我們的土地一塊塊的失去,人民作
> 人家的奴隸亦日漸增多……我認為堅決擴大民族抗日戰爭,是中華民
> 族解放的惟一出路……我們要救亡圖存,就要抗日……。(《讀春秋左
> 傳札記》,卷10,頁416-418)

　　但是,除了情緒性的仇日,與抗日的呼籲之外,馮玉祥是否能進一步思
考到民族自決等相關論述?依照薛立敦的觀察,「有些軍閥雖有點民族主義
思想感情,但……他壓抑了新的知識力量和新的政治力量的成長,而後者是

---

96 詳見《讀春秋左傳札記》,卷10,頁415-418

開發這個國家的自然及人力資源的生產力……民族主義就是愛國主義，而軍
閥主義則是利己主義。」[97]馮玉祥算是「有點民族主義思想感情」的軍閥，
雖然不能說他在民族愛國情操底下對國家做了多少建設，但他倒也不致於
「壓抑了新的知識力量」，此點由本文第二章談到他特別看重農業及水利等
民生建設可以得知。由《讀春秋左傳札記》來觀察的話，就更明白他也不是
「有點民族主義思想感情」而已，因為札記中提到民族獨立的地方也不少，
比如《左傳》莊公十七年有一條短短的記事：「夏，遂因氏、頜氏、工婁
氏、須遂氏，饗齊戍。醉而殺之。齊人殲焉。」這條記事很容易被忽視，馮
玉祥卻拿來作「民族自決」的文章：

> 強佔人家的地方，用武力鎮壓。被鎮壓的人，當然不甘心，有機會一
> 定起來反抗。民族與民族間的仇恨，是不易消除的……歐戰後威爾遜
> 主張民族自決，就是看到這一層，認為世界和平不是由一個民族統治
> 另一個民族所能得到的。不過他仍未能把握住民族平等的真諦。現在
> 蘇聯這個國家，包括有若干不同的民族，各有其語言文字，保持其獨
> 立平等的地位，加入聯邦是自願的。消弭民族間仇恨的途經（按：疑
> 當作「徑」），也許就在這裡吧！（《讀春秋左傳札記》，卷3，頁72）

由一條短短的記事，徵引了威爾遜民族自決的主張，討論民族獨立對和平的
重要影響，可謂善以經學思考眼下之問題，不愧致用之思。可惜話鋒一轉，
竟然為蘇聯廣告起來了，此又係受當時蘇俄與共產主義之影響，可旁見馮之
札記其實頗能呈現時代思潮，[98]但是，撇開判斷錯誤與否不談，馮的確注意
到民族獨立的問題。他也直指「夷夏之辨」是狹小的民族意識：

> 戎狄即豺狼，諸夏即親暱，這是當時極度狹小的民族意識的表現。這
> 種妄自尊大的心理直到清末還很普遍。現在民族的不平等雖仍存在，

---

97 〔美〕薛立敦：《馮玉祥的一生》，頁34。

98 馮玉祥在《讀春秋左傳札記》裡，多次褕揚蘇聯，如：「蘇聯（乃）素以平等帶我之
　　國家」（卷1，頁7）；「今日蘇聯政府中人，他們大都儉樸可風。」（卷3，頁78）。

但是我們應該把眼光放大，世界大同，始是人類最高的理想。(《讀春秋左傳札記》，卷4，頁89)

他也能在文化論述之外，從經濟的角度看待華夷相爭；[99] 又能將《左傳》內容延伸而論國際民族紛爭：

> 對國內各民族無疑的應當平等看待，並且應當積極的幫助他們。最近內蒙要求自治，康藏糾紛幾年未得解決，新疆常有回漢互殺，最近有南疆的叛變，這些事實都是國內民族問題不得解決的表徵。所謂國內民族問題，不僅屬國內問題的範圍，且與帝國主義有密切關係。因為帝國主義對我侵略，其勢力先達到我邊疆。所以蒙回各族的問題，都有國際背景。我們不應再用愚弄的方法對付他們。應當坦白真誠，積極的幫助他們自治，在經濟上軍事上盡力協助他們。要他們實際參加政治，從漢族手中得到幸福。如此他們方能不受帝國主義的煽惑與利誘。(《讀春秋左傳札記》，卷9，頁298)

總之，馮玉祥認為只要持著民族平等的態度，才有可能談進一步的世界大同。[100] 但懲於先驗，馮玉祥仍然認為所謂民族平等，並不是自己說了就算，仍須有相當武力做後盾。他藉襄公二十五年子產「若無侵小，何以至焉」一段話，說明強凌弱的社會現實：

> 晉人問子產，大國為什麼要侵略小國。子產的回答是：「大國要擴張他的領土。」……這猶如日本帝國主義侵我東四省，我國提出抗議以後，他說是出於自衛，把一項挑釁的罪名先加在我們頭上。以後日本外相內田以及出席國際聯盟的日本代表松崗被英美各國詰問詞窮，就只好說，滿州是他們的生命線，他們為顧全在滿州之利益而出此。這

---

99 「(戎子駒支) 狄之向內侵犯，並非偶然的，而是帶有經濟的目的。」(《讀春秋左傳札記》，卷9，頁325)。

100 「我們反對帝國主義，並不籠統的排斥外國人。不但如此，我們還要更進一步，剷除民族平等的障礙，而實現人類大同。」(《讀春秋左傳札記》，卷8，頁248-249)。

不會說，為了擴張領土，所以要向滿州侵略。這和子產答晉人語，有什麼分別呢？在這強權的時代，自己不能振作起來，就只有滅亡。沒有什麼道理可講，只要有武力做後盾才能講公理。（《讀春秋左傳札記》，卷9，頁368）

所以我以平等心態待人，但欲思他族以平等待我，使民族得以獨立，須圖自強，不可猶思他助，「在這強淩弱，大欺小的時代，就無所謂公理正義；那麼如果弱小民族或弱小國家想要圖存，就只有發憤圖強。」[101]他也以吳之強大為例，再度強調「弱小國家決非永無翻身之機會，全看牠自己能否振奮起來。」之理：

這時晉楚是大國。吳國是新興的強國，從前它還不是和其他小國一樣，追隨於諸大國之後。可是不到幾年，就一躍而為強國。可見弱小國家決非永無翻身之機會，全看它自己能否振奮起來。如能修明內政，與敵國打一勝仗，國際地位頓時提高……今日我國如欲與列強平等，必須自己從速覺悟起來，努力圖強不可。（《讀春秋左傳札記》，卷9，頁294）

其實，馮玉祥一再強調民族自強獨立，也不見得是深思有得的體悟，依然是指責蔣介石的政策，蔣安內清共再圖抗日的作法，在馮玉祥眼中是「排除異己」而「親日」。所以馮所言「尋求外援」或「與敵國打一仗」，其實大部分都是針對日本而言的。下面這個例子就說得比較明白。襄公八年，鄭國大夫

---

101 《讀春秋左傳札記》，卷3，頁68。類似的意見，甚至相雷同的句字在札記裡一再出現，如「現在是個帝國主義侵略弱小民族的時代，被帝國主義侵略的國家與民族如要圖存，如不甘自棄，如果不願當劣種；只有掙扎，只有奮鬥，只有反抗，只有拼殺！有骨頭的不在敵人腳下討生活，我們應當覺悟，向敵人乞憐，徒增敵人對我們的鄙視，得不到半點憐惜！」（《讀春秋左傳札記》，卷1，頁18）；「自己落後始敵不住外侮的來侵……急起直追的真途徑，不是向外求援，不是向政府乞憐，是我們民眾自己起來，創造自己的國家，創造新的世界！」（《讀春秋左傳札記》，卷8，頁286）；

對從楚從晉有不同意見，馮玉祥就引以論中國夾在歐美與日本之間的為難。[102]
而且對鄭國子駟「姑從楚，晉師至，吾又從之」的計策大表不智，此處就明
白指出，執政者想先安內而不思抗日的作法是「喪心病狂」：

> 現在竟有人主張姑從日本帝國主義以建設安內，豈非喪心病狂！要知
> 道不能解脫日本帝國主義的束縛，中華民族就沒有重見天日的一
> 天……要想圖生存，祇有自救。（《讀春秋左傳札記》，卷9，頁307）

東北是日、俄垂涎之地，為了抵制彼此在東北勢力的擴張，日或俄其實都曾
援助軍閥交戰，說來悲哀，軍閥不過是兩大惡勢力的棋子。馮對帝國主義的
論述幾乎必舉日本為例；談到民族獨立，則以蘇聯為典範，言談中，揚蘇仇
日的傾向極為明顯，所以他罵「姑從日本」是喪心病狂；連「不友蘇聯」也
被他罵喪心病狂：

> 反帝的最大力量是民眾。反帝的最好朋友是蘇聯……現在祇有蘇聯，
> 我們不能自絕這個惟一的好友……又有人說蘇聯並不幫助我們反帝國
> 主義，這要先自問，我們本身是否在反帝國主義……得罪了朋友，無
> 形中便增加了敵人的力量。至於為了向敵人討好，而得罪了朋友，那
> 更喪心病狂了。（《讀春秋左傳札記》，卷8，頁274-275）

　　因此，許多札記乍讀有理，但細勘之後，又不出焦點意識的作祟，札記
的重心幾乎都在詆斥蔣氏不積極抗日之政策，從而旁溢出對蘇聯之傾慕，這
之間，馮玉祥看似宏闊的視野，又可惜地被私人的憤憾淹沒。

四　結論

　　一個在現實人生並不得意的農夫，為自己改名唐吉軻德，開始了他幻想

---

[102] 「我看依賴不是辦法。唯有自強始有出路。我國政府好像也發生這樣問題，親美對
呢？親日對呢……其實依附哪一個也不是中華民族的出路。牠們同是帝國主義哪有善
意對付經濟落後的國家！」（《讀春秋左傳札記》，卷9，頁305）。

裡的騎士生活，為了完成騎士的壯舉，他大戰風車；因為在他眼中，風車是
兇惡的巨人。馮玉祥的《讀春秋左傳札記》有點像軍閥版的《唐吉軻
德》——風車可以是助人做事的動力機械，但在自詡為騎士的唐吉軻德眼
中，是醜惡而須斬除的巨人；《春秋左傳》可以是醒世乃至濟世的經籍，在
馮玉祥憤憾的眼中，只是不合時宜卻依然箝制人心的傳統。

　　或許緣於《左傳》的政治軍事內容價值，又或許來自時代的氛圍，馮玉
祥選擇了《左傳》，作為他執筆單挑的風車巨人，他在卷首就申明不以傳統
的方式來讀此書，這種宣示本身就具有強大的意義。蓋「求變」、甚至「求
異」的宣言，就標誌著經典神聖性之隕落，讀者主體性的時代來臨。

　　所以，本文以「接受」的角度來看馮之札記，在馮玉祥如此強烈的自主
意識之下，《左傳》是獨立於作者的存在，不論孔子或左丘明，都不再是馮
玉祥在乎的對象，他只在乎這本作品的社會功用。因之，縱觀全書，馮所肯
定《左傳》的，都跟他「心目中」的公共利益有關——愛民奉公的中心思想
（忠勤）以及儉樸的生活實踐（謹樸）。他認為《左傳》除此之外所言皆是
「為封建統治制度設計的」、對百姓不公平的。他要用此書證明當今之腐敗
其來有自，他想要由根源解決問題。在這種選擇視角之下，批判現實成了支
撐他孤獨英雄形象的倚靠。簡又文對馮待人處事風格的觀察，下了一個很貼
切的結論：

> 他懷著「我比你較為聖潔」（holier-than-thou）的態度和言行對待異
> 己……是精神界（宗教的）與道德界的「貴族主義」。[103]

抱持這種心態來闡解經典或議論時事，使得他自認為是對經典闡解的主體性
部分，其實充滿了顧影自憐，而且許多視角也因此被遮障了。以前述馮對新
生活運動的批評來說，在史學家眼中，馮所自認為豐功偉業的部分，竟然與
新文化運動的許多目標一致；更諷刺的是，馮所津津自得的「革命家」封
號，是「因其革新與新文化運動的許多目標一致，故被運動的同情者戴上了

103　簡又文：《馮玉祥傳》，頁320。

一項『革命』的桂冠」；[104]而馮之所以訾薄新生活運動，在史學家眼中，竟
是因為馮自己不能進步而自外於潮流。[105]所以簡又文雖肯定馮「一生操守
無改」、「志行堅苦」，[106]但因個性質樸剛直，「單軌頭腦」讓他的表現自詡
聖潔卻在外人眼中成了險詐倒戈。[107]

　　由其行事風格來看《讀春秋左傳札記》的特色也是如此。從社會需要來
說，對照經典所言古事與今之時事，從而找出歷史規律乃至邏輯關係，不失
為擴大經典信息與傳播層面的作法，也可讓讀者藉由「意義之參與」，進一
步落實至經義的實踐。《讀春秋左傳札記》呈現了闡解《左傳》的歧異路
徑：從特定的政治現場與理論，挑戰傳統認為不可質疑的想法。馮玉祥先是
推拒其他讀法（在此處，就是被他稱為「腐儒的闡解」者），再以當代史事
舉例建構新的闡解，這種「能近取譬」的作法確是不錯的想法；他又以暗
喻、明喻、比擬等方式，挖掘《左傳》古事背後的教訓。所有這些闡釋策略
原都是頗具新意的方法，大可拉近經典與現實的距離，對經典的傳播，亦是
功德一樁。尤其札記中字字掛心國家與百姓，頗能引起讀者愛國精神；又頗
引經據典，或論證國內外時事，對讀者亦可以有博學知時之資。就如唐吉軻
德傻敦敦的勇氣十分動人，《讀春秋左傳札記》裡許多札記，片段讀來都很
有道理、很熱血。可惜全面觀察之後，可以清楚看到馮玉祥因焦點意識的作

---

104 「那時，中國社會最進步的力量是新文化運動，它致力於社會的改革其中就有根除纏
　　足、抽鴉片、裙帶關係及包辦婚姻等陋俗⋯⋯馮雖然與他們無絲毫聯繫，但因其革新
　　與新文化運動的許多目標一致，故被運動的同情者戴上了一項『革命』的桂冠。（〔
　　美〕薛立敦著：《馮玉祥的一生》，頁344）。

105 「然而，到二十世紀二〇年代初，發起新文化運動的知識分子又向前跨進了一大
　　步⋯⋯當時的趨勢是朝著群眾政治組織方向發展，但馮卻置身於此潮流之外⋯⋯唯一
　　的方式是向老百姓發表演講，提出各種口號⋯⋯只要馮認為仁政的實施仰仗其一人，
　　那麼群眾組織便是多餘的。」（〔美〕薛立敦著：《馮玉祥的一生》，頁344-345）。

106 簡又文：〈我所認識的馮玉祥與西北軍〉，頁381。（收入簡又文：《馮玉祥傳》，附錄
　　1，頁377-389）。

107 「他一生志在救國救民，不過所具有的是『單軌頭腦』——由獨自仰仗儒家治道，而
　　至『基督教』，而至『國民黨』，以至『共產黨』，無非一貫的表現。」詳見簡又文：
　　《馮玉祥傳》，頁371。

崇，其闡解經義或由經義延伸的議題，都是來自於對蔣氏政權的憤恨，以及己志不得伸的遺憾，所以眾流歸一，整本札記幾乎就是對蔣氏官僚奢侈之揭露、對蔣氏不積極抗日等政策之反彈。前者或以抨擊「禮」的包裝呈現；後者，則以抗日主張的愛國論調出現；更支流的，則是對蘇聯之傾慕。凡此，皆使其格局驟然縮小，跨矩度的闊斧，徒然成了尖筆寫憤懣。

陳柱的公羊思想
——民國初年經學變動的兩個分水嶺

盧鳴東

香港浸會大學中國語言文學系副教授

一　引言

　　民國經學研究處於一個新舊混雜的年代，「新」是指從西方傳入的文化，「舊」是指中國固有的文化。新舊文化混雜的結果，為傳統的經學研究造成衝擊，促使民國經學家的研究方法作出轉變。這反映在國故的整理上，民國經學研究的分流出現了新舊兩種：「舊」是指經學家站在維護孔子儒學的立場上，以重返原典的方式，為經學的原始思路注入新的內涵，並利用西方的科學精神尋找儒家傳統中的現有價值。至於「新」，同樣是利用科學精神去研究經學，但首要目的是用來印證西方科學思維和學習方法，而儒家經典則被視為已過時的研究材料，沒有價值可言。民國經學處於「新」、「舊」兩派陣營中，同樣出現了東西文化混雜的現象，但彼此的研究目的和意義便存在很大分歧。

　　歸納經學家的研究方法是方便分析一個時段內經學研究的狀況，特別在民國初年，西方文化在中國傳播達至高潮，利用「新」、「舊」的區別可以說明經學自晚清至民國年間的轉變，而當時歷史環境的特殊性亦成為解釋民國初年經學變動的重要依據。民國是一個動盪年代，僅在民國初年短短的十年間，國內有袁世凱（1856-1916）稱帝、張勳（1844-1923）復辟所引發的憲制危機；而國際形勢也十分嚴峻，第一次世界大戰為歐洲各國的經濟政治、

社會文化帶來強烈震盪。傳統的經學研究有「經世致用」之旨，本應可為當前的局勢提出解決方案，可是，自晚清西方文化大量輸入中國後，儒家經典往往被抨擊為過時的產物，直到民國初年歷史環境的急劇轉變，便正好為民國經學家創造良機，他們以調和東西文化為原則，變動傳統的經學內容來重現儒家經典的價值。

　　本文通過陳柱的《公羊家哲學》說明民國初年的歷史變動和經學變動的關係。陳柱（1890-1944），字柱尊，號守玄，又號守玄子，廣西北流人，早年赴日本留學，入讀成誠學校，後返回上海，入讀南洋大學電機科。陳柱曾任廣西省立第二中學校，無錫國學專門學院教授，大夏大學、暨南大學國文系主任，廣西大學籌備委員，交通大學中國文學系主任，大夏大學教授等職位。[1]《公羊家哲學》是陳柱公羊思想的代表作，早期命名《春秋公羊微言大義》，後改稱《公羊家哲學》。《公羊家哲學》分為十五篇，除了末篇〈傳述考〉追溯歷代《公羊》學說源流，載錄《春秋公羊微言大義‧序》和陳柱對過去公羊家的評語外，其他各篇都有明確的討論專題。歸納來說，〈革命說〉、〈尊王說〉、〈正名說〉、〈經權說〉和〈災異說〉涉及國家民主政體，提倡自由平等；〈弭兵說〉、〈崇讓說〉、〈攘夷說〉、〈疾亡說〉、〈尚恥說〉、〈倫理說〉、〈仁義說〉、〈善惡說〉駁斥西方天演競爭說，提倡儒家仁義忠恕之道，並申明反戰思想；〈進化說〉指出道德文明進化是奠立大同社會的基礎。

　　在治學的態度上，陳柱特別重視中國古籍的整理，他強調「今日而有欲設立國學研究院者，莫急於整理古籍」，以為當聘請教授「發凡起例」，並視乎情況，令一人或數十人整理一書。[2]同時，他認為整理古籍理應參考西學

1　陳柱生平詳見袁明嶸：〈陳柱生平事略及著作目錄〉，《中國文哲研究通訊》第17卷第4期（2007年），頁3-46。張京華、王玉清：〈陳柱學術年譜〉，《廣西社會科學》2007年第2期，頁100-105。徐友春主編：《民國人物大辭典》（石家莊市：河北人民出版社，1991年），頁998。

2　陳柱：〈設立國學研究院之我見〉，《中國學術討論第一集》，收入《民國叢書》（上海市：上海書店，1991年），頁163。

知識。陳柱在一九二七年〈設立國學研究院之我見〉一文中指出：

> 西學東來，我國舊有學術，始則受其打擊，暫見動搖，繼乃以彼邦科
> 學之法，整理國學，於是途徑大闢，反與西學相得益彰，而國人研究
> 國學之聲浪，亦愈高矣。[3]

他相信國學與西學有互補作用，而西方的科學方法亦有利於古籍研究。今觀
《公羊家哲學》十五篇，其中兩篇便以〈革命說〉和〈進化說〉命名，足見
其取西學治《公羊》的態度，立意鮮明。事實上，陳柱以為「蓋孔子之作
《春秋》，深寓革命之恉，《公羊》得之而未嘗暢言之，至何氏而後始大發其
說，提倡革命」，並解釋何休（129-182）之所以據讖緯而有《春秋》「授法
漢劉」之說，純粹是出於討好漢代君臣，避免其書被「指為倡亂謀逆」。[4]可
以說，陳柱把《春秋》確立為「革命」之書，已與歷代《公羊》之義不同，
更嘗謂「而近世之為《公羊》者，其說尤為怪誕不經，多可憫笑」[5]。不
過，陳柱不是要排斥《公羊》舊說，自言「尤愛何邵公之注《公羊》」[6]，故
《公羊家哲學》參照何休《春秋公羊經傳解詁》為主，旁及董仲舒（179-
104 B.C.）《春秋繁露》及孔廣森（1752-1786）《公羊春秋經傳通義》而寫
成；至於莊存與（1719-1788）、莊述祖（1750-1816）、劉逢祿（1776-
1829）、宋翔鳳（1776-1860）、陳立（1809-1869）、皮錫瑞（1859-1926）、廖
平（1852-1932）、康有為（1858-1927）等於清代大行其道的《公羊》學
說，都不予收錄。可見，陳柱立意局部篩選《公羊》舊說，而相信因何休
「新周王魯」之說寄託了「革命」大義，故尤取得他的歡心，於取材上之所
以有這種考慮，當是感染了民國時代革命氣息所致。

　　《公羊家哲學》寫成於一九二八年，之前中國境內和國際間所發生的歷
史大事，陳柱定必歷歷在目，而作為一位「感憤時事」的經學家，勢必有所

3　同前註，頁161。

4　陳柱：《公羊家哲學》（臺北市：臺灣力行書局，1970年），頁262、264。

5　同前註，頁237。

6　同註4，頁274。

反思。本文以民國初年發生的兩件歷史大事，作為解釋經學變動的兩個分水嶺：一，民國政府成立，二千多年的君主帝制為共和立憲制所取代；二，第一次世界大戰爆發，西方文化備受質疑，社會主義抬頭。由此分析陳柱掌握歷史脈絡的變動，針對性地為《公羊》注入西學元素，以解決國內外的困局和危機，藉此變動傳統經學的內容，使它們重拾昔日「經世致用」的光輝。

二　民國政體的變動：經學適應求存

（一）尊王革命

　　傳統儒家的「忠臣尊君」、「君權神授」等思想，與封建帝制有著二千多年的緊密聯繫，彼此相互依傍，如影隨形。滿清政權覆亡，中國政體由君主專制模式轉變為共和立憲體制，使原來支撐君主政體的儒家文化，由最具政治影響力的主導思想，演變為各界爭相抨擊的對象。民國政府成立以後，把儒家思想視作為君主專制政權服務的一種看法，在袁世凱稱帝，張勳復辟期間更見突出。復辟者欲借用孔學重燃君主專制政體，但初嘗共和成果的革命派亦力保共和政體能夠持續穩定，誓要把孔學經典徹底廢除。在失去君主專制的庇護下，經學的生存空間面臨重大的威脅。

　　一九一二年，中華民國成立，蔡元培（1867-1940）出任中華民國教育部總長，致力改革清代學部頒行的教育內容。同年一月十九日，他發布〈普通教育暫行辦法十四條〉，其中的第六條是「凡各種教科書，務合乎共和民國宗旨，清學部頒行之教科書，一律禁用」；第八條是「小學讀經科一律廢止」。[7]其銳意廢止清代遺留下來的小學讀經政策，阻礙儒家思想在普羅大眾間的傳播。[8]同年四月，他在〈對於教育之意見〉又發表「忠君與共和政體

7　羅家倫編：《臨時政府公報》（臺北市：中國國民黨中央委員會黨史史料編委員會，1968年），第4號（1912年2月1日），頁68-69。

8　實際上，晚清學制重視儒家經典的程度不下於前朝各代，一九〇四年張之洞在〈釐訂學堂章程折〉中指出：「至于立學宗旨，無論何等學堂，均以忠孝為本，以中國經史

不合，尊孔與信教自由相違」[9]的言論，再次申明「忠君」、「尊孔」在民國
共和政體下是過時產物，實在沒有存在的必要。民國臨時政府成立不久，在
教育政策上已刻意針對孔學經典的存廢而爭議。然而，蔡元培的教育新政僅
是屬於短暫性的，當袁世凱以臨時大總統身份執政後，相關措施便被逐一撤
回，「讀經」、「忠君」、「尊孔」、「祀孔」等活動一如以往，在全國一再熾熱
起來。一九一三年六月，袁世凱在〈大總統發布尊孔聖令〉中曰：

> 近自國體改革，締造共和，或謂孔子言制大一統，而辨等威，疑其說
> 與今之平等自由不合，淺妄者流，至悍然倡為廢祀之說，此不獨無以
> 識孔子精微，即于平等自由之真相亦未有當也。……茲據尹昌衡電
> 稱：請令全國學校，仍行釋奠之禮等語。所見極為正大，應俟各省一
> 律議復到京，即查照民國體制，根據古義，將祀孔子典禮，折衷至
> 當，詳細規定，以表尊崇，而垂永遠。[10]

袁世凱接連頒布的尊孔讀經政令，與其復辟時間表並行[11]，足見其欲以孔教
為日後稱帝鋪路。後來張勳、康有為於一九一七年七月在北京擁護溥儀復
辟，同樣是借用禮教綱紀之名來進行，如此俱使反帝制者視孔學為君主專制
政體的「護身符」。李大釗（1889-1927）曰：「凡總覺得中國的聖人與皇帝

之學為基，俾學生心術一歸于純正」，又規定「讀經講經」為初等小學堂和高等小學
堂的必修科目。參見苑書義等編：《張之洞全集》（石家莊市：河北人民出版社，1998
年），卷61，冊3，頁1591。

9　高平叔編：〈對於新教育的意見〉，收入《蔡元培全集》（北京市：中華書局，1984年），
第2卷，頁136。

10　中華民國史檔案資料匯編：《中國第二歷史檔案館》（南京市：江蘇古籍出版社，1986
年），第3輯，文化，頁1-2。

11　一九一三年：頒發〈尊孔典禮令〉（11月）、解散國民黨（11月）；一九一四年：解散
國會（1月）、簽發〈祭孔令〉及發布〈聖典例令〉七章（2月）、廢除〈臨時約法〉、
〈親臨祀孔典禮令〉（9月）、通過〈修正大總統選舉法〉，總統永遠連任，並可推薦繼
任人（12月）；一九一五年：制訂〈教育綱要〉，強調尊孔讀經，教育宗旨為法孔孟
（1月）、袁世凱稱帝（12月）。參彭明：《五四運動史》（北京市：人民出版社，1984
年），〈附錄〉，頁663-696。

有些關係。洪憲皇帝出現以前,先有尊孔祭天的事;南海聖人與辮子大帥同時來京,就發生皇帝回任的事。」[12]而陳獨秀(1879-1942)曰:「孔教與帝制,有不可離散之因緣。」[13]孔學一旦被打進君主專制的一方,便與當時剛剛形成的共和政體形成對立局面,其生存空間亦會因此大受限制。

　　事實上,在共和政權成立後,儒學是北方軍閥復辟稱帝的助力,而革命派意識到封建帝制大有死灰復燃的可能,對共和政體造成威脅。一九一二年,康有為(1858-1927)、陳煥章成立孔教會,展開了不同形式的尊孔活動,相關刊物如《孔教會雜誌》、《不忍》等多鼓吹尊孔讀經,並把孔子視作「國魂」、「教主」。康有為在《中華救國論》中曰:「欲活人心,定風俗,必宜立孔教會。」[14]一九一六年,他更致函總理段祺瑞(1865-1936),倡議「以孔子為大教,編入憲法」[15]。此議題於袁世凱死後仍然為人所倡議,致使孔學備受責難。陳獨秀曰:「學理而至為他種勢力所擁護所利用,此孔教之所以一文不值也。此正袁氏執政以來,吾人所以痛心疾首于孔教而必欲破壞之也。」[16]他指出孔教多被緣飾妄用,企圖製造輿論,以滿足獨裁稱帝的野心;而更重要的是,這絕非單一案例。李大釗曰:「余之掊擊孔子,非掊擊孔子之本身,乃掊擊孔子為歷代君主所雕塑之偶像的權威也;非掊擊孔子,乃掊擊專制政治之靈魂也。」[17]據此,孔子所以作為封建帝制的精神支柱,備受歷代君主奉承推崇,是因為在儒家經典中「神道設教」、「忠君尊王」等思想有箝制臣民的作用,為君主專制的確立提供了堅實的思想基礎。因此,在中國政體的變動之下,儒家欲重奪過去備受尊崇的地位,必須改變其支撐封建帝制的思想內容,由此觸發傳統經學內容發生變化。

　　在陳柱眼中,民國初年兩次復辟行動均告失敗,反映君主專制政體已經

12　李大釗:《李大釗文集》(北京市:人民出版社,1984年),頁95。

13　陳獨秀:《獨秀文存》(合肥市:安徽人民出版社,1987年),頁71。

14　湯志鈞:《康有為政論集》(北京市:中華書局,1981年),頁729。

15　中華民國史檔案資料匯編:《中國第二歷史檔案館》,第3輯,文化,頁56。

16　陳獨秀:《獨秀文存》,頁678-679。

17　李大釗:《李大釗文集》,頁264。

不合時宜，共和政體已是大勢所趨；同時，傳統帝制土崩瓦解，儒學已經無法依託舊有的政權來維護自身的存在價值，相反與帝制二千多年來的緊密關係，反而成為人們攻擊的理由。民國初年，中國正處於政體新舊交替的轉型階段，在這歷史分水嶺中，傳統的儒家經義為了配合新生的政體，便有需要重新作出思考、修正，使經義符合政體發展的步伐，適應求存，恢復經學的現有價值。這也是陳柱在《公羊家哲學》中，修正《公羊》思想，恢復孔子「本來面目」的原因。

　　民國共和政體的成立，來自辛亥革命的成功，這是推翻滿清王朝的原動力。但對於一家一姓的君主專制政體來說，「革命」便相等於亂臣賊子造反，這對於過往在一直強調「尊王」思想的儒家，「革命」這個詞語便有重新闡釋的必要。陳柱指出孔子是富於革命思想，而《春秋》亦寄託了革命大義。他在《公羊家哲學·革命說》中曰：

> 《公羊傳》之說《春秋》，甚富於革命思想，漢何休注《公羊》，復立《春秋》新周王魯之說，革命之義益著。……而孔子之富於革命思想，則亦顯而易明，非可厚誣也。[18]

陳柱從武王革商滅紂的歷史，證明出孔子倡議革命。其一，孔子深研《易》學，而〈革·象〉有「湯、武革命，順乎天而應乎人」之說；其二，孟子傳孔子學有「聞誅獨夫紂，未聞弒君」之說；其三，《公羊傳》來自孔子口說，其以隱公「元年春王正月」一句，把「王」託寓為文王，並謂「武王革命，實基於文王」，旨在說明當時革命者當取法文王，平定周室東遷後的諸侯亂局。[19]

　　同時，陳柱指出《春秋》中的革命思想，是載於《公羊傳》中，後經何休注「新周王魯」之義而得以昭明。《公羊傳》哀公十四年曰：「君子曷為為《春秋》？撥亂世，反諸正，莫近於《春秋》。」陳柱據《傳》文釋曰：

18　《公羊家哲學》，頁7。
19　同前註，頁8-11。

此文謂「撥亂世，反諸正」曰「撥」，曰「反」，發明革命之旨，豈不明甚？又云「制《春秋》之義以待後聖」，則言孔子作《春秋》著革命之恉以待後聖，又何其明且切也。[20]

接著，何休「新周王魯」說便進一步申明革命大義。「新周」為何休「一科三旨」的內容；〈文諡例〉云：「新周，故宋，以《春秋》當新王。」[21] 陳柱不據「《春秋》當新王」立論，並就「存二王」中刪去殷後「故宋」，而僅取「新周」之義，用來說明王魯革周當新王，以何休「王魯」的義例來說明革命大義。在《公羊家哲學》中，陳柱大量引用「王魯」義例，並云：「斯皆欲以魯統諸侯，而定其尊卑者也。此皆何休所據以發明《春秋》革命之大義也。」[22]

　　儒學所以受到歷代君主重視，與其中包含「尊王」思想不無關係，這在《公羊傳》中亦甚為明顯；但《公羊》既言尊王，就不能明言革命，因為兩者有牴觸之處。就此矛盾，陳柱沒有違言《公羊》尊王之義，唯指出革命只是權宜之計，尊王才是長久之經。《公羊家哲學‧尊王說》曰：

> 革命者，一時之權也；尊王者，長久之經也。……然則孔子所以倡革命之說者，誠以當時之所謂王，已昏亂無道，不足以為天下之共主，而天下之崩離日甚，故假王魯之說以見意。然而統一之綱，君臣之權，上下之禮，固不可以不明也。故尊王革命，雖似相反，而實不可以相廢。而其尊王之目的，則在於統一也。[23]

當王者昏亂無道，天下崩潰，臣民可不必猶疑，革去國君王位，由此《公羊》「革命」之義甚明；但考慮到天下一統的局面，防範亂臣賊子僭禮篡位，《公羊》又必須倡提「尊王」之義。陳柱認為「古之所謂王，蓋猶中央

20　同註18，頁22。
21　國立編譯館主編：《春秋公羊傳注疏》（臺北市：新文豐出版公司，1991年），冊17，頁20。
22　《公羊家哲學》，頁18。
23　《公羊家哲學》，頁24。

行政之首領」，其位是由天下人民所賦予，「有可尊之道，無可尊之道」，儼如總統或內閣總理任命，若然失去其道，被推翻是理所必然的事情。可見，陳柱曲折了《公羊》「尊王」之義，以容納民國初年革命的思潮。

然則，陳柱從《公羊》申明「革命」大義，僅是用於推翻昏君亂國身上，藉此換上新君，達致天下一統，意義上與歷代改朝換代沒有多大分別。民國初年，「革命」涵義廣闊而具備多層次意義，僅據孫中山（1866-1925）在一九〇六年「《民報》週年紀念大會上的演說」所指：「我們推倒滿洲政府，從驅除滿人那一面說，是民族革命；從顛覆君主政體那一面說，是政治革命，並不是把來分作兩次去做。講到那政治革命的結果，是建立民主立憲政體。」[24]陳柱所言的《公羊》「王魯」革命，僅限在亂世才出現，而統一後的政體依舊襲用君主專制，不涉及民族革命大義，又沒有政體改革的展望，然而，他運用「舊酒新瓶」的詮釋方法，為《公羊》學套上了「革命」銜頭，使它能夠快一點趕上民國時代的節奏。

（二）「五常」平等

在君主專制的思想框架下，「愛國」陷入「忠君」的觀念中，基於天下為一家一姓掌管，國家主權屬於一人所有，故人們效忠國家，就等同於稱臣於國君。陳獨秀曰：「中國語言，亦有所謂忠君愛國之說。惟中國人之視國家也，與社稷齊觀，斯其視愛國也，與忠君同義。」[25]至共和政體的成立，國家主權遂從君主手中釋放出來，全國人民人人平等，無分貴賤尊卑，都享有參政的權利。一九一二年三月，孫中山在〈中華民國臨時約法〉頒布「中華民國，由中華人民組織之」，「中華民國之主權，屬於國民全體」兩條[26]，已體現出帝制和共和兩種政體的主要分野。與此同時，民國政體的變動，亦

---

24 丁守和編：《中國近代啟蒙思潮》（北京市：社會科學文獻出版社，1999年），上冊，頁399。

25 陳獨秀：〈愛國心與自覺心〉，收入丁守和編：《中國近代啟蒙思潮》，上冊，頁543。

26 《中國近代啟蒙思潮》，上冊，頁508。

使維護君權的儒家「忠君」思想，由原來充當穩定帝制的思想基石，淪落為阻礙共和政體發展的絆腳石，成為民國初年學者抨擊的焦點。

圍繞在「忠君」思想的爭議上，最具代表性的莫過於一九一八年期間，《東方雜誌》主編杜泉業和《新青年》主編陳獨秀的筆伐論戰。二人的爭駁發生自陳獨秀質問杜泉業在《東方雜誌》所刊登的幾篇文章的內容上：一，對於《東方雜誌》譯錄辜鴻銘視「共和為叛逆」，並以「憲法」為「破壞君道臣節名教綱常之怪物」等言論表示不滿；二，抨擊杜泉業強調以名教綱紀作為中國的文明和國基，並指出在「共和政體之下，所謂君道臣節名教綱常」，可「謂之迷亂，謂之謀叛共和民國」。杜泉業雖就此作出反駁，指出辜氏所言沒有牴觸共和國體，而儒家的政治原理不離「民視民聽，民貴君輕」等思想，此作為民主主義的基礎，則「政體雖改而政治原理不變，故以君道臣節名教綱常為基礎之固有文明，與現時之國體，融合而會通之」。就此，陳獨秀再撰文章辯斥，申明儒家的仁民思想不是以人民為主體，而在儒家的政治思想之下，社稷是國君的產業，君臣之間絕非平等，故「君臣尊卑者，孔子政治倫理之一貫的大原則也」。[27]可見，爭辯的癥結突出了儒家倫常綱紀中的尊卑貴賤劃分，危及人民平等的民主精神，而「忠君」思想亦與共和政體建制相互違背。

儒學的倫常綱紀，主要表現為「五常」和「三綱」，前者是孔子的創見，後者則由董仲舒所發明。「三綱」之義尊卑立見，其義有違於平等，已是不庸置疑，但其名目是後儒所發，遠離孔子原意。這樣，只有「五常」才能夠表示出孔子的倫常思想，而儒學能否生存在共和政體的建制下，便取決於「五常」是否合乎人民平等精神。宋教仁（1882-1913）在一九一二年〈社會改良會宣言〉中指出「公德，尊人權，貴賤平等」，「是皆共和思想之

---

27 陳獨秀與杜泉業論戰的三篇文章，分別是陳獨秀：〈質問《東方雜誌》記者—《東方雜誌》與復辟問題〉和〈再質問《東方雜誌》記者〉；杜泉業：〈答《新青年》雜誌記者之質問〉，收入陳崧編：《五四前後東西文化問題論戰文選》（北京市：中國社會科學出版社，1989年），頁83-109。

要素，而人人所當自勉者也」。[28]正因為這個原因，陳柱在《公羊家哲學》中，重新打造「五常」的內涵，使其倫常關係具備平等對待的條件。

在「五常」中，陳柱認為：「《春秋》所書為列國之大事，凡夫婦父子兄弟君臣之變，均得見之。唯朋友為個人私交，故不得見於經。」[29]因此，除「朋友」以外，夫婦、父子、兄弟、君臣的倫常關係皆可見於《春秋》，他還確認四者皆體現平等關係，只是在表現形式上有所區別。夫婦方面，陳柱根據《公羊傳》隱公二年「譏始不親迎」例，申明「取妻必親迎，此敬婦之道，平等之義也」；又據宣西元年《公羊傳》「夫人與公一體也」，指出魯公於喪期迎娶夫人，為《春秋》所貶抑，而謂：「恥辱當與公共之，則餘事之當與公者可知。此非至平等之義乎？」[30]又據何休《解詁》「妻事夫有四義焉」之言[31]，論述此為「妻與夫有平等之締約矣」。凡此種種皆表明夫婦平等之義是帶有榮辱與共，而且是一種協同性質的關係。至於「父子」、「兄弟」的平等表現為對等無條件付出的契約關係，在性質上與「夫婦」略有分別。陳柱據《公羊》指出子於父當孝，父於子當慈，而儘管對方未能克盡本份，自己仍然要堅守己任，此乃天性所由，骨肉恩情所致；而兄弟之道亦本於天性，情況與父子相同，而彼此亦當以相讓為本。[32]

據此，陳柱特別強調「君臣」倫常與前三倫關係的差別，指出「君臣」的平等關係，是只存在於有條件的相對公平性質之下。《公羊家哲學・倫理說》載：

> 父子本乎天性；君臣本乎義合。父子與君臣之義，其大別在此。故父雖不慈，子不可以不孝友之，則子雖不孝，父不可以不慈。此非自外

---

28 《中國近代啟蒙思潮》，上冊，頁51。
29 《公羊家哲學》，頁170。
30 同前註，頁139、141。
31 何休《解詁》曰：「妻事夫有四義焉。雞鳴縰笄而朝，君臣之禮也；三年惻隱，父子之恩也；圖安危可否，兄弟之義也；樞機之內，寢席之上，朋友之道，不可純以君臣之義責之。」《公羊家哲學》，頁142。
32 同前註，頁159。

劫之也，天性有所不忍也。君臣則不然，君不君則臣非其臣，臣不臣
則君非其君。[33]

儒家經典常言忠、孝一本，人子若能孝順父親，亦表示能夠忠於國君。《禮
記‧祭統》曰：「忠臣以事其君，孝子以事其親，其本一也。」[34]《大戴禮
記‧曾子本孝》曰：「忠者，其孝之本與。」[35]這樣說來，「父子」與「君
臣」的倫常關係便趨於一致；基於天性所然，不管父親是怎樣，人子孝順父
親亦勢所必然，此義貫達於君臣倫常關係上，即使面對昏君，臣子也要忠心
不二。然而，儘管《公羊傳》亦曰：「事君猶事父也。」何休亦徵引《孝
經》曰：「資於事父以事君而敬同，本取事父之敬以事君。」[36]陳柱不接納
「君父一體」說，指出君臣關係出於義合，國君無道，臣子三諫不聽，便可
離去，不必誓死堅持，這表現出在相對條件下，君臣之間的一種公平對等關
係。經過這種「改造」，儒家的綱紀倫常不但沒有跟共和政體發生衝突，且
能滿足民國初年人們對平等的渴望。

（三）去君忠國

顯而易見，陳柱解釋「五常」的用心，旨在使它們與「平等」觀念看
齊，確保在政體變動下，儒學的傳統思想地位不被動搖。進一步來說，「忠
君」是舊有君主政體下的儒家思想，但在共和政體下已經不存有「君臣」倫
常，而「君」、「國」的同義關係亦已消失。鄒容在一九〇六年《革命軍》中
指出「當知中國者，中國人之中國也」；又曰：「夫忠也孝也，是固人生重大

---

33 同註31，頁161。

34 國立編譯館編：《禮記注疏下》（臺北市：新文豐出版公司，1991年），冊12，頁
　2072。

35 〔清〕王聘珍：《大戴禮記解詁》（北京市：中華書局，1983年），頁79。

36 國立編譯館編：《春秋公羊注疏下》（臺北市：新文豐出版公司，1991年），冊18，頁
　964。

之美德也，以言夫忠於國也則可，以言夫忠於君也則不可。」[37]在新生的共和政體下，國人要學習認識自己所擁有的國民身份，在觀念上，要由「臣民」變成「國民」，由「忠君」演化成「愛國」，藉此加強「國家」、「民族」的信念。杜泉業曰：「國家之名稱，則為封建時代之遺物，系指公侯之封域而言；自國家以上，則謂之天下，無近世所謂國家之意義。……至民族觀念，亦為我國所未有。」[38]

就此，陳柱溯源《春秋》，輔以《左傳》史實，直指孔經已有「國」、「君」一分為二的觀念。襄公二十五年，《春秋》載「齊崔杼弒其君光」。《左傳》記載齊襄公被崔杼刺殺，戰死的大臣有賈舉、州綽、邴師、公孫敖、封具、鐸父、襄伊、僂堙、申蒯等，只有晏子倖存。晏子所以不與國君殉難，其解釋箇中原因：

> 君民者，豈以陵民，社稷是主。臣君者，豈為其口實，社稷是養。故君為社稷死，則死之；為社稷亡，則亡之。若為己死，而為己亡，非其私暱，誰敢任之？[39]

晏子以為國君職責是主持國政，不是駕馭臣民，而臣下應當保養國家，遇危難時只可為國家殉難或逃亡。由於齊襄公與崔武子妻棠姜有染，才招致殺身之禍，純粹是私人積怨，與國家無關，所以，他沒有跟隨襄公殉難。就此，陳柱把它比較西方的君主立憲制，而根據「近人某氏推而論之曰」：

> 此義與儒家《春秋》之義相同，即西儒分君主與國家為二之說，而路易十四「朕即國家」之言所以得罪於全歐也。天生民而立之君，使司牧之，豈其使一人，肆於民上，以縱其欲也哉？……齊襄之變，從而殉者有徒人費，有石之紛如，有孟陽，而弗得見於《春秋》之經，以

---

37 《中國近代啟蒙思潮》，上冊，頁381。

38 杜泉業：〈靜的文明與動的文明〉，收入陳崧編：《五四前後東西文化問題論戰文選》，頁26。

39 《公羊家哲學》，頁161-162。

其報私恩而非殉公義耳。《春秋》為明大義之書，故凡事之無關於大
義者，皆削而不書。[40]

所謂《春秋》大義乃指公義而言，大臣為國殉難，屬於公義，才可以記錄在
《春秋》之中，徒人費、石之紛如、孟陽皆為報答襄公私恩殉難，故不被孔
子收入。由此而言，孔子已經有國、君為二的概念，其重視國家的程度遠高
於國君；而陳柱不拘《左傳》與《公羊》之別，指出「此論可謂深合公羊家
之旨」。

　　陳柱認為《公羊傳》不但含有「國家」和「國民」的意識，兼且鼓動國
人「愛國」，不忘「國恥」，此義反映在《公羊》「九世復讎」義中。莊公四
年，《春秋》載：「紀侯大去其國。」齊襄公所以滅亡紀國，皆因紀國先人向
周天子進讒，使其九世遠祖齊哀公被烹殺。陳柱引用《公羊傳》釋之：

> 九世猶可以復讎乎？雖百世可也。（家亦可乎？曰：「不可。」國何以
> 可？）國君一體也，先君之恥，猶今君之恥也；今君之恥，猶先君之
> 恥也。（括號內為陳柱沒有記錄的原文）[41]

以上《傳》文傳達了忠、孝同一的觀念，其解釋曰：「國君何以為一體？國
君以國為體，諸侯世，故國君為一體也。」諸侯代代世襲，國家同屬一姓所
有，故齊侯為先君復讎，亦等同為國雪恥，一事包含忠、孝兩義。然而，陳
柱評之曰：

> 此可謂深得君子以國與身，親與身為一體之義者矣。國與身一體，此
> 古之君子所以教忠也。親與身一體，此古之君子所以教孝也。忠、孝
> 則國與親之讎猶己之讎也，可以遠而不復乎？[42]

陳柱藉以《公羊》「國君一體」之義，利用「忠」、「孝」詮釋出「國與身一

---

40 同前註，頁162。
41 同註39，頁106。
42 同註39，頁106-107。

體」及「親與身一體」的差異，特意把「君」、「國」拆分為二，而其義已與
《公羊》原義有所出入。他指出：「蓋《公羊》家之所貴，最貴乎人之有
恥，齊襄之復讎，齊襄恥先君之恥也。恥先君之恥，是孝也。紀侯之死國，
是紀侯恥國之恥也，恥國之恥，是忠也。」[43]可見，齊襄公把紀國滅掉，一
雪前恥，名義上雖可以稱為二國交戰，但事實上，他是為親人復讎為本，所
以是「孝」；紀侯離開國家，而因國家滅亡而感到恥辱，是以國家出發來考
慮，所以是「忠」。陳柱要說明的是《公羊》沒有把忠、孝混為一談，而
《春秋》之中已存在忠國的思想，如此便可以與愛國思想扯上關係。

　　在陳柱身處的共和年代，儒家「忠君」思想受盡無情鞭撻，成為各界攻
擊孔學的藉口；相反，愛國思潮於全國日益澎湃，它所以成為民國的「新寵
兒」，不排除是來自國民自覺的醒悟，但更切實的，是由中國當時的國際形
勢所使然。陳獨秀曰：「國人無愛國之心者，其國恒亡。」[44]民國成立以
來，西方列強的侵略、「二十一條」不平等條款的簽定，使國家尊嚴盡失，
而中國更面臨被列強瓜分的危機。國難當前，全國上下均要有愛國之心，以
保衛國土完整。陳柱曰：「《春秋》之時，所謂異國者，譬猶今東西各
國，……《春秋》假齊紀之事以見義，以教後世之人，無忘國恥者也。」陳
柱以春秋列國形勢譬如當前東西各國的對峙關係，便是要喚醒時人不要忘記
國恥。他抨擊世人巧取儒家孝，藉詞身體髮膚受之父母，以不敢毀傷為由，
不敢赴國家之難，於戰陣無勇，以至於亡國辱親。他指出：「故自古以來，
為國之忠臣者，必為家之孝子者；為家之孝子者，亦必為國之忠臣。」[45]
忠、孝在此雖然又混在一起，但「君」已被「國」所替代，原來意義已失
去，臣子所效忠的是國家而不是國君，此無疑是「舊瓶新酒」之法，為適應
時局而重新包裝。

---

43 同註39，頁110-111。
44 陳獨秀：〈愛國心與自覺心〉，收入丁守和主編：《中國近代啟蒙思潮》，上冊，頁543。
45 陳柱：《孝經要義》（臺北市：臺灣商務印書館，1974年），頁16。

三　國際局勢的變動：經學蛻變重生

（一）階級戰爭的危機

　　工業革命的發生，使西方各國經濟發展達至空前繁榮，軍事日用日益發達，國力邁向鼎盛，這都是來自科學發明和機械運用的貢獻。晚清維新派嚮往西方文化至甚，致力主張輸入西洋科學技術、天文地理等知識，標榜「中體西用」號召改革，以實現中國富國強兵的目標。至民國成立以後，改革派追求西洋文化的程度日增，國家政體亦效法西方政治模式確立。但隨著第一次世界大戰爆發，歐洲列強在軍事經濟、文化思想上嚴重失利，西方文化的種種「破綻」逐一暴露人前，其優越地位飽受中外學者質疑，當時中國學者反思過去輸入西洋知識的利弊，重新劃清東西文化的根本差異，藉此思索中國文化日後的出路。

　　一戰爆發給中國學者的啟示是東西文化各有優劣，不能偏執一方，他們雖著手調和整合這兩種文化，但在調和的方法上，卻各持己見，未有共識。一戰結束前後，即在一九一六至一九一九年間，從《東方雜誌》、《新青年》所刊登的文章中，我們可以歸納出三種調和的立場：一，主張東西文化調和，而以中國文化整統西洋知識，代表的有杜泉業[46]、章行嚴（1882-

---

[46] 杜泉業始在一九一六年十月《東方雜誌》刊登〈靜的文明與動的文明〉一文，在懷疑西洋文化之餘，指出中西文化各有流弊，兩者「抱合調和，為勢所必至」；他不排斥西方知識，但認為當以中國文化為基礎，整統輸入的西洋學說。此後，在一九一七年〈戰後東西文明之調和〉中指出「吾人當確信吾社會中固有之道德觀念，為最純粹最中正者」，「即以科學手段，實現吾人經濟的目的；以力行精神，實現吾人理性的道德」；一九一八年〈迷亂之現代人心〉中認為「西洋之斷片的文明盡力輸入西洋學說，使其融合於吾固有文明之中」；一九一九年〈新舊思想之折衷〉指出「中國固有文明，……關於人類生活上之經驗與理想，頗有足以證明西洋現化文明之錯誤，為世界文明之指導者」。收入陳崧編：《五四前後東西文化問題論戰文選》，頁29、38-39、54、174。

1973）[47]；二，認為東西文化不必調和，必須全盤使用西洋文明，代表的有陳獨秀[48]、張東蓀（1887-1973）、蔣夢麟（1888-1964）[49]；三，主張東西文化調和，而以西方文化為基礎，代表的有李大釗[50]。以上三種立場，陳柱略傾向杜泉業的說法。

　　當時，杜泉業通過中西經濟文化的差異，指出西方列強開戰的原因：

> 西洋社會之經濟，因機械之利用，事物之發明，而日益發達，此固科學之產物，為東洋社會所望塵莫及者也。然科學僅為發達經濟之手段，苟目的已誤，則手段愈高，危險亦愈甚。西洋社會之經濟目的，與東洋社會截然不同，吾人之經濟目的，在生活所需之資料，充足而無缺乏而已。……西洋社會之經濟目的，則不在充足其生活所需之資料，而在滿足其生活所具之欲望。以科學為前驅，無限之欲望隨之而昂進。……其影響於社會者，則生活之程度愈高，維持愈難，競爭愈

---

47 章行嚴在一九一九年〈新時代之青年〉中強調「凡欲前進，必先自立根基。舊者，根基也。不有舊，決不有新，不善保舊之弊，則幾乎自殺」。當時，章氏與主張以西洋文化為主的張東蓀展開論戰。同年，張東蓀在〈突變與潛變〉中反駁「我很承認調和，但我主張的調和恐怕與章君的意思不很相同，……我認為，調和不是甲乙的混和，乃是另外一個東西（如丙）。」同前註，頁188、193-194。

48 陳獨秀早在一九一六年，已堅持與杜泉業完全相反的看法，他在《青年雜誌》發表〈吾人最後之覺悟〉中，指出「歐洲輸入之文化，與吾華固有之文化，其根本性質極端相反」。接著，在一九一七年〈近代西洋教育〉中提出中國的教育必須取法西洋；又在一九一八年〈今日中國之政治問題〉中強調「因為新舊兩種法子，好象水火冰炭，斷然不能相容；耍想兩樣并行，必至弄得非牛非馬，一樣不成」；而於一九一九年〈調和論與舊道德〉中申言：「倘若他們主張物質上應當開新，道德上應當復舊，豈不是『抱薪救火揚湯上沸』！」同註46，頁18、41、81、247。

49 蔣夢麟在一九一九年〈新舊與調和〉一文中，以為應以西方文化征服東方文化，其說與陳獨秀的看法相似；他指出「新舊之間是用不著調和派」，「所謂新舊調和是自然的趨勢。……舊生活漸漸自然被新生活征服……舊思想漸漸被新思想感化」，同註46，頁202。

50 一九一八年，李大釗在〈東西文明根本之異點〉中，說明：「中國文明之疾病已達炎熱最高之度，中國民族之運命已臻奄奄垂死之期。……其事非他，即在竭力以受西洋文明之特長，以濟吾靜止文明之窮，而立東西文明調和之基礎。」同註46，頁70。

烈。於是各個人、各階級、各國家、各民族之間,各築墻壁,定煩細
之法律,設重大之軍備,以擁護其經濟的地位。……今日之大戰,即
為國家民族經濟的衝突而起也。[51]

按照杜氏所言,西方經濟目的有異於東方社會,它不安於生活的「充足」,
只在乎追求欲望的「滿足」;西洋人依賴科學的發達,推動物質文明的進
步,圓滿生活上無限欲望的追求,而世界大戰之所以爆發,原因也在於此。
章行嚴亦曰:「歐洲之戰爭,科學之戰爭也,物質之戰爭也,經濟之戰爭
也。」[52]

　　杜氏的文章寫成於一九一七年,當時一戰尚未結束,故文中的焦點多集
中在西方文明與一戰發生的關係上,但在戰爭期間,世界社會主義逐漸抬
頭,而學者亦已意識到各地貧富懸殊所產生的矛盾,階級戰爭正在蘊釀蔓
延。[53]陳柱深深體會到在動盪的國際政局下,潛在階級戰爭的危機,因而把
由西方物質文明所帶來的禍害,由世界大戰轉向階級戰爭來討論。陳柱曰:
「今則物質文明,更千萬倍於乾嘉時代矣,貨物愈精,生活愈難,不久乃將
釀成世界階級大戰。」[54]又曰:

　　吾嘗謂今世科學之發明,即本於人類求善求美之性質而來;然繼長增

---

51 杜泉業:〈戰後東西文明之調和〉,同註46,頁34-35。

52 章行嚴:〈新時代之青年〉,同註46,頁187。

53 杜泉業曰:「大戰以後,西洋社會之經濟,將有如何之變動乎?由吾人之臆測,則經
濟之變動,必趨向于社會主義。蓋此次戰爭,雖由國家民族之經濟競爭而起,然歐
洲社會自然科學勃興以後,經濟界中已造成一種階級,經濟上勢力全操縱于少數階級
之手,……多數民眾為少數階級所驅策,投身于炮火兵刃之地,創巨痛深,則必有所
警覺,事定以後,當有一種超國家超國民族之運動。」見一九一七年的〈戰後東西文
明之調〉,同註46,頁36。此外,梁啟超說:「自從機器發明、工業革命以還,生計組
織起一大變動,從新生出個富族階級來。科學愈昌,工廠愈多,社會偏枯亦愈甚。富
者益富,貧者益貧。……社會革命,恐怕是二十世紀史唯一的特色,沒有一國能免,
不過爭早晚罷了。」見一九二〇年的〈歐游心影錄〉,同前註,頁357-358

54 陳柱:《老子》(出版地缺:商務印書館,1929年),載《萬有文庫》,第1集,第49
種,頁26。

高，結果實不免於奢侈。蓋機械發明，工廠發達，經濟集中，富者累千萬，而奢侈相高，於是貧者之生計日感窮蹙。是前有奢侈以誘其心，後有飢寒以促其變，機械之觀念既日深，而恩情之觀念遂日薄；嗚呼！此世界階級之大戰所由起歟？……嗟乎！科學者，完成世界階級之工具者也，而其結果乃釀成世界階級之大戰爭，為階級革命之起因。蓋導民於奢侈之過也，是豈科學家所及料者哉？科學者本於人類求善求美之性而已，而結果乃為人類戰爭之原。[55]

從歷史可見，陳柱絕對沒有錯估當時的國際形勢，世界階級大戰的說法絕非過於憂慮。[56]他不同於當時的社會主義者，沒有把階級戰爭歸咎於資本主義制度的存在，卻以為科學的運用本合乎人類求善求美的本性，不屬於戰爭工具，但只因人們為了滿足欲望，過分奢侈，才把科學發明用來猛烈追求物質的享受。陳柱曰：「蓋物質文明愈進步，則人之馳逐於聲色貨利者日甚，……則國家社會之治安秩序，終受莫大之影響，貨利之所至，小者竊物，大者竊國，而天下乃擾攘不安矣，此今日所以有階級革命之恐怖也。」[57]西方科學雖然帶來物質文明進步，但也把人們推向物欲競爭，凡事圖己利為

---

55 陳柱：《墨學十論》（出版地缺：商務印書館，1930年），載《萬有文庫》，第1集，第61種，頁107。

56 事實上，戰後的中國已存有不少專門攻擊資本主義，提倡階級戰爭的輿論。郭沫若（1892-1978）於一九二三年〈論中德文化書──致宗白華兄〉中認為「歐戰之勃發乃是極端的資本主義當然的結果」，科學本身不是戰爭的罪魁禍首，只因為「唯在資本制度之下而利用科學，則分配不均而爭奪以起」。此說明資本主義制度才是戰禍的根源，而科學應該由無產階級接管。同年，瞿秋白（1899-1955）於年〈東方文化與世界革命〉中曰：「在少數人壟斷此種方法之結果的社會裏，方法愈妙，富人愈富，于是社會中階級鬥爭愈激烈，國際間戰禍愈可慘，因此以為是科學方法本身的罪惡。假設為大多數人利益而應用科學，則雖有鬥爭亦自能保證將來發展進步之可能，……要達到此種偉大的目的，非世界革命不可，──這是『無產階級的社會科學』的結論，有客觀事實可按。」可見，他們的取向鮮明，就是要通過階級戰爭，取消資產階級，以社會主義取代資本主義。載陳崧編：《五四前後東西文化問題論戰文選》，頁585、601。

57 陳柱：《老子》，頁12-13。

先，以滿足個人欲望為理所當然，在國民生計上，由此貧富鴻溝日深，至觸發起階級戰爭。

　　無疑，陳柱確信人們若要維持正常的生活，必須擁有足夠的生活材料，所以，他沒有否定西方工業革命對提高人類物質文明所作出的貢獻，而唱反調要求重返昔日的樸素生活中，他亦絕非要抹殺科學發明為經濟發達所起到的作用，而禁止人們一切在生活上對欲望的索求。陳柱釋《中庸》「來百工則財用足」句曰：「來百工以足財用，足見注重工業，深知工業為國家之財源，向來儒者倘注意及此，則中國工業，早應發達矣。」[58]他認同西方工業革命的成就，並批評中國「故成為今日庸弱之民族」，皆因「吾國之學，向來多高談德性，而所謂問學，亦不過詞章訓詁；而不知衣食住行，皆有學問也」，以為「此學者所當矯而正之者也」。[59]可見，他同樣重視物質生活的重要性。

　　與此同時，陳柱深信物質文明是由人們的欲望推動而來，沒有欲望，文明便不能進步。陳柱曰：「物質文明之進步，與人類之幸福，社會之安寧，一方面為正比例，一方面為反比例。」[60]但欲望也會帶來負面作用，欲望愈多，物質文明愈進步，人類的競爭也愈變得激烈。陳柱在《老子與莊子》中曰：

> 故使民寡欲者，老子之目的也。欲使民無欲者，老子之方法也。然使世皆寡欲無欲，則世界文明，必無進步。使太古而如此，則雖謂文明焉可也。然則欲與文明，固相為正比例者也。則欲當使之多而不可使之寡，更不可使之無也，明甚。然而欲愈多，則爭亦愈烈，又為不可掩之事實。[61]

58　陳柱：《中庸注參》（上海市：商務印書館，1931年），頁43。

59　同前註，頁59。

60　陳柱：〈洪北江之哲學〉，收入《清儒學術討論第一集下》（上海市：商務印書館，1930年），頁31。

61　陳柱：《老子與莊子》，載《萬有文庫》（出版地和出版年份缺：商務印書館），第1集，第51種，頁50。

他不是要提倡禁欲主義，因為在物質文明進步的過程中，欲望是必要的原動力。陳柱曰：「若從墨子之儉，止求當時之足用而已。則民之勞力，惟耗於日用麤拙之業，烏有進化之可言哉？」[62]但問題是，若物質的數量不能滿足所有人的欲望，便會惹來人們相互競爭，使社會階層易生動盪；又或物質過於充裕，富者身心無所拘束，一心崇尚奢侈，競爭過多財貨以滿足無限欲望，便導致貧富嚴重不均，雙方交惡傾軋，招致階級戰爭的產生。陳柱曰：「夫貴者愈貴，則賤者愈賤，富者愈富，則貧者愈貧；而天下之富者，必少於貧者，貴者必少於賤者，使不設法自損己之所有餘，以補他人之不足，而惟日以己所有餘者，供己奢侈，則上行下效，而貧民之生活，益日感困難，此階級之戰爭，所以終不可免也。」[63]因此，陳柱宣揚以儒家文化為主體，並運用經學固有的道德思想，糾正西方物質文化所引發的弊端，杜絕因欲望所造成的不必要的競爭，避免階級戰來臨，藉此使經學的價值重新呈現於人前。

　　戰後主張以東方文化整合西洋知識的學者，多贊同取儒家的道德精神補救西方物質生活的弊病，消除競爭。杜泉業曰：「道德之作用在於消滅競爭，而以與世無爭，與物無競，為道德之最高尚者。」[64]李大釗認為「在西洋文明宜斟酌抑止其物質的生活，以容納東洋之精神的生活而已」。[65]他們均期望用儒家道德，調和西方物質生活，嚴戒好於嗜欲的身心，約束過於奢侈的享受。陳柱與他們的看法接近，故倡議用《公羊》的「崇讓」思想杜絕競爭。

　　《公羊傳·哀公十四年》曰：「君子曷為為《春秋》？撥亂世，反諸正，莫近於《春秋》。則未知其為是與？其諸君子樂道堯、舜之道與？」陳柱釋曰：「夫堯、舜之道奈何？曰其為道雖多而最重者殆莫如讓。孔子之所

62　陳柱：《墨學十論》，頁160。

63　同前註，頁70。

64　杜泉業：〈靜的文明與動的文明〉，收入陳崧編：《五四前後東西文化問題論戰文選》，頁26。

65　李大釗：〈東西文明根本之異點〉，同前註，頁68。

以常稱美堯舜者，亦以此。」[66]他借古用今，據孔子在《春秋》中所寄寓的治亂方法，期望以「崇讓」來解決當前西方物欲競爭所帶來的弊病：

> 今世盛稱天演競爭之說，學者一聞及「讓」字，幾何其不笑為迂闊乎？然一爭一讓，誠當別論。今試就一國之人而論之，倘人人崇讓，則其極也，可以路不拾遺；人人好爭，則其極也，父子兄弟亦不能相容，而出於相殺，則其得有不足以償其失者矣。此其理豈不至易明乎？惟眾人為物欲所蔽，故知進而不退，知得而不喪，故終不免於相爭相殺，欲遂其小利，而不免乎大害。至聖人則不然，不為外物所惑，能灼知利害之辨，知有得之於此，而於彼有不勝其失者；有喪之於今，而於後有大乎此之得者：故禮讓之事興焉。此非專為私人利害計也，為眾群之利害，亦不能不出乎此。此古之言群治者，所以多貴乎讓德也。《公羊》家之說《春秋》，蓋深有見乎此矣。[67]

在個人方面，人們若好欲競爭，則親如父子兄弟，亦不免相殺；以崇讓為本，則一國之人皆不貪寡欲，杜絕競爭，兩者利害立見。陳柱認為，「禮讓」是孔子所重視的德目，故《春秋》每有讓德之事，《公羊》必加闡發，指出孔子以褒貶之法為讓者避諱或褒揚其賢，用來說明《春秋》崇讓之義。在《公羊家哲學》中，陳柱羅列眾例，以魯隱公讓位給桓公、衛叔武讓國、吳季子讓國、曹公子喜讓位負芻；邾婁叔術讓國等五例，申明《公羊》「其崇讓之意，可謂無所不至；而其勸讓之心，亦可謂深切著明矣」。[68]

　　此外，在國與國的關係上，若競爭過分激烈，則會導致戰爭。陳柱認為孔子不諱言戰爭，然而，《公羊》卻指《春秋》有「弭兵」之旨，他認為這是因為孔子在特定情況下，才允許國君出兵動武。《周禮·夏官·大司徒》中載大國持強淩弱、國君施行暴政、殺害賢士、欺淩百姓、不服王命、殺害親族、臣民篡逐國君、藐視國法、宮室內外淫亂等九種情況，陳柱認為發動

---

66 《公羊家哲學》，頁68
67 同前註，頁27。
68 同註66，頁85。

戰爭是無可避免。《公羊家哲學‧弭兵說》云：

> 或謂荀卿有言：「人生有欲，欲而不得則不能無忿，忿而無度量則
> 爭。」然則爭戰也者，人與禽獸皆不能無者也。孔子曰：「以不教民
> 戰，是謂棄之。」然則戰非孔子之所諱言者也。而《公羊》家之說
> 《春秋》，以為孔子有弭兵之恉，何哉？……故君子不得已而用兵，
> 將以少數之死，易多數之生，而戰伐之事遂不能免耳。豈有一毫爭奪
> 之意於其間哉？[69]

若國君只為滿足欲望，爭奪土地財物，致使攻伐別國，則是孔子不容許的。
陳柱徵引隱公二年「無駭率師入極」、「莒人入向」；隱公六年「宋人取長
葛」等戰事加以說明，申明《春秋》對此加以譏諷。可見，《春秋》「弭兵」
之義在崇尚物欲競爭的年代來說，當能夠發揮一定的效用。

（二）競爭進化論的謬誤

嚴復（1853-1921）出版了《天演論》，把西方進化論介紹到中國，成為
清末民初以來最具影響力的學說，不少學者對之趨之若鶩，「『天演』、『物
競』、『淘汰』、『天擇』等等術語都漸漸成了報紙文章的熟語，漸漸成了一班
愛國志士的『口頭禪』，還有許多人愛用這種名詞做自己或兒女的名字」[70]。
進化論相信天演競爭是人類進化的公例，「汰弱留強」是人類生存的信條，
而作為解釋社會進化的思想基礎，它強調競爭是進化的動力，但由此也增添
了自個人、家庭至民族之間的衝突，為生存和發展不惜犧牲彼此的和諧。一
戰的爆發，使中國學者領會到這種根源於達爾文「物競天擇，優勝劣敗」的
進化學說，是挑起民族競爭，大國侵吞小國，釀成戰爭的禍源。[71]陳柱也有

69　同註66，頁51。

70　胡適（1891-1962）：《四十自述》（臺北市：遠東圖書公司，1959年），頁50。

71　蔡元培指出：「在昔生物學者有物競生存、優勝劣敗之說，德國大文學家尼采
　　（Nietsche），遂應用其說于人群，以為汰弱存強為人類進化之公理，而以強者之憐憫

如此的見解，他認為：「天演物競之說，盛倡於近世，造成歐洲極盛之局；然自歐戰之後，學者已頗多非議之。」[72]

　　反思東西文化的分歧，杜泉業認為中國社會不好戰爭，除了因為人口膨脹，物資不足應付下，戰爭才出現，但總體來說，和平是中國社會的常態，這與西方社會常處於備戰狀態不同。他在〈靜的文明與動的文明〉一文中曰：

> 西洋社會無時不在戰爭之中，其間之和平時期乃為戰爭後之休養時期，或為第二次戰爭之預備時期。戰爭為常態，和平其變態也。我國社會時時以避去戰爭為務，惟自然界中競爭淘汰之公理不能廢止，故至地狹人稠生計逼促之日，為天演之所迫，避無可避，突然社會間之擾亂，乃不得不以戰爭恢復和平。和平其常態，戰爭其變態也。[73]

杜氏所謂當「天演所迫，避無可避」，戰爭必然無可奈何地出現。這說明西方進化論在中國社會中仍然有立足之處，但他強調競爭是被動的，而戰爭也是短暫的，只是作為恢復和平的手段，這表明中國社會的基調是以和平為主，不合乎以競爭為主的西方進化模式。

　　與杜泉業的看法相似，陳柱認為人口膨脹是戰爭的導源，謂「歐洲大戰，已演一慘劇；此後世界大戰，亦是無法可免之事。推其原因，何莫非人

弱者為奴隸道德。德國主戰派遂應用其說于國際間，此軍國主義之所以盛行也。」中國蔡元培研究會編：《蔡元培全集》（杭州市：浙江教育出版社，1996年），卷3，頁4。梁啟超（1873-1929）在〈歐游心影錄〉中指出「自達爾文發明生物學大原則，著了一部名山不朽的《種源論》，……其敝極于德之尼采，謂愛他主義為奴隸的道德，謂剿絕弱者為強者之天職，且為世運進化所必要。這種怪論，就是借達爾文的生物學做個基礎，恰好投合當代人的心理。所以就私人方面論，崇拜勢力，崇拜黃金，成了天經地義；就國家方面論，軍國主義帝國主義，變（成）了最時髦的政治方針，這回全世界國際大戰爭，其起源實由于此，將來各國內階級大戰爭，其起源也實由于此。」收入陳崧編：《五四前後東西文化問題論戰文選》，頁358
72 陳柱：〈趙甌北詩之哲學〉，收入《清儒學術討論第一集下》，頁76。
73 杜泉業：〈靜的文明與動的文明〉，收入陳崧編：《五四前後東西文化問題論戰文選》，頁27。

口增進，生活艱難所致乎？」[74]他相信戰爭是無可避免，而競爭也必然會發生，然而，這不表示人類要在競爭殺戮的途上求存，被迫接受西方尚競爭的進化學說；相反，人類既知競爭的存在，便更需要互助互愛，杜絕紛爭，大家團結一致，和諧共存。《孝經‧聖治》載「子曰：『天地之性人為貴，人之行莫大於孝。』」

> 柱按：人為天地生物中天演競爭之最進化者。生物生存之競爭，大抵皆知有己，而不知有他；皆知愛己而不知愛他。夫婦之愛，不過一時之情欲；母子之愛，亦有一定之期限。過此一往，若不相識。故無所謂仁也。唯人則不然。知生存競爭，必當互助互愛。故由己而愛人，與己關係最親者則愛之彌深而彌久。故夫妻之愛篤，而夫妻遂不能無別。蓋無別則爭，爭則死傷繼之，而彼此均互受其害。聖人因之，故制為夫婦之禮，而夫婦之配始定。夫婦之配既定，而父子之親以成。夫婦父子之互愛互助既生，而後一切人群互助互愛之事以立。[75]

比較天地萬物，人類所以成為競爭的最進化者，是基於心存仁愛，能夠從親至疏，愛己及人，致使人人互助互愛，而輔以禮制的制定，便能夠消除不均，使人們各安其分，免去爭奪。這說明互助比起競爭，更有利於人類生存和進化。很明顯，陳柱的目的正是以道德文化為基礎，利用儒家的仁愛取代西方殘暴，以禮制解決社會上存在的不均，補救由競爭進化論所衍生出來的弊端。他在《中庸注參》中曰：「夫儒家之學，以天地位，萬物育為主恉，其道何等博大？與近世歐洲之物競主義，國家主義，專以殘殺異類為自存之計者，其仁暴蓋相隔天淵矣。」[76]便正合此義。

在反思和修正西方競爭進化模式的同時，陳柱有著更深一層的意義，就是重新喚起國人對中國道德文化的重視，奠立儒學經典的現代價值。陳柱認為，互助是人類進化的可取方法，故「互助之精神愈盛，則進化之程度愈

---

74 陳柱：〈洪北江之哲學〉，載《清儒學術討論第一集下》，頁26。
75 陳柱：《孝經要義》，頁38。
76 陳柱：《中庸注參》，頁5。

高」[77]，而互助的精神又是植根於儒家道德之中。他指出：「嚴復謂為『天演開宗語』，然則老子固然不知物競天擇之說者，而常以不爭教人，蓋深知人類之安寧，在於人類之互助。互助之道，必基於謙讓之德⋯⋯此吾國孔子之道，所長者在此⋯⋯」[78]人類的進化是有賴於人們對道德的追求，故道德程度愈高，人們愈能互助，愈能進化。陳柱曰：「吾嘗以謂人類之進化，惟賴有求善求美之性。」[79]因此，人類欲要追求進化，便先要進行道德進化。《中庸》曰：「誠之者，擇善而固執之者也。」陳柱藉此說明道德進化之義：

> 誠之者，擇善而固執，則以人力擴充本能，而互相效法，守善不忘，故積累以進化不已也。此人類所以異於各動物者也。[80]

凡人皆有道德之心，否則便與禽獸無異；而當人們認清本性後，便當牢固執守，並把它們加以擴充，終日不離不忘，積累日久，道德便能進化。據此對照《孟子》原文，〈公孫丑上〉曰「惻隱之心，仁之端也；羞惡之心，義之端也；辭讓之心，禮之端也；是非之心，智之端也」，「凡有四端於我者，知皆擴而充之矣」，「苟能充之，足以保四海；苟不充之，不足以事父母」。[81]《孟子》充實「四端」之說，實可以與上文互相參照，只是陳柱多了「進化」的一個概念而已。

　　在《公羊家哲學》中，陳柱指出道德進化是自然的趨勢，也是人類進化的必然途徑，而他期望人類應以精神道德增進為主，取代競尚物慾的追逐。因此，儒家道德的價值便有重獲新生的機會。《公羊家哲學・進化說》曰：

> 人之所以能為萬物之靈者，以其進化不已也。由萬物之進化而有人與物之分。由人類之進化而有文與野之別，進化則優而勝，不進則劣而

---

77 杜泉業：〈何謂新思想〉，收入陳崧編：《五四前後東西文化問題論戰文選》，頁212。
78 陳柱：《老子》，頁9。
79 陳柱：《墨子十論》，頁106。
80 陳柱：《中庸注參》，頁46。
81 國立編譯館編：《孟子注疏》（臺北市：新文豐出版公司，1991年），冊20，頁162。

敗，此自然之勢也。是故人既進化而為人，則當常循其進化之程度以
進，而後可以圖存。然進化云者，豈弟物質云爾哉？其要尤在乎道
德。向使道德不振，而徒矜於物質，則物質之用，適足以殺人。姑勿
論器械愈精，則殺人愈多，即一切之物，莫不足以使人嗜之愈篤，而
爭之也愈烈。其與人群進化之幸福，不亦大相背馳乎？[82]

這說明物質的追逐只會帶來殘酷戰爭，是無法實現人類的進化，故西方的進
化論只會危害全人類的福祉。陳柱認為，道德進化才是人類進化的不變真
理，是在一戰以後，西方競爭進化主義破產後的新思路，而這在《春秋》中
已有記載。《公羊家哲學·進化說》曰：「是故《公羊》家說《春秋》有三世
之義，於愈進化之世，則其責於道德也愈嚴。」[83]他利用何休的「三世
說」，指出道德的追求是進化的原動力，由此把人類的進化分為三個時期：

第一個時期：「夫所傳聞之世者，託治起於衰亂之中，由草昧而進於
文化之時代也，是為進化之第一時期。當此之時，各奉其酋長，各有
其國土而已。故曰：『其國而外諸夏。』由是故知有己之國，而不知
有人之國，賤己貴我，先己而後人，故曰：『先詳內而後治外。』」[84]

在這個時期，人們生活於酋長部落式的階段，文化只是剛起步而已，人們各
擁有其領土，事奉其酋長，國家體制還沒有完整地形成。

第二個時期：「由是酋與酋相爭，國與國相攻，天下將無寧歲。於是
諸酋之中，有覺悟者，倡為息爭之說，而就其賢者能者而聽命焉，而
後其國益大，故於所聞之世，託為升平之世，是為進化之第二期。當
是之時，賢者能者進而為天子，而諸酋長則進而為諸侯之君矣。然而
猶有中外之分，華夷之判，蓋世界文明，尚未能平等，猶是國家主

---

82 《公羊家哲學》，頁120。
83 同前註。
84 同註82，頁121。

義，種族主義之時代也。故曰：『內諸夏而外夷狄。』」[85]

到了第二個時期，酋長之間出現紛爭，國家互相攻伐，天下大亂，各國為了平息戰禍，便在一國之中挑選賢者出任國君，而又在賢者之中，推選明君掌管天下，這儼如封建共主諸侯制度。不過，當時還是處於不平等的階段。

> 第三個時期：「然國家主義則難免國家之戰爭，種族主義則難獲種族之平等，其去酋長之爭，雖有大小久暫之別，其為禍則均也。故當進而為大同之世，力除國家主義，與種族主義，及自私自利之成見。於所見之世，託為大平之世，是為進化之第三期。當此之時，無國界之見，無種族之分，一於平等而已。故『天下遠近大小若一』。若此則可謂至治之世，所謂大同者矣。」[86]

進入《禮記‧禮運》中的「大同」世界，國家主義、民族主義消失，天下平等，再不存在國家和種族的疆界。

　　可見以上，陳柱把「平等」、「國家主義」、「民族主義」等西方現代觀念插進「三世」進化過程的解釋中，說明「大同」世界是人類進化的目標，而道德的進化便是通往這個理想世界的橋樑。陳柱曰：「世界愈進化，則道德亦當愈進化，世界愈大同，則道德亦當愈大同。」[87]同時，道德愈進化，三世也愈進化，而人類愈能夠平等和諧，和平共存，這反映出當前西方所追求的平等主義，必須以中國的儒家道德作為基礎。可見，在《公羊》「三世」說中，陳柱挖掘出具有現代價值的元素，用來印證經學的濟世意義。

四　結語

　　當一個思想形成後，會隨著時間的遷移而作出相應變化，民國經學也是

85　同註82，頁121-122。

86　同註82，頁122-123。

87　同註82，頁123。

沿此軌道而變動。歷代與儒學經過磨合、消融，以至結合的思想學說和宗教信仰理當不少，讖緯學說、道、佛思想在經義注釋中，俯拾皆是，但它們與民國經學的變動，情況不能同日而語。傳統經學的變動是追求一種「和」的漫長過程，往往選其相似類通點，就個別思想加以融合發揮，由個人至學派來推動，以適應時代的需要；而民國初年的經學變動，卻是在東西雙方文化優劣高低比拼下出現的現象，這是在國情急劇走下，對傳統中國儒家文化作出全面審察，力圖掙扎求存的一次主動出擊，結果關乎儒家的命運。

　　共和政體的成立和第一次世界大戰的爆發，是民國經學變動的兩個分水嶺，前者為經學的發展設置了路障，後者則為它重新燃點希望。二者性質雖異，但在陳柱的心目中，同樣是儒家生存的轉機，也是印證經學現有價值的依據。為了掌握這個機遇，他審時度勢，針對性地解釋經義：君主專制政體崩潰，引發《公羊》由「尊王」到「革命」、「尊卑」至「平等」、「忠君」至「愛國」的經義變動，藉此適應求存，把危機轉化成生機。一戰的爆發，《公羊》中「崇讓」、「弭兵」、「三世」等義例大派用場，道德進化取代競爭進化，成為人類進化的原動力，及通往西方的一條「大同」平等世界的橋樑。因此，民國經學的變動引領傳統儒家走出中國境外，再次成為「天下」的思想中心。

《史略》與區大典的史學視野

許振興
香港大學中文學院副教授

一　導言

　　被歸類為「歷史上一個特殊的群體，忠於前代，不仕新朝」[1]的清遺民在中華民國建立後，紛紛借助多式多樣的方法，表達他們的政治立場與道德取態。廣東籍的清遺民因著地緣的關係，相率移居清廷在鴉片戰爭後被迫割讓給英國的香港。他們在此英國殖民管治下的地方形成特有的「社交圈」，呼朋引類、徵歌逐色、詩酒唱酬、附庸風雅，甚至彼此聯姻，最後終老此地。[2]他們寓居香港期間，尤多致力於傳統文化的捍衛、保存與推廣。論者嘗以廣東籍清遺民的主要共同特點為學術研究不斷、詩文創作豐富、編修史籍方志不輟、從事教育工作不懈與努力弘揚儒家思想。[3]但這群寓居香港的廣東籍清遺民中，真正從事經學研究者實在屈指可數。區大典（1877-1937）在香港長期從事經學教育工作，編撰成書的經學著述多達十二種，是難得名實相符、當之無愧的清遺民經學家。由是，識者多偏於重視他的經學成就。其實，他傳世的著述，除了若干散篇文章與頗受學者重視的《老子講

---

1 孫艷：〈明、清遺民詩人評價褒貶懸殊原因簡析——以顧炎武、沈曾植為例〉，《蘇州大學學報》（哲學社會科學版）2010年第5期（2010年5月），頁60。

2 有關清遺民在香港的生活狀況，歷來論者不多。相關的記述，可參看陳謙撰：《香港舊事見聞錄》（廣州市：廣東人民出版社，1989年8月），頁348-389。

3 參看彭海鈴：《汪兆鏞與近代粵澳文化》（廣州市：廣東人民出版，2004年7月），頁2-6。

義》外，還有坊間難得一見的一冊歷史教科書──《史略》。本文便試圖藉
著此冊小書，管窺此位清遺民經學家寓居香港期間的史學視野。

二　區大典的生平與著述

　　區大典是清末以來香港有數的經學家。他是廣東南海人，字慎輝，號徽
五，晚年復自號為「遺史」、「遺史氏」。他在光緒二十九年（1903）登癸卯
榜進士後，獲授翰林院編修。他於辛亥革命後舉家移居香港，並在一九一三
年得老師吳道鎔（1853-1936）舉薦，與同年登進士第的同門廣東增城人賴
際熙（1865-1937）同時受聘於剛成立的香港大學（University of Hong
Kong）文學院（Faculty of Arts），擔任「傳統漢文（Classical Chinese）」課
程的漢文講師，分別講授經學與史學課程。當時大學的四年學制被區分為中
期課程（Intermediate Course）與終期課程（Final Course）兩階段。學生修
習中期課程的時間不得少於兩學年。[4] 採漢語授課的「傳統漢文（Classical
Chinese）」課程由「史學（History）」與「文學（Literature）」兩科目組成。
賴際熙負責講授的「史學（History）」一科，選用二十四史、《資治通鑑》、
《續資治通鑑》、《通典》、《通考》、《通志》、《通鑑輯覽》與宋、元、明的歷
史載錄作教材，按時序講授三代至東晉（中期課程）與南北朝至明朝（終期
課程）的歷史。區大典負責講授的「文學（Literature）」一科，則選用朱熹
（1130-1200）等學者的評註作教材，逐一闡釋《四書》（中期課程）與《五
經》（終期課程）的要義。[5] 由於校方既無法否定中國一向重視「會通」、「垂
訓」、「鑒戒」的經、史學傳統，又不能漠視「經學」與「史學」都不屬於西
方現代學術分科門類的事實，[6] 故在教學安排上只能採用模糊處理的權宜方

4　參看 University of Hong Kong: *Calendar, 1913-14* (Hong Kong: The Newspaper Enterprise
　　Ltd., 1914), p.59.

5　參看 *Calendar, 1913-14*, pp.60&63; University of Hong Kong: *Calendar, 1914-15*（Hong
　　Kong：The Newspaper Enterprise Ltd., 1915）, pp.73&77.

6　傳統「經史之學」的「史學」與現代學術分科的「歷史」、「歷史學」並不完全相同，

法，容許賴際熙與區大典假「史學（History）」與「文學（Literature）」等西方現代學術分科門類的名義講授中國傳統的「經學」與「史學」。區大典便是藉此因緣際會在香港大學開展他的經學教育事業。

由於香港大學採用英語作主要授課語言，對學生的漢文教育根本毫不重視，[7]是以校方一直只願採用量時計酬的方式聘請賴際熙與區大典擔任文學院的漢文講師。他們兩人為維持生計，只能同時兼任其他漢文學校的教席。一九二六年初，當時的教育司活雅倫（A. E. Wood）深感大學開辦多年，各科成績卓著，只有文科中的「漢文」一科無甚足觀，遂決定著手改善大學學生的漢文程度，一力要求大學聘任賴、區二人為專任漢文講師，俾令他們免卻兼職苦惱的同時，能專心提升大學生的漢文水準。[8]香港大學中文學院便

相關論析可參看李紀祥：〈以「史」為學與以「歷史」為學〉，《時間‧歷史‧敘事——史學傳統與歷史理論再思》（臺北市：麥田出版社，2001年9月），頁43-63。「經學」與現代學科分類的關係，參考陳以愛：〈《國學季刊發刊宣言》：一份「新國學」的研究綱領〉，收入黃清連編：《結網編》（臺北市：東大圖書公司，1998年），頁519-571。有關現代學術分科與傳統學科的相互關係，左玉河：《從四部之學到七科之學——學術分科與近代中國知識系統之創建》（上海市：上海書店，2004年10月）與《中國近代學術體制之創建》（成都市：四川人民出版社，2008年3月）二書分析入微，頗便參考。

7　香港大學落實採用英語作主要授課語言一事，可參看 Frederick J. D. Lugard: *Souvenir presented by Sir Hormusjee N. Mody and the Committee of the Hongkong University to commemorate the laying of the foundation stone of the Hongkong University building by His Excellency Sir F. J. D. Lugard, K.C.M.G., C.B., D.S.O., Governor of the Colony on Wednesday, 16th March, 1910*(reprinted with speeches at the ceremony, and illustrations, Hong Kong: Noronha & Co., 1910), pp.4-5. 香港大學根本不重視學生的漢文教育事，可參看 Frederick J. D. Lugard: "Memo. By His Excellency the Governor", Enclosure 8 of C.P. Carter: *Report of Sub-committee: Hongkong, 25th September, 1908*, in Hong Kong, Committee for the establishment of a university for Hong Kong: *Papers relative to the proposed Hongkong University*(Hong Kong: Noronha & Co., 1908), pp. 16-19.

8　參看 University of Hong Kong: *Calendar, 1926*(Hong Kong: The Newspaper Enterprise Ltd., 1926), pp.122-124；王齊樂：《香港中文教育發展史》（香港：三聯書店，1996年9月），頁270。

是藉著賴際熙的奔走籌款，在一九二七年正式成立。[9]賴際熙隨即被大學委任為學院的中國史學教授（Reader in Chinese History），而區大典則獲委為學院的中國文學教授（Reader in Chinese Literature）。[10]此後差不多十年的光景，區大典一心一意在香港大學從事經學教育。一九三七年一月，他自香港大學中文學院正式退休後不久，便在同年七月二十三日（夏曆六月十六日）寅時辭世。[11]由於他一生處事低調，後世對他的生平知者不多。鄧又同（1915-2003）編撰的〈區大典太史事略〉已是目前得見最詳盡的相關記載：

> 區太史，南海人，字慎輝，號徽五。一八七七年生，光緒丁酉（光緒二十三年，1897）科舉孝廉，光緒廿九年癸卯科會試，賜進士出身，授翰林院編修。辛亥後移居香港，先後在皇仁書院等官校授中文，其後受聘香港大學中文學院授經史多年，曾任尊經學校校長，致力發揚經學，保存國粹，與增城賴際熙太史同其旨趣。課餘恆研《易》學，私淑漢管寧（158-241）之行誼。著有《易經要義》、《經學講義》等書。常臨學海書樓講經學，弘揚儒學，青年學子獲益良多焉。[12]

同是寓居香港的前清翰林岑光樾（1876-1960）於區大典逝世後親撰〈輓區徽五前輩〉聯語，稱：

> 下筆輒千言，遺史每多憂世論；知交齊一慟，尊經誰續等身書。[13]

9　有關香港大學中文學院成立的詳情，可參看程美寶：〈庚子賠款與香港大學的中文教育──二三十年代香港與中英關係的一個側面〉，《中山大學學報》1998年第6期（1998年12月），頁60-73；區志堅：〈香港大學中文學院成立背景之研究〉，《香港中國近代史學報》第4期（2006年），頁29-57。

10　參看 University of Hong Kong: *Calendar, 1927*(Hong Kong: The Newspaper Enterprise Ltd., 1927), p.144.

11　此據區大典家人發佈的訃文，載《香港工商日報》，1937年7月24日，第1張第1版。《陳君葆日記》記載亦同（頁296）。此資料承駱為礡先生提供，謹致謝忱。

12　鄧又同輯錄：《學海書樓主講翰林文鈔》（香港：學海書樓，1991年11月），頁33。

13　岑光樾著，岑公煊編：《鶴禪集》（香港：自印本，1984年），頁116。此資料承駱為礡先生提供，不敢掠美，特致謝忱。

短短二十四字，具體而微地概括了他一生最顯著的特點與貢獻。

區大典著述等身，除〈易經要義〉、〈周易撰著求卦法及經傳所載筮易占驗解說〉、[14]〈博文雜志前序〉、[15]〈平山先生像贊〉、〈題黃節母秋燈課子圖〉[16]等散篇外，經學著述《易經講義》、《書經講義》、《詩經講義》、《儀禮禮記合編講義》、《周官經講義》、《春秋三傳講義》、《孝經通義》、《大學講義》、《中庸講義》、《論語講義》、《孟子通義》、《論語通義》與子學著述《老子講義》是他任教香港大學時期講學多年的成果，故被後人合稱為《香港大學中文學院經學講義》。[17]此外，他更曾為香港實業學堂漢文師範科的第一年級學生編寫了歷史教科書《史略》一冊。[18]這足見他雖以經學聞名於世，而學問實不囿於經學。

三　區大典的《史略》

《史略》一書世罕流傳，今所得見的版本未見標示刊印年月。由於書的封面除以大字題上書名「史略」二字外，尚以較小字體題上「香港實業學堂漢文師範科」、「第一年級講義──戰國至漢」與「區大典太史編」三項（參

14　此兩文原載香港大學中文學會編：《中文學會輯識》第1卷第1號（1932年），原文不標　總頁碼。〈易經要義〉共6頁，由〈易大象說〉、〈乾大象〉、〈坤大象〉三部分組成，文　末有「待續」二字，故應尚有待刊部分未曾面世。〈周易撰著求卦法及經傳所載筮易　占驗解說〉共5頁。鄧又同輯錄的《學海書樓主講翰林文鈔》將二文分別錄載（〈易經　要義〉，頁35-40；〈周易撰著求卦法及經傳所載筮易占驗解說〉，頁40-45）。單周堯主　編的《香港大學中文學院八十週年紀念學術論文集》列〈周易撰著求卦法及經傳所載　筮易占驗解說〉為〈易經要義〉的第四部分，將兩文併合（上海市：上海古籍出版　社，2009年12月，頁7-12），則恐非作者原意。

15　此文是區大典於一九三○至一九三一年間擔任香港大學中文學會首任會長時為香港大　學中文學會所編《中文學會輯識》創刊號（第1卷第1號，1932年）撰寫的序言。文章　的署名為「遺史氏」。鄧又同輯錄的《學海書樓主講翰林文鈔》載錄此文（頁45-46）。

16　鄧又同輯錄的《學海書樓主講翰林文鈔》載錄此一文一詩（頁46）。

17　遺史輯：《香港大學中文學院經學講義》（香港：奇雅中西印務，1930？年）。

18　區大典編：《史略》（香港：香港香遠印務，1921？年）。此書覆印本得自蔡崇禧先　生，特此致謝。

看圖一），故知書的編者為區大典，而書的性質為香港實業學堂漢文師範科
第一年級講義，涵括的範圍自戰國迄漢。書的封面內頁左上角有「民國十
年」、「區大典太史編」與「敬之誌」三行題字（參看圖二），所以知道此書
在一九二一年時已被應用，而書的使用者為「敬之」。此書一冊兩卷，線裝
印刷，每半頁十四行，每行三十二字，句讀或括號各佔半字位。每頁版心分
三項：版心上端標「史略」二字，上下魚尾中列卷數、該卷簡目與該卷頁
數，卷一的版心下端標「香港香遠印務承刊」（參看圖三）而卷二則標「香
港荷李活道香遠印務刊」（參看圖四）。

　　《史略》一書書首有區大典執筆，題為「遺史氏輯」的〈讀史述略凡
例〉，主要交代全書的體例與編排用心。書分兩卷，卷一為〈戰國至秦史
略〉，而卷二則為〈秦至楚漢史略〉。全書敘事始於三家分晉，而止於楚敗漢
勝。根據區大典〈讀史述略凡例〉的介紹，每卷均由政治、掌故與兵事輿地
三部分組成。他的解說為：

> 昔馬端臨（1254-1323）有言，春秋以後，惟司馬遷（145-86? B.C.）
> 號稱良史，作為〈紀〉、〈傳〉以述理亂興衰，〈書〉、〈表〉以述典章
> 經制，後之執筆操簡牘者，卒不易其體，史學備矣。茲之述略：首編
> 〈政治〉，次編〈掌故〉，以備史體；終之以〈兵事輿地〉，以著歷代
> 武功。蓋文事武備，勿庸偏廢也。[19]

根據此前設的安排，全書兩卷的內容各可被分為三部分：

（一）卷一〈戰國至秦史略〉

　　此卷開章明義在標題下標出「因編述之便，以秦為經，以六國為緯」。[20]
全卷以「周威烈王（姬午，425-402 B.C.在位）二十三年（403 B.C.），初，

---

19 同前註，〈讀史述略凡例〉，頁1上。
20 同註18，〈戰國至秦史略〉，卷1，頁1上。

命晉大夫魏斯（魏文侯，？-396 B.C.）、趙藉、韓虔為諸侯」[21]開始，而止
於秦王政（秦始皇嬴政，259-210 B.C.，246-210 B.C.在位）「二十六年（221
B.C.），王賁自燕南攻齊，齊王建降。由是六國盡入於秦，混一區宇，而古
制盡變矣。」[22]此自是區大典所定的「政治」部分。

　　緊接著的是〈附錄六國相攻事〉交代六國中魏、齊與燕、齊相攻伐的史
事，[23]而〈附錄六國秦燕趙禦戎事〉則揭示秦滅義渠、燕破東胡與趙敗匈奴
諸史事。[24]此自是區大典所定的「掌故」部分。

　　最後是〈七國地理圖說〉，分別就秦、韓、魏、趙、燕、齊、楚的疆域
與軍事地理作頗詳細的介紹。[25]卷末另附有「遺史氏訂，門人侯彧華繪」的
〈戰國兵事地理圖〉（參看圖五）。[26]此自是區大典所定的「兵事輿地」部
分。

（二）卷二〈秦至楚漢史略〉

　　此卷述秦的先世、秦始皇的舉措、秦二世（胡亥，230-207 B.C.）的無
道、陳涉（陳勝，？-208 B.C.）等的反秦、楚漢的興起、趙高（？-207
B.C.）的專寵、楚漢的分道伐秦，而以漢高祖（劉邦，256-195 B.C.，202-
195 B.C.在位）於霸上受子嬰（？-206 B.C.）降，秦亡作結。文中尚列有
〈二世無道〉、〈豪傑亡秦〉、〈楚漢之興〉、〈趙高專寵〉、〈楚漢分道伐秦〉諸
小目以便閱讀。[27]此自是區大典所定的「政治」部分。

　　緊接著的〈楚漢戰爭〉述劉邦入咸陽、與民約法三章，而項羽（項籍，
232-202 B.C.）則破關入秦、屠咸陽、弑義帝、違背「先入關者王之」的協

21　同註18。
22　同註18，〈戰國至秦史略〉，卷1，頁10下。
23　同註18，〈附錄六國相攻事〉，卷1，頁10下-12下。
24　同註18，〈附錄六國秦燕趙禦戎事〉，卷1，頁12下-13下。
25　同註18，〈七國地理圖說〉，卷1，頁14上-17下。
26　同註18，〈七國地理圖說〉，卷1，頁17下後，不標頁碼。
27　同註18，〈秦至楚漢史略〉，卷2，頁1上-11下。

議、立劉邦為漢王、分王諸將。這激起了劉邦與項羽的正面對抗。雙方經連番激戰，鬥智鬥力，爾虞我詐，而以項羽自刎烏江作結。[28]此自是區大典所定的「掌故」部分。

最後是〈秦地理圖說〉，逐一介紹秦併六國後所設三十六郡與平百越後所增置四郡的轄境範圍。[29]卷末另附有相關地圖（參看圖六）。[30]此自是區大典所定的「兵事輿地」部分。

區大典的〈讀史述略凡例〉解釋他確立此體例的原因，說：

> 政治得失，《尚書》、《春秋》備矣。歷史紀傳，記事記言，實兼二書之旨。然斷代為史，無以觀其會通。宋司馬溫公（司馬光，1019-1086），萃千餘年治跡，編為《通鑑》，垂後王法戒之資，洵乎其為資治也。袁氏樞（袁樞，1131-1205），更即其書分類編纂，成《紀事本末》一書，然後學者乃能推治亂之本原，以究其所終極，誠史學之梯航矣。茲編政治史，以紀事本末為經，歷史紀傳為緯，參伍錯綜，以明條貫。其託始戰國，蓋上承《春秋》，亦猶溫公《通鑑》旨也。
> 仲尼傳《易》，曰觀其會通以行其典禮。與子張言，則曰殷因夏禮，周因殷禮，所損益可知。與顏淵論為邦，則言損益四代禮樂。然則會通古今，損益禮制，掌故學其要矣。《史記》八書，言制度之祖；歷史表志，胥沿體例。杜《典》、馬《考》、鄭《志》，薈萃成書，然後歷代典章，燦然大備，後之言掌故者莫越焉。茲編掌故史，取材書志以揭其要，參考文獻以會其通。一代之經制，附於一代之史，此歷代史例也。制度必考古證今，以明因革損益，亦《史》、《漢》書志之體也。
> 自三代下文武既判，而《六韜》、《三略》，儒者罕言，職方無官，而九州山川，圖志久缺。要塞之疏防，武備之廢弛，斯為中國積弱之

---

28 同註18，〈楚漢戰爭〉，卷2，頁11下-20下。
29 同註18，〈秦地理圖說〉，卷2，頁21上-25上。
30 同註18，〈秦地理圖說〉，卷2，頁25下後，不標頁碼。

原，非細故也。《班史》始志地理，歷代史因之，國朝李申耆乃有《地理韻編》之作。沿革之圖，獨惜兵事無考。胡文忠（胡林翼，1812-1861）著《讀史兵略》，通諸地理。明季顧祖禹（1631-1692/1624-1680）著《讀史方輿紀要》，通諸兵事。二公皆有輿圖之輯，惟胡圖與《兵略》別行，於原著靡所附麗；顧圖附《紀要》之末，而論者或又病其疏。矧今茲海道大通，事變孔亟；鐵道之軌如織，航海之術日精，兵事、輿地之講求，更不容以須臾緩。茲就所編歷代史略，分附以輿圖。凡古今之地名，與夫九州之要害，行軍之軌轍，皆以說詳之，殆古人左圖右史之意。儻亦今日考古者所有事歟！[31]

這體例的確立固然有理有據，而政治、掌故與兵事輿地三部分相結合的安排，亦跟清末以來歷史科課程的發展要求相吻合。光緒二十九年（1904）清廷頒布〈奏定中學堂章程〉，章程的〈學科程度章第二〉載：

凡教歷史者，注意在發明實事之關係，辨文化之由來，使得省悟強弱興亡之故，以振發國民之志氣。[32]

中華民國在一九一二年十二月公佈的〈小學校教則及課程表〉則要求：

教授本國歷史，宜用圖畫、標本、地圖等物，使兒童想見當時之實況，尤宜與修身所授事項聯絡。[33]

同時頒布的〈中學校令施行規則〉亦要求：

歷史要旨在使知歷史上重要事蹟，明於民族之進化、社會之變遷、邦國之盛衰，尤宜注意於政體之沿革，與民國建立之本。[34]

---

31 同註18，〈讀史述略凡例〉，頁1上-1下。
32 課程教材研究所編：《二十世紀中國中小學課程標準‧教學大綱匯編：課程（教學）計劃卷》（北京市：人民教育出版社，2001年2月），頁42。
33 同前註，頁64。
34 同註32，頁69。

這清楚顯示歷史科的課程要求已跟傳統「經史之學」中著重秉筆直書、褒貶分明、經世致用、宣揚大一統、愛國憂民與文史並重的「史學」大相逕庭。[35]發明史事的關係，辨析文化的由來，鑑知民族進化、社會變遷、邦國盛衰、政體沿革的因由，藉以振發國民的志氣，省悟政權強弱興亡的道理全都成了時代的新需求。區大典雖是一輩視民國為敵國的清遺民，[36]卻不得不因應時勢與課程的需要、編寫適合自己講學用的歷史教科書。

四　區大典《史略》的特色

區大典編寫《史略》一書，全是時勢使然。因為英國於一八四二年八月二十九日藉《南京條約》在清廷手上取得香港後，[37]雖無明確的教育政策，卻一直堅持以西方的學校制度為本，著意推行英語精英教育。[38]但隨著清末民初大批南來人口的湧入，適合小學程度學生入讀的私辦漢文學校驟然激增。根據香港教育司署（Department of Education）的記錄，私辦漢文小學的數目短短一年間自一九一〇年的一百九十六所增至一九一一年的二百四十三所，而當中不少更同時向民國政府登記註冊。這便使英國感到自己在香港

35　參看張海鵬：〈中國傳統史學的特點〉，《安徽師大學報》（哲社版）第24卷第4期（1996年12月），頁359-366；張克蘭、王曉清：〈中國傳統史學三論〉，《史學理論研究》1997年第1期（1997年3月），頁24-31。

36　參看林志宏：《民國乃敵國也：清遺民與近代中國政治文化的轉變》（臺北市：聯經出版公司，2009年3月）。

37　《南京條約》訂明清廷割讓香港的條文為：「因大英商船遠路涉洋，往往有損壞修補者，自應給予沿海一處，以便修船及存守所用物料。今大皇帝准將香港一島給予大英國君主暨嗣後世襲主位者常遠據守主掌，任便立法治理。」（褚德新、梁德主編：《中外約章匯要（1689-1949）》，哈爾濱市：黑龍江人民出版社，1991年1月，頁70）。

38　有關港英政府在香港推行英語精英教育的概況，可參看吳倫霓霞：〈教育的回顧（上篇）〉，載王賡武主編：《香港史新編》（香港：三聯書店，1999年7月），頁431-444。此外，Carl T. Smith（施其樂，1918-2008）的 "English-educated Chinese elites in Nineteenth-century Hong Kong" (in Marjorie Topley ed.: *Hong Kong: the interaction of traditions and life in the towns*, Hong Kong: Hong Kong Branch of the Royal Asiatic Society, 1975, pp.65-96)亦有相關的論述。

的管治威權遭受挑戰。英國派駐香港的總督急忙於一九一一年九月成立半官方（semi-official）形式的「漢文小學教育委員會」（Board of Chinese Vernacular Primary Education），專責處理漢文小學教育的相關事宜。[39]一九一三年八月，香港政府頒布香港歷史上第一項教育條例──《一九一三年教育條例》（Education Ordinance, 1913），並解散「漢文小學教育委員會」。條例規定所有學生數目達十人的學校均須向香港政府註冊，違者可罰款五百元；而教育司則有權拒絕或取消任何學校的註冊。[40]這條例直接影響不少私立漢文小學的命運。由於註冊學校必須聘用已受訓練的教師，故官立的香港實業專科學院（即香港實業學堂，Technical Institute）自一九一四年起開辦在職男子漢文師範班（Vernacular Teachers' Classes）與在職女子漢文師範班（Vernacular Teachers' Classes for Women），專責培訓漢文小學的男、女教師。入讀的學生均須修業三年，晚間上課。[41]一九一九年「五四」運動發生後，主管漢文師範班的漢文視學官針對國內日趨激烈的反孔（Anti-Confucian）言行，特意宣佈加強漢文師範班學生的經史課程。他們禮聘區大典擔任在職男子漢文師範班的經史教師，[42]而《史略》一書正是區大典在此情勢下為此等漢文師範班學生編寫的教材。

　　《史略》一書既是特定環境下的產物，它始於三家分晉的安排固然可以託詞借鑑《通鑑》。[43]但事實卻是區大典為配合漢文視學官特有的要求，刻意編寫跟民國政府公佈的小學歷史課程不盡相同的教學內容。一九一二年十二月民國政府頒布的〈小學校教則及課程表〉列明：

　　　本國歷史要旨，在使兒童知國體之大要，兼養成國民之志操。

39 參看 Anthony Edward Sweeting（施偉庭，1938-2008）：Education in Hong Kong pre-1841 to 1941: fact and opinion -- Materials for a history of education in Hong Kong (Hong Kong: Hong Kong University Press, 1990), p.220.

40 參看 Ibid, pp.220-221, 283-288.

41 參看《香港中文教育發展史》，頁288；《香港舊事見聞錄》，頁200-202。

42 參看《香港舊事見聞錄》，頁202。

43 參看〈戰國至秦史略〉，《史略》，卷1，頁1上。

本國歷史宜略授黃帝開國之功績，歷代偉人之言行，亞東文化之淵源，民國之建設，與近百年來中外之關係。[44]

由於不必受制於任何課程規限，區大典便得以利用此難得的時機盡量展示個人的才識。儘管《史略》一書目前只保留了在職男子漢文師範班第一年級「戰國至漢」的一冊，書的內容與結構明顯表現了區大典的一番心思。全書兩卷，各可分為四部分，計：

卷次	政治史	掌故史	兵事輿地史	地圖
卷一	〈戰國至秦史略〉	〈附錄六國相攻事〉、〈附錄六國秦燕趙禦戎事〉	〈七國地理圖說〉	〈戰國兵事地理圖〉
卷二	〈秦至楚漢史略〉	〈楚漢戰爭〉	〈秦地理圖說〉	〈秦地理圖〉（原圖缺標題，今據內容自擬）

書的內容刻意突顯兵事與地理的關係，而地圖的配備尤具心思。清末民初一窩蜂成書的中國通史，包括柳詒徵（1880-1956）於一九〇二年出版的《歷代史略》、陳慶年於一九〇四年出版的《中國歷史》、夏曾佑（1865-1924）於一九〇四年至一九〇六年出版的《最新中學中國歷史教科書》、劉師培（1884-1920）於一九〇五年至一九〇六年出版的《中國歷史教科書》等均未著意於史地的關係與地圖的運用。[45]趙玉森在一九二二年出版獲大學院審定、供中等學校使用的《新著本國史》時，便已在書首的〈新著本國史例

44　《二十世紀中國中小學課程標準‧教學大綱匯編：課程（教學）計劃卷》，頁64。
　　1916年1月頒布的《高等小學校令施行細則》亦有相類的申明，稱：「本國歷史要旨，在使兒童知國體之大要，兼養成國民之志操。本國歷史宜略授黃帝開國之功績，歷代偉人之言行，亞東文化治體之淵源與近百年來中外之關係。」（同前書，頁97）

45　有關清末民初以來中國通史的編纂梗概，可參看趙梅春：《二十世紀中國通史編纂研究》（北京市：中國社會科學出版社，2007年3月）一書。書的附表〈20世紀中國通史著作一覽表〉（頁315-325）對各種通史的出版年分臚列頗詳，甚便參考。

言〉特別強調「研究歷史,不可沒有地圖,這書附入的歷代簡明輿圖很多」,[46]以廣招徠。這可見時代的轉變,已令地圖成為當時歷史教科書的必備成分。較《新著本國史》早一年成書的《史略》雖以線裝形式出版,區大典卻能在每卷末頁附上洋紙印刷的地圖一幅。他更為書中俯拾即是的眾多地名隨見隨註,在首見時以括號方式註明民初的地名與簡略位置,如「鄭(今華陰縣)」、[47]「黔中(今貴州以東至湖南常德府)」。[48]此外,他更以括號方式解釋學生或許不易明白的字詞,如「開阡陌(南北阡、東西陌)」[49]等。這反映他不僅重視「左圖右史」相配合的教學功效,更能緊貼當時的教育發展趨勢,關注學生學習的效益。

　　《史略》一書除因重視兵事與地理的關係,刻意配備地圖而別具特色外,論者尤應重視全書以「謹案」、「案」或「按」的形式貫徹始終、以史帶論、先述後議,交代重要史事的發展與區大典個人見解的表述方式。全書共有「案語」三十則,卷一佔二十一則、卷二佔九則。

　　《史略》全書三十則「案語」中,二十則用於論析秦國與秦朝的史事。當中卷一佔十八則、卷二佔兩則。區大典先在卷一〈戰國至秦史略〉部分指出周威烈王於在位的第二十三年命晉大夫魏斯、趙藉、韓虔為諸侯[50]是「晉弱秦強,秦興周亡之兆」[51];齊大夫田和於周安王(姬驕,401-376 B.C.在位)十一年(391 B.C.)遷齊康公於海上後公然篡齊,周安王於在位的第十六年(386 B.C.)命田和為諸侯,魏、韓、趙三諸侯於周安王二十六年(376 B.C.)廢晉靖公後瓜分晉國數事[52]都是「春秋世卿專政之結果」[53];而

46 趙玉森編:〈新著本國史例言〉,《新著本國史》(上海市:商務印書館,1922年5月),上冊,頁1。

47 〈戰國至秦史略〉,《史略》,卷1,頁2下。

48 同前註。

49 同註47,〈戰國至秦史略〉,卷1,頁3上。

50 參看同註47,〈戰國至秦史略〉,卷1,頁2上。

51 同註47,〈戰國至秦史略〉,卷1,頁2上,「謹案」。

52 參看同註47,〈戰國至秦史略〉,卷1,頁2上。

53 同註47,〈戰國至秦史略〉,卷1,頁2上,「謹案」。

「齊篡晉分，諸侯積弱，均勢既破，秦乃崛興，漸恣兼併，而春秋終，戰國
始矣。」[54]他繼而認定秦孝公（嬴渠梁，381-338 B.C.，361-338 B.C.在位）
於周顯王（姬扁，368-321 B.C.在位）七年任公孫鞅（商鞅，前 390？-前
338）變法後[55]，因「商君新法，整齊嚴肅」[56]，令「秦以暴興」[57]。但他亦
批評秦日後的促亡實因商君諸政傷恩薄厚，是以「鞅固興秦功首，亦亡秦罪
魁也。」[58]此後，他隨即以九則「案語」逐一分析秦自商鞅變法至成功一統
天下的每一關鍵點：

（一）秦孝公任商鞅變法後，商鞅破魏，逼魏因獻河西地而東徙[59]是秦
兼併天下的「第一要策。」[60]自是「河西既克，函谷既開，東制諸侯，建瓴
成勢，秦之帝業基此矣。」[61]秦惠文王（嬴駟，354-311 B.C.，337-311 B.C.在
位）雖然於周顯王三十一年（338 B.C.）被立後迅即將商鞅處以車裂極刑[62]，
可是「鞅雖被誅，功要不沒也。」[63]

（二）周顯王三十六年（前 333）至周慎靚王（姬定，320-315 B.C.在
位）四年（317 B.C.）間，蘇秦（？-284 B.C.）以合從聯結東方六國制秦，
而張儀（？-310 B.C.）則以連衡助秦破六國。[64]毫無疑問，「秦兼吞之術，
以商鞅偪魏東徙為第一級，張儀連衡破合從為第二級。」[65]

（三）周赧王（姬延，287-256 B.C.在位）二年（313 B.C.），秦令司馬
錯攻取巴蜀；使張儀詐楚，促使楚絕齊交後，再揮軍破楚，取楚漢中郡。

54　同註47。
55　參看同註47，〈戰國至秦史略〉，卷1，頁2下-3上。
56　同註47，〈戰國至秦史略〉，卷1，頁3上，「謹案」。
57　同註47。
58　同註47。
59　參看同註47，〈戰國至秦史略〉，卷1，頁3上-3下。
60　同註47，〈戰國至秦史略〉，卷1，頁3下，「謹案」。
61　同註47。
62　參看同註47，〈戰國至秦史略〉，卷1，頁3上-3下。
63　同註47，〈戰國至秦史略〉，卷1，頁3下，「謹案」。
64　參看同註47，〈戰國至秦史略〉，卷1，頁3下-4下。
65　同註47，〈戰國至秦史略〉，卷1，頁4下，「案」。

韓、魏兩國更乘楚攻秦失利，南襲楚。[66]由是，「秦取巴蜀、漢中以制楚，此為兼併第三級。」[67]

（四）周赧王四年（311 B.C.），秦使張儀以連衡說楚、韓、齊、趙、燕諸國。但新得位的秦武王（嬴蕩，329-307 B.C.，311-307 B.C.在位）不喜張儀，張儀因而去秦，六國遂背連衡而復合從。[68]其實，「張儀連衡，為秦並六國根本之策。其後范雎（？-255 B.C.）之遠交近攻，李斯（？-208 B.C.）之離間六國君臣，亦用是策也。」[69]

（五）周赧王六年（311 B.C.）至四十五年（270 B.C.）間，秦昭王（嬴稷，325-251 B.C.，306-251 B.C.在位）任秦宣太后（羋八子，秦惠文王妃，？-265 B.C.）異父弟魏冉為相，薦白起（？-257 B.C.）為將，大破韓、魏、趙、楚諸國。[70]當時「魏冉相秦，雖無他奇策，然薦白起為將，南取鄢郢，東屬地於齊，秦益強大，冉之功也。偪楚東徙，此亦為秦兼併之第四級。」[71]

（六）秦昭王乘時採用范雎遠交近攻的策略，相繼攻伐魏、趙，而諸將中以白起的功勞最大。[72]此「范雎遠交近攻之策，實即連衡策而善用之。遠交燕、齊、楚，近攻三晉，此為秦兼併之第五級。」[73]

（七）秦莊襄王（嬴子楚，281-247 B.C.，249-247 B.C.在位）元年（249 B.C.），秦滅二周。此「二周」實即周顯王二年（367 B.C.）韓、趙兩國將周天子轄土一分為二的西周三邑與東周四邑。[74]秦國此舉，全因「二周當函谷之衝，梗秦東出之道，秦欲逞志中原，必先併二周，地勢然也。」[75]

---

66 參看同註47，〈戰國至秦史略〉，卷1，頁5上-5下。

67 同註47，〈戰國至秦史略〉，卷1，頁5下，「謹案」。

68 參看同註47，〈戰國至秦史略〉，卷1，頁5下-6上。

69 同註47，〈戰國至秦史略〉，卷1，頁6上，「案」。

70 參看同註47，〈戰國至秦史略〉，卷1，頁6上-7上。

71 同註47，〈戰國至秦史略〉，卷1，頁7上，「案」。

72 參看同註47，〈戰國至秦史略〉，卷1，頁7上-8下。

73 同註47，〈戰國至秦史略〉，卷1，頁8下-9上，「謹案」。

74 參看同註47，〈戰國至秦史略〉，卷1，頁9上。

75 同註47，〈戰國至秦史略〉，卷1，頁9下，「案」。

（八）秦莊襄王以呂不韋（？-235 B.C.）為相國，用兵三晉。秦王政繼立，破楚、趙、魏、韓、衛諸國的合從，攻伐楚、魏兩國。當時，李斯因諫逐客而獲召用，隨即陰遣辯士遊說各諸侯。[76]因此，「李斯離間六國君臣，此為秦兼併之第六級。」[77]但離間諸策，「計彌巧，策彌卑矣。挾智任術，雖得天下，不能一朝居，所以二世亡也。」[78]

（九）秦王政二十六年（221 B.C.），六國盡入於秦，天下歸於一。[79]回顧歷史，「秦併六國，始則偪魏、楚東徙，而東出無阻，南顧無憂；繼則連橫破從，遠交近攻，而六國次第就滅矣。六國之亡，始則輕秦，內鬩自弱，而秦得坐承其弊；繼則畏秦，近者割地乞和，遠者固圉觀望。三晉與楚，日受秦毒，賂秦求安；燕、齊僻處東北，坐視不救，迨晉、楚滅而燕、齊亦亡矣。此得失之鑒也。」[80]

他除了在卷一〈戰國至秦史略〉部分利用「案語」分析秦得以成功兼併六國的種種原因外，又在卷一〈附錄六國相攻事〉部分援用周顯王十五年（354 B.C.）魏、齊兩國相攻致秦得以破魏而逼魏東徙與周赧王元年（314 B.C.）齊、燕兩國相攻致齊國田單破燕兩事[81]，以「案語」點明「魏、齊與燕、齊大戰爭，皆於秦與六國之興亡有密切之關係。」[82]這種從正、反兩面舉證立論的方式，令學生清楚掌握秦與六國在促成秦併天下一事上扮演的角色與肩負的責任。由於他堅信「地利」是秦得以成功兼併六國的要素，故在卷一〈七國地理圖說〉部分詳細介紹秦、韓、魏、趙、燕、齊、楚七國疆域與軍事地理形勢後[83]，以全部七則「案語」分析秦國的軍事地理形勢，探討六國未能盡用本國地理優勢而終為秦國消滅的種種原委。該七則「案語」為：

---

76 參看同註47，〈戰國至秦史略〉，卷1，頁9下-10上。
77 同註47，〈戰國至秦史略〉，卷1，頁10上，「按」。
78 同註47，〈戰國至秦史略〉，卷1，頁10上，「按」。
79 參看同註47，〈戰國至秦史略〉，卷1，頁10上-10下。
80 同註47，〈戰國至秦史略〉，卷1，頁10下，「按」。
81 〈附錄六國相攻事〉，《史略》，卷1，頁10下-12下。
82 〈附錄六國相攻事〉，《史略》，卷1，頁12下，「案」。
83 〈七國地理圖說〉，《史略》，卷1，頁14上-17上。

（一）「秦獻、孝之初，河西屬魏。蘇秦言秦東有關（潼關）、河（黃河），則魏獻河西之後，秦地東已至河。范睢言秦左關（函關）、阪（崤阪），則在取焦曲沃之後，秦地已包二周；又言北有代（代州）、馬（馬邑），代馬屬趙，蓋侈言之。」[84]

（二）「韓邊界在宜陽，有伊闕山險（原註：伊闕山在洛陽西南二十里，在宜陽東北數十里），要害在上黨（原註：今潞安府），有太行山險。秦攻韓，必分兩路：一道河南，一道河北。」[85]

（三）「魏以長城扼西河，為秦心腹病。自魏獻河東（原註：安邑）、河西（原註：上郡）地於秦，東徙大梁，而秦患移於韓、趙，又魏地濱黃河，故秦欲決諸口灌之，卒以引河灌大梁，滅魏。」[86]

（四）「趙都邯鄲（原註：今縣），韓之上黨蔽之；南邊鄴（原註：彰德），魏之河內蔽之；西邊晉陽（原註：太原），魏之河東、韓之平陽蔽之。韓、魏破，而趙始被秦兵。又趙北邊代，秦道九原、雲中，入雁門，險遠難繼，句注之道，非行軍所宜也。」[87]

（五）「燕之南境有趙，又南境有韓、魏，故燕被秦兵，後於三晉。又秦道九原、雲中，趨上谷、漁陽，並塞北出，踰數千里，越趙而攻燕，此危道也。」[88]

（六）「齊南界楚，西界三晉，與秦東西相望，故齊最後亡。然日視三晉與楚交被秦兵，不顧唇齒之勢，坐以待滅，齊之失計也。」[89]

（七）「楚雄南服，北扼黽阨之塞（原註：信陽州東南九十里即信陽三關），齊、晉皆無如楚何。能制楚者惟秦，陸出武關，下穰宛（原註：鄧州南陽）；水浮江漢，趨荊、襄；皆居楚上游，制楚死命。楚一再東徙以避

---

84 同註83，〈七國地理圖說〉，卷1，頁14下，「案」。
85 同註83，〈七國地理圖說〉，卷1，頁15上，「案」。
86 同註83，〈七國地理圖說〉，卷1，頁15下，「案」。
87 同註83，〈七國地理圖說〉，卷1，頁15下-16上，「案」。
88 同註83，〈七國地理圖說〉，卷1，頁16上，「案」。
89 同註83，〈七國地理圖說〉，卷1，頁16下，「案」。

秦，地勢使然也。」[90]

　　此外，他對秦併六國與秦朝興亡的著意，還見於他在卷二〈秦至楚漢史略〉的首兩則「案語」。他先行交代秦先世，再述秦始皇併六國、稱皇帝、除諡法、以水德王、色尚黑、以十月為歲首、廢封建、設郡縣、車同軌、書同文諸事[91]，然後以「案語」闡明：

> 封建制，諸侯分治其國，公卿大夫各有采邑。地小世業，易於措施。畫井分田，授受不紊。郡縣疏闊，守令紛更，易滋奸詐。又周末兼併，貧富不均，地益難治。故封建廢而井田不可復行，其勢然也。封建、井田既廢，而古制一切盡變矣。[92]

這正是從制度興廢的層面點出秦國混一六合緣於封建制與井田制的徹底破壞。他繼而羅列秦始皇銷天下兵，焚書阬儒，使長子扶蘇監蒙恬軍於上郡諸事[93]，然後利用第二則「案語」力斥秦始皇的無道，稱：

> 始皇無道，莫有如焚書阬儒之甚者也。長子扶蘇，以諫阬儒，被逐在外。少子胡亥，親愛居內，乃得乘幾，陰謀奪適，寖以亡秦，殆阬儒之報也。[94]

秦朝促亡實緣於陳涉、吳廣（？-208 B.C.）起兵於蘄，一呼百應。他以卷二〈秦至楚漢史略〉的第三、四則「案語」先論陳涉稱王後，即分兵擊秦，命吳叔西擊滎陽、陳人武臣（？-208 B.C.）北徇趙、鄧宗徇九江郡、周市北徇魏[95]的安排為「陳涉行軍方略也。徇九江為後路防軍，徇趙魏為略地偏師，皆奇兵也。擊滎陽為牽制之師，擊秦為入穴之師，皆正兵也。」[96]然後，他

90　同註83，〈七國地理圖說〉，卷1，頁17上，「案」。
91　〈秦至楚漢史略〉，《史略》，卷2，頁1上-1下。
92　同前註，〈秦至楚漢史略〉，卷2，頁1下，「案」。
93　參看同註91，〈秦至楚漢史略〉，卷2，頁1下-2上。
94　同註91，〈秦至楚漢史略〉，卷2，頁2上，「案」。
95　參看同註91，〈秦至楚漢史略〉，卷2，頁4下-5上。
96　同註91，〈秦至楚漢史略〉，卷2，頁5上，「案」。

更明確指出日後陳涉諸將戰死滎陽，陳涉亡[97]的主因正是「陳涉遣武臣、周市略地，既已分離，而遣吳叔、周文去秦，又復蹉跌，故一敗塗地。」[98]

　　區大典復在書的卷二〈楚漢戰爭〉部分列出五則「案語」，第一則與第五則論析楚漢相爭劉邦用兵致勝的原因，而尤著意於地理與人謀的因素。他強調韓信（？-196 B.C.）擊魏王豹後旋即北舉燕、趙，東擊齊，南絕楚糧道，一舉而破代[99]，全因「漢以取道成皋、滎陽以距楚，為正兵；以取道河東、河北以破魏、趙、燕、齊，襲楚後，為奇兵。正兵憑險，主守；奇兵擊虛，主戰。楚王第有自將正兵，而無遊擊奇兵，所以敗也。」[100]他還分析日後項羽垓下戰敗、烏江自刎；漢王馳至定陶，奪韓信軍而更立韓信為楚王、彭越為梁王；諸侯及將相共尊漢王為皇帝諸事[101]；認為「楚、漢成敗，地利、人謀為之也。漢據天下上游，滎城以西，四面阻塞，滎城以東，四達無險，此地利關係也。南服九江，北定河朔。漢軍梗其前，彭越擾其後。漢與眾兵強，楚備多力分，此人謀關係也。若夫漢兵所至禁虜掠，楚兵所過悉殘破，此仁暴之分，尤成敗之本也。」[102]這結合他評論秦朝促亡緣於無道的觀點，無疑已突顯了他對「仁政」的渴求。

　　卷二〈楚漢戰爭〉部分尚有兩則「案語」分析楚、漢相爭期間韓信不願背漢的種種。區大典指出項羽使武涉遊說韓信背漢、信不從；蒯徹以相人術說韓信背漢，力稱勇略震主者身危，亦被拒[103]，過程中「蒯徹之言，深明天下大勢。信此時猶不忍背漢，知後此言信反者誣也。」[104]楚、漢戰爭結束前，楚、漢議和，割鴻溝（滎陽東南）而中分天下。張良（？-189 B.C.）、陳平（？-178 B.C.）說劉邦合韓信、彭越（？-196 B.C.）軍追擊項

97　參看同註91，〈秦至楚漢史略〉，卷2，頁6下-7上。

98　同註91，〈秦至楚漢史略〉，卷2，頁7上，「案」。

99　〈楚漢戰爭〉，《史略》，卷2，頁15下。

100　同前註，〈楚漢戰爭〉，卷2，頁15下，「按」。

101　參看同註99，〈楚漢戰爭〉卷2，，頁20上-20下。

102　同註99，〈楚漢戰爭〉，卷2，頁20下。

103　參看同註99，〈楚漢戰爭〉，卷2，頁19上。

104　同註99，〈楚漢戰爭〉，卷2，頁19上，「案」。

羽，韓、彭不與，至漢王分地王二人，二人以兵會時[105]，正是「信、越所以見忌於高帝也。葅醢之禍兆此矣。」[106]此外，卷二〈楚漢戰爭〉部分另一則「案語」則就漢初立算賦，令民年十五以上至五十六出賦錢，人百二十為一算，以治庫兵車馬[107]提出己見，認為「此口賦也。鄭康成（鄭玄，127-200）注《周禮》，所謂口率出泉是也。」[108]平情而論，所言已無甚足觀。

整體而言，《史略》全書的「案語」偏重析秦、著意軍事、究心地理，而致力於闡釋興亡、成敗的要道。卷一〈附錄秦燕趙禦戎事〉的唯一一則「案語」：

> 北狄自三代至今日（原註：今為內外蒙古）皆為中國患，亦歷史一大關係，故附錄之。[109]

輕描淡寫，看似漫不經心而實在別具深意，相信與民國初年的政局發展不無關係。可惜礙於全書僅存此冊，今已無法細加印證。但他在語句中隱隱流露的感慨，卻絕不容忽視。

五　結語

自民國成立以來，「清季翰苑中人、寓港者無慮十餘輩，或以文鳴，或以學顯。」[110]區大典便是「以經學顯」的一位。他雖因緣際會供職於英國人管治下的文教機構，卻對清室一直念念不忘。他不善唱詠，仍以清遺民的身分參與陳伯陶（1855-1930）等於一九一六年（丙辰）秋在九龍城宋王臺

---

105 參看同註99，〈楚漢戰爭〉，卷2，頁19下。

106 同註99，〈楚漢戰爭〉，卷2，頁20上，「案」。

107 參看同註99，〈楚漢戰爭〉，卷2，頁19下。

108 同註99，〈楚漢戰爭〉，卷2，頁19下，「案」。

109 〈附錄秦燕趙禦戎事〉，《史略》，卷1，頁13下。

110 羅香林：〈故香港大學中文學院院長賴煥文先生傳〉，收入賴際熙著，羅香林（1906-1978）輯：《荔垞文存》（香港：學海書樓，2000年），頁165。

祭祀宋末宗室趙秋曉（1245-1294）的活動。[111]他在民國建立後一直努力在
經學著述中避用清諱。[112]他的經學解說，論者或以為缺乏創意與時代意
識。[113]但他的《史略》雖只是一冊供在職男子漢文師範班學生使用的歷史
教科書，卻處處在短短的篇幅中流露出他的豐富學問與過人識見。[114]由於
「歷史教科書是學校中歷史教學最重要的媒介」[115]，而歷史教學又是歷史
教育的重要表現方式。論者嘗以為：

> 歷史教育可使人類瞭解過去，認識現狀，預見未來，幫助人們認識和
> 改造客觀世界；歷史教育可促進科學文化事業的發展；歷史教育還可
> 塑造合乎社會需要的人才，因而歷史教育受到所有社會、民族和國家
> 的重視。[116]

肩負歷史教學重責的教科書便是協助學生產生社會認同的重要媒介，是以
「教科書必須把集體記憶的力量帶進過去的陳述中，配上活生生的傳統、希
望；並表現出過去是當下生活中的要素。」[117]這便使歷史教科書編撰者的
歷史意識成了關係歷史教育成效的重要因素。論者嘗指出：

111　參看蘇澤東編：《宋臺秋唱》（廣州市：粵東編譯公司刊本，1917年）一書。

112　參看遺史輯：《孝經通義》（香港：奇雅中西印務，1930？年），頁1上。

113　參看陳君葆（1898-1983）著，謝榮滾主編：《陳君葆日記》（香港：商務印書館，1999
　　　年4月），頁133。

114　陳君葆在一九三七年七月二十三日下午得知他的老師區大典已在當天早晨辭世後，曾
　　　感慨「徽師（區大典）一生事業雖不若荔老（賴際熙），然學問著述則較豐富，惜其
　　　鬱鬱以終，可悲也。」（《陳君葆日記》，頁296）

115　Joern Ruesen 著，陳中芷譯：〈歷史意識作為歷史教科書研究之事項〉，收入張元、周
　　　樑楷主編：《方法論：歷史意識與歷史教科書的分析編寫國際學術研討會論文集》（新
　　　竹市：國立清華大學歷史研究所，1998年6月），頁19。

116　何瑞春：〈歷史教育論〉，收入姬秉新主編：《歷史教育學概論》（北京市：教育科學出
　　　版社，1997年8月），頁41。

117　Joern Ruesen 著，陳中芷譯：〈歷史意識作為歷史教科書研究之事項〉，收入張元、周
　　　樑楷主編：《方法論：歷史意識與歷史教科書的分析編寫國際學術研討會論文集》，頁
　　　21。

歷史意識是記憶的表現和顯示。其特徵表現在：過去作為過去的存在的這個事實，也就是說，過去的質與現在不同，同時，又與現在相關。歷史意識是記憶的精心傑作（elaboration of memory），又超過了人類經驗的限制，並超越人自身短暫而有限的生命限度。它強調質的時間差異，同時，透過講述一個沿著時間之流航行的故事來連接這些差異；這時間之流結合過去、現在和未來，成為一個包含延續和變遷、差異和同一、斷裂和持續及他性（otherness）和自性（selfhood）之廣泛的共同體。從過去到現在（包含對未來的觀點）的這種關係的原則，是當代變遷（temporal change）之意義和重要性之準則。歷史意識是由當代變遷的經驗所構成的，刺激現實生活中所預設的定位，並挑戰新的定位。所以，它的功能非常實際：對人類的活動（activity）及受苦於（suffering）當代變遷，提供意義及重要性的模型。[118]

區大典在別具時代意義的環境下，被委任為香港實業學堂男子漢文師範班的歷史科教師。他獲得當時的漢文視學官首肯，享有自由擬定講授內容的特權。《史略》一書自是他用心擘畫的講課心得。他在時限的選取、課題的構思、「案語」的確定等方面都顯出心思。他事事從地理與軍事的視角出發，暢論興衰、成敗的要道，而尤著意於用兵的成效。個中自不無針對當前世局的應用價值。他鄭重提出「要塞之疏防，武備之廢弛，斯為中國積弱之原」[119]的見解，無疑已將過往「古為今用」的史學思想推進為應世實用的歷史思維。這難道不是經學家——特別是遺民經學家經世思想付諸應用的一例？

---

118 同前註，頁23-24。
119 〈讀史述略凡例〉，《史略》，頁1下。

圖一　　　　　　　　　　　　　　　　　圖二

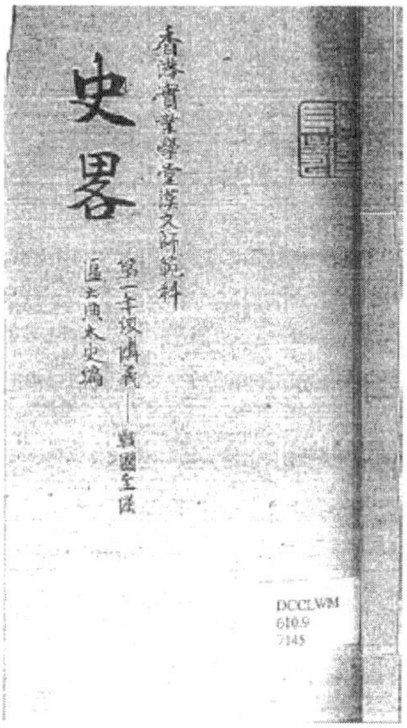

圖三　　　　　　　　　　　　　　　　　圖四

圖五　　　　　　　　　　　　　圖六

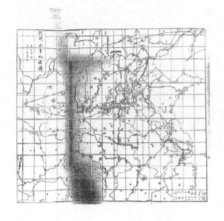

楊樹達〈讀《左傳》〉平議

許子濱

嶺南大學中文系教授

一　前言

　　楊樹達（1885-1956）一生潛心學術，著述宏富，在廣泛的學術領域都取得卓越的成就。其侄楊伯峻（1909-1992）將楊樹達的學術著作分為六類：一，輯古人之引文以解釋古書；二，語法、修辭；三，校勘注釋和考證；四，文字訓詁；五，甲文；六，金文。[1]在第三類著作中，最有份量的當然是《漢書窺管》，其他還包括《鹽鐵論要釋》、《淮南子證聞》，以及《積微居讀書記》。《積微居讀書記》原稿沒有註明著作年月，據知晚年仍有所整理加工[2]，初版於一九六二年。此書彙集了楊樹達歷年的讀書劄記，涉及《尚書》、《左傳》、《國語》、《後漢書》、《莊子》、《荀子》、《商君書》、《晏子春秋》、《呂氏春秋》，以及《說文》等文獻。其中原題為「讀《左傳》」的部分，凝聚了楊樹達讀《左傳》的心得。楊伯峻自言其學問主要得自楊樹達的傳授，對他來說，楊樹達是亦叔亦師。[3]楊伯峻能以一己之力、歷二十餘年

1　楊伯峻：〈楊樹達文集前言〉，《楊樹達誕辰百週年紀念集》（長沙市：湖南教育出版社，1985年），頁27-30。

2　詳參王玉堂：〈楊樹達先生事略〉，《楊樹達誕辰百週年紀念集》，頁314。

3　楊伯峻：〈我的治學大要〉，《楊伯峻治學論稿》（長沙市：嶽麓書社，1992年），頁203。沈玉成、劉寧：《春秋左傳學史稿》（南京市：江蘇古籍出版社，1992年），頁409，「作者（引者按：指楊伯峻）在青年時代受學於叔父楊樹達先生，對經史、諸子、小學均有很深的功底，中年則從事古漢語語法的研究。」惜未能討論楊樹達的〈讀《左傳》〉。

完成《春秋左傳注》（以下簡稱「楊《注》」）這部巨著，顯然得力於其深厚
的家學淵源。只要把〈讀《左傳》〉各條與《春秋左傳注》稍作比對，不難
發現，在文字訓詁及校勘注釋方面，楊伯峻所受楊樹達的影響是十分顯著
的。今人讀《春秋》、《左傳》，楊《注》是最重要的、不可或缺的參考書，
學者對楊《注》也作出了許多討論，但評論楊樹達〈讀《左傳》〉的卻不多
見。楊伯峻〈《楊樹達文集》前言〉在重點介紹《漢書窺管》後，說：

> 他還寫了《鹽鐵論要釋》、《淮南子證聞》和《積微居讀書記》。每立
> 一義，多能確鑿不移。[4]

在這裡，楊伯峻對《積微居讀書記》作出了一個中肯的評價。整體而言，篇
中所論多能做到精確無疑。本文所論，旨在探討〈讀《左傳》〉的部分論
說，或通過與楊伯峻相關注文的比較，突顯二者的優劣異同，或評論二者的
部分相同看法。

二　楊樹達〈讀《左傳》〉內容概述

　　楊樹達〈讀《左傳》〉一共有二○一條。正如楊伯峻所說，內容主要涉
及校勘、注釋和考證《傳》文。其立論旨要，在於從文字、訓詁，以至上下
文理，訂正舊注（主要是杜《注》、孔《疏》）的錯誤，或闡發和補充舊注。
在校勘《傳》文方面，楊樹達糾正了本為一傳而被舊注在取《傳》附《經》
之時誤分為兩傳的地方，共計十九條。這部分已全部被楊《注》所吸收。[5]
討論《傳》文衍、奪、訛、倒，以及句讀問題，以致釐正《傳》文「錯簡雜

4　楊伯峻：〈《楊樹達文集》前言〉，《楊樹達誕辰百週年紀念集》，頁29。
5　唯一不同的是，《左傳》莊公十一年云：「乘丘之役，公以金僕姑射南宮長萬，公右歂
　　孫生搏之。宋人請之。宋公靳之，曰：『始吾敬子，今子，魯囚也，吾弗敬子矣。』
　　病之。」十二年云：「秋，宋萬弒閔公于蒙澤。」楊樹達云：「二傳當在十二年合為一
　　傳，杜取傳附經誤析。」見楊樹達：《積微居讀書記》（北京市：中華書局，1962年），
　　頁33。但楊伯峻指出，「割裂不始於杜」。見楊伯峻：《春秋左傳注》（北京市：中華書
　　局，1990年），頁190。

次不倫」各條，加起來約有十四條。楊《注》對這部分的看法並非完全一致。至於注釋和考證《傳》文方面，主要以《說文》為依據，間或參以《爾雅》及各種先秦兩漢文獻，藉著辨識假借字，確立《傳》文的本字本義。明引《說文》為據的，約五十四例；引《爾雅》為證的有五例。而且，楊樹達每立一訓，必窮索《左傳》相關文例，以作內證，有時也旁及其他文獻用例，並兼顧上下文理。這種論證方法，用他自己的話說是「推類」[6]，即觸類旁通之法，也就是今人所說的類比[7]。建基於這種嚴密的論證基礎，其立義多能做到確鑿不移。

三　〈讀《左傳》〉略論

大概是楊《注》後出轉精，又或是出於人們的錯覺，以為〈讀《左傳》〉中的精義，已完全被楊《注》吸收，所以楊樹達〈讀《左傳》〉的這些論述似乎得不到應有的注意。〈讀《左傳》〉的精華果真已蘊含於楊《注》之中，似乎就沒有必要再討論，但筆者認為，只要將〈讀《左傳》〉各條與楊《注》相關部分逐一細讀、比較，就能看出兩者的同異。從其異處，我們可以比較、評定二說的優劣。即使二人看法相同，也不見得都是確鑿無疑、沒有值得討論之處。

通覽〈讀《左傳》〉全篇，可謂勝義紛陳，有很多超越前人之處，而值得討論的地方也不少，以下將從下列各端作出討論：（一）學者引述楊說，但評論未為允當；（二）說極精審，但未被楊《注》採用：1.視《傳》文為假借字，並辨明本字，說極精確，而未被楊《注》採用；2.訓釋精當，而未被楊《注》採用；（三）校勘《傳》文，但難以徵信；（四）別出新解，反不及杜《注》明晰；（五）雖能指出杜《注》之誤，但所立新說，未為圓通；（六）視《傳》文為借字，並改讀某字，但於文意扞格難通；（七）依假借

6　楊樹達：《積微居讀書記》，頁60。
7　詳參孫良明：〈楊樹達《漢書管窺》「句式類比」語法分析法——兼說我國古代語法學——傳統分析法〉，《語言研究》第25卷第2期（2005年6月），頁1-6。

之例，改讀《傳》文，而未可從；（八）依假借之例，改讀《傳》文，說固可通，但讀如字，文自明晰，不煩改讀；（九）訓釋字詞只停留在訓詁的層面，未能兼顧字詞背後的禮制。

（一）學者引述楊說，但評論未為允當

如上所述，楊樹達這些研究《左傳》的心得，沒有得到現代學者的充分注意。大家似乎只知有楊《注》，而不知有楊樹達的〈讀《左傳》〉。除了楊《注》外，很少看到學者在著述中引述或評論楊樹達之說，就是偶有所見，對其說的評論也不盡恰當。茲舉例說明如下：

1 讀「貫」為「習」

《左傳》昭公二十六年「侵欲無厭，規求無度，貫瀆鬼神，倍奸齊盟，傲狠威儀，矯誣先王」，楊樹達《讀左傳》云：

> 《集解》云：「貫，習也。瀆，易也。」樹達按：「瀆」當讀為「嬻」，《說文》女部云：「嬻，媟嬻也。」[8]

楊樹達讀「瀆」為「嬻」，對「貫，習也」之說蓋無異議。楊《注》云：

> 楊樹達先生《讀左傳》云：「『瀆』當讀為『嬻』，《說文》：『嬻，媟嬻也』。」意謂習慣於侮慢鬼神。[9]

仔細比照，可見楊《注》完全襲用了楊樹達的說法，不特釋「瀆」為「嬻」，還將「貫」訓為習。徐朝暉在〈楊伯峻《春秋左傳注》商榷（續）〉中，質疑楊伯峻這條注文說：「楊注謂『貫』為習慣，似可商榷。此『貫瀆』當如下文之『慢棄』、『倍奸』、『傲狠』、『矯誣』一樣皆為並列同義複合

8　楊樹達：《積微居讀書記》，頁69-70。
9　楊伯峻：《春秋左傳注》，頁1477。

詞，『貫』亦『瀆』也。《爾雅‧釋詁‧注》：『貫，貫忕也。』成公十六年
《傳》：『今楚內棄其民，而外絕其好，瀆齊盟，而食話言；奸時以動，而被
民以逞。』楊注：『瀆，褻瀆，輕慢，不尊敬。齊盟見十一年傳注。褻瀆齊
盟即十五年傳「新與晉盟而背之。」』《春秋左傳正義》疏云：『今楚內棄其
國內之民，不行施惠，是無德也；外絕鄰國之好，不得其利，是無義也；與
晉結盟而復背之，貫瀆齊同之盟，是無詳也；與人要言，今背其語，食消善
言，是無信也。』《正義》釋『瀆』為『貫瀆』，皆褻瀆之意也。」[10] 徐氏
的質疑，主要針對楊《注》，似乎沒有注意到楊《注》是近取楊樹達說而遠
承杜預之《注》。假若探尋古訓，就會發現杜預「貫，習」之訓是有根據
的。許慎《說文》於「摜」下云：「習也。《春秋傳》曰：『摜瀆鬼神』。」[11]
許君所引，就是這條《傳》文，「摜」今本作「貫」，不過是一錄本字、一用
借字之別罷了。對此，段《注》說得很明白：「此（引者按：指「摜」）與辵
部遺音義皆同，古多假貫為之。」[12] 徐氏試圖證明「貫」訓「瀆」的唯一證
據，即《爾雅‧釋詁‧注》「貫，貫忕也」，適足以為楊《注》（同杜《注》）
提供證明。《爾雅》原文明明說：「閑、狎、串、貫，習也」，郭璞云「貫
忕」，「貫忕」等於說「習」，郝懿行的《爾雅義疏》對這點已有很精當的論
析[13]。由此可見，徐氏顯然誤解了郭璞《注》的意思。我們還可以在杜預的
《注》裡找到「忕」、「習」互訓的例證，如《左傳》桓公十三年「莫敖狃於
蒲騷之役」，杜《注》云：「狃，忕也。」孔《疏》云：「《說文》云：狃，狎
也。忕，習也。郭璞云：貫忕也。今俗語皆然。則狃忕皆貫習之義。」[14]可
見狃、忕都是習慣的意思。要是能探尋古訓，徐氏就可以釋疑了。

10 徐朝暉：〈楊伯峻《春秋左傳注》商榷（續）〉，《古漢語研究》2003年第1期，頁81。

11 段玉裁：《說文解字注》（上海市：上海古籍出版社，1988年），頁601。

12 段玉裁：《說文解字注》，頁601。

13 郝懿行：〈爾雅郭注義疏上之又一〉，《爾雅義疏》（北京市：中國書店，1982年），頁
　　40下。

14 《十三經注疏‧左傳疏》（臺北縣：藝文印書館，1988年），頁125。

2 「攝」為「攝官」

也有楊《注》襲用楊樹達之說，而一併被學者質疑的例子。如《左傳》定公十三年記齊侯語曰：「比君之駕也，寡人請攝。」杜預《注》云：「以己車攝代衛車」[15]。楊樹達〈讀《左傳》〉不取杜《注》，別作新解云：

> 成二年鞌之戰《傳》云：「韓厥執縶馬前曰……『敢告不敏，攝官承之』」，與此文皆以攝為言。彼文明言攝官，蓋指車御為言；此文當是謙言攝御，乃指人言，不謂車也。文七年《傳》云：「攝卿以往」，攝亦攝官。[16]

楊《注》云：

> 言及君車駕好，我請攝御。攝，代也。代其駕御也。此乃齊侯明知晉師未至，作鎮定語，亦表面謙虛之辭。衛君在讙會中，戰車已解馬，突聞晉師至，自不待衛車之駕，而與齊侯共載。於邑《校書》、陶鴻慶《別疏》、吳闓生《文史甄微》皆糾纏於『比』字之義，仍未得其解，故不述。楊樹達先生〈讀《左傳》〉始粗得其義。[17]

趙生群〈《左傳》疑義新證（定公篇）〉具引楊《注》，並云：「按：『比』可訓『皆』。齊侯之意，謂此車與君之車無異，請以此暫代君車耳。」[18]下文還羅列文獻所見「比」訓「皆」的例證。趙氏主張用杜說，但所提出的論據不能使人無疑。「比君之駕」這句話，有兩個關鍵處：一個是「比」字，另一個是「駕」字。「比」，趙氏釋作「皆」，那麼，這句話就得理解為「此車都

15　《十三經注疏・左傳疏》，頁981。

16　楊樹達：《積微居讀書記》，頁76。

17　楊伯峻：《春秋左傳注》，頁1589。

18　趙生群：〈《左傳》疑義新證（定公篇）〉，收入《禮學與中國傳統文化——慶祝沈文倬先生九十華誕國際學術研討會論文集》（北京市：中華書局，2006年），頁392。又，趙氏於《春秋左傳新注》（西安市：陝西人民出版社，2008年）重申其說云：「比：皆。請攝：請以己車暫代衛侯之車。攝：代。」（頁990）

是君之車」，而不是趙氏說的「此車與君之車無異」。「比」，當訓作「及」[19]；「駕」，即駕好，非指車駕。[20]「比君之駕」，即「比及君之駕」，繙成今語不過是說：「等到您駕好馬車」。確定了「比君之駕」的含意，「寡人請攝」的難題自然就迎刃而解。綜觀各說，以兩位楊先生之說為長。

3 疑「聚」下半字壞，誤分為「取人」

《左傳》昭公二十年「鄭國多盜取人於萑苻之澤」，楊樹達云：

> 《集解》云：「萑苻，澤名；於澤中劫人」。王引之云：「劫人而取其財，不得謂之『取人』。『取』讀為『聚』，『人』即『盜』也。謂群盜皆聚人於澤中，非謂劫人於澤中也。盜聚於澤中則四出劫掠，又非徒於澤中劫人也。下文云『興徒兵以攻萑苻之盜，盡殺之』，則此澤為盜之所聚明矣」。樹達按：王氏難杜，是也，而云聚人即聚盜，則非是。苟如其說，則文為「鄭國多盜，聚盜於萑苻之澤」，於辭豈非累複乎？竊疑《傳》文本止作「聚於萑苻之澤」，「聚」下半字壞，故誤分為「取人」二字耳。《韓非子・內儲》篇云：「鄭少年相率為盜，處於萑澤」。《傳》云「聚於萑苻之澤」猶彼云「處於萑澤」，是其證矣。[21]

楊《注》云：

> 取讀為聚，人即盜也，謂群盜聚於澤中。說詳王引之《述聞》。楊樹達先生《讀左傳》則云：「疑《傳》文本只作『聚於萑苻之澤』，『聚』下半字壞，故誤分為『取人』二字耳。」[22]

---

19 《左氏會箋》（臺北市：廣文書局，1963年），第28，頁37。

20 楊伯峻注「與之宴而駕乘廣」之「駕」云：「駕乘廣之駕與《孟子・梁惠王下》『今乘輿已駕矣』之駕同義，謂車馬已套好。」（頁1589）

21 楊樹達：《積微居讀書記》，頁69。

22 楊伯峻：《春秋左傳注》，頁1421。

取讀為聚，文獻多見，不成問題。但楊樹達認為，依此讀，「聚盜」一語便
與上文「多盜」重複，顯得累贅。因此，他別出新解，懷疑「取人」二字原
為「聚」字誤分。楊《注》只引述楊樹達之說，未作任何評論，大概也是
「錄以存參」[23]，或許對其說有所保留。後來，陳戍國《春秋左傳校注》注
意到楊樹達的想法，認為「這樣講，比王伯申的說法更精彩」[24]。楊說如何
精彩，陳氏沒有明說。嚴格來說，楊說純粹是一種推測，沒有多少實證。況
且，他之所以這樣說，無非是因為不滿王引之說，認為這樣讀來，原文便
有重複累贅之病。筆者認為，王引之說「人」即「盜」，無非是為了糾正杜
《注》，澄清「人」的內涵是「盜」而不是所刼之人，不是說要用「人」字
來取代「盜」字。撇除這點，直接把「鄭國多盜，取人於萑苻之澤」讀成
「鄭國多盜，聚人於萑苻之澤」，「聚人」猶言「聚眾」，如此讀，自然就怡
然理順，了無窒礙之處。楊伯峻引述楊說而不作評論的做法，似乎較為謹
慎。

（二）楊說極為精審，但未被楊《注》採用

1 視《傳》文為假借字，並辨明本字，說極精確，而未被楊《注》採用

　　茲以「愁」為「嚚」之借字為例，《左傳》文公十二年「兩軍之士皆未
愁也」，楊樹達先生釋「愁」之義云：

> 《集解》云：「愁，缺也」。《釋文》云：「愁，魚覬反，又魚轄反。
> 《方言》云：『傷也』。《字林》云：『間也。牛客反』。」《正義》云：
> 「愁者，缺之貌，今人猶謂缺為愁也。沈氏云：『《方言》云：「愁
> 傷」，傷即缺也。下云「死傷未收」，則是已有死者，但未至大崩，未

---

23 《左傳》定公十年「初，叔孫成子欲立武叔，公若藐固諫，曰：『不可。』成子立之
　 而卒。公南使賊射之，不能殺。」楊伯峻注云：「杜《注》云：『公南，叔孫家臣，武
　 叔之黨。』但楊樹達先生〈讀《左傳》〉以公南黨公若而射武叔，錄以存參。」（頁
　 1580）
24 陳戍國：《春秋左傳校注》（長沙市：嶽麓書社，2006年），頁1023。

甚喪敗，故為皆未缺耳。』」樹達按：《釋文》慭又音魚轄反，字蓋假
為「齾」，《說文》云：「齾，齒缺也。從齒，獻聲」。徐音五轄切，與
魚轄反音同。齾為缺齒，引伸為一切之缺，《左傳》假慭為之耳。沈
據《方言》訓傷，謂「傷即缺」，說殊迂曲。段茂堂謂「必《左傳》
一本作『齾』」，亦失之拘泥。[25]

「慭」，杜預訓「缺」，但沒有講清楚兩者的關係。楊樹達同意杜氏這個解
釋，並採用段玉裁之說，以「慭」為「齾」的借字，但不認同《左傳》或本
作「齾」。《正義》引沈說，指出在《傳》文「慭」意指傷缺。如此讀來，
《傳》文的意思更為明瞭，不見得有「迂曲」之弊。總的來說，「慭」借為
「齾」的說法是不成問題的。可是，此說得不到楊伯峻的支持。他在《注》
說：

> 慭，肯也，願也。此言日中雙方退軍，兩國之士皆未快意；故請明日
> 相戰。杜《注》謂「慭，缺也」，《方言》云：「慭，傷也」，皆與此文
> 義不協。說參段玉裁《說文注》。[26]

楊伯峻這段注文有兩點值得注意：一，釋「慭」為「肯也，願也」，即不取
杜說；二，同段《注》，認為「缺」、「傷」之說與《傳》文不合。今按：《說
文》於「慭」下云：「肯也」，並引《春秋傳》（即《左傳》）曰：「昊天不
慭」，又曰：「兩軍之士皆未慭」[27]。段《注》云：「杜《注》：『慭，缺也。』
《釋文》：『慭，魚覲反，又魚轄反。』是則慭與齾雙聲假借，即《方言》所
謂傷也。而郭注《方言》：詩曰不慭遺一老，亦恨傷之言也，似於文理不
協。」[28] 這就是楊伯峻所參考的那段注文。必須辨明的是，段玉裁的看法十
分清楚，他認為哀公誄孔子時說的「不慭遺一老」（見《左傳》哀公十六

---

25 楊樹達：《積微居讀書記》，頁40。
26 楊伯峻：《春秋左傳注》，頁592。
27 〔清〕段玉裁注：《說文解字注》，頁504。
28 同前註。

年），「慭」用本義，即「肯」，而於「兩軍之士皆未慭」，「慭」用假借義，借為「齾」。由於郭璞未能掌握「慭」與「齾」的通假關係，所以把「不慭遺一老」的「慭」說成是「恨傷」。在段氏看來，這樣就不協文理了。如果再看另一段注文，段氏之意就更清楚。《說文》云：「齾，缺齒也。」段《注》云：「引伸凡缺皆曰齾。《左傳》曰：『兩軍之士皆未慭也』。杜曰：『慭，缺也。』《釋文》云：『慭，魚覲反，又魚轄反。』」按：慭得有魚轄反者，正本或作齾。陸氏失於不分別言之耳。《正義》曰：『慭者缺之貌。今人猶謂缺為慭。』所據本必作齾，故如此云，下文蓋有一本作慭，亦為淺人刪之矣。」[29] 據此，足見段氏沿用杜預之說，將「兩軍之士皆未慭也」的「慭」釋作「缺」，而不是「肯」。楊伯峻大概是誤解了段氏的原意。就音理而言，「慭」古音在疑母文部，「齾」在疑母月部，聲同而韻為文月旁對轉，音近可通。楊樹達對這個「慭」的解說，跟段玉裁一樣，都是值得肯定的，可惜楊伯峻未能予以採用。

　　再以「肆」為「櫱」之借字為例，《左傳》襄公二十九年「晉國不恤周宗之闕而夏肆是屏」，楊樹達解「肆」字云：

> 《集解》云：「肆，餘也」。樹達按：「肆」假為「櫱」，《說文》木部云：「櫱，伐木餘也」。[30]

楊《注》云：

> 杞為夏之後，故曰夏肆。肆，餘也。屏即蕃屏，保護之義。此言晉不憂周室之衰弱而惟護助夏代剩餘之國。[31]

跟楊樹達一樣，楊伯峻沿襲杜《注》，以「餘」釋「肆」，但對楊樹達所指，「肆」為「櫱」之借字，則不置可否。《說文》「櫱」下云：「伐木餘也」，段《注》云：「〈商頌〉傳曰：『櫱，餘也』。〈周南〉傳曰：『肆，餘也。斬而

29　〔清〕段玉裁注：《說文解字注》，頁79。

30　楊樹達：《積微居讀書記》，頁57。

31　楊伯峻：《春秋左傳注》，頁1158。

後生曰肄」。按肄者，蘖之假借字也。韋昭：『以株生曰蘖』。《方言》：『烈、
枿，餘也。陳鄭之間曰枿，晉衛之間曰烈，秦晉之間曰肄。』或曰：烈，枿
者，亦蘖之異文。」[32]就音理而言，「枿」與「櫱」古音同在疑母月部，
「肄」在影母質部，聲韻皆可相轉，故三字音近可通。[33]杞為夏後，夏滅而
尚存，好比木之枿生，故曰夏肄。楊樹達點明本字，指出「肄假為櫱」。其
說可以成立。

2 訓釋精當，而未被楊《注》採用

《左傳》定公八年「其改卜嗣寡人從焉」，楊樹達釋「從」云：

> 《集解》云：「使改卜他公子以嗣先君，我從大夫所立」。樹達按：杜
> 說不明。顧炎武云：「從，言事之」，是也。僖十八年《傳》云：「衛
> 侯以國讓父兄子弟及朝眾曰：『苟能治之，燬請從焉』。昭二十七年
> 《傳》云：「非我生亂立者從之」。從皆謂事，與此《傳》同。[34]

這裡，楊樹達指出杜說未為明晰，故採納顧炎武之說，訓「從」為「事」，
並列舉《左傳》的其他文例，以資參證。此說證據確鑿，至少可備一說。可
是，楊伯峻在《注》裡，僅錄杜《注》而已[35]，對顧、楊之說不置一辭，未
知何故；如果不信其說，就未免疑所不當疑了。

（三）校勘《傳》文，但難以徵信

在校勘《傳》文方面，楊樹達確實花了不少力氣。他的部分說法確實頗
為精審，但由於缺乏確鑿的證據，所以未被楊《注》採用。如，《左傳》襄

---

32 〔清〕段玉裁注：《說文解字注》，頁268-269。

33 「枿」、「肄」，疑影、月質相轉，詳參吳澤順：《漢語音轉研究》（長沙市：嶽麓書
　　社，2006年），頁176、206。

34 楊樹達：《積微居讀書記》，頁73。

35 楊伯峻：《春秋左傳注》，頁1566。

公二十一年記叔豫曰:「國多寵而王弱，國不可為也」，楊樹達認為第二個
「國」字是衍文，並提出論證說:

> 上句云「國多寵而王弱」，下句云「國不可為」，於文為複，不辭甚
> 矣。下「國」字疑因上文而衍，襄十三年《傳》云:「國小而偪，族
> 大寵多，不可為也」，文義與此正同，「不可為」上無「國」字，可以
> 為證。[36]

楊樹達指出，在「國不可為也」中，「國」字是衍文。他的立論依據是襄公
十三年那條《傳》文。仔細比較起來，「國多寵而王弱」與「國小而偪，族
大寵多」文義確甚相似，正堪比照。前者謂國多寵而王年幼，後者除了說國
多寵外，還談及國小而偪近大國、家族寵大之事，基於這些不利的因素，同
樣得出「不可為」的結論。而值得注意的是，襄公二十一年記載的叔豫的
話，是在這樣的背景之下說的:「夏，楚子庚卒。楚子使薳子馮為令尹，訪
於申叔豫。」子庚即楚令尹公子午（據十八年《傳》），在他死後，楚王任命
薳子馮為令尹，薳子馮跟申叔豫商議此事，叔豫說「國多寵而王弱，不可為
也」，薳子馮「遂以疾辭」，即託辭患病，拒絕接受任命。正如楊樹達所說，
若在「不可為」前著一「國」字，這句話就不好理解。他認為「國」字很可
能是衍文，這不失為一種合理的解釋。楊伯峻卻以為叔豫這句話:

> 本意謂不可為令尹，非謂不可為國。但令尹乃國事之主持人，故云國
> 不可為。楊樹達先生《讀左傳》謂國字衍文，固於文為順，但似乏的
> 證。[37]

兩處《傳》文的「為」字，都是治的意思，「不可為」意謂難以治理。如上
所述，楊樹達之說，言之成理，持之有故，只是欠缺的證。

　　然而，楊樹達也有些說法缺乏充分的論據，如《左傳》昭公五年記:

36　楊樹達:《積微居讀書記》，頁53。
37　楊伯峻:《春秋左傳注》，頁1058。

「南遺使國人助豎牛以攻諸大庫之庭」，楊樹達認為「大庫之庭」為「大庭之庫」之誤，他說：

> 《集解》云：「魯城內有大庭氏之虛，於其上作庫」。《正義》云：「十八年《傳》：『梓慎登大庭之庫』；此言『大庫』，明是彼也。此言『之庭』，庭是堂前地名，仲壬在此庫之庭前，豎牛就攻之；此庭，非大庭也」。樹達按：「大庫之庭」，當作「大庭之庫」，昭十八年《傳》云：「梓慎登大庭氏之庫，以望之」，是其證也。杜云「魯城內有大庭氏之虛，於其上作庫」，是杜所據，亦作「大庭之庫」明矣，後人傳寫誤倒，《正義》不知其誤，強為之說，非也。[38]

楊《注》云：

> 杜《注》：「攻仲壬也。魯城內有大庭氏之虛，於其上作庫。」江永《考實》及楊樹達先生《讀左傳》，俱據杜《注》及昭十八年傳「大庭氏之庫」，謂此文誤倒，當作「大庭之庫」；而俞樾《平議》則謂「疑魯國別有大庫，大庫猶長府（長府見《論語·先進》）」。自六朝抄本以來俱作「大庫之庭」，文自可通，今從俞說。[39]

謹按：《左傳》昭公十八年記宋、衛、陳、鄭皆火，「梓慎登大庭氏之庫以望之」。杜《注》云：「大庭氏，古國名，在魯城內，魯於其處作庫，高顯，故登以望氣。」[40]傳說中的上古帝王，除三皇五帝外，著稱者還有容成氏、大庭氏等，見於先秦典籍如《莊子》、上海博物館所藏戰國楚竹書《容成氏》[41]等。《莊子·胠篋》所列十二人，以容成氏為首，緊隨其後的就是大庭氏。據杜《注》，知或以「大庭氏」名其國，故地在魯城內，魯人於其上建庫，故名「大庭氏之庫」。至於這裡的「大庫之庭」，觀乎杜氏《注》文，可知他

---

38 楊樹達：《積微居讀書記》，頁63。
39 楊伯峻：《春秋左傳注》，頁1262。
40 《十三經注疏·左傳疏》，頁840。
41 《上海博物館藏戰國楚竹書（二）》（上海市：上海古籍出版社，2002年），頁250。

認為就是「大庭氏之庫」。在楊樹達先生之前，顧棟高在《春秋大事表・春
秋列國都邑表》也提出：「杜《注》並同，知一地。其曰『大庫之庭』，蓋傳
寫之誤耳。」[42]顧、楊都認為，今本寫作「大庫之庭」，是後人抄錯，原文
當作「大庭之庫」。不同的是，顧氏沒有像楊樹達先生那樣，斷定杜氏所見
本原來就寫作「大庭之庫」。嚴格而言，楊樹達這種說法只是推想。不光是
唐人所見，就是六朝抄本，均寫作「大庫之庭」。楊樹達之說顯然缺乏實
證。所以，楊伯峻在參考了其說後，還是贊同俞樾之說，把「大庫之庭」與
「大庭氏之庫」分開來看，這不失為一種實事求是的做法。竹添光鴻在《左
氏會箋》說：《傳》曰：『大庫之庭』，不言大庭氏之庫，與十八年《傳》不
同。蓋魯國別有大庫，猶曰長府，長、大並美名也。杜據十八年《傳》為
說，失之。」[43]同樣不認為「大庫之庭」即「大庭之庫」。

（四）別出新解，反不及杜《注》明晰

1 釋「瀆」為「數而不敬」

　　《左傳》昭公十三年「子大叔咎之曰諸侯若討其可瀆乎」，楊樹達釋
「瀆」云：

> 《集解》云：「瀆，易也」。《正義》云：「言諸侯若來討鄭，其可不由
> 子輕易晉乎？」樹達按：《禮記・少儀》云：「毋瀆神」，注云：「瀆謂
> 數而不敬」。蓋子產爭承，自日中爭之至於昏，子大叔意不謂是。意
> 言諸侯若見討於晉，子其能為此瀆數之爭乎？杜解似失其意，《正
> 義》尤誤。[44]

楊《注》云：

---

42 〔清〕顧棟高：《春秋大事表》（北京市：中華書局，1993年），頁723。

43 竹添光鴻：《左氏會箋》，第21，頁27。

44 楊樹達：《積微居讀書記》，頁65。

瀆，杜《注》：「易也。」孔《疏》以「輕易」解之。章炳麟《左傳
讀》云：「瀆借為贖。若晉率諸侯討罪，雖增貢以為賄賂，其可贖今
之罪乎？」楊樹達先生〈讀左傳〉云：「瀆謂數而不敬。意言諸侯若
見討於晉，子其能為此瀆數之爭乎？」三說仍以杜《注》孔《疏》為
較長。[45]

今按：〈少儀〉原文，意思是說祭神有時，若頻頻不斷地祭神，反而是對神
不敬。但以此說子大叔之語，殊為迂曲難通。對這句話的理解，似乎還是杜
《注》、孔《疏》所言較為明晰。

（五）雖能指出杜《注》之誤，但所立新說，未為圓通

《左傳》僖公三年載：「太子曰：君非姬氏，居不安，食不飽，我辭，
姬必有罪，老矣，吾又不樂。」楊樹達云：

> 《集解》云：「吾自理則姬死；姬死則君必不樂，不樂，為由吾
> 也。」樹達按：不樂為由吾，不得云「吾又不樂」。愚疑太子蓋謂自
> 理，則己可免於罪而姬必死；向令姬死之後，己能使君樂猶之可也，
> 而己不能令君樂，故不欲自理，使姬死而君不安耳。[46]

楊《注》云：

> 太子之意蓋謂我若聲辯，驪姬必死，而君又老矣，失去驪姬，必不
> 樂。君不樂，吾亦不能樂也。舊注既未了，朱彬《經傳考證》解「不
> 樂」為「不樂為嗣」。楊樹達先生〈讀左傳〉又解為「己不能令君
> 樂」，均不合《傳》意。〈檀弓上〉云：「世子曰：『不可，君安驪姬，
> 是我傷公之心也。』」〈晉世家〉云：「太子曰：『吾君老矣，非驪姬，

---

45 楊伯峻：《春秋左傳注》，頁1359。
46 楊樹達：《積微居讀書記》，頁36。

寢不安，食不甘，即辭之，君且怒之，不可。』《穀梁傳》云：「世子曰：『吾君已老矣，已昏矣，吾若此而入自明，則驪姬必死。驪姬死，則吾君不安，所以使我君不安者，我不若自死。』」[47]

楊伯峻指出，楊樹達以「己不能使君樂」解說「吾又不樂」一語，並不符合《傳》文的意思。其說可從。

（六）視《傳》文為借字，並改讀某字，但於文意扞格難通

《左傳》文公十六年「時加羞珍異無日不數於六卿之門」，楊樹達說「加羞」之意云：

《集解》云：「羞，進也」。樹達按：「加」當讀為「嘉」。羞，謂飲食。加羞，猶言嘉肴矣。《周禮・太宰》云：「四日羞服之式」，注云：「羞，飲食之物也」。[48]

楊樹達不同意杜《注》，於是別作新解，訓「羞」為飲食，同時把「加」看成是「嘉」的借字，得出「嘉羞」即「嘉肴」之意。訓「羞」為飲食之物，當然不成問題。但如此讀來，「時嘉羞珍異」，就十分費解。《左傳》原文說：「宋公子鮑禮於國人。宋飢，竭其粟而貸之。年自七十以上，無不饋詒也，時加羞珍異。無日不數於六卿之門。」「無日」云云，竹添光鴻《左傳會箋》有一個很好的解說，他說：「無有一日不數數於六卿之門，言參請不絕也。《禮記》：『親族疎數之交』，數者以數數相往來，喻其交不疏。」[49]由此可見，「無日不數於六卿之門」應與「時加羞珍異」分解來看。杜訓「羞」為「進」，孔《疏》申明其意云：「珍異，謂非常美食。時加進珍異

---

47 楊伯峻：《春秋左傳注》，頁298。
48 楊樹達：《積微居讀書記》，頁40。
49 竹添光鴻：《左氏會箋》，第9，頁33。

者，謂四時初出珍異之物也。」[50]此說極為精審。據此，「時加羞珍異」原意只能解作「按時令加送珍異食品」。讀如字，怡然理順，何需改讀？楊樹達從假借的角度來解讀《傳》文，恐怕是不可取的。楊伯峻不取其說，正是後出轉精的表現。[51]

（七）依假借之例，改讀《傳》文，而未可從

1 改讀「瘯蠡」為「瘦羸」

《左傳》魯桓公六年載季梁語曰：

> 故奉牲以告曰：「博碩肥腯」，謂民力之普存也，謂其畜之碩大蕃滋也，謂其不疾瘯蠡也，謂其備腯咸有也。

楊樹達說「瘯蠡」之意云：

> 《傳》文以「普存」釋「博」，「碩大」釋「碩」，「不疾瘯蠡」釋「肥」，「備腯」釋「腯」。杜釋「不疾瘯蠡」為「皮毛無疥癬」，無疥癬者不必為肥，杜釋自非傳意。《說文》疒部云：「『瘦，臞也』。羊部云：『羸，瘦也』。不疾瘯蠡，謂不病瘦羸，正肥之謂矣。瘯瘦古音相近，（自注云：族聲之嗾，《玉篇》音蘇走瘦先奏二切，先奏切與瘦同音）《說文》狀部云：「族，矢鏠也，束之族族也」。《詩・魯頌・泮水》云：「束矢其搜」。族搜音義皆近，瘯之為瘦，猶族之搜為矣。蠡羸古音同，《說文》衣部云：「羸，袒也」。《荀子・賦》篇賦蠶云：「有物於此，儽儽兮其狀」，楊注云：「儽儽，無羽毛之貌」。羸儽音義皆同，蠡之為羸，猶儽之為羸矣。[52]

楊《注》據此云：

50　《十三經注疏・左傳疏》，頁347。
51　楊伯峻：《春秋左傳注》，頁620。
52　楊樹達：《積微居讀書記》，頁32。

瘶音蔟，借為瘦。蠡借為羸。不疾瘶蠡，猶言不病瘦弱，正釋肥字，
詳楊樹達先生〈讀左傳〉。[53]

謹按：就音理而言，「瘶」古音在清母屋部，「瘦」在照二幽部，照二古讀齒
頭音，聲紐既同，韻為幽屋旁對轉；「蠡」、「羸」聲韻俱同（來母歌部）。可
見「瘶」與「瘦」、「蠡」與「羸」，確實具備通假的條件。但按照杜預的理
解，「疾」即患上疾病，「瘶蠡」是「疥癬」，「不疾瘶蠡」就是說不患上疥癬
這種疾病。杜預的意思，孔《疏》講得很明白，他說：「不有疾病疥癬瘶
蠡，畜之小病，故以為疥癬之疢也。不疾者，猶言不患此病也。」[54]根據原
文看來，杜注比楊說更為清楚。

竹添光鴻《左傳會箋》解釋「謂其不疾瘶蠡」這句話說：

> 釋肥字也。《說文》痤字下注云：「小腫也。一曰族絫。」《玉篇》「瘶
> 蠡，皮膚病。」絫、蠡聲相近，瘶俗字，當為族。族之言聚也。相聚
> 傳染之疾，故曰族蠡。蠡讀為裸，謂毛脫也。《釋文》云：「蠡，《說
> 文》作瘰，云：瘶瘰，皮肥也。」今《說文》無此語。蓋疾小腫，則
> 皮厚如肥，小腫皮肥，訓雖殊而其義則同。杜云：「疥癬」，蓋舉類以
> 曉人耳。[55]

早在竹添光鴻之前，段玉裁在《說文》「痤」下就引《左傳》此文，並說：
「瘶者，族之俗。蠡與絫同部」[56]。下引陸德明《經典釋文》文字同竹添光
鴻。顧炎武（1613-1682）《音學五書‧音論卷下》指出，「反切之語自漢以
上即已有之」，並遍考古文獻所見數十條切語，其中見於《左傳》的就有
「瘶蠡」為「痤」之合音。[57]陸氏所引《說文》，與今本在用字及解說上雖
有差異，但「瘶蠡」連言，指一種疾病，則可以斷言。今考《周禮‧地官‧

53　楊伯峻：《春秋左傳注》，頁111。
54　《十三經注疏‧左傳疏》，頁111。
55　竹添光鴻：《左氏會箋》，第2，頁44。
56　〔清〕段玉裁注：《說文解字注》，頁350。
57　〔清〕顧炎武：《音學五書》（北京市：中華書局，1982年），頁50。

族師》云：「春秋祭酺。」鄭玄注云：

> 酺者，為人物災害之神也。故書酺或為步。[58]

又〈校人〉云：「冬祭馬步。」鄭注云：

> 馬步，神為災害馬者。[59]

鄭君讀「步」與「酺」同。近人錢劍夫〈祭酺考〉認為，「所謂『祭酺』者，即為春祈秋報之祭。而復為人物災害之神者，則以年豐歲穰，皆能除災滅害，乃克有此，故須祭之。《詩・小雅・大田》：『去其螟螣，及其蟊賊，無害我田稺。田祖有神，秉畀炎火。』亦即此制，且為最好注腳。〈族師〉所掌，當亦如此。」[60]「酺」既然是一種祭祀災害之神的舉動，那麼，祭馬步自然含有祈求神靈不要給馬匹帶來疾害的意味了。章炳麟〈春秋祭酺解〉云：

> 若馬步則神為馬除害者，其名又引申於此，古有此種神，《左傳》
> 云：「不疾瘯蠡」，而〈郊祀志〉神名有瘯蠡，蓋亦為六畜除瘯蠡之害
> 者也。[61]

《漢書・郊祀志》有「秦巫祠杜主、巫保、族纍之屬」之文，可見「族纍」很可能是專司牲畜疾病的神。[62]我們可以這樣推理：族纍本是一種疾病，但到底是古人說的皮膚病，還是陸澹安〈左詁補正〉所說的「瘰癧」（結核病的一種）[63]，恐怕難以定奪。人們為了替牲畜祓除災害，於是便出現了祭族

---

58 孫詒讓著，王文錦等點校：《周禮正義》（北京市：中華書局，1987年），頁878。

59 同前註，頁2616。

60 錢劍夫：〈祭酺考〉，《中華文史論叢》1984年第4期，頁61。

61 章炳麟：〈春秋祭酺解〉，收入俞樾輯：《詁經精舍課藝七集》（杭州市：詁經精舍，1895年），卷四，頁13。

62 《漢書》（北京：中華書局，1982年），頁1211。

63 陸澹安：〈左詁補正〉，《中華文史論叢》1981年第1輯，頁196，其說云：「《釋文》云：『瘰本又作瘯。』其實瘯皆即族字。族，攢聚也。《莊子・養生主》：『庖丁解牛，

纛之事。「謂其不疾瘯蠡」無疑是說犧牲沒有患上瘯蠡，這種病的症狀或許是「皮肥」。楊樹達囿於「瘯蠡」與「肥」相應，就改讀瘯為瘦、蠡為羸，但這樣一來，「瘯蠡」就變成泛指瘦弱，似與「不疾」不甚連貫，而且改字說經也予人迂曲之感。

2 改讀「具」為「𣝣」

《左傳》襄公二十三年「季孫喜使飲己酒而以具往盡舍旃」，楊樹達釋「具」云：

> 《集解》云：「具，饗燕之具」。樹達按：「具」當讀為「𣝣」，《說文》木部云：「𣝣，舉食者。從木，具聲」，《傳》文用省字耳。《史》、《漢》云「治具」者，亦皆「𣝣」字。既為舉食之器，饗燕之具自在其中，杜氏泥字形為說，疏矣。[64]

杜《注》讀如字，而楊樹達則改讀為「𣝣」。段《注》云：「按𣝣桐二字同。𣝣，四圍有周，無足，置食物其中，人舁以進，別於案者，案一人扛之，𣝣二人對舉之也。」[65]依段《注》，𣝣即桐。桐見於《左傳》襄公九年之「陳畚桐」，杜《注》云：「桐，土轝也。」[66]𣝣、桐均用於盛重物，要由兩人對舉，其形制之大亦可想而知。季武子到公鉏家飲食，所自攜饗宴之器具，恐怕不會是桐（土轝）之類的舉食之器吧。因此，改讀「具」為「𣝣」，反而不及按原字讀那麼顯豁。

每至於族，吾見其難為。』注：『交錯聚結為族。』蠡則借作瘰。（自注：纍古作絫。錢云當作族絫，絫即瘰之省。）瘯蠡，即瘰癧，結核病之一種也。」

64 楊樹達：《積微居讀書記》，頁54。

65 〔清〕段玉裁注：《說文解字注》，頁262。

66 杜氏注文，見《十三經注疏‧左傳疏》，頁523。楊伯峻：《春秋左傳注》云：「揭即桐，與轝同，音菊，舁土之器。畚音本，以草索為之，可以盛糧，亦可以盛土。其器較大，甚至晉靈公用以盛死尸。桐或是以二木為之，貫穿畚之兩耳，二人抬之以運土。」（頁961）

3 改讀「茢」為「𥝩」

　　《左傳》襄公二十九年「乃使巫以桃茢先祓殯」，楊樹達說「茢」之意云：

　　　　《集解》云：「茢，黍穰」。樹達按：「茢」假為「𥝩」，《說文》禾部云：「𥝩，黍穰也。穰，黍已治者」。[67]

根據杜《注》，楊樹達認為《傳》文的「茢」字是「𥝩」的借字。這種說法，值得商榷。《說文》云「　，黍穰也。」段注云：「《廣雅》：『黍穰謂之　』。《左傳》：『使巫以桃茢先祓殯』，杜注云：『茢，黍穰』。〈檀弓〉：『以巫祝桃茢執戈』，鄭注云：『茢，萑苕』。按二物皆可為彗，二字可通用，故注不同。許說其本義也。」[68] 又，「茢」下段注云：「〈檀弓〉：『君臨臣喪，以巫祝桃茢執戈』，注：『茢，萑苕，可埽不祥』。」[69]「𥝩」、「茢」二字雖可通用，但本義終究不同；論其用途，亦自有別。依鄭玄之說，用作埽除不祥的是「茢」而非「𥝩」，《傳》文作「茢」正用其本字。竹添光鴻《左氏會箋》云：「杜注：『黍穰』，蓋改字從𥝩，究不若從本字之訓為長。」[70]指出杜預改讀「茢」為「𥝩」，故以「黍穰」釋「茢」。楊《注》云：

　　　　以桃棒與苕帚先在柩上掃除不祥。茢音列，苕帚也。據《禮記‧檀弓下》「君臨臣喪，以巫祝桃茢執戈，惡之也」，則桃茢祓殯，乃君臨臣喪之禮。[71]

楊伯峻不取楊先生之說，按本字訓釋，其說較楊樹達為長。

---

67 楊樹達：《積微居讀書記》，頁56。
68 〔清〕段玉裁注：《說文解字注》，頁326。
69 〔清〕段玉裁注：《說文解字注》，頁34。
70 竹添光鴻：《左氏會箋》，第19卷，頁3。
71 楊伯峻：《春秋左傳注》，頁1154。

（八）依假借之例，改讀《傳》文，說固可通，但讀如字，文自明晰，不煩改讀

1 改讀「績」為「跡」

《左傳》昭西元年「子盍亦遠績禹功而大庇民乎」，楊樹達釋「績」云：

> 《集解》云：「勸趙孟使纂禹功」。《正義》：「績亦功也，重其言耳」。樹達按：《正義》以績訓功，則文為「遠功禹功」，不辭甚矣。今按「績」當讀為「跡」，《說文》辵部云：「跡，步處也。從辵，亦聲」。或作「蹟」。按步處為跡，因其步處而追尋之亦為跡，《說文》彳部云：「𢾭，相跡也」，是也。此假「績」為「跡」，正「相跡」之義。《說文》「跡」或作「蹟」，故「跡」「績」可通。[72]

楊樹達認為，倘如《正義》釋「績」為功，則文意不通。於是他從假借的角度，改釋「績」為「跡」，取其蹤跡之意。如此訓釋《傳》文，固然可通，但是否有改讀的必要？杜《注》以「纂」訓「績」，其實是有根據的。在解釋襄公十四年《傳》「纂乃祖考」時，杜預說：「纂，繼也。」[73]據此，可見杜預這裡說的「纂」，也就是「繼」的意思。楊《注》引《爾雅·釋詁》云：「績，繼也。」[74]同杜《注》。竹添光鴻證成杜說云：「《爾雅》：『績，繼也』。《說文》：『績，緝也』。……杜以纂字解績字，纂與纉通，繼也。〈魯頌·閟宮〉：『奄有下土，纉禹之緒』，又云：『至於文武，纉大王之緒』，〈豳·七月〉：『二之日其同，載纉武功』，《書·仲虺之誥》：『表正萬邦，纉禹舊服』，〈周語上〉：『時序其德，纂修其緒』，注：『纂，繼也』，班固〈敘傳〉：『纂堯之緒』，是纂纉相通之證。」[75]纂訓繼，確不可易。

72　楊樹達：《積微居讀書記》，頁59。

73　《十三經注疏·左傳疏》，頁564。

74　楊伯峻：《春秋左傳注》，頁1210。

75　竹添光鴻：《左氏會箋》，第二十，頁18。

2 改讀「咋」為「笮」

《左傳》定公八年「桓子咋謂林楚」，楊樹達說「咋」之意云：

> 《集解》云：「咋，暫也。」樹達按：杜釋「咋」為「暫」，蓋讀為
> 「乍」，《孟子・公孫丑上》篇云：「今人乍見孺子將入於井」，趙注釋
> 「乍」為「暫」，是也。暫者猝也，《漢書・李廣傳》云：「廣暫騰而
> 上胡兒馬」，是也。按杜說雖可通，核之當時情事，殆非確詁，愚疑
> 咋之為言迫也，《說文》竹部云：「笮，迫也」。《漢書・王莽傳》云：
> 「廹笮青、徐盜賊」。《釋名・釋宮室》云：「笮，迮也，編竹相連廹
> 迮也。」又〈釋兵〉云：「受矢之器，織竹曰笮，相迫笮之名也」。
> 《文選・歎逝賦》注引《聲類》云：「迮，迫也」。《後漢書・陳忠
> 傳》云：「共相壓迮」，注云：「迮，廹也」。然則笮迫笮迮，為古人通
> 義。《傳》文云咋，猶言笮迮耳。「桓子咋謂林楚」文，當以「桓子
> 咋」為句，謂桓子迮急而謂林楚也。[76]

楊樹達指出，杜預訓「咋」為「暫」，也就是「猝」的意思，確有根據。他認
為，就訓詁而言，杜說固然可通，但結合當時的實際情況來看，杜說並不可
從。於是，楊樹達改讀「咋」為「迮」，含有迮急之意。今按：段玉裁於《說
文》「乍」下注云：「乍，止亡之辭。故引申為倉卒之稱，俗改為咋。」[77]依
照段《注》，「咋」即「乍」，等於說倉卒。請看杜預的另一條注文，《左傳》
僖公三十三年「婦人暫而免諸國」，杜《注》云：「暫猶卒也」[78]。「卒」即
倉卒，也就是楊樹達所說的「暫者猝也」之「猝」。楊《注》云：

> 咋同乍，即《孟子・公孫丑上》「今人乍見孺子將作於井」之乍，突
> 然也。說參錢大昕《十駕齋養新錄》。[79]

---

76 楊樹達：《積微居讀書記》，頁73。

77 〔清〕段玉裁注：《說文解字注》，頁191。

78 《十三經注疏・左傳疏》，頁290。

79 楊伯峻：《春秋左傳注》，頁1569。

楊伯峻不取楊樹達新說，仍然沿用舊注，只是把杜預說的「暫」繙成今語「突然」而已，這種做法顯然較為謹慎。

3 改讀「逞」為「⿰糸盈」

　　《左傳》襄公十八年「今茲主必死，若有事於東方，則可以逞」，楊樹達釋「逞」之意云：

> 《集解》云：「巫知獻子有死徵，故勸使快意伐齊」。樹達按：杜訓逞為快，故云「勸使快意伐齊」。按：「快意」與「必死」意既不相承，而獻子實至明年乃死，「今茲必死」之說又嫌於不信，其說非也。今謂「逞」當讀為「⿰糸盈」，《說文》系部云：「⿰糸盈，緩也。從糸，盈聲」。或作「⿰糸呈」。「⿰糸盈」「逞」同音，故《傳》假「逞」為「⿰糸盈」。今茲主必死；若有事於東方，則可以逞者，有事於東方，則可以緩死也。於是獻子如其言伐齊，果至明年乃死。所謂可以緩死者，語固信而有徵也。互見成十六年《傳》「晉可以逞」條。[80]

通覽〈讀《左傳》〉全文，被楊樹達指為「⿰糸盈」的借字的，包括這條在內，共有三處，其餘兩處分別見於成公十六年「若逞吾願，諸侯皆叛，晉可以逞」與定公九年「魯人聞餘出，喜於徵死，何暇追餘」之下，前者同樣讀第二個「逞」為「⿰糸盈」，而後者則讀「徵」為「⿰糸盈」。[81]成公十六年及定公九年那兩處，楊樹達的看法都很準確，所以得到楊《注》的採用。[82]唯獨是襄公十八年這條，楊伯峻不取其說，反而沿用杜《注》，以「得志」說「逞」。[83]原文意思是說，若能在東方發動戰事，則可以如願。可見「逞」讀如字，文意完具，不煩改讀。

---

80 楊樹達：《積微居讀書記》，頁51。
81 楊樹達：《積微居讀書記》，頁46、73。
82 楊伯峻：《春秋左傳注》，頁880、1569。「盈」及從「盈」得聲之字與從「呈」得聲之字每多通假，詳參高亨：《古字通假會典》（濟南市：齊魯書社，1989年），頁49。
83 楊伯峻：《春秋左傳注》，頁1036。

（九）訓釋字詞只從訓詁入手，未能兼顧字詞背後的禮制

　　眾所周知，《左傳》是今天研究春秋時代不可或缺的書。彌足珍貴的
是，書中如實地紀錄了春秋時期的禮樂文化。所載各種禮典（包括冠、昏、
喪、祭、朝、聘、饗、射諸禮），可謂巨細靡遺，涉及當時禮樂生活的方方
面面，其中以聘禮最為完備。因此，訓釋《左傳》，就必須注意那些牽涉到
禮的字詞。古今注家在這方面付出了很大的努力，楊伯峻就是其中的佼佼
者。他的《春秋左傳注》堪稱為古今《左傳》禮學的集大成之作，頗具總結
性的意義。楊伯峻在〈凡例〉中明言：「《春秋》經傳，禮制最難。」[84]在在
說明在訓釋《左傳》文字時，往往不能光從訓詁入手，而是要結合相關的禮
制來考慮，才能掌握這些字詞的確切含意。[85]楊樹達〈讀《左傳》〉諸文，
主要著眼於文字訓詁，以至文本校勘方面，自然很少觸及禮學的範疇。對
此，我們當然不能苛求。可是，必須辨明的是，對於某些字詞，像楊先生這
樣，只停留在文字訓詁的層面，而未能就字詞背後的相關禮製作出透徹的考
察，其訓釋難免出現偏差，甚至錯讀原文，無法自圓其說。舉例如《左傳》
昭西元年記「將會孟子餘」之事云：

　　十二月，晉既烝，趙孟適南陽，將會孟子餘。甲辰朔，烝於溫。

楊樹達釋「會」云：

　　《集解》云：「孟子餘，趙衰、趙武之曾祖，其廟在晉之南陽溫縣，
　　往會祭之。」樹達按：「會」讀為「禬」，《說文》示部云：「禬，會福
　　祭也。」[86]

84　楊伯峻：〈凡例〉，《春秋左傳注》，頁2。
85　說詳拙著：〈《左傳》禮微舉隅〉，收入李雄溪、郭鵬飛、陳遠止主編：《耕耨集——漢
　　語與經典論集》（香港：商務印書館，2007年），頁114-138。所舉例證包括「出入三
　　覲」、「前茅慮無」、「日云莫矣」、「北面重席」、「繫五邑」。
86　楊樹達：《積微居讀書記》，頁60。

楊《注》云：

> 會讀為禬，《說文》：「禬，會福祭也。」楊樹達先生〈讀《左傳》〉
> 說。杜《注》：「孟子餘，趙衰，趙武之曾祖。其廟在南陽溫縣。」[87]

楊樹達以為，「會」當讀為「禬」，並引錄《說文》有關解說。但對於禬祭的
性質及具體內容，卻沒有任何說明。他的《積微居小學金石論叢·卷二說字
之屬》裡有一篇題為「說禬」的文章。[88]此文對從會（禬的聲旁）得聲而含
會合之義的論述，非常精彩，文中舉證尤為翔實，其說可謂無懈可擊。總括
而言，〈說禬〉一文純粹是文字訓詁層面的考證，完全沒有涉及任何相關禮
制的申論。楊伯峻也只是簡單地引用楊先生之說，對楊說的空白處，沒有任
何補充。

　　許慎釋「禬」為「會福祭」，大概是取其「事神致福」之意。按許君之
說，「會」是合，「福」是備。備，段玉裁說是「無所不順的意思」。[89]那
麼，這句話是否指會合各種求神致福之祭？許君之意並不容易理解。而且以
「禬」為福祭，於禮書也無徵。就連素膺「禮是鄭學」美譽的鄭玄，看到這
個「禬」字也只能說：

> 禬，未聞焉。[90]

孫詒讓《周禮正義》闡釋其意云：

> 云「禬未聞焉」，以此職（引者按：指〈大祝〉）及〈女祝〉雖有禬，
> 然不詳其禮，它經又無用禬之文，故云未聞。[91]

可見博聞如鄭君，雖身處去古未遠之時，對於「禬」祭，也只能說未聞其

---

87 楊伯峻：《春秋左傳注》，頁1225。

88 楊樹達：《積微居小學金石論叢》（北京市：中華書局，1983年），頁78。

89 〔清〕段玉裁注：《說文解字注》，頁3。

90 孫詒讓：《周禮正義》，頁1987。

91 孫詒讓：《周禮正義》，頁1991。

詳。生於千載之下的我們就更難知其究竟了。從現存的禮書來講，就像孫詒讓所說，只有《周禮》兩處提及過「禬」。而對於「禬」的詮釋，鄭玄的看法卻與許君不大相同。這點段玉裁早就注意到了，他說：

> 《周禮注》曰：「除災害曰禬。禬，刮去也。」與許異。[92]

細審段《注》之意，除了指出許、鄭於「禬」的訓解有別外，似乎還看出這兩種解釋間存在著根本的不同，這就是許君以「禬」為「會福祭」，是屬於吉禮的範疇，而鄭君則根據《周禮》，以「禬」為凶禮。今考「禬」在《周禮》中，確實都用作禳除災害，〈大祝〉所列「六祈」中就有這種祭禮。而〈宗伯〉也說：「以禬禮哀圍敗」，圍敗是戰敗。「禬」的這種用例還見於〈大行人〉，其文云：

> 致禬以補諸侯之災。

鄭玄《注》云：

> 致禬，凶禮之弔禮禬禮也。補諸侯災者，若《春秋》「澶淵之會，謀歸宋財。」（引者按：見《左傳》襄公三十年）[93]

孫詒讓《正義》云：

> 鄭知兼有弔禮者，以〈大宗伯〉凶禮又有「以弔禮哀禍災」，此云補災，明當兼有弔禮也。[94]

---

92 〔清〕段玉裁注：《說文解字注》，頁7。鄧國光：《中國文化原點新探》（廣州市：廣東人民出版社，1993年）說：「許慎以為會備之祭。會是會同，備有周備、周濟的意思。那麼，許、鄭之說沒有基本的差異。段玉裁說許異於鄭，是因為讀『福』為『禍福』的『福』。段說是未得要的。」（頁44）筆者認為，鄧先生之所以產生這個想法，是因為他看到鄭玄說過別國有兵寇、鄰國賑之以財貨，於是就把許君說的「備」，理解為「周濟」。實際上，許君這個「備」字恐怕沒有這個含意。

93 孫詒讓：《周禮正義》，頁2949。

94 孫詒讓：《周禮正義》，頁2951。

則此「致禬以補諸侯之災」，也屬凶禮無疑。綜合《周禮》的記載來看，鄭君釋「禬」為「刮去也」，即專指禳除災害的意思，顯然是有實據的。

饒宗頤教授《巴黎所見甲骨錄・附釋舌禧》指出，卜辭中的「舌」經常用為祭名，相當於「禬」的意思。他說：

> 「貞勿舌河弗其…」（鐵九四・四、粹編五〇及京津六〇三重）「勿舌且辛」（六錄束四〇）「貞王舌父乙」（屯乙一四一九十一四一八即殷綴一四八對貞語僅存勿舌二字）「庚辰卜出貞舌母庚」（前編一・二九・三）「庚…勿舌乙」（鐵一〇二・一）按舌讀為禧，即禘字。《集韻》：「禧，報神祭也。本作禘。《說文》：「禘，祀也。」凡言舌某先王先妣，皆謂禧祭。……《周禮・女祝》「掌禬禳之事」，鄭《注》：「除災害曰禬，禬猶刮去也。」是舌可通禬。[95]

謹按：「禬」之通「禘」，可以段玉裁之說為證。《說文》「禘」下云：「祀也。從示，氐聲。」段玉裁《注》云：

> 《周禮注》：「禬，刮去也。疑禘乃禬字之或體也。」[96]

饒教授釋「舌」為「禬」，可證段說之不誤。而且，饒教授揭示了「禬」為殷人禳災之禮，正好為《周禮》之說提供了佐證。「禬」由卜辭一直發展到《周禮》，似乎顯示了周因於殷禮的痕蹟。

「禬」既然用於祓除災禍的場合，假如把「將會孟子餘」的「會」字讀成「禬」，那麼，這句話的意思就只能是：趙孟到南陽去，將在曾祖（即孟子餘）之廟舉行祓除災禍的凶禮。雖然我們沒有充分的理由推翻這種說法，可是，為甚麼趙氏在舉行吉祭（即「烝」）前，要先舉行這種凶禮？這個問題恐怕不容易回答。

事實上，有的學者把「將會孟子餘」與「烝於溫」結合起來看，認為這

---

95 《巴黎所見甲骨錄》，《選堂叢書》之三（出版社不詳，1957年），頁32。又詳饒教授：《殷代貞卜人物通考》（香港：香港大學出版社，1959年），卷3，頁158。

96 〔清〕段玉裁注：《說文解字注》，頁7。

個「會」字，很可能與「祫」有關。竹添光鴻《左傳會箋》云：

> 會猶云祫也。非祭名。合祭先祖於孟子餘之廟，故曰會也。[97]

假如「會」是祫的意思，這件事就容易理解多了。「祫」是一種祭法，具體的做法是把各廟的神主都搬到祖廟去，一起合祭。[98]「禬」從「會」得聲，含有會合之義，這點楊樹達先生講得很清楚，如此看來，「祫」與「禬」確實有相通之處。而且，用這種合祭的方式來進行烝祭，這在文獻裡並非無據。《國語‧魯語上》所載魯文公烝將躋僖公之事，足為明證。竹添光鴻以「祫」釋「會」，也許是受到杜預《注》的啟發，杜氏云：

> 孟子餘，趙衰，趙武之曾祖。其廟在晉之南陽溫縣。往會祭之。[99]

杜氏說的「會祭」可能就含有合祭的意思。其實在竹添光鴻前，我國的學者早就提出了這種看法。清儒周悅讓《倦遊庵槧記》云：

> 按：祭先稱會，不見他經。而《說文》會古作𣨼，與祫形近，疑本作將祫，訛作𣨼，因轉作會耳。據《禮‧大傳》：大夫士有大事，省於其君，幹祫及其高祖。《注》：大事，寇戎之事也。省，善也。善於其君，謂免君於大難也。（自注：「語見公羊春秋昭公二十五年《傳》。」）幹猶空也，空（祫）謂無廟祫祭之於壇墠。〈祭法〉：大夫立三廟二壇，曰考廟，曰王考廟，曰皇考廟，享嘗乃止。是大夫得有祫，其曾祖得有廟也。而子餘有從亡之勳，政所云有大事省於其君者，又於趙氏為別子之祖，故趙孟祇祫於其廟，而不及其高祖矣。[100]

周氏謂「會」是「祫」訛變而成，這種改字說經的做法，恐怕不太謹慎。至

97　竹添光鴻：《左傳會箋》，第二十，頁39。
98　有關祫祭，詳參拙著：〈《春秋》、《左傳》禘祭考辨〉，收入《首屆中國經學學術研討會會議論文集》（北京市：清華大學中國經學研究中心，2005年），頁341-361。
99　《十三經注疏‧左傳疏》，頁711。
100　周悅讓著，任迪善等點校：《倦游庵槧記》（濟南市：齊魯書社，1996年），頁228。

於周氏提出的「大夫有祫」等論點，證明趙孟祫祭於孟子餘之廟的可能性，則能自圓其說。總之，「會」為祫祭，也可備為一說。

四　結語

王引之在《經義述聞‧序》引述其父語曰：「字之聲同聲近者，經傳往往假借，學者以聲求義，破其假借之字，而讀其本字，則渙然冰釋；如其假借之字，而強為之解，則詰為病矣。」[101]在同書的〈經文假借〉，王引之說：「至於經典古字，聲近而通，……往往本字見存，而古本則不用本字而用同聲之字。學者改本字讀之，則怡然理順；依借字解之，則以文害辭。」[102]在此，王氏確立了通假借、求字義以說解經文的不二法門。在訓解字詞、通釋文意的具體實踐中，他們「非但著意於字詞，亦顧及文章層次脈胳」，「借助語境以確定詞義，時或用類比法：羅列文理文義近似者以相參證」。[103]楊樹達一向服膺高郵王氏之學，推崇他們為清儒說經之最。[104]在〈讀《左傳》〉的許多論說裡，楊先生所採用的方法與王氏是一脈相承的。[105]整體而言，〈讀《左傳》〉全篇，精當之處確實很多，尤表現在辨明《傳》文本字本義從而疏解文意方面。雖然這些精當之處大部分已被楊《注》所汲取，但楊說極為精審，而未被採用之處，也不鮮見。所謂「智者千慮，必有一失」，篇中也有不少地方值得商榷，這是無庸諱言的。楊伯峻給予《積微居讀書記》的整體評價是：「每立一義，多能確鑿不移」，這個評語雖然並非專指書

---

101 〔清〕王引之：《經義述聞》（揚州市：江蘇古籍出版社，1985年），頁2。

102 〔清〕王引之：《經義述聞》，頁756。

103 許嘉璐教授語，見《經義述聞‧弁言》，頁6。

104 參周秉鈞：〈《漢書管窺》文法為訓釋例〉，收入《楊樹達誕辰百週年紀念集》，頁120。

105 篇中補訂王氏之說，除了上舉「鄭國多盜取人於萑苻之澤」一條外，又如：釋「敝」為「終」，並云：「王引之《經義述聞》釋『敝』為『終』，是也。緣王氏舉證不及此傳，故言之。」（頁63）又，訓宣為驕，並云：「王氏《經義述聞》釋《詩》文之『宣』為『驕』，是矣，而未得其本字，故具言之。」（頁70）又，訓「歸」為「終」，並云：「王氏《經義述聞‧通說》詳舉歸訓終之例而不及此，故言之。」（頁71）

中某篇，但可以肯定的是，對〈讀《左傳》〉來說，這句評語是切中肯綮的。對篇中的確鑿不移之處，我們自然應當予以肯定和繼承，並學習他的論證方法；對那些考慮未周之處，我們也應進一步探討。本文嘗試評論楊樹達〈讀《左傳》〉的某些看法，希望能起拋磚引玉的作用，引起學者對此篇作出更全面和深入探討的興趣。

——原載《經學研究集刊》第 9 期（2010 年 10 月），頁一六九～一九五

楊樹達先生的經學研究及其
《春秋大義述》

楊逢彬

上海大學中國語言文學系教授

一

　　先祖楊樹達（遇夫）先生是著名的語言文字學家和史學家，在他一生的學術事業中，古典文獻的整理佔有極其重要的位置。他的學術活動，自整理文獻始，至整理文獻終。他整理古籍，既採用清代樸學家的辦法，又「繩之文法，推諸修辭之理」[1]，故能獨步古今。在他的專著中，文獻整理實蔚為大國。上海古籍出版社二○○七年出版的共收有他的二十六部著作的文集中，屬於文獻整理的，就有《春秋大義述》、《周易古義》、《老子古義》、《論語疏證》、《淮南子證聞》、《鹽鐵論要釋》、《漢書窺管》、《積微居讀書記》、《古書句讀釋例》、《古書疑義舉例續補》等十部著作；據筆者所知，沒有收入這二十六部著作的，還有《論語古義》、《說苑新序疏證》、《戰國策集解》等。其中屬於所謂「經學研究」的有《周易古義》、《論語古義》、《論語疏證》、《春秋大義述》等四部著作，以及散見於《積微居小學金石論叢》、《積微居小學述林》、《積微居讀書記》等書的若干考據疏通《詩經》、《尚書》、《論語》、《爾雅》等書中字、詞、句的單篇論文，以及《爾雅略例》這篇討論《爾雅》通則的論文。

1　彭澤陶：《淮南子證聞‧序》（上海市：上海古籍出版社，1985年），頁1。

關於《論語疏證》，陳寅恪先生在〈序言〉中說：

> 先生治經之法，殆與宋賢治史之法冥會，而與天竺詁經之法形似而實不同也。夫聖人之言必有為而發，若不取事實以證之，則成無的之矢矣。聖言簡奧，若不采意旨相同之語以著之，則為不解之謎矣。既廣搜群籍，以參證聖言，其文之矛盾疑滯者，若不考訂解釋，折衷一是，則聖人之言行終不可明矣。今先生彙集古籍中事實語言之與《論語》有關者，並間下己意，考訂是非，解釋疑滯，此司馬君實、李仁甫長編考異之法，乃自來詁釋《論語》者所未有，誠可為治經者開一新途徑，樹一新模楷也。

誠如該書〈凡例〉所說，其書宗旨在疏通孔子學說，首取《論語》本書之文前後互證，次取群經諸子及四史為證；所謂以經證經、以史證經是也。

《爾雅略例》有感於「《爾雅》為書，采擷諸經傳注而成，同一義也，經文或用本字，或用假字，故《爾雅》於一義中往往兼列本字假字」，從而使得學者捨近求遠，勞而無獲，往往如墜五里霧中；乃羅列事實，揭櫫條例，故能化繁為簡，豁從來之塵霧，導後學以津梁。

他如〈書盤庚罔知天之斷命解〉、〈詩於以采蘩解〉、〈公羊傳諾已解〉、〈左傳軍實解〉、〈論語子奚不為政解〉、〈孟子臺無餽解〉、〈爾雅大瑟謂之灑說〉等幾十篇考釋經學典籍字、詞、句的論文，大多見於《積微居小學金石論叢》《積微居小學述林》二書中。

總之，遇夫先生的功力在考據，整理古籍多用考據的方法，涉及義理者不多。即如〈溫故知新說〉這樣的談治學方法論的單篇論文也少之又少。著作中只有一部例外，「一以大義為主，考訂之說概不錄入」，這就是《春秋大義述》。可以說，遇夫先生的經學研究，《春秋大義述》佔有最為重要的地位。

陳寅恪先生謂遇夫先生「當今文字訓詁之學，公為第一人」，關於他這方面的研究，海峽兩岸都有多篇論文以至博士論文問世，因此，本文不再涉及這方面的內容，而以介紹《春秋大義述》為主。

　　《春秋》一經，寓褒貶於微言大義之中，但這微言大義卻散在篇中，茫無統紀。《春秋》三傳中，《左傳》是從史的角度補充和詳述事件的經過，《公羊傳》、《穀梁傳》則重在闡發微言大義，其中《公羊傳》對微言大義的闡發較為深刻。二書雖闡發大義，仍只是傳文附麗經文，並未將其歸類闡發。而後世注解《公羊》、《穀梁》者即如最受推崇的清代劉逢祿所著《公羊何氏釋例》，也只限於解釋詞語，串講句意，闡發的是所謂「碎義」而非「大義」；至於康有為揉合「三世三統」與「大同小康」之說的「六經注我」式的著述，諸如《大同書》等，相距古人本旨，無異北轍南轅；致初讀經、傳者，往往不得要領，如墜五里霧中。可見，將《春秋》大義分門別類，將經、傳和相關典籍的相關文字列於各小類之下，這麼一部著述，對於讀者瞭解《春秋》及《公羊傳》《穀梁傳》所闡揚的主旨，是大有益處的。《春秋大義述》就是這樣一種著作。

　　早在一八九七年遇夫先生十三歲時，就與他的嫡兄楊樹穀先生（楊伯峻先生的父親）一道考入了梁任公為總教席的湖南時務學堂第一班，同在該班就讀的還有後來大名鼎鼎的蔡鍔（當時名艮寅）和曾任教育總長的范源濂。遇夫先生在一九二九年所撰〈時務學堂弟子公祭新會梁先生文〉中寫道：「其誦維何？孟軻公羊。其教維何？革政救亡。士聞大義，心痛國創。拔劍擊柱，踴躍如狂……」[2]可見，《公羊傳》所闡揚的春秋大義對激勵青年學子投身「革政救亡」是起到一定作用的。

　　湖南鄉先輩中，以撰《海國圖志》著名，有晚清睜眼看世界第一人之譽的魏源（默深），畢生主張「經世致用」，曾打算撰作《董氏春秋發微》以闡發其旨，卻終未成功，學者以為憾事。遇夫先生的業師蘇輿（厚庵），在撰寫《春秋繁露義證》以闡揚董仲舒的學說之後，準備再寫一部《春秋董義述》以歸納董氏《春秋繁露》所宣揚的大義——「大一統」、「尊王攘夷」，終因肺病而英年早逝。因此，遇夫先生之撰《春秋大義述》，既有師承，又是完成鄉先賢及老師的未竟之業。這是他撰作此書的內因。

2　楊樹達：《積微居詩文鈔》（上海市：上海古籍出版社，1986年），頁94。

　　《春秋大義述》從撰作到出版，都在抗日戰爭期間。日本帝國主義變本加厲的侵略，使得遇夫先生十分憤慨。「何當被甲持戈去，殺賊歸來一卷娛。」[3]又以年邁不能上疆場深以為憾！一天忽然想到《春秋》之大義，以「復仇」「攘夷」「大一統」為至要，將這些大義區分而類聚之，對初學認清《春秋》要旨，尤為便利；而「復仇」「攘夷」「貴死義」「大一統」之說，對激勵軍民殺敵報國，一統河山，應有一定作用。這是撰作此書的外因。一首作於一九四三年九月題為「自題《春秋大義述》」的詩頗能反映當時的心境：

　　　　一生兩見倭侵國，頭白心傷寫此書。卻喜人間公理在，漸看斜日落西隅。（軸心三國意已投降，德日挫敗不已）[4]

二

　　長沙楊遇夫先生許多著述的一大特點，乃述而不作。即以大量材料的羅列，加以簡略的按語，或以小標題的形式，加以精到的、畫龍點睛式的闡發與歸納。他早期的著作，如《周易古義》、《老子古義》乃至《高等國文法》都有此特點，中晚期的《論語疏證》、《中國修辭學》、《漢書窺管》等，更是將此法運用到爐火純青的程度。《春秋大義述》仍本其一貫的原則，正文中甚少集中的主旨闡發，只是將《麟經》之大義，歸納為「復仇」「攘夷」等二十九項，即全書五卷二十九章；每章之下，又分列十幾至幾十個小標題將各書中闡發《春秋》大義的文字統攝起來。職是之故，全書主旨，泰半見於〈陳立夫序〉、〈曾運乾序〉、〈自序〉以及〈凡例〉之中，而於全書正文，則較少集中全面的闡發。此須首先明瞭的。

　　本書之主旨，大抵如孟子所說：「王者之跡熄而《詩》亡，《詩》亡然後《春秋》作。晉之《乘》，楚之《檮杌》，魯之《春秋》，一也。其事則齊桓

3　楊樹達：《積微居詩文鈔》，頁35。
4　楊樹達：《積微居詩文鈔》，頁64。

晉文，其文則史。孔子曰：『其義則丘竊取之矣。』」所謂《詩經》與《春秋》相表裡，乃孟子首張其義，後儒范武子、王伯厚、章枚叔等均有闡發。大率有感於樂壞禮崩，權臣持家國之柄；蠻夷滑夏，中原盡〈黍離〉之悲，而以微言大義，譏刺不軌，而令後世有所矜式也。

〈陳立夫序〉極力強調者為大一統：

> 大一統以奉法度為先，專命者固聖人所深惡痛絕者也。是以救諸夏必攘夷狄，攘夷狄必大一統，二者相因相成；此旨明則大義昭然於天下，披髮左衽之危，乃可得而免耳。……自抗戰軍興，舉國一心以翊戴中樞，安夏攘夷，期成大業；媚外者則民族有賊子之誅，專命者則國家有亂臣之討。

陳的意思很明顯，「吾恐季孫之憂，不在顓臾，而在蕭墻之內也」。

〈曾運乾序〉，其義有三：一為闡明《春秋》之作，重在攘夷：

> 要其目擊夷禍，身際亂離，怵外侮之憑陵，動哀思於國命。乃知詩人比賦，聖哲褒譏，雖復華夷異辭，同於固群類族。其感之也深，其思之也切，故能探測聖心，奄然如剖符之復合如茲也。夫《春秋》文成數萬，其旨數千。推見至隱，萬物聚散，皆在其中。例豈必全關內外？而孟子舉其端，三子通其說，意若《春秋》一經專為「蠻夷滑夏」發者。

一為指斥後儒淆亂聖人本旨：

> 乃自漢以來，言《公羊》者，橫張三世三統之說，造為三科九旨之條。其為例也，鉤派析亂而不循諸理；其為義也，瓠落空大而無所於容。近釀太官賣餅之嘲，遠貽斷爛朝報之誚。斯不獨《春秋》之罪人，殆亦《公羊》之蠹賊也。

一為弘揚《大義述》有撥亂反正之功：

　　吾友長沙楊積微先生，說字之精，遠逾段令；釋詞之審，上邁二王；
注班《漢》則抗手晉顏；校《淮南》殆鼎足高許。亦既天下學士家誦
其書矣。邇者以來，鑒於國變日亟，慨然中輟其考訂精嚴之素業，而
從事於師絕道喪之微言，條舉《公羊春秋》綱義，類系經傳於其下，
以淺持博，以一持萬，為《春秋大義述》一書。展卷觀之，不煩鉤稽
而《麟經》數十義法豁然如披雲霧而睹天日。其開宗明義兩篇，曰
〈復仇〉，曰〈攘夷〉。上契聖心，近符國策。不僅為久湮之義發其
覆，抑又為新造之邦植其基。夫非常可怪之論，苛察繳繞之條，何劭
公、徐遵明、劉申受、陳卓人諸家之書備矣。然而撥亂反正之道，通
經致用之方，固在此而不在彼也。

　〈自序〉之大旨，前文有詳述，此不贅言。〈凡例〉共二十六條，第一
至第六條，為總論。如第五條云：

　　《春秋》始隱迄哀，凡二百四十二年。一經大義散在傳中諸篇。學者
　　非遍讀全書，再三紬復，不易得其條貫。此書意既主述大義，故將各
　　傳之屬於某一義者類聚之，即取其大義為篇名，挈各傳文中要旨立文
　　為綱，而以經傳附列於其下。意欲期讀者每讀一篇，得明一義，聊收
　　節省日力之效云爾。

　　自第七條以下，共二十條，乃分別敘述二十九章之主旨者。如第八條
云：

　　荀子曰：「人苟利之為見，若者必害；苟生之為見，若者必死。」蓋
　　人有必死之志，然後可以得生。華倭國力，本不相當。而三年以來，
　　我方將士前赴後繼，視死如歸，馴致愈戰愈強；而倭寇乃陷入深淵，
　　不能自拔。環顧歐陸，最強大之國不一二月遽即淪亡。以彼例此，我
　　國潛力強盛，頓使世界震驚。

　　而須特別註明者，此二十條引有許多國父、元帥（筆者註：即蔣公）言

論，以與《春秋》之大義互相闡發。姑不論其確當與否，價值如何，其為發明本書主旨之重要內容，則確無疑義也。三十年前整理此書時，整理者廖海廷先生確有不得已的苦衷，將這部分內容徑行刪去，致著作者的意志不能得以完整表達，良可痛惜！這部分內容筆者曾見之，但撰作本文時，盡管筆者手頭有抗戰時商務印書館本和國立湖南大學石印本，但湖大本並無〈凡例〉，而商務本正文以前之全部內容已被撕去，欲引用少許而不能，惜夫！然也有不同看法者。已故臺灣師大文學院教授魯實先先生，在臺出版《積微居叢書》，不收《春秋大義述》。魯先生語人曰：「不收是書者，所以愛護夫先生也。」據云魯先生於此書所最不滿者，即為〈凡例〉之引用國父、元帥言論。魯先生與廖先生為摯友，則廖先生之全部乾淨徹底刪去這些言論，或許不完全出於不得已故。惜不能起廖先生於地下而問之也！

　　至於正文之主旨，我們可以從二十九章之排序以及每章下之小標題約略窺見著作者的旨意。如前所述，《春秋》一經，其微言大義，經董仲舒闡發，其最著者即「大一統」，所謂「《春秋》大一統者，天地之常經，古今之通誼也」[5]。要實現大一統，必須「尊王攘夷」。而「復仇」之義，《春秋》經傳亦再三致意。如莊公四年「紀侯大去其國」經文，《公羊傳》就闡明齊襄公之所以要滅紀國，乃是為其因紀侯進讒言在周被殺之九世祖齊哀公復仇。當時舉國抗戰，「復仇」之義被置於最重要的地位，是容易理解的。所以《春秋大義述》歸納《春秋》之大義凡二十九，而以「復仇」、「攘夷」二義為首。驅逐敵寇，難免流血犧牲，故第三義為「貴死義」，意在激勵將士為正義不惜獻身。是書之初撰在一九三九年，而排在「貴死義」之後的第四義「誅叛盜」是於一九四一年增補的，目的在聲討「憑藉異族之勢力以脅父母之邦」的漢奸，矛頭顯然是指向叛國投敵的汪精衛之流。其他如貴誠信、貴讓、貴預、貴變改、譏慢、貴有辭、明權、謹始、重意、重民、惡戰伐、重守備、貴得眾、錄正諫、親親等篇，則分別為傳統道德、外交、統治術、軍備等等。共二十九章；每章之下，又分列十幾至幾十個小標題將各書中闡

5　〔漢〕班固：《漢書・董仲舒傳》（北京市：中華書局，1997年），頁2523。

發《春秋》大義的文字統攝起來。如〈榮復仇第一〉下列有「《春秋》榮復仇」「復國仇者賢之」「國仇不可並立於天下，雖百世可復也」「復仇而戰，雖敗猶可伐。故內不言敗，復仇敗則特書」「仇者無時可與通，故與仇狩則譏」「與仇會則譏」「與仇為禮則譏」「娶仇女則譏」「事復仇，而無復仇之誠者，譏」「君弒，賊不討，不書葬。以為臣不討賊，非臣；子不復仇，非子」「仇在外不能討則書葬」「無賊可討則書」「復仇者，滅其可滅，葬其可葬」「家仇不可復」「父不受誅，子復仇可也」「朋友復仇，相衛而不相迵，古之道也」等十六個小項。很明顯，其用意是要鼓舞國民同仇敵愾，與日本帝國主義復不共戴天之仇。

　　《春秋大義述》的「述」即「述而不作」的「述」。如前所述，該書的體例是將《春秋》中的「大義」分門別類，每一大義即為一篇；再以《春秋》經文及《公羊傳》的相關傳文為綱，以《穀梁傳》、《左傳》的傳文以及《荀子》和兩漢諸書中相關內容為目，彙集於該篇。如此則領挈而全裘振，綱舉而萬目張，散在篇籍的大義賴之以成為一個條理井然的系統；讀者可以將同篇所錄文字互為比照，交相闡發，因而更深刻地理解相關文字的思想內涵。

三

　　該書於一九三九年七月二十三日初撰，同年秋天完成初稿，並以之教授諸生。從這時起，該書便得到廣泛的讚許。章士釗讀後，「亟稱其方法之佳」[6]，曾運乾則謂「遠勝劉逢祿書，讚歎不已」[7]。

　　該書於一九四四年元月底由商務印書館出版，到四月即售出近八百部[8]，頗為聳動一時之觀聽。有論者認為，抗戰期間，陳垣先生在淪陷的北平寫作

6　楊樹達：《積微翁回憶錄》（上海市：上海古籍出版社，1986年），頁172。

7　楊樹達：《積微翁回憶錄》，頁153。

8　楊樹達：《積微翁回憶錄》，頁214。

《通鑑胡注表微》，表彰胡三省的民族氣節和愛國精神；遇夫先生在大後方的荒山野嶺中編撰《春秋大義述》，激勵軍民努力抗戰，驅除敵人。方法雖不同，用心卻一致，實是異曲同工，南北二賢互相輝映[9]。

上世紀八〇年代初，上海古籍出版社與以楊伯峻先生為主編的《楊樹達文集》編輯委員會合作，開始出版收有遇夫先生二十六部著作，共十七冊的《楊樹達文集》，其中就有《春秋大義述》。這部文集陸續出版了約三分之二後，由於種種原因，停止了運作。未出版的幾種著作中，除《春秋大義述》外，一九四九年後都在中國大陸出版或再版過。也就是說，遇夫先生的重要著作，一九四九年後至二〇〇六年沒有再版的，只有《春秋大義述》一種。及至二〇〇七年，上海古籍出版社一次性出齊了二十六部著作共十七冊的《楊樹達文集》，《春秋大義述》自然在其中。

如前所述，《春秋大義述》於一九四四年由重慶商務印書館出版；而這個本子是在國立湖南大學石印毛邊紙教本的基礎之上，接受正中書局的建議，在第三義「貴死義」後加上了「誅叛盜」作為第四項大義後付印的。由於是在戰時，紙張極差，且校對不精；需要特別指出的是，湖大教本和商務本均未加標點，只做了句讀——湖大本用「讀」（類似現在的頓號），而商務本用「句」（類似現在的句號）。

上世紀八〇年代初，《楊樹達文集》陸續出版，其中《春秋大義述》是由廖海廷先生整理的。廖先生為全書作了標點，並進行了校對；除此之外，廖先生還刪改了若干文字，如〈自序〉中「至是益憤寇難之逼，不能複忍」下原有「我軍事委員會委員長　蔣公，以神武之姿，因國人之怒，起率南北健兒，以與夷虜周旋」等文字，廖先生刪去了「我軍事委員會……神武之姿」等十六個字，在「因國人之怒」前補上「秉政者」三字；又〈自序〉中「蓋夷虜本犬羊之種，不知禮義」，刪去了「本犬羊之種」五字；刪去了〈陳立夫序〉；如前所述，刪去了〈凡例〉中的若干「國父」及「元帥」語

錄及若干將「春秋大義」與這些語錄相互闡發的文字。這些，廖先生在〈點校後記〉中語焉不詳，故稍作說明。這次出版，將已刪去的〈陳立夫序〉補上，其他一仍其舊。

二○○六年下半年，應上海古籍出版社楊萬里先生之請，筆者為上古社新版《春秋大義述》看三校稿。在看校樣過程中發現：一，廖海廷先生據以整理的底本應該是重慶商務本，而拿商務本與湖大石印本（此本很難找到）比照，如果只是其中一個本子有誤，大多是商務本誤而湖大本不誤，極少數是湖大本誤而商務本不誤。二，有多處商務本、湖大本皆誤，而廖先生未及改正。有鑒於此，筆者覺得有必要對全稿重新校對一過；下面對筆者所作主要工作做一簡介，以示文責自負。

一，改誤字，補脫字。較多出現的有兩種情形。一為商務本誤而據湖大本改正，二為商務本、湖大本皆誤而據中華本《十三經注疏》等書改正。前者如：「貴賊如其倫」，改為「貴賤如其倫」（頁10）；又如「雖然，君子不可以記也」，改為「雖然，君子不可不記也」（頁21）；又如「闔廬曰：『先君之所以不與子而與弟者，凡為季子故也。』」筆者補上「不與子」後所脫一「國」字（頁245）。後者如：第49頁「《春秋》曰」改為「《春秋傳》曰」；又如「周襄王富有天下，而有不能其母之累」，據中華本《鹽鐵論》改為「周襄王富有天下，而有不能事父母之累」（頁210）；又如「有小夷避大夷而不得言戰，大夷避中國而不得言獲，中國避天子而不得言執」，商務本、湖大本第一句均脫一「得」字，第二句均脫一「言」字（頁258），筆者據中華本《十三經注疏》補正。

二，改標點。即對廖海廷先生的標點作了一些改動。如：「宮之奇果諫，《記》曰：『唇亡則齒寒……』」筆者改為「宮之奇果諫：『《記》曰：唇亡則齒寒……』」（頁57）又如：「故欺三軍，為大罪於晉：其免頃公。為辱宗廟於齊。是以雖難而《春秋》不愛。」筆者改為：「故欺三軍為大罪於晉，其免頃公為辱宗廟於齊，是以雖難而《春秋》不愛。」（頁124）又如：「宋公曰：『不可。吾以之約以乘車之會。自我為之，自我墮之，曰不可。』」按，此處顯然是《古書疑義舉例》所謂「一語未竟而加『曰』字例」。查諸

書此處標點均誤，不獨廖先生也。筆者改為「宋公曰：『不可！吾以之約以乘車之會，自我為之，自我墮之。』曰：『不可！』」（頁120、199、254）另外，刪去了很多冒號，如：「當廢昌邑王時，非田子賓之言：大事不成。」（頁250）「言」後的冒號刪去。又多處文意未完而標句號，筆者改為分號或逗號；例多不舉，讀者可於書中得之。又將諸如「冬，十月，甲午」改為「冬十月甲午」，以求與現在通行的各標點本一致，共改動了幾百處。

三，刪去若干多餘文字。例如「故天子好利則諸侯貪，諸侯貪則大夫鄙，大夫鄙則庶人盜；上之變下，猶風之靡草也。故為人君者，明貴德而賤利以道下，下之為惡尚不可止。」（頁184）按，「下之為惡尚不可止」文義未完，若補足下文（今隱公貪利而身自漁濟上而行八佾，以此化於國人，國人安得不解于義，解於義而縱其欲，則災害起而臣下僻矣），則未免累贅；故刪去此八字，而於「明貴德而賤利以道下」之後標以省略號。又如「喪事無求，求賻，非禮也。蓋通於下。」後四字文義未完，故刪去之。

在校對過程中，筆者始終得到伯父楊德豫先生的指導，他老並親自對〈曾序〉、〈陳序〉、〈凡例〉進行了精心校對。

《春秋大義述》所附錄的遇夫先生的〈未刊稿〉，是由筆者的伯父楊德豫先生交筆者保管的一篇手稿。根據稿中「著者於此編前後致力者三載」一句看，它很可能就是《積微翁回憶錄》中所記一九四二年三月九日開始寫的《春秋大義述附注》[10]，但出版後的《大義述》並沒有這部分內容。

這篇手稿並不完整，筆者所見到的有四個部分，其中第一部分無頭，第四部分無尾。第一部分概述撰作《春秋大義述》的學術背景。第二部分概述為何撰作此書及撰作此書的過程。第三部分概述書名之由來，分別介紹了《春秋》及其三傳，何為「大義」，何以名之為「述」等等。第四部分是對各篇目的簡介，由於不全，只介紹了〈榮復仇〉、〈攘夷〉兩篇。

將這篇手稿與《春秋大義述》的〈自序〉及〈凡例〉相互比照，可以發現，手稿第一部分與〈凡例〉最後一部分內容大致相同；手稿第二部分的前

---

10 楊樹達：《積微翁回憶錄》，頁183。

半部與〈自序〉中的一段文字，內容大致相同；第四部分大致與〈凡例〉第
七條的內容相同。未見於〈自序〉及〈凡例〉者，是手稿第二部分後半部及
第三部分。即使與〈自序〉、〈凡例〉內容大致相同的部分，也往往是手稿更
為詳盡。如手稿第四部分述及日本帝國主義對我國的侵略及作者的憤慨心
情，較之〈凡例〉相應部分著墨較多，也顯得更為沉痛。因此，儘管這份手
稿的內容與〈自序〉、〈凡例〉有些許重複，仍然彌足珍貴。

附錄：《春秋大義述附注》未刊稿

　　……京返國，而業師平江蘇厚庵先生不樂民國，從北京棄官歸裏，寓居長沙，方以所著《春秋繁露義證》一書付刊行。著者時時晉謁，先生頗以書中要義相指示。《義證》刊成後，久乃發行。著者得購讀時，先生已以病肺於三年四月間辭世矣。愴懷梁木，孰複遺書，既驚先生用力之勤，遂略窺聖經樹義之卓。八年北遊，授書國學，繼是旅食燕薊者將二十年。教授之暇，時理故書。蘇先生嘗言，兩漢之學在《春秋》，故著者嘗欲取漢人文字涉及是經者薈萃為《春秋大義徵》一書，以便省覽。人事迫促，未遑卒業，叢殘之稿，遺在篋中；然此經之宏綱大指，則固略具端倪矣。

二　述書緣起

　　抗戰軍興，著者適移教於湖南大學。自以書生荏弱，又迫衰年，不能執戈殺賊，每用為恨。一日忽悟先聖之述《春秋》，以復仇、攘夷為大義；然則闡明是經之大義，以增敵愾，固儒生之職責也。爰取是經再三孰複，既於本經條貫粗有所明，二十八年秋間，乃取以教授諸生。以全書大義散在各篇，始學驚其河漢，未易尋求，乃區分類聚，撰為是編。初名「述指」，取《春秋》文成數萬，其指數千之義也。二十九年夏，取初稿，補其未備，定名曰「《春秋》大義述」。三十年復增撰〈誅叛盜〉一章，其他復多所增益。蓋著者于此編前後致力者三載，易稿亦四五次矣。

三　本書釋名

　　按《漢書‧藝文志》，《春秋》本有五家之《傳》。《鄒氏》無師，《夾

氏》無書，其學已絕，不必論矣。今存者有《左氏》、《公羊》、《穀梁》三家。《左氏》詳於事而忽於義，《公羊》、《穀梁》略於事而長於義；二家之中，《公羊》義雖有非常可怪之論，實多精湛之言。蓋口說流傳既久，不免失真，而聖人之精意固可推測而知也。是編之作，以《公羊傳》為主，《穀梁傳》與《公羊》同義者載之，即義異不同而義可兩存者亦載之，《左氏傳》與《公羊》相合者亦錄焉。《春秋繁露》，本說《春秋》，有相涉者，一一詳記。自餘如《荀子》、陸賈《新語》、《韓詩外傳》、《鹽鐵論》、《新序》、《說苑》《列女傳》、《白虎通》、《法言》、《漢書》、《後漢書》有涉論及者，亦加甄錄；以《春秋》之學，兩漢盛行，董仲舒以之折獄，雋不疑以之斷事，經義與治事不分故也。本書首舉「春秋」，其義界如此。

　　孟子曰：「晉之《乘》，楚之《檮杌》，魯之《春秋》，一也：其事則齊桓、晉文，其文則史。孔子曰：『其義則丘竊取之矣。』」聖人之於《春秋》，所重在義，已明示後來。何謂「大義」？大義者，碎義之反也（《漢書・藝文志》云：「碎義逃難」）。時遠則事不詳，古今之常理也；而說《春秋》者矜持「三世」之說，毛舉日月之例，皆所謂「碎義」也。近代治《公羊》家言者往往推重劉逢祿之《公羊何氏釋例》。余謂何注雖有功經傳，實多牽強穿鑿之說；劉書不以經傳為主而以何注為衡，是舍其大而務其細也。

　　何謂「述」？「述」者，述經傳及傳記之文，自非萬不得已，則不下己意也。然有難言者：《春秋》始隱訖哀。例如「復仇」，《春秋》大義之一也。其義見於《公羊傳》者，有隱十一年「公薨」《傳》、桓十八年「公薨於齊」《傳》、莊四年「紀侯大去其國」《傳》、「冬，公及齊人狩于郜」《傳》、莊九年「及齊師戰於乾時」《傳》、定四年「蔡侯以吳子及楚人戰于柏莒」《傳》。見於《穀梁傳》者，有莊元年「夏，單伯逆王姬」《傳》、「秋，築王姬之館於外」《傳》、莊三年「溺會齊侯伐衛」《傳》、莊四年「公及齊人狩于郜」《傳》、莊二十四年「夏，公如齊逆女」《傳》、「八月丁丑，夫人姜氏入」《傳》。他如《春秋繁露・竹林篇》言榮復仇，《滅國下篇》言紀侯之所以滅乃九世之仇，《王道篇》言子不復仇非子，《白虎通・誅伐篇》論子得為父報仇，《漢書・匈奴傳》及《後漢書・袁紹傳》引齊襄公復九世之仇，《後

漢書・張敏傳》引子不復仇非子,《〈禮記・曲禮〉疏》引《五經異義》論復仇之義,此皆經傳及傳記關涉復仇一義之資料也。今取其大義名篇,挈各傳文中要旨立文為綱,而以上記諸資料附注於其下,此則所謂「述」也。蓋《春秋》始隱訖哀,凡二百四十二年,一經大義散在各篇如上述,始學之士非孰讀全篇,再三孰復,不易得其條貫;而其散在《傳》中,益無論矣;必加之以貫穿,然後始有階段可求。近二十年來,整理國故之呼聲洋洋盈耳,著者之所業,不敢自謂有整理之功,或者不中不遠矣乎!

四　本書篇目

本書凡為篇二十九,第一曰〈榮復仇〉,惡倭寇,勵敵愾也。倭奴狂狡成性,梟獍不殊,六十年來,處心積慮,以侵略我中華為事。甲午之役,奪我藩屬,割我臺灣。時著者年方十歲,親見先大父及先君子憤慨之情,即切同仇之志。及弱冠遊倭,彼邦龐然自大,狡焉思逞之情,知之至深,聞之至切。近年旅寓北平,東北之事,南口之役,豐臺之戰,親身聞見,痛切於心。故編述聖文,首明復仇之義,非無由也。第二曰〈攘夷〉。《春秋》之義,內其國而外諸夏,內諸夏而外夷狄,此孔子小康之道也。夷狄行事進於中國,則中國之;反乎夷狄,則仍夷狄之;中國行事同乎夷狄,則亦夷狄之,此孔子大同之道也。同是圓顱方趾之倫,有何夷狄之可分乎?故聖人之別夷夏也,不以種族而以行事,蓋若逆知今日有發狂之民族如日爾曼人及倭奴者,而早以此杜絕之……

楊樹達《春秋大義述》研究[*]

劉德明

國立中央大學中國文學系副教授

一　緒論

　　楊樹達（1885-1956），字遇夫，為湖南長沙人，因好《荀子》中「積微者著」一語，因而自號積微。一般對楊樹達的學術成果討論多集中在「語法學、修辭學、訓詁學、語源學、文字學、文獻學、甲骨金文學、考古學」等方面。[1]以一九八五年湖南師範大學所編著的《楊樹達誕辰百週年紀念集》為例，其書中論文絕大部份都集中討論楊樹達在小學修辭等成就。[2]其書〈後記〉中亦強調「楊樹達先生是我國著名語言文學家，他在文字訓詁、語法修辭、古文獻整理校勘等廣泛領域內取得了卓越成就。」[3]這當然與楊氏自記在七歲時即想將「訓義相同之字聚集為一編」[4]產生對文字小學的興趣，而其日後著述亦多集中在此方向有關。但是研究楊樹達的學者者往往忽略了楊氏的另一方面的成果——楊樹達對經部、子部典籍的著作。楊樹達除了在小

---

[*]　本文初稿宣讀於中央研究院文哲研究所於二○○八年十一月六至七日舉辦之「變動時代的經學和經學家」第四次學術研討會，並感謝國立臺灣師範大學陳廖安教授於會中對本文的細心指正。

1　此為上海古籍出版社在《楊樹達文集叢書》前的「出版說明」中的一段話。見楊樹達：《積微翁回憶錄》（上海市：上海古籍出版社，2006年）。

2　湖南師範大學學報編：《楊樹達誕辰百週年紀念集》（長沙市：湖南教育出版社，1985年）。

3　湖南師範大學學報編：《楊樹達誕辰百週年紀念集》，頁325。

4　楊樹達：《積微翁回憶錄》，頁2。

學文字諸多著述之外，尚有《春秋大義述》、《周易古義》、《老子古義》、《論語疏證》、《淮南子證聞》、《鹽鐵論要釋》等書。在這些書中，楊樹達絕大部份是採順著書籍內容文字，或「採他說發明經義」、或「以事證經」，[5]加以詮解。尤其是《春秋大義述》一書，從格式上即可看出與其他諸書有絕大的不同，而楊樹達對《春秋》的理解也是較少有學者予以討論的。[6]

其實楊樹達接觸到《春秋》的時間也很早，其於十一歲時即開始讀《春秋左氏傳》。[7]在一八九七年，楊樹達十三歲時，即進入由陳寶箴、黃遵憲、熊希齡、譚嗣同等人合力創辦的「時務學堂」就讀，並受教於梁啟超。楊樹達日後回憶說：「梁先生用《孟子》及《公羊春秋》為教本，主張民權革命之說；學者思想為之一變。」[8]之後楊樹達從學於蘇輿，在蘇輿寫作《春秋繁露義證》時，楊氏「時時晉謁，先生頗以書中要義相指示。」[9]在楊樹達學有所成之後，先後寫成了〈左傳戴氏考〉、〈春秋宋世子痤有罪辨〉、〈公羊傳諾已解〉、〈春秋「公及莒人盟於包來」解〉、〈公羊傳君不使乎大夫解〉、〈讀左傳〉等單篇文章，討論《春秋》在文意、字詞上的相關問題。而楊樹達對《春秋》最重要的專著——《春秋大義述》一書，則是在一九三九年時，楊氏一方面覺得在日本侵華時無法為國盡力，另一方面「忽悟先聖之述《春秋》，以復仇、攘夷為大義」，[10]所以「治《公羊春秋》，欲撰述條例，《春秋大義述》始此。」[11]楊樹達此書初成時，將書稿示諸其好友曾運乾，曾氏看過之後「謂衷舉大義，遠勝劉逢錄書，讚嘆不已。」[12]而章士釗亦讚

5　馬楠：〈楊樹達《論語疏證》與注疏新方法〉，《現代企業教育》2007年第4期下，頁197-198。

6　楊伯峻將楊樹達生平著作分為六類，此類是「輯古人之引文以釋古書」。見楊伯峻：〈楊樹達文集前言〉，收入《楊樹達誕辰百週年紀念集》，頁27。

7　楊樹達：《積微翁回憶錄》，頁3。

8　楊樹達：《積微翁回憶錄》，頁5。

9　楊樹達：〈《春秋大義述附注》未刊稿釋文〉，《春秋大義述》（上海市：上海古籍出版社，2007年），頁290。

10　楊樹達：〈《春秋大義述附注》未刊稿釋文〉，《春秋大義述》，頁291。

11　楊樹達：《積微翁回憶錄》，頁152。

12　楊樹達：《積微翁回憶錄》，頁153。

稱此書「方法之佳」。[13]《春秋大義述》在一九四四年一月由商務印書館發行後，在短短二個多月中即已賣出近八百部，[14]當時得到不少的注意。但是弔詭的是，自一九四九年後，楊樹達的諸多重要著作均有重新出版，而只有《春秋大義述》一書直至二〇〇七年才又重新印行。或許是因為這樣，所以學界對於楊樹達的《春秋大義述》較少討論，本文即是對此書及這些現象嘗試做一初步的探討。

二　《春秋大義述》的內容與特色

楊樹達在《春秋大義述》的〈自序〉與〈凡例〉中，對其為何要寫此書有一完整的說明，綜合來說是三個原因：一，其鄉先輩魏源、蘇輿都對《春秋》深有所得，[15]尤其是蘇輿在生前並沒有完成其欲著的《公羊董義述》一書，[16]這或許讓楊樹達產生一種無可迴避的責任感。這從《春秋大義述》一名，更可想見其承師遺志的意圖。二，就時代因素而言，當時中日戰爭的氣氛日益緊張，楊氏認為自己必須負起一些責任，而著書自然成為書生報國的最好途徑。[17]三，為了教學上的需求。[18]楊樹達許多書籍都是因為其在教學上的需要而寫成的，楊樹達說寫《春秋大義述》是因：「乃以是經設教……又以是經大義散在諸篇，學者始習，艱於通貫。乃取諸大義之比近者，類聚

---

13 楊樹達：《積微翁回憶錄》，頁172。

14 楊樹達：《積微翁回憶錄》，頁214。

15 楊樹達：〈凡例〉，《春秋大義述》，頁13。

16 楊樹達在〈平江蘇厚菴先生墓誌銘〉中言：「初，先生既精治董生書，深窺其說《春秋》之旨，欲更為《公羊董義述》，以病劇未就，故學者尤痛惜之。」見《積微居詩文鈔》（上海市：上海古籍出版社，2006年），頁88。

17 這兩點亦同時見楊逢彬：〈楊樹達的《春秋大義述》及相關未刊稿〉，收入《春秋大義述・附錄》，頁297-298。

18 羅常培說楊樹達「每開一門課程就有這門的著述。」見羅常培：〈悼楊樹達（遇夫）先生〉，收入《楊樹達誕辰百週年紀念集》，頁255。楊伯峻也有類以的看法，見〈楊樹達文集前言〉，收入《楊樹達誕辰百週年紀念集》，頁27。

而群分之……欲令學者力省時約，易於通解。每習一章，即明一義。」[19]可見《春秋大義述》從著作目的上來說，主要是著眼於使開始接觸《春秋》的人，可以快速明確的瞭解《春秋》的「大義」。

環繞著以上三個目的，《春秋大義述》一書亦分別對顯出以下幾個特色：

首先，從《春秋》學的傳統來說，《春秋大義述》的內容是直接以《公羊》為主，《穀梁》為輔，對於《左傳》之說則較為忽略。楊樹達對於歷來解《春秋》最重要的三傳，有「《左氏》詳於事，《公羊》、《穀梁》詳於義。」的評論，[20]而《公羊》、《穀梁》「二家之中，《公羊》立義尤精。故本編述義，以《公羊傳》為主，以《穀梁傳》輔之。」[21]由楊樹達從學於梁啟超及蘇輿的師承來看，他本來就對《公羊》學較為熟悉。加上清末民初《公羊》學大興，其說以《公羊》為主並沒有什麼值得訝異的。但是較值得注意的是他對《左傳》及《穀梁》的態度。因為清代的今文學家，多有對《左傳》的來源、是否解經等問題抱持著否定態度，如劉逢祿即稱「左氏為戰國時人，故其書終三家分晉，而續經乃劉歆妄作也。」[22]認為《左傳》的「義法凡例出自劉歆偽造」，[23]但是楊樹達卻不這麼認為，其言：

> 《韓非子》屢稱《左氏》，為《左氏》不出漢儒之堅證。余錄之，得二十餘事，中有全本《左傳》數條。[24]

楊樹達不僅以《韓非子》中的資料來證明《左傳》並非漢人所作，而且甚至認為《左傳》的文字記錄較今文經更為可信：

19 楊樹達：〈自序〉，《春秋大義述》，頁6-7。

20 楊樹達：〈凡例〉，《春秋大義述》，頁8。

21 楊樹達：〈凡例〉，《春秋大義述》，頁8。

22 劉逢祿：《左氏春秋考證》，收入《續修四庫全書》（上海市：上海古籍出版社，1995年影印皇清經解本），冊125，卷1，頁1b。

23 楊向奎：〈清代的今文經學〉，收入《繹史齋學術文集》（上海市：上海人民出版社，1983年），頁347。

24 楊樹達：《積微翁回憶錄》，頁37。

樹達按：……襄公十三年取邿，《左氏經》作邿，而《公羊經》作
詩。考彝器有邿公脛鐘及邿伯鼎，字作脛作邿，與《左氏經》合，知
古經可信勝於今文經也。《古經》莊西元年夏，單伯送王姬，《杜注》
謂單伯為天子卿。《公》、《穀》二家經作逆王姬，二傳謂單伯為魯大
夫。今按魯國卿大夫絕無以單為氏者，而周則屢見，彝銘揚既有司徒
單伯，亦明是周卿士，此又古經優勝之一證也。[25]

楊樹達在甲骨金文的成就極大，[26]他運用民國以來學者常使用的以「地下新
材料」與「紙上材料」相互印證對比的方法，[27]判斷屬古文經之《左傳》並
非如一些今文學家所說是漢儒所偽作，相反的也認為《左傳》中對於許多史
事的記錄甚至較《公羊》、《穀梁》更加精確。[28]至於楊樹達對於同屬於今文
經的《穀梁傳》來源問題，並沒有太多論述，僅表示：「疑徐彥之言為得其
實，但誰著於竹帛，則不可考耳。」[29]也就是說其大約同意楊士勛與徐彥之
說，認為《穀梁傳》與《公羊傳》都是源自於子夏，而且都是「為經作
傳」。差別在於《公羊傳》的傳承明白，而《穀梁傳》雖亦有自身的傳承之
說，但由其在對「初獻六羽」解釋中援引「穀梁子」及「屍子」之說，楊氏
認為《穀梁傳》為穀梁子著於竹帛之說並不可信而已。

　　雖然楊樹達認為在《春秋》三傳中認為《公羊》義說最為可信，但在
《春秋大義述》中楊氏對《穀梁》、《左傳》的態度，則與一般的《公羊》家
大異其趣：楊樹達基本上是兼採《穀梁》而少用《左傳》之說，對於《公

25 楊樹達：《漢書窺管》（上海市：上海古籍出版社，1984年），卷3，頁214。
26 胡厚宣在〈胡厚宣致楊樹達〉信中說：「關於金甲小學，惟先生著作最富，發明最
　　多，其貢獻之大，蓋突破以往所有之學者。」此信收入《楊樹達誕辰百週年紀念
　　集》，頁9。
27 「地下新材料」與「紙上材料」這兩個詞彙的相互對比，最早是王國維在〈古史新
　　證〉中提出其著名的「二重證據法」中所使用，今借以說明。見氏著：《古史新
　　證──王國維最後的講義》（北京市：清華大學出版社，1994年），頁2。
28 大約也是因為如此，所以楊樹達並不認同皮錫瑞推崇劉逢祿之說，並說「劉書實無可
　　取」。見楊樹達：《積微翁回憶錄》，頁155。
29 楊樹達：《漢書窺管》（上海市：上海古籍出版社，1984年），卷3，頁215。

羊》、《穀梁》不同之處則盡力加以調和，其言：「《公》、《穀》二傳義同者十
居七八，亦間有彼此乖違者。今於其義同者盡錄之，其有兩義不同，可以並
存不廢者，仍分別錄之。」[30]楊樹達並舉出對《春秋》莊公四年中記：「紀
侯大去國」一事，《公羊》、《穀梁》的說法並不相同為例，表明其態度。此
事在《春秋》所記諸多史事中十分有名，主要即是因為三傳對此事的評說差
異頗大，[31]而《公羊》、《穀梁》的說解方向更是南轅北轍，《公羊》說：

> 何賢乎襄公？復讎也。何讎爾？遠祖也。哀公亨乎周，紀侯譖之，以
> 襄公之為於此焉者，事祖禰之心盡矣。[32]

認為這是孔子在嘉許齊襄公能為九世祖齊哀公復仇。因齊哀公為紀侯所譖，
以致於被烹於周，襄公滅紀實為復仇之孝舉。而《穀梁》的解說則完全不一
樣：

> 大去者，不遺一人之辭也。言民之從者，四年而後畢也。紀侯賢，而
> 齊侯滅之，不言滅而曰大去其國者，不使小人加乎君子。[33]

簡單的對比《公羊》、《穀梁》的說法，即可知《穀梁》之意主要是在讚揚紀
侯之德，與《公羊》之說大不相同。楊樹達清楚的瞭解這中間的差異，但在
《春秋大義述》中則盡量的調停，不使《公羊》、《穀梁》之說有所衝突：

---

30 楊樹達：〈凡例〉，《春秋大義述》，頁8。類似的意思亦見於〈《春秋大義述附注》未刊
　　稿釋文〉其言：「是編之作，以《公羊傳》為主，《穀梁傳》與《公羊》同義者載之，
　　即義異不同而義可兩存者亦載之。」見《春秋大義述‧附錄》，頁291。
31 關於此事《春秋》三傳的差異及評述，請參見陳逢源：〈《春秋》莊四年「紀侯大去其
　　國」書義蠡測及三傳異同之分析〉，《中華學苑》第45期（1995年3月），頁89-110。李
　　隆獻：〈復仇觀的省察與詮釋——以《春秋》三傳為重心〉，《臺大中文學報》第22期
　　（2005年6月），頁99-150。尤其是頁121-128中，對三傳「紀侯大去其國」的說法有詳
　　細的討論。
32 〔漢〕何休解詁，〔唐〕徐彥疏：《春秋公羊傳注疏》（臺北縣：藝文印書館，1985年
　　影印清仁宗嘉慶二十年江西南昌府學刊《十三經注疏》本），卷6，頁10-11。
33 〔晉〕范寧集解，〔唐〕楊士勛疏：《春秋穀梁傳注疏》（臺北縣：藝文印書館，1985
　　年影印清仁宗嘉慶二十年江西南昌府學刊《十三經注疏》本），卷5，頁8。

樹達按：紀侯大去其國，《公羊》謂賢齊襄，《穀梁》、董生謂賢紀

侯，義若相反。然齊襄滅紀以復先祖之讎，紀侯死國以盡人君之道，

義各有所歸，固可並存而不悖也。[34]

楊樹達指出《公羊》賢襄公與《穀梁》、董仲舒賢紀侯兩者完全不相衝突，
只是取義的方向不同而已，雙方之說可以「並存而不悖」。於此可以看出，
楊樹達盡量調和《公羊》、《穀梁》的態度十分明顯，因為《穀梁》中分明有
「不使小人加乎君子」之文，小人指襄公，君子為紀侯，可見《穀梁》不僅
是在讚揚紀侯，亦同時斥責襄公，但楊樹達則完全忽略了《公羊》、《穀梁》
這部份的不同。

　　其實楊樹達在《春秋大義述》中盡量調和《公羊》、《穀梁》異說並不止
此一例。又如其對《公羊》、《穀梁》對桓公十一年「宋人執鄭祭仲，突歸於
鄭。」的解釋亦是一個很好的觀察點。此事為：莊公死後世子忽即位是為昭
公，但公子突為宋莊公的外甥，宋莊公為了讓公子突成為鄭國國君，所以趁
祭仲在宋時將他抓起來，並以性命威脅要祭仲立公子突為國君。於是公子突
就在祭仲的幫助下，從宋國回鄭國即位，是為厲公，而鄭昭公則因此出奔至
衛國。對於此事，《公羊》說：「仲者何？鄭相也。何以不名？賢也。何賢乎
祭仲？以為知權也。」[35]認為孔子讚揚祭仲「知權」，這是因為：

祭仲不從其言，則君必死，國必亡。從其言，則君可以生易死，國可
以存易亡，少遼緩之。則突可故出，而忽可故反，是不可得則病，然
後有鄭國。[36]

《公羊》認為若祭仲當時不順從宋莊公的話，不但自己難逃一死，昭公及鄭

---

34 楊樹達：《春秋大義述》，卷1，頁29。楊樹達在〈凡例〉中說：「本書錄《公羊傳》於
　　〈榮復讎〉篇，錄《穀梁傳》於〈貴得眾〉篇，並為說明，以袪疑惑。」(頁8)事實
　　上〈榮復讎〉篇及〈貴得眾〉篇僅止摘錄兩方說法，並沒有將此兩說並列說明。而在
　　〈貴死義篇〉中才將兩方說法並列說明。
35 〔漢〕何休解詁，〔唐〕徐彥疏：《春秋公羊傳注疏》，卷5，頁7-8。
36 〔漢〕何休解詁，〔唐〕徐彥疏：《春秋公羊傳注疏》，卷5，頁8。

國亦不免破亡；祭仲就是因為考慮君主及國家的存亡，所以才暫時權變順從宋莊公之意，立公子突為君，以使鄭得以暫存。對於此事，《穀梁》之意則完全不同於《公羊》：「祭仲易其事，權在祭仲也。死君難，臣道也。今立惡而黜正，惡祭仲也。」[37]《穀梁》認為祭仲根本是貪生怕死才會放黜昭公而立厲公，這跟保存昭公性命以至於鄭國根本無關，《春秋》在此是表達「惡祭仲」之意。其實《公羊》與《穀梁》的爭議點在於：祭仲當時之所以如此，其到底是為了什麼？若從祭仲前後的行事來看，其當時存心未必如《公羊》所判斷的純正。因為桓公十二年、十三年鄭與宋兩國不斷相互爭戰，而在桓公十五年時，厲公因懼怕祭仲專權，所以說服了祭仲女婿雍糾去刺殺祭仲。但旋即又因雍糾謀事不密以至於被祭仲所殺，之後祭仲還將雍糾的屍體陳列於周氏之汪以示威，鄭厲公在害怕之餘就出奔至蔡國。由這一連串的事來判斷，祭仲實為能掌握鄭國君主廢立的權臣，《穀梁》的說法實非無因。[38]可是面對《公羊》、《穀梁》如此大的差異，楊樹達則僅言：「《公羊》謂祭仲知權，《穀梁》責祭仲不能死難，各明一義，並存之可也。」[39]也就是說楊氏幾乎不去判斷《公羊》、《穀梁》之說誰是誰非，僅以兩方主張在義理上都說的通的方式來相容彼此的差異。由此可見楊氏在《春秋大義述》中雖以《公羊》為主，但其對《穀梁》之說亦十分的包容。[40]

---

37 〔晉〕范寧集解，〔唐〕楊士勛疏：《春秋穀梁傳注疏》，卷4，頁5。

38 三傳對祭仲評價的討論，參見張端穗：〈西漢《公羊春秋》首立學官之緣由——以祭仲事蹟之論述為焦點之探討〉，《東海中文學報》第14期（2002年7月），頁1-24。張端穗：〈董仲舒《春秋繁露》中經權觀念之內涵及意義〉，《西漢公羊學》（臺北市：文津出版社，2005年），頁159-210。其實《公羊》對祭仲的稱許，連同屬《公羊》家的皮錫瑞都未必能接受，其言：「祭仲非真能知權也，而《春秋》借祭仲之事，以明知權之義。」〔清〕皮錫瑞：〈春秋〉，《經學通論》（臺北市：臺灣商務印書館，1989年），頁21。

39 楊樹達：《春秋大義述》，卷1，頁35。楊樹達對祭仲的評價又見《春秋大義述》，卷3，頁118-120的〈明權〉篇。在〈明權〉篇中，楊樹達引述多人的說法，論明《春秋》賢祭仲知權，甚至於引用了孔廣森批評「俗儒責仲當死」的說法為祭仲說解。這應是比較接近楊氏真正的見解。

40 楊樹達的這種態度或許是受到前輩的影響，因為他早在一九二八年四月三日謁見柯邵

　　其次，從《春秋大義述》對《春秋》大義的內容理解來觀察，正如楊樹達的自述，此書最重要的也最明顯的「大義」當以「〈復讎〉、〈攘夷〉二篇為首，惡倭夷，明素志也。」[41]這與當時的時代處境相互關聯。不僅如此，《春秋大義述》中所暢言的〈貴死義〉、〈誅叛盜〉等條目，也是如是。[42]此外如〈貴仁義〉、〈貴正己〉等七項大義，主要是在論述「修身養德之事」，因為楊樹達認為「根本不立，萬事皆隳。」[43]其餘另以〈貴有辭〉、〈明權篇〉、〈謹始篇〉等等表述其所歸結出《春秋》的各種不同大義。[44]事實上，早在司馬遷答壺遂之問時即言：「《春秋》文成數萬，其指數千。」[45]歷來《春秋》學者亦從各方面去解釋《春秋》中的「大義」。所以若從大的條目來看，《春秋大義述》中所述的各項《春秋》大義，大約都沒有超出前人的論述。如「復讎」、「攘夷」兩義，歷來說《春秋》者多有提及，楊樹達在《春秋大義述》中並沒有提出特別的看法。

　　但進一步細究，《春秋大義述》中仍有一些較為特別的地方，這可分為兩個方面來說：一是有時對於個別事件、人物的理解與評價，楊氏與三傳及前人稍有不同：如楊樹達說「弦高矯君命以存鄭」是「《春秋》所許」。[46]商人弦高因意外發現秦國軍隊想偷襲鄭國，所以謊稱受鄭穆公之命前來犒軍以

忑時，柯邵忑即告訴楊說：「治《穀梁傳》須打通《三傳》而不背家法。」楊氏對柯邵忑則是「執弟子禮」，楊、柯兩人雖一主《公羊》一主《穀梁》，但就不背家法之下盡量會通三傳的態度而言，兩人則是一樣的。見楊樹達：《積微翁回憶錄》，頁36、37。

41 楊樹達：〈凡例〉，《春秋大義述》，頁9。

42 〈貴死義〉是因為可以「厲將士」。此外有人在「倭寇鴟張」之時，尚且「藉外援以叛國」，述〈誅叛盜〉之義主要在於「明眾怒，張天討」。見楊樹達：〈凡例〉，《春秋大義述》，頁10。

43 楊樹達：〈凡例〉，《春秋大義述》，頁10。

44 胡楚生在〈楊樹達《春秋大義述》析評〉一文中，對於《春秋大義》一書之篇目安排及對各項大義的彰顯均有詳細論述，本文在此不多贅述，請參見胡氏之文。此文收入胡楚生：《經學研究論集》（臺北市：臺灣學生書局，2002年），頁421-448。

45 〔西漢〕司馬遷：〈太史公自序〉，《史記》（臺北市：大申書局，1977年），卷130，頁3297。

46 楊樹達：《春秋大義述》，卷3，頁122。又見於卷4，頁196。

拖延秦軍，才讓秦軍無法攻下鄭國。此事前後大家耳熟能詳，《春秋大義
述》在〈明權〉篇及〈大受命〉篇均提及此事，可見楊氏十分重視此事。其
兩處所引之《公羊傳》內容全同，僅有對此事的述敘而沒有提及對弦高的評
價。《穀梁》及《左傳》中也沒有對弦高這個行為或個人有特別的評論，但
楊樹達則特別指出弦高這個行為是「行權」，並將之視為「有可以安社稷利
國家者，則專之可也。」[47]對弦高這種評價是《春秋大義述》中特有的。

　　《春秋大義述》中對發揮《春秋》大義較為特別的第二點在於：楊氏對
某些觀點的發揮較傳統說《春秋》者更極端，甚至偶有前人所未言的部份。
在《春秋大義述》中有〈尊尊〉篇，熟悉《春秋》的人一定會聯想起《春
秋》學中有所謂的「尊王」之說，楊樹達在此篇一開始亦即言：「分莫尊於
天子，故戰則王者無敵，盟則王人序首。」[48]事實上在這篇裡，楊氏的大部
份說法與傳統《春秋》學者並沒有什麼差異。但是楊樹達也不是一味的主張
尊尊而已，其亦援引董仲舒、司馬遷之意，說《春秋》有「貶天子，退諸
侯」之義，[49]並於其中大量引述《春秋》批評周天子及諸侯的例證，說：
「知《春秋》固不以尊尊沒是非善惡之公矣。」[50]持平而論，在強調「尊
王」時亦同時有「貶天子、退諸侯」之說，在諸多說《春秋》學者的論述裡
並不少見。但楊樹達亦自覺在民國時期仍主張「尊尊」之說，不免會受到某
些批評，所以他在〈凡例〉中言：

　　　或謂今日治為民主，《春秋》尊尊之義不適於今日者，此謬說也。抑
　　　知政體雖殊，治道無改。今之中樞，猶古之天子也；各省政府猶古之

---

47 楊樹達：《春秋大義述》，卷4，頁195。楊樹達在發揮孔子「不在其位，不謀其政」之
　　說時亦提到弦高的例子：「不在其位，不謀其政，經也；弦高佯為鄭吏以犒秦，權
　　也。國家存亡在呼吸之頃，如弦高以不在其位而不謀，則悖矣。」可見楊認為以《春
　　秋》以弦高說明經與權的抉擇。見楊樹達：《論語疏證》（上海市：上海古籍出版社，
　　1986年），頁202。
48 楊樹達：《春秋大義述》，卷4，頁167。
49 楊樹達：《春秋大義述》，卷4，頁183。
50 楊樹達：《春秋大義述》，卷4，頁187。

> 諸侯也……其異者，世爵與否耳。《春秋》譏世卿，今制固勝於古，
> 而其道則未變也。試使省政府不受制於中樞……國事尚可為乎！昧者
> 泥於跡象之異，達者知其事理之同。[51]

在此，楊氏想發明《春秋》之義以適用於今日的意思顯露無疑，其所提出的
說法亦不無道理。在這裡值得注意的是楊樹達提到一個說法——「譏世
卿」。《春秋》中有所謂「譏世卿」之義，這是《公羊》家的獨特舊說，[52]楊
樹達亦引述用以說明從制度而言，現今民主勝於古制，但「其道則未變」。
問題是《春秋》「譏世卿」與民主的關連，莫說古人未言，在《春秋大義
述》中也不見有任何論述，何以見得是古所「未變」之道？楊樹達在解《論
語》「子謂韶盡美矣，又盡善也。謂武盡美矣，未盡善也。」時有談到這個
問題，他說：

> 樹達按：任重職大，有過於天子諸侯者乎？卿不當世，而謂君當世
> 乎？卿當選賢，而謂君不當選賢乎？孔子譏世卿，實譏世君也。此
> 《春秋》之微言也。[53]

在此可以清楚的看到楊樹達對《春秋》大義的獨特發揮：他從「譏世卿」之
義進一步的發揮：天子、諸侯（即現今的中樞、省長），其責任遠較卿為
大；若卿不應世襲，那麼天子、諸侯也不應世襲。孔子「譏世卿」只是表面
上的說法，其更根本的意思在於「譏世君」。由此，楊樹達說孔子是透過
《春秋》「譏世卿」之說，在曲折表示實際上是贊成君也要「選賢」。[54]在這

---

51 楊樹達：〈凡例〉，《春秋大義述》，頁11。
52 《公羊》在隱公三年「夏四月辛卯，尹氏卒」中說：「其稱尹氏何？貶。曷為貶，譏
　　世卿。世卿非禮。」《公羊》此說接受與批評者均多，見傅隸樸：《春秋三傳比義》
　　（北京市：中國友誼出版公司，1984年），頁34-41。其中最重要的兩個問題在於：
　　《春秋》經文到底是如《公羊》、《穀梁》所謂的「尹氏」，還是如《左傳》的「君
　　氏」？以及《春秋》中到底有沒有「譏世卿」之義。
53 楊樹達：《論語疏證》，頁80。
54 與楊樹達此說相類，牟宗三對於《公羊》「譏世卿」之說與民主政治的關連有更明確

樣的脈絡下，說《春秋》中「其道則未變」是較為順遂的，這都是楊樹達說
《春秋》異於前人之處。但《春秋大義述》中此類的例子極少，而且往往在
本書中並沒有明確的說明。[55]

　　《春秋大義述》的第三個特色在於其對《春秋》大義的表述方式。如前
文所言，《春秋大義述》在撰寫時即是為了讓人能快速的瞭解《春秋》大
義，所以在形式上也與傳統《春秋》學家的著述不同。楊樹達言：

> 何謂「述」？「述」者，述經傳及傳記之文，自非萬不得已，則不下
> 己意也……蓋《春秋》始隱訖哀，凡二百四十二年，一經大義散在各
> 篇如上述，始學之士非熟讀全篇，再三熟復，不易得其條貫；[56]

楊氏自言此書最初的名字為「述指」，是取《史記》「《春秋》文成數萬，其
指數千之義也。」之義，[57]而後定名為「述」，取孔子「述而不作」之意。
《春秋大義述》一書共分為五卷，其間由「榮復讎」至「言序」共提舉了二
十九種《春秋》大義，楊樹達對每項大義都有簡要的敘述，如在〈榮復讎第
一〉中，楊氏在文中列出《春秋》中無法復讎者或「譏」或「不書葬」等不
同的評價外，還指出「家讎不可復」、「父不受誅，子復讎可也」及「朋友相
讎，相衛而不相迿，古之道也。」[58]針對不同關係對於如何施行復讎有一些
界限的說明。又如〈言序第二十九〉中，楊樹達提出《春秋》中存在著：

的說法：「推政治之客觀形式而充其極，不但卿不可世，即天子諸侯亦不可世。故民
　　主政治之出現亦人類歷史一大進步。」見氏著：〈公羊義略記〉，收入《寂寞中的獨
　　體》（北京市：新星出版社，2005年），頁185。

55 此外楊樹達對一般《春秋》學者多主張《春秋》興作必書，而且視為貶義有不同的看
　　法。其言：「春秋時上不恤民，故孔子修《春秋》於築作多譏之……孔門師弟自對時
　　政立言，非謂凡治國者不必改作也。漢以後人皆不知此義，殊可惜也。」見氏著：
　　《論語疏證》，頁261。但凡楊樹達此類對《春秋》獨特的看法，多不見於《春秋大義
　　述》一書。

56 楊樹達：〈《春秋大義述附注》未刊稿釋文〉，《春秋大義述‧附錄》，頁292-293。

57 楊樹達：〈《春秋大義述附注》未刊稿釋文〉，《春秋大義述‧附錄》，頁291。

58 楊樹達：《春秋大義述》，卷1，頁6-7。

「先王命，則微者先於諸侯」、「疾首惡，則微國先乎大國」、「外夷狄，則晉國先乎主會」等等書記原則。[59]楊氏通常會先說明《春秋》這些「大義」的內容後，再分別引述《公羊》、《穀梁》之說用以支持他的說法。即因如此，所以楊逢彬說此書的體例是：

> 將《春秋》中的「大義」分門別類，每一大義即為一篇；再以《春秋》經文及《公羊傳》的相關傳文為綱，以《穀梁傳》、《左傳》的傳文以及《荀子》和兩漢諸書中相關內容為目，彙集於該篇。[60]

楊逢彬將《春秋大義述》的格式分為「綱」與「目」兩者來分析說明，確實能明確指出此書在格式上的特點。但《春秋大義述》裡用「綱」與「目」來表達《春秋》大義並非是楊氏所首創，分別均有其來源，第一、在《春秋大義述》之前，康有為的《春秋董氏學》即是以分門別類的方式來陳述《春秋》大義。康有為的《春秋董氏學》〈目錄〉中即分有〈春秋恉〉、〈春秋例〉等八項。又在〈春秋微言大義〉項下有「經權」、「君臣」、「夷狄」等等諸多條目。[61]雖然從條目名稱來看，《春秋董氏學》中的大多條目與《春秋大義述》不同，但其做法則相當類似。雖然楊樹達晚至一九三九年十月三十一日才記有：「翻閱康有為《春秋董氏學》，將董生書分類鈔錄，在康氏著述中尚是較為平實者。」[62]較一九三九年七月二十三日楊氏開始著述《春秋大義述》的日期為晚。但康有為的《春秋董氏學》是清末民初時享有大名的著作，楊樹達不太可能在五十五歲前都未看過此書，所以《春秋大義述》以條目方式陳述《春秋》大義，應是參考過康有為的《春秋董氏學》。第二、根據楊樹達自述，蘇輿在生前就跟他提過：「兩漢之學在《春秋》，故著者嘗欲

---

59 楊樹達：《春秋大義述》，卷5，頁283-284。
60 楊逢彬：〈楊樹達的《春秋大義述》及相關未刊稿〉，收入《春秋大義述·附錄》，頁299。
61 〔清〕康有為著，姜義華、吳根樑編校：《春秋董氏學》，收入《康有為全集（二）》（上海市：上海古籍出版社，1990年），頁631、788-794。
62 楊樹達：《積微翁回憶錄》，頁154。

取漢人文字涉及是經者薈萃為《春秋大義徵》一書，以便省覽。」但是「人
事迫促，未遑卒業，叢殘之稿，遺在篋中。」[63]依照這個說法，楊樹達在
《春秋大義述》中採集兩漢諸書的相關內容，用來證成說解《春秋》大義的
做法無疑來自於蘇輿。[64]總之，就形式而言，《春秋大義述》在歷史上諸多
《春秋》學著作裡，的確是非常特殊的。其優點即在於可以將《春秋》「大
義」分條表述，並提出諸多文獻以證成其說。正如楊樹達所希望的，這對於
要快速瞭解《春秋》內容或要推廣《春秋》大義來說，是極為簡便的書籍。

三　從《春秋大義述》看楊樹達的《春秋》觀

　　前文大略說明了《春秋大義述》一書的特點，接下來筆者擬從以下幾
點，進一步由《春秋大義述》的內容來討論楊樹達的《春秋》觀，以期能對
此書的立場有深入的瞭解。

　　首先就楊樹達詮解《春秋》的基本立場來看，其有個重要的預設：承續
今文學家，尤其是《公羊》家的說經立場。前文已經論及，楊樹達說古文家
「詳事略義」、「今文家重大義」，所以說經才以今文家之說為主。這可以有
兩個觀察面向：若從《春秋大義述》中引述《左傳》的部份來看，其所引述
的大致上都是《左傳》的義說部份，如在襄公二十一年「邾婁庶其以漆、閭
丘來奔。」楊氏除了引《公羊傳》之說外，又引《左傳》：「庶其非卿也，以
地來，雖賤必書，重地也。」來說明《春秋》大義。[65]又如僖公二十年
「春，新作南門。」楊樹達除了引《公羊》、《穀梁》外，亦引《左傳》「新

63　楊樹達：〈《春秋大義述附注》未刊稿釋文〉，《春秋大義述‧附錄》，頁290。
64　因為蘇輿《春秋大義徵》的殘稿現無所見，所以也無從實際對比蘇輿與楊樹達之說的
　　差異。關於現存蘇輿的資料見楊菁：〈導言〉，收入〔清〕蘇輿著，林慶彰、蔣秋華編
　　輯，楊菁點校：《蘇輿詩文集》（臺北市：中央研究院中國文哲研究所，2005年），頁
　　1-50。
65　楊樹達：《春秋大義述》，卷1，頁42。

作南門，書不時也。」之說。[66]類似的例子雖然不多，但從楊樹達僅援引
《左傳》義說的部份來看，其確實是以「大義」為主，而非以「敘事」為
主。但另一方面，若翻閱《春秋大義述》內容，則會發現一個很有趣的情
況：在《春秋大義述》中，楊樹達除了引用《公羊》、《穀梁》的義說外，更
是常常連篇累牘的引述《公羊》或《穀梁》對於事件前後因果的敘述。這種
情況十分普遍，只要略略翻閱《春秋大義述》一書幾乎隨處可見。面對這種
情形，不免令人引發一個疑問：在事實上，《春秋大義述》並非排斥敘
「事」，而《左傳》中除了以敘事見長外亦非沒有大義，[67]在這種情況下，
為何楊樹達卻在書中少採《左傳》之說？楊氏所謂《公羊》、《穀梁》重義、
《左傳》重事的理由可不可能只是表面上的說法，其背後應有更深層的理
由。筆者認為這個原因仍在於楊樹達所認為的今古文的立場差異——只是差
異點主要不在於解義或敘事的方法及重點不同，而在於兩者對「《春秋》大
義」的理解有著根本上的不同。

　　正如前文所言，「復仇」與「攘夷」是《春秋大義述》裡最重要也最核
心的大義，但是這兩者恰巧都不是《左傳》所注重的。楊樹達在一九四二年
三月二十二日記有：

> 襄公七年鄭伯髡原欲從晉，其大夫欲從楚而弒之。二傳賢鄭伯。襄公
> 二十年，蔡公子燮欲從晉，蔡人殺之。《左傳》譏燮不與民同欲。二
> 義正相反，知左氏不明攘夷大義也。[68]

襄公二十年「蔡殺其大夫公子燮」在《春秋大義述》中沒有提及，而襄公七
年鄭伯被殺之事則歸在〈攘夷〉篇。這兩件事都是因為鄭僖公、蔡公子燮兩

66　楊樹達：《春秋大義述》，卷3，頁143。
67　楊樹達也認為《春秋》有某些是「不待貶絕而罪惡見者」的部份，以這個說法，其更
　　不應排斥以敘事解經才是。見《春秋大義述》，卷1，頁54。又《左傳》一書的解經方
　　式亦具有「論說經義」與「敘事經義」兩種方法，並非完全沒有義說。見張素卿：
　　《敘事與解釋——左傳經解研究》（臺北市：書林出版公司，1998年），頁69。
68　楊樹達：《積微翁回憶錄》，頁183-184。

人想要與晉結盟，最終被親楚之人殺掉。《公羊》、《穀梁》都主張《春秋》
在書記鄭僖公被殺時含有「為中國諱」、「不使夷狄之民加乎中國之君」的意
思。[69]而《左傳》則沒有對鄭僖公被殺表示任何義說，甚至說蔡公子燮之所
以被殺是因「不與民同欲也」。[70]楊樹達認為從這兩個例子來看，《左傳》對
於夷狄之辨根本不甚在意，這無疑與楊樹達一直強調的「攘夷」之說是相互
衝突的。此外對於《春秋大義述》的另一個核心──「復仇」，《左傳》的態
度也是與《公羊》、《穀梁》不同。對此，楊樹達並沒有明指，但就前文提及
的「紀侯大去其國」等《春秋》有名的復仇例子來看，在三傳中，《左傳》
是最不重視復仇的。李隆獻說：

> 若仔細省察三傳所呈現的復仇觀，亦可看出不同：《公羊》與《穀
> 梁》基本上肯定復仇，《左傳》則似乎不贊成復仇。[71]

若以上兩點的看法是對的，則楊樹達在之所以在《春秋大義述》中不怎麼採
用《左傳》之說，實在是因為《左傳》對《春秋》大義的理解，其基本立場
即與楊樹達有一定的距離，而這也影響到楊樹達對《左傳》之說引述的次
數。

　　其次如前文所述，從《春秋大義述》中可以輕易的發現楊樹達所理解的
《春秋》大義是以《公羊》學為主，這可從楊氏的自敘以及大量引用《公
羊》、《春秋繁露》之說加以確認，也可以從《春秋大義述》中所引述前人的
說法中得到佐證。楊樹達說《春秋大義述》中所引述前人之說以兩漢儒者為
主，但是《春秋大義述》中除了漢代文獻外，較特別的是尚有引用了清代
《公羊》學家孔廣森、陳立之說。[72]自漢以下到清代，治《春秋》的學者不

69　〔漢〕何休解詁，〔唐〕徐彥疏：《春秋公羊傳注疏》，卷19，頁11。〔晉〕范寧集解，
　　〔唐〕楊士勛疏：《春秋穀梁傳注疏》，卷15，頁7。
70　〔周〕左丘明傳，〔晉〕杜預注，〔唐〕孔穎達正義：《春秋左傳疏》（臺北縣：藝文
　　印書館，1985年影印清仁宗嘉慶二十年江西南昌府學刊《十三經注疏》本），卷34，
　　頁10。
71　李隆獻：〈復仇觀的省察與詮釋──以《春秋》三傳為重心〉，頁134。
72　如在《春秋大義述》的17、97、119、239、281等頁引孔廣森之說。在133、173、

知凡幾，楊樹達卻幾乎沒有引用這些儒者之說，卻只引用了孔廣森、陳立二位清代今文家之說，由此看來，楊樹達對自身屬於《公羊》學的立場無疑是十分清楚的。從楊樹達的師承來看，梁啟超與蘇輿都算是清末《公羊》遺緒，所以楊氏以《公羊》為主亦可說是理所當然。但是蘇輿與梁啟超的老師康有為兩人對於《春秋》的看法卻是大相逕庭，這個差別或許梁啟超本人未必察覺，[73]但楊樹達卻是很清楚：

> 光緒甲午、乙未間，南海康氏以經術塗附政治，為《春秋董氏學》、《孔子改制考》諸書，橫決武斷，略無友紀，先生見之而大非之，謂《春秋》之學不如是也，益取《春秋》及董生書潛心玩索，參伍比類，以求其實，成《春秋繁露義證》十七卷。[74]

楊氏明確指出蘇輿之所以寫《春秋繁露義證》主要是針對康有為的《春秋》相關論述，而晚清的《公羊》學也不是僅有如康氏之說的內涵。[75]若是如此，則楊樹達的《春秋大義述》的立場又是如何？乍看之下，楊樹達的立場似乎是比較偏向蘇輿：如其書名以《春秋》「大義」命名，即是意有所指：

> 何謂「大義」？大義者，碎義之反也……而說《春秋》者矜持「三

254、255等頁引陳立之說。

73 鄧國光說：「梁啟超以（筆者按：應為「似」字）乎未知其師和朱一新有關『微言』與『大義』的紛歧，而於蘇輿《春秋繁露義證》亟詆其師『索於隱怪』的『妄者』、『僻者』，而刻意與其師相抗之事實，梁啟超似皆茫然無知；」見氏著：〈蘇輿《春秋繁露義證》初探〉一文，收入彭林主編：《中國經學》（桂林市：廣西師範大學出版社，2005年），第1輯，頁285-286。

74 楊樹達：〈平江蘇厚菴先生墓誌銘〉，《積微居詩文鈔》，頁87。

75 盧鳴東及鄧國光均已提及清末《公羊》學並非只有康有為之說，蘇輿之說特意與康氏爭鳴。盧鳴東言：「《義證》代表了湖湘《公羊》學的經學特色，是常州《公羊》學以外的一棵奇葩。」而鄧國光則言：「蘇輿……以頡頏康有為的政見，釜底抽薪，摧陷康有為公羊學的理論根據。」盧文見：〈蘇輿《春秋繁露義證》以禮經世述考〉，《湖南大學學報》（社會科學版）2004年第7期，頁30。鄧國光：〈蘇輿《春秋繁露義證》初探〉，頁269。

世」之說，毛舉日月之例，皆所謂「碎義」也。[76]

康有為與蘇輿一強調《春秋》「微言」一強調《春秋》「大義」，這是「康、蘇兩家各自標榜的旗幟」。[77]楊樹達雖沒有直接指出康有為之說為「碎義」，但其強調「大義」的重要，也批評「三世」說之不當，從這點來看，楊樹達的立場應該是很明顯的。再者我們也可以從康有為與蘇輿另一個重要差異點——對孔子地位的看法——進行觀察。康有為將孔子視為改制的素王，蘇輿則雖然也尊崇孔子，但其僅將孔子視為「躬行君臣大義的聖人」。[78]楊樹達在《春秋大義述》中雖然也推崇孔子，但是絕對沒有把孔子視為主張改制的素王，而是視孔子為一藉由史實傳達大義的思想家。[79]楊樹達對孔子地位的看法實是較接近於蘇輿而非康有為。

但是若進一步深究，則楊樹達對「三世」說的態度是十分值得玩味。因為楊樹達並非完全沒有「三世」之說的觀點，如其對孔子評論子路等學生的志願時說：「吾與點也」，解釋為：「樹達按：孔子所以與曾點者，以點之所言為太平社會之縮影也。」[80]又於孔子評韶樂時說：

> 〈禮運〉以天下為公選賢與能為大同，大人世及謀作兵起為小康。……舜揖讓傳賢為大同之治，武王征誅及為小康。……小康始於禹者，以其傳子，創世及之制，違反選賢與能之道也。[81]

本來「大同」、「小康」之說為〈禮運〉所本有，但是以「大同」、「小康」搭配著不同的政治體制的說法，則無法不令人聯想到康有為的相關主張。雖然

76　楊樹達：〈《春秋大義述附注》未刊稿釋文〉，《春秋大義述》，頁292。

77　鄧國光：〈蘇輿《春秋繁露義證》初探〉，頁282。

78　鄧國光：〈蘇輿《春秋繁露義證》初探〉，頁281。

79　在極少的情況下，楊樹達甚至會批評孔子。如其對孔子言「民可使由之，不可使知之。」就說：「孔子此語似有輕教育之病，若能盡心教育，民無不可知也。以民為愚不可知，於是乃假手於鬼神以恐之……民決無不可知之理也。」見氏著：《論語疏證》，頁195。

80　楊樹達：《論語疏證》，頁273。

81　楊樹達：《論語疏證》，頁80-81。

康有為的三世與不同政治體制的搭配在其前後期學說有所不同，在戊戌變法前後是指「從君主專制到君主立憲再到民主共和」，而在《大同書》中則是「人類從封建制度到資本主義再到未來的理想社會。」[82]兩相對比下，楊樹達之說雖未必全同康氏看法，但其論述脈絡則是一致的。[83]對比之下蘇輿則是根本反對「改制」為民主，並視平等為「大亂之由」，仍是力主應維持君主專制等。[84]而這些主張大約都是楊樹達所無法接受的。[85]再者楊樹達亦曾明確的指出蘇輿對《春秋繁露》的理解是有所不足的，其言：

> 董生通《春秋》之學，為漢世大儒，《春秋繁露》一書，皆述《公羊家》說，而亦時時用《穀梁》義……平江蘇厚庵先生疏證《繁露》，至詳且精，於董生用《穀梁》義諸條，間有失證者，故縷析言之云爾。[86]

指出在《春秋繁露》中共有八條採用了《穀梁》的意思，而蘇輿卻沒有發現，這本來可視為楊樹達的學養青出於藍的例證。但有趣的是，康有為卻早就指出《春秋繁露》裡間有用《穀梁》義的情況，康氏在《春秋董氏學》中即有〈董子口說與穀梁同出公羊外〉一文，其中並列出五條證據。[87]對比康、楊之說，其中楊樹達所舉的前三條完全與康有為相同。雖然這也可能是英雄所見略同，但衡諸楊樹達「不掠人美，不飾己非」的為學習慣，[88]及其

---

82 陳其泰：《清代公羊學》（北京市：東方出版社，1997年），頁315。

83 順帶一提，陳其泰指出康有為的《論語注》是「以公羊三世說釋《論語》。」見陳其泰：《清代公羊學》，頁311。對比楊樹達在解釋時亦有類似的傾向。

84 鄧國光：〈蘇輿《春秋繁露義證》初探〉，頁271、274-275。

85 以上論及楊樹達對「三世說」的態度並不見於《春秋大義述》一書，而多見於《論語疏證》。就論據而言，楊氏在《春秋大義述》中對於「三世說」的態度並不明顯。筆者對此的論述是基於楊樹達在《春秋大義述》與《論語疏證》中應為一致的假定。

86 楊樹達：〈春秋繁露用穀梁傳義疏證〉，收入《積微居小學述林全編》（上海市：上海古籍出版社，2007年），頁360-362。

87 〔清〕康有為著，姜義華、吳根樑編校：《春秋董氏學》，頁756-757。

88 李紹平語。李紹平還說楊樹達「對老師的看法，對同事乃至學生的見解，采用時必加申明。」見〈古文獻的整理大師〉，收入《楊樹達誕辰百週年紀念集》，頁246。如楊樹達亦曾自記：「翻閱《春秋屬辭辨例篇》（筆者按：應是清張應昌的《春秋屬辭辨例

豐厚的學養，楊氏不太可能不知或忽略康有為曾有此說。比較合理的推想應是楊樹達念及他與蘇輿的關係，所以刻意的不提此原為康有為之說。從這裡看來，楊樹達並不一味的偏向蘇輿或康有為的主張，而是兼取了康、蘇的看法。

　　最後，筆者擬從《春秋大義述》中最強調的「復仇」及「攘夷」兩點，觀察楊樹達的《春秋》觀。從文獻的角度來看，不論《公羊》、《穀梁》兩家都說《春秋》中有「攘夷」、「復仇」大義，但是將這兩者視為《春秋》最核心的觀點則主要是宋儒的主張，牟潤孫即言「發明尊王攘夷之義為宋人春秋學之主流，餘事皆其枝節耳。」[89]宋鼎宗亦言：

> 春秋大復讎之說，原出於公羊家，謂齊襄公之滅紀，為復九世之讎……而宋儒則一言之不足，至於再；再言之不足，至於三者……故儒者之釋春秋，屢以復讎為大義者，要皆在彼而不在此也。[90]

論者以為宋儒不論強調尊王攘夷或復仇，其實皆與其當時的現實情勢息息相關，如宋鼎宗說：「若夫攘夷者，即抵禦外寇之侵略是也。」[91]宋氏的說法其實用來描述《春秋大義述》亦是十分合適。因為《春秋大義述》中雖將「復仇」列為第一，但其與「攘夷」幾乎是密不可分：因為有「夷」的入侵，所以才強調「復仇」。這樣的看法同時適用於宋儒及楊樹達。也因如此，宋儒的主張或許才對楊樹達撰寫《春秋大義述》有所啟發。這是因為一方面宋儒所處的歷史情境與楊氏類似，另一方面楊氏也認為「義理之說，宋儒所長。」[92]而且從學術發展的脈絡上來看，清代《公羊》學的重要人物莊

　　編》一書）。知余前著：〈再書狄人考〉之說，前人已有及之者。」見楊樹達：《積微翁回憶錄》，頁172。

89 牟潤孫：〈兩宋春秋學之主流〉，收入《注史齋叢稿》（臺北市：臺灣商務印書館，1990年），頁141。

90 宋鼎宗：《春秋宋學發微》（臺北市：文史哲出版社，1986年），頁191。

91 宋鼎宗：《春秋宋學發微》，頁167。

92 楊樹達此語是因為張舜徽《揚州學記》一書將阮元之學分為「分訓詁、義理、考證、校讎、金石文辭六項言之」，楊樹達認為「義理之說，宋儒所長，阮君強說，要為無

存與也曾援引宋代理學來理解《春秋》，楊向奎言：

> 他（指莊存與）用以和政治理論相結合的不是傳統《公羊》學史觀，
> 而是引進了宋代理學。這混淆了學統……以理學解《春秋》，這是新
> 的「天人之學」，前所未聞。[93]

再從《春秋大義述》的結構來看，楊樹達提舉了〈貴仁義〉、〈貴正己〉等七項主要是在論述「修身養德之事」的大義，並認為之所以要強調此事是因為「根本不立，萬事皆隳。」楊氏這種論述《春秋》大義的方式，實在是帶有相當濃厚的理學意味。

　　那麼楊樹達在《春秋》觀上最重要的看法「攘夷」說，其是否有超越前人之處？持平而論，不管在深度及廣度上面，楊樹達的「攘夷」說並沒有任何超出前人說法的地方。楊氏的攘夷說主要有兩層的意思：一、「《春秋》嚴夷夏之防」。[94]這表現在《春秋》種種提及夷狄的書法上，如嘉許諸侯共抗夷狄、貶斥諸夏與夷狄結盟。二、夷夏之辨主要是以其文化與行事來判斷，所以若夷狄「行事進於中國，則進之」；[95]「中國行乎夷狄，則亦夷狄之。」[96]其中第二點更是「攘夷」說的核心，因為先有夷夏之辨才能談到夷夏之防。楊樹達的夷夏之辨主要是文化的區分而非種族區分的看法是很明確的，在《春秋大義述》中並舉《春秋》中書記「吳子」、「潞子」、「楚子」為例，說明夷夏之辨並非先天決定不可變改，而是透過其實際的行為加以界定。楊樹達又說：

> 《春秋》之義，夷狄進於中國，則中國之。中國而為夷狄，則夷狄
> 之。蓋孔子於夷夏之界，不以血統種族及地理與其他條件為準，而以

　　謂。訓詁考證，正是阮君擅長耳。」見楊樹達：《積微翁回憶錄》，頁238。

93 楊向奎：〈清代的今文經學〉，收入《繹史齋學術文集》（上海市：上海人民出版社，
　　1983年），頁327-328。

94 楊樹達：《春秋大義述》，卷1，頁8。

95 楊樹達：《春秋大義述》，卷1，頁19。

96 楊樹達：《春秋大義述》，卷1，頁23。

行為為準。[97]

楊氏以行為及文化來分辨夷夏並非是其獨特的看法,宋鼎宗言:

> 夫考諸先秦古籍,所謂「夷狄」者,斯有二義焉……此以種類殊異別
> 也……此以文化高低分也。然則,所謂夷狄者,或非吾類,或無文化
> 之種落之稱也。[98]

以種族及文化兩種標準來區分夷夏,從先秦典籍中即已如此。遠的不談,楊
樹達對於夷夏之辨所採取的態度即與其師蘇輿是一樣的,蘇輿說:「以此見
中國夷狄之判,聖人以其行,不限以地明矣。」[99]「中國、夷狄,以德為
準,《春秋》非漫然進夷狄。」[100]都是以「行」、以「德」來判定夷夏。所
以若只是單純的由夷夏之辨的概念來討論,則楊樹達之說並沒有任何特別之
處,他所強調的亦僅是前儒所常談的道理而已。

　　若更進一步來看,歷史上的夷夏之辨常常不僅只是單純的分辨夷夏而
已,它常常摻入了現實的政治情勢的考量因而有了更複雜的說法,這在清末
及民初時尤其更是如此。如魏源也以文化來判定夷夏,但複雜的是:

> 魏源判定夷夏的標準顯然是文化的,而不是地域的。他不僅承認夏有
> 不如夷之處,而且主張師事夷人。這正是文化上的文野之分判定夷夏
> 的結果……以文野之分辨夷夏,這並不是魏源的發明,而是夷夏之辨
> 的固有之義……然而,在魏源的觀念中……在文化層面,他所認同的
> 西人長技僅限於船炮技術,華夏文化之於夷狄,仍然有著無比的優越
> 性。……此時的民族認同是與王朝、君主的認同糾纏在一起。[101]

97　楊樹達:《論語疏證》,頁67。

98　宋鼎宗:《春秋宋學發微》,頁167。

99　蘇輿著,鍾哲點校:〈竹林第三〉,《春秋繁露義證》(北京市:中華書局,1992年),
　　卷2,頁47。

100　蘇輿著,鍾哲點校:〈觀德第三十三〉,《春秋繁露義證》,卷9,頁272。

101　貫小葉:〈一八四〇至一九〇〇年間國人「夷夏之辨」觀念的演變〉,收入鄭大華、鄒
　　小站主編:《中國近代史上的民族主義》(北京市:社會科學文獻出版社,2007年),

在魏源的眼中，「夷、夏」主要對比的是西方的洋人與中國人。魏源雖然也以文化高低來區分夷夏，但在這個標準下當時何者為夷？何者為夏？則是個困難而複雜的問題，因為它直接牽涉到當時清朝何如面對西方文化的問題。而且更麻煩的還有：清朝的統治者在傳統漢人眼中往往也是「夷」，於是對夷夏問題的態度在清末時又常常與對清朝的態度關聯在一起，鄭師渠言：

> 國粹派對「春秋大義」的概括，最集中最鮮明的一條，無過於「內諸夏外夷狄」……作為排滿革命宣傳的健將，國粹派刻意彰顯「攘夷」為「春秋大義」，是合乎邏輯的。不僅如此，他們還進一步強調「春秋大義大復仇」。……與國粹派相反，康有為諸人站在清廷的立場上，尤其反對這一點。他們強調，《春秋》有「進吳楚」之說，可見聖人不薄四夷……同時，「匹夫任俠殺人報仇，是為亂民」，遑論「復九世之仇」？[102]

這裡所謂的「國粹派」是指「學術界歷來用以專指革命派內部以章太炎、劉師培、鄧實等為代表力主保存國粹的一派人。」[103]這些國粹派學者對於夷夏之辨的看法顯然不同於蘇輿與康有為，而康、蘇兩人對於《春秋》的理解或許有很大的差異，但是他們在以行為、文化來界定夷夏這點上卻是相同的。以上關於《春秋》中夷夏之辨的諸多問題與討論都發生在楊樹達撰寫《春秋大義述》之前，[104]這些本來或許可以形成一個很好的參考點：讓夷夏之辨這個古老的命題能有更深及更完整的論述。但楊樹達在《春秋大義述》裡對這些問題完全沒有觸及，其仍僅以最原始及單純的《公羊》、董仲

頁301。

102 鄭師渠：《國粹、國學、國魂——晚清國粹派文化思想研究》，頁342-343。

103 鄭師渠：《國粹、國學、國魂——晚清國粹派文化思想研究》，頁8。

104 在清末民初的華夷之辨所產生的問題很多，詳見賈小葉：〈一八四○至一九○○年間國人「夷夏之辨」觀念的演變〉。民國後因中日爭端亦引起許多學者大量討論民族主義相關問題，參見張太原：〈建立一個民族國家：自由主義眼中的民族主義〉。分見鄭大華、鄒小站主編：《中國近代史上的民族主義》，頁301-307，頁257-263。

舒之說為主來論述。綜觀《春秋大義述》的攘夷觀，其或許與前人最大的不
同在於：不將「夷」僅指向中國夷狄或西洋人，而是用以指射某些日本人、
希特勒、東條英機而已。[105]

四　結語

　　楊樹達的《春秋大義述》並非是楊樹達最有名的著作，其影響也不大，
所以討論的人也不多。但是筆者仍盡力鉤勒出其著作的大要及其背後的立
場，也試圖反省其問題所在。筆者認為關於《春秋大義述》的價值可由以下
兩點觀察：

　　從體例來說，《春秋大義述》當然是一本很好的《春秋》入門書，尤其
是要瞭解《公羊》學者們對《春秋》大義的說解而言更是合適。因為楊氏已
經將大義條列出來，也將相關資料分門別類整理在每個條目之下。讀者只要
由〈榮復讎〉讀下，便會對於《春秋》中種種「大義」了然於心，對儒家所
強調的德目亦會有基本的理解。這對學者而言無疑是十分方便的，尤其是與
歷代繁複無比的《春秋》注解對比，《春秋大義述》在體例上的優點更加明
顯，因為楊樹達已為讀者做了很好的歸納及檢擇的工夫，讀者就不必在層層
迷障中去追尋那縹緲不定的《春秋》大義。

　　但就內容而言，《春秋大義述》對於相關問題的論述就顯得不夠深入。
這可以分成兩點來說。首先楊樹達對於《春秋》學中本有的爭論並沒有試圖
加以討論、解決。例如距《春秋大義述》一書撰寫不久前，關於古史真偽問
題即曾引起學界熱烈的爭論，其中關於《春秋》是否為孔子所做也有許多學
者討論，但楊樹達對此完全沒有提及。又如《春秋》中有大義是儒者通說，

---

105 楊樹達在《春秋大義述》卷一的第一個註即批評「倭奴之犯我遼寧，侵我盧溝，襲擊
　　美國之珍珠港，皆詐戰也。」見《春秋大義述》，卷1，頁61。楊樹達又言孔子「其生
　　在二千數百年以前，恍若豫知數千年後有希特勒、東條英機等敗類將持其民族優越論
　　以禍天下而豫為之防者，此等見解何等卓越！此等智慧何等深遠！」見《論語疏
　　證》，頁67。

問題是如何在一條條的記錄中將大義解讀出來？在《春秋》學史上不同家派的學者各有不的主張，例如《公羊》、《穀梁》學者都承認有所謂的「日月例」，也就是說他們認為孔子要透過記時日月缺略的方式來表達其是非善惡褒貶的評價，甚至有人更進一步發展出記日也是表達褒貶的一種說法。對於這些說法，楊樹達直接認定是不可信的，他說：「以《春秋》所書月日，皆有褒貶之意存乎其間。此說不甚可信。然傳文屢言之。」[106]但問題是楊樹達在《春秋大義述》裡仍然常常引述《公羊》、《穀梁》以日月有褒貶之說來說明《春秋》大義。楊樹達對於《春秋》學裡這個重要的問題完全沒有任何討論。其實《公羊》、《穀梁》學者之所以能夠詮解《春秋》，除了師承上的權威外，他們還說《春秋》中有許許多多的「書法」，透過這些書法方才可以瞭解孔子的大義。楊樹達在《春秋大義述》裡也接受了這樣的看法，也沒有對這個問題有任何反對的意見。但是在一九五三年楊樹達六十九歲時，有一段特別的記錄：

> 刪去《小學述林》說《春秋》義者三篇，寄科學院出版。審查意見謂今日討論《春秋》書法為無意義。此說甚是，故從之也。[107]

楊樹達為了讓《小學述林》能順利出版，所以刪去了原來三篇有關《春秋》的文章，[108]更重要的是，此時楊樹達已經接受審查意見中「今日討論《春秋》書法為無意義」的說法。[109]如果依照這個說法，則楊樹達在晚年時大約已不認為《春秋》中有「大義」，若是如此，其自身對於早年所著的《春

106　楊樹達：《春秋大義述》，卷1，頁62。

107　楊樹達：《積微翁回憶錄》，頁359。

108　筆者對比《積微翁回憶錄》與楊樹達的文集，猜測這三篇可能是〈春秋宋世子痤有罪辨〉、〈春秋「公及莒人盟於包來」解〉及〈讀春秋傳〉。

109　當然楊樹達之所以接受這個說法未必完全是學術上的見解，亦有可能是政治上的壓力。如在當年（1953）陳寅恪就因〈積微居小學金石論叢續稿序〉這篇文章與當時主流觀點不同而被抽稿，而楊樹達的《積微居金文說》的出版過程亦有些許波折。詳見蘇耀宗：〈陳寅恪〈積微居小學金石論叢續稿序〉抽稿管窺〉（上）（下），《大陸雜誌》第104卷第4期、第5期（2002年4月、5月），頁42-48、21-42。

秋大義述》亦應不會有太高的評價。

　　由此而來，筆者對於《春秋大義述》在內容上的第二個反省則是：就此書之所以著成的原因來看，楊樹達「憤於國難」是一個重要的因素。在《春秋大義述》中也可以明顯的看到，楊樹達或許是為了當時能直接鼓動民心，所以對許多《春秋》大義僅有標題式或單純依循傳統之說，而沒有繼續深入的論述及闡發其間所蘊涵的問題。也就是說楊氏在當時主要的目的並不在對《春秋》作一文獻式或專家式的研究，而是以《春秋》做為支持其所深信道理的宣傳。職是之故，其對於《春秋》中許多已然具有的成果或引人懷疑的問題並沒有任何討論，因為那些討論都與楊氏當時著書的目標未盡相合。在此我們或許必須承認：也許不是所有著作都只為同一目的或以同一標準而寫，同一作者在不同時代環境下產生的作品可能負擔著不同的任務。楊樹達在一九三九年撰寫《春秋大義述》前後曾與曾運乾有一段意味深長的對答：

> 曾星笠來談，以〈易牙〉文示之。星笠云：「顧氏《日知錄》雖事考證，必先有一主旨在胸。若其考證無益於世道人心，不為也。此文與顧氏宗旨相合，故為佳文」云。余笑謂余為文時初無此意，得君說而余文增重矣。近人喜云為學問而學問，與星笠所言不合。然其言自有此見，不可厚非也。[110]

所謂〈易牙〉文指的是楊樹達的〈易牙非齊人考〉，主要是從易牙食子的行為來論證易牙為狄人而非齊人，這本是考訂古代文獻及社會文化的問題。但在楊樹達與曾運乾的對答中，楊氏清楚知道曾運乾所謂考證必須有益於世道人心的主張，雖與當時的「學問」觀不同，但其仍認為「自有此見，不可厚非」。如果從這個觀點來看，那麼《春秋大義述》的最大價值已產生於在中日戰爭方熾之時，其書對於當時之人心士氣有所鼓舞，亦即為此書之目的。而後時空改易，所非所是莫不與當時情狀有頗多相異之處，故而日後人們忽視及不甚注意此書，或即為情理中事。

---

110 楊樹達：《積微翁回憶錄》，頁154。

讀楊樹達《春秋大義述》

嚴壽澂

上海社會科學院特約研究員

一　序說

　　長沙楊遇夫（樹達）先生，擅長文字訓詁之學，度越同時儕輩；[1]研治《漢書》，斐然有成，至有「漢聖」之譽。於經學亦功力甚深，《周易古義》、《論語疏證》即為其例。其治學之所以卓絕者，在於陳寅恪先生所謂「深研經史」，「平日熟讀三代兩漢之書，融會貫通，打成一片」。[2]遇夫早年肄業於長沙時務學堂，受教於梁任公，「思想為之一變」；[3]後又遊學東瀛，首尾凡七年。[4]顯然不是唯知在故紙堆中討生活者，然而數十年窮經究史，自甘寂寞，絕不藉手於同時流輩之發跡者，以博取富貴，足見其高風。然而又須知，不騖功名利祿並不意謂家國天下之事不關於心。遇夫自謂：「往歲余治《漢書》，頗留意於當世之風俗」，於是「依據舊錄，廣事采獲」，成《漢代婚喪禮俗考》，於民國二十二年刊行，其友人曾星笠（運乾）譽為

1　陳寅恪為遇夫《積微居小學金石論叢續稿》作序，謂「嘗聞當世學者稱先生為今日赤縣神州訓詁小學之第一人，今讀是編，益信其言之不誣也」。見〈楊樹達積微居小學金石論叢續稿序〉，收入《金明館叢稿二編》（上海市：上海古籍出版社，1982年），頁230。
2　同上。
3　光緒二十三年（1897），遇夫十七歲，考取時務學堂第一班。中文總教習為梁任公，「用《孟子》及《公羊春秋》為教本，主張民權革命之說；學者思想為之一變」。見《積微翁回憶錄》（上海市：上海古籍出版社，1986年），頁5。
4　光緒三十一年（1905），遇夫二十一歲，與其伯兄同赴日本留學。辛亥武昌革命起，「官費無着」，乃返國。《積微翁回憶錄》，頁7-11。

「為史學闢一新徑途」。[5] 此所謂史學新徑途，正是注重社會禮俗，不侷限於上層政治，從中可見其經世之本懷。[6]

　　抗戰軍興，遇夫避寇氛，退居西南，成《春秋大義述》五卷，民國三十三年刊印行世。據出版此書之商務印書館告知，此書「一月出版，至四月底至，售去七百九十八部」。遇夫以為，「戎馬倉皇之日，經術迂疏之書，得此銷數，頗為意外」，其原因當是「復仇攘夷之說頗合國人心理」。[7] 此書〈凡例〉有云：

　　　　倭奴狂狡，陵我中華，五十年於此矣。著者年方十歲，即有中倭甲午之戰。於時親睹父兄憤慨之誠，即切同仇之志。年既冠，出遊倭京，益知倭奴之凶狡。晚遭大難，自恨書生，不能執戈衛國，乃編述聖文，詔示後進。故本編以〈復讎〉、〈攘夷〉二篇為首，惡倭奴，明素志也。[8]

可見此書乃是有為而作，絕非為學術而學術。志在經世，所見者大，正是近世湖南學風的特徵。

　　〈凡例〉最後說道：

　　　　勝清光緒丁酉，余年十三，學於時務學堂，從新會梁先生受《公羊春秋》，為餘生平治今文《春秋》之始。年在童稚，大義粗明，嗣是以來，服膺未釋。吾鄉當道咸之際，邵陽魏先生默深學通羣籍，廣涉九流。先朝故實，海國珍聞，靡不綜貫。雅懷治國之志，遂著經世之

5　見《漢代婚喪禮俗考・自序》（上海市：上海古籍出版社，2007年）。

6　年長遇夫一歲的武進呂誠之（思勉），治史亦特重民生與社會生活，所著《中國通史》，分上下二編。下編是歷史事件，上編分為十八章，包括婚姻、族制、政體、貨幣、衣食、住行、教育、宗教諸方面，全從制度、經濟、文化等著眼。所著先秦、秦漢、兩晉南北朝、隋唐等四部斷代史，亦分上下二編，上編政治史，下編制度文化史。可見其注重社會，志在經世的治史情懷。

7　《積微翁回憶錄》，頁214。

8　《春秋大義述》（上海市：上海古籍出版社，2007年），〈凡例〉第七則，卷首，頁9。

書，尤篤嗜《春秋》一經，嘗欲為《董氏春秋發微》一書而未就，學
者憾焉。業師平江蘇厚庵先生奉手大師，斐然有作，值清末葉，專業
《春秋》，尤精董義。疏證《繁露》，發明大義。溝通漢宋，精闢無
倫。亦嘗欲為《公羊董義述》一書，病肺奄逝，大業未成。元二之
間，先生歸隱長沙，餘時侍坐隅，獲聞緒論。日月不淹，忽焉卅載。
晚丁喪亂，重理舊文。眷念前徽，心懷慚懼。紹述先哲，有志未能。
粗誦昔聞，敬俟來學。(《春秋大義述》〔以下簡稱《大義述》〕，卷
首，頁 13)

遇夫《春秋》學之淵源，於此可見，即先從梁任公受康（有為）門之今文公
羊學，重在「大義」；而後則秉承魏默深（源）、蘇厚庵（輿）一系的湖南學
風，從董仲舒《春秋繁露》入門，以紹述為發明。任公與厚庵，皆為遇夫所
師事，皆治今文《公羊春秋》之學，而二人的見解與學風則水火不相容。任
公之學以南海康氏《新學偽經考》、《孔子改制考》為主，輔之以平等民權、
孔子紀年諸說。而厚庵對此，大加撻伐，以為：「偽六籍，滅聖經也；託改
制，亂成憲也；倡平等，墮綱常也；伸民權，無君上也；孔子紀年，欲人不
知有本朝也」，於是纂成《翼教叢編》，以作反駁。[9]遇夫的政治見解，顯然
是近於任公而遠於厚庵，然而其治學途徑則大體同於厚庵，所重在紹述。所
謂述，乃指「述經傳及傳記之文，自非萬不得已，則不下己意也」。然而
《春秋》頭緒紛繁，其義「有難言者」，如「復仇」為《春秋》大義之一，
其義除散見於《公羊傳》、《穀梁傳》之外，尚有見於《春秋繁露》之〈竹
林〉篇、〈滅國下〉篇、〈王道〉篇，《白虎通・誅伐》篇，《漢書・匈奴
傳》，《後漢書》之〈袁紹傳〉、〈張敏傳〉，《禮記・曲禮》疏所引《五經異
義》等，不一而足。遇夫的方法是「取其大義名篇，挈各傳文中要旨立文為
綱」，將其餘相關資料「附注於其下」，此即所謂述。[10]

9　《翼教叢編・序》(上海市：上海書店出版社，2002年)，頁1-2。
10　《大義述》後附〈《春秋大義述附注》未刊稿釋文〉，頁292-293。按：民國三十一年
　　三月九日遇夫日記云：「撰《春秋大義述附注》。」此《附注》並未收入《大義述》，今

　　所據以紹述者，則為董仲舒；而以董生為最得《春秋》大義，乃受之於蘇厚庵。遇夫自謂：

> 業師平江蘇厚庵先生不樂民國，從北京棄官歸裡，寓居長沙，方以所
> 著《春秋繁露義證》一書付刊行。著者時時晉謁，先生頗以書中要義
> 相指示。……八年北遊，授書國學，繼是旅食燕薊者將二十年，教授
> 之暇，時理故書。蘇先生嘗言，兩漢之學在《春秋》，故著者嘗欲取
> 漢人文字涉及是經者薈萃為《春秋大義徵》一書，以便省覽。人事迫
> 促，未遑卒業，叢殘之稿，遺在篋中，然此經之宏綱大指，則固略具
> 端倪矣。[11]

其學術淵源之所自，即此可以了然矣。

　　然而遇夫更有進於湖南學者之治今文經學者。民國三十四年一月，曾星笠病逝於辰谿，遇夫得噩耗，在日記中寫道：湘中學者罕有精於漢學者。道光年間，魏默深以今文鳴，乘其流者有王壬秋（闓運）、王益吾（先謙）、皮鹿門（錫瑞），「皮氏尤為卓絕」，然而此諸人「皆不曾由小學入」。「湘中學者承東漢許、鄭之緒以小學音韻訓詁入手進而治經學者，數百年來星笠一人而已」。並輓一聯云：「鍾期一去牙絃絕，惠子云殂郢質亡。」[12] 視星笠為學問上知己，可謂惺惺相惜，同時亦隱然以此自許。

　　《春秋》隱公七年：「冬，天王使凡伯來聘。戎伐凡伯於楚丘，以歸。」《公羊傳》曰：「凡伯者，何？天子之大夫也。此聘也，其言伐之，何？執之也。執之，則言伐之，何？大之也。曷為大之，不與夷狄之執中國也。」「伐之」意謂「大之」，不免令人難喻。何休《解詁》云：「尊大王命，責當死位，故使與國同。」亦即凡伯身為天子之大夫，地位與國君等。但是「大之」一語，訓詁上如何解釋，仍不清楚。遇夫釋曰：「此大之謂張大其辭，

　　祇存部分手稿。見遇夫裔孫逢彬：〈楊樹達的《春秋大義述》及相關未刊稿〉，《大義
　　述》，頁300-301。
11　同前註，頁290。
12　《積微翁回憶錄》，頁220。

與褒美之意不同。」經此詮解，疑問渙然冰釋。(《大義述》，頁 64，註四四)又，《春秋》文公九年，《公羊傳》有曰：「許夷狄者不壹而足。」何休《解詁》云：「嫌夷狄質薄，不可卒備，故且以漸。」大意固可了然，但就訓詁而言，似稍覺費解。遇夫釋曰：「雖許夷狄，不壹而足。不壹而足，謂不一次完全充足許之。」(《大義述》，頁 64，註四六)得此說明，便怡然理順。遇夫〈曾星笠尚書正讀序〉曰：「余生平持論，謂讀古書當通訓詁，審辭氣，二者如車之兩輪，不可或缺。通訓詁者，昔人所謂小學也。審辭氣者，今人所謂文法之學也。漢儒精於訓詁而疏於審辭氣，宋人頗用心於辭氣矣，而忽於訓詁，讀者兩慊焉。」[13]通訓詁，審辭氣，如車之兩輪，不可或缺，自以上二例可以見之。遇夫讀古書之所以度越清儒者，正在於此。

二　樸學家經世之作

　　遇夫固是精於訓詁文法之學，然而其治《春秋》，所重畢竟不在考證。《大義述》〈凡例〉開首引孟子曰：「晉之《乘》，楚之《檮杌》，魯之《春秋》，一也。其事則齊桓、晉文，其文則史。孔子曰：『其義則丘竊取之矣。』」(〈離婁下〉)遇夫即此申論說：「是《春秋》所重在義，聖人固早已明示後人。此書編述一以大義為主，考證之說，概不錄入，遵聖意也。」《春秋》之傳，今存者有公羊、穀梁、左氏三家；「左氏詳於事，公羊、穀梁詳於義。二家之中，公羊立義尤精。故本編述義，以《公羊傳》為主，以《穀梁傳》輔之」。至於《左傳》，其「言義與二傳合者，亦附著之」。(〈凡例〉，頁 8) 以為《春秋》大義在《公》、《穀》而不在《左傳》，顯然與乾嘉樸學路數不同。

　　孟子曰：「孔子成《春秋》而亂臣賊子懼。」(〈滕文公下〉)董仲舒曰：「周道衰微，孔子為魯司寇，諸侯害之，大夫壅之。孔子知言之不用，道之不行也，是非二百四十二年之中，以為天下儀表，貶天子，退諸侯，討大

---

13 曾運乾：《尚書正讀》(香港：中華書局，1972年)，卷末，頁303。

夫，以達王事而已矣。」(《史記‧太史公自序》)《史記‧孔子世家》謂孔子
作《春秋》，「筆則筆，削則削，子夏之徒不贊一辭」。所謂「貶天子，退諸
侯，討大夫，以達王事」，正是指修《春秋》者對二百四十二年之事作價值
的判斷（「以為天下儀表」），天子、諸侯、大夫，一概在褒貶之列，等於是
代行王者之權；而所據以褒貶者，則有諸多「大義」。遇夫《大義述》的宗
旨，即在揭示此等大義。然而《春秋》一經之大義，「散在傳中諸篇，學者
非徧讀全書，再三孰復，不易得其條貫」。遇夫於是「將各傳之屬於某一義
者類聚之，即取其大義為篇名，挈各傳文中要旨立文為綱，而以經、傳附列
於其下」。(〈凡例〉，頁9)

　　兩漢《公羊》經師，以胡母生、董仲舒為首。[14]仲舒著有《春秋繁
露》，發揮《春秋》大義尤詳。故遇夫《大義述》一書，「於董書發明經義者
錄之特詳，以其為《春秋》先師之緒論也」。「此外如《荀子》、陸賈《新
語》、《韓詩外傳》、《鹽鐵論》、《新序》、《說苑》、《烈女傳》、《白虎通》、《法
言》及其他漢儒著述，亦加采錄。而前、後兩《漢書》君臣論事稱引本經大
義者，尤備載不遺」。原因是兩漢之學，本在《春秋》，漢儒以之折獄（如董
仲舒），以之斷事（如雋不疑）。遇夫故曰：「通經本所以致用，經義大可以
治事。世人目經術為迂疏無用者，固大謬也。」(〈凡例〉，頁9) 如此治經，
與乾嘉漢學家可謂全然異轍。乾嘉漢學的代表人物嘉定錢竹汀即以為：「《春
秋》，褒善貶惡之書也。其褒貶奈何？直書其事，使人之善惡無所隱而已
矣。」[15]易言之，《春秋》並無所謂書法。邵陽魏默深撰〈公羊春秋論〉二
首，列舉多項例證以駁斥之，以為「《春秋》重義不重事」，故其於事，「存
什一於千百，所不書多於所書」，且《春秋》「有例無達例」，「故有貴賤不嫌
同號、美惡不嫌同詞，以為待貶絕不待貶絕之分，以寓一見不累見之義」；
故治《春秋》，不可「以事求」之，亦不可「執一例以繩」之；最得《春

14　段熙仲：《春秋公羊義疏》（南京市：南京師範大學出版社，2002年）表列《公羊春
　　秋》授受源流，甚便讀者。見頁32-35。
15　〔清〕錢大昕：〈春秋論〉，《潛研堂文集》（上海市：上海古籍出版社，1989年），卷
　　2，頁18。

秋》之義者，厥惟公羊氏。[16]遇夫對於《春秋》大義的內容，與默深之見自有出入，然而對於《春秋》一經的根本看法，則與清代今文學者不異。[17]

錢竹汀不認為《春秋》有所謂書法，然而不講「書法」，豈有《春秋》大義之可言。所謂書法，也就是用一定的記敘法則，對歷史上的人物與事件作嚴格的價值判斷。中國史學上所謂正統，正是由此而來。饒固庵論中國歷史上之正統論，以為「史家任務，要必折衷於正」，作「歷史上之裁判」，乃「史家應有之責任」；西方人對此，「或決於神斷」，而「神斷之秤，不如歷史之秤」，歷史之秤便是「正」，亦即孔子所謂「其義則丘竊取之矣」的「義」。[18]柳劬堂論國史要義，以為「史之所重在持正義」，所謂正，有「疆域之正、民族之正、道義之正」，其根本義則是「天下為公，不私一姓」。[19]按：二家之說甚諦。所謂《春秋》書法，就是史家以「正義」觀念為秤，作道德的裁判。遇夫此書，對《春秋》書法及其例證與詮釋作一番整理，歸納出各項原則，故曰「大義述」。

至於《大義述》編撰之法，約而言之，即是以傳證經，傳則是以《公羊》為主，《穀梁》輔之，《左傳》若有相合者，則附於後；其他著述，自《荀子》以降，以《春秋繁露》為主，下及《白虎通》、《法言》，廣加采擇；於漢代君臣論事，凡涉及《春秋》大義者，更是盡量錄入。前此的《周易古義》即用此法，如葉煥彬（德輝）所謂，「所采古義，不專一家一師之言，其中明人事、近義理者多」；[20]《老子古義》亦相類似。《大義述》有進於此者，則在廣采兩漢君臣論事涉及《春秋》大義者。後此的《論語疏證》，於此法更加發展，由采錄言論進而取事實以證之。陳寅恪為《論語疏證》作序，云：

---

16 《魏源集》（北京市：中華書局，2009年），頁130-134。

17 呂誠之亦持相同看法，謂「《春秋》之記事，固以《左氏》為詳細。然論大義，則必須取諸《公羊》」。見其《經子解題》（上海市：華東師範大學出版社，1995年），頁73。

18 饒宗頤：《中國歷史上之正統論》（上海市：上海遠東出版社，1996年），頁79-80。

19 柳詒徵：《國史要義》（臺北市：臺灣中華書局，1984年影印原刊本），頁50、65。

20 《周易古義》（上海市：上海古籍出版社，1991年），卷首，頁1。

先生治經之法，殆與宋賢治史之法冥會，而與天竺詁經之法形似而實
不同也。夫聖人之言，必有為而發，若不取事實以證之，則成無的之
矢矣。聖言簡奧，若不采意旨相同之語以參之，則為不解之謎矣。既
廣搜羣籍，以參證聖言，其文之矛盾疑滯者，若不考訂解釋，折衷一
是，則聖人之言行，終不可明矣。今先生匯集古籍中事實語言之與
《論語》有關者，幷間下己意，考訂是非，解釋疑滯，此司馬君實李
仁甫長編考異之法，乃自來詁釋《論語》者所未有，誠可為治經者闢
一新途徑，樹一新模楷也。[21]

此一評價用於《大義述》，大體亦相吻合。

更須知遇夫所謂大義，乃「碎義之反也（《漢書・藝文志》云：『碎義逃
難』）」，而「近代治《公羊》家言者往往推重劉逢祿之《公羊何氏釋例》」，
其實「何注雖有功經、傳，實多牽強穿鑿之說」，「劉書不以經、傳為主而以
何注為衡，是捨其大而務其細也」。（〈《春秋大義述附注》未刊稿釋文〉，頁
292）遇夫撰《大義述》，旨在「闡明是經之大義，以增敵愾」（同上，頁
291），用世之情甚殷，然而絕不取並世治今文經學者之附會新說，如革命、
進化之類。[22]其所謂大義，一以經、傳為主。因此可以說，《大義述》一書，
乃是樸學家的經世之作。

三　夷夏之辨非國族主義

此書以〈榮復讎〉、〈攘夷〉二篇為首，遇夫自謂「惡倭寇，明素志
也」。「榮復讎」一語，出於《春秋繁露・竹林》篇：「《春秋》之書戰伐也，
有惡有善也。惡詐擊而善偏戰，恥伐喪而榮復讎。」（《大義述》卷一，頁

21　〈楊樹達論語疏證序〉，《金明館叢稿二編》（上海市：上海古籍出版社，1982年），頁
　　232；又見《論語疏證》（上海市：上海古籍出版社，1986年），卷首，頁1。
22　陳柱《公羊家哲學》（臺北市：臺灣中華書局，1980年影印原刊本），即有「革命」、
　　「進化」諸說。

1）遇夫自註曰：

> 惡詐擊而善偏戰。約結期日而後戰，謂之偏戰，詐戰則反是，詐擊即
> 詐戰也。倭奴之犯我遼寧，侵我盧溝，襲擊美國之珍珠港，皆詐戰
> 也。若先宣戰而後戰者，則庶乎偏戰矣。倭奴之詐，世界正義之國無
> 不惡之。而《春秋》則早已標惡詐戰之義。世人或以《春秋》為迂遠
> 不切事情之學，觀此可恍然大悟矣。（《大義述》，頁 61，註一）

所謂恥伐喪而榮復讎，遇夫註曰：「他國有喪而伐之，為不義之事，《春秋》
所恥。復讎之師，則《春秋》以為榮。」（同上，註二）自以上二註可見，
《大義述》一書，雖作於禦倭戰事方亟之時，所揭示的《春秋》「復讎」大
義終究與現代國族主義（nationalism）[23]的主張有異。

　　德國哲學家卡西勒（Ernst Cassirer）認為，現代「國家」觀念始於馬基
雅維利（Niccolo Machiavelli）：在此以前，國家繫著於人間世這一有機整
體，而自此以後，國家不受任何束縛，同時亦特立而無對，既脫離了宗教與
形上學，又不受人間任何倫理與文化生活的制約。[24]黑格爾著《倫理之系
統》（*System der Sittlechkeit*），對「道德」與「倫理」作了截然的劃分，以
為國家乃是絕對精神的自我肯認，善與惡、羞恥與卑鄙、計謀與欺詐之間，
國家無須予以區別。[25]後來希特勒式的極權國家，絕非黑氏所能逆料，然而
既有了這一價值轉換，循此以往，極權國家的出現，可謂勢所必至。在日本
國族主義者心目中，國家目標至高無上，犯遼寧，侵盧溝，襲珍珠港之類
「詐戰」，既為達成國家目標所必需，便有了正當性，毫無「不義」之可言
（按：此其所以為「脫亞入歐」也）。

　　遇夫則秉持《春秋》大義，以為國家利益之上，尚有不可違背的正義，
欲興師，必先宣戰，「詐戰」而勝，為《春秋》所甚惡，倭人既以如此卑劣

---

23 此詞一般譯為民族主義，然而現代的 nationalism，是以 nation-state 為重心，亦即所重
　　在國而不在民。故譯為「國族主義」，似覺更為妥適。

24 *The Myth of the State* (New Haven and London: Yale University Press, 1946), p. 140.

25 同上註，p.264。

的手段對付他國，實為不義之尤，可惡之至。故《大義述》以〈榮復讎〉為首篇，揭示「國讎不可並立於天下，雖百世可復」之大義（頁 1-2）；因此，與「讎者」決不可有任何交往，凡「與讎狩」，「與讎會」，「與讎為禮」，「娶讎女」，「事復讎，而無復讎之誠」等，皆為《春秋》所譏（頁 2-4）。此等論調，與現代歐洲「復讎主義者」（revanchist）的主張，貌似而實不同。遇夫指出，復讎大義之一是「滅其可滅，葬其可葬」。《春秋》莊公四年：「六月乙丑，齊侯葬紀伯姬。」《公羊傳》解釋道：《春秋》書法有內外之別，「外夫人不書葬」，此處何以書葬？為「隱之也」。「其國亡矣，徒葬於齊耳」，故曰「隱之」。然而既是復讎，又為何葬之？理由是：「滅其可滅，葬其可葬」。因為「復讎者，非將殺之」，「逐之」而已。[26]即使是遇到紀侯本人之殯，亦將葬之，更何況是紀侯之妻？（頁 6）易言之，齊之於紀，即使有九世之讎，仍當秉持禮義；復讎絕不是一味報復，更不是斬盡殺絕。第一次世界大戰時，極端國族主義者法國「老虎總理」克里孟梭（Georges Clemenceau），以復讎為職志，對於戰敗的德國，迫使其簽訂苛刻的凡爾賽和約，承擔一切戰爭後果，並向其索取天文數字的賠款，盡量屈辱之。德人憤恨不平之情，可以想見，第二次世界大戰的導火索，即埋伏於此。而對日戰爭最終得勝的中國，對於戰敗的日本，不作殘酷的報復，寬大為懷，予以禮遇。《春秋》所揭櫫的復讎之義，正在於此。

　　《大義述》以〈攘夷〉為第二，開宗明義曰：「《春秋》嚴夷夏之防。內其國而外諸夏，內諸夏而外夷狄。」引《春秋繁露·王道》篇曰：「親近以來遠，故未有不先近而致遠者也。故內其國而外諸夏，內諸夏而外夷狄。」（卷一，頁 8）「親近以來遠」一語，乃儒家政治哲學要旨。儒家道德觀以「仁」為主，仁為道德情感，其源頭即是孟子所謂「怵惕惻隱之心」或「不忍人之心」。此乃人所固有的同情心，不雜絲毫利害得失之見。[27]儒家道德

---

26 按：上海古籍本《大義述》此處標點作「非將殺之、逐之也」，大誤。當作「非將殺之，逐之也」。

27 《孟子·公孫丑上》：「所以謂人皆有不忍人之心者，今人乍見孺子將入於井，皆有怵惕惻隱之心，非所以內交於孺子之父母也，非所以要譽於鄉黨朋友也，非惡其聲而然

基於情感，故以「親親」為重。所以《中庸》說：「仁者人也，親親為大。」
（第二十章）己國與諸夏他國，自然有親疏之別，此乃情感之自然，所謂內
其國而外諸夏，其依據在此。儒家同時又認為，此仁心若不加斲喪，自能推
廓，由此而及彼，「老吾老以及人之老，幼吾幼以及人之幼」。（《孟子・梁惠
王上》）己國與諸夏之他國，禮俗相同，聲氣相通，「親近」自能「致遠」。
至於夷狄，「非我族類」，對諸夏而言，便是「外」。

　　《春秋》成公十五年：「冬十有一月，叔孫僑如會晉士燮、齊高無咎、
宋華元、衛孫林父、鄭公子鰌、邾婁人會吳於鍾離。」《公羊傳》曰：「曷為
殊會吳？外吳也。曷為外也？《春秋》內其國而外諸夏，內諸夏而外夷
狄。」《穀梁傳》曰：「會，又會，外之也。」《春秋繁露・觀德》篇曰：「是
故吳魯同姓也。鍾離之會，不得序而稱君，殊魯而會之，為其夷狄之行
也。」（《大義述》卷一，頁 8）叔孫僑如會諸國之人，既有「會」字以記敘
之，再用一「會」字，將吳特別提出，所以說是「殊」。（同上，頁 63，註
三十）魯與吳本是同姓，為何將吳特別提出，以與他國區隔？因其有"夷狄
之行也"。由此例可見，《春秋》所謂夷夏，其分別的標準不是種族，而是行
為。同姓之國，一旦有「夷狄之行」，當即由「內」而為「外」。易言之，夷
夏之辨在於禮義，在於文明與否。

　　依《春秋》大義，「中國之於夷狄，不言戰而言伐」，「或言敗」；「夷狄
相誘，則君子不疾」；敗夷狄，則「大之」；夷狄服於中國，則「喜之」；諸
夏之國，「不慕中國」而「乞盟」於夷狄，則「抑之」，「慕中國而與會」，
「服中國」，則「喜之」。（《大義述》卷一，頁 10-14）夷狄若主中國之會，
執中國之君，勝諸夏之國，滅諸夏之國，皆為《春秋》所「不與」。（同上，
頁 16-17）夷狄「為中國」，更是不予接受（「為中國則不使」）。《春秋》宣
公十一年：「十月，丁亥，楚子入陳。」《穀梁傳》曰：「入者，內弗受也。
日入，惡入者也。何用弗受也？不使夷狄為中國也。」范寧《集解》釋曰：
「楚子入陳，納淫亂之人，執國威柄，制其君臣，傎倒上下，錯亂邪正，是

也。」

以夷狄為中國。」對於夷狄，即使其行事而善，亦不一次完全充足許之
（「雖許夷狄，不壹而足」）。（同上，頁 18）凡此種種，似於夷狄甚為排斥。
然而夷狄若是「行事進於中國」，即與中國一視同仁（「則進之」）。楚為夷
狄，夷狄之君卒，《春秋》例不書卒，然而宣公十八年七月甲戌，則書「楚
子呂卒」。《穀梁傳》解釋道，此乃「少進也」。為何「少進」？《公羊傳》
何休注謂，「因其有賢行」。（同上，頁 19）又，吳國有賢人季札，其君因此
之故亦稱子。《穀梁傳》曰：「吳其稱子，何也？善使延陵季子，故進之也。
身賢，賢也；使賢，亦賢也。」定公四年，楚人興師伐蔡，伍子胥在吳，以
「憂中國之心」說吳君，吳於是「興師而伐楚」，職此之故，吳得「稱子」，
不以夷狄視之。夷狄若「尊天王」，「為善」，「為禮」，《春秋》皆進之於中
國。然而一旦又有夷狄之行，「則仍反之於夷狄」。（同上，頁 20-23）

　　諸夏之國，若其行為同於夷狄，則亦視為夷狄。《春秋》昭公二十三
年，「秋七月戊辰，吳敗頓、胡、沈、蔡、陳、許之師于雞父。」《公羊傳》
曰：「然則曷為不使中國主之？中國亦新夷狄也。」何休《解詁》謂「中國
所以異乎夷狄者，以其能尊尊也」，亦即諸侯必須尊王，以維護天下的秩
序，然而其時的諸侯，「王室亂，莫肯救，君臣上下壞敗，亦新有夷狄之
行，故不使主之」。僖公三十三年夏四月，「秦襲鄭」，《春秋》於是「夷狄
之」。《白虎通・誅伐》篇曰：「襲者，何謂也？行不假途，掩人不備也。」
此乃「詐戰」，決非禮義之邦所宜為，故不以中國視之。昭公十二年，晉伐
鮮虞，亦「夷狄之」。《穀梁傳》曰：「不正其與夷狄交伐中國，故狄稱之
也。」何休《公羊解詁》曰：「今楚行詐滅陳、蔡，諸夏懼然，去而與晉會
於屈銀；不因以大綏諸侯，先之以博愛，而先伐同姓，從親親起。欲以威行
霸，故狄之。」晉不顧諸夏為夷狄所侵陵，卻乘此機會，先伐同姓的鮮虞
國，欲以此立威，獲取霸主地位，分明是夷狄行徑，故「夷狄之」。成公三
年，鄭伐許，《春秋》亦「夷狄之」。《春秋繁露・竹林》篇釋曰：「衛侯遬
卒，鄭師侵之，是伐喪也。鄭與諸侯盟於蜀，已盟而歸諸候，於是伐許，是
叛盟也。伐喪無義，叛盟無信。無信無義，故大惡之。」（同上，頁 23-26）

　　自以上諸例可見，《春秋》所謂夷夏之辨，全以行事為準。《論語・八

佾》：「子曰：『夷狄之有君，不如諸夏之亡也。』」遇夫解釋說，所謂有君，乃指有賢君，並以此為例，對孔子夷夏之辨的觀念，作一總括的說明：

> 邲之戰，楚莊王動合乎禮，晉變而為夷狄，楚變而為君子。雞父之戰，中國為新夷狄，而吳少進。柏莒之戰，吳王闔閭憂中國而攘夷狄。黃池之會，吳王夫差籍成周以尊天王。楚與吳，皆《春秋》向所目為夷狄者也。孔子生當昭、定、哀之世，楚莊之事，所聞也。闔閭、夫差之事，所親見也。安得不有夷狄有君諸夏亡君之歎哉！《春秋》之義，夷狄進於中國，則中國之。中國而為夷狄，則夷狄之。蓋孔子於夷夏之界，不以血統種族及地理與其他條件為準，而以行為為準。其生在二千數百年以前，恍若豫知數千年後有希特勒、東條英機等敗類將持其民族優越論以禍天下而豫為之防者，此等見解何等卓越！此等智慧何等深遠！[28]

易言之，判別夷夏，依於道德而不依於種族。更須知，這一判斷標準是普世的，非相對主義的。而倫理上的相對主義，正是現代國族主義的一大特徵。英國政治學者鄧恩（John Dunn）指出，倫理上的相對主義一旦施用於政治，為政者便不受任何約束，為達成其願望，何事不可為。此一觀念由個人移至族類，即成國族主義，世上更無他物在國族之上，國家所做的一切，皆為正義。此即倫理上的相對主義。[29]相較之下，《春秋》所謂夷夏之辨，乃是以禮義為準，任何個人與政治實體皆須遵循，無有例外。

四　愛國、重民與仁義法

《春秋》大義不同於現代國族主義，不認為國家至上，可以超越普世價值；同時又本親親之義，以為對於「父母國」，應有一分特殊的情感。孟子

28　《論語疏證》，頁67。

29　John Dunn, *Western Political Theory in the Face of the Future* (Cambridge: Cambridge University Press, 1993), p.63。

曰:「孔子去齊,接淅而行;去魯,曰:『遲遲吾行也,去父母國之道也。』」
(〈萬章下〉)《荀子‧禮論》曰:「凡生乎天地之閒者,有血氣之屬必有知,
有知之屬莫不愛其類。今夫大鳥獸則失亡其羣匹,越月踰時,則必反鉛
(按:鉛即沿)過故鄉,則必徘徊焉,鳴號焉,躑躅焉,踟躕焉,然後能去
之也。小者是燕雀,猶有啁噍之頃焉,然後能去之。故有血氣之屬莫知於
人,故人之於其親也,至死無窮。將由夫愚陋淫邪之人與,則彼朝死而夕忘
之,然而縱之,則是曾鳥獸之不若也,彼安能相與羣居而無亂乎?」於所親
之人、父母之邦毫無感情,是為涼薄之至,鳥獸不如。因此,逃避應負之責
任,惟利是視,甚或認賊作父,反噬故國,為《春秋》所甚惡。故《大義
述》於〈榮復讎〉、〈攘夷〉之後,繼之以〈貴死義〉、〈誅叛盜〉。

　　《禮記‧禮運》篇曰:「國有患,君死社稷謂之義,大夫死宗廟謂之
變。」鄭玄注曰:「變當為辯,聲之誤也。辯,猶正也。君守社稷,臣衛君
宗廟者。」《春秋》貴死義」,其依據正在於此。故「國君之死者:萊君死
國則正之」,「紀侯死國則賢之」。(《大義述》卷一,〈貴死義〉,頁 27-29)
「人臣之死者:孔父義形於色而死,則賢之」;「仇牧不畏強禦而死,則賢
之」;「荀息不食其言而死,則賢之」。(同上,頁 30-32)既以「死義」為
貴,故以「苟生」為賤。「國君見獲不能死位,則絕之」;「國君失國不能死
位,亦絕之」。(同上,頁 32-35)以人臣而言,「鄭祭仲不能死難」,「曹大
夫不能死義」,「楚公子比不能死義」,「凡伯不能死義」,皆為《春秋》所
賤。(同上,頁 35-36)

　　《春秋》裁判人物,以義為標準。即使以身殉難,而達致的結果是不
義,亦為《春秋》所非,齊國的逢醜父即為一例。齊頃公與晉郤克戰而敗,
逢丑父為頃公車右,「面目與頃公相似,衣服與頃公相似,代頃公當左,使
頃公取飲,頃公操飲而至,曰:『革取清者。』頃公用是佚而不反。逢丑父
曰:『吾賴社稷之神靈,吾君已免矣。』郤克曰:「『欺三軍者其法奈何?』
曰:『法斮。』於是斮逢丑父。」(《公羊傳》成公二年秋七月)按:革取,
遇夫釋曰:「革,改也。此故意使之逃去也。」(《大義述》卷一,頁 66,註
七三)《春秋繁露‧竹林》篇曰:「國滅,君死之,正也。」國滅而君不死,

是為大辱，可恥莫甚焉。「逢丑父殺其身以生其君」，卻陷君於大辱，故為
《春秋》所非。（〈貴死義〉，頁 37-38）

　　既明「死社稷」、「死宗廟」之義，即可知叛國者罪當死。《春秋繁露·
楚莊王》篇曰：「人臣之行，貶主之位，亂國之臣，雖不簒殺，其罪皆宜
死。」遇夫故曰：「人臣挾他國之威以陵脅己國，其罪已大矣，況楚與吳，
春秋時之蠻夷也。魚石、慶封以中國之人受蠻夷之封，憑藉其力以脅中原，
故《春秋》謂其罪宜死也。」（《大義述》卷一，〈誅叛盜〉，頁 39-40）據此
可知，後世石敬瑭之流，借外力以傾覆宗邦，甚或奉戴非我族類者為宗主，
以簒奪中原神器，依《春秋》大義，其罪皆宜死。然而莊公三年，紀侯之弟
紀季「以酅入於齊」，《春秋》卻「賢之」，理由是：「季逢紀侯之命為之，以
存宗廟之祀，非叛者所得藉口也」。據《春秋繁露·玉英》篇的解釋，《春
秋》之所以「賢乎紀侯」，不以紀季為叛，端在其所為出於仁義。（〈誅叛
盜〉，頁 43-44）

　　按：《一九八四年》的作者奧威爾（George Orwell），對愛國主義與國族
主義作了明確的區分：愛國主義者鍾情於自己的土地，熱愛自己的生活方
式，但是不願將此生活方式強加於他人，因此無論軍事上還是文化上，皆旨
在保守故物。國族主義則與權力慾不可分割，任何一類國族主義者，皆選擇
一個國家或其他實體，將個體沒入其中，以求確保此實體的權力與威勢。[30]
希特勒在其《我的奮鬥》中即曾聲言：「我是國族主義者，但不是愛國
者。」正如當代美國史家盧卡克斯（John Lukacs）所說，愛國主義與國族
主義，一為防禦性，一為侵略性：愛國主義植根於國土，植根於故鄉，因而
是傳統的；國族主義則與「民族」（事實上是佔多數地位的「民族」）之神話
相聯結，因而是民粹的；愛國主義並不取代宗教信仰；國族主義則迎合民眾
情感上（至少是精神上）的需要，常與仇恨有不解之緣。[31]即此可見，《春

---

30 引自 John Lukacs,「About Historical Factors, or the Hierarchy of Powers」載其
　　Remembered Past: on History, Historians, and Historical Knowledge (Wilmington, Delaware:
　　ISI Books, 2005), 頁44。

31 同作者,「American History: The Terminological Problem」上書，頁107。

秋》大義之「攘夷」、「復讎」，近於此處所謂愛國主義，與現代國族主義，截然不同，二者的區別，正在是否「貴仁義」。

　　《春秋繁露・仁義法》曰：「《春秋》之所治，人與我也。所以治人與我者，仁與義也。以仁安人，以義正我，故仁之為言人也，義之為言我也，言名以別矣。……仁之法在愛人，不在愛我。義之法在正我，不在正人。我不自正，雖能正人，弗予為義。人不被其愛，雖厚自愛，不予為仁。」此一仁義法，乃是儒家道德觀的基石。故曰：「《春秋》貴仁義。」《春秋》宣公十二年：「楚子圍鄭。六月乙卯，晉荀林父帥師及楚子戰於邲，晉師敗績。」《公羊傳》曰：「大夫不敵君，此其稱名字以敵楚子，何？不與晉而與楚子為禮也。……晉師大敗，晉眾之走者，舟中之指可掬矣。莊王曰：『嘻！吾兩君不相好，百姓何罪！』令還師而佚晉寇。」《春秋繁露・竹林》篇即此指出，此舉正見楚莊王有「救民之意」，所以為賢。又，《春秋》宣公十五年：「夏五月，宋人及楚人平。」《公羊傳》曰：「外平不書，此何以書？大其平乎己也。何大乎其平乎己？莊王圍宋，軍有七日之糧爾，盡此不勝，將去而歸爾。於是使司馬子反乘堙而闚宋城，宋華元亦乘堙而見之。司馬子反曰：『子之國何如？』華元曰：『憊矣！』曰：『何如？』曰：『易子而食之，析骸而炊之。』……司馬子反曰：『諾，勉之矣。吾軍亦有七日之糧爾，盡此不勝，將去而歸爾。』揖而去之，反於莊王。」莊王遂「引師而去之。故君子大其平乎己也。」《春秋繁露・竹林》篇以為，此乃推恩之仁，曰：「為其有慘怛之恩，不忍餓一國之民使之相食，推恩者遠之而大，為仁者自然而美，今子反出己之心，矜宋之民，無計其間，故大之也。」（《大義述》卷一，〈貴仁義〉，頁 44-46）《春秋》「貴仁則惡暴」，「邾婁人用鄫子以血社」，「楚人用蔡世子有以築防」諸事，「皆不待貶絕而罪惡見者也」。（同上，頁 51-54）「貴義則賤利」，凡受賄而滅，求財而亡，「固《春秋》之大戒也」。（同上，頁 54-61）自上述楚莊佚晉寇、子反矜宋民二事，可見孟子所謂「民為貴，社稷次之，君為輕」，正是《春秋》大義。《春秋繁露・俞序》篇曰：「子夏言：《春秋》重民，諸譏皆本此。」「故齊桓愛民則稱之」，「楚莊恤百姓則與之」，「魯僖有志乎民則稱之」，「魯文無志乎民則譏之」。

（《大義述》卷三，〈重民〉（頁 141-142）既重民，便須愛惜民力，故「譏築作」。「城中丘」，「新延廐」，「作南門」等，皆譏。「久役」，「亟伐」，「亟大蒐」，亦皆在所譏之列。（同上，頁 142-146）以民為貴，必「重民食」，故「有年則書」，「告糴則譏」（《穀梁傳》曰：「國無三年之畜，曰國非其國也。」）；必「重民命」，故「公子遂乞師則譏」，「魯僖以楚師伐齊則譏」，「鄭棄其師則譏」；亦必「重民財」，故「稅畝則譏」，「虞山林藪澤則譏」。《春秋》「重民之意」，自以上諸例，「亦大可見矣」。（同上，頁 146-148）

「《春秋》惟重民也，故惡戰伐。」遇夫引《春秋繁露・竹林》篇曰：

> 秦穆侮蹇叔而大敗，鄭文輕眾而喪師，《春秋》之敬賢重民如是。是故戰功侵伐雖數百起，必一二書〔按：盧文弨云：「一二，言次第不遺也。」〕，傷其害所重也。……且《春秋》之法，凶年不修舊，意在無苦民爾。苦民尚惡之，況傷民乎！傷民尚痛之，況殺民乎！故曰：凶年修舊則譏，造邑則譁。是害民之小者惡之小也，害民之大者惡之大也。今戰伐之於民，其為害幾何？考意而觀指，則《春秋》之所惡者，不任德而任力，驅民而殘賊之。……（《大義述》卷三，〈重民〉，頁 148-149）

然而《春秋》「惡詐擊而善偏戰，恥伐喪而榮復讎」，又當作何解釋？遇夫又引〈竹林〉篇曰：

> 《春秋》之於偏戰也，善其偏，不善其戰。《春秋》愛人，而戰者殺人，君子奚說善殺其所愛哉！故《春秋》之於偏戰也，猶其於諸夏也，引之魯則謂之外，引之夷狄則謂之內。比之詐戰，則謂之義；比之不戰，則謂之不義。故盟不如不盟，然而有所謂善盟；戰不如不戰，然而有所謂善戰。不義之中有義，義之中有不義。辭不能及，皆在於指。非精心達思者，其孰能知之！（同上，頁 149）

按：董子於此，發揮重民惡戰伐的儒家政治思想大義，可說是淋漓盡致而無

遺憾了。故蘇厚庵曰：「西漢大師說經，此為第一書矣。」[32]

　　《春秋》既如此重民，故「滅國者疾之」，「取邑者疾之」，「火攻者疾之」，「伐喪則尤惡之」。按：當時人視居喪甚重，趁人哀戚之時而伐之，是為滅絕人道，故「尤惡之」。「故鄭襄公伐衛喪，目鄭為夷狄」；「而晉士匄不伐齊喪，則善之」。(《大義述》卷三，〈惡戰伐〉，頁 150-152) 然而《春秋》有經有權，「宋襄公以豎刁、易牙爭權而征齊，則與之」。原因是：「桓公死，豎刁、易牙爭權不葬，為是故伐之也」(《公羊傳》僖公十八年春正月)。又如「楚靈王以齊慶封亂齊而伐防」，《春秋》亦「與之」，因齊慶封「脅齊君而亂齊國」也 (《公羊傳》昭公四年秋七月)。至於「為復讎而興師者，則榮之」：「齊襄滅紀，為之諱而書大去」；「魯與齊戰於乾時，雖敗績而不諱」，是為「國君之復讎」。「伍子胥假吳師以伐楚，則善而不誅」，則為「臣子之復讎者也」。子胥借外力復父讎，以加害於宗國，何以榮之？《公羊傳》以為，此因「父不受誅」之故，曰：「父不受誅，子復讎可也。父受誅，子復讎，推刃之道也。」(定公四年冬十一月)《白虎通・誅伐》篇曰：「父母以義見殺，子不復仇者，為往來不止也。」冤冤相報，無有窮期，故曰「推刃之道」。(同上，頁 152-156) 由此可見，對於復讎是否可取，評判標準是一個「義」字。依《春秋》大義，不論是國還是家，均須遵守正義。宋襄公與楚人期戰于泓，楚人濟泓而來，未畢濟，襄公不擊，既濟而未畢陳，仍不擊，終至敗績。《公羊傳》謂襄公「臨大事而不忘大禮，有君而無臣，以為雖文王之戰，亦不過此也」。《春秋繁露・俞序》篇曰：「善宋襄公不厄人，不由其道而勝，不如由其道而敗。《春秋》貴之，將以變習俗而成王化也。」《史記・宋微子世家贊》則以為，「傷中國缺禮義」，故褒襄公之「有禮讓」。(同上，頁 156-157) 可見《春秋》所著眼的，是整個人類社會的長久福祉，而不是一家一姓當前的利害得喪。按：在儒家看來，欲求人類社會的長治久安，為政者心中必須有一個應然的理想的境界，不可唯知眼前實利。《公羊傳》之所以讚賞宋襄公，當以此意會之。

---

32 蘇輿：《春秋繁露義證・例言》(北京市：中華書局，1996年)，頁2。

　　《春秋》固是重民，惡戰伐，然而國家的守備不可不充足，故孔子論為政曰：「足食，足兵，民信之矣。」（《論語・顏淵》）若兵、食不足，人民對當政者焉有信心之可言。《春秋》既重民，故必「重守備」。《春秋》桓公六年：「秋八月壬午，大閱。」《公羊傳》曰：「大閱者何？簡車徒也。何以書？蓋以罕書也。」何休《解詁》云：「罕，希也。孔子曰：以不教民戰，是謂棄之。故比年簡徒謂之蒐，三年簡車謂之大閱，五年大簡車徒謂之大蒐。存不忘亡，安不忘危。蒐例時，此日者，桓既無文德，又忽忘武備，故尤危錄。」遇夫按曰：「以罕書者，以此次之特書，見平素之不舉，故為忽忘武備也。」「舒無守禦之備，而徐人滅之，而書取」；「鄫無守禦之備，故邾婁人戕之而書地」。此等書法，正是《春秋》對為國者的警戒。（《大義述》卷三，〈重守備〉，頁 157-160）

五　儒家政治思想根本義：是非善惡之公

孟子曰：

> 民為貴，社稷次之，君為輕。是故得乎丘民而為天子，得乎天子為諸侯，得乎諸侯為大夫。諸侯危社稷，則變置。犧牲既成，粢盛既絜，祭祀以時，然而旱乾水溢，則變置社稷。（〈盡心下〉）

《左傳》襄公十四年夏載師曠對晉侯曰：

> 夫君，神之主而民之望也。若困民之主，[33]百姓絕望，社稷無主，將安用之？弗去何為？天生民而立之君，使司牧之，勿使失性。有君而為之貳，使師保之，勿使過度。……天之愛民甚矣，豈其使一人肆於

---

[33] 按：楊伯峻曰：「主，《新序・雜事篇》、《說苑・君道》篇皆作『困民之性』，『主』當為『生』之形近誤。『生』與『性』古本可通用。《周語上》云『匱神乏祀而困民之財』，與此二句意同。困民之生即困民之財。」見其《春秋左傳注（修訂本）》（北京市：中華書局，1990年），頁1016。

民上，以從其淫，而棄天地之性？必不然矣。[34]

這兩段話道出了儒家政治思想的根本所在。遇夫故曰：「古之設君，所以為民也。無民則君不用。」（〈凡例〉，頁 11）因此，「《春秋》貴得眾。人者，眾辭也。」《春秋》隱公四年：「冬十有二月，衛人立晉。」《公羊傳》曰：「晉者何？公子晉也。其稱人，何？眾立之之辭也。然則孰立之？石碏立之。石碏立之，則其稱人，何？眾之所欲立也。」石碏立公子晉為衛君，此乃眾人所共欲，故《春秋》謂「衛人立晉」。《春秋繁露・王道》篇曰：「衛人立晉，美得眾也。」凡諸侯卿大夫所行之事，乃「眾所欲授」、「眾所欲為」、「眾所欲執」、「眾所欲殺」者，《春秋》皆有辭以美之。「齊桓得眾，則見授以諸侯」；「紀侯得眾，則賢而諱其滅」；即為其例。「晉惠失民，故未敗而先獲」；「晉靈失眾，故無道而見弒」；「莒庶其失眾，故見弒而民喜」；凡此皆足資鑒戒。故遇夫歎曰：「國家之於民眾也，可不慎哉！可不慎哉！」（《大義述》卷三，〈貴得眾〉，頁 160-166）經學經世之志，不由流露。

國家固然為民而設，但是既有國家與社會的組織，便不可不有相應的禮法以維繫之。故儒家重名分，《春秋》因而有「尊尊」、「大受命」諸義。遇夫述尊尊之義曰：「分莫尊於天子」；故有「戰則王者無敵」、「盟則王人序首」、「天子之大夫執則稱伐」、「諸侯舞天子之樂則譏」、「得罪於天子則絕」、「犯王命則絕」諸大義。（《大義述》卷四，〈尊尊〉，頁 167-173）就諸侯而言，則「不得專地」，「不得專封」，「不得專討」，「不得專執」。（同上，頁 173-177）大夫則更降一等，故「會則君不會大夫」，「戰則大夫不敵君」，「大夫專政則貶」（同上，頁 177-182）然而又須知，儒家政治的最高理想是天下為公，尊尊本身並不是目的，「《春秋》固不以尊尊沒是非善惡之公」，董仲舒所謂《春秋》「貶天子，退諸侯，討大夫」，其標準正在這「是非善惡之公」。（同上，頁 183-187）

由尊尊可以推出「臣子大受命」之義，簡而言之，即為臣子者不得專權，君臣之間，等級森然。（《大義述》卷四，〈大受命〉，頁 187-193）遇夫

---

34 楊伯峻曰：「棄天地之性即棄民。」見《春秋左傳注（修訂本）》，頁1018。

對此解釋道：

> 封建之世，上有天子，下有諸侯大夫，等級較然，不可或紊。或謂今
> 日治為民主，《春秋》尊尊之義不適於今日者，此謬說也。抑知政體
> 雖殊，治道無改。今之中樞，猶古之天子也；各省政府猶古之諸侯
> 也，縣政府猶古之大夫也。其異者，世爵與否耳。《春秋》譏世卿，
> 今制固勝於古，而其道則未變也。試使省政府不受制於中樞，縣政府
> 不受成於省府，國事尚可為乎！（〈凡例〉，頁 11）

大夫固須受成於諸侯，諸侯固須受制於天子，然而「有可以安社稷利國家
者，專之可也」。故「鄭弦高以救鄭國之危，矯君命而犒秦師」；「楚子反以
矜宋人之厄，廢君命以平宋人」；皆為《春秋》所許。（〈大受命〉，頁 193-
198）按：從弦高之例可見國家安危高於君命，從子反之例則可見人道考慮
高於國家利益。

　　柳翼堂先生對於尊尊等古時禮法，有十分精闢的詮釋，可與遇夫之說相
參：

> 蓋人羣之組織，必有一最高之機構，統攝一切，始可以謀大羣之福
> 利，一切禮法皆從此出。而所謂君者，不過在此最高機構執行禮法，
> 使之摶一不亂之人。而其臣民非以阿私，獨俾此權於一人。此一人者
> 亦非以居此最高之機構為其私人之利。故孔、孟皆曰「舜禹有天下而
> 不與」。苟言民主之真精神，殆莫此言若矣。[35]

此義既明，即可知身為臣子，應當犯顏直諫，不可惟君命是從，逢君之惡最
為可恥。（按：孟子曰：「長君之惡其罪小，逢君之惡其罪大。」〈告子下〉）
故「《春秋》貴正諫」。（《大義述》卷四，〈錄正諫〉，頁 198-206）由此可見
傳統政治中臺諫之官的重要：「我國臺諫一官，為最良之制度。古來君主政
制之弊，賴此少減；民生之困，賴此少舒。」（〈凡例〉，頁 11）

---

35 《國史要義‧史義第七》，頁146。

　　既以逢君之惡為最可恥，故中國歷史上罕見讀書之士捧皇帝者。錢賓四先生就此說道：

> 你們不妨去看中國歷史上，從古到今學術上，中國人捧不捧皇帝？從《二十五史》上來看，中國知識分子那一個捧皇帝？中國自古以來的讀書人，對皇帝是須有所批評的。中國讀書人對政治人物只捧堯、舜、禹、湯、文、武、周公，此下便不多捧。中國思想雖求會通統一，但絕不捧皇帝。[36]

按：所言甚諦。大捧當令的政治領袖，將其片言隻語奉為圭臬，甚至「理解的要執行，不理解的也要執行」，是為現代中國政治的特色，與《春秋》大義，實如水火之不相容。

　　諫諍雖為美事，然而不論進諫還是納諫，皆須以正為標準。「齊桓不從管仲之言而棄江、黃」，「秦穆公不從百里、蹇叔之諫而敗於晉」諸例，乃「人臣正諫，人君不納以致敗者」。至於人君是否須納諫，所依據者亦在一「正」字。「楚莊不從子重之言而致霸」，「鄭僖不信大夫之言而殺身」，一成一敗，《春秋》皆以為賢。原因在於此二君皆以正為祈嚮：「二君之成敗雖殊，其能不惑於人言，孳孳為善，一也。」（《大義述》卷四，〈錄正諫〉，頁201-205）

六　正己與禮讓

　　孔子答季康子問政，曰：「政者，正也。子率以正，孰敢不正？」（《論語·顏淵》）漢川徐澄宇（英）案曰：

> 身修而後家齊，家齊而後國治。正己然後可以正人，未聞罔己而能正人者。以其昭昭，然後可以使人昭昭，未聞以其昏昏，而能使人昭昭者。今之為政者，皆以其昏昏為昭昭，而欲使人昭昭，不問己之罔，

---

36 錢穆：《經學大要》（臺北市：素書樓文教基金會，2000年），頁106。

　　而欲以正人，宜乎世變日巫，而日趨於亂亡也。側身天地，寂寞無
　　人，安得明聖特達之士，而與之論天下之治亂哉！[37]

侃侃直言，至為沉痛。

　　遇夫於此，亦有同感，云：「國於天地，必有與立。與立者何？道德是
已。次述〈貴仁義〉、〈貴正己〉、〈貴誠信〉、〈貴讓〉、〈貴豫〉、〈貴變改〉、
〈譏慢〉諸篇，皆修身養德之事也。蓋根本不立，萬事皆瘳，雖有智能，適
增罪惡爾。」（〈凡例〉，頁 10）故「《春秋》貴正己」：「齊桓公不正而討陳
袁濤塗，則不能予伯討。」（遇夫釋曰：「方伯所當討，謂之伯討。」
〔《大義述》卷二，頁 115，註一〕）《公羊傳》曰：「此執有罪，何以不得為
伯討？古者周公東征則西國怨，西征則東國怨。桓公假塗於陳而伐楚，則陳
人不欲其反由己者，師不正故也。不修其師而執濤塗，古人之討則不然
也。」遇夫又引《法言・先知》篇曰：「老人老、孤人孤、病者養、死者
葬、男子畝、婦人桑之謂思。若汙人老、屈人孤、病者獨、死者逋、田畝
荒、杼軸空之謂斁。齊桓公欲徑陳，陳不果內，執袁濤塗，其斁矣夫！」
又，「楚靈王不正而討齊慶封，則不與楚討。」《穀梁傳》曰：「慶封弒其君
而不以弒君之罪罪之者，慶封不為靈王服也，不與楚討也。《春秋》之義，
用貴治賤，用賢治不肖，不以亂治亂也。孔子曰：『懷惡而討，雖死不
服。』其斯之謂與！」又，「吳王闔閭正蔡難，以不正而反夷。」（按：亦即
由中國而返回於夷狄。）《公羊傳》曰：「吳何以不稱子？反夷狄也。其反夷
狄奈何？君舍於君室，大夫舍於大夫室，蓋妻楚王之母也。」（《大義述》卷
二，〈貴正己〉，頁 68-72）按：行徑如此卑劣，豈能正人？至於「宋襄公不
正而見執於雩」、「齊頃公不正而見辱於鞌」、「魯昭公不正而見逐於魯」諸
例，則可見「己不正則有致禍之道」。（同上，頁 72-76）而「幽之會，衛以
喪父不與，雖見伐而無罪」，則因「己無致辱之道，雖見外而不恥也」。（同
上，頁 76-77）

孔子曰：「人而無信，不知其可也。大車無輗，小車無軏，其何以行之哉？」（《論語・為政》）蘇轍注曰：「人與物為二，君子欲交於物，非信無自入。」[38]為人須講誠信，為政亦然。《論語・顏淵》：「子貢問政。子曰：『足食，足兵，民信之矣。』子貢曰：『必不得已而去，於斯三者何先？』曰：『去兵。』子貢曰：『必不得已而去，於斯二者何先？』曰：『去食。自古皆有死，民無信不立。』」徐澄宇對此的解說甚確，謂：「以人情而言，則兵食足而後吾之信可以孚於民。以民德而言，則信本人之所固有，非兵食所得而先也。是以為政者，當身率其民，而以死守之，不以危急而可棄也。」[39]是以《春秋》貴誠信：「太上不盟」（因其人之誠信久孚，決不食言，故無須盟誓也）。「其次不渝盟」，如「齊桓不背柯之盟則賢之」，「魯成不背柯陵之盟則稱之」，乃「以守盟見稱者也」。「至於平居言行，不涉盟誓者」，則「以信見稱」，以「恥失信而見許」。若「詐諼不信」，無論國君抑或人臣，一概貶斥之。（《大義述》卷二，〈貴誠信〉，頁 77-89）

《春秋》又「貴讓」，如「吳季札讓國，則謂吳宜有君」；「曹喜時讓國，則為其子孫諱畔」；「邾婁叔術讓國，則許其子孫宜有地」；即為其例。（《大義述》卷二，〈貴讓〉，頁 89-92）既貴讓，「則重請」（按：亦即不可輕易請託），故「求賵」、「求車」、「求金」，皆為《春秋》所譏。（同上，頁 95-96）

孔子曰：「能以禮讓為國乎？何有？不能以禮讓為國，如禮何？」（《論語・里仁》）「讓」之一字，乃儒家政治思想要旨之一，其中頗有深意。遇夫以為，即此可見《春秋》之「微意」：

> 任重職大，有過於天子諸侯者乎？卿不當世，而謂君當世乎？卿當選賢，而謂君不當選賢乎？孔子譏世卿，實譏世君也。此《春秋》之微言也。又吾先民論政尚揖讓，而征誅為不得已。文王三分天下有其二，以服事殷，孔子稱其至德，善其不用武力也。《論語》論至德者

二事，一贊泰伯，一贊文王，皆貴其以天下讓也。吳季劄觀湯樂而曰有慙德，亦以其用武力也。湯有慙德，武王從可知矣。貴揖讓，故非世及。〈禮運〉以天下為公選賢與能為大同，以大人世及謀作兵起為小康。於《春秋》則譏世卿以見非君之意，皆其義之顯白無疑者也。聲音之道與政通，樂者政之發於聲音者也，古人聞其樂而知其政。舜揖讓傳賢為大同之治，武王征誅世及為小康。故孔子稱《韶》樂為盡美盡善，《武》盡美而未盡善也。孔云《武》未盡善，猶季札之言《濩》有慙德也。小康始於禹者，以其傳子，創世及之制，違反選賢與能之道也。[40]

在遇夫看來，《春秋》之所以貴讓，原因有二，一是「譏世卿」，二是「贊和平，非武力」，[41]其最終的目標則是「大同」。因體例關係，此義未能暢發於《大義述》，而詳述於《論語疏證》按語中。故特為揭示於上。

　　讓固是美德，然而一旦居於負責之位，則必須盡力而為，絕不可怠惰敷衍。《春秋》因此「貴豫」（按：〈禮記・樂記〉曰：「禁於未發之謂豫。」），故「魯莊公豫禦戎則大之」，「季子豫惡則善之」。若是事至而逡巡遼緩，或不能洞燭先機，皆為《春秋》所譏。（《大義述》卷二，〈貴豫〉，頁 96-100）又，人孰能無過，有過即須痛改，故《春秋》又「貴變改」。「秦穆公能變而霸西戎」，「齊頃公悔敗而反喪邑」，「楚莊變悔而遂前功」等，乃是「人君以悔過見稱」之例。（《大義述》卷二，〈貴變改〉，頁 100-104）「晉郤缺服義則大之」，「趙軮悔過則許之」，「伯尊下問則錄之」，是為「人臣以悔改見稱者」。（同上，頁 104-106）

　　變改固然可貴，然而若能謹之於初始之時，豈非更為美事？《孟子・梁惠王上》：「仲尼曰：『始作俑者，其無後乎！』為其象人而用之也。」所謂履霜堅冰至，始於用象人，終必用真人，故孔子深表憤慨。此即「謹始」之

40　《論語疏證》，頁80-81。

41　遇夫於〈泰伯〉首章按曰：「《論語》稱至德者二，一贊泰伯，一贊文王，皆以其能讓天下也。此孔子贊和平，非武力之義也。」同上註，頁179。

一例。遇夫故曰：「惟謹始也，故為惡始見於《春秋》者疾之，所謂疾始也。」「初稅畝則譏之」，即為一例。《春秋》宣公十五年：「初稅畝。」據《公羊傳》，所謂稅畝，即是「履畝而稅」，《春秋》「譏始履畝而稅」。《鹽鐵論・鹽鐵取下》篇云：「德惠塞而嗜慾眾，君奢侈而上求多，民困於下，怠於公事，是以有履畝之稅，〈碩鼠〉之詩作也。」（《大義述》卷三，〈謹始〉，頁 126-128）按：「初稅畝」一事，從歷史上講，究竟利弊如何，姑置不論。而《春秋》之意則甚明白，即凡事須防微杜漸，此舉開啟了上奢侈而下貧困之局，故在所譏之列。

七　正變與權

《禮記・學記》曰：「凡學，官先事，士先志。」《孟子・盡心上》曰：「王子墊問曰：『士何事？』孟子曰：『尚志。』曰：『何謂尚志？』曰：『仁義而已矣。』」儒家志在仁義，「謹始」者，即謹此也。遇夫故曰：「修身齊家治國平天下，其端在於誠意。未有不誠意而能成事者也。《春秋》折獄，端視乎意。志邪者不必其惡成，首惡者論其罪特重，此也。」（〈凡例〉，頁11）《春秋繁露・玉杯》篇曰：

> 《春秋》之論事，莫重於志，緣此以論禮。禮之所重者在其志：志敬而節具，則君子予之知禮；志和而音雅，則君子予之知樂；志哀而居約，則君子予之知喪。故曰：非虛加之，重志之謂也。志為質，物為文。質文兩備，然後其禮成。不能備而偏行之，寧有質而無文。雖弗予能禮，尚少善之。

職此之故，「意善者，著之以成其美」。如「魯隱之將讓位於桓也，於不書即位見之」，「於書天王歸仲子之賵見之」，「於子氏不書葬見之」，「於考仲子之宮見之」（《公羊傳》釋曰：「考宮者何？考猶入室也，始祭仲子也。」）（《大義述》卷三，〈重意〉，頁 131-133）又如「宋襄公憂中國而見執，故為諱不言楚捷」；「吳季子不欲父子兄弟相殺，故弒僚不書闔閭」。以上是就意善者

而言。「其意不善者,亦顯示之著其惡」:如「魯桓、宣篡君,皆書即位」;
「魯文公終喪娶夫人,特書納幣以譏其喪娶」;「鄭悼公以喪伐許,書曰鄭
伯」。(同上,頁 134-138)凡此皆是「託事以見其意者」。「至於事與意反,
《春秋》亦舍其事而書其意」:如「公子買不卒成而書成衛,魯僖公之意
也」;「非救邢而書救邢,齊桓公之意也」;「未侵曹而書侵曹,晉文公之意
也」。故曰:「意安可不慎也哉!」(同上,頁 138-140)

　　誠意固是修齊治平之端,然而徒有善意,所行之事未必即善。欲善事之
有成,必須思慮周詳,經權相濟。故孔子曰:「可與共學,未可與適道;可
與適道,未可與立;可與立,未可與權。」(《論語‧子罕》)《韓詩外傳》卷
二第三章引孟子曰:「夫道二,常之謂經,變之謂權。懷其常道而挾其變
權,乃得為賢。」《春秋繁露‧玉英》篇曰:「《春秋》有經禮,有變禮。為
如安性平心者,[42]經禮也。至有於性雖不安,於心雖不平,於道無以易之,
此變禮也。……明乎經變之事,然後知輕重之分,可與適權矣。」據《公羊
傳》桓公十一年九月,鄭祭仲為宋人所執,欲其出公子忽而立公子突。「祭
仲不從其言,則君必死,國必亡;從其言,則君可以生易死,國可以存易
亡。」於是許宋人立公子突,使其君(公子忽)得以不死。是謂「祭仲之
權」。故《公羊》曰:「權者,反於經然後有善者也。權之所設,舍死亡無所
設。行權有道,自貶損以行權,不害人以行權。殺人以自生,亡人以自存,
君子不為也。」(《大義述》卷三,〈明權〉,頁 118-119)簡言之,正如《春
秋繁露‧玉英》篇所謂,「夫權雖反經,亦必在可以然之域」。(《大義述》卷
五,〈正繼嗣〉,頁 246)

　　祭仲不顧死亡以行權,《春秋》許之。前述之逢丑父,「殺身以存君」,
《春秋》卻以為不知權。其故何在?《春秋繁露‧竹林》篇釋曰:

　　逢醜父殺其身以生其君,何以不得謂知權?丑父欺晉,祭仲許宋,俱
　　枉正以存其君。然而丑父之所為難于祭仲,祭仲見賢,而醜父猶見
　　非,何也?曰:是非難別者在此。此其嫌疑相似而不同理者,不可不

---

42 蘇輿謂,「如」即「而」。見《春秋繁露義證》,卷3,頁74。

察。夫去位而避兄弟者，君子之所甚貴。獲虜逃遁者，君子之所甚
賤。祭仲措其君於人所甚貴以生其君，故《春秋》以為知權而賢之。
丑父措其君於人所甚賤以生其君，《春秋》以為不知權而簡之。[43]其
俱枉正以存君，相似也。其使君榮之與使君辱，不同理。故凡人之有
為也，前枉而後義者謂之知權，雖不能成，《春秋》善之，魯隱公、
鄭祭仲是也。前正而後枉者謂之邪道，雖能成之，《春秋》不愛，齊
頃公、逢丑父是也。

於經權之辨，可謂剖析精詳。遇夫因此說道：「權者，儒家之最上義也。聖
人秉權以應物，要非折衷至當，未易輕言。《公羊》於祭仲之事，丁寧誥
誡，……蓋早慮權之易滋流弊也。」〈明權〉一篇，「既明權為勝義，亦示用
權之當慎爾」。(〈凡例〉，頁 10) 柳劬堂對此，亦有精闢的說明，云：「《易》
義有恆有變，史義亦有正有變，知其變方能識其正。《穀梁傳》最重正變之
義，有明正，有復正，有變之正。……孔子稱舜擇兩端而用中，又自稱叩兩
端而竭焉。義有相反而相成者，非合兩端而言，不能知因時制宜之義也。」[44]

　　至於為何須用權，如何行權，端視正義與否而定。而如何斷定正義，則
不在國君個人之安危，而在是非善惡之公。然而儒家又強調「親親」，如
《論語‧子路》載：「葉公語孔子曰：『吾黨有直躬者，其父攘羊而子證
之。』孔子曰：『吾黨之直者異於是，父為子隱，子為父隱，直在其中
矣。』」按：親親為私，直為公，直在親親之中，亦即公在私情之中。

八　親親與天下為公

　　魯慶父殺閔公，季友緩追而逸之。《公羊傳》謂「緩追逸賊，親親之道
也。」遇夫引《漢書‧鄒陽傳》：「陽說王長君曰：魯公子慶父使僕人殺子
般，獄有所歸，季友不探其情而誅焉。慶父親殺閔公，季子緩追免賊，《春

---

43 凌曙注云：「簡，略也。」參見前註，卷2，頁60。
44 《國史要義》，頁137，141。

秋》以為親親之道也。」又引《鹽鐵論・周秦》篇曰：「自首匿相坐之法立，骨肉之恩廢而刑罪多。聞父母之於子，雖有罪猶匿之。豈不欲服罪爾，子為父隱，父為子隱，未聞父子之相坐也。聞兄弟緩追以免賊，未聞兄弟之相坐也。」（《大義述》卷四，〈親親〉，頁 207）此節要旨有二：一為骨肉間之恩情，因首匿相坐之法而趨於淡薄，犯罪因此增多。二為父子相隱、兄弟緩追（按：季友之於慶父，即兄弟緩追之例），本是自然的親愛之情，豈可立法以破壞之？又，「吳季札不忍父子相殺而讓國」，《春秋》亦「賢之」。《公羊傳》謂，闔閭使專諸刺殺吳王僚，「而致國乎季子，季子不受，曰：『爾弒吾君，吾受爾國，是吾與爾為篡也；爾殺吾兄，吾又殺爾，是父子兄弟相殺終身無已也。』去之延陵，終身不入吳國。故君子以其不受為義，以其不殺為仁。」故《春秋繁露・王道》篇曰：「魯季子之免罪，吳季子之讓國，明親親之恩也。」遇夫就此說道：「此全親親之義，而《春秋》褒之者也。」（同上，頁 207-208）

「晉獻公殺世子申生，直稱君殺以示惡」；「鄭莊公殺弟叔段，則書克以大鄭伯之惡」；「周景王殺其弟佞夫，則譏其首惡忍親」；「陳哀公之弟光出奔楚，書弟出奔以惡之」；「魯莊公滅同姓，則以為大惡而為之諱」；「晉伐同姓，則視晉為狄」。凡此諸例，「皆以不能盡親親之道而見惡於《春秋》者也」。（同上，頁 210-215）然而親親之中，尊尊之義仍不可廢。如衛蒯瞶無道，其父靈公逐之，而立蒯瞶之子輒。《公羊傳》哀公三年夏：「然則輒之義可以立乎？曰：可。其可奈何？不以父命辭王父命。以王父命辭父命，是父之行乎子也。不以家事辭王事。以王事辭家事，是上之行乎下也。」又，莊公為桓公、文姜之子，文姜通於其兄齊襄公，與殺桓公之謀，遂居齊而不返。《春秋》莊西元年：「三月，夫人孫于齊。」《公羊傳》曰：「內諱奔謂之孫。夫人固在齊矣，其言孫于齊，何？念母也。夫人何以不稱姜氏？貶。曷為貶？與弒公也。念母者，所善也。則曷為於其念母焉貶？不與念母也。」何休《解詁》釋曰：「念母則忘父，背本之道也。蓋重本尊統，使尊行於卑，上行於下。」即此可知，「親親之中，尊固有所統也」。（同上，頁 215-217）遇夫故曰：「治國始於齊家，親親之義尚矣。歷觀《春秋》所記，家與

國較，則輕家而重國；天倫與大義較，則伸大義而詘天倫。」（〈凡例〉，頁
12）

　　宗法之世，治國始於齊家，家之立，則始於婚姻。遇夫以為：「婚姻之
道，昔苦其拘，今患其縱。拘者非也，縱者亦非也。法蘭西民志存逸樂，妊
婦習於殺胎，丁口因之不殖，又男女無別，舉國荒淫，猝遭強敵，有同齏
粉，殷鑒不遠，可為悚惕。此〈重妃匹〉、〈尚別〉二篇之所為述也。」又
曰：「古人世爵，聖人欲杜覬覦，故傳國貴居正。此自為當時設制云爾。今
斯制不存，其防微杜漸之心固可師也。次述〈正繼嗣〉。」（〈凡例〉，頁
12）按：如此議論，可謂平正通達，憂國之心、經世之志，躍然紙上。

　　此義既明，對於「《春秋》貴男女之別」，當可有同情之瞭解也。如「秦
以無男女之別而為狄」，「吳以無男女之別而反夷」，著眼處正在維持婚姻之
道以確保社會有序而不紊。故「魯文姜淫於齊襄而桓公弒」，「哀姜淫于二弟
而魯國危」，「陳靈淫于夏姬而身弒國危」，皆為《春秋》之大戒」。（《大義
述》卷五，〈尚別〉，頁 234-236）又，君位世襲時代，「正繼嗣」乃保證政
治與社會安定所不可或缺者。周制傳子不傳弟，故「《春秋》正與子，不正
與弟」。均為子也，則「先立貴」；均為庶子，則「先立長」。此即所謂名
分。惟有「名分定」，方能「覬覦絕」，此乃「聖人之用心」。「至如兄有疾而
立弟」，「子有罪而立孫」，乃「事之變者」，不得不爾也。（同上卷，〈正繼
嗣〉，頁 236-243）繼嗣不正，政權的合法性便有問題，禍亂往往因此而釀
成。「晉獻公殺正而立不正，釀三世之禍」；「吳之弟兄迭為君，釀闔閭之
禍」；即為顯例。故「宗法之世，於族類之辨特嚴」。（同上，頁 243-246）

　　自上述諸例可見，《春秋》雖褒揚親親之道，同時又主張天下為公的大
義。推究其實，天下為公的大義，正是由親親之情自然流出。

九　餘論：仁心不容已與大同境界

　　《春秋》既以褒貶為職志，又講究諱辭，其故何在？遇夫以為，於此可
見「聖人忠厚之意」，云：

《春秋》為尊者諱，為賢者諱，為親者諱。或疑《春秋》以褒貶明
義，何以有諱辭以掩人之惡，此誤說也。夫諱有二端：恥自外至者，
尊者賢者親者之所不欲受，故為之諱，以減其恥。此聖人忠厚之意，
所以尊尊賢賢親親也。惡自己出者，聖人欲直貶尊者賢者親者而有所
不能，欲隱其事而又有所不得，故宛辭微文以見之，此亦聖人忠厚之
意也。諱也，所以見惡也。後之人觀於聖人之辭，而事之美惡可知
矣。掩惡云乎哉！（〈凡例〉，頁 12）

不論恥自外至抑或自己出，於所尊所賢所親者，總不忍直言之。然而事實具
在，史家秉筆，焉能沒而不書？於是便有了諱辭，其原在於孟子所謂不忍人
之心。此不忍人之心，最能體現於親親之中。《孟子・滕文公上》載，墨者
夷之以為，「愛無差等，施由親始」。孟子反問道：「夫夷子信以為人之親其
兄之子，為若親其鄰之子乎？」可見儒家倫理之所本，乃是自然親愛之情。

　親親為私，仁為公，推本溯源，皆是出於一點不忍之心。故依儒家之
見，公與私本非二物。清儒程瑤田《論學小記》釋《論語》「父為子隱」一
節云：

人有恆言，輒曰一公無私。此非過公之言，不及公之言也。此一視同
仁，愛無差等之教也。其端生於意必固我，而其弊必極於父攘子證，
其心則陷於欲博大公之名。天下之人，皆枉己以行其私矣，而此一人
也，獨能一公而無私。果且無私乎？聖人之所難，若人之所易。果且
易人之所難乎？果且得謂之公乎？公也者，親親而仁民，仁民而愛
物，有自然之施為，自然之等級，自然之界限，行乎不得不行，止乎
不得不止，時而子私其父，時而弟私其兄，自人視之，若無不行其私
者，事事生分別也，人人生分別也，無他，愛之必不能無差等，而仁
之不能一視也，此之謂公也，非一公無私之謂也。……如其不私，則
所謂公者，必不出於其心之誠然，不誠則私焉而已矣。[45]

45　引自程樹德：《論語集釋》（北京市：中華書局，1990年），卷27，頁925-926。

於儒家親親之義，闡發至為精當，故詳錄之。(按：近世極權主義國家，標一抽象之「公」，以為最高名義，不准人人各遂其私。其所謂公，本是造作而成，絕非出於人心之誠然，究其實，便於集權者之私而已。)

將此自然親情，自一家推至一國，自一國推至諸夏，最終擴及於全人類，便是儒家所謂大同境界了。然而這並非有意而為，而是仁心不容已的結果。王輔嗣所謂「自然親愛為孝，推愛及物為仁」，[46]正是指此。故在儒家政治學說中，公與私決不是對立之物。柳劬堂對此，闡釋甚精，云：

> 千古史跡之變遷，公私而已矣。公與私初非二物。祇徇一身一家之計，不顧他人之私計，則為私。推其祇徇一身一家之計之心，使任何人皆能便其一身一家之私計，則為公。故大公者，羣私之總和，即《易・文言》所謂利者義之和也。由此推闡，公之中有私焉，私之中亦有公焉，相反相成，推遷無既，亦即董生所謂義之中有不義，不義之中有義。此學者所不可不知也。[47]

大同境界由親親之情推出，孝弟則是親親之情的體現。故有子曰：「君子務本，本立而道生。孝弟也者，其為仁之本與。」(《論語・學而》)遇夫按曰：

> 愛親，孝也；敬兄，弟也。儒家學說，欲使人本其愛親敬兄之良知良能而擴大之，由家庭以及其國家，以及全人類，進而至於大同，所謂親親而仁民，仁民而愛物也。然博愛人類進至大同之境，乃以愛親敬兄之良知良能為其始基，故曰孝弟為仁之本。孟子謂親親敬長，達之天下則為仁義，又謂事親從兄為仁義之實，與有子之言相合，此儒家一貫之理論也。[48]

---

46 王弼：《論語釋疑》(輯佚)，收入樓宇烈主編：《王弼集》(北京市：中華書局，1980年)，頁621。

47 《國史要義・史義第七》，頁153-154。

48 《論語疏證》，頁4。

《春秋大義述》一書的歸宿處，正在於此。儒家學說，包括《春秋》政治理論，本是普遍主義的，[49]與近世國族主義殊科，亦正顯現於此。

---

[49] 德國漢學家羅哲海（Heiner Roetz）認為，儒家的最高目標是大同，在大同之世，出於個人生活情境的特殊考慮已不能阻礙大羣的利益，由此便可進入美國心理學家 Lawrence Kohlberg 所謂後習俗（postconventional）系統（亦即對是非善惡的判斷，所依據者乃應然之原則，而非世俗之見）。是謂中國「軸心時代」的突破。見所著 *Confucian Ethics of the Axial Age: A Reconstruction under the Aspect of the Breakthrough toward Postconventional Thinking* (Albany, NY: State University of New York Press, 1993), p. 272。易言之，儒家絕不反對普世價值，因其倫理本是普遍主義的。

試探一九一二至一九四九年間
白話經注的價值
——以此類經注與朱子《四書》學
的關係為考察中心[*]

孫致文

國立中央大學中國文學系助理教授

一　前言

　　注釋是展現經典理解最直接的方式。顧炎武《日知錄》中曾說：「其先儒釋經之『書』，或曰『傳』，或曰『箋』，或曰『解』，或曰『學』，今通謂之『注』。……其後儒辨釋之書名曰『正義』，今通謂之『疏』。」[1]就「解經」的角度而言，各種體式性質皆同；但若細加比較，則各體解經的方式則又有不同[2]。大體而言，經典注釋包括幾個不同的內容：一是解釋詞義、串講句義，一是分章定句，一是闡述義理。前二者是以典籍的書面形式為對象，後者則是以典籍的內在意涵為對象。義理的闡述，須以詞意、句意的理

＊　曾於二〇〇九年七月十三至十四日中央研究院文哲所主辦之「變動時代的經學和經學家（1912-1949）第五次學術研討會」宣讀。此次略作修改。
1　〔清〕顧炎武著，〔清〕黃汝成集釋，欒保群、呂宗力校點：《日知錄集釋》（上海市：上海古籍出版社，2006年），頁1027。
2　注釋種類的名稱與差異，可參看汪耀楠：《注釋學綱要》（北京市：語文出版社，1997年），第二章。

解為基礎；而注釋經典書面形式的目的，又在於闡發義理。

在經學研究的傳統中，為數眾多的經注自然是研究者矚目的焦點；然而在閱讀、研究這些經注後，學者又可能展開新的注釋工作。新的注釋，可能是為了補正舊注之失，也可能是為了進一步闡釋前人舊注。因此，除了被視為「主要文本」的「經」會是後人注釋的對象，原為「次要文本」的前人「經注」也可能成為後人注釋的對象，因而躍升成為新的「主要文本」[3]。在一層層注釋「主要文本」的過程中，經典的意涵愈來愈明白、豐富。在這種層層構建的經注體系中，任何一本經注，都不應該被漠視。

3　此處關於「主要文本」、「次要文本」的概念，參考了傅柯（Michel Foucault）〈話語的秩序〉（*The order of Discourse*）一文的觀點。傅柯在該文針對「話語控制的內部程序」說：
　我猜想——但不是非常確定——幾乎沒有一個社會沒有不被說明、重複或變換的主要敘述；以及條文、文本和在明確情境下被記誦的儀式化的話語；那些一經說出即被保存的東西，因為人們懷疑其後藏有秘密或珍寶。……大量的主要文本逐漸模糊和消失，有時是評論占據了主要的地位。但其應用之處盡可改變，而功能卻依然如舊；區分的原則仍在起著作用。……在廣義的評論中，主要和次要文本間的等級扮演著兩個相互支撐的角色。……評論給話語以應有之物從而消除話語中的偶然因素；它允許我們說文本之外的東西，但這必須得以談論文本本身為條件，在一定意義上是對文本的完善。開放的多樣性、偶然因素，都被評論原則從很可能說點什麼轉移到了重複的次數、形式、面具和環境之上。新事物不在於說了什麼，而在其重複的事件中。
　參見蕭濤中譯，載許寶強、袁偉選編：《語言與翻譯的政治》（北京市：中央編譯出版社，2001年），頁9-10。
　　學者王德威在傅柯《知識的考掘》中譯本導讀中簡要地說明了傅柯所指出「話語控制內部程序」的「評論功能」：
　所謂「評論」是指話語的產生都是對前已存在之話語的一個回響、一項詮釋。在大多數的社會中，各宗教、法律、文學，乃至科學等方面的話語，均強調這一評論的功能，使我們感到每一話語都是其來有「自」，而非偶然下的產物。下僅此也，話語的「評論」功能亦表明了在闡論前人述作時，新的話語終於「說出了」一些前此而〔未〕被人所注意的微言大義，因而更接近真理。（文中疑奪一「未」字。）
　參見王德威譯：《知識的考掘・導讀一：淺論傅柯》（臺北市：麥田出版社，1993年），頁32。

梁啟超於《清代學術概論》中，以「諸經皆有新疏」為清代學者「最有功於經學」的表現[4]。民國之後，學者或者認為「經學」已衰落，甚至滅亡；然而，民國之後仍有多種經注問世。近時，林慶彰先生主編出版了《民國時期經學叢書》一、二輯[5]，其中已蒐羅了許多近現代學者經典注解的成果[6]。在一九一二年至一九四九年之間出版的經注中，最具時代意義的，似乎是各種以「白話文」注釋、解說經典的著作。在新舊時代交替之際，「白話經注」以新的書寫形態闡釋舊典籍的意涵，能直接展現當時學者的經學觀。我們實不該僅僅以「普及讀物」的觀點看待這些白話經注。

在這批數量龐大且未經全面整理的白話經注中，本文擬先以《四書》類著作為考察對象。自元仁宗皇慶二年（1313）恢復科舉並以朱子《四書章句集注》為主要依準，直至清光緒三十一年（1905）廢除科舉之前，朱子「《四書》學」對士子影響甚鉅。經歷了清代學術史上尊朱、述朱到攻朱之後，一九一二年至一九四九年間，以白話注經的學者心目中，朱子「《四書》學」是否仍佔一席之地？此一主題的探究雖以朱子學為核心，但關涉經注語體「文言」與「白話」之別，因此，下文將由探討白話語體與此時期經注的關係展開。

二　新興的語文形態

「經注」並非講經、說經，而是以書面形態呈現；因此，本文所謂「白話經注」，實應以「白話文經注」稱之。「文言文」與「白話文」都屬於書面語，非指口語。然而，在習慣用法中，我們也常以「文言」、「白話」指稱它

4　梁啟超：《清代學術概論》，收入《中國近三百年學術史》合刊點校本（臺北市：里仁書局，1995年）頁44。

5　林慶彰主編：《民國時期經學叢書》（臺中市：文听閣圖書公司，2008年）第1、2輯。

6　又見林慶彰：〈利用民國時期經學著作的途徑〉，「經學國際研討會」論文（香港：嶺南大學中文系，2009年5月29、30日）提及，近時將有《民國時期經學圖書總目》出版。該書著錄圖書1200種。

們的書面語形態。雖然「文言」、「白話」這組相對而稱的詞語已被廣泛使用，但他們指涉的意涵並不十分確切。語言學者對「文言」與「白話」之別，已有充分的討論。近年對白話文進行較全面研究的上海師範大學教授徐時儀即總結前輩學者之見，指出文言與白話的關係；他說：「文言和白話是同源異途的兩種書面語，二者不是截然不同的兩種語文，而是相對的，既有不同，又互有聯繫。文言是只見於文而不口說的語言，白話是口說的語言，寫出來的白話則是口說而又見於文的語言，也稱語體文。」[7]雖然文言文也在語文發展的歷程中吸納不同時代的口語，但基本上是在先秦兩漢口語基礎上凝固而成的書面語；而白話，則在先秦兩漢白話的基礎上持續隨時代發展[8]。因此，雖同以書面語形態出現，瞭解「文言」比瞭解「白話」困難；「識字」並不意謂即能理解「文言」。「宋元以來，白話與文言並存已不是簡單的工具使用問題，文言是士官文化的載體，與士官文化價值系統相聯繫，而白話則是市井文化的載體，與市井文化價值系統相聯繫」[9]。「文言」與「白話」顯然也不再只是語文問題，背後更顯示了對身分、文化的價值評判。

　　清代中葉以後，推動維新的知識分子已留意到推行「白話文」與「開民智」的關係。較為人熟知的是清光緒二十四年（1898）梁廷裘發表的〈論白話為維新之本〉一文，文中主張使用「白話」有「八益」：省日力、除憍氣、免枉讀、保聖教、便幼學、鍊心力、少棄才、便貧民。其中「保聖教」一條即謂：

　　　　《學》、《庸》、《論》、《孟》，皆二千年前古書，語簡理豐，非卓識高才，未易領悟。譯以白話，間附今義，發明精奧，庶人人知聖教之大略。[10]

7　參見徐時儀：〈略論文言與白話的特色〉，《蘇州科技學院報報》（社會科學版）第26卷第1期（2009年2月），頁81-88。引文見徐文頁81。

8　參見徐時儀：〈略論漢語文白的轉型〉，《上海師範大學學報》（哲學社會科學版）第37卷第2期（2008年3月），頁62-73。上述文言、白話發展，見徐文頁62-64。

9　徐時儀：〈略論文言與白話的特色〉頁82。

10　梁廷裘：〈論白話為維新之本〉，收入郭紹虞、羅根澤主編：《中國近代文論選》（臺北

其實，在梁氏作此呼籲之前，已出現一部明白標舉以白話解說《論語》的著作：陳澧所著《論語話解》[11]。該書刊刻於同治十三年（1874）[12]，據書前陳澧同門、同鄉林壽圖所撰序文可知，此書撰作的緣由，正是因為對《論語》一書已有士子「童而習之，至老不能融會貫通者。」，因而以語體解說，「使窮鄉僻壤，家置一編；雖無賢師長之指示，皆開卷瞭然於心目」[13]。

市：木鐸出版社，1988年），頁178。

[11] 陳澧（？-1871？），福建福州府閩縣人，字心泉，道光二十七年丁未科（1847）賜進士出身二甲四八名。參見江慶柏編：《清朝進士題名錄》（北京市：中華書局，2007年），頁959。據《光緒重修安徽通志》卷一三九載：「陳澧，字心泉，福建閩縣進士，江西南安府知府。咸豐十一年，曾國藩奏調來皖；同治元年，補安慶知府。澧廉靜慈祥，與民休息，作〈勸士〉四則，曰：安貧、篤行、勤學、勸善。作〈戒訟〉五則，曰：惜財、修睦、達觀、簡詞、守法，皆藹然仁者之言。四年擢安廬滁和道，五年送部引見，改湖北委用道，旋投武昌道，卒。」

又陳澧所著《論語話解》，現有清光緒二十九年（1903）年湖南洋務局刊印本（收入【無求備齋論語集成】十一函），書前有同治十三年（1874）林壽圖所撰序文，文中稱陳澧「歿踰二年」；據此推算，陳氏歿於同治十年前後。與《安徽通志》所載同治五年（1866）卒不合。

陳澧著作書名即標示「話解」二字，頗具新意。但以語體解經，在陳澧之前即已出現。如元人許衡（1209-1282）《魯齋遺書》卷四〈大學直解〉、卷五〈中庸直解〉，元人貫雲石（1286-1324）《孝經直解》，都是以口語解經。（今尚有日本林秀一舊藏元版《孝經直解》，東京都：汲古書院，1996年影印出版）又如〔明〕張居正《書經直解》、《四書直解》等，原初都是萬曆年間為明神宗進講時所作。《四庫全書總目》卷一六六〈集部‧別集類十九〉《魯齋遺書》提要謂許衡兩篇「直解」「皆課蒙之書，詞求通俗」（頁四七）。《四庫全書總目》卷十三〈經部‧書類存目一〉《書經直解》提要，則又說張居正「譯以常言，取其易解」的解經方式，「吳澄《草廬集》中所載經筵講義體亦如是也。」（頁十九-二十）本文引用《四庫全書總目》（臺北市：臺灣商務印書館，2000年），皆據清乾隆六十年（1795）武英殿本影本。

[12] 美國普林斯大學東亞圖書館藏有清同治十三年（1874）閩縣陳氏家刊求在我齋全集本。

[13] 此書有多種清代刻本、排印本存世。民國五年（1916）年，（上海）商務印書館又有排印本發行，臺灣商務書館及臺灣其他出版社亦多次影印出版。此書之意義與學術價值，尚未見學者探討。因書成於清代，不在本次文討論範圍內。日後當另撰論文探討。

　　直至清代覆滅，雖未見第二部白話經注，但在推行白話的意識下，編寫白話教科書的運動自一九〇〇年已蔚然成風[14]。至民國九年（1920）教育部訓令全國國民學校，將一、二年級國文改為語體文，「推行國語以期言文一致」。同年，教育又通告，舊制編輯教科書，准用至民國十年（1921）冬季止，自此以後，國民學校各科一律改採語體文教科書[15]。

　　正因為這股白話書寫運動的影響，加以民國政府推動白話教科書的政策，一九一二年以後白話經注似也形成風氣。又或許受陳濚《論語話解》的啟發，有民國二十四年（1935）劉思白《周易話解》[16]，又有民國三十七年（1948）朱廣福等人合撰《孟子話解》。在《孟子話解》書前〈編輯大意〉篇首即明言：「清同治年間，閩縣陳心泉先生撰《論語話解》，以語體文解說《論語》，淺顯易曉，亦無講章冗繁之病，誠裨益初學之作也。是以風行數十餘年，幾遍全國。本館〔按，指商務印書館〕亦採為學者入門之助，印行已久。」[17]這段編輯大意，固然含有出版社促銷《論語話解》的廣告作用，但我們仍不應忽視陳濚著作「開風氣」的意義。

　　一九一二年至一九四九年間，《四書》類白話經注著作數量究竟如何，因筆者尚未能全面清查，僅能就所知、所見，將本文主要討論的著作依出版時間開列於下，以便下文敘述。[18]

---

14 關於清末白話文運動，可參看李孝悌：〈白話報刊與宣傳品〉，《清末的下層社會啟蒙運動1901-1911》（臺北市：中央研究院近代史研究所，1998年）。又羅秀美：〈童蒙教育與白話書寫〉，《近代白話書寫現象研究》（臺北市：萬卷樓圖書公司，2005年），對近代（1940-1919）白話教科書編輯現象有較詳細討論。

15 參見劉錦熙：《國語運動史綱》，收入黎澤渝、劉慶俄編：《黎錦熙文集》（哈爾濱市：黑龍江教育出版社，2007年），下冊，頁153、155。

16 劉思白：《周易話解》（天津市：直隸書局，1935年），收入《民國時期經學叢書》，第2輯，冊13。

17 本文引用各本白話經注文句，已適度更易原書標點，以符合現今閱讀習慣。以下引文皆同，不一一標明。

18 除以下所列，又知有唐駝《四書白話註解》（上海市：羣學書社）一種，未見。唐駝（1871-1938）江蘇武進（常州）人。原名守衡，字孜權，改名唐駝，人稱唐駝子。書法家。宗王、歐，擅寫商店招牌，為上海各商肆書寫招牌甚多。中華書局招牌亦出

（一）杜天縻修訂

《（言文對照）廣註四書讀本》，上海：世界書局，民國二十一年
（1932）。

《廣註論語讀本》收入《民國時期經學叢書》第一輯冊五十。

《廣註孟子讀本》收入《民國時期經學叢書》第一輯冊五四。

《廣註學庸讀本》收入《民國時期經學叢書》第二輯冊五六。

（二）「肅房編譯室」編註；沈鶴泉、王佐才校訂

《（注音字母　增批大字）繪圖四書白話句解》，上海：永昌書局，民國
二十三年（1934）。收入《民國時期經學叢書》第二輯冊四九。

（三）張兆瑢、沈元起

《白話論語讀本》，上海：廣益書局，民國二十四年（1935）再版。〔未
見〕

《白話孟子讀本》，上海：廣益書局，民國二十四年（1935）再版。[19]

《白話論語讀本》，上海：廣益書局，民國三十七年（1948）新三版。
〔未見〕

（四）周祖芬

其手，並為書局書寫石印教科書。（以上摘錄自陳玉堂編著：《中國近現代人物名號大
辭典》（杭州市：浙江古籍出版社，1993年），頁782。

[19] 今據文友書局影本，封面由宗孝忱題籤，書名大字作「最近孟子讀本」，右上有兩行
小字，分別作「原本蘇批」、「白話解釋」，該書內文側標作：「批點註解白話孟子讀
本」。二〇〇七年，天津人民出版社又據廣益書局一九四九年新三版，重新以簡體排
印出版《白話論語讀本》。

《（言文對照音註標點）四書句解》，上海：春江書局，民國二十七年（1938）。

《（言文對照音註標點）中庸句解》收入《民國時期經學叢書》第一輯冊五八。

《（言文對照音註標點）大學句解》〔未見〕。

《（言文對照音註標點）論語句解》〔未見〕。

《（言文對照音註標點）孟子句解》〔未見〕。

（五）張守白

《（註譯評講）論語白話新解》，上海：東方文學社出版；上海：學生書局發行，民國二十八年（1939）。〔未見〕

《（註譯評講）中庸白話新解》，上海：東方文學社出版；上海：學生書局發行，民國二十九年（1940）。收入《民國時期經學叢書》第一冊五八。

《（註譯評講）四書白話新解》，上海：學生書局，民國三十年（1948）。[20]

（六）蔣伯潛修訂

《（語譯廣解）四書讀本》，上海：啟明書局，民國三十年（1942）。[21]

20　臺中「中央書局」曾於一九五五年、一九五七年刊印此書，仍用《四書白話新解》為書名。臺南「大東書局」一九六一年重新排印此書，以上下兩欄對照排印四書原文與白話語譯，每章之後，則單欄排印「註」、「講」。該書封面書名以大字標「四書新解」四字，又以三行小字「語譯　註解　評講」冠於「四書新解」上；內頁側標分別作「大學白話詳解」、「中庸白話詳解」、「論語白話詳解」、「孟子白話新解」。（未載出版年，臺灣大學圖書館藏。）今以成功大學圖書館藏一九四八年上海學生書局本為據。

21　今據臺北「啟明書局」影印本（臺北市：粹芬閣出版，啟明書局發行，1952年）。書前有民國三十年張壽鏞、蔣維喬序。

（七）王天恨

《四書白話句解》，上海：國學研究室，民國三十五年（1946）。[22]

（八）朱廣福、沐箕香、華國章、楊蔭深、馮仲足、趙靜

《孟子話解》，上海：商務印書館，民國三十七年（1948）。收入《民國時期經學叢書》第二輯冊五三。

上述各書，雖以白話注釋、解說《四書》，但從書的體例，似又可窺見編撰者對文言、白話的態度。我們發現，雖以白話為《四書》作注，但這類著作的序言或編輯大意、凡例卻大多以文言撰成。例如：（一）杜天縻《廣註四書讀本》書前〈編輯大意〉，以文言撰成；書內《四書》本文以「。」於文句右側斷句，〈註〉與〈白話講演〉則有「，」與「‧」標點。（二）標寫「肅房編譯室」編註的《繪圖四書白話句解》，書前無序，〈凡例〉用淺近之文言撰寫。該書書前又有「注音字母讀法表」、「注音字母發音表」，但全書用「。」於文句右側斷句，未用新式標點。（三）周祖芬《中庸句解》書前〈例言〉以文言撰成，全書用新式標點。（四）蔣伯潛修訂的《（語譯廣解）四書讀本》，書前粹芬閣主人沈知方所撰〈刊行序〉及唐文治、張壽鏞、蔣維喬、蔡丏因、蔣伯潛所撰的序，都以純熟的文言寫就。其中，只有沈氏〈刊行序〉、蔣維喬〈敘〉加有新式標點，唐〈序〉以「。」斷句，唐、蔡、蔣潛伯三人序言，則全無斷句；而唐、蔡兩人之序，則又以書蹟影本刊載。（五）王天恨《四書白話句解》一書，〈凡例〉用文言，末署「吳陵王紓運天恨識」。未用新式標點，全書用「。」於字間斷句。仍用「反切」「直音」標音。（六）朱廣福等《孟子話解》，書前〈編輯大意〉仍用句末為

---

22 今據《四書白話句解》（臺北市：文化圖書公司，1962年）。

「耳」、「也」的文言文句。全書只以「。」於文句右側斷句，未用新式標點。[23]

　　新式標點符號的制定與使用，也是清道光二十年（1840）鴉片戰爭以後文化界爭論的議題之一。雖然在民國九年（1920）教育部發布〈通令採用新式標點符號文〉的訓令[24]，但在我們所見的這些白話經注中，顯然並未普遍採用。這種文白並用、傳統句讀與新式標點共存的現象，頗令人感到費解。雖然無法確知經注編撰者選擇文言、白話撰寫序文、凡例的理由，但由前文所言兩種語文形態的「文化價值系統」思考，不免令人懷疑：這些編撰者或許不自覺地以「上層教化下層」的態度從事經典注釋。或許，這種語文現象，正是新舊文化、思維交替時代的特有產物。

　　另一個隱然存在的疑慮，則是對「譯」、「翻譯」字詞用法的保留。

　　我們或曾聽見「將文言翻譯成白話」的說法，在中學國文科測驗中，甚至也往往有「翻譯」類型的考題。其實，「翻譯」並不適合用於「文言」與「白話」的轉換。《禮記‧王制》：「五方之民，言語不通，嗜欲不同。達其志，通其欲，東方曰寄，南方曰象，西方曰狄鞮，北方曰譯。」[25]原初雖因地域不同，而有寄、象、狄鞮、譯等專用詞，但後世則無論方位，都通言為「譯」；《說文解字‧言部》即說：「譯，傳四夷之言者。」[26]孔穎達（574-648）疏解〈王制〉時說：「譯者，陳也。謂陳說外內之言。」[27]賈公彥疏解

---

23 張兆瑢、沈元起：《孟子讀本》書前〈凡例〉及〈孟子傳略〉則都以白話寫成；末條〈凡例〉並指出：「本書一律用新標點」。此外，上海商務印書館於民國十五年（1926）出版的繆天綬選註《孟子》，雖然全書以文言注釋，書前有出版社以文言撰成的〈學生國學叢書編例〉，其後繆氏所撰〈孟子新序〉，卻以白話行文。

24 參見袁暉、管錫華、岳方遂：《漢語標點符號流變史》（武漢市：湖北教育出版社，2002年），頁332。

25 《禮記注疏》（臺北縣：藝文印書館，1989年影清嘉慶二十年南昌府學本），卷12，頁27上。

26 段玉裁：《說文解字注》（臺北縣：藝文印書館，1979年影經韻樓原刻本），三篇上，頁31下。

27 《禮記注疏》（臺北縣：藝文印書館，1989年影清嘉慶二十年南昌府學本），卷12，頁28下。

《周禮・秋官・象胥・序官》則說:「譯即易,謂換易言語使相解也。」[28]
因有「換易」之意,而又以「翻」字稱之,或組成雙音詞「翻譯」。所謂
「翻譯」,是「語種」間的轉換。漢語「文言」與「白話」差異,並非語種
之別,而是同一語種內語言形式的不同。雖然「文言文」與「白話文」既不
是因地域造成的隔閡,也未必可全然以時間的古今說明其差異,然而,兩者
的形式確實不同。

在述及文言與白話轉換時,為了避免「翻譯」一詞造成的觀念謬誤,因
而有了「文言今譯」一詞,甚至已有學者為「文言今譯學」撰作專著。近
時,「文言今譯學」儼然已成為一門新興學問。陳蒲清《文言今譯學》一書
不但指出「文言今譯,就是把文言文翻譯為現代白話文」,且特別強調這是
兩種書面語的轉換,而非口語的轉易[29]。

雖然自民國以來,即有不少著作以「譯」、「今譯」、「白話譯解」等詞語
指稱「文言」與「白話」的轉換,但似乎也有編撰者對使用「譯」字頗為謹
慎。前述清同治年間陳澧的著作,即以「話解」為名;朱廣福等人繼承陳澧
撰作之用心而作的《孟子話解》,於〈編輯大意〉中也未見「翻譯」一詞,
而採「以語體文解說」的用語。再如杜天縻所修訂《廣註四書讀本》一書,
雖於書前〈編輯大意〉中使用了「語譯」一詞[30],但書名及內文中都未使用
「譯」字。該書書名「廣註大學讀本」、「廣註中庸讀本」上,均有雙行小字

28　《周禮注疏》卷34,頁11上。

29　陳蒲清:《文言今譯學》(長沙市:嶽麓書社,2000年),頁11。又,汪耀楠《注釋學
　　綱要》一書中也列有專章討論「今譯」。然而,汪書認為「翻譯」所指涉的範圍較
　　廣,可包含「今譯」;特立「今譯」一詞,只是為了彰顯所譯的對象是「古文」。參見
　　汪書,頁243-244。

30　該書於《大學讀本》、《中庸讀本》、《論語讀本》、《孟子讀本》四部之前各有〈編輯大
　　意〉一篇;四篇雖略有出入,但用語大致相同。除《論語讀本・編輯大意》只有五
　　則,其餘各有六則。《大學讀本・編輯大意》使用「語譯」三次,單用「譯」字一次
　　(《大學讀本》原書頁一,影本頁1)。《中庸讀本・編輯大意》使用「語譯」四次
　　(《中庸讀本》原書頁一,影本頁31)。《論語讀本・編輯大意》使用「語譯」二次,
　　單用「譯」字一次。(《論語讀本》原書頁一,影本頁1)《孟子讀本・編輯大意》使用
　　「語譯」三次,單用「譯」字一次。(《孟子讀本》原書頁一,影本頁1)

「言文對照」；內文除以「註」標名字詞解釋外，又以「白話講演」串講各章，似乎也有意也避免使「譯」字。

　　對於上述這些問題，本文的理解無法獲得確證；但指出這些現象，實已可見民國時期的白話經注，不僅具有經學史的研究價值，更可作為探討近代白話語文運動最豐富的語料。

三　隱身的作者

　　上文曾因文言、白話在同一著作中並用的現象而揣度作者的心態；該處未能以其他傳記資料佐證，實是因為我們對這些白話經注作者所知極有限。如《繪圖四書白話句解》版權頁所載「肅房編譯室」究竟是何單位？又有哪些參與者？對該書校訂者沈鶴泉、王佐才，僅知沈氏即該書印刷所「沈鶴記印局」的負責人，其餘資訊則付闕如。

　　合撰《孟子話解》的六位作者[31]，我們只略知楊蔭深[32]、馮仲足[33]生

---

31 據該書〈編輯大意〉所列，六位作者分任編纂篇目如下：此書分任者：朱廣福：〈滕文公〉、〈盡心〉；沐箕香：〈公孫丑〉；華國章：〈梁惠王〉；楊蔭深：〈離婁〉；馮仲足：〈萬章〉；趙靜：〈告子〉。

32 楊蔭深（1908-1989）浙江鄞縣人。原名德恩，字澤夫，乳名彭年（曾用），筆名楊因心、水草、勞人、若水、無水、英夫、彭子儀、陳菊華、黃雲。中學時期即愛好文學，入上海美專習繪畫，並在民新電影專校習電影技術。一九二八年後任教中學。一九三二年任漢文正楷印書局編輯。一九三五年入商務印書館。後參加修訂《辭源》等工作。一九四九年後調入四聯出版社，不久改任上海文化出版社戲曲編輯室主任。一九五八年任上海《辭書》編輯所（一九七八年改為辭書出版社）編委、編審。著有《文天祥・史可法年譜》、《中國民間文學概說》、《先秦文學大綱》、《五代文學》、《中國文學家列傳》、《中國俗文學概論》等。又編有《平劇戲目匯考》、《歷代忠義傳記小叢書》、《歷代興亡史叢刊》。（參考摘錄自陳玉堂編著：《中國近現代人物名號大辭典》，頁275。）

33 馮仲足（1914-1966），浙江慈溪人，筆名實符。國際問題評論家、編輯。十七歲時到上海商務印書館工作，任《東方雜誌》校對。不久在報刊發表作品和譯文。一九三四年任《世界知識》特約撰稿人。抗戰爆發後，參加上海文化界亡協會，參與翻譯斯諾的《西行漫記》，並主編《譯報周刊》。太平洋戰爭爆發後，在地下黨領導的大用出版

平。六人中署名居首的朱廣福，據推測應是清華國學研究院畢業學生，名列王國維弟子，但其生平與行蹤均不詳[34]。至於其餘三人的學識背景與著述，我們則一無所知。

粹芬閣主人沈知方[35]請王緇塵[36]編寫的《廣解四書讀本》，於民國二十五年（1936）再版後，沈知方又請胡山源[37]、蔡丏因[38]、胡行之[39]、董文[40]、朱

社（對外稱文具社）任編輯。抗日勝利後，與劉尊棋、王紀華等在上海發刊《聯合日報》和《聯合晚報》，任晚報主筆。一九四五年十二月，與金仲華等復刊《世界知識》，為總負責人。一九四七年參加了中國共產黨。「文革」初遭到迫害而病逝。（參考摘錄自陳玉堂編著：《中國近現代人物名號大辭典》，頁132）

34 同為王國維弟子、清華研究院畢業生的周傳儒，曾撰〈王靜安傳略〉，文末「王門弟子錄」中有朱廣福之名。與大多數弟子姓名後列有籍貫、職務不同，朱廣福是少數僅有「不詳」二字者。周傳儒〈王靜安傳略〉，原載《中國現代社會科學家傳略》（太原市：山西人民出版社，1982年），第一輯，後收入陳平原、王楓編《追憶王國維》（北京市：中國廣播電視出版社，1997年），頁279-299。又，坊間書肆曾有朱廣福著《中國主要河流變遷史》一書標售；據言，由書序可知書成於一九五六年。見 http://pm.kongfz.com/detail.php?itemId=1577750。

35 沈知方（1882-1939），原名芝芳，浙江紹興人。早年失學，為紹興、餘姚書店學徒，一八九九年至上海，任職於會文堂書局；翌年入商務印書館任營業幹事。其後，與人創立國學扶輪社、古書流通社、進步書局、中華興地學社等，出版圖書多種。一九二一年任改組後的世界書局總經理。一九三九年病逝於上海。編有《粹芬閣珍藏善本書目》一冊。傳略參見《上海出版志》（上海市：上海社會科學院出版社，2000年），頁1042。又見陳玉堂：《中國近現代人物名號大辭典》頁412-413。

36 王緇塵，生生待考，著有《國學講話》（上海市：世界書局，1935年）、《資治通鑑讀法》（上海市：世界書局，1935年）、《陶淵明評傳》（上海市：世界書局，1936年）、〈漢學師承記評序〉（刊於排印本【四朝學案】《漢學師承記》書前。上海市：世界書局，1936年）、〈毛詩中的怨女詞〉（《學術世界》一卷八期，1936年）等。臺北「啟明書局」印行的《國學講話》內頁，作者王緇塵大名之下，標以「國學專家」四字。該書雖有王氏自撰〈編輯大意〉，述及《國學講話》撰作緣由，但未及言師承、經歷，篇末署名亦未冠里籍。《國學講話》扉頁所刊啟明書局「文化叢書」廣告，於作者姓名下，大多標注正式職稱；如「北大校長　胡適」、「安徽大學教授　馮沅君」、「暨南大學教授　李石岑」等；又有「日本漢學權威　兒島獻吉郎」、「日本哲學權威　金子馬治」、「美國史權威　桑戴克」。本國學者中，只有王緇塵未標明職稱。於此推斷，王緇塵恐未任教職。

37 胡山源（1896-1988），原名三元，江蘇江陰人，之江大學肄業。曾於上海創建文學社

劍芒[41]等人修訂[42]。民國二十六年（1937）八一三事變（中日淞滬會戰）

團「彌灑社」（1922-1927），出版《彌灑》月刊、《彌灑社創作集》，主張「順應靈感」的創作理想。一九三一至一九三七任世界書局編輯，並曾先後任教於之江大學、東吳大學、滬江書院、大夏大學、中國新聞專校。一九四九年後，曾任福建師範學院中文系系主任。著有《文藝綜論》（上海市：大東書局，1948年）、《小說綜論》（上海市：中央日報出版委員會，出版年不詳），譯有〔日〕小泉八雲《日本與日本人》（上海市：商務印書館，1930年）、〔美〕馬爾騰（Marden, Orison Swett）《人人是堯舜》（上海市：世界書局，1938年）。又曾校訂《白香詞譜》（上海市：國學整理社，1936年）。傳略見載於陳玉堂：《中國近現代人物名號大辭典》，頁645-646。

38　蔡丏因（1890-？），原名冠洛，號可圜，出生於浙江省紹興諸暨。編有《（大眾實用）辭林》（上海市：世界書局，1936年）、《清代七百名人傳》編（上海市：世界書局，1937年）；一九三七年上海「國學整理社」所出版印鸞章所編《清鑒》，即由蔡氏校訂。一九三七至一九三九年，又主編上海世界書局版《初中新本國史》四冊。蔡丏因是弘一法師李叔同弟子，與弘一時有書信往來。浙江省博物館館員鮑復興〈桐鄉濮院書畫名家的藝品與人品〉（浙江省博物館《東方博物》第11輯，頁67-72，2004年）一文可知，蔡氏為浙江濮院書法家、書畫收藏家。又據鮑所述蔡丏因生平可知，蔡氏畢業於日本帝國大學（確切校名待考），杭州、上虞、紹興、臺州、嘉興等地省立中學任教。一九三一年舉家遷居濮院。一九三三年入上海世界書局，任編輯、總編輯。詳見鮑文，頁72。

39　胡行之（生卒年待考），著有《太平太國與國民革命》（上海市：生路雜誌社，1929年）、《中國文學史講話》（上海市：光華書局，1932年）、《文學概論》（上海市：樂華圖書公司，1933年）、《中國學術思想之變遷》（上海市：光華書局，1934年），又曾中譯〔日〕兒島獻吉郎所著《中國文學概論》（上海市：北新書局，1930年）、〔日〕小栗度太郎《進化思想十二講》（上海市：開明書店，1933年），編譯《社會文藝概論》（上海市：樂華圖書公司，1934年）。編有《革新政治實施法》（上海市：新學會社，1929年）、《外來語詞典》（上海市：天馬書店，1936年）、《古代幽默文選》（上海市：大光書局，1936年再版）、《中國作家自敘傳文鈔》（上海市：光華書局，1934年）。此外又有新文學創作《永遠的戀愛》（上海市：生路雜誌社，1928年）、《風鈴》（上海市：芳草書店，1929年），又有古典詩集《宜廬詩稿》傳世。一九四九年後，尚在《中國語文》發表〈「疊字」的綜合研究〉、〈略談文言虛字中的複詞〉等文章。

40　董文，生平事蹟待考。曾主編教科書《女子修身教科書》八冊（與沈頤合編。上海市：中華書局，1914-1921年）及上海世界書局出版之多種中學、小學課本。

41　朱劍芒（1890-1970），原名長綬，江蘇吳江人。南社社員，曾任中學教師，一九三〇年代為上海「國學整理社」編纂，主編《美化文學名著叢刊》（其中包括《浮生六記》、《陶庵夢憶》、《影梅菴憶語》等十一種，1935年）、《藝林名著叢刊》（包括《藝

後，經蔡丏因的推介，沈知方於民國二十七年（1938）邀請避難至上海的蔣伯潛[43]重新繹述補正《廣解四書讀本》，終於在民國二十八年完成《語譯廣解四書讀本》一書[44]。《語譯廣解四書讀本》，既非一人之作，書中對《四書》的理解，自然紛雜；即便最後經蔣潛伯補正完成，但因雛形已具，恐怕也不能代表蔣氏一人的觀點。

　　坊間翻印《語譯廣解四書讀本》（或名《四書讀本》、《四書廣解》）至今不絕，但往往只標蔣伯潛之名；對此，蔣氏似乎在該書出版不久，即遭受時論非議。蔣伯潛撰成於民國三十三年（1944）的《十三經概論・自序》中即說：

> 猶憶二十七年春，攜眷避地上海，嘗為粹芬閣主人沈君知方改訂其
> 《四書白話廣解》，初約但為正謬潤色，而下筆不能自休。沈君欲以
> 此書紀念六十壽辰，會其病，急於付印，匆促殺青，未暇覆閱。排版
> 甫竣，沈君即物故。其哲嗣以為伯潛所自著，遽印行之，且乞唐〔文

舟雙楫》、《畫禪室隨筆》等六種，1935年）。又曾與劉大白主編的《世界活頁文選》（上海市：世界書局，1933年）編輯工作。一九四九年後，任常熟市政協副主席。著有《經學提要》（上海市：世界書局，1930年）。傳略參見陳玉堂：《中國近現代人物名號大辭典》，頁156-157。

42 此次參與修訂者，沈知方於〈刊行序〉中只攏統以「碩學名儒」稱之。沈知方之子、啟明書局負責人沈志明則於此書臺灣版刊行誌語中臚列修訂者姓名；參見啟明書局影本《語譯廣解四書讀本》扉頁誌語。

43 蔣伯潛（1892-1956）生平及學術見解，請參看張豈之主編：《民國學案・蔣伯潛學案》（長沙市：湖南教育出版社，2005年），卷3。

44 沈知方〈刊行序〉：「八一三事變後，又請富陽蔣伯潛先生重加譯述。……稿既成，因易名為《語譯廣解四書讀本》。」（頁二）據蔣伯潛作於民國二十九的自序，沈知方與蔣伯潛二人，已於民國二十五年（1936）經蔡丏因（可圈）介紹而相識。〈蔣序〉說：「二十五年冬，粹芬閣主人沈知方先生以余友蔡可圈之紹介，訪余於西湖，余與先生始相識。翌年春，余左足以跌仆廢；及秋，中日之戰起，杭州、富陽相繼陷，匿山中逾半歲，以可圈之招，避地來滬，得復與先生相見。前年〔按，指民國二十七年〕冬，先生出《四書廣解》稿，謂曰：『……今以就正，願為潤色焉。』余以可圈故，又見其意之誠也，許之。……越半載始殺青。」由此可知，促成蔣氏修訂《廣解四書》的推手，即為蔡丏因（可圈）。

治〕、張〔壽鏞〕諸先生為之序。於是伯潛直似郭象之注《莊子》，掠向秀之美而私諸己，讀者不察，誤會滋多。[45]

其實不僅蔣氏此書有問題，本文討論的其他幾種白話經注的實際執筆者，也多不可知。如上海世界書局《（言文對照）廣註四書讀本》一書，版權頁標明由杜天縻[46]修訂，原撰稿者的姓名則未被記下。

　　另一個混亂的現象，則恐怕是因兩岸分治後的政治禁忌而造成。近年，臺灣坊間出版的《四書》白話注解，內容與作者恐多有誤。如臺南「文國書局」印行的《四書讀本》，雖標明為「王天恨註譯」，但比對其容，其中《中庸新解》所錄的「註釋」、「語譯」，大抵與張守白《中庸白話新解》書中「註」、「譯」相同[47]；至於文國書局本所錄的「章旨」，才是迻錄自王天恨

---

45 見蔣伯潛：《十三經概論・自序》（臺北市：宏業書局，1981年影本），書前頁四。

46 杜天縻（1891-1958），字志文，號鵬展，浙江餘姚人。光緒三十四年入浙江高等學堂。曾任小學、中學教師，並曾任上海商務印書館編輯。一九三〇年赴日考察教育，翌年返國任上海世界書局編輯。一九四〇年代，又任中學教師，並曾任教於浙江大學龍泉分校、暨南大學。一九四九年後，任浙江餘姚中學教育委員會主任。一九五三年捐贈藏書，創建梨洲文獻館，自任館長。同於受聘為浙江省文史研究館館員。一九五八年病逝。除修訂《廣註四書讀本》，又有《廣注文心雕龍、詩品》（上海市：國學整理社，1935年），並編有編有《國語與國文》第一至六冊（上海市：大華書局，1933年）等書。杜天縻傳略，可參見浙江省餘姚中學網頁（http://www.yyhs.net.cn/Article/ShowArticle.asp?ArticleID=390）。又，浙江省天臺中學「百年校慶網頁」刊有二〇〇六年五月湯祖斌所撰〈兩位難忘的天中語文老師〉可參看（http://www.zjttzx.com/bn100/info_show.asp?id=00002164）。

47 「文國書局本」將張氏直音式標音，改以國語注音符號標音。「文國書局本」又刪去張氏部分註解，如《孟子白話新解》〈梁惠王上〉第一章編號一的「註」，張守白原作：
「梁惠王」即魏侯罃（音英）；都大梁，僭稱王，謚曰惠。《史記》：「惠王三十五年，卑禮厚幣以招賢者；而孟軻至梁。」
「文國書局本」將此註刪去，一字不留。編號二的「註」，張守白原作：
「叟」長老之稱。「不遠千里」不以千里為遠也。遠，本為形容詞，此處用如動詞，即「以為遠」之意。「仁」心之德，愛之理。「義」心之制，事之宜。「大夫」官名。「士」學者。「庶人」平民。「交」互相。「征」取也。「乘」讀去聲，車數。「萬乘之

《四書白話句解》。經此比對，才稍釐清王天恨著作的原貌。在臺灣，張守白、王天恨之名頗為學界知悉，但對其人生平事蹟，卻又似未見記載。據我們蒐考各項資料，對張守白事蹟略知一二[48]。至於王天恨，曾繼周瘦鵑任上海休閑娛樂報《先施樂園日報》（1918 創刊，1927 停刊）主編；除《四書白話句解》，王天恨又曾撰《孫中山全傳》，更有多種通俗小說出版[49]。

　於此可見，這些白話經注的撰作者，除了有少數經學研究者（如蔣伯潛），有更多是中小學教員、出版社編輯，甚至可能只是嫻熟於白話文創作的藝文界人士。此外更有多位未具名的隱身作者。這些人的白話經注，多年

國」，天子畿內，出車萬乘。「千乘之家」天子之公卿，出車千乘」。「千乘之國」諸侯之國。「百乘之家」諸侯之大夫。「弒」下殺上也。「萬取千焉，千取百焉」謂千乘之家對於萬乘之國，是猶萬中取千；百乘之家對於千乘之國，是猶千中取百：均謂臣之於君，每十分得其一分。「饜」音燕，滿足也。「遺」猶言棄。「後」猶言緩，即置之腦後之意。（原書頁2）

「文國書局本」僅摘錄出部分文句，並分列為九則註釋「叟：長老之稱。」「仁：心之德，愛之理。」「義：心之制，事之宜」「交：互相。」「征：取也」「萬乘之國：天子畿內，出車萬乘。乘，音ㄕㄥ、，車數。」「弒：下殺上也。」「千乘之家：天子之公卿，出車千乘。」「千乘之國：諸侯之國。」「百乘之家：諸侯之大夫。」「饜：音ㄧㄢ、，滿足也。」「遺：猶言棄。」「後：猶言緩，即置之腦後之意。」（文國本頁3）

48 於中共黨人侯紹裘的傳略中得知，張守白與侯紹裘皆為一九二一年上海松江「景賢女校」創辦人之一。該所學校以倡議女子解放與社會改造為宗旨，曾聘請柳亞子、葉聖陶等人講學（參見松江區烈士陵園網頁 http://songjiang.slmmm.com/hsq.html）。又於張相明、彭敬：〈二十世紀中國辭典學理論發展探析〉（《辭書研究》2008年第2期）一文獲悉張守白於一九三四年著有《中國字典通論》一書。張氏的著作，可查知的尚有《國文法詞性篇》（出版社、出版年份待查），又編有《現代分類尺牘大全》（上海市：大華書局，1934年）。臺南大華出版社又以「張守白譯註」之名，出版《國學精華》一冊；該書內含《（白話注釋）三字經》、《（言文對照）二十四孝》等童蒙讀物。此外，於一九七九年刊行的《讀書》第六期，有張守白〈讀書不能無禁區〉一文。該文是針對一九七九年《讀書》「創刊號」李洪林〈讀書無禁區〉一文而作，張守白文章發表後，引發《讀書》雜誌上「讀書有禁區」、「讀書無禁區」的筆戰。

49 《孫中山全傳》（上海市：中央圖書局，1927年）。王天恨所撰通俗小說，目前所知有：《第一夜》（文華美術圖書公司，1933年再版，出版地未詳）、《衣冠禽獸》（大美書局：1937年，出版地未詳）、《攔在一邊》（上海市：世界書局，出版年未詳）、《彷徨的一天》（出版社暨年代未詳）。

來被各家出版社翻印，被各界人士閱讀、引用。他們在民國時期經學傳播的
歷程中，實發揮重要的影響。

四　潛流的朱子學

正如上文所述，大多數《四書》白話經注的作者，大多未必是以經學研
究為畢生職志的學者，因此，在他們的經注中，少能見到特異之論。另一方
面，由於白話經注的閱讀者基本上是初探國學門徑的學子，甚至是原未受高
深教育的中下階層人士，因此，此類經注的目的並不在展現細微的文獻考
據，也並非呈顯經學研究者的一家之言。在此種條件下，原本被指定為畢業
必讀書籍的《四書章句集注》，似乎就是白話經注者最方便且妥當的參考
書。

主持世界書局的粹芬閣主人沈知方，對朱子《四書章句集注》十分推
崇，曾明言：「〔《四書》〕注家雖多，要以朱子能發其義蘊。」（《語譯廣解四
書讀本・蔣序》）或許正因出版者對朱子之說的重視，因此《語譯廣解四書
讀本》特別在書眉保留了朱子《章句集注》的文字。

對《語譯廣解四書讀本》一書雛形的編撰者王緇塵，我們所知極有限，
但幸運的是，王氏有自撰《國學講話》[50]一書及〈漢學師承記評序〉一文，
可直接展現他的經學觀。由這一書、一文可知，王緇塵已不再拘執於漢學、
宋學的學術立場，也不曾展露對心學、理學的思想偏向。在《國學講話》
中，王緇塵對胡適的言論頗為推崇；第二篇〈經學總論〉中曾引用胡適〈國
學季刊宣言〉之言，認為「胡氏此言，實可為我們今日治經學的唯一方
法。……今我們用胡氏之法，各還本人各還本代，則對於經義不必有所爭執
矣。」[51]在〈漢學師承記評序〉則，既言清代中葉「漢學」派學者門戶之見

---

50 除前文所言，本書於一九三五年由上海世界書局出版，又有臺北「啟明書店」
　　（1958）、臺北「弘道出版社（1971年）、臺北「長春藤書坊」（1982年）先後翻印、
　　出版。
51 王緇塵：《國學講話》（臺北市：啟明書店，1958年），頁45。

「亦不無可議者」,又言「其於經典小學所用之心力,固大有功於學術者也!夫然,又安可以輕視之哉。」[52]於陳述「理學」發展源流時,也只作持平之論[53];只有在述及陽明學時,偶見如下言論:

> 自宋歷元而至明,朱子之學說與思想,已支配全社會士人之心惱〔按,「惱」應為「腦」之訛〕;蓋以為自孔子而後,朱子一人而已。而徒眾之弊竇,亦因之而愈甚。當此之時,乃出一王守仁,其品學均足與朱子相抗,而才識則或過之,初尚自立一派,繼乃承陸氏之說,大倡「唯心論」之理論,幾奪朱子之席而佔之〔下略〕。(頁165)

但此論仍極保守,我們很難據以判斷王緇塵對朱子學說的態度。至於蔣伯潛,則曾在《十三經概論·自序》中陳述其學思經歷並總結說:

> 要之,伯潛之於學,忽經、忽子,忽漢、忽宋,忽今、忽古,忽程朱、忽陸王。殆欲無所不窺,而其結果則直是一無所見,一無所得,泛而不專,雜而不精,冀自門隙窺宮室之美,而終為門外漢也!(頁3-4)

此段文字的後半,自然是蔣氏自謙之詞;而前半則足以展限他不拘於一家之言的學術性格。

　　相較於自覺地從經學發展的角度接納朱子《四書》學說的撰作者,恐怕有更多白話注解者只是順應「歷來的」理解習慣而接納了朱子學說。張兆璿、沈元起《孟子讀本》書前〈凡例〉中言:「歷來讀《孟子》的,都宗朱

---

52 王緇塵:〈漢學師承記評序〉,《漢學師承記等四種》(臺北市:世界書局,1962年),書前頁17。

53 如《國學講話》第三編第十二章〈理學〉中言:「宋儒之所以立道統者,其意蓋傚於孟子之繼孔子也。故從《禮記》中抽出《大學》、《中庸》,合於《論語》、《孟子》,以為孔子之道,傳於曾子,《大學》曾子作也。曾子傳子思,子思作《中庸》。孟子受業子思門人,傳授皆有淵源,不容雜亂。而《論語》、《大學》、《中庸》、《孟子》四書,即為先聖後聖傳道之具,朱子特採輯宋儒講說《四書》之語,作《四書章句集註》一書,科舉時代,士人非誦習此書不能應試,其影響之鉅,可概見矣。」(頁164)

註；本書的註解、解說，一以朱註為歸。」王天恨《四書白話句解》書前第
三則說：「本書之解，以朱注為經，以羣書為緯。於朱注有疑義之處，則參
考羣書，會眾說而折其衷，以闡發原旨，初不為一家之言所囿。」（原書〈凡
例〉頁一。）朱廣福等《孟子話解》書前〈編輯大意〉第二則也說：「本書
註解悉遵朱子《集註》。但為使初學易於瞭解起見，間有省改或補充之處，總
以不背經意為主。」（原書〈編輯大意〉一，影本頁 1）此中所言「註解悉遵
朱子《集註》」，並非虛言；一經比對即可知，《孟子話解》對《孟子》本文
的詞語解釋，幾乎都依循《集注》，甚至到了亦步亦趨的程度[54]。〈告子〉篇
是《孟子》中較集中討論心、性問題的一篇，應該也是《集註》中最能展現
朱子思想特色的篇章。不妨以此章為例，對比朱子《孟子集注》與朱廣福等
人《孟子話解》兩書的註解。〈告子上〉「生之謂性」章，朱子《集注》[55]：

　　　生，指人物之所以知覺運動者而言。（《孟子集注》卷十一，頁二）

《孟子話解》幾乎照錄朱注，僅作了文句上的更易：

　　　生，指人物所以知覺運動的本能。（原書頁一八四，影本頁184）

又如《孟子・梁惠王上》首章「王何必曰利？亦有仁義而已矣」一句，朱子
《集注》解：

　　　仁者，心之德、愛之理。義者，心之制，事之宜也。（《孟子集注》卷
　　　一，頁一）

張兆璿、沈元起《白話孟子讀本》對此章「仁義」註釋作：

---

54 謹隨機撿選一例以為證明。〈萬章上〉「咸丘蒙問」章末引《書》曰：「祗載見瞽瞍，夔
　　夔齊慄，瞽瞍亦允若。」朱子《集註》：「見，音現。齊，側皆反。○《書・大禹謨》
　　篇也。祗，敬也，載，事也。夔夔齊慄，敬謹恐懼之貌。允，信也。若，順也。」
　　《孟子話解》於此則注：「齊，音齋。○《書》，是《書經》。祗，是敬。載，是事。夔
　　夔齊慄，是敬謹恐懼的樣子。允，是信。若，是順。」（原書頁一五七，影本頁157）
55 《四書章句集注》（臺北市：漢京文化公司，1983年影〔清〕吳志忠刻本）。

仁，是存心愛人。義，是做事合宜。（頁一）

張守白《四書白話新解‧孟子白話新解》則又完全抄錄朱注：

「仁」心之德，愛之理。「義」心之制，事之宜。（頁二）

此類例子，實不勝枚舉。兩相對照即可發現，所謂「話解」者，恐不僅是以白話解《孟子》，更像是以白話注解朱子《集注》。

在《中庸》的分章、注釋方面，白話經注也幾乎完全採用朱子的觀點，不但大多保留朱子所撰〈章句〉文字，甚至也以白話注釋朱子〈章句〉。尤有甚者，連朱子為《大學》、《中庸》分章時標註的「右經一章」（《大學章句》）、「右第一章」（《中庸章句》），也紛紛以白話注釋。如王天恨《四書白話句解》就一一注釋作「右邊這一章經文」，周祖芬《中庸句解》也注解作「右邊這第一章書」。較特別的是張守白《中庸白話新解》，此書分章雖仍據朱子《中庸章句》分為三十三章，但全書並未指出分章概念。在第一章的第一條〈註〉中，張守白說：「《中庸》乃孔子之孫子思（受業於曾子）所作，共三十三章。」張氏不特意指出此三十三章的相互關係。張守白《中庸白話新解》除分章依朱子《中庸章句》外，並未引錄第一章章首「子程子曰」一段，第一章、第十二章、第二十一章、第三十三章之末，也未引錄朱子解說分章概念的〈章句〉文字。這種立場與作法，在本文探討的白話經注中，較為少見。

在朱子《四書》學中，個人見解最鮮明者，莫過於《大學章句》。朱子曾自言：「某於《大學》用工甚多。」[56]又說：「我平生精力盡在此書。先須通此，方可讀書。」[57]朱子將原在《禮記》中的「古本《大學》」重新分章、編次，提出「經一章，傳十章」的主張，又加入自撰的「格致補傳」，使《大學》有了新面貌。

56　〔宋〕郭友仁錄，王星賢點校：《朱子語類》（臺北市：文津出版社，1986年），卷14，冊1，頁258。
57　〔宋〕葉賀孫錄，王星賢點校：《朱子語類》，卷14，冊1，頁258。

對朱子《大學》改本，明、清兩代學者討論甚多[58]；然而白話經注幾乎一致採納，我們不必一一舉證。為了呈顯這些白話經注與同時期文言經注的差異，我們不妨將焦點暫時轉移至不遵朱子《大學》改本的經注。

民國二十五年（1936）於東京印行的張新吾[59]《學庸新義》一書[60]，於該書〈凡例〉第一則即明白指出：「朱子註解，可採者為字義，未敢隨同者為理論。」（影本頁 5）〈凡例〉第三則，又認為《中庸》、《大學》皆為子思所作（同上），則明顯立異於朱子。又如梁午峯[61]（1984-1971）《大學中庸新解》[62]，《大學》依《禮記》古本，不用朱子分章之說，也不錄朱子「補

---

58 李紀祥《兩宋以來大學改本研究》（臺北市：臺灣學生書局，1988年）一書於此討論甚詳，可參看。

59 據吳成平主編《上海名人辭典1840-1998》（上海市：上海辭書出版社，2001年）所載：張新吾（1879-1976），龔路鎮（今上海市浦東新區）人。青年時就讀於天津北洋大學堂，後留學日本。回國後創辦天津工藝學校。翌年，任清政府商部主事兼進士館教習。民國初年任農商部代理次長、代理總長。創建官商合辦丹鳳火柴公司，任技術顧問。參與創辦中華化學會，歷任九屆會長。在農商部任職期間，主持籌建官龍煙鐵礦及附設石景山煉鋼廠（現「首鋼」前身），任總經理。晚年潛心研究中國古代哲學，著有《三級論》。（頁263-264）

60 張新吾《學庸新義》（張新吾發行，1936年），收入《民國時期經學叢書》，第二輯，冊56。

61 梁午峯（1894-1971），原名俊章，字午鋒，陝西渭南（今渭南市臨渭區）人。一九一一年加入同盟會。一九一四年由西北大學預科入北京高等師範學校理化專業，兼修哲學。一九一九年畢業，任省立第一師範學校物理教員。一九二〇年初被省教育廳選送北京高等師範新增設的教育研究科進修。一九二一年後歷任中學教職、校長，並曾任公職。撰有《欹器之研究》（又名《欹器圖說》）一文，又有《論語貫讀》、《道德經貫解》、《大學中庸新解》等書。一九四九年後，曾任陝甘寧邊區政府西安圖書館（即今陝西省圖書館）館長等職，「文革」中遭受迫害，一九七一年病故。以上參考〈梁午峯先生傳略〉，原載《陝西省志·人物志》二〇〇六年版，今收入梁經旭整理、注譯《論語貫讀》（西安市：三秦出版社，2008年），頁348-350。

62 此書版權頁書名作「中學中庸新解」，出版年為民國三十八年。但此書封面所印書名為「科學新解　大學中庸」，內有〈大學中庸新解總敘〉，其後又有內封面，書名作「古本大學新解」（影本頁9）、「中庸新解」（影本頁43）。作者梁午峯所撰〈大學中庸新解總敘〉，篇末記「民國三十一年」，〈大學新解自序〉篇末記「民國三十年」，〈中庸新解敘言〉篇末記「民國三十一年」（影本頁45）。

傳」。梁午峯《大學中庸新解‧總敘》：

> 迨及趙宋，周程張朱五賢出，知聖學之別有在，挺然以繼往開來為己
> 任。於是橫渠著《西銘》，仁之發揮也。濂溪著《太極圖說》，義之表
> 揚也。程朱於《禮記》中，摘取《大學》、《中庸》兩篇以與《論》、
> 《孟》□□，不可謂非明見卓識超軼羣倫矣。惟其影響，仍多靜
> 之潛修工夫，而少動之施為功用，為缺憾耳。（原書頁六-七，影本頁
> 6-7。影本殘三字）

梁氏於《大學》之新解，書名為「古本大學新解」，即明確展現此書與朱子
《大學章句》之不同。《古本大學新解‧自敘》中說：

> 惟《大學》古本，稍有錯簡，朱子疑之，重為編次，本義反晦，滋惑
> 千載；陽明雖倡尊崇古本，但其格致見解，反在朱子下；遂令博大精
> 賅之學說，終鮮安利生民之宏果；所可慨矣！（原書頁二，影本頁12）
> 不量譾陋，輒就管見所及，釐訂章次，勉為注釋。非敢妄異前說，所
> 望原書義蘊，得較明顯，俾現代學子，易於領悟。（原書頁二，影本
> 頁12）

梁氏在該書中，對《大學》另有分章及重要概念，自有不同於前賢的主張：

> 本編要點：章句依古本，僅將誠意一章，移修身章前，一也。格物致
> 知，師朱子意，另為補傳，二也。分本論與方法為二部，三也。闡明
> 四知方法之價值，四也。認「親民」不必改作「新民」，「命也」
> 不必改作「慢也」，與「彼為善之」上下應無闕文，五也。辨明道、
> 德與善，為三概念，與拙著《論語貫讀》立說，尚能協合，六也。
> （原書頁二-三，影本頁12-13。影本有殘，擬補三字）

從此段作者自標之「要點」，可以看出梁氏對朱子《大學章句》的態度有
四：

（一）對「格物致知」的理解，依循朱子之說（「師朱子意」）。

（二）不贊同朱子「新民」、「慢也」改字解經之說。

（三）在分章、章節排序方面，自有新見。

（四）不採朱子「格致補傳」，另為補傳。

《大學新解》第一篇〈總論〉中，梁氏將「學之道：在明明德，在親民，在止於至善」標為「第一章　要旨」，其下解「親民」句時有言：

> 民即人也。老吾老以及人之老，幼吾幼以及人之幼，皆親民之事。明明德而不親民以出之，則明德無用。親民而不明明德，則親民無成。此二者為儒家學說之表裏觀。異詞以出之，則有曰：「立已立人」，「成已成物」，「修已安人」等等。朱子或未注意及此，乃以下有「新民」之引語，而改之，所未敢苟同。（原書頁三，影本頁3）

該書第二篇〈分論〉第十章「致知在格物」，則為梁氏新作之「補傳」。在「補傳」之前，有一段梁氏的補傳原則說明：「格物致知，原無釋文，朱子補之，聚訟千古。今以其關係吾先哲之治學方法者甚大，略師朱子之意，取材《易傳》，以更異之，或可減僭妄造作之咎於萬一耶？」（原書頁十五，影本頁15）梁氏以《易傳》為根據而作的補傳如下：

> 所謂致知在格物者，言欲致吾之知，在即物而窮其理也。仰觀象於天，俯察法於地；近取諸身，遠取諸物；畫卦繪圖，以著其文，庖義氏之格物也。方以類聚，物以羣分，以通神明之德，以類萬物之情；推致其知也。極深而研幾，通天下之志，冒天下之道，於以成天下之務者，知之至矣。（原書頁十六，影本頁16）

此段補傳，大體皆由《易・繫辭傳》而來；據此可知，梁氏對朱子「格致補傳」之不滿，或即因其「僭妄造作」，未有典據。

相較於多種以白話注解《四書》的著作，一九一二至一九四九年之間對朱子「《四書》學」提出質疑的著作，大抵都仍以文言撰成。這實是值得注意的現象。我們推測，這或許一方面與兩種語文形態經注所預設的讀者有關，另一方面也與注解者自己的學識有關。

五　昭然的時代感

　　以精研《四書》學、朱子學的角度檢視，上述白話經注的價值恐怕不大；然而，這些著作卻是廣泛且有效傳揚朱子《四書》學的著作。此外，在變動不安的時局，這些著作也另有一種出版意義。

　　編纂、出版此類白話注解的《四書》讀物，主要動機有三：一則用以推廣國學；再則借此發揮儒家學說；更有甚者，則希望進一步移風易俗、救國濟世。此三項動機，雖然有層次之別，但卻可能透過同一讀物達成目的。

　　商務印書館出版朱廣福等人編撰的《孟子話解》，書前編輯大意即指出，出版此書的目的在於「普及國粹」、「使國人咸能體會聖賢之遺意。」（原書頁一，影印本頁 1）。世界書局《廣註四書讀本》書前〈編輯大意〉首條也指出：「本書備學校學生及其餘學子，自行研究國粹之用。」（《廣註學庸論本》原書頁一，影印本頁 1）。

　　現行《語譯廣解四書讀本》最初由上海出版界聞人、粹芬閣主人沈知方起意，請同籍紹興的學人王緇塵講解《四書》文義，以「得其意趣」。民國二十一年（1932）發生一二八事變，沈知方目睹「炮火連天，鳥無靜枝，魚無恬波，老弱填於溝壑，妻子散而至四方」的慘狀，期望以《四書》為「救人之藥石」，因而「又請王先生演為廣解」，並編印成《廣解四書讀本》一書。沈氏希望人人以《四書》教其子弟，「則社會國家可臻於和平；而一切爾詐我虞、殺人越貨之行為，皆可免除。豈特堯、舜小康，大同盛世庶幾近之。」[63]對日戰爭爆發後，蔣伯潛受邀修訂此書，在書成所撰的序文中，再次引述出版者沈知方對《四書》的重視：「小之一人之身心，大之家國天下，莫之能違也。」（《語譯廣解四書讀本・蔣序》）

　　在經典注解之中，也有多處可察覺這種感時憂國的時代感受。出版於民

63　以上據沈知方：〈語譯廣解四書讀本刊行序〉，《語譯讀本四書讀本》（臺北市：啟明書局，1952年）。

國二十三年（1934）的《繪圖四書白話句解》，標注在書眉的「全章大意」，
似特別著意指出傳統典籍與世道時事的關係。在該書編者筆下，孟子彷彿是
預知「暴秦焚坑」的先知，因此預先奔走各國，勸說諸侯行仁政；《孟子‧
梁惠王上》第一章：

> 這章書是孟子消弭刀兵禍亂的意思。「利」字從「刀」，國君若專談
> 利，即是為秦亡的先兆。孟子游梁，拿仁義來勸說惠王，是預遏暴秦
> 焚坑的慘禍。惠王竟不能用，惜哉！（原書頁一，影本頁187）

〈梁惠王上〉「孟子見梁襄王」章，記載孟子轉述與梁襄王會面時的對答；
當梁襄王卒然以「天下惡乎定」提問時，孟子以「定於一」回答。此
「一」，趙岐《注》以「仁政」作解[64]，至於全章的〈章指〉，趙岐則說：

> 定天下者一道而已。不貪殺人，人則歸之，是故文王視民如傷，此之
> 謂也。[65]

然而朱子《集注》對「一」理解，則與趙《注》不同；朱子說：「王問列國
分爭，天下當何所定。孟子對以必合於一，然後定也。」（《孟子集注》卷
一，頁八）。《繪圖四書白話句解》於「定於一」一句下的注解為：

> 要平定，全在統一。（原書頁九，影本頁195）

此解與朱子《集注》相合，而與趙《注》有異。[66]至於標寫在書眉的「全章
大意」則作：

---

64 趙岐《注》：「孟子謂仁為一也。」見《孟子注》，收入《四部叢刊》（臺北市：臺灣商
務印書館，1981年影宋刊本）卷1，頁八上。
65 《孟子注》卷一，頁九上。又，焦循《孟子正義》據周廣業《疏證孟子章指》，所錄
趙氏〈章指〉於「一道」之後有「仁政」二字。
66 商務印書館出版的《孟子話解》，由華國章負責編寫的〈梁惠王〉篇，雖沒有為「定
於一」出注，但於此章之後的「總解」中也以「統一」解孟子所言之「一」；該書
說：「要安定必須統一」（原書頁八，影本頁8）。

平定的日子，一定要統一起來，才可免掉戰爭。（原書頁九，影本頁
195）

乍然見之，「肅房編譯室」所撰的「全章大意」並無新意；然而仔細推究，
「肅房編譯室」對本章旨意的理解，實與趙、朱都不同。無論由《孟子》本
文所載，或由趙岐〈章指〉、朱子《集注》，本章的要旨集中在「不嗜殺人者
能一之」一句；換言之，孟子與梁襄王對話的重點，不在「一」而在「孰能
一之」。[67]在民國二十三年，白話句解的編寫者轉移了「不嗜殺人」、「行仁
政」的重點，特意強調了「統一」的重要，令我們不得不以「經世」的眼光
忖度其用心。

　其實，該書編者在「全章大意」中透露的「微言大義」尚有不少；如：
〈梁惠王下〉「鄒與魯鬨」章：

　　這章書是說：要人民出力替國家戰爭，必須平日施恩惠，才得人心。
　　（原書頁三十三，影本頁219）

〈梁惠王下〉「滕文公問滕小國也」章、「滕文公問齊人將築薛」章，編者分
別撰寫大意作：

　　這章書是說：小國處在列強中間，總要自立，不可依賴旁人。（原書
　　頁三十四，影本頁220）
　　這章書是說：小國畏大國的逼近欺侮，只有力圖自強，希望後代子孫
　　的發達。（同上）

用心更為明顯的，則該書編者為〈公孫丑下〉「天時不如地利」章所撰寫的
大意：

　　這章書是說：天時、地利是天然的，人和是人為的。若化解散，雖有

---

67 王天恨《孟子白話句解》此章〈章旨〉則僅據《孟子》本文而發：「這章書是孟子申
　說不好殺人的國君就能使人民歸服而統一。」（原書頁五）

天時、地利也是無用。我中國氣候和平、物產豐富，可占世界上最優
勝的地位，民心再能結成一團，何難稱雄全球呢？（原書頁十八-十
九，影本頁242-243）

這則章旨，已明顯跳脫《孟子》本文，借題對讀者作「心戰喊話」。

「經學」原本便不脫離現實社會，一九四九年以前的白話經注雖使用新
的語言形態，但並未廢棄經學原有的性格。

六　結語：被忽略的經學史

周祖芬《中庸句解》書前有出版者「上海春江書局」所撰〈例言〉六
則。此六則例言，雖主要是廣告的作用，但也可從中窺見出版者的學術趨
向。如第一則有言：

本局鑒於四書辭義，頗有益於一般讀者，而現時研習者，亦不乏人，
惟坊間所出各書，往往曲解字義，又或僅有朱註，似不適於初學；故
特創編「言文對照音註標點四書句解」，計：大學，中庸，論語，孟
子各一冊，全四冊。（影印本頁1）

由此則例言可知，除《中庸句解》外，又有其三種。實事上，《中庸句解》
內文書眉，標著的並非「中庸句解」，而是「四書句解」四字。特別值得留
意的是，春江書局提及《四書》的次第時，並未以朱子《章句集注》之次第
為據[68]。然而，這並不表示出版者質疑朱子之說；第五則例言說：

本局另有銅板精印集註《四書讀本》一書，內容加入全部《集註》，

---

68 《四庫全書總目》卷35〈經部‧四書類一〉《大學章句一卷、論語集註十卷、孟子集
註七卷、中庸章句一卷》提要說：朱子對「四書」先後的排序為：「首《大學》、次
《論語》、次《孟子》、次《中庸》」，但書肆刊本則「以《大學》、《中庸》篇頁無多，
併為一冊，遂移《中庸》於《論語》前。明代科舉命題，又以作者先後，移《中庸》
於《孟子》前。」（頁21）

　　讀者於閱讀本書後，可再讀該書，則左右逢源，互相參證；對四書意
義，可心領神會矣！（影印本頁1）

言下之意，該局出版以「句解」為名的《四書》著作，實是研讀朱子《四書
章句集注》的入門導引。而再進一步言，我們也可以將朱子《四書章句集
注》看作是直接理解《四書》的導引。在主要文本與次要文本相互闡發、補
足，聖人立說的精義才可能被發掘。

　　猶如前文已言，就思想深度而言，本文所討論的白話《四書》經注或許
價值不高；然而，在傳統學術面臨新文化、新思潮、新語文的衝擊時，正因
為有這類白話經注，才使《大學》、《論語》、《孟子》、《中庸》的傳習不致中
斷。而此或許正是此時期白話《四書》經注在經學史上最重要的意義。

　　對於一九一二至一九四九年的白話經注，無論是對著作的數量、作者、
經注內容，筆者目前所知都極為有限，目前所作的探討也僅及皮膚。這批文
獻，不僅是經學研究的資材，更是研究語文學史、出版學史、教育史可貴的
資料，值得關注。

錢穆早期的四書學

蘇費翔[*]

特里爾大學漢學系教授

一　引言

　　遷臺後，錢公穆賓四先生不但以「國學大師」著稱，而屈萬里又謂錢先生《四書》研究為臺灣第一。[1]林慶彰亦有云：「錢先生一生的成就，若以經學而論，主要在於《四書》。」[2]

　　於一九八〇年代，高齡的錢先生仍叮嚀孫女讀書必從《論語》、《孟子》、《大學》、《中庸》的朱子《章句》始，且「遇能解又愛讀處，則仍須反覆多讀，仍盼能背誦」，[3]可見其於《四書》之用心，終身不輟。

　　果然，錢氏等身著作當中，不乏有關《論》、《孟》、《學》、《庸》之大作，最引人注目的，乃有《論語新解》等作品。後世專家學者研究上述幾部書，又相當可觀，以《論語新解》為最，[4]發掘其哲學涵義，表彰其思想條

---

[*]　Christian Soffel。
[1]　林慶彰：〈錢穆先生的經學〉，《漢學研究集刊》創刊號（2005年12月），頁11。
[2]　同前註，頁8。
[3]　苗振亞：〈那一代人的讀書功夫〉，《政工學刊》2007年第7期。
[4]　諸如胡應漢：〈評錢穆教授著「論語新解」〉，《崇基學報》第9卷第2期（1970年5月），頁 244-252，又〈評錢穆教授著「論語新解」（續）〉，《崇基學報》第11卷第2期（1972年10月），頁81-90；倪芳芳：〈錢穆「論語新解」與朱子「論語集注」之比較──以性相近也習相遠也等九章為例〉，《孔孟月刊》 第36卷第1期（1997年9月），頁10-17；汪中興：〈《論語新解》東大版校補〉，《建國科大學報》 第24卷第3期（2005年第4期），頁1-18，又〈《論語新解》東大三版校補〉，《建國科大學報》 第25

理。

　　然則古今諸儒思想必有根，歷來學術不可無據。考究錢先生《四書》學之起源，固為所宜。但錢先生與《四書》之關係，似乎並不單純。曾考其言曰：

> 余早年即好治孔孟儒家言，最先成《論語、孟子要略》兩書；因考孟子生平，遂成《先秦諸子繫年》。惟讀書漸多，愈不敢於孔孟精義輕有發揮。晚年，始成《論語新解》及《孔子傳》，雖對孔子思想續有啟悟，然常自慚，於孔聖深處，恐終未有登堂入室之望。於孟子僅略闡其「性善」義。惟於《易傳》、《中庸》，認為當出晚周、秦、漢間，則信之甚篤。於《大學》，僅闡其「格物」義。偶有撰述，皆收本集中。[5]

此語出自《中國學術思想史論叢（二）・序》，乃錢先生八十二歲之自述。謂不敢輕易發揮孔、孟微妙之理、未嘗登入孔家堂室等話語，實僅為謙詞。其對《論語》、《孟子》之功夫，亦甚為明顯。但其於《大學》、《中庸》所採取之態度，頗不似朱熹崇尚此兩篇之意：「信之甚篤」，非謂錢先生深信《易傳》、《中庸》之內容，反之謂確信此二篇為戰國以後晚出之書，不視之為孔、孟時代舊作。[6]

　　朱子自然為《四書》學之宗祖，極度崇敬《大學》、《中庸》兩篇；深信孔子「取先王之法誦」而為《大學》，曾子乃「作為傳義，以發其意」，[7] 又

卷第3期（2006年4月），頁17-34。另外蔡慧崑：〈錢穆《論語》學術論──以治學歷程及方法為主軸〉，《逢甲人文社會學報》第14期（2007年6月），頁131-171。雖然提及錢先生有關《論語》各種著作，但仍以《論語新解》等晚期作品為重點。

5　錢穆：《中國學術思想史論叢（二）・序》，收入《錢賓四先生全集》（臺北市：聯經出版公司，1994-1998），第18之2冊，頁5。

6　在此又可參考他文：「下逮《易傳》、《中庸》，又匯通莊、老、孔、孟，進一步深闡〔⋯〕天人合一之義蘊。」參見錢穆：〈中庸新義〉，《中國學術思想史論叢（二）》，頁89。可見錢先生以此二書為晚於《莊》、《老》、《孔》、《孟》。再者，他對《大學》的來歷亦表是疑義，可詳見錢穆：〈大學格物新釋〉，《中國學術思想史論叢（二）》，頁215。

7　朱熹：〈大學章句・序〉，《四書章句集注》（北京市：中華書局，2003年），頁2。

謂「子思子憂道學之失其傳」[8]而作《中庸》。錢穆之想法與朱子不類，鑒於《學》、《庸》來歷不明，論儒學思想多以《論》、《孟》為據，且於一九七八年有斯言：

> 竊謂此後學者欲上窺中國古先聖哲微言大義〔…〕，自當先《論語》，次《孟子》。此兩書，不僅為儒家之正統，亦中國文化精神結晶所在，斷當奉為無上之聖典。《學》、《庸》自難與媲美。然《學》、《庸》兩書，言簡而義豐，指近而寓遠，亦不失為儒籍之瑰寶。[9]

錢先生有如此輕重，其中必有原因，而熟讀錢先生早期有關《四書》之作，對於揭發部分因素，庶幾有積極作用。

　　本論文之範圍，暫定為錢先生尚未上北平任教之前。是時，錢先生在後宅小學、廈門集美中學、無錫江蘇省立第三師範等校任教。《四書》乃為國學基本教材，因有密切接觸。這段時間有關《四書》學專著，《錢賓四先生全集》收集以下幾種：

（一）《論語文解》，成於一九一八年。
（二）〈斯多噶派與中庸〉，成於一九二三年。
（三）《論語要略》，成於一九二四年。
（四）《孟子要略》，成於一九二五年。[10]

　　此外，另有專著涉及《四書》學領域，如《國學概論》，成於一九二八年，亦值得探討。

　　目前有不少文章討論錢先生《四書》學，均以《論語新解》等後期著作為主。將來或有先進君子於錢先生早期之文章有所啟發，希望拙作略有助焉。

8　同前註，頁14。
9　錢穆：《四書釋義·例言》，收入《錢賓四先生全集》，冊2，頁7。
10　《論語文解》、《論語要略》、《孟子要略》等書，參見《錢賓四先生全集》，冊2，〈出版說明〉。〈斯多噶派與中庸〉見第18之2冊，頁505-515。

二　《論語文解》

　　錢先生正式第一部書為《論語文解》。先生回憶，於一九一八年一邊在小學教《論語》，一邊閱讀馬建忠（1845-1900）著《馬氏文通》，效法其文法研究而分析《論語》之句法，遂成此書。投稿於上海商務印書館，得付印。贈本書一百冊當酬償，錢先生以交換商務印書館一百圓書卷，此卷又於無錫某書店換另一張一百圓書卷，可任意購買書籍。[11]

　　《論語文解》版次不多，傳布不廣，早已絕版，錢先生自己亦弗保存。晚年方從海外獲得，終收入《全集》第二冊，[12]今日反而不為罕見之物。

　　因本書由馬建忠著作而得啟發，必先對《馬氏文通》有初步認識，方能深入探討錢先生之作品。

（一）《馬氏文通》簡介

　　馬建忠，字眉叔，其人其書，與錢先生相距不遠。其家鄉為江蘇省丹徒縣，[13]今鎮江市，離錢先生故鄉僅僅一百公里；此或為錢先生接觸馬氏書原因之一。《馬氏文通》，原名《文通》，首於一八九八年在上海商務印書館出版，[14]又與《論語文解》相同；此或為錢先生投稿成功原因之一。

　　馬建忠早年在上海西方學校就讀，熟學英文、法文等語言，又攻拉丁文、希臘文，並且接觸歐洲傳統文化。後來又留學法國，回中國後，又到印度、朝鮮等國家，從事外交事務。[15]

---

11 錢穆：《八十憶雙親師友雜憶合刊》，收入《錢賓四先生全集》，冊51，四之三，頁89。

12 錢穆：《論語文解・出版說明》，收入《錢賓四先生全集》，冊2之2，頁1。

13 《中國大百科全書・語言、文字卷》（北京市、上海市：中國大百科全書出版社，1988年），頁273-1。

14 同前註。

15 呂叔湘、王海棻編：《馬氏文通讀本・導言》（上海市：上海教育出版社，2000年），

　　傳統歐洲文法學統具有基督教社會背景。因《聖經》原本屬希伯來文、希臘文，是故中世紀神父視此二種為神聖語言（sacred language）。之後，天主教學者又將拉丁文併入為神聖語言一列，並且發展拉丁文文法學，又謂某一種語言越似拉丁文、希臘文，越為神聖。啟蒙運動的學者，仍然受其影響。至今仍有各種語言文法書以拉丁文文法結構為基礎。簡言之，先講名詞與代名詞變化（變化主要是指各種「格」之不同詞尾），再論動詞變化（各種時態、數目、人稱等不同詞尾），又論介詞、連接詞等不變性字詞，最後又論語法（即單詞與單詞之間、詞組與詞組之間之結構）。因歐洲語言大多屬印歐語系，與拉丁文關係密切，如此程式固然相當適用。

　　馬氏熟知拉丁文、希臘文，恰有助於理解西方文法學。氏著《通文》一書，受其影響頗深，將西方文法學概念應用於中國古代文言文上，列舉《四書》、《春秋》三傳、《史記》、《漢書》、韓愈《昌黎集》之例，兼及諸子、《國語》、《戰國策》之語，[16]為中國人所著第一部系統性文言文語法書。其範圍不僅為西漢以前之古文，又包括唐代韓愈之文，可見目的並不在於描寫先秦兩漢語言之特徵，而為分析歷代所謂「古文」之規則。

　　《文通》首言各種「字」，即「名字」、「代字」、「動字」、「靜字」、「狀字」、「介字」、「連字」、「助字」、「嘆字」等九種，大約等於今日文法學所謂「名詞」、「代（名）詞」、「動詞」等。[17]因文言文每一字（character）經常等同於一詞（word），恰好相稱，便可如此命名。

　　馬氏所謂「詞」，乃是指今日所謂「句子成份」（sentence element），主要分以下幾種類：[18]

頁1。

16　呂叔湘、王海棻編：《馬氏文通讀本・文通序》，頁2-3。

17　呂叔湘、王海棻編：《馬氏文通讀本・導言》，頁5-15。「靜字」、「狀字」則大約等同於今日所謂「形容詞」、「副詞」等。總之，可見《文通》對先代中文語法術語影響特深。

18　同前註，頁15-25。

馬氏通文術語	今日文法學術語	英文術語
起詞	主語（主詞）	subject
語詞	謂語	predicate
止詞	賓語（受詞）	object
轉詞	≈ 狀語	≈ adverbial
表詞	≈ 補語	≈ complement
司詞	介詞賓語	prepositional object (complement)
加詞	(1) 介詞短語 (2) 同位語	(1) prepositional phrase, (2) apposition
前詞	先行語	antecedent
後詞	「後行語」	「postcedent」
狀詞（又名「狀語」）	≈ 狀語	≈ adverbial

其中「起詞」、「語詞」、「止詞」，定義相當清楚。「轉詞」比較特別，是「在何處、在何時、經何處、經何時、多長、多貴、多遠」一類問題之答覆。舉例：「覆杯水於坳堂之上，則芥為之舟」（在何處），「姬寘諸宮六日」（在何時），「三過其門而不入」（經何處），「有一狐白裘，直千金」（多貴）。[19]但「轉詞」定義有小問題，難與「止詞」分辨。另外，「表詞」、「狀詞」亦有與別種語類混合之空間，在此不多談。[20]「後詞」則為馬氏特有之語類，後人多不取，筆者姑且以自己發明「後行語」、「postcedent」等詞語來表達。

（二）錢先生《論語文解》簡介

對外行而言，《馬氏文通》一書相當複雜，許多專家學者亦先後表示不

19　同註17，頁17-18。
20　詳見同註17，頁19-22、24-25。

滿。錢先生雖然不以文法學為特長，卻直接批評此書。謂目前多人推薦《馬氏文通》，但少有人與馬氏研討，是故此書多有失誤；再者，《文通》著重句法，不講分析文章之術。錢先生想匡正《文通》之缺點，卻發現自己做不到，讀馬氏書仍有所感悟，應用於篇章條理之分析。[21]故錢氏《論語文解》，曰補充馬氏書則可，曰匡《文通》之失則恐非確然。

　　《論語文解》宗旨，即以「起、承、轉、結」一概念，講解《論語》全文。錢先生自己曰：「學為短篇之文字，則惟句與句之相續，所謂起、承、轉、結之四法者最要。」[22]其言「起、承、轉、結」，明確來自「起、承、轉、合」傳統學說。此理論最早出現於元代《范德機詩集》。其作者為范梈（1272-1330），字亨父，一字德機（或曰德機為其別名），清江人。是說原為寫詩之法，後來又成為撰文章之術。

　　錢先生著有〈明體〉一段，簡短說明基本概念，提及「起、承、展／轉、總／結」等字，[23]《論語文解》後來都講「轉」與「結」，不云「展」或「總」。為何不講「起承轉合」，而多云「起承轉結」，本人未明曉。查《四庫全書》電子版，[24]知黃宗羲（1610-1695）所編《明文海》卷二三一有明代章世純（1621）〈周太僕四書解序〉，有「起承轉結」四字，《四庫全書》無其他出處。章世純不算是名人，應不為年輕錢氏所識。錢先生於本書又不論「起承轉結」或「起承轉合」一概念之來歷，恐怕此話題暫且無法澄清。

　　論句法，錢先生對「起」之定義如下：

　　　凡居一篇之首者曰「起」。凡為後之所自承者曰「起」。故能造句，即能為起，起不須論也。「起」對「承」而言之，言「承」則「起」自明。捨「承」論「起」，「起」亦無可論也。然亦有徒「起」而無「承」者，因

21　錢穆：〈序例〉，《論語文解》、《四書釋義》，收入《錢賓四先生全集》，冊2，頁5-6。
22　同前註，〈序例〉，頁6-7。
23　同註21，頁1。
24　《四庫全書》電子版（香港：迪志文化出版公司，1999年）。

先及焉。[25]

以「起」為某篇之開頭，此論有理，但並不說明「起」本身其他特色。假若有一短句，固為「起」，但又無「承」，故又無可論「起」。可見，「起」此定義仍有未足之處。

錢先生接者言所提「徒『起』而無『承』者」，謂之『『對句』是也」，[26]並且舉例甚多，如「君子上達，小人下達」、「知者不惑，仁者不憂，勇者不懼」等。[27]像「學而不思則罔，思而不學則殆」之類，雖為對句，但錢先生又指出有「轉」與「承」焉，[28]更可見其所言「有起無承」與「對句」實為不同。

之後，錢先生又將「排句」、「散句」兩段屬〈起〉一大標題之下。「排句」為「興於詩，立於禮，成於樂」之類，「散句」為「君子不重則不威，學則不固，主忠信，無友不如己者，過則勿憚改」之類。[29]問題與對句一樣，難言為何「排句」、「散句」皆要放於〈起〉標題之下。錢先生云「句之相續，自非有承轉之可言，則莫逃於『對偶』『排比』之二者」，[30]雖然為是，但又有不相續之句，無法強謂之「起」，又「對句」、「排句」大多非純為「起」者，故錢先生分類仍有不少商榷空間。

「承」之現象比較簡單。錢先生分「時承」、「位承」二類。「時承」指依時間先後排序（例：「子入太廟，每事問」）。[31]「位承」又分三種，即「決辭」、「斷辭」、「申辭」：

---

25 錢穆：《論語文解》，頁2。

26 同註25，頁2。

27 同註25，頁2、3。

28 同註25，頁4。

29 同註25，頁7、13。

30 同註25，頁14。

31 同註25，頁16。

名稱	條理[32]	舉例	頁碼
位承決辭	A 條件下，則 B。	慎終追遠，民德歸厚矣。	29
		溫故而知新，可以為師矣。	29
位承斷辭	A 為 B 也。	鄉原，德之賊也。	30
		古者言之不出，恥躬之不逮也。	31
位承申辭	A 為是，因而有 B。	晏平仲善與人交，久而敬之。	33

其中「位承斷辭」與《馬氏通文》所云「表詞」相類，但應用於句法。錢先生又言「單起分承」、「分起單承」，為「起」或「承」分為幾種。

　　「轉」乃是指各種否定或對比之句法，種類頗多。最基本有「轉而承」、「轉而起」二種（錢先生又名之曰「轉如承」、「轉如起」）。前者，「轉」部分又有「承」之作用，後者有「起」之作用。例：

名稱	條理	舉例	頁碼
轉而承	A 非是，B 才對。	非敢後也，馬不進也。	101
		非不悅子之道，力不足也。	110
轉而起	A 一般為是；某條件下反而 B。	力不足者，中道而廢。今如畫。	110
		父母在，不遠遊。遊必有方。	112

在此，「馬不進也」可視為「非敢後也」之「承」，而「今」、「遊」可視為「如畫」、「必有方」之「起」。

　　另有所謂「變轉」，錢先生分為三種：「竝承之轉」、「頂承之轉」、「虛承之轉」，均與否定語有關。

---

32 錢先生所舉之例句，更為多樣複雜，其說明偶爾又難懂。筆者考慮到讀者方便，故所列條理，僅提供少數比較代表性之例，又較接近現代慣用之邏輯表達方式。下面表格一樣。

名稱	條理	舉　例	頁碼
竝承之轉	A 如何如何，否則又如何如何	道之將行也與！命也。道之將廢也與！命也。	131
頂承之轉	A 雖有理，然則 B 仍為對	子貢問：「師與商也孰賢？」子曰：「師也過，商也不及。」曰：「然則師愈與？」子曰：「過猶不及。」	134
虛承之轉	A，鮮矣	其為人也孝弟，而好犯上者，鮮矣。	144
	A，未之有也	不好犯上，而好作亂者，未之有也。	144

「起」、「承」、「轉」以上略有言，最後尚有「結」一概念。不過，錢先生言「結」極為少，僅云：

> 凡「承」莫勿有「起」，故論「承」而「起」自明。凡「轉」莫勿有「結」，故言「轉」而「結」自見。結猶承也，轉猶起也。前詳「承」而略「起」，所以明體。茲重「轉」而後「結」，所以達用。二者相資而不相乖也。[33]

此乃全書唯一講「結」之處。基本上，凡「轉」之後而為一句之總結者，皆為「結」。其實，錢先生將「結」又分幾種，行文中屢屢出現，但不說明。有所謂「轉入正意結」（頁 101），有「轉正結」（頁 103），有「轉入正結」（頁 104），有「轉承作結」（頁 105），有「承結」（頁 112），有「總承」（頁 152），有「斷結」（頁 116），有「承決結」（頁 126）諸如此類，似乎部分互相一致。另外，書後附表格，又提及「結」，分為「分結」、「總結」二類，「分結」再分為「排（句）」、「對（句）」。錢先生雖不多談，但因有具體例句，上述概念略可理會。

---

33 同前註，頁99。

　　如此大約可體會錢先生作法之一二。再論其受《馬氏文通》之影響在何
處。第一為部分使用馬氏之用詞，如頁二十八有「起詞」，頁十七有「代
字」，用法與馬氏相同。但頁十七又有「賓詞」、「主詞」等用語，於馬氏書
未曾出現，可見錢先生之用詞仍不以《馬氏文通》為限。

　　但另一方面，用起承轉結一說於文法領域上，無是《馬氏文通》所啟發
的。《文通・正名》[34]各種概念有說明：上述各類「字」、又有「起詞」、「語
詞」、「止詞」、「表詞」、「司詞」、「加詞」……等，尚不見起承轉結一體；但
最後於〈句讀〉一章，有「起詞、語詞、止詞、轉詞」四標題。[35]再者，馬
氏又於他處使用類似語彙，譬如「承轉連字」[36]是指「抑」、「寧」、「將」一
類（白話意思為「還是」）字。再者《馬氏文通》論句法，分四種：「排句而
意無軒輊者」、「疊句而意別淺深者」、「兩商之句」、「反正之句」。[37]其中
「排句」於《論語文解》為核心用語，「反正」又與「轉」相類。馬氏又提
出「結句」，乃為一段落之結，[38]亦可視為錢先生聯想到「起承轉結」之一
原因。

　　《論語》主要為義理之經典，筆者目前多論文法與起承轉合抽象概念，
恐怕使讀者頭痛。不過，雖然錢先生此書唯一目標為講解文法之理與作文之
術，但偶然可窺見其對《論語》思想之解釋。譬如，錢先生提出「《論語》
文字，以〈鄉黨〉為最細碎，亦最精密，最玄遠而疏奇」，[39]可見他對〈鄉
黨〉篇的義理有所啟發。更為重要的是，《論語》有些詞句，文法與義理密
切相關；句讀不同，則義理相異。舉二例如下：

　　一，「子曰：『加我數年，五十以學易，可以無大過矣。』」此句於錢先
生《論語文解》未多說明，單用朱子《論語集注》之說。[40]但有人依《魯

34　馬建忠：《馬氏文通》，頁48-67。
35　同前註，頁636-665。
36　同註34，頁604。
37　同註34，頁704、708、710、711。
38　同註34，頁714。
39　錢穆：《論語文解》，頁96。
40　同前註，頁30。

論》將「易」讀為「亦」,則謂:「五十以學,亦可以無大過矣。」[41]意義迥
然相異。

　　二,「子曰:『子罕言利,與命,與仁。』」錢穆稱此為「單起分承」,就
是並排,與《論語》其他並排句一起講,不多說明。[42]可見錢穆解此語為
「孔子少講利、命、仁三件事」。此說等同於朱子《論語集注》用程子說孔
子少言「利、命、仁」。[43]但有人將「與」訓為「許」,謂「孔子雖然少講
利,但是讚許講命、仁兩件事」。既然於《論語》全文孔子多言「命」、
「仁」之事,但少提及「利」,此說較為合理。錢先生於《論語文解》又不
取,固守朱熹舊說,頗值得注意。

(三)《論語文解》總論與評價

　　以上已論及,錢先生此書並不算匡正《馬氏文通》,頂多可謂補充。修
詞學原來不包括在西方文法學內,錢先生以為不足,故其補充範圍主要在於
修詞方面。其句法論雖然與《文通》有交錯之處,但馬建忠以西方文法學為
出發點,多自己發明新概念;錢先生卻欲接續中國修詞學體系,慣用「起承
轉結」、「體用」等來歷久遠之詞彙。錢先生又錯綜「對(句)」、「排(句)」
理論於其間,其結果更為複雜。[44]

　　《馬氏文通》偏向西學,《論語文解》偏向傳統中國學術,二書同樣為
中西兩種文化之碰撞與融合之結果。中學、西學之爭辯,概括兩部書之理
論,唯錢先生於《論語文解》幾乎不會有意識地、積極地採納西學方法、詞
彙與論說,甚至不討論。如此恐怕失去改進中國修詞學之良機。《馬氏文
通》雖然罅隙重重,矛盾多見,但後代學者有感而發展出更穩固之現代文法
學,而《論語文解》對未來之影響極有限。

---

41 錢穆:《國學概論》,收入《錢賓四先生全集》,冊1,頁6。
42 錢穆:《論語文解》,頁40。
43 朱熹:《四書章句集注》,頁109。
44 於《論語文解》,頁159之表格最為明顯。

雖然錢先生一生之貢獻多在史學上，但此書仍比較接近理學領域，與錢先生後來著作不同。《論語文解》有曰：「本編專引《論語》，俾學者非惟明斯文理致之大要，亦以稍窺經籍，以資修養之準。」[45]在此言「斯文」、「理致」、「修養」，皆為理學功夫，而非為史學用詞。再者，《文解》直接引用《論語》篇幅之大部分。[46]又以上所見錢先生固守朱熹舊說，可見傳達朱子《論語集注》給小學學生，亦為《論語文解》宗旨之一。錢先生全不講及《論語》之歷史作用、版本、作者等問題，與《論語要略》等後來著作迴然不同，代表錢先生早期學術一大轉變。

三　《論語要略》、《孟子要略》

《論語要略》、《孟子要略》、《國學概論》相同，皆為錢先生一九二三至一九二七年間在第三師範學校任教之講義。本校規定，老師必須跟隨一班的學生晉升，四年內分年教文字學、《論語》、《孟子》、國學概論等課。是時，錢先生皆有講義，但文字學講稿未曾出版，後來散佚。僅有《論語要略》、《孟子要略》、《國學概論》三本書陸續問世。《論語要略》最早版本為上海商務印書館於一九二五出版，後來幾次再版，頗為常見之書。《孟子要略》首版於一九三四由上海大華書局出版，相當難得，全臺灣圖書館不存；卻有一九四八年在上海開明書店重印，標題更為《孟子研究》，後來又收入《民國叢書》，[47]流通於世。

一九七八年，又有當時教育部長張曉峰請錢先生編輯《國民基本知識叢書》有關《四書》之部分。錢先生遂撰《大學中庸釋義》新稿，與舊本《論語要略》、《孟子要略》一同刪訂，合編為《四書釋義》。[48]其中，只有《論語要略》、《孟子要略》與本文主題有關；《大學中庸釋義》可先不用討論。

---

45 同前註，〈序例〉，頁7。
46 參見頁152：「至是而《論語》二十篇之文，引論已過十六七。」
47 《民國叢書》（上海市：上海書店，1992年），第四編，冊4。
48 《四書釋義・再版序》，頁3。

（一）《論語要略》

　　此書與《論語文解》相同，主要為教課之用。但《論語要略》範圍超越修詞學、文法學，提及各種有關《論語》內容與背景之事。

　　歷來諸儒《論語》注釋與教材，大多模仿《四書集注》，以《論語》本文為基礎，句句引用原文，加上解釋與評語。錢先生《論語要略》卻不然，於《論語》之背景知識尤為詳細，注重《論語》作者、真偽、版本問題。此乃受梁啟超（1873-1929）《要籍解題及其讀法‧論語》之影響。[49]不過，錢先生另於孔子之歷史處境等事宜甚詳。

　　於《論語》編輯者問題，排斥「成於有子、曾子門人」等舊說，謂《論語》係孔子弟子論辯之結果，共同撰成此書為最有可能，並認為有「戰國末年人竄辭之跡」。[50]此結論以《漢書‧藝文志》為據，是採用歷史資料。

　　之後，錢先生多討論各種版本，提出《魯論語》、《齊論語》、《古論語》的特色，又提及各篇章之異處，引用前儒之說法，找出不少疑點與編入贅文之痕跡。[51]最後引趙翼（1727-1814）之言曰：「未可以其載在《論語》，而遂一一信以為實也。」[52]總之，錢先生於《論語》之來歷相當小心，不採取朱熹在《四書章句集注》比較樂觀的態度。

　　略述《論語》之內容與價值、讀法、注釋本、參考資料之後，錢先生非常明悉地描述孔子生平。其所採用之歷史資料，包括《春秋左傳》、《史記》、《孟子》、《春秋公羊傳》等書。[53]據錢先生，《論語》史料價值有限，但是仍為孔子為人之精神、思想大要之唯一資源。[54]

49　〈錢穆《論語》學術論──以治學歷程及方法為主軸〉，頁142。

50　《四書釋義》，頁7-9。

51　同前註，頁10-17。

52　同註51，頁16-17。

53　同註51，頁23、26、33-34。

54　同註51，頁18。

　　錢先生據上述史料談孔子遊歷諸國、日常生活之事蹟甚為詳備。當然，孔子身世背景對瞭解《論語》之意義非常重要，而錢先生篇幅相當多：全篇約四分之一僅談孔子事蹟，與《論語》沒有直接關係，可見錢先生相當著重歷史之一面。

　　由其於歷史記載中之選擇與批判，可見褒揚孔子之趨勢。錢先生經常叮嚀讀者，孔子「偉人也」，「千古之大聖也」，其「人格與其功業……高不可及」。[55]錢先生討論版本、作者等問題，甚為謹慎，但談孔子之為人時，恐怕忽視古代文獻之片面性。中國尊重前輩宗祖，自周朝確已有之。況儒家經典從漢朝之後為皇家所尊，故漢儒在有關孔子之原先資料當中，自然多保留宏揚仲尼之文獻。後輩愈來愈推崇孔子，為理所當然。錢先生不加反思焉，可見先生無疑為標準儒家。此外，又有教育目標在內，來傳達推重孔子之傳統給後輩學生。另一方面，錢先生言孔子「思想行事影響於後世之隆久，宜為含識之倫所共認」，[56]無疑為諦語。

　　其於孔子之偏好與相關前提，又有具體例子可見。如《史記·孔子世家》之言「孔子為兒嬉戲，常陳俎豆，設禮容」，則以為信實。[57]又言孔子在魯問政三月，齊人遺魯君美女八十人以迷惑其心，魯君怠於政事而孔子忿然去魯一案，錢先生亦視為事實。又評崔述（1740-1816）之疑問，謂「孔子主復古禮，以抑當時貴族階級之奢僭，故內則權家抗其政，外則敵國忌其事，讒間交作，決非一端」。[58]但同文又引孔子云：「身舉五羖，爵之大夫，起纍絏之中，與語三日，授之以政。以此取之，雖王可也，其霸小矣。」是則謂戰國王霸之言，不可信。[59]同樣一本《史記》，其取捨不同，錢先生之輕重可見。本人竊以為，孔子活在周朝中葉，不太可能有王霸之論；其復禮之事業，於《論語》可見，又被後儒特別重視，故有可能屬實。又有可能後

55　同註51，頁61、53、69。

56　同註51，頁18。

57　同註51，頁25、102。

58　同註51，頁36-37。

59　同註51，頁28。

儒贅述誇功，實在難說。其幼時陳豆俎，真有傳說色彩，大概為謠言而已。

　　《論語要略》內談《論語》思想含義相當多，錢先生稱之「學說」，現代人或習慣稱之為「哲學」，但「學說」、「哲學」二詞一樣為近現代用語，不見於古書。[60]錢先生所談話題，主要為仁、直、忠恕、忠信、禮、道、君子、學，橫貫《論語》全文。其偏重應用一面，與孔子思想一樣。

　　論仁，則謂：

> 仁者，從二人，猶言人與人相處，多人相處也。人生不能不多人相處。自其內部言之，則人與人相處所共有之同情曰「仁心」。自其外部言之，則人與人相處所公行之大道曰「仁道」。凡能具仁心而行仁道者曰「仁人」。[61]

將「仁」分為私人之「仁心」與公共之「仁道」，即一個「仁」字為公私兩利之關鍵性美德。有人曾經以為此觀念乃為錢先生後來所謂「歷史意識」與「文化意識」兼顧之基礎。[62]

　　接著論「直」。此德行雖然為《尚書‧洪範》三德之首，[63]但似乎較少被後人所注重，未曾列入後人所稱「五德」（仁、義、禮、智、信）之內。錢先生詳言之，頗值得強調。其定義為：「『直』者誠也。內不以自欺，外不以欺人，心有所好惡而如實以出之者也。」[64]此說似乎對馮友蘭說「直」有影響。[65]錢先生釋「直」為「誠」，朱熹卻云「於其所怨者，愛憎取舍，一以至公而無私，所謂直也」，[66]釋「直」為公平正直，似乎比較恰當。孔子曰「以直報怨」之意思，若遇怨恨之氣，必以公正之心來報。但以「誠心」

60　可查詢《四庫全書》電子版為證。
61　錢穆：《四書釋義》，頁78。
62　陳勇：《錢穆傳》（北京市：人民出版社，2005年），頁45。
63　《尚書正義》，收入《十三經注疏》（北京市：中華書局，1987年），冊1，頁190-193。
64　錢穆：《四書釋義》，頁87。
65　陳勇：《錢穆傳》，頁45。
66　錢穆：《四書釋義》，頁88。

來報未足，反正「以怨報怨」亦為以自己誠然之怨報他人之怨，決非自欺欺人之謂。

　　另外，錢先生重視「恕」之概念，與「忠」一齊言之。於「論仁」部分雖不言「恕」而早已提及：「徒知己之好惡，不知人之亦同有好惡者，是自私自利之徒，不仁之人也。以我之有好惡，而推知他人之亦同我有好惡者，是仁人也。」[67]後來又提出「恕」、「仁」、「忠」、「直」密切之關係云：「仁者首貴能通人我。通人我，故能直。忠恕者，即通人我之要道也。……忠即誠也，即實也，即直也。」[68]可見，仁為其最要者，忠、誠、實、直皆一致。

　　錢先生又強調孔子與民主思想之關係，謂孔子為最早之一位平民來「出頭批評貴族之生活，而欲加之以矯正。……自孔子以後，為平民者，乃始知貴族之有是非。……孔子……最先以一平民挺身反對貴族之生活」，[69]視孔子為早期中華民國民主之先鋒與典範。當時多人責怪孔子為維持帝王主義之根源。相比之，此論有天壤之別，其中儒學之現代化很明顯可見；如此「民主化」之孔子於錢先生本書出現，頗有意思。

　　於「士不可以不弘毅，任重而道遠」一語，錢先生又有所發揮，曰：「弘，恕道也；毅則忠道也。」[70]前儒釋「弘」為「大也」，「寬廣也」，釋「毅」為「強能斷也」，「強忍也」。[71]「恕」果然為寬容之心，忍心乃「忠」之前身；錢先生此見確實不錯。其又言「自反者，即忠恕之道，即弘毅之道，即仁道也」，[72]亦可取。錢先生於孔子思想方面另有高見，在此不必逐一列出。

　　本書所引用前儒意見非常多，可見錢先生讀書豐富。上文已提崔述，另有焦循（1763-1820，舉例出現於頁 83）、惠棟（1697-1758，頁 94）、蘇轍

67　同前註，頁79。

68　同註66，頁94。

69　同註66，頁54-55。

70　同註66，頁96。

71　《論語注疏》，收入《十三經注疏》，頁2487；《四書章句集注》，頁104。

72　錢穆：《四書釋義》，頁97。

（1039-1112，頁 99）、「程子」（頁 101）、包咸（6 B.C.-65 A.D.）、游酢
（1045-1115）、鄭玄（127-200）、龜田鵬齋（1752-1826）、戴震（1723-
1777，以上皆頁 104-105）。其中有一段焦循與崔述文章相對比，頗為可
觀。[73]其引用朱熹例子亦不少（參頁 21、88、106、109、118 等），但無法
說錢先生特別依賴於《四書集注》；以上所提錢先生與朱熹之異論，又可為
證據。

　　《論語》為《四書》之一部分，故自然有人將《論語》與《孟子》、《大
學》、《中庸》相提並論。錢先生卻未必然。雖然多引《孟子》，[74]但大多以
為史料而已。曾經又引用《中庸》、《大學》以申明「恕」一概念，[75]但不多
談後兩者之特色。後來又言《中庸》、《易・繫辭》雖偶爾有補缺之作用，但
皆「未可盡信」，[76]故可見其對於《學》、《庸》之態度

　　本書最後一段言孔子之弟子甚詳，多談其有關歷史文獻，固有之個性，
引用《論語》、《史記》及其他有關史料甚多。之後，《論語要略》突然結
束，並無結論之類附於其後。

（二）《孟子要略》

　　順著無錫第三師範學校之教科程式，錢先生《孟子要略》成於《論語要
略》之次年，於一九三四年由上海大華書店出版，二書有密切關係。果然，
《孟子要略》哲學宗旨與前書相似，其內容與格式卻有所不同，乃《論
語》、《孟子》二書之差異使然，試詳論之於下。

　　上述《論語要略》詳言孔子生平與歷史背景，《孟子要略》卻相當簡
略。討論《孟子》版本、作者等問題最為短少，[77]謂「孟子自有所撰，而終

---

73 同註72，頁128-129。
74 同註72，頁67-68、72-74等。
75 同註72，頁95-96。
76 同註72，頁125。
77 同註72，頁179-180。

成於萬章、公孫丑之徒之所撰集」。[78]

　　論孟子家世、祖先等比較少。其有〈孟子傳略〉一段，僅僅略論孟子行事，多以孟子於各地之言論來補綴。[79]故其篇幅雖不小，但其有關孟子一生從事之活動則不甚詳。不過，古書談孟子生平遠不如孔子之詳盡，《史記》卷七十四〈孟子荀卿列傳〉甚短，是故錢先生亦無法多談。

　　至少，先生仔細考查孟子何時在何處，可取之論點亦頗多。唯《孟子・梁惠王下》言嬖人臧倉誹孟子於魯平公一案，錢先生以為齊威王時孟子未達之事。主要原因有二：一則，臧倉將孟子稱為「匹夫」，必是孟子地位仍然相當低；再則，孟子嘆曰「不遇，天也」，可見其尚未被齊王所尊重。[80]筆者竊以為，舊說將此事歸為孟子事齊宣王時期，仍然有理。此故事出現於〈梁惠王下〉，此篇大多談齊宣王之事。稱孟子為「匹夫」，未必意味著其社會地位不高，僅為臧倉看不起孟子，有侮辱之用意，如孟子稱商紂王為「一夫」然。[81]再者，孟子嘆息「不遇，天也」，又未必言孟子當時仍為平民，唯曰孟子尤苦於與魯國無緣份，不得事奉魯國國君，無法接續孔子世業。

　　談到孟子哲學，以其性善論最為詳備，但又論及修養論、崇尚古先聖哲、為學綱領等。於《論語要略》較少引用朱熹，錢先生辯論性善說自然不如此，引用朱熹著作頗多，包括其書信。[82]

　　錢先生不以為人之天性都是善，引陳澧（1810-1882）《東塾讀書記》曰：「蓋聖人之性純乎善，常人之性皆有善，惡人之性仍有善，而不純乎惡；所謂性善者如此，所謂『人無有不善』者如此。」又按：「孟子之意，僅主人間之善皆由人性來，非謂人之天性一切盡是善。」[83]

78　同註72，頁180。

79　同註72，頁167-185。

80　同註72，頁170-171。

81　又見於《孟子・梁惠王下》。錢先生引之於《四書釋義》，頁199。再者，錢先生自己將昏君稱為「匹夫」（頁200）。

82　同前註，頁251-252。

83　同註81，頁254。

　　人人皆可為堯、舜，錢先生視之為吾儕向上之努力，「非此則不足以盡其才也。」[84]又曰：

> 人能善擇最高之標準，而孜孜焉勉以為之；又能反求諸己，而知此標準為吾心之所固有、所可能，而慎思焉，以即吾心而充之；則孟子性善之旨也。讀者求明孟子性善之說，當努力於此二者，以求自證自悟焉。若以空論反覆，則終不足以明孟子性善之說也。[85]

據錢先生，性善不僅為一種本性，又為人人之責任。必須反求諸己，努力為之，一再審思，方可究孟子性善之奧旨。

　　除個人修養外，錢先生亦講政治話題。如孟子問於齊宣王，四境之內不治則君如之何，齊王無以對；錢先生謂孟子論人君當負政治責任。孟子又語齊宣王曰「聞誅一夫紂矣，未聞弒君也」；錢先生以為此論人民有革命之權利。[86]前者論國君之對百姓之基本生活需求要負責，無疑為是。但後來孟子贊同武王伐商紂，錢先生視之為人民之革命權，其又曰「孟子始終未明倡『平民革命』之說，則以限於時代，見不及此，不足為孟子病也」，[87]謂孟子雖有人民革命之思想，卻無法直接說出；此恐為牽強之談。武王為國君而非平民，其殺紂為一國君代替另一國君，絕非百姓起義。錢先生此論，當為辛亥革命之殿軍。

　　再者，錢先生將孟子性善論解為「人類最高之平等義」、「最高之自由義」，[88]稱其一思想宗旨為「惟民主義」、「以民生為重」，[89]亦有應用孟子哲學於現代民主社會之意。

　　雖然如此，錢先生對孟子多保持敘述性之態度，引用《孟子》原文甚

84　同註81，頁257。
85　同註81，頁266。
86　皆同註81，頁198-199。
87　同註81，頁200。
88　同註81，頁252。
89　同註81，頁206。

詳，亦有資料庫之價值。此尤以〈孟子對同時學者之評論〉、〈孟子與門弟子
對於士生活之討論〉兩段為切，[90]但後哲學部分亦然。[91]其介紹前儒之說頗
多，例如顧炎武（1613-1682，頁240）、焦循（頁262）、戴震（頁264）、陸
九淵（1139-1192，頁289）、程瑤田（1725-1814，頁264）等學者皆有提及。

　　與《論語要略》相同，本篇並沒有結論。此方面頗像傳統四書注釋本。

四　《國學概論》

　　定稿於一九二八年之《國學概論》，雖亦為《論語要略》、《孟子要略》
在江蘇省立第三師範、蘇州中學授課時，「隨講隨錄」一系列之書，[92]但其
性質頗不相同，不但僅對古書一篇而發之，且為中國學術總論，橫貫古今，
兼及儒道佛三教。其中以儒學為重點，不足怪。

　　既然概論之形式不同，其於《四書》學之貢獻自然比較少。再且，《論
語》、《孟子》部分在《要略》二篇已有詳說，故於《國學概論》不重複論
之，比較合宜。今略論其與《四書》有關者如下。

　　第一章標題為「孔子與六經」。其中言《易經》，謂「五十以學《易》」，
「易」字當據《古論》讀為「亦」，又曰《十翼》不出孔子手，「《易》與孔
子無涉也」。[93]言《詩經》、《尚書》，則謂「孔子刪《詩》、《書》，……無此
說也」。[94]言《禮記》，則謂「孔子已不見有《禮經》矣」，[95]又不提到孔子於
《大學》、《中庸》有任何關係。可見錢先生將孔子與《六經》相隔離之趨
勢。

90　同註81，頁207-250。

91　尤見於同註81，頁187-200、288-302。

92　錢穆：《國學概論・弁言》，收入《錢賓四先生全集》，冊1，頁3。

93　《國學概論》，頁6-7。

94　同前註，頁16。在此與《論》、《孟》《要略》一樣，一事若徵於《論語》、《孟子》
　　者，則不視為史實。

95　同註93，頁19。

談孔孟哲學亦甚短略,列之於〈先秦諸子〉內,[96]與墨子、莊、老相提並論。孟子雖稱之為儒家宗,褒揚其切於救世之志,但篇幅特別少。[97]

《四書》皆為漢代以前古書,但從宋朝始受重視。故錢先生在〈宋明理學〉一章,亦稍有論及。朱熹尤崇尚《學》、《庸》,與道統有關,此二篇代表曾子與子思,為《論語》與《孟子》間之重要傳達者。錢先生則強力譏之,曰:

> 《學案》三十九謝山案語云:「朱子師有四,而其所推以為得統者稱延平,故因延平以推豫章,謂龜山門下千餘,獨豫章能任道。後世又以朱子故共推之。然讀豫章之書,醇正則有之,其精警則未見也。恐其所造,亦祇在善人、有恆之間。若因其有出藍之弟子,而必並其自出而推之,是門戶之見,非公論也。」今按:道統之說,自宋儒始,實為陋見。[98]

錢先生著作當中,弘揚朱熹之語屢屢出現,但對於朱子道統說始終不滿。

再者,《國學概論》論朱熹對《四書》之盡心盡力之精神,謂之「信心甚強」,「以信古者為自信,鎔鑄眾說,匯為一爐」,似為讚賞之言。錢先生雖可謂現代學者之一信古者,卻對於《大學》、《中庸》缺乏信心。此恐怕為錢先生思想一矛盾之處。

錢先生相當欣賞陳亮(1143-1194)與葉適(1150-1223)之論朱熹學說,如葉適評譏曾子、子思、孟子,謂「皆中肯要,可謂宋學之諍友也」;但又稱朱熹為宋學之尊,讚其「氣魄之遠大,議論之高廣,組織之圓密」。[99]此亦同類。

---

96 同註93,頁42-46、55-56。
97 同註93,頁55-56。
98 同註93,頁250。
99 同註93,頁261。

五　結論

　　一般而言，「四書學」有狹義、廣義之分。狹義的話，是指朱熹學派將《學》、《庸》、《論》、《孟》視為群體，整體而論之，以為學術之入門，又為儒家思想最精湛之一小集，代表孔子、曾子、子思、孟子之學統。反之，廣義四書學，乃指任何有關《論語》，或《孟子》，或《大學》，或《中庸》之學問。狹義四書學，自朱熹即有之，其代表人物大多皆屬程朱學派。廣義四書學，自從《四書》在十四世紀初成為科舉之標準，方有此概念，主要為一種目錄學定義，其代表人物包括所有與儒學有接觸之學者，不僅有程朱學派歸其類。

　　錢先生最早於《四書》之造詣未全，自稱「前在私塾時，《四書》僅讀至《孟子・滕文公章句上》，此下即未讀」。[100]後來聘任小學老師，要教《四書》全文，自然會內疚，盡快將《孟子》讀完。錢先生一輩子自修之工夫，早已可見。

　　《論語文解》為其最早之專著，即與《四書》有關。本書幾乎完全在傳統中華文化影響之下，與用詞、格式、經文解釋各方面甚為明顯。書中雖然有不少新發現，仍與傳統中國思想脈絡相融合。

　　其當時對《大學》、《中庸》之見解，從《論語文解》文中無法考證。但詳情可見於〈斯多噶派與中庸〉一文。斯篇於一九二三年在上海發表，其中謂：「中西哲人思徑所由，必有一二大同略似之處。……爰拈斯多噶派（Stoics）與《中庸》證之。」[101]主要目標是證明斯多噶派與《中庸》哲學有不少共同點。此文中談及《中庸》之來歷曰：

　　　蓋儒家「性善」之論，雖創於孟子，而子思《中庸》實已顯含其義。故

100　錢穆：《八十憶雙親師友雜憶合刊》，三之二，頁72。
101　〈斯多噶派與中庸〉，收入《中國學術思想史論叢（二）》，頁505。

曰:「誠者,天之道也。誠之者,人之道也。」[102]

是言《中庸》不但早於《孟子》,又肯定為子思所撰。錢先生在此因襲朱熹之說法,可與另一條記載相提並論。晚年他回憶自己於一九一九年早已讀葉適《習學記言》,便對《論語》、《大學》、《中庸》、《孟子》順序產生懷疑。[103]蓋錢先生在其發表之文章當中,一來甚為勇敢,又在鄉學出身,固然不用怕得罪任何名師。若於一九二三年對《中庸》真的保持懷疑,沒有理由不能直接說出。可見,於一九一九年與《習學記言》接觸,頂多有下種子,但此種懷疑精神於一九二三年前尚未顯露效果。

但其於一九二三年在中學任教以後之作品,呈現出莫大變化。錢穆放棄《論語文解》之基礎,沒有再向文字學、修詞學方向而發展,又沒有接續〈斯多噶派與中庸〉純粹形上學之哲學談論。當時作品與朱熹舊說保持一定距離,一方面推朱熹為宋學之宗,二方面排斥其道統說。《論語要略》之內容又與標題不完全符合,其重點為孔子而非《論語》,詳談孔子之生平與生活背景。談論其哲學時,重點又不是《論語》,而是孔子基本概念,所以多用後儒之說。本書可題為《孔子生平與思想要略》,更為恰當。[104]當然,錢先生必須符合學校科目,其所教為「《論語》」而非「孔子」課。相比,《孟子要略》多講《孟子》一書,比較不成問題,當然也是因為《孟子》文中史料比較多。

《要略》雙文在經文解釋方面又不會固守朱熹《章句》舊說。於上文已提及其「五十以學易」之「易」字解為「亦」。又有「子罕言利與命與仁」中「與」字釋為「許」,[105]與朱子相異。錢先生自己未曾提出本書說法與《論語文解》不同,於其晚期之作品,似乎又不珍惜自己頭部書。

錢先生以史學家稱名,此乃從《論語要略》可證。其視《論語》為歷史

---

102 同前註,頁509。

103 錢穆:《八十憶雙親師友雜憶合刊》,四之六,頁97。

104 原先本篇果然有《孔子研究》之別名。見〈錢穆《論語》學術論——以治學歷程及方法為主軸〉,頁144。

105 錢穆:《四書釋義》,頁65。

資料，雖然以為此書來源有些小問題，但是大多十分可靠。又詳細具備孔子生平等知識，並對二千五百年前孔子社會背景甚感興趣，[106]此態度一樣明顯。錢先生將史學帶進經學來，就從此開始。其中無疑有推崇經學之心意。

　　既然有著史學之觀點，治理《大學》、《中庸》學術問題比《論語》、《孟子》困難。據上文所述，錢先生於《論語要略》已對《論語》版本與來歷表示疑問，何況是對《大學》、《中庸》！是故錢先生從一九二三年後，並無狹義的四書學。此外，錢先生所教學之課程僅有文字學、《論語》、《孟子》、國學等四部分，可見《學》、《庸》不會分別立科目。錢先生在《論語要略》、《孟子要略》、《國學概論》簡短提之，卻篇幅極少。

　　此三部書對錢先生後來著作之影響亦相當大，但其對《學》、《庸》之基本態度持續不變。於《先秦諸子繫年》曰「《中庸》偽書，出秦世」，[107]於一九四一年曰《大學》「原文究出何人之手，此事已難確論」，[108]於一九四二年曰「《中庸》是一篇較晚出的文章」，[109]皆此意也。於《四書釋義》〈例言〉又一再強調，[110]尤敏感於道統之說，[111]可謂一貫之論。

　　錢先生之政治抱負在《論語》、《孟子要略》屢屢出現，如此「民主化」之孔、孟思想於《政學私言》等書頗發達，在此不多談。

106　同前註，頁102、117。

107　錢穆：《先秦諸子繫年》，頁199。

108　錢穆：〈大學格物新釋〉，收入《中國學術思想史論叢（二）》，頁215。

109　錢穆：〈中庸之明與誠〉，收入《中國學術思想史論叢（二）》，頁175。

110　錢穆：《四書釋義》，頁307-311。

111　同前註，〈例言〉，頁5-6。

錢穆對朱熹《大學》格物補傳的研究*

武才娃

北京建築工程學院文法學院教授

　　《大學》原為《小戴禮記》一篇，其文出自何人之手，很難作定論。這篇短文所包含的「三綱」、「八條目」，則為儒家思想的精髓。自宋代以來《大學》被尊為《四書》之首，奉為儒家經典。「八條目」中的第一條，所謂「致知在格物」的「格物」，由於篇中未加詳論，遂引起近千年的學術爭論，錢穆作此篇意在對解決此爭論提出一些建設性意見。總體來說，他把《大學》中的格物置於宋明理學系統加以考察，認為明儒對《大學》格物的解釋有七十二家之多，但最重要的當屬朱熹和王守仁兩派，因此選擇朱熹、王守仁及後學，並結合《小戴禮記》等提出了自己的看法。

　　朱熹在《大學章句》為格物補傳說：

　　　「《大學》原文傳之第五章蓋釋格物致知之義，而今亡矣，閒嘗竊取
　　　程子之意以補之」。補文曰：「所謂致知在格物者，言欲致吾之知，在
　　　即物而窮其理也。蓋人心之靈莫不有知，而天下之物莫不有理。惟於
　　　理有未窮，故其知有不盡也。是以《大學》始教，必使學者即凡天下
　　　之物，莫不因其已知之理而益窮之，以求至乎其極。至於用力之久，

---

* 錢穆對《大學》格物的研究散見在相關的著作中，單篇發表的只有一九四一年刊載在《思想與時代》第2期的〈《大學》格物新釋〉，本文僅依據此篇淺談一下錢穆對《大學》格物的詮釋。

而一旦豁然貫通焉，則眾物之表裏精粗無不到，而吾心之全體大用無不明矣。此謂物格，此謂知之至也」。[1]

　　錢穆認為，《補傳》文陳義雖高，但後人多有爭議，主要有兩點：一是《大學》原文是否有缺而有待於為此《補傳》。二是朱熹《補傳》是否符合《大學》的本意。如果朱熹《補傳》符合《大學》本意這個問題解決了，那麼《大學》原文是否有缺而有待於補則爭議不大。錢穆主要解答朱熹《補傳》是否符合《大學》本意的問題，這引出對致知與格物、格物與止至善、尊德性與道問學關係等一系列問題的思考。

一　格物與致知

　　朱熹所謂的格物、致知主要講，作為主體的人可以認知天下事物，把握事物之理，人有認知的能力，物也有被認知的可能，根據這個道理可以認知所有事物及其中的理，也就是說天下之事物及其理從理論上說是可以認識的。王守仁繼起，曾依《補傳》凡天下之物而格的道理來格庭前的竹子，最後沒有體悟到格物道理反而生病，於是懷疑聖人不可學，朱子格物說不可信。他自己開始主張恢復古本《大學》，認為論《大學》的工夫次第，應以「誠意、致良知」為主，在這一過程中，知行合一，內外雙修，體用兼貫。他所謂的「誠意、致良知」強調當下便是，看似比朱子格物說更為簡易。但錢穆認為，依《大學》的次序，必先「致知」然後才能「誠意」，王守仁講「誠意」應在之後。所以錢穆進一步分析說：第一，王守仁以「致良知」代替「良知」，與孟子言「良知」不同，雖孟子言不學而知即「良知」，但良知只是「知」中之一，如果說孟子講的「良知」是不學而知、人所固有，那麼王守仁說的「致良知」中的「致」字也是多餘的。第二，王守仁又以「致良知」代替「致知」，這與孔子所謂的「學而不厭、教而不倦」也不相符，那有不學而知「修、齊、治、平」之理的，因此必須要學。「學」就要盡心、

1　朱熹：〈大學章句〉，《四書章句集注》（北京市：中華書局，2003年），頁6-7。

就得花工夫，如孟子講盡心知性、知天，盡心必有工夫。而朱熹講的格物窮理既是指「致知」工夫，「學」的工夫，也是「盡心」的工夫，不通過格物窮理，心如何能盡，只恃「良知」是不能盡心的。有人說王守仁以《孟子》解釋《大學》，錢穆認為這種說法不恰當，指出：「孟子何嘗以『良知』二字說盡一切？亦何嘗以『心即理』三字說盡一切乎？」[2] 王守仁「致良知」之說雖然切近易簡，但其後學致使學路愈來愈窄，走向極端。

　　錢穆認為王守仁對「格物」並不能明白給予解釋。朱熹講的「格物」是因事物已知之理而窮之，王守仁講「格物」只做機械地理解，沒有把握格物的真諦，如此才有格竹子生病之事。朱熹《補傳》把心知與物理區別開來說，然後才有格，而王守仁則把兩者混為一談，並以心為主軸解釋格物。錢穆援引王守仁：

> 「格物者，格其心之物也，格其意之物也，格其知之物也。正心者，正其物之心也。誠意者，誠其物之意也。致知者，致其物之知也。此豈有內外彼此之分哉？」又「格者格此也，致者致此也。」[3]

一段證明這一點。依王守仁的觀點，心與物內外沒有分別，也就是說模糊了認知物件與認知主體的區別，導致認知物件消融在認知主體當中。如果把「格物」與「致知」視為一件事，那麼《大學》的作者就不必要把它們分成兩條目。即使是討論心物關係，就思想邏輯來看，一定要先承認心在內、物在外，彼此分開然後才有無分內外的說法，但檢視《大學》本文，這裡其實並未作「心物」問題的討論。因此，王守仁論「心物」異同，比朱熹論「格物」更為紆回，不符合《大學》原意。

　　由於王守仁論「誠意」簡易明白，使其後學秉承「誠意致良知」的宗旨，對《大學》格物的詮釋各持己見、標新立異，有代表性的如王門後學王艮。錢穆引王艮的「格物新說」：

2　錢穆：〈《大學》格物新釋〉，《中國學術思想史論叢》（合肥市：安徽教育出版社，2004年），卷2，頁101。

3　錢穆：〈《大學》格物新釋〉，《中國學術思想史論叢》，卷2，頁94。

> 「格物即物有本末之物，身與天下國家一物也。格知身之為本而國家
> 天下之為末，行有不得者，皆反求諸己，反己是格物的工夫。故欲齊
> 治平在於安身」。[4]

這段新解被稱為「淮南格物說」，主張「格、知、誠、意」為本，「正、修、
治、平」為末，並得到一些學者的認同。錢穆認為，王艮的「格物說」看似
擺脫了朱熹與王守仁有關心物之辨，而專就人事立論，就這一點來說與《大
學》本意較為接近，但對格物的義訓仍未見透徹。朱熹解「格物」說的是窮
至事物之理，既言人事也就不應該忽略物理，而王艮講格物重在其本末，局
限於朱熹注「物，事也」這一訓詁之範圍內，而沒有講理。再者關於本末次
序，《大學》本文所舉八條目，所謂「欲……必先」一段話，已將物之本末
先後明白確定了，不需要讀者再格，而王艮訓「格物」為本末之物是多餘
的。錢穆認為，王艮是以「反己」為格物工夫，實際是「止至善」工夫。但
王艮說「反求諸己」是強調主體能動性，又說「安身」看似被動，兩者有矛
盾。只聽說殺身以求仁，未聞安身以求仁的，先求「安身」不是《大學》原
意。

　　錢穆認為，《大學》作為《小戴禮記》中的一篇，對格物的「物」字並
沒有詳細的解釋，應該在《小戴禮記》其他篇中尋求旁證，他引〈樂記〉諸
條：

> 「人心之動，物使之然也。」「物至知知，然後好惡形焉。好惡無節
> 於內，知誘於外，不能反躬，天理滅矣。夫物之感人無窮，而人之好
> 惡無節，則是物至而人化物也。」[5]

這兩條明確提出心與物、物與知的關係問題。〈樂記〉的「物至知知」與
《大學》中的「物格知至」四字互相說明，人心之知就是知此外來之物。錢
穆反對模糊「心知」和「物理」的界限，如王守仁「見父自然知孝」觀點，

4　錢穆：〈《大學》格物新釋〉，《中國學術思想史論叢》，卷2，頁95。
5　錢穆：〈《大學》格物新釋〉，《中國學術思想史論叢》，卷2，頁96。

而提倡朱熹的「事父當知孝」的道理。他分析指出，若依照王守仁的這一說法，見父自然知孝，使父變成一物，下語不文雅。古人不這麼講，如朱熹講事父當知孝，事父是一事，不能說父即是一物。孝是一理即一知，而此「知」則是窮理之後的知。其實在《小戴禮記》以前，《孟子》已經提出了物與心、物與知的關係問題，人類以心或感官接觸外物，感官不能思考，它本身也是一物，感官與物接觸，所謂物交物，即感官容易被外物誘惑，而心則不然，它能思維。錢穆引朱熹的話說：

> 凡事物之來，心得其職，則得其理而物不能蔽。失其職，則不得其理而物來蔽之。[6]

心作為思維器官認知事物之理是無庸置疑的。當然，朱子所論「心」在「格物窮理」、「理一分殊」的前提下，將物、心、知連結起來。在朱子的理論系統中，任何追求聖人之道的實踐，都要依循經典中的道理，而別無他途。因此在錢穆看來，《大學》、〈樂記〉與《孟子》有關心物的看法是一致的。而心之官能思維並認知事物之理，這正是朱熹《補傳》中所說的格物窮理，朱熹《補傳》，「或可謂已更進於《大學》本文之原義，然此不足以病《補傳》」[7]再次肯定朱熹《補傳》符合《大學》原義。

二　格物與止至善

　　《小戴禮記》為言禮之書，《大學》作為其中的一篇，與禮有著十分密切的關係，因此「格物」之說也得到禮學家的關注，他們釋「格物」應有自己的特色，錢穆注意到這一點並加以討論。

　　錢穆援引禮學家的觀點釋「格物」，以為「物」指射者所立之位。《儀禮‧鄉射禮》和《小戴禮記‧投壺》都有類似的解釋。錢穆認為，從這個意

6　錢穆：〈《大學》格物新釋〉，《中國學術思想史論叢》，卷2，頁97。
7　錢穆：〈《大學》格物新釋〉，《中國學術思想史論叢》，卷2，頁97。

義說,「格物者,即止於其所應立之處,格即止也,物即其應止之所。」[8]這種理解則將「格物」與「止至善」相互聯繫在一起,因此,他繼而討論了「格物」與「止至善」的關係,指出:所謂「止於至善」即《大學》三綱領的落腳點,其內容包括「仁敬孝慈信」,這些都是人之明德,即君臣父子人群之間的「至善」。《大學》尤其重視「止」,所引「《詩》云,邦畿千里,惟民所止。《詩》云,緡蠻黃鳥,止於丘隅。子曰,於止知其所止,可以人而不如鳥乎。」這裡「訓格為止,物為所止處」,與《論語》中「君子思不出其位」是一致的。格於物,即不出其位。《詩經》說:「天生烝民,有物有則」,《周易》說「君子以言有物而行有則」,凡此皆說明「物」與「則」同義,指法則、準則。從這個角度理解物,在外言之為標準,在已言之為地位、立場。社會有一個標準,個人有當止的地位,達到人性之明德,人事之至善,才是《大學》格物「物」字的含義。

古代常以射事觀德,通過射來選擇士,因此「射事」喻指德性,如《小戴禮記》中的《中庸》說:「射有似乎君子,失諸正鵠,反求諸身」。錢穆認為,這所說的「正鵠」就是射箭的目標,指出:「射貴乎中的,中的即射事之至善也。」[9]就人事而言,為人子者即應止於人子的地位。如果把孝比做射,兒子盡孝而不得父所愛,就如同射不中的,這時只有站在原地好好再射,而不能埋怨自己的地位站差了,「行有不得,則反求諸己」,從自身找原因,這是禮學家理解的《大學》格物本義,也即是「止至善工夫」。在錢穆看來,這個「止至善工夫」就如同射箭要在射法上下功夫一樣,而不是僅考慮射箭地方的優劣。

錢穆認為,禮學家釋「格物」相當於《大學》言「止至善」之綱領,而《大學》言「格物」為「致知工夫」,因此不能說「止至善」就是「致知工夫」。遍考《小戴禮記》及其它言禮之書等,對「物」字的解釋各異,但以「物為射者所立之位」的解釋並不多見。錢穆對禮學家論「格物」解也有所

8　錢穆:〈《大學》格物新釋〉,《中國學術思想史論叢》,卷2,頁97。

9　錢穆:〈《大學》格物新釋〉,《中國學術思想史論叢》,卷2,頁98。

保留。

　　錢穆援引顧炎武論「致知」，其內容是：

> 「致知者，知止也。為人君止於仁，為人臣止於敬，為人子止於孝，為人父止于慈，與國人交止於信，是之謂止。知止然後謂之知至。君臣父子國人之交，以至於禮儀三百，威儀三千，是之謂物。」「《詩》曰：天生蒸民，有物有則。《孟子》曰：舜明於庶物，察於人倫。昔者武王之訪，箕子之陳，曾子子遊之問，孔子之答，皆是物也。故曰萬物皆備於我矣。」「惟君子為能體天下之物。故《易》曰：君子以言有物而行有恆。記曰：仁人不過乎物，孝子不過乎物。」[10]

錢穆認為這也是以「止至善」釋「格物」，其意與禮學家的看法大體相同，然而引用古書訓「物」字更加明通。「物」有法則、標準之義，但人們知道法則、標準，仍須別有所知以到達之。孟子講「萬物皆備於我」是指種種法則標準，《大學》所言「仁、敬、孝、慈、信」等諸德是天賦予人的本性，而人需要盡心工夫才能知性知天。朱熹講「格物窮理」就是「致知」、「盡心」工夫，所說的「我心全體大用無不明」如同孟子所講的「盡心」，能盡心才能知萬物皆備於我，並非先知萬物皆備於我然後才能致知。可見朱熹釋「格物」重視致知，更勝於顧氏以「止至善」釋格物。

　　錢穆認為，顧氏治學尤推崇朱熹，但為什麼對「格物」的解釋標新立異[11]。錢穆認為，這是由於顧氏也懷疑「朱子《補傳》所謂即天下之物而格，將如陽明之格庭前竹子，故特標異解，以防其弊。」[12]朱熹講格物窮理，既包含人文事為之理，也兼有自然萬物之理，至於本末先後，當務之急，這點只要讀一下《大學》就應知道。顧炎武似乎抹去了自然萬物之理，只從倫理角度解釋「物」及其理，不如朱熹的氣魄博大。

---

10 錢穆：〈《大學》格物新釋〉，《中國學術思想史論叢》，卷2，頁101。

11 指顧炎武論格物：「以格物為多識鳥蓋草木之名則末矣。知者無不知也。當務之為急」一句。

12 錢穆：〈《大學》格物新釋〉，《中國學術思想史論叢》，卷2，頁102。

三　解答一些質疑

錢穆還回答了有關朱熹《補傳》問題的一些質疑。

有人懷疑《大學》講「物有本末，事有始終，知所先後，則近道矣。」又說「此謂知本，此謂知之至也。」《大學》「格物致知」明確指的是，「格此物」有本末之物，「致此知」所先後之知，何有缺文待補？錢穆認為，「知止」與「知之至」有所不同。「知止」即知本是起步處，而「知之至」則是歇腳處，所以《大學》原文在「知止」後尚有定、靜、安、慮、得等步驟，即使是慮而得也並非即達到「知之至」處。如《論語》說：「孝弟也者，其為仁之本與」，此可謂知本，然而仁之事難道除了孝弟之外就無理可窮？孝弟之事難道除了家庭父兄之外就無理可窮？也就是說「知止」或「知本」並沒有窮盡知。相對「知本」來說，「知之至」則有窮盡之義。朱熹在《大學》「此謂知之至也」句下加注，認為此句為其結語，此句之上有缺文，這正看出了「知本」與「知之至」之間有個過程（有過渡文字）。因此，在錢穆看來，「朱子《格物補傳》，至少補出了《大學》之缺義，讀《大學》，不能不讀朱子《補傳》，其義抑甚顯。」[13]也就是說朱熹所撰《補傳》的文字不盡與缺失的原文相同，也不可能相同，但與缺失原文的大義是一致的，因此說《補傳》是補義。

又有人懷疑，程子說《大學》是初學入德之門，難道朱熹「格物窮理說」也是初學入德之門？然而程子認為今日我們可以見到的「古人為學次第」的只有《大學》。在錢穆看來，程氏之意指的是「三綱領、八條目」的次第，其本末先後僅指「知止」而不是指「知之至」，朱熹《補傳》與程氏之意並不相悖。只有陸九淵在為學的本末先後上與朱熹意見相左。錢穆引陸九淵：

「學有本末，顏子聞夫子三轉語，其綱既明，然後請問其目。夫子對

---

13 錢穆：〈《大學》格物新釋〉，《中國學術思想史論叢》，卷2，頁103。

> 以非禮勿視勿聽勿言勿動。顏子於此，洞然無疑，故曰：回雖不敏，
> 請事此語矣。本末之序蓋如此。今世論學者，本末先後，一時顛倒錯
> 亂。曾不知詳細處未可遽責於人。如非禮勿視聽言動，顏子已知道，
> 夫子乃語之以此。今先以此責人，正是躐等。視聽言動勿非禮，不可
> 於這上面看顏子。須重請視此語，直是承當得過。」[14]

這一段認為，按照陸九淵的意思，大處承當是本，細處致詳是末，也即說大
綱是本，小節是末。這講的「今世論學者」指朱熹，如果以他的《補傳》
言，其「心豁然貫通」是綱是本，即「格物而窮其理」是目是末，則為顛倒
其序，因此，陸氏譏諷他為「支離」。朱熹又主張讀書是「格物」中的一
事，陸氏以為堯舜以前有何書可讀，不識一字也能堂堂做一人。陸九淵認為
「我心悟道」是綱是本，「讀書求知」只是目是末，先在大處承當，然後在
小處下手。錢穆認為，如果以陸氏的來衡量，聖賢恐怕也免不了有「支離」
之嫌，在這他實際上是反對陸九淵的說法。

　　錢穆認為，朱熹與陸九淵有關綱目本末的爭論，涉及他們對《中庸》尊
德性與道問學關係的處理上。陸九淵以「尊德性」為綱為本，「道問學」為
目為末，因此說不知「尊德性」如何「道問學」？然而錢穆引朱熹《玉山講
義》一段文字：

> 「聖人教人，始終本末，循循有序。精粗巨細，無有或遺。故才尊德
> 性，便有個道問學一段事。雖當各加功，然亦不是判然兩事。君子之
> 學，既能尊德性以全其大，便須道問學以盡其小。要當有以交相滋
> 益，互相發明，則自然該貫通達，而於道體之全無欠缺矣。」[15]

並認為，朱熹講「道問學」並沒有忽視「尊德性」，在他看來，「道問學」與
「尊德性」是統一的。聯繫到《大學》認為，三綱領之外又有八條目，對於
誠、正、修、齊、治、平各條目來說，仍當「道問學」，也即仍當「格物窮

---

14 錢穆：〈《大學》格物新釋〉，《中國學術思想史論叢》，卷2，頁104。
15 錢穆：〈《大學》格物新釋〉，《中國學術思想史論叢》卷2，頁105。

理以致知」。三綱領與八條目不是判然兩事，其中貫穿著「格物致知」的工夫，因此，朱熹《格物補傳》不是補《大學》缺文而是補了《大學》缺義。

王守仁承陸九淵而起講「致良知」，講「見父兄自然知孝弟」，但不見「道問學」的工夫。如果依照王守仁的說法，孔子所說的「七十而從心所欲不逾矩」，豈不仍是見父兄自然知孝弟的「良知」而已？事實並非如此，錢穆的意思是說孔子「七十而從心所欲不逾矩」是以「十五而知學」等為基礎的，是學習積累的結果，這本身就是「道問學」的過程。即使說陸王論學得其大綱之本，朱熹格物窮理補細節之末，也不得謂「有綱即不須有目，有本即不須有末也。」[16]在錢穆看來，後世凡是懷疑朱熹《補傳》的觀點，實際上也都是按照陸王的意思加以懷疑，所謂「一犬吠影，百犬吠聲」，並非有多大區別。也可以說並沒有好好讀朱熹的書，陷於門戶，影響了價值判斷。

近現代也有人懷疑《補傳》，認為朱熹「格物」解陳義太高。近代西方，科學昌明，專業愈分愈細，如此尚不能「格盡天下之物」。即使是有新理新知發明，也不能「窮至乎其極」，更遑論朱熹所說的「一旦豁然貫通」。又認為，《大學》本文中的「格物」是人人必先經歷的第一步功夫，然後才有致知、誠意、正心、修身、齊家、治國、平天下七條目。第一步功夫應簡易平常，為盡人所能，如果像朱子說所的那樣，「將使人窮老盡氣，終不得門以入」。[17]錢穆認為，朱子所謂的「格物」只是個理想，是全人類求知的共業，其實現是一個長期的歷史過程，而非一蹴而就、一勞永逸。與此同時，朱熹講的「格物」又很具體，《補傳》釋「物，事也」。把物當事看，由事（齊家治國平天下）而推知（可稱為格）理，理再由事中擴展（也可稱為格），從這個意義上說，「至乎其極」，達到極致和「豁然貫通」，即「三綱領、八條目」在心中一以貫之。這才是朱熹「格物」的境界，也是朱熹的氣魄和精力所在。因此，現代人不要誤解朱熹，不要像朱熹以後的學者那樣，將朱學漸漸變為書本文字的義解和訓詁。錢穆認為，在近世由於自然科學日

---

16 同前註。

17 參見錢穆：〈《大學》格物新釋〉，《中國學術思想史論叢》，卷2，頁93。

益發展，人們讀朱熹《補傳》才聯想起自然物理，朱熹似在五、六百年前就已經闡發其意了。至於人文事理與自然物理的本末先後，孰為當務之急，此理有待於當今人們的需要而進一步的認識。

還有人懷疑，既然朱子《補傳》中的「物」為「事」義，那麼他在《補傳》中何必要說「凡天下之物」，不說「凡天下之事」，以除後人的誤會？錢穆指出，那是因為《大學》本文原來就說「格物」，所以朱子《補傳》不能換字而用「格事」。而朱子說的「窮至事物之理」也已經是「以事釋物」了，「物」字本義已含「事」義，故不能說「朱子立言之有不明」[18]，批駁了認為朱熹《補傳》有先物理後人事之嫌的看法。

綜上所論，錢穆論格物有以下特點：第一，從理學角度理解「格物」。民初以來，一些學者似把《大學》視為荀學系統，也有從漢代經學把握《大學》，而錢穆則把《大學》納入宋明理學範圍內加以考察，突顯「格物」作為理學範圍的重要意義。具體地說錢穆是站在朱熹的立場論「格物」，服膺朱熹的《格物補傳》，反對陸九淵、王守仁及其後學有關「格物」的觀點，同時也不完全贊同禮學諸家對格物的理解。第二，強調朱熹《補傳》是補格物之義而非補字。肯定朱熹對《大學》格物的缺文，至於原文如何，無從知曉，但根據上下文意思補其所缺的內容，對全面完整理解《大學》格物十分有益。在錢穆看來，如果朱熹《補傳》符合《大學》本意這個問題解決了，那麼《大學》原文是否有缺而有待於補，則爭議不大，所以他對此問題沒有討論。第三，解釋朱熹的「格物」體現了理想與現實、抽象與具體、認識的有限與無限的結合與統一。王守仁機械地理解朱熹講的「格物」，是將一個事物一個事物地格，而不懂觸類旁通之理，也就是說沒有從實際經驗中提升為理論，所以，他「格物」失敗以後走向另一個極端，把物及其理置於「心」中，主張物在心中，理在心中，要「格」也是格「心中之物」、「心中之理」，混淆了心與物、觀念之物與現實之物的區別。與此不同，朱熹講的「格物」是通過對現實事物的認知實現的，現實事物的認知離不開對理想的

18　錢穆：〈《大學》格物新釋〉，《中國學術思想史論叢》，卷2，頁103。

追求，更重要的是由現實到理想、由具體到抽象是一個認知不斷積累的過程。

四　結論

　　如果說錢穆對《大學》格物說有新解，那麼主要是指出朱熹格物《補傳》是補義，而錢氏通過對朱熹《補傳》補義的闡釋，揭示出朱熹「格物」說的真諦與價值，這對於我們深入理解《大學》格物思想有所啟發。至於說到補「字」這是不可能的，因為有時代的限制，但補「義」且容易引發爭論，由朱熹《補傳》後而引發的諸多爭論也就說明瞭這一點，從這個意義上說，有關朱熹《補傳》的爭論可能還會長期持續下去。

　　儘管錢穆治經學並不以此篇為主，但其格物新解的主旨卻提示後人，特別指出了讀書的重要方法是：第一，熟讀原文。如歷代對朱子《格物補傳》的評論，或褒或貶，相去甚遠，要想掃去眾論異見，對其有一正確瞭解，必先熟讀朱子原書，再對朱子格物解細心體會，才能放開本文，往返於述朱諍朱、早晚異同之說，而揭示「格物」中的精義所在，餘義所及，易於尋索。不至於「一犬吠影，百犬吠聲」的境地。第二，取材嚴謹。如認為研究朱子要在《朱子文集》和《朱子語類》中取材，尤其是《語類》在朱子全部系統中，猶畫龍點睛一般，使人讀之如有破壁飛去之感。朱子的許多精彩觀點是其晚年著書中的思想薈萃，故於朱子思想，要特重其發展精進，不可支離取義。第三，革除門戶。如朱陸身後，其門下弟子各挾門戶之見，爭短競長，各不相下。認為朱學之所以晦而不明，是因存有：陋儒志在名位，不在學術；偽學者以當道之好惡為趨，目的在希旨邀寵；門戶之爭障蔽學者眼目，不能看出其精義所在；在釋道衰落之後學者限於儒學傳統之內，不能在更廣闊的學術背景下論朱子。第四，務在創新。如錢穆對《大學》格物的新解正如他對朱子學研究一樣，即將其語錄及文集分門別類，各類自成條貫，使學者每讀一條，即可於此類中見此條真義；每讀一類，即可見此類在其整個思想體系中的地位。各類貫通，使其思想了然胸中，以超越訓導與辯詰的藩

籬。形成了錢穆獨特的研究方法，即理性的、歷史的、平和的、創新的研究方法。

　　以此略見一斑，由於錢穆對經學的研究是執此獨特方法，故使其所論深刻而不玄虛，廣博而不雜亂，於眾殊中見條貫，於多義中見會歸。

早期劉師培的〈中庸〉說

陳榮開

香港科技大學人文學部副教授

引言

　　劉師培（1884-1919）的生卒跨越了晚清與民初，而他對〈中庸〉的理解，也恰恰分別見諸他在民國前後所寫的兩組文章——前者為一九〇五同一年內先後發表於《國粹學報》的〈漢宋學術異同論〉和〈理學字義通釋〉的兩篇；後者為他在生命結束之年（1919）所寫以〈中庸〉為專題的另外兩篇，即〈中庸說〉和〈中庸問答〉。前兩篇所論雖然較廣，不少之處卻直接、間接透露了他對〈中庸〉的看法。至於後兩篇，則可以視為他作為古文經學——尤其《春秋左氏傳》研究上的——大師，對〈中庸〉所持的終極見解。要全面掌握劉氏對〈中庸〉的看法，自不能不對上述四篇文章都作深入的鑽研。然而，礙於時間，本文只以前兩篇為限，略為探討劉氏早期的〈中庸〉說。

一

　　作為理解劉氏〈中庸〉說的一般背景，他對經書構成與經學發展的基本看法，自不容忽略。劉氏的經學說有其獨特之處。這些獨特之處對他的〈中庸〉說都有影響。

　　首先，他認為後世雖有所謂的《十三經》，但真正可稱為經的實只有六

種，即所謂的《六經》。在《經學教科書》的〈經學總述〉裡，他開宗明義
便道：

> 三代之時，只有《六經》。《六經》者，一曰《易經》、二曰《書經》、
> 三曰《詩經》、四曰《禮經》、五曰《樂經》、六曰《春秋經》。故《禮
> 記‧經解》篇引孔子之言，以《詩》、《書》、《禮》、《樂》、《春秋》、
> 《易》為六經。[1]

對於此六種經書，劉氏更有所說明。他說：

> 《六經》起原甚古。自伏羲仰觀俯察，作八卦，以類物情，後聖有
> 作，遞有所增，合為六十四卦，而施政布令，備物利用，咸以卦象為
> 折衷。夏易名《連山》，商易名《歸藏》，今皆失傳。是為《易經》之
> 始。上古之君，左史記言，右史記事。言為《尚書》，動為《春秋》。
> 故唐、虞、夏、殷，咸有《尚書》；而古代史書，復有《三墳》、《五
> 典》。是為《書經》、《春秋經》之始。謠諺之興，始于太古。在心為
> 志，發言為詩。虞、夏以降，咸有采詩之官，採之民間，陳于天子，
> 以觀民風。是為《詩經》之始。樂舞始于葛天，而伏羲、神農，咸有
> 樂名。至黃帝時，發明六律、五音之用。而帝王易姓受命，咸作樂以
> 示功成。故音樂之技，代有興作，是為《樂經》之始。上古之時，社
> 會蒙昧。聖王既作，本習俗以定禮文。故唐、虞之時，以天、地、人
> 為三禮，以吉、凶、軍、賓、嘉為五禮。降及夏、殷，咸有損益。是
> 為《禮經》之始。由是言之，上古時代之學術，奚能越《六經》之範
> 圍哉！[2]

這段逐一敘述《六經》起源及其內涵的文字，所強調的主要有兩點：其源頭
之古遠與其包羅之廣泛。就前者言，不僅唐、虞、夏、殷之世早已有此《六

---

[1] 劉師培：《經學教科書》，冊1，第一課〈經學總述〉，收入《劉申叔先生遺書》（臺北
　市：大新書局，1965年），冊4，頁2355。

[2] 同前註，第三課〈古代之《六經》〉，收入《經學教科書》，頁2355-2356。

經》，就是三皇、五帝之遙，也能溯其源而及諸。就後者論，則上古帝王所以修己治人的法度典章，都已無所遺漏地具備於《六經》之內。

　　基於此兩緣故，《六經》爾後雖經周公的集成[3]與及孔子的編訂，[4]卻始終是「先王之舊典」，[5]非但「周末諸子，若管子、墨子，咸見《六經》」，[6]其為晚周學術界所共同繼承的文化傳統，則更「非儒家所得私」。[7]

　　基於此一特定的經書觀，對於周公乃至孔子以下所附益的典籍，劉氏概不承認其為經的地位。他說：

> 若《左氏》、《公羊》、《穀梁》三傳，咸為記《春秋》之書。《周禮》
> 原名《周官經》，[8]《禮記》原名《小戴禮》，皆與《禮經》相輔之
> 書。《論語》、《孝經》雖為孔門緒言，亦與《六經》有別。至《爾
> 雅》列小學之書，[9]《孟子》為儒家之一，〈中庸〉、〈大學〉咸附《小
> 戴禮》之中，更不得目之為經。[10]

以上所舉典籍，莫非後來所謂《十三經》的重要部分，但在劉氏看來，卻都只宜稱為傳、記或儒家之書。至於東漢以下將其與《六經》等量齊觀的做法，其實都極不適當。

> 西漢之時，或稱《六經》，或稱《六藝》。厥後《樂經》失傳，始以
> 《孝經》、《論語》配《五經》，稱為《七經》。至于唐代，則《春
> 秋》、《禮記》咸析為三，立《三傳》、《三禮》之名，合《易》、

3　同註1，第四課〈西周之《六經》〉，收入《經學教科書》，頁2356。

4　同註1，第五課〈孔子定《六經》〉，收入《經學教科書》，頁2356。

5　同註1，第八課〈尊崇《六經》之原因〉，收入《經學教科書》，頁2357。

6　同註3。

7　同註5。

8　按劉氏從劉歆、鄭玄之說，以《周官經》為周公致太平之書。見同前註，第四課〈西
　　周之六經〉，頁2356。

9　劉氏又從張揖、郝懿行之說，認為周公「作《爾雅釋詁》一篇，明古今言語之異同，
　　以備外史達書名之用。」見同前註。

10　同註1，第一課〈經學總述〉，收入《經學教科書》，頁2355。

《書》、《詩》為《九經》。北宋之初，于《論語》、《孝經》而外，兼
崇《爾雅》、《孟子》二書，而《十三經》之名遂一定而不可復易矣。
及程朱表章〈學〉、〈庸〉，亦若《十三經》之外復益二經。流俗相
沿，習焉不察，以傳為經，以記為經，以羣書為經，以釋經之書為
經，此則不知正名之故也。[11]

按劉氏自注，所謂「以傳為經」，指的是以《左氏》、《公羊》和《穀梁》三
傳為經；「以記為經」，指的是以《小戴禮》為經；「以羣書為經」，指的是以
《周官經》、《孝經》和《論語》為經；「以釋經之書為經」，指的是以《爾
雅》為經。[12]雖然典籍的性質各自不同，一律處以《六經》相等的地位，則
是犯了同樣一個「不知正名」的錯誤。

　　值得注意的是，上引的兩段文字分別都有提及〈中庸〉，而兩次皆在強
調〈中庸〉作為《小戴禮》中的一篇，決不可和《六經》一樣，具有經的地
位。在《經學教科書》的〈孔子弟子之傳經下〉，劉氏對《小戴禮》乃至
〈中庸〉一篇的來歷，有如下的說明：

《禮》、《樂》二經，孔門傳其學者，尤不乏其人，……而孔門弟子復
為《禮經》作記，又雜采古代記禮之書以及論禮之言，依類排列，薈
萃成書，而子思作〈中庸〉，七十子之徒作〈大學〉，咸附列其中。[13]

可見，整部的《小戴禮》都不過是孔門弟子及其後學為《禮經》所作的記和
他們從古代的記禮之書和論禮之言薈集而成的文字彙編，與古來相傳的《禮
經》自有分別。《小戴禮》尚且不能與《禮經》相提並論，則附列其中的
〈中庸〉，自更不能視之為經。

11　同前註。
12　同註10。
13　同註1，第七課〈孔子弟子之傳經下〉，收入《經學教科書》，頁2357。

二

　　不僅如此，〈中庸〉自來即以《小戴禮》中的一篇而存在，將之獨立出來以與諸經並列，在劉氏眼中，也是個並不恰當的做法。有關這點，除了可從上引的兩段文字窺其端倪，也可從劉氏對經學源流所作的追溯清楚見之。

　　當然，要掌握劉氏對經學源流的追溯，首須明瞭其所採取的體例。按劉氏《經學教科書》所列凡例，其中有以下一項：

> 每期之中：首《易經》；次《書經》；次《詩經》；次《春秋經》；次《禮經》；次《論語》、《孟子》，〈學〉、〈庸〉附焉；次《孝經》，《爾雅》附焉。蓋班〈志〉于《六藝》之末，復附列《論語》、《孝經》，今用其例。[14]

然則，劉氏《經學教科書》對歷代經學源流分課敘述所按的次序，實乃承自班固《漢書‧藝文志》所開之例。然而，劉氏雖沿其例，對於班固的某些做法，卻又不無微辭。他說：

> 班固作〈藝文志〉，以《六經》為《六藝》，列于諸子之前，誠以《六經》為古籍，非儒家所得私；然又列《論語》、《孝經》于《六藝》之末，由是孔門自著之書，始與《六經》並崇。蓋因尊孔子而並崇《六經》，非因尊《六經》而始崇孔子也。……夫三代以前，書缺有間，惟《六經》之書，確為三代之古籍，典章風俗，即此可窺。即《論》、《孟》各書，亦可窺儒家學術之大略，則尊崇經學亦固其宜。惟後儒誤以《六經》為孔子之私書，不知《六經》為先王之舊籍，並不知孔門自著之書實與《六經》有別。此則疏于考古之弊也。[15]

14　同前註，〈序例〉，頁2353。

15　同註1，第八課〈尊崇《六經》之原因〉，收入《經學教科書》，頁2357。

這就是說，採用《漢書・藝文志》的體例，誠然有其優點，因為據此可窺儒家學術之大略；但也有其流弊，先王之舊籍與孔門自著書之間的明確分野自此模糊不清，而三代以來所共同承繼的學術文化和儒家作為一家之言的重要區別因亦不為世之所察。

倘若《漢書・藝文志》將《論語》、《孝經》附於《六藝》之末乃係混淆同所承繼的學術傳統與儒家的一家之言，則此下程朱表章〈學〉、〈庸〉，並視之與其他經書同其──甚或更為重要的做法，便是以後儒的經書觀凌駕於先儒的經書觀之上。後者與前者，同樣得不到劉氏的首肯。這一點，只需稍一披覽他對歷代〈中庸〉傳授情況的敘述，即可發現。首先有關兩漢時期的傳授，他說：

> 〈中庸〉、〈大學〉，戴聖刪《古禮記》，並列於四十六篇中，為《小戴禮記》之一。鄭玄諸儒咸注之，未嘗單行而別為一書也。惟西漢時有〈中庸說〉二篇，不晰為何人所作，見《漢書・藝文志》中，大抵亦解析〈中庸〉之書也。[16]

其次是有關三國、南北朝、隋、唐時期的：

> 三國以後，說〈大學〉、〈中庸〉者，皆附《禮記》解釋。唐孔穎達作《禮記正義》，亦並疏〈大學〉、〈中庸〉二篇。惟梁武帝《中庸講疏》，裁篇別出，已開宋儒之先。[17]

對於以上的兩段時期，劉氏的敘述雖也列舉〈中庸〉別出的個案，卻實際以〈中庸〉作為《小戴禮》中的一篇為其常態，字裡行間所謂「未嘗」、「已開」──更透露出其不以別出為然的一種立場。遺憾的是，過去的偶一為之，自兩宋後卻一變而為普遍的趨勢。據他觀察：

---

16 同註1，第十四課〈兩漢《論語》之傳授〉，收入《經學教科書》，頁2359-2360。
17 同註1，第二十一課〈三國、南北朝、隋、唐《論語》學〉，收入《經學教科書》，頁2362。

> 〈大學〉、〈中庸〉，本列《禮記》，宋儒特表而出之，與《論》、《孟》
> 並稱。司馬光作《學庸廣義》，程顥亦作《中庸解》，其弟子游酢、楊
> 時咸解〈中庸〉，以石墪《中庸集解》為最詳。朱子作《學庸章句》、
> 《學庸或問》，並作《中庸輯略》，以〈大學〉為曾子所作，分〈大
> 學〉為經一章、傳十章，復移易經文，並分〈中庸〉為三十三章。
> 元、明以來，說〈學〉、〈庸〉者，多主朱子；惟王栢、高攀龍復考定
> 〈大學〉，而方孝孺、王守仁則主復〈大學〉古本，與朱子不同。[18]

對於此一由不尋常變而為尋常的逆轉，劉氏自不可能認同，其態度更清楚反映於他對此段期間宋學影響之下所形成的《四書》學的整體評價之上。他說：

> 自程、朱以〈學〉、〈庸〉、〈論〉、〈孟〉為《四書》，而蔡模作《集
> 疏》，趙順孫作《纂疏》，吳真子作《集成》，陳櫟作《發明》，倪士毅
> 作《輯釋》，詹道傳作《纂箋》，明代《大全》本之。宋學盛行而古說
> 淪亡矣。[19]

所謂「古說淪亡矣」，其實是劉氏對後來宋學者的經說取代前此漢學者經說的客觀事實所下的一個帶有感性的論斷。當然，站在他的立場，有此感受亦屬勢所必至。這是因為劉氏以為，經學研究的根本任務在於對上古三代相傳已久、包羅至廣的學術文化進行探討，班固的《漢書・藝文志》已然導致此一共同繼承的文化傳統為儒家的一家之言所暗中偷換，程、朱的表彰《四書》，乃至宋學者的經書觀取漢儒古說而代之，則更構成對古代學術文化研究的嚴重障礙。劉氏有此慨歎，毋寧理有固然。

　　尚幸，這樣一種悲觀景況並未永久持續。到了清代，漢學者的「古說」終於再度得到重視。他說：

> 國初治〈學〉、〈庸〉者，亦從朱子定本。自毛奇齡、李塨，始排斥朱

18　同註1，第二十八課〈宋、元、明之《論語》學〉，收入《經學教科書》，頁2365。
19　同前註。

注。而李光地治〈大學〉，亦主復古本；惟所作《中庸章段》，仍空言
義理。乾嘉以後，治漢學者則反〈學〉、〈庸〉于《禮記》，而汪中
《大學評議》，尤為正本清源之論。若惠棟、魏源，則以《周易》述
〈中庸〉；宋翔鳳、包慎言，則以《公羊》述〈中庸〉：別為一派。[20]

又說：

近儒雖多宗漢學；然以〈學〉、〈庸〉、〈論〉、〈孟〉為《四書》，仍多
沿宋儒之號。毛奇齡作《四書改錯》，排斥朱注不遺餘力；而閻若璩
《四書釋地》、翟灝《四書考異》、凌曙《四書典故覈》，考證亦精：
皆宗漢註而排斥宋注者也。[21]

可見，此一時期的主流趨勢在於「反〈學〉、〈庸〉于《禮記》」和「宗漢註
而排斥宋注」兩點。此兩者，自劉氏觀之，自都正確不過。因為：除了前者
確認了他所抱持〈學〉、〈庸〉不能獨立而為經的觀點之外，後者也切合於他
所遵奉治〈學〉、〈庸〉必須以古說為首要依據的原則。

當然，所謂「漢註」與「宋注」，其間的分野並未區限於經書觀上的不
同，還將包括訓詁、章句、經義各個方面的歧異。這些歧異，當何以處？劉
氏對此所抱的態度，也直接間接影響及於他的〈中庸〉說。因此，有必要在
此略為析述劉氏對漢、宋異同的基本看法。在《經學教科書》篇首的〈序
例〉當中，劉氏提出他的經學四期說。他說：

經學派別不同。大抵兩漢為一派，三國至隋、唐為一派，宋、元、明
為一派，近儒別為一派。今所編各課，亦分經學為四期。[22]

---

20 同註1，第三十五課〈近儒之《論語》學〉，收入《經學教科書》，頁2367。
21 同前註。
22 同註20，〈序例〉，頁2353。

對於此四期、四派之間的不同，更有如下的說明：

> 大抵兩漢之時，經學有今文、古文之分。今文多屬齊學，古文多屬魯
> 學。今文家言多以經術飾吏治，又詳于禮制，喜言災異、五行；古文
> 家言詳于訓詁，窮聲音、文字之原：各有偏長，不可誣也。六朝以
> 降，說經之書，分北學、南學二派。北儒學崇實際，喜以漢儒之訓說
> 經，或直質寡文；南儒學尚浮誇，多以魏、晉之注說經，故新義日
> 出。及唐人作義疏，黜北學而崇南學，故漢訓多亡。宋、明說經之
> 書，喜言空理，不遵古訓，或以史事說經，或以義理說經，雖武斷穿
> 鑿，亦多自得之言。近儒說經，崇尚漢學。吳中學派，摭拾故籍，訓
> 詁昭明；徽州學派，詳于名物、典章，復好學深思，心知其意；常州
> 學派，宣究微言大義，或推經致用。[23]

此四派中，劉氏認為兩漢與近儒兩派最為重要。他說：

> 然漢儒去古未遠，說有本源。故漢學明，則經詁亦明。欲明漢學，當
> 治近儒說經之書。蓋漢學者，六經之譯也；近儒者，又漢儒之譯也。[24]

至於其餘兩派，儘也得到劉氏「研究經學者所當參考」、「其可供參考之資
者，亦頗不乏」[25]的肯定，其重要性終究不能與兩漢和近儒兩派所代表的漢
學相比擬。這是因為三國至隋唐一派「漢訓多亡」而宋、元、明一派則「不
遵古訓」，都不可能如兩漢與近儒兩派的「說有本源」。因此，歸根究柢，高
下優劣的判準仍在〈序例〉首句之所言——「治經學者當參考古訓，誠以古
經非古訓不明也。」[26]

　　除了《經學教科書》之外，〈漢宋學術異同論〉一文當中，劉氏也對漢
儒的經學和宋儒的經學作出了比較。一方面，他說：

---

23 同註20。
24 同註20。
25 同註20。
26 同註20。

昔周末諸子辨論學術，咸有科條，故治一學，辨一事，必參互考驗以決從違。……漢儒繼興，恪守家法，解釋群經。然治學之方，必求之事類以解其紛，立為條例以標其橐，或鈎玄提要而立其綱，或遠紹旁搜以覘其信。故同條共貫，切墨中繩，猶得周末子書遺意。及宋儒說經，侈言義理，求之高遠精微之地，又緣詞生訓，鮮正名辨物之功。故創一說或先後互歧，立一言或游移無主。由是言之，上古之時，學必有律。漢人循律而治經，宋人舍律而論學，此則漢、宋學術得失之大綱也。[27]

另方面，他卻又說：

夫漢儒經說雖有師承，然膠于言詞，立說或流于執一。宋儒著書雖多臆說，然恆體驗于身心，或出入老釋之書，故心得之說亦間高出于漢儒。是在學者之深思自得耳。[28]

以上的兩段文字，前者言漢儒之得和宋儒之失，後者言漢儒之失與宋儒之得；而以下的一段，則兼言兩者各自的短長。其文曰：

漢儒說經，恪守家法，各有師承，或膠于章句，堅固罕通，即義有同異，亦率曲為附合，不復稍更。然去古未遙，間得周、秦古義，且治經崇實，比合事類，詳于名物、制度，足以審因革而助多聞。宋儒說經，不軌家法，土苴群籍，悉憑己意所欲出，以空理相矜，亦間出新義，或誼乖經旨而立說至精。此漢、宋說經不同之證也。[29]

綜合以上三段文字之所言，可以確知劉氏對漢、宋經說的基本評價。在他看來，漢儒所長在於其恪守家法，以律治經；其短在於膠於言詞，執一罕通。至於宋儒，則其短在不軌家法，舍律論學；其長在體驗於心，間出新義。驟

27 劉師培：《漢宋學術異同論・總序》，收入《劉申叔先生遺書》，冊1，頁647。
28 同前註。
29 同註27，《漢宋章句學異同論・漢宋學術異同論》，頁648。

視之，對於兩派經說，劉氏似持各有短長，未可軒輊的態度。然而，細究之餘，便會發現劉氏畢竟以漢儒的經說為長。這一點，除了可以從字裡行間的抑揚進退中見之，更重要的是：宋儒雖有高出漢儒的心得之說，卻往往臆說居多；雖然立說至精，卻終究誼乖經旨。相反地，漢儒雖不免於膠固，其最大優勢卻在「同條共貫，切墨中繩，猶得周末子書遺意」和「去古未遙，間得周、秦古義」的兩點。這兩點，對於以考究古代學術文化為其根本任務的經學而言，無疑是最關緊要的。

劉氏對漢、宋學的這番褒貶，也充份反映在他的〈中庸〉說上。首先，可就漢儒經訓得周、秦古義而與〈中庸〉有關者舉一例。劉氏說：

> 漢儒言理，皆訓理為分。《賈子新書・道德說》云：「理，離狀。」鄭君《禮記・樂記》篇注云：「理，分也。」《白虎通》云：「理義者，有分理。」《說文・自序》亦曰：「知分理之可以相別異也。」理訓為分，亦訓為別，此漢儒相傳之故訓也。案周代古籍之言理字也，或曰「文理」，或曰「條理」。《禮・中庸》言「文理密察，足以有別」，蓋文之可分者曰「文理」。復言「足以有別」，即漢儒訓理為分之濫觴。[30]

儘管鄭注《禮記・中庸》本身並沒有就「文理密察，足以有別」一句下注，劉氏既云漢儒訓理為分，濫觴實自〈中庸〉，則在他看來，漢儒之得〈中庸〉原義，自無疑問。

相反地，宋儒立說，倘其採漢儒成說，或就漢說更作發揮，自無問題，[31]否則錯誤多有。舉例而言：

---

30 劉師培：《理學字義通釋・理》，收入《劉申叔先生遺書》，冊1，頁553。

31 就以對「主靜」一觀念的掌握為例，劉氏指出：「《說文》『靜』字下云：『靜，審也』；而《釋名》之釋『靜』字也，則訓靜為整：二訓均精。蓋古人所以言主靜者，其故有二：一以制人心之粗率，一以息心念之紛擾。何則？人心有體有用，即不能有寂而無感。心有所感，則意念以生。然意念既生之後，或直情徑行，弗假思索，不知審措而熟思，則孟子所謂『放其心而不知求』也；或心無主宰，眾念紛紜，致心馳於外，即《易經》所謂『憧憧往來』也。欲矯二失，咸非主靜不為功。《說文》訓靜為審，審者，詳加審察之謂也，故能審則不率；《釋名》訓靜為整，整者，用志不紛之

　　夫學問之道，有開必先，故宋儒之說多為漢儒所已言。……本原之
　　性、氣質之性，二程所創之說；然漢儒言性，亦以性寓于氣中。惟宋
　　儒喜言本原之性，遂謂人心之外別有道心，此則誤會偽書之說矣。[32]

此處雖稱本原之性與氣質之性二說為二程所創，但既云漢儒言性亦以性寓氣
中，則劉氏自然認為前者之說實亦無以大出乎後者之上。況且，在劉氏自注
之中，亦謂「此即朱子注〈中庸〉『天命之謂性』所本」，[33]則在他看來，朱
子註釋此句之所以為無誤，乃係因其基本繼承了漢儒之說。朱子錯誤之處卻
在於他過份強調本原之性而以道心別存於人心之外。至於他所以犯此錯誤的
原因，上文只說他誤信偽書——即偽《古文尚書・大禹謨》「人心惟危，道
心惟微，惟精惟一，允執厥中」之說所致。實則，在同一篇文章之內，劉氏
批評宋儒注經侈言義理，謂其「說非漢儒之說」時，在自注文中即明白指出
「以〈中庸〉為孔門傳心法之書，咸與漢儒之說不合」。[34]可見，在劉氏看
來，宋儒之說只要稍歪漢說，馬上便要出錯，而其嚴重程度有至於誤以傳授

謂也，故能整而不淆：此漢儒立訓之精也。……宋儒之說，其最得主靜之義者，一曰
涵養，涵養者，所以矯粗率之失，即心不遽動之謂也；一曰收欲，收欲者，所以革紛
擾之念，即心不妄動之謂也。……此古人重主靜之旨也。」（見《理學字義通釋・
靜》，頁566-567）此處所言古人的觀念與乎對之所作的漢訓與宋說，其間的相通一致
之處至為明顯。至於所引宋說，按劉氏考查，復亦出於漢人著述及經注。他說：「宋
儒主靜之說，雖出于《淮南》，然孔氏注《論語》已言之。」（《漢宋學術異同論・漢
宋義理學異同論》，頁648）自注又云：「孔安國《論語注》曰：『無欲故靜。』又鄭君
《詩箋》曰：「心志定，故可自得。」（同上）可見，凡宋說之同於漢說者多是，確為
劉氏之所持論。實際上，相對於嚴守漢、宋壁壘的學者而言，劉氏自視遠為開明。這
是因為他並不以漢、宋經說為冰炭之不相容。在列舉眾多例子之後，他指出：「……
則宋儒之說孰非漢儒開其先哉！乃東原諸儒于漢學之符于宋學者，絕不引援，惟據其
異于宋學者，以標漢儒之幟；于宋學之本于漢學者，亦屏斥不言，惟據其異于漢學
者，以攻宋儒之瑕。是則近儒門戶之見也。然宋儒之譏漢儒者，至謂漢儒不崇義理，
則又宋儒忘本之失也。此學術所由日歧歟！」（同上）這就是說，在劉氏看來，宋說
並非全都謬誤，只要不違背漢人古說，即使出自一己心得，也不是不可接受的。
32 劉師培：《漢宋學術異同論・漢宋義理學異同論》，頁647。
33 同前註。
34 劉師培：《漢宋學術異同論・漢宋章句學異同論》，頁649。

心法為全篇的大旨。

　　當然，宋說之誤尚不止此。劉氏說：

> 且宋儒說經，非僅疑經蔑古已也，于完善之經文且顛倒移易，以意立
> 說。……及朱子尊〈學〉、〈庸〉，列為《四書》，復妄分章節，于〈大
> 學〉、《孝經》，則以為有經有傳，王柏繼之，而附會牽合無所不用其
> 極矣。蓋宋儒改經，其弊有二：一曰分析經傳，二曰互易篇章。雖漢
> 儒說經非無此例，然漢儒立說皆有師承，即與古誼不同，亦實事求
> 是，與宋儒獨憑臆說者不同。[35]

以上引文，雖然只舉〈大學〉與《孝經》兩種，但在自注文中，卻又同時提
及「于〈中庸〉復分為三十三章」[36]一項，則劉氏明顯認為宋儒的「以意立
說」乃至「獨憑臆說」實已嚴重影響及於他們對〈中庸〉一篇的分章斷節之
上，[37]其為不可信靠自不待言。[38]

四

　　從以上的析述當中，不僅瞭解到劉氏在漢、宋之間基本採取了以漢學為
依歸的一種立場，且也認識到在兩個具體問題上他對〈中庸〉的看法實有不
同意於宋儒之處。這兩個問題，其一與〈中庸〉一篇的存在樣式有關，而另

---

35 同前註。

36 同註34。

37 有關朱注與鄭注在〈中庸〉的章句分析上的歧異，可參拙作：〈朱子〈中庸〉結構說
　（上）〉，收入李明輝、葉海煙、鄭宗義合編：《儒學、文化與宗教──劉述先先生七
　秩壽慶論文集》（臺北市：臺灣學生書局，2006年），頁70-75。

38 當然，此處不能不指出的是，劉氏並非認為宋儒解經都一律地不可信靠。舉例而言，
　在上引同一篇文章之內，他也指出「惟朱子作《易本義》，追復古本，而論次《三
　禮》，則以《儀禮》為本經，皆與《班志》相合。此則宋學之得也。」他甚至認為
　「朱子以《儀禮》為本經，其說出鄭君『《周禮》為本，《儀禮》為末』之上。」（見《漢
　宋學術異同論・漢宋章句學異同論》，頁649。）只是此屬特例，未可一概而論而已。

一則涉及〈中庸〉的通篇論旨。就前者言，劉氏並不贊同朱子將〈中庸〉表出於《禮記》之外並分其為三十三章的做法；就後者論，他更不能接受以人心、道心之論貫穿全篇，並視之為〈中庸〉所反覆闡明的要旨。有關前者，如上所引，劉氏已然明確指出；至於後者，他更一再申斥，而且極之嚴厲。他說：

> 若道統之說，則始于昌黎，繼于二程。然道而有統，則是由道而行者，僅周代及唐、宋數人，而他人皆為背道而行之人也。名之不正，莫此為甚。[39]

何以劉氏反對得如此激烈？其中原委，似亦可循他自己對〈中庸〉所抱的一套解釋細加推求。

必須指出的是，這裡所謂的一套解釋，不過謂劉氏對〈中庸〉篇中的核心觀念確乎有一較為完整的看法而已，既未意味他曾就〈中庸〉一篇寫過任何專題的文章，更不代表他和一般的經典注釋家一樣，曾經緊貼〈中庸〉原文，逐一訓釋和疏解其中的含義。本文所要處理的一篇文章——〈理學字義通釋〉，毋寧是篇以義理學中某些核心觀念為對象，透過對其在周代古籍中含義的重新界定，指出宋學家經說的各種偏差的文章。然而，因其屢屢述及〈中庸〉，故亦可以藉窺劉氏對該篇的理解。

首先可看他對〈中庸〉首句「天命之謂性」的詮釋。有關命的觀念，劉氏說：

> 《說文》「命」字下云：「使也，從口令。」蓋令訓發號，而發號為人君之事。古人視君猶天，視天猶君，故君令稱為君命，而天令亦稱天命。中國前儒因敬天之故，咸信術數、鬼神。信術數之學者，以命為秉于生初，非智力所能移。然捨理信數，此則暴君恃以欺眾，而愚人恃以自棄者也。信鬼神之術者，知命之非秉于生初，以為冥冥之中實

---

39 劉師培：《理學字義通釋・道》，頁566。

操賞罰，而吉、凶、壽、夭咸視人身之善、惡以為憑。雖與前說不同，然以天道為可憑，則一也。不知命由己造，非定于天。[40]

此處劉氏以兩層意義來理解古代「天命」的觀念，即他所謂「信術數者」所言的命與「信鬼神者」所言的命。文中雖無隻字及於〈中庸〉，但在自注之內，劉氏卻說：

惟以命數為天所定，故以安命、知命為宗。如〈中庸〉言「居易俟命」、《易》言「樂天知命」是也。此皆儒家道不行，托詞自解。[41]

此中〈中庸〉「居易以俟命」的命乃係作為「以命為秉于初生，非智力所能移」的術數之命的一個例子而被援引。然則，劉氏是否即認為〈中庸〉所言的命一律都是此一意義的命？是又不然。這是因為劉氏在緊接上引文字之後，馬上便說：

然儒家者流，雖以命定于天，然躬行不懈。故孟子言「盡其道而死」，為「正命」也。……若《論語》言「畏天命」、「知天命」，又言「不知命，無以為君子」。據《韓詩外傳》，則天命指天以仁、義、禮、智順善賦人者而言。朱子亦曰：天命者，「天所賦之正理」。蓋命即「天命之謂性」之命，亦即《大戴禮》所謂「分于道，謂之命」之命也。是禮義之命與命數之命不同。[42]

可見，劉氏實際相信，在命數之命之外，儒家尚有禮義之命之一義，而作為例證而列舉的正正就是〈中庸〉篇首「天命之謂性」的一句。除此之外，在論及「才」的觀念時，劉氏也徵引了〈中庸〉的說法。他說：

古人之論才也，以為才既不同，使人人各擇其才之所近，以各盡其能，然後天下無棄才。然此仍主任天之說也。若〈中庸〉言「雖愚必

---

40 劉師培：《理學字義通釋・命》，頁559。

41 同前註。

42 同註40。

明，雖柔必強」，愚、明、柔、強，皆屬于才，此即變化氣質之說。
以人定勝天，是為人與天爭，此又才質不足限人之說也。[43]

劉氏認為〈中庸〉所言的愚與明即屬於心知中的智、愚，而柔與強則屬於血
氣中的剛、柔，而血氣和心知則分別代表宋儒所言的氣與質，而氣與質即共
同構成了「才」的內涵。[44]對於這樣的一種才，〈中庸〉既言「雖愚必明，
雖柔必強」，則其所以對待之者當然是種積極的態度。這在劉氏的自注當中
寫得更加明白。他說：

> 大約天下之人，其秉質最偏者莫如智、愚，其秉氣最偏者莫如柔、
> 強。〈中庸〉之言，乃使愚者所盡之功與智者等，弱者所盡之功與強
> 者等，使人不復以才自限。[45]

因此，可以斷言，劉氏對〈中庸〉所言「天命」的理解，乃基本上是種「命
由己做，非定于天」的看法。問題卻在於對於上天所命於人的性，其內涵為
何？

在上引論及禮義之命的文字當中，劉氏曾經引述《韓詩外傳》乃至朱子
《中庸章句》的說法。然而，這是否代表劉氏亦都認同〈中庸〉所言的性，
其內涵即為朱子所謂的仁、義、禮、智、信的「健順五常之德」？[46]這恐怕
並不如此。因為劉氏曾經明白表示，他所理解的性乃係以上文所言的血氣、
心知為其內涵的。他說：

> 告子之言曰：「生之謂性。」儀徵阮氏《性命古訓》曰：「性字本從心
> 從生，先有生字，殷、周古人造此字以諧聲，聲即意也。」蓋人秉性
> 而生，故〈中庸〉言「天命之謂性」，〈樂記〉言「民有血氣、心知之

---

43 見劉師培：《理學字義通釋・才》，頁564。
44 有關劉氏對這一系列觀念間關係的看法，詳見《理學字義通釋・才》，頁563-565。
45 同前註，頁564。
46 朱熹：〈中庸章句〉首章注，《四書章句集注》（北京市：中華書局，1983年10月第一
　　版，1995年3月北京第4刷），頁17。

性」。蓋血氣、心知，即性之實體。古代性字與生字同，性字從生，指血氣之性言也；性字從心，指心知之性言也。性、生互訓，故人性具于生初。《禮記·樂記》篇云：「人生而靜，天之性也。」靜對動言，靜也者，即空無一物之謂也，故性不可見。[47]

這段文字明確引述〈中庸〉「天命之謂性」一句，可見劉氏並不以為自己正在陳述一己對性字的理解，而毋寧確信血氣、心知乃係〈中庸〉性之一字的原義。當然，以血氣、心知解性，正如劉氏自注所引述，並不始於他自己，而實出自戴震的《孟子字義疏證》。[48]但無論採自何人，既以血氣、心知為其實體，則此性之為無善無惡者可知。這也是劉氏所以開首即行引用告子「生之謂性」之說的原因，而隨著論證的展開，劉氏更加明白宣示：

前儒之言性字者，或言性善，或言性惡，或言性無善無不善，或言性可以為善可以為不善，或言有性善有性不善；或言節性，或言盡性，或言反性，或言率性；或謂性必待養而後成，或謂性必待教而後善：眾說紛紜，折衷匪易。然律以〈樂記〉「人生而靜」之文，則無善無惡之說立義最精。[49]

可見，與朱子視性為仁、義、禮、智、信之善不同，劉氏將〈中庸〉的性看作為一中性的存在。

不僅如此，也與朱子之視其為一形上實體不同，劉氏認為此性實非如有物焉，而毋寧「空無一物」、並「不可見」。他說：

人性秉于生初，情生于性，性不可見。情者，性之質也；志、意者，情之用也；欲者，緣情而發，亦情之用也。無情，則性無所麗；無意、志、欲，則情不可見。[50]

---

47 見劉師培：《理學字義通釋·性、情、意、志、欲》，頁554。
48 同前註。
49 同註47，頁555。
50 同註47，頁554。

這段文字簡約地展示了劉氏對性、情、志、意、欲五個觀念間關係的看法。
此處無法對之深入剖析；只須指出的是「情者，性之質也」和「無情，則性
無所麗」的兩點。也就是說，性不僅以情為質，而且必須緣情而後見。為了
說明這一點，劉氏並且引用古籍——尤其《荀子》，的相關之說：

> 古人之言情也，或言「六情」，或言「七情」。《左傳》昭二十五年
> 云：「民有好、惡、喜、怒、哀、樂，生于六氣。」此就六情言也。
> 《禮記·禮運》篇云：「何謂人情？喜、怒、哀、懼、愛、惡、欲，
> 七者弗學而能。」此就七情言也。《荀子》亦曰：「性之好、惡、喜、
> 怒、哀、樂生於情。」然荀子言性之好、惡、喜、怒生於情，不若言
> 情之好、惡、喜、怒、哀、樂生于性也。《荀子》又言「情者，性之
> 質也」，既以情為性質，則情必麗性而後見矣。[51]

可見，在劉氏而言，性雖以血氣、心知為其內涵，相對於喜、怒、哀、樂的
情而言，卻無獨立自存的地位。既然性之質不外乎情，則此性自不可能如其
在朱子的解釋體系中，為一超越於形下的情而為情所依歸的形上存在。

非但無形上、形下的關係，性與情間也無內與外、體與用的一種關係。
劉氏說：

> 然古人又訓情為靜者。蓋人生之初，即具喜、怒、哀、懼、愛、惡之
> 情，有感物而動之能。然未與外物相接，則情蓄于中，寂然不動，即
> 〈中庸〉所謂「喜、怒、哀、樂之未發，謂之中」、大《易》所謂
> 「其靜也翕」也。漢儒訓情為靜，乃就情之體而言，非就情之用
> 言。……蓋人情之動，由于感物，情動為志，即〈中庸〉所謂「已
> 發」之「中」、大《易》所謂「感而遂通」、〈樂記〉所謂「應感
> （起）物而動」也。[52]

---

51 同註47。

52 同註47，頁554-555。

此處值得注意的是發之於外者固然為情，蓄之於中者也莫不是情。劉氏雖以〈中庸〉「喜、怒、哀、樂之未發」為體，以「發而皆中節」為用，但無論其言體言用，所指者卻都是情。可見，劉氏並沒有給性以多少位置。非但沒有，益且明言以未發為性實屬謬誤。在自注中，他便這樣說：

> 朱子以未發為性，以已發為情，不知未發為情之體而已發為情之用也。[53]

然則，在劉氏的理解當中，〈中庸〉所言的性，除了性質內涵由全善的正理變而為無善、惡之可言的血氣、心知之外，因著其形上與本體意味的喪失，再也沒有其在朱子解釋體系中的主導地位與積極作用。實際上，以下的一段文字，可以清楚反映，在劉氏的觀念中，性的地位幾可為情所取代。其言曰：

> 蓋中國前儒多誤情為性。性不可節，節性即節情也；性不可率，率性即率情也。則古人言性分善、惡者，皆當易性為情矣。[54]

究竟是前儒誤情為性？抑或是劉氏自己視性為情？這當然有商榷的餘地。可以肯定的是，劉氏既如上述的對性另有一番知解，則其視性無大異於情，也是完全可以理解的。至於他為上引「率性即率情」一句所下的注：

> 率與順同，猶言順人情也。……又〈中庸〉「自誠明，謂之性」，「自誠明」者，言其才質之穎敏也。是性字亦當訓才。[55]

此處帶出的一個「才」的觀念，已如上述，其所指者乃血氣、心知中的剛、柔與智、愚。雖然內涵不盡相同，此才與情卻同為「不可見」的性所「見於外者」。[56]因此，無論其發而為喜、怒、哀、樂之情，抑或呈而為剛、柔、

53　同註47，頁554。

54　同註47，頁555-556。

55　同註47，頁556。

56　劉師培：《理學字義通釋・才》，有如此的一段說明：「蓋人性本體不可測度，其見于

智、愚的才，此性都不過是以血氣、心知為其具體內涵的氣質之性，始終沒有任何形上或本體的意味。

　　既然「天命之謂性」的性本身並不可見而必須附麗於情，則所謂「率性」，其實就是「率情」。這一點，上面的引文早已指出了。問題卻在於這樣的一種喜、怒、哀、樂之情究當如何去率？而率此無善無惡的情又何以能稱之為道？對於這兩個問題，劉氏並沒有正面作出解答。在〈理學字義通釋〉的整篇文章中，只有在「或言率性」一句之下，可以找到以下一段極為簡短的注文：

　　　　〈中庸〉曰「率性之謂道」，「率性」即順其善也。[57]

倘若按上面所言，率性即率情，則這段文字中的「順其善」當即指順情之善。衡之以上引「率與順同，猶言順人情」一句，此一判斷自無可疑。然而，率性即或可以解作順情，此情與性既同為無善無惡，[58]則其何以能順而為善？卻是個亟待解決的問題。

　　要瞭解劉氏如何看待此一問題，必須研究他對心、思兩觀念的理解。他說：

　　　　蓋中國之言心理也，咸分體、用為二端。〈中庸〉言「喜、怒、哀、樂之未發」，此指心之體言之也；又言「發而皆中節」，此就心之用言之也。又《易》言「寂而不動」，此亦指心之體言之；又言「感而遂通天下之故」，此亦就心之用言之也。故朱子之釋〈大學〉也，以心為人之靈明，所以聚眾理，應萬事。聚眾理之說，近于西人之儲能，所謂默而存之也。《易》言「洗心」、孟子言「存心」、「不動心」，皆

外者：一曰性中所發之情，一曰性中所呈之才。情也者，因感物而發者也；才也者，因作事而呈者也。」（見《劉申叔先生遺書》，冊1，頁563。）

57 見劉師培：《理學字義通釋‧性、情、意、志、欲》，頁555。

58 按劉氏曾謂：「孟子言『乃若其情，則可以為善』，此情可為善之證；然過用其情，則好惡以偏，致流為乖戾，則情不能謂之善矣。」（見《理學字義通釋‧性、情、意、志、欲》，頁556。）

就心之本體言，與聚眾理之說同。應萬事之說，近于西人之效實，所謂拓而充之也。《論語》言「從心」，孟子言「盡心」，皆就心之作用言，與處應萬事之說同。程子有言，心，一也：有指體而言者，有指用而言者。豈不然哉！[59]

此處劉氏又再根據〈中庸〉「喜、怒、哀、樂之未發」和「發而皆中節」的兩段經文，將心分為體與用的兩個部分。然則此心之體和心之用乃係分別就未發之為情之體和已發之為情之用所具有的兩項功能。至於兩者的內容，據劉氏的理解，即分別是朱子所言的「聚眾理」和「應萬事」，亦即西人所言的「儲能」與「效實」。西人的學說暫置不論，僅就朱子之說而言，劉氏雖用朱說，卻並未完全忠實於朱說。因為朱子言心，說的是「具眾理而應萬事者也」，[60]而劉氏則改「具」為「聚」，此一字之別至為關鍵。

「具」與「聚」的分別，在於前者有本已具備的含義而後者則有自外匯聚之意趣。正因其本已具備，故而戒慎恐懼以存天理之本然的工夫可得而施。[61]相反地，必須自外匯聚始得，則便再無存養於內的必要。由於劉氏所主乃屬後者，對於宋儒所謂「默坐靜觀」，他是並不同情的。也因此故，他說：

> 然心之本體不可見，孔子曰：「飽食終日，無所用心。」《說文》訓「用」為「施行」。是無所用心，即無所施行也。《白虎通義》曰：「心之為言，任也。」訓「心」為「任」，即隱含施行之意。施行者，即作用之謂也，非默坐靜觀之謂也。自四體、五官日與外物相接，外有所感，則心有所知。由感生智，由智生斷，而事物之好、惡以形。事物之好、惡既形，則人心之愛、惡亦緣是而生。故有知而後有情。情有所愛，則意有所營，本意中之所欲營者而見之于事，是之

59　劉師培：《理學字義通釋・心、思、德》，頁560。

60　朱熹〈大學章句〉注「明德」即謂：「明德者，人之所得乎天，而虛靈不昧，以具眾理而應萬事者也。」（見《四書章句集注》，頁3。）

61　見朱熹：〈中庸章句〉首章注，《四書章句集注》，頁17-18。

謂行。即朱子所謂心應萬事也。[62]

可見，由知而生好、惡之情，由情發而為有所欲營之意，再由意見諸行事，這一系列的活動之前，必先之以「由感生智，由智生斷」的一個過程。此過程即是一以感官來接收外物，再以所得的智識為基礎來判斷事物好、壞，並作出愛、惡抉擇的一個過程。此一過程，亦即劉氏所謂「聚眾理」的一個步驟。正因此一步驟的不可或缺，劉氏接著便說：

> 然非心聚眾理，則心應萬事甚難。何則？知、情、意、欲皆屬于心，而孟子有言，「心之官則思」。蓋身與物接，必先思而後知；身與事接，亦必先思而後行。人身可以無所不行，其所以有所不行者，以心之思想制之也；人心亦不能無所不知，其所以物至自知者，以心之思想推之也。故行為之善、惡，悉援思想之正、邪。[63]

這明顯是說，在認知、判斷、生情、起意乃至付諸行動的一系列過程中，以思想所進行的「推」最為關鍵。所謂「以心之思想推之」，按劉氏自注，就是「凡事物之善、惡，必待比較分析而後見」[64]的意思。因此，善與惡的判斷不出於孟子所言的本然的良知，而毋寧基於對客觀事物的理性的比較與分析。[65]既然善、惡的判斷乃是自外而至，則所謂「順其善也」的率性，便不可能單純地為一順其無善無惡之情而行的過程，而必須另經一重「思與理合」的曲折。劉氏說：

---

62 《理學字義通釋・心、思、德》，頁560-561。

63 同前註，頁561。

64 同註62。

65 當然，不能不指出的是，在「人身可以無所不行，其所以有所不行者，以心之思想制之也」的一句之下，劉氏有「如人行為有虧，反己自思，未嘗不自咎於心。又如不義之人欲作一損人之事，及思之既咎，未嘗不反躬自責。此即心之思想可以制行為之證」（同註63）的注文。這段注文顯示，對於秉彝良心所發揮的作用，劉氏似亦不是無所認知。問題卻在於劉氏既主性無善惡，則此秉彝之善又何從而來？此中矛盾，也許連他自己也並不覺察。

> 思與理合，則為無過之人；思與理違，則為不善之人。故〈大學〉言
> 「心正而後身修」也。[66]

對於此一曲折，他還引用西方心理學與倫理學之別來加以說明。他在上引文
下有以下的一個注：

> 西人倫理學多與心理學相輔。心理學者，就思之作用而求其原理者
> 也；倫理學者，論思之作用而使之守一定之軌範者也。[67]

先之以心理學對客觀心理的分析，再繼之以倫理學對道德軌範的要求。必須
合此兩者，然後劉氏所理解的整個「順其善也」的率性過程方能徹底完成。
只不過這樣一種內無主宰而必藉外加智識為之領導的過程是否仍能切合〈中
庸〉「率性之謂道」的原義，則不免令人心生疑惑而已矣。

　　有趣的是，劉氏自己似也意識到他的理解和〈中庸〉經文之間所存在的
差距，儘管這種差距並未使他質疑自己的理解，反而教他懷疑文本之有誤。
這一點可以清楚見諸他對道的起源的理解和「率性之謂道」的說法的存疑之
上。有關前者，劉氏說：

> 《說文》云：「道，所行道也。」蓋道路之道，人所共行，故道德之
> 道，即由道路之道引伸。……夫人之初生，本無一定奉行之準則，風
> 俗習慣各自不同，則所奉善惡亦不同。一羣之中以為善，則相率而行
> 之，目之為道，習之既久，以為公是公非之所在，復懸為準則，以立
> 善惡之衡。一羣人民以為是，則稱為善德；一羣人民以為非，則稱為
> 惡德。然溯其善惡之起源，則以人民境遇各殊，以事之宜于此羣者為
> 善，以事之背于此羣者為惡。其始也，以利害為善惡。然一國多數人
> 民之意向，既奉此善惡為依歸，及相習成風之後，即不能越其範圍，
> 此道之起于風俗習慣者也。[68]

---

66 同註63。

67 同註63。

68 劉師培：《理學字義通釋‧道》，頁565。

以道為「人所共行」之路，此是古來的舊義；至於以道為人群各隨境遇之不同所形成的風俗習慣和所共同接受與奉行的準則，則屬劉氏一己之新見。[69]問題就在於劉氏以此新說為是，便不得不對〈中庸〉「率性之謂道」一語有所批評。何以故？原因乃在於：

> 惟〈中庸〉言「天命之謂性，率性之謂道」，亦若道為性中所固有，而其原則出于天，立說稍誤。蓋一國一羣之民既奉所定之道為準則，人生其間，自總髮以來，耳濡目染，習與性成，而人民之意中即具一篤於信道之心，一國之民莫不如是。古人不知其由於習染也，見道為人心之同然，遂疑道為人心所固有。既以道為人心所固有，復推原道具于心之故，遂疑其源出于天然。〈中庸〉有言：「誠者，自誠也；而道，自道也。」誠者，以身踐道也；道者，事理當然之則也：則道非心中所固有，明矣。率性為道一語，毋乃誤與！[70]

可見，劉氏始終認定道乃人為的構築，是一套相應於環境的特殊、建基於利害的計慮，從而釐定出來，以為一國一群之人所共同遵守的準則。相反地，「率性之謂道」一語，卻有「道為性中所固有，而其原則出于天」之意。劉氏認為，由於「人生其間，自總髮以來，耳濡目染，習與性成」之故，「人心所固有……其源出于天然」，不免成為了人們對道的錯覺；然而，夷考其實，卻絕非道的本然。〈中庸〉的作者，即劉氏所謂的「古之人」，卻不為之覺，竟以「率性之謂道」立說，這是劉氏所以評其為誤的原因。不僅如此，劉氏還另引「誠明」章的經文，加以解釋，重申「道非心中所固有」的主張的同時，並以加強其對「率性為道」之為誤的論證。當然，〈中庸〉一篇之內，何以前後互相矛盾？有關這點，劉氏便沒有進一步作出交代了。

　　既然「率性之謂道」已有如上所述的錯誤，而性、道之間又無「道為性

---

69 劉氏既認為道德並無內在於己的根據而毋寧視乎境遇的殊異而有不同，復主張善惡的判分不外乎以利害為衡定，則此所謂的新見無疑是種以功利主義為基礎的道德相對論。

70 劉師培：《理學字義通釋・道》，頁566。

中所固有」的一重內在的連繫，則「修道之謂教」一語當作何解，對於劉氏
而言，其理自明，根本無所事於解釋。他說：

> 性無善、惡，故孔子言「性相近」，而陽明王氏亦言無善無惡為性之
> 體也。然孔子又言「習相遠」者，則以人有心知，有可以為善之端，
> 亦有可以為惡之端；惟未與外物相感，故善、惡不呈。及既與外物相
> 感，日習于善，則嗜悅理義之念生；日習于惡，則淫慝詐偽之念生。
> 故人性本同，悉由習染生區別。此董子所由言性必待教而後善，而陽
> 明王子復言有善有惡，性之用也。[71]

性無善、惡，情亦無善、惡；但當其發而為意、志、欲之時，視乎其與道的
一定軌範的從違，便有所謂的善、惡之分。要本無善、惡可言的性、情，完
全遵從乎善、惡分明的客觀準則，本來就需要教，更何況此無善無惡的性、
情極其容易為外界所薰染，教的必要自不待言。只不過所藉以為教的並非
「人心所固有」、「其源出於天」的本然的善性，而是內所以「聚眾理」的心
知和外所以「與性成」的習染而已。劉氏雖然未有對「修道之謂教」一句作
明確的解釋，但其理解之去此不遠，恐亦不難推知。

小結

　　劉氏在〈理學字義通釋〉一文中對〈中庸〉義理所持的見解，基本已如上
述。此處只想略作總結。

　　首先，從劉氏對經書本質的分析和經學源派的敘述可知，他恪守古文經學
以《六經》為「先王之舊典」的固有觀點，反對將〈中庸〉獨立於《禮記》之
外，並將之提昇至經的地位的宋儒的做法。

　　此外，站在「恪守家法」、「說有本源」的古文經學的立場，對於宋學，他
也作出了在訓詁上「不遵古訓」、章句上「妄分章節」和經義上「誼乖經旨」的

---

71 劉師培：《理學字義通釋・性、情、意、志、欲》，頁555。

重點批評。劉氏無疑認為，宋儒這些方面的缺點直接影響乃於他們對〈中庸〉的理解。

　　至於他個人對〈中庸〉的看法，見諸〈理學字義通釋〉一文，值得注意者則有以下幾點：

　　其一，從他對「命」字的理解，可知他不以〈中庸〉的命為「命定」，而以之為「己造」。「己造」也者，在劉氏而言，則包含「不以自限」、「人定勝天」之意。

　　其二，對於「性」，他的理解與宋儒所見也大有分歧。非但不以為善，且也否認其有超越形上與本體內在的意味。在他看來，性不過為無善無惡的血氣、心知之屬。

　　其三，正因他視性為血氣、心知，儘管他解「率」為「順」，卻不能不對無善無惡之性何以能順而為善的問題作出回應。實際上，為了通解經文，他不得不在「順其善」的過程中，增添對客觀事物作比較與分析，從而作出善、惡的價值取捨的一個「聚眾理」的步驟。只有心知充份發揮其推理與斷制的機能，到達了「思與理合」的一種境域，原來沒有特定善、惡傾向的性、情方才知所以為善，從而符合於一定的道德軌範的要求。

　　其四，對於「道」，劉氏視之為一套相應於環境之殊、建基於利害之思的人為準則。儘管此準則久為人所習染，並為其所篤信，卻不改其為「本無一定」的特性。此一準則既非「人心所固有」，也非「源出於天然」。不僅宋儒之所解說並未得乎道的原義，即或〈中庸〉「率性之謂道」之語，恐亦難免有誤導之譏。於此，劉氏之對〈中庸〉，再也不限於解讀的提出，實進而批評及於其文本。當然，自劉氏而言，此舉並無不可。這是因為〈中庸〉畢竟只是孔門後學的論禮之言，而非先王舊典的《六經》的本身。然而，值得注意的是，無論其為個人的解讀抑為對文本的批評，劉氏〈中庸〉說所反映，卻已超出其為古文經學的既有立場。不僅性說方面有採於告子，功夫論上也脫不了荀子思想的痕跡；更重要者，在道的定義上，他更為之進新解。此解所包含功利主義與相對主義的意味，明顯地乃係衝著宋儒的舊說而來；儘管其來源所自仍有待進一步的考查。

　　對於劉氏前期的〈中庸〉說整理如上，倘若更有機會，進一步研究他的後期說法，並作比較與分析，則將是作者的望外之喜。

楊樹達《論語疏證》補遺
——以五經書證為例[1]

何志華
香港中文大學中國語言及文學系教授兼劉殿爵中國古籍研究中心主任

民國年間，楊樹達撰作《論語疏證》，[2] 旨在疏通《論語》。楊氏《論語疏證·凡例》闡述編纂體例九項，其中幾項為：

一、首取《論語》本書之文前後互證，次取群經諸子及四史為證，無證者則闕之。

二、同一文證，間有分證數節者，如《史記·趙世家》記程嬰、公孫杵臼事，已證於〈學而〉篇「與朋友交而不信乎」下，又證於〈泰伯〉篇「可以託六尺之孤」下是也。以義各有歸，不嫌複見。

三、古人於同一事有見仁見智之殊，如《春秋·僖公二十二年》泓之戰，《公羊傳》極贊宋襄公，以為雖文王之戰不過，而《穀梁傳》則譏其不教而戰，彼此違異，義得並存，所謂言豈一端，義

1 本論文為香港研究資助局資助之「先秦兩漢詞彙綜合研究」部分研究成果，謹向該局致謝。

2 依楊樹達：《論語疏證·自序》所記，其書「乃一九四二年所寫」，楊氏〈序〉文又謂「我原有《論語古義》一書，從其中採取若干材料。故從一月開始編寫，至三月末寫成，凡費時九十日。」見《論語疏證·自序》（上海市：上海古籍出版社，1986年），頁1。又楊氏《積微翁回憶錄》於一九五五年四月四日條下記云：「科出社書告《論語疏證》三月底已出版，不日當由京寄樣書來。」（《積微翁回憶錄》（上海市：上海古籍出版社，1986年，頁400）。

各有當也。本編於此類並存不廢，讀者不以矛盾為譏，則幸矣。

四、本書中意義相近之文，往往彼此互證，若取兩章證文相校，或有
　　詳略之殊。讀者因證互參，最為有益。例如：卷五〈公冶長〉篇
　　「巧言、令色、足恭，左丘明恥之，丘亦恥之。」節下曾引〈學
　　而〉篇「巧言令色，鮮矣仁。」為證，讀者試因此檢閱〈學而〉
　　篇當節證文，則左丘明與孔子所以恥巧言令色之故益為明白，其
　　一例也。[3]

由此可見，楊樹達選取書證兼及「群經」，此即以經證經之義，所涉群
經與《論語》相關者，或則事理相近，或則意旨相同，或則用詞相仿，並皆
闡明經義之有效書證。誠如陳寅恪於《論語疏證‧序》云：

夫聖人之言必有為而發，若不取事實以證之，則成無的之矢矣。聖言
簡奧，若不采意旨相同之語以著之，則為不解之謎矣。既廣搜群籍，
以參證聖言，其文字之矛盾疑滯者，若不考訂解釋，折衷一是，是則
聖人之言行終不可明矣。今先生匯集古籍中事實語言之與《論語》有
關者，並間下己意，考訂是非，解釋疑滯，此司馬君實、李仁甫《長
篇考異》之法，乃自來詁釋《論語》者所未有，誠可為治經者闢一新
途徑，樹一新模楷也。[4]

陳寅恪以為楊樹達「滙集古籍中事實語言之與《論語》有關者」以為書
證，因能「為治經者闢一新途徑，樹一新模楷」，誠非過譽。楊書體大思
精，兼容並蓄，然其書既非專收群經書證而兼及四史諸子，則於經書相關例
證，偶亦有所遺留。筆者檢閱五經與《論語》相近而為楊書所未收者，例證
亦多，今試分類加以闡述，望能補苴楊書之未備，並就五經與《論語》義理
可以相互發明者，略加析述如下：

3　楊樹達：《論語疏證‧凡例》，頁1-2。

4　楊樹達：《論語疏證‧陳序》，頁1。

一　經籍措辭用語與《論語》相近而楊書未收：

楊書收錄書證以明《論語》經義，其中有與《論語》經文措辭用語相仿佛者，諸如《論語・為政》記夫子曰：「視其所以，觀其所由，察其所安，人焉廋哉？人焉廋哉？」楊氏即收錄《大戴禮記・文王官人》篇：「考其所為，觀其所由，察其所安」三句以為書證，[5]是其例也。

按楊樹達言之有據，兩書言及觀人之術，《論語》謂「觀其所由，察其所安」，《大戴禮記》亦云：「觀其所由，察其所安。」兩書文辭相同。考五經措辭用語與《論語》相近者尚有多例，惜乎楊書未收，今輯錄之如下：

（一）〈學而〉篇：有子曰：「禮之用，和為貴。先王之道，斯為美，小大由之。有所不行，知和而和，不以禮節之，亦不可行也。」[6]

細考〈學而〉篇謂「禮之用，和為貴。先王之道，斯為美。」按《禮記・儒行》嘗謂：「禮之以和為貴。」[7]又《大戴禮記・虞戴德》亦云：「公曰：『先聖之道斯為美乎？』」[8]並〈學而〉篇此文相關書證，而楊書未有收錄。

（二）〈公冶長〉篇：子曰：「巧言、令色、足恭，左丘明恥之，丘亦恥之。匿怨而友其人，左丘明恥之，丘亦恥之。」[9]

〈公冶長〉篇記子曰：「巧言、令色、足恭，左丘明恥之。」楊樹達因而收錄〈學而〉篇：「子曰：巧言令色，鮮矣仁！」以為書證。按《尚書・冏命》亦云：「慎簡乃僚，無以巧言、令色、便辟、側媚，其惟吉士。」孔安國《傳》云：

5　同前註，頁47。

6　同註4，頁28。

7　〔東漢〕鄭玄注，〔唐〕孔穎達正義，呂友仁整理：《禮記正義》（上海市：上海古籍出版社，2008年），頁2226。

8　〔清〕王聘珍：《大戴禮記解詁》（北京市：中華書局，1983年），頁179。

9　楊樹達：《論語疏證》，頁130。

無得用巧言無實、令色無質、便辟足恭、側媚諂諛之人，其惟皆吉良正士。[10]

又《大戴禮記・文王官人》篇亦云：「巧言、令色、足恭，一也。」[11]又《春秋繁露・五行相勝》：「足恭小謹，巧言令色。」[12]皆可與《論語》互證而楊書未收。

（三）〈子張〉篇云：「子張曰：異乎吾所聞。君子尊賢而容眾，嘉善而矜不能。」[13]

細考〈子張〉篇謂「君子尊賢而容眾，嘉善而矜不能。」今按《禮記・中庸》嘗謂：「嘉善而矜不能，所以柔遠人也。」[14]又《禮記・儒行》亦云：「優游之法，慕賢而容眾。」[15]並與〈子張〉篇此文措辭相近，而楊書未有收錄。

二　據五經相關內容可以闡明《論語》經義而楊書未收：

（一）楊樹達《論語疏證》每多引用他書申言經義，諸如《論語・學而》篇云：「因不失其親，亦可宗也。」楊樹達於此章下收錄《荀子・性惡》云：

夫人雖有性質美而心辨知，必將求賢師而事之，擇賢友而友之。得賢師而事之，則所聞者堯、舜、禹、湯之道也；得良友而友之，則所見

---

10 〔漢〕孔安國傳，〔唐〕孔穎達正義，黃懷信整理：《尚書正義》（上海市：上海古籍出版社，2007年），頁767。

11 〔清〕王聘珍：《大戴禮記解詁》，頁190。

12 賴炎元：《春秋繁露今註今譯》（臺北市：臺灣商務印書館，1984年），頁345。

13 楊樹達：《論語疏證》，頁487。

14 〔東漢〕鄭玄注，〔唐〕孔穎達正義，呂友仁整理：《禮記正義》，頁2018。

15 同前註，頁2226。

者忠信敬讓之行也。身日進於仁義而不自知也者，靡使然也。[16]

　　按楊氏蓋以荀卿「求賢師」、「擇賢友」，以解《論語》「因不失其親，亦可宗也」之旨。按《春秋左傳・昭公二十八年》云：「仲尼聞魏子之舉也，以為義，曰：『近不失親，遠不失舉，可謂義矣。』」同出夫子之言，可見魏子之舉，亦可用以證成《論語》「不失其親」之旨，而楊書未有收錄。考《論語》謂「因不失其親」，戴望《論語戴氏注》云：「『因』，古文『姻』字。男曰『婚』，女曰『姻』。……姻非九族之親，然猶不失其親者，以其亦可稱宗故也。」[17]按戴《注》迂曲難通，何晏《集解》謂「因，親也。言所親不失其親，亦可宗敬。」皇侃《義疏》云：「親不失其親，若近而言之，則指九族宜相和睦也。」則亦以為「親」指「近親」之義。今知《左傳》作「近不失親」，則「因」其實可以逕訓為「近」。《論語・學而》：「泛愛眾，而親仁，行有餘力，則以學文。」朱熹《四書集注》云「親，近也。」是其義。

　　（二）《論語・為政》記子曰：「殷因於夏禮，所損益，可知也；周因於殷禮，所損益，可知也。其或繼周者，雖百世可知也。」楊樹達於此章下收錄《禮記・祭法》云：

　　大凡生於天地之間者，皆曰命。其萬物死，皆曰折；人死，曰鬼；此五代之所不變也。七代之所更立者：禘、郊、宗、祖；其餘不變也。[18]

楊氏蓋以《禮記》所言「禘、郊、宗、祖」之更立，以為《論語》夏、商、周三代因禮損益之義。此義良是，實可徵信。然《禮記・禮器》又云：「三代之禮一也，民共由之，或素或青，夏造殷因。」鄭玄《注》云：

　　素尚白，青尚黑者也。言所尚雖異，禮則相因矣。孔子曰：「殷因於

16　楊樹達：《論語疏證》，頁29。
17　黃懷信主撰，周海生、孔德立參撰：《論語彙校集釋》（上海市：上海古籍出版社，2008年），頁81。
18　楊樹達：《論語疏證》，頁56。

夏禮，所損益可知也；周因於殷禮，所損益可知也。」變「白」
「黑」言「素」「青」者，秦二世時，趙高欲作亂，或以青為黑，黑
為黃，民言從之，至今語猶存也。[19]

據鄭玄《注》援引《論語・為政》此文以注解《禮記》，可見《禮記》此文
確與《論語》相關，而可以相互發明。清朱彬《禮記訓纂》引吳幼清云：

> 言夏、殷、周三代之禮，雖少有損益，而其所以為禮者則一，故天下
> 之民皆可通行。蓋損益而異者，禮之文矣，禮之本則相因不變，而無
> 不同也。[20]

由此可見，〈禮器〉重在說明「禮之文」損益而異，「禮之本」相因不
變。楊樹達據〈祭法〉以為七代「禘、郊、宗、祖」有所更立者，其實亦
「禮之文」矣。惜乎楊書未有收錄〈禮器〉此文以為書證，其說猶有未盡。

　　（三）《論語・季氏》記「鯉趨而過庭。曰：『學禮乎？』對曰：『未
也。』『不學禮，無以立。』」楊書此下收錄《論語・泰伯》「立於禮」及
〈堯曰〉「不知禮，無以立」以為書證。[21]

　　按楊氏所舉二例皆能闡明〈季氏〉此文經義，然尚有未盡，今考《左
傳・昭公七年》嘗言：

> 孟僖子病不能（相）禮，乃講學之，苟能禮者從之。及其將死也，召
> 其大夫，曰：「禮，人之幹也。無禮，無以立。」[22]

《左傳》此文實亦從孟僖子學禮立說，其謂「禮，人之幹也。無禮，無以
立」，正與《論語・季氏》所言相合，而清楚闡述所謂「無禮，無以立」
者，蓋以「禮」者有如人之骨幹，「無禮」猶如「無幹」，「無幹」是以不能

19　〔東漢〕鄭玄注，〔唐〕孔穎達正義，呂友仁整理：《禮記正義》，頁987。

20　〔清〕朱彬：《禮記訓纂》（北京市：中華書局，1996年），頁371。

21　楊樹達：《論語疏證》，頁439。

22　〔晉〕杜預集解：《春秋經傳集解》（上海市：上海古籍出版社，1978年），頁1301。

立，實可闡明《論語》經義，惜乎楊書未收。

　　（四）《論語・陽貨》記子曰：「色厲而內荏，譬諸小人，其猶穿窬之盜也與？」楊書此下收錄《說苑・脩文》所記顓孫子莫言行云：

> 公孟子高見顓孫子莫曰：「敢問君子之禮何如？」顓孫子莫曰：「去爾外厲與爾內色勝而心自取之，去三者而可矣。」公孟不知，以告曾子。曾子愀然逡巡曰：「大哉言乎！夫外厲者必內折；色勝而心自取之者，必為人役。[23]

　　按楊氏蓋以《說苑》所言「外厲者必內折」之說，以明《論語》「色厲而內荏」之義。此義誠然可取，實可發明《論語》「色厲」、「內荏」之義。今考《論語》謂「色厲而內荏」者，何晏以為「外自矜厲而內柔佞」，其實亦情行不一、內外不符之義。

　　至於《論語・陽貨》以為「小人」有如「穿窬之盜」，其義為何？楊書於此未有列舉文例加以疏證。今考《禮記・表記》嘗言：「子曰：君子不以色親人。情疏而貌親，在小人則穿窬之盜也與？」[24] 其所謂「情疏而貌親」者，孔穎達《正義》云：「此明更申以情行相副，故稱『子曰』」，又云：

> 許慎《說文》云：「穿窬者，外貌為好而內懷姦盜。」似此情疏貌親之人，外內乖異，故云：「穿窬之盜也與。」[25]

可見所謂「穿窬之盜」者，謂其「外貌為好而內懷姦盜」，是亦內外情貌不一之義。《禮記・表記》此文措辭、內容皆與《論語・陽貨》相關，實亦可發明《論語》此章經義，惜乎楊書未有收錄。

23　楊樹達：《論語疏證》，頁459。

24　〔東漢〕鄭玄注，〔唐〕孔穎達正義，呂友仁整理：《禮記正義》，頁2095。

25　同前註，頁2095。

三　據五經所述人物故事可以證成《論語》經義而楊書未收：

誠如楊樹達於〈凡例〉所言，《論語疏證》屢引古人事跡以證成經義，諸如舉《史記・趙世家》所記程嬰、公孫杵臼一事，以證〈學而〉篇「與朋友交而不信乎」[26]，又證〈泰伯〉篇「可以託六尺之孤。」[27]是則援歷史人物事跡以證經義，本亦《論語疏證》編纂宗旨所在。凡此援引古人事跡以闡明經義者，雖稱見仁見智而莫衷一是，然於《論語》道德義理之說明，裨益甚多。惜乎楊氏所引事例雖多，其實猶有未盡。考五經多記人物故事，漢唐注疏每引《論語》義理加以評騭，可見該等人物事跡皆與《論語》義理相關，而楊氏《疏證》未有收錄，今舉其顯例析述如下：

（一）《論語・八佾》記林放問禮之本。子曰：「大哉問！禮，與其奢也，寧儉；喪，與其易也，寧戚。」楊樹達《疏證》引古人事例以證經義云：

> 《春秋・成公二年》曰：八月壬午，宋公鮑卒。《左氏傳》曰：宋文公卒，始厚葬，用蜃炭，益車馬，始用殉，重器備。椁有四阿，棺有翰檜。君子謂華元、樂舉「於是乎不臣。臣、治煩去惑者也，是以伏死而爭。今二子者，君生則縱其惑，死又益其侈，是棄君於惡也，何臣之為？」[28]

按楊樹達舉宋文公卒而厚葬事，以見「死又益其侈」之義，證成《論語》「喪，與其易也，寧戚」之旨，可謂引證得當。然而，楊氏未有舉例證明《論語》「禮，與其奢也，寧儉」之旨。考《春秋公羊傳・宣公六年》云：

26　楊樹達：《論語疏證》，頁7。

27　同前註，頁187。

28　同註26，頁63。

　　趙盾逡巡北面再拜稽首，趨而出，靈公心怍焉，欲殺之。於是使勇士
　　某者往殺之，勇士入其大門，則無人門焉者；入其閨，則無人閨焉
　　者；上其堂，則無人焉。俯而闚其戶，方食魚飧。勇士曰：「嘻！子
　　誠仁人也！吾入子之大門，則無人焉；入子之閨，則無人焉；上子之
　　堂，則無人焉；是子之易也。子為晉國重卿而食魚飧，是子之儉也。
　　君將使我殺子，吾不忍殺子也。雖然，吾亦不可復見吾君矣。」遂刎
　　頸而死。[29]

按此見趙盾「為晉國重卿而食魚飧」，足證其為人重禮而好儉，因之，《公羊
傳》何休《解詁》乃引《論語》「禮與其奢也，寧儉」以為注解。[30]由此推
論，《論語》此章經義，亦可以趙盾事跡為例得以證成。

　　（二）《論語・泰伯》記曾子有疾，孟敬子問之。曾子言曰：「鳥之將
死，其鳴也哀；人之將死，其言也善。」楊樹達《疏證》引古人事例以證經
義云：

　　《史記・滑稽東方朔傳》曰：至老，朔且死時，諫曰：「《詩》云『營
　　營青蠅，止于蕃。愷悌君子，無信讒言。讒言罔極，交亂四國』。願
　　陛下遠巧佞，退讒言。」帝曰：「今顧東方朔多善言？」怪之。居無
　　幾何，朔果病死。傳曰：「鳥之將死，其鳴也哀；人之將死，其言也
　　善。」此之謂也。[31]

　　按楊樹達舉東方朔將死，多有善言，以證經文「人之將死，其言也
善。」其實，古人闡釋經義，亦可以反面事例申述相同道理。考《禮記・檀
弓下》云：

　　陳乾昔寢疾，屬其兄弟而命其子尊己曰：「如我死，則必大為我棺，

29　《公羊傳注疏》（臺北縣：藝文印書館，1993年影印清嘉慶二十年（1816）江西南昌
　　府學重刊宋本《公羊傳注疏》本），卷15，頁12b，總頁192。
30　同前註，卷15，頁13a，總頁193。
31　楊樹達：《論語疏證》，頁183。

使吾二婢子夾我。」陳乾昔死，其子曰：「以殉葬，非禮也，況又同棺乎？」弗果殺。[32]

　　按《禮記》記陳乾昔將死，不為善言，恰與上述《論語》經義相違。孔穎達《疏》云：

> 案《春秋》魏顆父病困，命使殺妾以殉。又晉趙孟、孝伯，並將死，其語偷。又晉程鄭問降階之道，鄭然明以將死而有惑疾。此等並是將死之時，其言皆變常。而《論語》曾子曰：「人之將死，其言也善。」但人之疾患，有深有淺。淺則神正，深則神亂。故魏顆父初欲嫁妾，是其神正之時。曾子云「其言也善」，是其未困之日。且曾子賢人，至困猶善。其中庸已下，未有疾病，天奪之魂魄，苟欲偷生，則趙孟、孝伯、程鄭之徒不足怪也。[33]

　　按孔《疏》以為人之將死，多有疾患，而患有深淺，其患深者神智未清，因有惡言，以見曾子所謂「人之將死，其言也善」者，乃專指中材以上，其雖有疾患，而在神正未困之時也。孔《疏》歷舉古人趙孟、孝伯、程鄭事例以為將死者必有善言之反證，並加闡析，於《論語》此文經義之發揮，亦有裨益，可資參考。

四　據五經相關內容申述《論語》經義而楊書未收：

　　楊氏《疏證》時或稱述他書，旨在申言《論語》經義，諸如《論語・衛靈公》云：「子曰：巧言亂德，小不忍則亂大謀。」楊樹達先引《論語・顏淵》「一朝之忿，忘其身，以及其親，非惑與？」以見「小不忍」兼及「忿」義；並舉《左傳・昭公三十一年》：

32　〔東漢〕鄭玄注，〔唐〕孔穎達正義，呂友仁整理：《禮記正義》，頁400。
33　同前註，頁401。

夏四月，季孫從知伯如乾侯。子家子曰：「君與之歸。一慚之不忍，而終身慚乎？」公曰：「諾。」眾曰：「在一言矣，君必逐之！」荀躒以晉侯之命唁公，且曰：「寡君使躒以君命討於意如，意如不敢逃死，君其入也！」公曰：「君惠顧先君之好，施及亡人，將使歸糞除宗祧以事君，則不能見夫人。己所能見夫人者，有如河！」荀躒掩耳而走，曰：「寡君其罪之恐，敢與知魯國之難！臣請復於寡君。」退而謂季孫：「君怒未怠，子姑歸祭。」子家子曰：「君以一乘入于魯師，季孫必與君歸。」公欲從之。眾從者脅公，不得歸。[34]

楊氏按語云：「此魯昭公不肯忍忿，後遂客死於乾侯也。」後復引《說苑・建本》篇記趙襄子能忍忿之事，又引《韓非子・內儲說上七術》記成驩謂齊王語、《新序・雜事五》記趙襄子問王子維語，以見「仁不忍」義；又復舉《史記・勾踐世家》陶之富人朱公之子殺人被囚，長男「重棄財」，而終「殺其弟」，以為「吝不忍」。楊氏並總結云：

> 不忍有三義：不忍忿，一也；慈仁不忍，不能以義割恩，二也。吝財不忍棄，三也。故分疏之如上。[35]

由此可見，楊氏《疏證》有據他書相關內容引伸《論語》經義者，讀者因之乃明〈衛靈公〉篇所謂「小不忍則亂大謀」，「不忍」之義有三，於經義之發明，多有裨益，亦楊書固有體例。今考五經所言，亦有可與《論語》相互發明者，惜乎楊氏未有收錄，今舉例如下：

（一）《論語・為政》記子曰：「為政以德，譬如北辰，居其所而眾星共之。」邢昺《疏》云：「北辰常居其所而不移，故眾星共尊之，以況人君為政以德，無為清靜，亦眾人共尊之也。」楊樹達《疏證》稱引他書以申論「眾人共尊」之義：

34　楊樹達：《論語疏證》，頁403。

35　同前註，頁406。

《孟子・公孫丑上》：孟子曰：「尊賢使能，俊傑在位，則天下之士皆
悅而願立於其朝矣；市、廛而不征，法而不廛，則天下之商皆悅而願
藏於其市矣；關、譏而不征，則天下之旅皆悅而願出於其路矣；耕者
助而不稅，則天下之農皆悅而願耕於其野矣；廛、無夫里之布，則天
下之民皆悅而願為之氓矣。信能行此五者，則鄰國之民仰之若父母
矣。[36]

　　按楊氏蓋以《孟子》所言，申論人君為政以德，天下之士、商、旅、
農、民皆悅其政，是為《論語》「眾星共之」之義，說自可信。今考《春秋
左傳・昭公二十五年》記：「為父子、兄弟、姑姊、甥舅、昏媾、姻亞，以
象天明。」[37]杜預《注》云：「六親和睦，以事嚴父，若眾星之共辰極
也。」孔穎達《疏》依據杜《注》旨意，因云：「北辰居其所，而眾星共
之。」由此可見，《論語》「眾星共之」之旨，亦可引申以言「六親」關係，
而非僅限於「士、商、旅、農、民」。再考戴望《論語戴氏注》於「為政以
德」句下云：「政者，天地、四時、人之政。」可見「為政以德」，亦包羅萬
象，《春秋》杜預《注》用之兼言家庭倫理關係，亦無不可。
　　（二）《論語・泰伯》記子曰：「禹，吾無間然矣。菲飲食而致孝乎鬼
神，惡衣服而致美乎黻冕，卑宮室而盡力乎溝洫。禹，吾無間然矣。」楊樹
達《疏證》引劉向《說苑》以明經義云：

《說苑・反質》篇曰：古有無文者，得之矣；夏禹是也。卑小宮室，
損薄飲食，土階三等，衣裳細布。[38]

按楊氏蓋以《說苑》「卑小宮室，損薄飲食」二句，發明《論語》「菲飲
食」、「卑宮室」之旨，論證有據。再考《論語》此文邢昺《注疏》云：

36　楊樹達：《論語疏證》，頁35。
37　〔清〕洪亮吉撰，李解民點校：《春秋左傳詁》（北京市：中華書局，1987年），頁
　　766。
38　楊樹達：《論語疏證》，頁207。

菲，薄也。薄己飲食，致孝鬼神。……禹卑下所居之宮室，而盡力以
治田間之溝洫也。

邢說良是，今考《尚書・大禹謨》云：「克勤于邦，克儉于家，不自滿假，
惟汝賢。」〈大禹謨〉雖屬偽古文《尚書》，然其經義亦可對照參考，此文孔
安國《傳》云：

言禹惡衣薄食，卑其宮室，而盡力為民，執心謙沖，不自盈大。[39]

可見孔《傳》其實以《論語》注解《尚書》，孔穎達《疏》又依據孔《傳》
旨意云：

《論語》美禹之功德云：「惡衣服，菲飲食，卑宮室，而盡力乎溝
洫。」故傳引彼。惡衣、薄食、卑其宮室，是「儉於家」；盡力為
民，是「勤於邦」。[40]

　　由此而觀，《論語・泰伯》此文與《尚書・大禹謨》相互關涉，據《尚
書》文義，可知〈泰伯〉所謂「菲飲食」、「惡衣服」、「卑宮室」者，皆旨在
說明禹之「儉於家」，兩經亦可互相證明。

　　（三）《論語・述而》記子曰：「不憤不啟，不悱不發。」楊樹達《疏
證》兩引《禮記・學記》以闡明經義云：

《禮記・學記》篇曰：記問之學，不足以為人師，必也其聽語乎！力
不能問，然後語之；語之而不知，雖舍之可也。
又曰：故君子之教喻也，開而弗達，開而弗達則思。[41]

　　按楊氏援引《禮記・學記》以明《論語》「不憤不啟，不悱不發」之
旨，以見「力不能問，然後語之」之義，說自有據。然而，楊氏所引僅就教

---

39 〔漢〕孔安國傳，〔唐〕孔穎達正義，黃懷信整理：《尚書正義》，頁132。
40 同前註，頁134。
41 楊樹達：《論語疏證》，頁157。

者「不啟」、「不發」之義加以闡明，至於教者「不啟」「不發」之因由，則未有言及。考皇侃《論語義疏》云：「人若不悱憤而先為啟發，則受者識錄不堅，故須悱憤乃為啟發，則聽受分明，憶之深也。」可見教者所以不啟、不發者，旨在使學者堅固識錄而「聽受分明」，終能「憶之深」也。今考《禮記·學記》嘗言：「時觀而弗語，存其心也。」鄭玄《注》：「使之悱悱憤憤，然後啟發也。」足見〈學記〉此文復與《論語》相關。孔穎達《禮記正義》云：

> 「時觀」，謂教者時時觀之而不丁寧告語。所以然者，欲使學者存其心也。既不告語，學者則心憤憤、口悱悱，然後啟之，學者則存其心也。[42]

由此可知，〈學記〉所謂教者「時時觀之」者，即有「不丁寧告語」之意，可與〈述而〉「不憤不啟，不悱不發」之旨互相發明；〈學記〉引而伸之，以為教者之所以「不啟」、「不發」者，旨在「使學者存其心」也；此又可與皇侃《論語義疏》所謂學者當堅其「識錄」、「聽受分明」，並能記憶猶深，無所或忘也。兩經文義相涉，可以相互證成。

五　依據五經相關內容訓解《論語》經字義訓而楊書未收：

（一）《論語·八佾》記夫子云：「居上不寬，為禮不敬，臨喪不哀，吾何以觀之哉？」楊樹達《疏證》引《春秋繁露》以言「居上不寬」之旨：

> 《春秋繁露·仁義法》篇曰：君子攻其惡，不攻人之惡，非仁之寬與？自攻其惡，非義之全與？此之謂仁造人，義造我。是故以自治之節治人，是居上不寬也？居上不寬，則傷厚而民弗親。[43]

42　〔東漢〕鄭玄注，〔唐〕孔穎達正義，呂友仁整理：《禮記正義》，頁1431。
43　楊樹達：《論語疏證》，頁81。

　　按楊氏舉《春秋繁露》以釋《論語》此文經義，亦信而有徵；考劉寶楠《論語正義》亦引《繁露》此文以證「居上不寬」之旨，並云：「此先漢遺義，以『寬』為仁德。」可見楊說信而有徵。然細考《五經》內容，亦有可與《論語》此文相關涉者，而前輩學者未嘗收錄，諸如偽古文《尚書・大禹謨》云：

　　　　帝德罔愆，臨下以簡，御眾以寬。[44]

其言「臨下以簡，御眾以寬」者，「臨下」即「居上」之意，此實與《論語》「居上不寬」之義相近。孔穎達《正義》云：

　　　　「臨下」據其在上，「御眾」斥其治民。簡易、寬大，亦不異也。《論語》云：「居敬而行簡，以臨其民，不亦可乎？」是臨下宜以簡也。又曰：「寬則得眾。居上不寬，吾何以觀之哉？」是御眾宜以寬也。[45]

　　由此可見，《論語》「居上不寬」者，「寬」字即兼「簡」義。孔《疏》引述《論語・雍也》：「居敬而行簡，以臨其民，不亦可乎？」以證「簡易、寬大，亦不異也。」其說可信。「居上不寬」者，「寬」可訓為「寬簡」之義。《新唐書・朱敬則傳》云：「天下已平，故可易之以寬簡，潤之以淳和。」又蘇轍〈形勢不如德論〉云：「三代之時法令寬簡，所以隄防禁固其民而尊嚴其君者，舉皆無有。」並其義也。

　　（二）《論語・先進》云：「柴也愚，參也魯，師也辟，由也喭。」楊樹達《疏證》引《論語》他篇以言「由也喭」之旨，如稱引〈子路〉篇「野哉！由也。」又引〈先進篇・子路曾晳冉有公西華侍坐章〉「子路率爾而對」一段為證。[46]俾能與〈先進〉「由也喭」一語相參，其義皆可徵信，可見「喭」字或兼「野」、「率爾」諸義。又何晏《論語集解》引鄭玄曰：

---

44 〔漢〕孔安國傳，〔唐〕孔穎達正義，黃懷信整理：《尚書正義》，頁130。

45 同前註，頁131。

46 楊樹達：《論語疏證》，頁265。

子路之行失於畔喭。

又考皇侃《義疏》云：

子路性剛，失在畔喭也。王弼云：「喭，剛猛也。」

又朱熹《四書集注》云：

喭，粗俗也。

又焦循《論語補疏》云：

《大雅·皇矣》：「無然畔援。」《箋》云：「畔援，跋扈也。」《韓詩》云：「武彊也。」《漢書·敘傳》注作「無然畔換」。《文選·魏都賦》云：「雲撤叛換」，劉淵林注：「叛換，猶恣睢也。」換、援、諺聲近相通。

由此可見，《論語》所謂「由也喭」者，歷代學者訓解「喭」義多有不同，莫衷一是，然諸家皆以「喭」為貶抑之詞，兼及「叛喭」、「剛猛」、「粗俗」、「跋扈」、「武彊」、「恣睢」諸義。今按「喭」字群經罕見，然《尚書·無逸》云：「乃逸乃諺，既誕。」義或相關。考孔穎達《正義》云：

此子既不知父母之勞，謂己自然得富，恃其家富，乃為逸豫遊戲，乃為叛諺不恭，已是欺誕父母矣。……《論語》曰：「由也諺。」諺則叛諺，欺誕不恭之貌。[47]

據孔氏《正義》可知，「諺」訓「叛諺」，與《論語》鄭玄《注》同，兼及「叛諺不恭」之義；其所謂「不恭」者，猶能與「粗俗」、「跋扈」、「恣睢」諸義相參，兩經文義互證，多有相合之處。

（三）《論語·子路》記夫子曰：「言必信，行必果，硜硜然小人哉！抑

47　〔漢〕孔安國傳，〔唐〕孔穎達正義，黃懷信整理：《尚書正義》，頁630。

亦可以為次矣。」楊樹達《疏證》引述《孟子》之言以釋經義云：

> 《孟子・離婁下》篇曰：大人者，言不必信，行不必果，惟義所在。[48]

考楊氏引述〈離婁下〉之言，僅足以發揮〈子路〉篇「言必信，行必果」之義，然於「硜硜然」一語，則未有疏證。考戴望《論語戴氏注》云：

> 硜硜然，婞直貌。

又劉寶楠《論語正義》則云：

> 硜硜，堅確之意。小人賦性愚固，故有此貌。

按戴望以「硜硜」乃「婞直」之貌，「婞直」者，猶言倔強剛直之意。《楚辭・離騷》：「曰鯀婞直以亡身兮，終然殀乎羽之野。」是其義。然而，劉寶楠則以為「堅確」之意，兩說略有不同。今考《孟子・公孫丑下》：「予豈若是小丈夫然哉？諫於其君而不受，則怒，悻悻然見於其面。」趙岐《注》亦引《論語》此文為解，趙云：

> 《論語》曰：「悻悻然小人哉。」言己志大，在於濟一世之民，不為小節也。

焦循《正義》則引《音義》云：

> 悻悻，丁云：「字當作『婞』，形頂切，很也，直也。」[49]

可見焦循讀「悻」為「婞」，訓「婞」為「直」，是亦以為「悻」即「婞直」之義，與戴望《論語注》同。準此可知，《論語》「硜硜然」者，義與《孟子》「悻悻然」同，並皆狀小人婞直之貌，兩經文義訓詁可以互證。

---

48 楊樹達：《論語疏證》，頁325。
49 〔清〕焦循著，沈文倬點校：《孟子正義》（北京市：中華書局，1987年），頁308。

六　結語

首先，古人以經證經，多存己意。清人劉逢祿著有《論語述何》，即以公羊學詮釋《論語》經義，其說與朱熹多異；楊書援引他書以闡明經義，亦多主觀之詞，讀者參伍比度，自有體會。

再者，楊書〈凡例〉云：「首取《論語》本書之文前後互證，次取群經諸子及四史為證。」可見楊氏蒐羅極廣，兼及子史。然而，楊氏既重群經互證，而群經之例又次在諸子及四史之前，則於五經有與《論語》相參互證者，而五經漢唐注家又援引《論語》以為注疏，楊氏仍然闕如不錄，則可商榷。本文羅列相關例證，以見楊書尚有可以補充者，未盡完善。

此外，楊書引書體例，亦有可商之處，其引述經文，時有刪節，而未加說明，讀者不察，或生誤解。舉例而言，《論語疏證》於〈八佾〉「居上不寬」下引述《春秋繁露·仁義法》篇，其所引錄，多有刪節，今錄《四部叢刊》影武英殿聚珍版本《春秋繁露》原文如下，俾與楊書所錄對照：

> （一）君子攻其惡，不攻人之惡。不攻人之惡，非仁之寬歟？自攻其惡，非義之全歟？此謂之仁造人，義造我，何以異乎？故自稱其惡謂之情，稱人之惡謂之賊；求諸己謂之厚，求諸人謂之薄；自責以備謂之明。責人以備謂之惑。是故以自治之節治人，是居上不寬也；以治人之度自治，是為禮不敬也。為禮不敬，則傷行而民弗尊；居上不寬，則傷厚而民弗親。（《四部叢刊》影武英殿聚珍版本《春秋繁露》）
>
> （二）君子攻其惡，不攻人之惡，非仁之寬與？自攻其惡，非義之全與？此之謂仁造人，義造我。是故以自治之節治人，是居上不寬也？居上不寬，則傷厚而民弗親。[50]

又《論語疏證》於〈述而〉「不憤不啟，不悱不發」下引述《禮記·學

---

50 楊樹達：《論語疏證》，頁81。

記》篇，其所引錄，亦有刪節，今錄清嘉慶二十年（1816）江西南昌府學重
刊宋本《禮記注疏》原文如下，俾與楊書所錄對照：

> （一）故君子之教喻也，道而弗牽，強而弗抑，開而弗達。道而弗牽
> 則和，強而弗抑則易，開而弗達則思。（《禮記注疏》本）
> （二）故君子之教喻也，開而弗達，開而弗達則思。[51]

可見楊樹達引述五經經文，時有刪節，讀者對照楊氏所引與《論語》原文
時，宜加留意。

---

51 同前註，頁157。

以史證經：楊樹達
——《論語疏證》析論

陳金木
慈濟大學東方語文學系教授

一　緒論

　　民國以來，白話文取代了文言文，但是在註解時，對於《論語》篇章的劃分，大體上是依循何晏、邢昺或朱熹。註解的方式則大多採用白話文，較學術性的著作，則會引據出處。註解之後，通俗性的會有「翻譯」，較學術性的則會有「分析」。[1]民國三十八年以前，較具開創與代表性的《論語》註解書有程樹德的《論語集釋》與楊樹達的《論語疏證》兩種。程氏書持「述而不作」的立場，分類採輯宋代以後諸家說法，全書內容分為十類：考異、音讀、考證、集解、唐以前古注（採三十八家）、集注、別解、餘論、發明、按語。此書一百四十萬言，為繼劉寶楠《論語正義》後集大成的註解書，其徵引古書達六百八十種，其中《論語》、《四書》類即有兩百零三種之多。[2]

1　例如王熙元的《論語通釋》，本為在教育廣播電臺「四書講座」的講稿，後交由臺灣學生書局印行。其通釋《論語》的所有篇章，每章先列《論語》原文，次為「提旨」，提舉一章的主旨。再次為「釋詞」，解釋一章詞句、串講句意、文法分析等。再次為「譯義」，以淺顯語體文通譯全章。末以「析微」，以《論語》全書思想脈絡為基礎，發揮「以經解經」，並以歷史事蹟與實際生活相印證。詳見王熙元：〈自序〉，《論語通釋》（臺北市：臺灣學生書局，1981年2月），頁3-4。

2　程樹德在一九三三年開始編纂此書時，已經患血管硬化症，以病弱殘軀，自己口述，

　　楊樹達（1885-1956），字遇夫，號積微，湖南省長沙市人。留學日本，學習「歐洲語言及諸雜學」。回國後曾先後在湖南省立第一女子師範學校、湖南省立第一師範學校、國立師範大學、清華大學、私立中國大學、湖南大學等校任教並兼任多種行政職務。早期研究古漢語語法方面，兼及修辭；後期研究專注文字學，兼及訓詁、音韻和方言等。[3]上海古籍出版社將其論著編輯成《楊樹達文集》十七種。[4]

　　楊樹達本是近代文字訓詁的名家，其《周易古義》、《老子古義》、《論語古義》均大量徵引舊籍，以證明發揮原書的古義。因《論語古義》一書規模

　　由親戚筆錄，歷時九年，終於一九四二脫稿。此書一九四三年，華北印書館出版，但頗多他人代抄以致於文字多有訛誤，校對粗疏，又多一層舛錯。後來，其子程俊英與蔣見元點校，列為中華書局「新編諸子集成（第一輯）」，一九九○年八月出版。

3　楊樹達在語法方面論著多種：《中國語法綱要》是仿英語語法而寫的一本白話文語法書，目的是為教學的需要而分析白話文的語法結構。《高等國文法》是三○年代寫成的一部博采眾家之長的古漢語語法著作，訂正了《馬氏文通》的一些錯誤，樹立了以劃分詞類為中心的語法體系，揭示了文言語法的一些規律。《詞詮》仿《經傳釋詞》的體例，結合文法來講解，文言虛詞，解釋了四七二個虛詞。在文字學等方面的論著亦多：在方法上受到了歐洲語源學的影響，研究方法是「循聲類以探語源，因語源而得條貫。」他的基本論點是：形聲字中聲旁往往有意義；造字之初已有彼此通假的現象；意義相同的字，其構造往往相同或相類；象形、指事、會意和形聲四書的字往往有後起的加旁字；象形、指事和會意三書往往有後起的形聲字。晚年從事甲骨文和金文的研究，取得了很大的成就。詳見：百度百科「楊樹達」條。http://baike.baidu.com/view/59206.htm

4　上海古籍出版社曾於八○年代委由楊伯峻組成「楊樹達文集編輯委員會」編輯出版多卷本的《楊樹達文集》，二○○六年十二月針對《文集》，獲得楊樹達孫子楊逢彬的支持，進行修訂和增補重新出版十七冊二十六種的《楊樹達文集》，其目如下：《中國修辭學》、《漢書窺管》、《淮南子證聞·鹽鐵論要釋》、《論語疏證》、《詞詮》、《積微居甲文說·耐林甲文說·卜辭瑣記·卜辭求義》、《中國文字學概要·文字形義學》、《漢代婚喪禮俗考》、《積微居小學述林全編》、《春秋大義述》、《積微居小學金石論叢》、《積微翁回憶錄·積微居詩文鈔》、《高等國文法》、《積微居金文說》、《積微居讀書記》、《周易古義·老子古義》、《馬氏文通刊誤·古書句讀釋例·古書疑義舉例續補》。其中《春秋大義述》為首次出版，《積微居小學述林全編》增補近半篇幅，《積微翁回憶錄·積微居詩文鈔》則訂正原版的訛誤。詳見〈《〈論語疏證〉》出版說明〉，收入楊樹達：《論語疏證》（上海市：上海古籍出版社，2006年12月），頁3-4。

最大，後又改名為《論語疏證》，本書是楊先生生前出版的最後一部著作，其後都以論文的方式呈現。楊樹達所撰述的《論語疏證》[5]則另闢蹊徑，這本書的主旨雖然在「疏通孔子學說」，也採用「以經證經」或取群經諸子及四史為證，但是其特點在於將三國以前所有徵引《論語》，或和《論語》有關的資料，依時代先後，摘錄在《論語》經文之後，再加上自己的「按語」一抒己見。[6]陳寅恪稱之：「此司馬君實、李仁甫《長編》《考異》之法，乃自詁釋《論語》所未有，誠可為治經者闢一新途徑，樹一新模楷也。」[7]

二　從《論語古義》到《論語疏證》

楊樹達在一九三三年十二月十七日撰《論語古義‧自序》道：「當勝清光緒壬寅癸卯間，余得見阮氏《詩書古訓》而好之。時方讀《周易》，遂以其法集《易》古義。民國六載，南北交訌，余家居讀《老》，復依例治《老子》。兩書先後印行，幸不為當世通人所議。北遊以來，頗復輯《論語》、《春秋》，《春秋》迄今未就，而《論語》則三年前輯訖，業付書坊，印將成矣！而倭人寇滬，板毀於火，頗思重撰，錄錄未遑。今夏南歸，頗多暇日，又久居北地，殊苦南方蕪鬱，長晝無事，奉親之餘，輒假寫書，驅除溽暑，汗流蠅擾，不乏顧也。費時二月，差得靚成，此編是也。夫《論語》一書，先儒疏釋備矣，以古義論，惠氏亦既有成書，此編殆不免於贅。惟惠書重於異義異文，於臚舉大義者顧弗錄。又今所采掇，十九出自漢儒，而漢人八歲入小學，即誦《論語》、《孝經》，然則兩千年前吾先民成童鼓篋日日諷籀之書，其說義為何？讀余書猶可恍惚其一二。其於研經之士，或者將不無小補

5　一九四二年楊樹達在湖南大學任教時開始編寫，完成後用石印印成講義。後又不斷增補新材料，由商務印書館排印，但沒有付印。一九五五年三月由科學出版社正式出版。此書卷首有陳寅恪序，對此書大為推許，亦足以增重。後收入上海古籍出版社的楊樹達文集。

6　楊樹達：《論語疏證》（上海市：上海古籍出版社，2006年12月）。

7　楊樹達：〈論語疏證陳序〉，《論語疏證》，頁1。

也。」[8]楊樹達十六歲（1900年）進入求實書院學習經史及算學。十八歲
（1902年）在求實書院即仿阮元《詩書古訓》以輯錄古人之引文以解釋古書
的方式，開始編纂《周易古義》（1922年中華書局出版，1926年再版，1928
年11月，增訂本出版）。三十四歲（1918年）輯成《老子古義》（1930年1
月，中華書局出版）。這兩本書都是輯錄三國以前典籍徵引《周易》與《老
子》，將其分別編排在相關文句之下，雖稱「述而不作」，但仍須豐富的藏書
與深厚的學養功力，才能搜備資料，編纂完善。這也促成其編纂《論語古
義》的動機。這樣的編纂方式有別於清儒惠棟《九經古義》中的《論語古
義》與經義有關的「以異義異文」，而是廣為蒐集可以證成經義的漢儒經史
大義，藉以提供研經者參考。《論語古義》開始編纂的時間，楊樹達並未說
明，僅稱此書在一九三〇年即已經編輯完成且付梓，然印板毀於戰火，於是
又加重撰增編，費時二月而成。[9]

　　楊樹達在《論語疏證・自序》記錄《論語疏證》的成書經過，寫道：
「此書乃一九四二年所寫。其時余正抱小病，力疾搜檢群書，令兒輩分任抄
寫。我原有《論語古義》一書，從其中採取若干材料。故從一月開始編寫，
至三月末寫成，凡費時九十日。」是時先生隨湖南大學避寇，以原先所撰成
《論語古義》擴編而成，編輯的任務分工為：楊樹達翻檢資料，兒輩分別抄
寫，在九十天就完成了。編纂完成之後，用石印本印成講義，作為上課的教
科書，也分送給學界同好求教。先生也在一邊教學一邊研究的過程中，隨時
增益材料。及最後書成，比較原先的石印本增加了一半的篇幅，商務印書館
曾排印成卷，但未印行。一直到一九五五年，北京科學出版社才以「繁體字

8　楊樹達：《論語古義・自序》，收入《積微居小學金石論叢》（上海市：上海古籍出版
　　社，2006年12月），頁267。

9　大陸「高等學校中英文圖書數位化國際合作計畫」（http://www.cadal.zju.edu.cn/Quick
　　Search.action）收錄有一九三四年商務印書館出版的《論語古義》http://www.cadal.zju.
　　edu.cn/Detail.action?bookNo=09001803並提供「全文閱讀與全文檢索、插圖檢索」，檔
　　案「djvu」文件格式。然筆者在點選「全文閱讀」時，跳出「個性化服務登錄」視
　　窗，雖經註冊，但輸入「用戶名與密碼」時，仍出現「對不起，您沒有訪問該書
　　09001803的許可權！你的 IP 是118.160.204.220」不得其門而入。

直行」出版，一九八六年上海古籍出版社編印《楊樹達文集》，列為第十種
出版。二〇〇六年十二月，上海古籍出版社編輯出版《楊樹達文集》時，列
為十七種書籍之一。一九六六年，嚴靈峰曾據科學出版社版本，收入所編輯
《無求備齋論語集成》；一九七三年五月，鼎文書局；一九七四年四月，大
通書局等兩家書局，也都據科學出版社的版本影印出版。以饗臺灣的讀者。

　　《論語疏證》的「編輯凡例」有九條，第一條揭示編纂宗旨為：「本書
宗旨在疏通孔子學說，首取《論語》本書之文前後互證，次取群經諸子及四
史為證，無證者則闕之。老莊韓墨說與儒家違異，然亦時有可以發明孔子之
意者，賦詩斷章，余竊取斯義爾。」其後第二至七條，則分別說明「證文次
第以訓詁居先，發明學說居次，事例為證旁證又居次」（第二條）、「證文列
於當句下，總證則列於末句」（第三條）、「古書相因襲者，先錄本源，因襲
者附註於條末」（第四條）、「同一文證兼有分證數節，則以義各有歸而不避
複見」（第五條）、「證文同一事互見數書者，兼採並錄，唯以空格別之」（第
六條）、「同一事，證文互異者，雖彼此違異，然以義得並存之」（第七條）。
第八條稱「本書訓說大致以朱子《集注》為主，其有後儒勝義長於朱說者，
則取後儒之說。心有未安，乃下己意焉。」，第九條則提醒讀者因此書於
「證文」的編纂，多有彼此互證而稍有詳略之殊，讀者應「因證互參，最為
有益」。[10]

三　從「以經證經」到「以史證經」

　　以經學的傳統而言：六經是漢民族最早的一批文獻，孔子以「述而不
作」的方式，整理文獻，並以此做為教材，教導學生傳習。經書在流傳過程
中由六經而五經，再擴展而為七經、九經、十二經、十三經，呈現出以傳述
經（《左傳》述《春秋》）、以傳論經（《公羊傳》、《穀梁傳》論《春秋》）、以
儒家入經（《論語》、《孟子》《孝經》）、以及辭書（《爾雅》解經字詞義）成

---

10 楊樹達：〈論語疏證凡例〉，《論語疏證》，頁1-2。

為經。再以經學史而言：歷代經學從先秦經文、漢魏經注、南北朝義疏、唐宋正義注疏、清代新疏等等，都是透過注解經文、疏通經文及注文的方式，逐漸發展成注疏傳統。

《論語》是經書之一，《論語》的閱讀與學習，也是古今學子的共同必修課程[11]。開始註解《論語》，是從漢代開始，何晏《論語集解》所收的注家有孔安國、包咸、周氏、馬融、鄭玄、陳群、王肅、周生烈等八家。皇侃的《論語義疏》則收江南十三家的疏解。宋代邢昺的《論語注疏》、朱熹的《論語集注》，清代劉寶楠的《論語正義》等等，都是以「集注、集疏」的方式註解《論語》，這也就是在經學領域（《論語》）的經學史著作，註解家在註解《論語》時，所建立的注疏傳統。《論語》的注疏傳統是由《論語》、《論語鄭氏注》、《論語集解》、《論語義疏》、《論語注疏》、《論語集注》、《論語正義》所發展而成。經學家在為「經書」作「注解」時，他所從事的工作稱之為「經學的訓詁」。儒家主要經典註疏訓詁的基本內容為：一，對經典中字句的訓詁，主要是注其音、解其義、辨其誤。二，以儒家先師先儒之言、古代典籍、時制時俗等三方面為根據，來訓釋名物制度和歷史事件。其最終的目的就是在先解決經典有關由句讀、讀音、字義、詞義、所據典籍、師傳等等的訓解不同所引起的「歧解」，尋求出「新義訓釋」，來豐富經典中字詞、名物、制度的內涵，最後恰如其分的為經典的注解找尋到「確解」。[12]

《論語》是孔子弟子與再傳弟子歷經長時間合力編纂的一部「語錄體」的儒家典籍，由於內容是匯集聽講者與耳聞者的筆記紀錄，故其文字並非如《孟子》書一般，有較為完整的「人、事、時、地、物」的敘事與論述，也不如《莊子》、《荀子》書一樣是有著完整主題概念的哲學論著。存在著傅熊

---

11 古代學子在私塾、小學中學習經書，現代學子則在國中有《論語讀本》，高中有《中國文化基本教材》，師範體制學校（師範大學或師範專科學校、師範學院、教育大學），更把《四書》列為全校共同必修課程，大學中文系也將《四書》列為必修或選修課程之一。

12 參見崔大華：〈論經學的訓詁〉，收入林慶彰主編：《經學研究論叢》（臺北市：聖環圖書公司，1994年4月），第1輯，頁1-15。

（Bernhard Fuehrer Liberal）所稱的「文本「上下文」（context）的缺乏，產生了「多義現象」（ambiguities）、晦澀之處和各種空隙（gap），閱讀者或用「想像力」、或用「各種不同時代、學術、思維方式來填補」，但在「求證困難」的情況下，詮釋者就有了較大的解釋空間，在詮釋的同時，「不得不建立另一比較廣泛的脈絡」（context）[13]。衡諸古代典籍，《史記・孔子世家》即是以「繫年」的方式，多採用《論語》的資料編纂而成；《史記・仲尼弟子列傳》亦是「以事繫人」的方式，編採《論語》的資料，為孔子弟子立傳。[14] 陳寅恪稱《論語》「夫聖人之言必有為而發，若不取事實以證之，則成無的之矢。聖言簡奧，若不采意旨相同之語以著之，則為不解之謎矣。」[15] 對於楊樹達《論語疏證》能「疏通孔子學說，首取《論語》本書之文前後互證，次取群經諸子及四史為證。」[16] 大加讚揚稱「今先生彙集古籍中事實語言之與《論語》有關者，並間下己意，考訂是非，解釋疑滯，此司馬君實、李仁甫長編考異之法，乃自來詁釋《論語》者所未有，誠可為治經者開一新途徑，樹一新模楷也。」[17]。馬楠〈楊樹達《論語疏證》與注疏新方法〉證成如下：一，采他說發明經義：（一）與《論語》本自相關者：采他說發明經義，其可行者，若《禮記》本多廣《論語》之文，漢詔頗有摘「《傳》曰」之句，自可兼引前後，見戰國秦漢詁經之說。（二）未必相關，文字類似者：他文若非直本《論語》，而義可通合者，亦可引之為證。而其間當注意者：1 訓釋文字者不采：他書文義雖有與《論語》數字同者，而其意旨，

13　傅熊（Bernhard Fuehrer Liberal）：〈閱讀《論語》札記—從《論語》看詮釋系譜學諸問題〉，收入國立政治大學文學院主編：《「孔學與二十一世紀」國際學術研討會論文集》（臺北市，國立政治大學文學院，2001年9月），頁153。

14　當司馬遷在為孔子弟子立傳時，他也碰到「文本罅縫」的問題，司馬遷說明他是依據出自「孔氏古文」的《論言弟子籍》，來撰述孔門弟子的「言行紀要」；至於傳主的「名與姓」則根據《論語弟子問》的記載來撰寫〈仲尼弟子列傳〉。詳見拙著：〈傳道與事功：《史記・仲尼弟子列傳》析論〉，《明道中文學報》創刊號（2008年12月），頁1-10。

15　楊樹達：〈論語疏證陳序〉，《論語疏證》，頁1。

16　楊樹達：〈論語疏證凡例〉，《論語疏證》，第1條，頁1。

17　楊樹達：〈論語疏證陳序〉，《論語疏證》，頁1。

僅在說明訓釋。2 不拘於文字之同。（三）文字不類，取義相同者：此唯以取義相同，故尤需審慎。而當深探本義，後廣引他說。二，以事證經：（一）采古注引經斷事之語：1 古注引經斷事之語，反之可引事證經歷代經部注疏之中，先儒引經斷事之言甚夥，反之即得以事明經。2 不采古注兼及經文之句然古注之中，亦有兼及經文，所注之事，實與經義無干者。（二）古籍記事與《論語》義合《論語》多有說前因後果之語，若古書所載一事首尾，正與《論語》相合，自可引之說經。若《國語》紀事，首尾相照，多述德之有關，不采善言，果有禍殃之事。馬氏並稱許道：「《論語疏證》以《論語》為中心，繫連經史子三部要籍，明《論語》之義，廣《論語》之說，非精通三部不能為之。於經、子注釋之中，另闢蹊徑，又固有所本。於《論語》一書，於注疏之學，可謂有功者焉。」[18]

　　是知《論語疏證》一則採取歷代經學家在註解《論語》「注疏傳統」中的「考訂訓釋與以經證經」的方式，更另闢蹊徑，循著《孔子家語》、《韓詩外傳》以「史事證經」的方式，廣泛的蒐集能證成《論語》經義的「經、史、子」三部書的例證，匯集而成《論語疏證》。

四　從「折衷朱注」到「乃下己意」

　　楊樹達撰述《論語疏證》，有別於歷代經學著作所依循的注疏傳統，而是採用「以史證經」的方式，羅列三國以前經史子三部典籍中可以證成發明《論語》經義者，其凡例的第一條、第八條正說明此項論述企圖。[19]這是一

---

18 詳見馬楠：〈楊樹達《論語疏證》與注疏新方法〉，《現代企業教育》2007年第4期下，頁197-198。

19 楊樹達：〈論語疏證凡例〉第一條揭示編纂宗旨為：「本書宗旨在疏通孔子學說，首取《論語》本書之文前後互證，次取群經諸子及四史為證，無證者則闕之。老莊韓墨說與儒家違異，然亦時有可以發明孔子之意者，賦詩斷章，余竊取斯義爾。」第八條稱「本書訓說大致以朱子《集注》為主，其有後儒勝義長於朱說者，則取後儒之說。心有未安，乃下己意焉。」詳見楊樹達：〈論語疏證凡例〉，《論語疏證》，頁1-2。

本以搜備「事例」以證經義的論著，在廣搜資料之後，對於資料相互間的矛盾與歧異之處，楊樹達則以「樹達案」按語的方式「乃下己意」，以對訓解字義說明文句證成學說提出看法；或就所蒐集的史料彼此間的不同，詳加考證其來龍去脈與評論其得失，甚而義有兩取。更重要的是，在風雨飄搖的近代中國與馬列主義主導整個大陸學術界時，楊樹達仍然衷心期望其所撰述的《論語疏證》「提供世人以研究孔子總結孔子之材料而已。當世君子給余以嚴格之批評，使孔子學說之真相大白於世，是余所衷心切禱者也。」[20]

　　檢索《論語疏證》楊樹達所撰「樹達按」的按語，可分以下兩大類：（一）「折衷朱注」此又分 1 贊同朱注；2 以朱注為未達。（二）「乃下己意」此又可分 1 闡揚孔學；2 寄託理想；3 抒發時代感受；4 大陸易幟後修改文字。現分別舉例說明：

（一）折衷朱注：

1 贊同朱注：

　　「樹達按：朱子云：此章與內則之言相表裏。事父母幾諫，即〈內則〉所謂下氣怡色，柔聲以諫也。見志不從，又敬不違，即〈內則〉之諫若不入，起敬起孝，說則複諫也。勞而不怨，即〈內則〉所謂撻之流血，不敢疾怨也。」[21]又於〈述而〉「互鄉難與言，童子見，門人惑。子曰：『人潔己以進，與其潔也，不保其往也；與其進也，不與其退也。唯何甚？』」，稱「樹達按：與其進也三句本錯簡在子曰句下，今依朱子說校乙。」[22]以上兩例，一則以經義從朱注之說，一則依朱注校正錯簡。

---

20 楊樹達：〈論語疏證自序〉，《論語疏證》，頁1。
21 〈里仁〉「子曰：『事父母幾諫，見志不從，又敬而不違，勞而不怨。』」楊樹達引《禮記・內則》「父母有過……起敬起孝。」之後所撰的「按語」。詳見楊樹達：《論語疏證》，頁107-108。
22 楊樹達：《論語疏證》，頁171-172。

2 以朱注為未達：

如〈公冶長〉「子曰：『賜也！非爾所及也。』」有「樹達按：己所不欲，勿施於人，忠恕之道也。行忠恕之道，於才質沈潛者為易，而子貢則高明之才也；故孔子因其自言而姑抑之，亦欲激厲之，使其自勉云爾。孔子之答問也必因材；子貢有一言終身之問，而夫子以恕教之，亦可證此章之義矣。朱子謂『無加於人為仁，勿施於人為恕，恕則子貢能勉，仁則非所及』，似不免強生分別之病，殆未是也。」[23]又〈雍也〉「仲弓問子桑伯子。子曰：『可也簡。』仲弓曰：『居敬而行簡以臨其民，不亦可乎？居簡而行簡，無乃太簡乎？』子曰：『雍之言然。』」有按語稱「《邢疏》及《朱子集注》皆以此章與上章連為一章。《皇侃疏》別為二章，是也，今從之。」[24]以上二例，前者為經義不從朱注，後者為分章節不從朱注。

（二）乃下己意：

1 闡揚孔學：

以〈為政〉篇「子曰：吾十有五而志於學，三十而立，四十而不惑，五十而知天命，六十而耳順，七十而從心所欲不逾矩。」為例，楊樹達所撰的按語稱「樹達按：古人十歲學書計與幼儀，十三學《樂》、誦《詩》矣。孔子十有五而始志於學，不過晚乎？尋〈述而〉篇云：『志於道。』〈里仁〉篇云：『士志於道而恥惡衣惡食者，未足與議也。』一再言志道，不言志學。此獨言志學，不言志道者，孔子之謙辭，實則志學即志道也。」[25]「樹達

---

23 楊樹達：《論語疏證》，頁122-123。

24 楊樹達：《論語疏證》，頁133-134。

25 以下又有按語：「又按：〈內則〉云：『十年，出就外傅，學書計。』《大戴記》則云：『八歲出就外傅。』《白虎通》亦云：『八歲學書計。』又《尚書大傳》云『二十八大學』，《大戴記》、《白虎通》則皆云十五入大學，彼此互異者，十年、二十年，舉成數言之。八歲與十五，舉實數言之：文似異而實同也。古人云男子三十而娶，女子二十而嫁，三十、二十亦皆舉成數言之，不必截然三十、二十也。本章下文所云三十、四十、五十、六十、七十亦如此，不必過泥也。」

按：三十而立，立謂立於禮也。蓋二十始學禮，至三十而學禮之業大成，故能立也。」「樹達按：孔子四十不惑，盡知者之能事也。孟子四十不動心，盡勇者之能事也。孔孟才性不同，故成德之功亦異矣。」「樹達按：此蓋孔子四十以後之言。《易》為窮理盡性以至命之書，學《易》數年，故五十知天命也。」「樹達按：孔子五十知天命，知命者不憂，已盡仁者之能事矣。」「樹達按：王仲任之說甚確。《說文》云：『聖，通也。從耳，呈聲。』耳順正所謂聖通也。蓋孔子五十至六十之間，已入聖通之域，所謂聲入心通也。」「樹達按：孔子六十聖通，七十則由聖入神矣。」[26]，此與美國學者郝大維（David L.Hall）、安樂哲（Rogger T.Ames）以《通過孔子而思》（Thinking through Confucius）一書[27]，全書分六章，以孔子一生自述「子曰：『吾十又五而志於學，三十而立，四十而不惑，五十而知天命，六十而耳順，七十而從心所欲，不逾矩。』」（《論語・為政》）的六個人生階段作為章名，皆頗有見地與視野。[28]

2 寄託理想：

於〈學而〉（有子曰）「君子務本，本立而道生。孝弟也者，其為仁之本與！」楊樹達撰寫道：「愛親，孝也；敬兄，弟也。儒家學說，欲使人本其愛親敬兄之良知良能而擴大之，由家庭以及其國家，以及全人類，進而至於大同，所謂親親而仁民，仁民而愛物也。然博愛人類進至大同之境，乃以愛親敬兄之良知良能為其始基，故曰孝弟為仁之本。孟子謂親親敬長，達之天

---

26 楊樹達：《論語疏證》，頁40-43。

27 此書於一九八七年由紐約州立大學出版社出版，何金俐翻譯成中文，書名為《通過孔子而思》（北京市：北京大學出版社，2005年8月）。

28 《通過孔子而思》雖然從文體上，是屬於文獻學、哲學學術的研究成果，但實質上卻是一本比較文化哲學的著作。其撰述的主要意圖是以：（一）、能夠讓孔子的主要思想在研究中獲得相對清晰的闡明。（二）、將孔子思想作為實踐自我之「思」（thinking）的媒介。來重構儒家（尤其是孔子）的思想世界。這本書以其本身方法論、視角與思想的豐富性，提供中國的讀者「域外視角的當代重構」，鼓勵讀者本人身臨其境，來獲得創造性的理解。

下則為仁義，又謂事親從兄為仁義之實，與有子之言相合，此儒家一貫之理
論也。」[29] 此與〈八佾〉「子謂〈韶〉，『盡美矣，又盡善也』。謂〈武〉『盡
美矣，未盡善也。』楊樹達撰寫：「樹達按：任重職大，有過於天子諸侯者
乎？卿不當世，而謂君當世乎？卿當選賢，而謂君不當選賢乎？孔子譏世
卿，實譏世君也。此《春秋》之微言也。又吾先民論政尚揖讓，而征誅為不
得已。文王三分天下有其二，以服事殷。孔子稱其至德，善其不用武力也。
《論語》稱至德者二事，一贊泰伯，一贊文王，皆貴其以天下讓也。吳季札
觀湯樂而曰有慙德，亦以其用武力也。湯有慙德，武王從可知矣。貴揖讓，
故非世及。〈禮運〉以天下為公，選賢與能為大同，以大人世及謀作兵起為
小康。於《春秋》則譏世卿以見非世君之意，皆其義之顯白無疑者也。聲音
之道與政通，樂者，政之發於聲音者也，古人聞其樂而知其政。舜揖讓傳賢
為大同之治，武王征誅世及為小康。故孔子稱〈韶〉樂為盡美盡善，〈武〉
盡美而未盡善也。孔云〈武〉未盡善，猶季札之言〈濩〉有慙德也。小康始
於禹者，以其傳子，世及之制，違反選賢與能之道也。」[30]，此二例皆楊樹
達身處亂世，有所寄託，而寓寄其理想世界。

3 抒發時代感受：

〈泰伯〉子曰：「泰伯，其可謂至德也已矣！三以天下讓，民無得而稱
焉。「樹達按：《論語》稱至德者二，一贊泰伯，一贊文王，皆以其能讓天下
也。此孔子贊和平，非武力之義也。」[31] 與〈述而〉（子謂顏淵曰：「用之則
行，舍之則藏，）「唯我與爾有是夫。」楊樹達引證《韓詩外傳》卷九[32]：
「孔子與子貢、子路、顏淵游於戎山之上。孔子喟然歎曰：『二三子各言爾

29　楊樹達：《論語疏證》，頁4。

30　楊樹達：《論語疏證》，頁79-81。

31　楊樹達：《論語疏證》，頁179。

32　此條引證文字之後，楊樹達稱「(《外傳卷七》別一條略同，《說苑・指武篇》　文亦略
　　同，末云；子路舉手問曰，願聞夫子之意。孔子曰，吾所願者顏氏之計，吾願負衣冠
　　而從顏氏子也。)

志。由！爾何如？』對曰：『得白羽如月，赤羽如日，擊鐘鼓者上聞於天，下槊於地，使將而攻之，惟由為能。』孔子曰：『勇士哉！』『賜！爾何如？』對曰：『得素衣縞冠，使於兩國之間，不持尺寸之兵，升斗之糧，使兩國相親如弟兄。』孔子曰：『辯士哉！』『回！爾何如？』顏淵曰：『願得明王聖主，為之相，使城郭不治，溝池不鑿，陰陽和調，家給人足，鑄庫兵以為農器。』孔子曰：『大士哉！由來！區區汝何攻？賜來！便便汝何使？願得衣冠，為子宰焉。』[33]之後，有「樹達按：顏子欲鑄庫兵為農器而孔子稱之，此又孔子尚和平反武力之一事也。」[34]此兩條按語皆稱孔子崇尚和平，反對武力，此亦為楊樹達身處清末列強割據，中華民族幾至亡國滅種，民國肇建，又逢軍閥各據一方，民不聊生，加以日寇入侵，屠殺百姓，藉著述之便，抒發內心亟求和平的心意。

4 大陸易幟後修改文字：

於〈八佾〉「子曰：『夷狄之有君，不如諸夏之亡也。』」的按語稱：「有君謂有賢君也，邲之戰，楚莊王動合乎禮，晉變而為夷狄，楚變而為君子。雞父之戰，中國為新夷狄，而吳少進。柏莒之戰，吳王闔廬憂中國而攘夷狄。黃池之會，吳王夫差藉成周以尊天王。楚與吳，皆《春秋》向所目為夷狄者也。孔子生當昭定哀之世，楚莊之事，所聞也。闔廬、夫差之事，所親見也。安得不有夷狄有君諸夏亡君之歎哉！《春秋》之義，夷狄進於中國，則中國之。中國而為夷狄，則夷狄之。蓋孔子于夷夏之界，不以血統種族及地理與其他條件為準，而以行為為準。其生在二千數百年以前，恍若豫知數千年後有希特勒、東條英機等敗類將持其民族優越論以禍天下而豫為之防者，此等見解何等卓越！此等智慧何等深遠！《中華人民共和國憲法》有『反對大民族主義』之語，乃真能體現孔子此種偉大之精神者也。而釋《論語》者，乃或謂夷狄雖有君，不如諸夏之亡君，以褊狹之見，讀孔子之書，

33　楊樹達：《論語疏證》，頁158-159。
34　楊樹達：《論語疏證》，頁159。

謬矣。」[35] 此段文字在其引證《春秋公羊傳·宣公十二年》、《春秋公羊傳·昭公二十三年》、《春秋公羊傳·定公四年》、《春秋公羊傳·哀公十三年》、《春秋左傳·哀公元年》、《春秋繁露·竹林》篇等史事，以為證成孔子對於夷夏之防，乃是建基於「文化」而非「地域」或「政權」，也以民國以來德國納粹希特勒，日本軍閥東條英機所犯罪行為例，痛加斥責。但其後卻引了《中華人民共和國憲法》的「反對大民族主義」，楊樹達在撰寫《論語疏證》時，正為國民政府統治時期，而中華人民共和國一直要到一九四九年十月一日才成立，其憲法也是那時公布的。此段文字應該是楊樹達在一九五五年交由北京科學出版社時「修改」的文字，並非其原貌。

五　結論

歷史學家，藉助於「立傳」的方式，為歷史人物、歷史事件營構歷史舞臺，建構歷史圖像。經書註解家，也藉助於「注外之意」（也就是超出經文範圍以外的解說文字），以「註解者」和「被註解者」，進行「思想的對話」，透過「文獻的閱讀」，進行「了解」「詮釋」「實踐」的創造性轉化的活動關係[36]，以完成歷史圖像的建構[37]。《論語》作為一部中華文化的核心經

---

35 楊樹達：《論語疏證》，頁64-67。

36 林月惠：《良知學的轉折—聶雙江與羅念菴思想之研究》（臺北市：國立臺灣大學中國文學研究所博士論文，1995年6月），在研究王學諸子與陽明致良知教的互動關係時，就是採用如此的「詮釋方式」。見頁15-27。

37 筆者在〈《論語鄭氏注》中的孔子形象〉稱：鄭玄的注解當中仍然隱含著鄭玄盡其全力在將「孔子的形象」，向他的讀者做最完美的呈現，這樣的努力，和「個人生命的投射」構成兩條前進的線條……鄭玄在〈戒子益恩書〉自序其家貧、專心致意於學術、遭遇黨錮之禍、堅拒朝廷的招聘等敘之甚詳，對於自己一生的志業，說道：「但念述先聖之元意，思整百家之不齊，亦庶幾以竭吾才。」這是他向自己的孩子真心的表白，我們在《論語鄭氏注》的注文中，一則可以看到鄭玄極盡全力的向他的讀者描繪出「孔子的形象」，傳播活生生孔子的氣息；同時，也將自己投射到注解的文字當中，展顯給讀者一位「旁通六藝，兼綜諸家，不為門戶之見所圍，一惟是非之真是求，誠所謂『通儒』也。益以知幾處變，獨彰避地之識；守死善道，彌見不仕之貞，

典。身為閱讀者，要能回到自己的生命場域中，去感知領受。若是詮釋者，也必經由閱讀、理解、對話與實踐，除了從歷史背景、思想架構以及文本脈絡等探究之外，還要去感受《論語》的溫度。[38]

　　民國以來《論語》的詮釋者，以自己閱讀、思考、寫作的閱讀經驗、生命體驗，運用想像力，發揮創造力。開展出（一）傳統注疏繼續發展。（二）新材料引發新研究。（三）新觀點獲得新成果。（四）新視野開拓新領域等四個多元面向。使得《論語》的閱讀與詮釋，就是如此多元的開展，如同花團錦簇般的美不勝收！[39]

　　大陸赤化之後，整個學術界籠罩在一片「馬列主義」的學習中，楊樹達在一九五五年一月五日生病當中[40]，為科學出版社出版其《論語疏證》一書

確乎不拔，斯文在茲。」的「鄭玄的形象」。詳見陳金木：《唐寫本《論語鄭氏注》後續研究——歷代論語學新論》（臺北市：行政院國家科學委員會專題研究計畫成果報告，1999年10月）頁69-72。

38 筆者曾在國立臺北大學中文系所主辦的「第四屆中國文哲之當代詮釋學術研討會」（2009年10月31至11月1日）發表〈《論語》的溫度：《于丹《論語》心得〉析論〉從一、緒論：從曲阜杏壇到百家講壇。二、前置、演播與紀錄。三、媒體、網路與閱聽。四、文本、經義與詮釋。五、結論：重返洙泗水濱等五個側面析論〈《于丹《論語》心得〉。詳見國立臺北大學中文系所：〈第四屆中國文哲之當代詮釋學術研討會」會前論文集 I〉（臺北市：國立臺北大學中國文學系，2009年11月），頁105-112。

39 詳見：陳金木：〈民國以來《論語》的多元詮釋〉，《東海中文學報》第20期（2008年7月），頁39。

40 楊樹達在大陸易幟之後的重要記事如下：
一九四九年（六十五歲）五月，自廣州返抵長沙。八月，教授會推舉先生等三人往見湖南省代主席陳明仁，促進和平。九月，人民政府接管湖南大學。應《民主報》之邀撰《實事求是》一文紀念全國首屆政協會議召開。
一九五〇年（六十六歲）二月，整理《金文說》粗訖。九月，始寫《積微居回憶錄》。十月，湖南省文物委員會聘為委員。中國科學院聘為語言文字組專門委員。
一九五一年（六十七歲）一月，《回憶錄》寫訖。九月，始重訂補《文字形義學講義》。當選新史學研究會理事。
一九五二年（六十八歲）三月，校《甲文說》。六月，《中國語文》雜誌社聘為特約撰稿人。十一月《積微居金文說》出版。十二月，以人民代表身份出席湖南省第二屆人民代表大會第一次會議。整理《積微居讀書記》，補撰《漢書窺管》。

作〈序〉寫下:「解放以來,余接觸新思想,稍稍用批判態度處理此書;然余於馬克思、列寧主義研究太淺,觀點模糊之處必多。毛主席說:『今天的中國是歷史中的中國的一個發展;我們是馬克思主義的歷史主義者,我們不應當割斷歷史。從孔夫子到孫中山,我們應當給以總結,承繼這一份珍貴的遺產。』(見《毛澤東選集》二卷〈中國共產黨在民族戰爭中的地位〉四九六頁)我之所以將此書問世,不敢認此書為已成熟之著作,不過提供世人以研究孔子總結孔子之材料而已。當世君子給余以嚴格之批評,使孔子學說之真相大白於世,是余所衷心切禱者也。」[41]楊樹達擁有中央研究院院士、中國科學院語言文字組專門委員。中國政協會議第二屆全國委員會委員、中國科學院哲學社會科學部委員等重要的學術與政治多項頭銜,仍然免不了要對其學術自我檢討,勤學馬列教條一番,然其仍衷心期盼能繼承孔子學說這份珍貴的遺產,其孜孜諤諤之籲,可謂語重心長!

　　傳統文獻學者所致力於《論語》的目錄、版本、辨偽、校勘、註釋、編

一九五三年(六十九歲)一月,任湖南省文史館館長。調至湖南師範學院任教。十月,校《卜辭瑣記》及《小學述林》。十一月,獲《歷史研究》編委提名。中國科學院擬調進京。十二月,《淮南子證聞》出版。

一九五四年(七十歲)二月,辭謝中國科學院進京之請。四月,《積微居小學述林》出版。六月,《積微居甲文說》出版。九月,校《高等國文法》。十二月,中國人民政治協商會議第二屆全國委員會在京召開,被選為委員,因病未能出席。《耐林廎甲文說》、《詞詮》相繼出版。

一九五五年(七十一歲)一月,《古書句讀釋例》出版。《中國修辭學》出版。二月,列席湖南省政治協商會議。當選湖南省人民代表大會代表,出席湖南省人大會議。三月,《論語疏證》出版。六月,當選中國科學院學部委員。出席湖南省人大六次會議。七月,《漢書窺管》出版。八月,《中國修辭學》改名《漢文文言修辭學》再版。任高教出版社特約編審。十月,在京參加國慶觀禮。參加中科院語言所舉辦的「現代漢語規範問題學術會議」。接受哲學所《鹽鐵論校注》、語言所《說文今語疏證》項目。十一月,離京返湘。十二月,箋釋《鹽鐵論》。

一九五六年(七十二歲)一月,箋釋《鹽鐵論》。二月《鹽鐵論箋釋》初稿撰訖。十四日,病逝。詳見維基百科「楊樹達」條,http://zh.wikipedia.org/wiki/%E6%9D%A8% E6% A0%91%E8%BE%BE

41 楊樹達:〈論語疏證自序〉,《論語疏證》,頁1。

纂、輯佚、點校等工作，都是盡其可能的恢復其文本的真實與完整[42]。傳世文獻中的《孔子家語》、《孔子集語》、《孔子──周秦漢晉文獻集》、《孔子資料彙編》、《孔子弟子資料彙編》[43]等書，出土文獻中的郭店簡[44]、上博簡[45]的儒家相關資料也都是提供學者研究《論語》的材料，如果楊樹達生在今日，其在編纂《論語疏證》時，想必會充分利用這些材料，藉由「以史證經」的方式，承繼與發揚孔子學說。

　　──原載《中國學術年刊》第 34 期（2012 年 3 月），頁一一三～一三一。

---

42 詳見鄭之洪：《史記文獻研究》（成都市：巴蜀書社，1997年10月）與張大可：《史記文獻研究》（北京市：民族出版社，1999年12月）兩書的論述。傳統文獻學中，「校勘學」主要任務就在廣搜各時代的諸多版本，力圖還原文本的原貌。王叔岷：《史記斠證》（臺北市：中央研究院歷史語言研究所，1982年6月）；施之勉《史記會注考證訂補》（臺北市：華岡出版公司，1976年）；李人鑒：《太史公書校讀記》（蘭州市：甘肅人民出版社，1998年）等為其犖犖大而有成者。

43 《孔子家語》歷代多有考證其為「偽書」，直到一九七三年在湖南長沙馬王堆出土「儒家者言」，學者將其與《孔子家語》比對之後，多認為其實《孔子家語》並非偽書。詳可參見《孔子研究》1988年4期，頁23，《齊魯學刊》1989年4期，頁17。《孔子集語》為清代孫星衍等輯，參見〔清〕孫星衍等輯，郭沂校補：《孔子集語校補》（濟南：齊魯書社，1998年10月）；姜義華等編：《孔子─周秦漢晉文獻集》（上海市：復旦大學出版社，1990年7月）；李啟謙等編：《孔子資料彙編》（濟南市：山東友誼書社，1991年4月）；李啟謙、王式倫編：《孔子弟子資料彙編》（濟南市：山東友誼書社，1991年4月）。

44 廖名春認為郭店楚簡有十種儒家的著述，可分為三類：第一類是孔子之作，它們是〈窮達以時〉、〈唐虞之道〉、〈尊德義〉。第二類是孔子弟子之作，它們是〈忠信之道〉、〈成之聞之〉、〈六德〉、〈性自命出〉。其中〈忠信之道〉是子張之作，〈性自命出〉是子游之作，〈成之聞之〉、〈六德〉可能是縣成之作。第三類是《子思子》，為子思及其弟子所作，它們是〈緇衣〉、〈五行〉、〈魯穆公問子思〉。詳見廖名春：〈郭店楚簡儒家著作考〉《孔子研究》1998年3期，頁69-83。

45 如朱淵清即據上博簡以及其他史料，考證冉雍（仲弓）的年齡及其身份，詳見朱淵清：〈仲弓的年齡及其身份〉http://72.14.235.104/search?q=cache:-uT8XonPkScJ:166.111.106.5/xi-suo/lsx/Learning/meeting2004/Complete/zhuyuanqing.pdf+%E4%B8%8A%E5%8D%9A%E7%B0%A1&hl=zh-TW&gl=tw&ct=clnk&cd=16

注疏傳統與經典詮釋
——《論語集釋·學而首章》的文獻檢視

陳金木

慈濟大學東方語文學系教授

一　緒論：〈論語·學而首章〉的文獻詮釋需求

　　《論語·學而》首章的經文是：「子曰：『學而時習之，不亦說乎？有朋自遠方來，不亦樂乎？人不知而不慍，不亦君子乎？』」[1]。以宋代為時間的界線而論，這章的《論語》經文出現在不同的抄寫本[2]、石刻、刊刻本當中：《敦煌論語集解寫本》、《敦煌論語義疏寫本》[3]、《唐開成石經論語》[4]；中國與日本刊刻的《論語集解》、《論語義疏》、《論語注疏》、《論語集注》等

1　此章《論語》經文是根據伯希和三一九三號寫本《論語集解》的文字。詳見李方錄校：《敦煌《論語集解》校證》（南京市：江蘇古籍出版社，1998年10月），頁13；16-19。

2　《定州漢墓竹簡論語》是現今發現最早的《論語》寫本，發掘自河北省定縣城關西南四公裏處的八角廊村。《論語》六二〇枚簡，多為殘簡。簡長16.2釐米，寬0.7釐米。每簡約書十九至二十一字不等。竹簡兩端和中簡各有一道編繩，出土時尚保留有連綴的痕跡。殘簡的釋文共有七五七六字，不足今本《論語》的二分之一。其中殘存文字最少的為〈學而〉篇，僅有二十字；殘存文字最多的為〈衛靈公〉篇，有六九四字，可達今本本篇的77%。因中山懷王劉修死於漢宣帝五鳳三年（55 B.C.），所以學者考訂它是公元前五十五年以前的抄本。詳見《定州漢墓竹簡論語》http://bbs.zdic.net/thread-115244-1-1.html。

3　詳見許建平：《敦煌經籍敘錄》（北京市：中華書局，2006年9月），頁290-382。

4　詳見《十三經辭典》編纂委員會：《十三經辭典·論語卷·孝經卷》（西安市：陝西人民出版社，2002年12月），附錄三：《唐開成石經拓片》（縮印本），頁1-85

等。因此在引用得時候，就得註明「出處」，同時，如果要對經文的內容作
實質探討時，也必須對文字進行「校勘」工作，取得「文字的真」，如此論
述才有堅實的基礎。

　　從學習者學習詞彙的觀點來看：〈論語首章〉是《論語》二十篇中第一
篇〈學而〉篇的第一章，是閱讀者「第一次」接觸到的一章文字，因此經文
中每一個字詞都是「生字、新詞」，因此，三十二個字的經文，去除重複的
字，共有「子、曰、學、而、時、習、之、不、亦、說、乎、有、朋、自、
遠、方、來、樂、人、知、慍、君」等二十二個單字詞。有「遠方、君子」
兩個多字詞。另有一個虛詞因表達語氣而結合的「不亦……乎」。[5]

　　再從語法的角度而論：許世瑛（1910-1972）先生分析〈論語‧學而首
章〉的句法結構為：

> 全句是敘事繁句。引號中的各句，都是述詞「曰」字的止詞。這個止
> 詞，是三句判斷繁句以聯合關係構成複句。第一個判斷繁句的主語
> 「學而時習之」，是兩句敘事簡句以加合關係構成複句。「學」字下的
> 止詞「之」，承下省略了。第二判斷繁句的主詞「有朋自遠方來」，是
> 一句有無繁句。「朋自遠方來」，是「有」字的止詞。它本身是一句敘
> 事簡句。「朋」是起詞，「來」是述詞，「遠方」是處所補詞，「自」是
> 連繫這補詞的關係詞。第三判斷繁句的主詞「人不知而不慍」，是兩
> 句敘述簡句以轉折關係構成複句。[6]

許先生並由此章句法的構成，探究確立了虛詞詞彙的意義，「學而時習之」
的「而」字，相當於白話的「並且」；「人不知而不慍」的「而」字，則作
「可是」解。「不亦說乎、不亦樂乎、不亦君子乎」的「不」字是「限制

5　《十三經辭典》編纂委員會：《十三經辭典‧論語卷‧孝經卷》，《論語辭典》，收錄有
　「子、曰、學、而、時、習、之、不、亦、說、乎、有、朋、自、遠、方、來、樂、
　人、知、慍、君」等二十二個單字條目與「遠方、君子」、「不亦……乎」等三個多字
　條目，分別列於「遠、君、不」之下。
6　許世瑛：《論語二十篇句法研究》（臺北市：臺灣開明書局，1978年10月），頁9。

詞」，「亦」字則不應該視為限制詞，而應視為「語氣詞」也就是說在否定式反詰問句的「不」字下面必定加上「亦」字，來加重「不」字的語氣，它比直接採用肯定語氣要重些。而「不」字下面再加「亦」字，語氣就顯得更重些了。[7]

　　總之，經典詮釋的文獻需求，首先要透過文獻學的方法，確立「文本」的真實。其次再從訓詁註釋的方法，站在讀者的立場，為「生字新詞」作解說，再依照文義串解。但是在解說時，經文文句的「語法」構成，卻也是限定詞彙意義與詞句語氣的重要考量因素。

　　這篇論文，筆者本題試圖以歷代注疏傳統的長河為「經」，經學家所作的經典詮釋為「緯」，逐一檢視《論語集釋・學而首章》的文獻內容。

二　本論

（一）漢代鄭玄經注的疏解

　　先秦經學著作遭遇秦火與挾書禁令之後，漢代經學家在傳承經典與傳授弟子時，發展出「章句訓詁的」的註解方法，以及各家不同的「師法與家法」。何晏《論語集解》所收錄的漢代經注家有包咸、周氏、孔安國、馬融、鄭康成等五家，其中鄭玄（127-200）注[8]雖亡佚於宋代，但保存在敦煌與吐魯番寫本，[9]則保存著未經何晏《論語集解》刪削修改的原貌。[10]

---

7 同前註。

8 鄭玄的《論語注》，成書於東漢靈帝中平元年（184），也就是鄭玄五十八歲時，是時鄭玄完成了以三《禮》為中心的學問體系。在鄭玄之前的《張侯論》是以《魯論》為底本，兼采齊說而成。鄭玄在註解《論語》時，對於經文是先以《張侯論》為底本，校之以《古論》，校勘確定之後，再撰述注文。

9 二十世紀以來，敦煌吐魯番地區先後出土唐代寫本，共有三十一件之多，其涵蓋論語為政、八佾、里仁、公冶長、雍也、述而、泰伯、子罕、鄉黨、顏淵、子路、憲問等十二篇，共二五五章的鄭玄論語注的注文。

10 筆者詳究今日流傳諸本的論語集解，對注文的作者、稱謂、所錄的經文、注文皆有歧

　　以〈論語首章〉而論，雖未見於諸種唐寫本，僅輯得兩條佚文「同門曰朋」與「慍，怨也。」[11]但若採用「書法集字」的方式，以目前尚存於「輯本」與「寫本」與唐文編著的《鄭玄辭典》的條目中相關的鄭注注文彙整出〈論語首章〉字詞彙解釋相接近的「注文」如下：

> 子曰：『學（《周禮・夏官・都司馬》「以國法掌其政學」：鄭玄注：「學，修德學道。」）[12]而時習之，不亦說（《周禮・秋官・掌交》「達萬民之說」鄭玄注：「說，所喜也。」陸德明《經典釋文》「說，音悅，注同。」）[13]乎？有朋（輯佚：同門曰朋。[14]）自遠方來，不亦樂（《論語・學而》「未若貧而樂道」《集解》引鄭注：「樂，謂志於道，不以貧賤為憂苦也。」）[15]乎？人不知而不慍（輯佚：慍，怨也。[16]），不亦君子（《儀禮・士相見禮》「凡待坐於君子，君子欠伸，明日早晏，以食具告，改居，則請退可也。」鄭玄注：「君子，謂卿大夫及國中賢者也。」）乎？』。[17]

以上從鄭玄的經注注文中彙整出來的相關字詞彙解釋，有些零碎，似未能呈現出鄭注的原貌，現再援引語法型態都是由「判斷繁句」所組成的《論語・

異的情形。又比較論語集解所引鄭注經文與唐寫本論語鄭氏注的經文，有實詞與虛字的不同，亦有鄭注本因抄寫關係而誤脫倒衍者。最後比較論語集解所引鄭注注文與唐寫本論語鄭氏注的注文，得出集解所引鄭注注文有文字全同、文字大同、文字小異意義相同、刪削注文、增減鄭注注文、刪削改易注文、脫文、大異、及鄭注本殘泐無法比較等九種現象。詳見陳金木：《唐寫本論語鄭氏注研究—以考據、復原、詮釋為中心的考察》（臺北市：文津出版社，1996年8月），頁1104-1106。

11 詳見鄭靜若：《論語鄭氏注輯述》（臺北市：學海出版社，1981年2月），頁46-47；353。

12 唐文編著：《鄭玄辭典》（北京市：語文出版社，2004年6月），「學」條，頁131。

13 唐文編著：《鄭玄辭典》，「說」條，頁465。

14 鄭靜若：《論語鄭氏注輯述》，頁46；353。

15 鄭靜若：《論語鄭氏注輯述》，頁53；355。

16 鄭靜若：《論語鄭氏注輯述》，頁46；353。

17 唐文編著：《鄭玄辭典》，「君子」條，頁79

泰伯》「子曰：『泰伯，其可謂至德也已矣。三以天下讓，民無得而稱焉。』」
（伯希和二五一〇號寫本）的注文：

> 太伯，周大王之太子。次仲雍，次叔不見，次季歷。三以天下讓者，
> 見季歷賢，又生文王，又（有）聖人之表，欲以讓焉。以為無大王之
> 命，將不見聽，大王有疾，因過吳、越採藥，大王沒而不返季歷為喪
> 主，一讓。季歷赴之，不來奔喪，二讓也。勉（免）喪之後，遂斷髮
> 文身，倮以為飾，三讓。三讓之美，皆蔽隱不著，故人無得而稱之。
> 三讓之德，莫大於此。[18]

《論語》經文只有二十三個字，鄭玄卻用一百二十五個字的注文來於此章加
以詮釋。有詞彙的解說，有歷史事件的敘述，也有經義的說明。再舉《論
語・子罕》「子絕四：毋意、毋必、毋固、毋我。」的鄭注注文為例。

> 億謂以意，意有所疑度。必，謂成言未然之事。固，謂己事因然之。
> 我，謂己言必可用。絕此四者，為其陷於專愚也。」

此處經文最需要疏解的文字是「意、必、固、我」四字，以及「為何孔子要
摒棄警戒自己去作這四件事情的原因」鄭玄注文也確實作了文字字義的疏
解，與以「陷於專愚」來說明孔子要摒棄的原因。

　　總之，今存唐寫本《論語鄭氏注》為殘本，未見〈論語首章〉的注文，
僅能以「書法集字」的方法，稍窺一豹，但從前引〈泰伯〉與〈子罕〉的兩
處注文，可以看出鄭玄的注文，確能兼顧「字義的疏解」「經義的詮釋」「典
章制度」「歷史事件」的說解，切合學習者的需要。

---

18 陳金木：《唐寫本論語鄭氏注研究──以考據、復原、詮釋為中心的考察》，頁903-
904。

（二）《論語集解》的匯集眾注

　　何晏（195-249）《論語集解》[19]是匯集漢魏八家《論語》古注而成，故以「集解」命名，〈論語首章〉的經文與注文如下：

> 子曰：「學而時習之，不亦悅乎？（馬融曰：「子者，男子之通稱，謂孔子也。」王肅曰：「時者，學者以時誦習之，誦習以時，學無廢業，所以為悅懌也。」）有朋自遠方來，不亦樂乎？（苞氏曰：「同門曰朋也。」）人不知而不慍，不亦君子乎？」（慍，怒也。凡人有所不知，君子不慍也。）[20]

　　何晏在〈論語首章〉援引馬融、王肅、苞氏以及何晏自己的註釋，來疏解「子、時、朋、慍」等四個詞彙，並對「學而時習之，不亦悅乎？」與「人不知而不慍，不亦君子乎？」這兩句的經義作「文句的串解」。對於「慍」字的解說，並未採用鄭玄「慍，怨也」的解釋，而自己下了「慍，怒也。」的說法，「慍」字在《論語》中，除〈論語首章〉外，另有二見：〈公冶長〉「子張問曰：『令尹子文三仕為令尹，無喜色；三已之，無慍色。舊令尹之政，必以告新令尹，何如。』」與〈衛靈公〉「在陳絕糧，從者病，莫能興。子路慍見曰：『君子亦有窮乎。』」，這三個「慍」字的字義都相同。《論語集解》並沒有再作解釋，但是鄭玄在〈公冶長〉的「慍」字，卻也和〈論語首章〉一樣的做出「慍之言怨」[21]的一貫解說。在《禮記‧檀弓下》「人

---

19 《論語集解》十卷，是三國魏何晏、孫邕、鄭沖、曹羲、荀顗等五人所共同撰集。今本獨題「何晏」一人的原因，劉寶楠認為係六朝人改題，此事誤以為《集解》為一人所撰；《四庫全書總目提要》則以為何晏總領其事，即省稱而獨題何晏。是書集孔安國、包咸、周氏、馬融、鄭玄、陳群、王肅、周生烈等漢魏八家論語古注，「今集諸家之善，記其姓名，有不安者，頗為改易，名曰：《論語集解》。」

20 此據（正平本）《論語集解》，收錄於上海商務印書館《四庫叢刊》正編中，頁2。

21 詳見陳金木：《唐寫本論語鄭氏注研究—以考據、復原、詮釋為中心的考察》，頁621-629。

喜則斯陶，陶斯咏，咏斯猶，猶斯舞，舞斯慍，慍斯戚，歎斯辟。」中，鄭
玄注文有「慍，猶怒也。」的解說。「慍」的意涵主要是在「隱藏在內的負面
情緒」，「怒」字的意涵則在「顯露在外的情緒反應」，在鄭玄的註解是有
區別的。何晏的自下注解，也表示他對於「人不知而不慍」的詮釋是偏重於
「顯露在外的情緒反應」的，與鄭玄偏重的「隱藏在內的負面情緒」是有所
不同的。

　　對於「朋」字的解說，《論語集解》與《論語鄭氏注》的文字相同，前
者歸於苞氏，後者是鄭玄的注文，這種「同注」[22]的現象，鄭玄面對論語經
文，固然可以提出自己的看法，但是注解並非文學創作，必依循論語經文而
為注，對於字詞訓解、異章制度、人名地名、歷史事實的解說，除非是前人
無注，亦或自己有證據能提出新的看法，否則就可能產生「同注」的情形，
筆者探討「同注」問題，得知：

> 「同注」問題的產生有三方面的因素。一為論語集解本身的因素：何
> 晏在撰集論語集解時，可能將其所引孔安國、包咸、周氏、馬融、鄭
> 玄、陳群、王肅、周生烈等八家注者，誤甲為乙者。也有可能並未依
> 照其序所稱「今集諸家之善，記其姓名。」，反而是「記己姓名」，即
> 誤前引八家之注為己注者。二、為論語集解傳本的因素。論語集解在
> 流傳過程中，歷經寫本、刊本的階段，其成書於魏邵陵屬公正始九年
> （248），至今已逾一千七百餘年，今存唐寫本、中原刊本、日本鈔
> 本、刊本的文字差生相當的歧異，其中有同是集解，注者卻不同的情
> 形。三、為注家相互間「沿襲」[23]的因素。[24]

---

22 所謂「同注」，是指在論語的注解中，不同的注者，卻有著文字相同、相近，或立意
　相同、相近的情形。最早發生「同注」問題的，是在第二位替論語作注解的注者，就
　可能存在。

23 如前引「《論語・泰伯》「子曰：『泰伯，其可謂至德也已矣。三以天下讓，民無得而
　稱焉。』（伯希和二五一〇號寫本）的注文」，《論語集解》引「王肅曰」的注文「泰
　伯，周太王之太子也。次仲雍，少弟曰季歷。季歷賢又生聖子文王昌，昌必有天下，
　故泰伯以天下三讓於王季，其讓隱，故無得而稱言之者，所以為至德也。」文句較鄭

以「著作權」的觀念而言，現在強調的是「原創權利」的保護，但是在經學
的注疏傳統上，典章制度、名物訓詁的解說，必須貼近經文發生時的歷史時
空環境，經注家能揮灑的空間並不多，如果之前的經注家已經有了註解，後
繼者有可能「沿用」，或稍微變化文句而已；若立意與前人相同的，就按此
組織文字。筆者曾詳究《論語集解》援引孔安國四百七十三條注文中，可以
持與《論語鄭氏注》鄭玄注文的三十八章，孔鄭兩注的比較中，證得今日保
存於《論語集解》的孔注，並非後人偽作，而確為真正的孔注。鄭注亦確有
沿襲孔注，亦有受到孔注的啟發而後出轉精者。[25]

（三）《論語義疏》的疏經疏注

　　梁代皇侃（488-545）在講說《論語》的時候，除了自抒己意，詳為論
述外，並援引江南十三家的疏解[26]，以資談助，並示義理的完備，《論語義
疏》[27]就是這樣的一部說經講經的紀錄。它是六朝義疏[28]的重要經學著作，

注為簡約，但文義相近。

24 陳金木：《唐寫本論語鄭氏注研究—以考據、復原、詮釋為中心的考察》，頁128-
129。

25 陳金木：《唐寫本論語鄭氏注研究—以考據、復原、詮釋為中心的考察》，頁131-
140。

26 筆者曾統計《論語義疏》引人引書，得引人有五〇四次，其江南十三家中，超過三十
條的有六家。江熙最多有九十八條，李充有六十六條，范寧有四十九條，王弼有四十
一條，孫綽有三十七條，謬協有三十條。詳見陳金木：《皇侃之經學》（臺北市：國立
編譯館，1996年）頁238-240。

27 《論語義疏》自著錄於南宋尤延之《遂初堂書目》後即未見史志書目著錄，然唐朝已
傳至日本，後由根本武夷在足利學校發現、校刻，再回傳中國，作為「浙江巡撫採進
本」而收入於《四庫全書》之中，並收錄於鮑廷博《知不足齋叢書》，始廣為中國學
界所熟知。今考得中日書目著錄《論語義疏》鈔本有三十五種，刊本有七種，其間差
異頗大。其中日本大正十二年（1923），武內義雄校訂懷德堂刊本（並附校勘記），其
所據底本為日本最古的「文明本」舊鈔本，並參校十多種鈔本、刊本。同時訂正了根
本遜志本的錯誤，是現有刊本中最佳者。武內義雄並著有《校論語義疏雜識》一文，
對《論語義疏》的來歷、現存皇疏舊抄本、皇疏之原形、經注之異同、疏文之衍字等

也是目前唯一完整存世的義疏之作。綜觀《論語義疏》是由「總括大意」、「詞義解釋」、「譯文」、「補充說明」、「援引注家」、「疏解用語」等六項，來對經文、注文進行闡發和詮釋，[29]可稱得上是繼漢魏經注，在訓詁體式的創新和發展。主要是對原來的舊注進行闡發和詮釋。表面上看，義疏比漢注繁瑣的多，而實際上，只有這樣才能充分的詮釋漢注，申述文章全篇大意，闡發經典章旨。因此說，它是對漢代繁瑣注經的章句訓詁的一種改進，是對訓詁體式的創新和發展[30]。

　　首先值得注意的是在《論語義疏》「論語學而第一」的篇題下面，有一段「疏文」：

　　《論語》是此書總名，〈學而〉為第一篇，別自中間講說，多分為科段矣！侃昔受師業，自〈學而〉至〈堯曰〉凡二十篇，首末相次，無別科，[31]而以〈學而〉最先者，言降聖以下，皆須學成，故《學記》

　　作了詳細的論述。詳見陳金木：《皇侃之經學》，頁149-174，並可參看陳東：〈關於皇侃《論語義疏》的整理與研究〉，《恆道》（吉林市：文史出版社，2005年3月），第3輯。http://www.chinaconfucius.cn/Article/ShowArticle.asp?ArticleID=2026

28　《論語義疏》「義」是說明義理，「疏」是疏通。「義疏」就是疏通其義的意思，也就是疏通、闡釋古書義理，有時也單稱義或疏，後來指經注兼釋的注解。最初的義疏其實是講解經書的稿子，也稱為講疏，後來用作訓詁的名稱。正因為這種訓詁方式是由講稿發展而來的，所以它比漢儒的經注更詳細，它不僅解注詞義，而且串講句子的意義，甚至還闡發章旨，申述全篇大意。詳見王燕：〈魏晉南北朝義疏的產生與影響〉http://www.fjdh.com/wumin/HTML/110239.html

29　詳見陳金木：《皇侃之經學》，頁223-228。

30　詳究皇侃《論語義疏》在注疏傳統上實有兩大特點：一是采用了南朝新興起的「義疏」體，不僅對經文作簡注，而且加以具體的解說，從義理上對經文進行闡發，這就改變了以往只注經而不釋注的傳統訓詁方式，在訓詁學史上是一大推進。二是皇侃的義疏資料豐，不但采集江熙所集的十三家學說，還另有通儒學說達三十餘，這就補充了何晏《集解》中未收錄的資料，也提供了更多前人解經的情況。詳見詳見王燕：〈魏晉南北朝義疏的產生與影響〉http://www.fjdh.com/wumin/HTML/110239.html

31　關於《論語義疏》的科段，參見牟潤孫：〈論儒釋兩家之講經與義疏〉收入於《注史齋叢稿》（北京市：中華書局，1987年）及喬秀岩：《義疏學衰亡史論》（東京都：白峰社，2001年）兩書的討論。

云：「玉不琢，不成器；人不學，不知道。」是明人必須學乃成。此
書既遍該眾典，以教一切，故以〈學而〉為先也。而者，因仍也。第
者，審諦也。一者，數之始也。既諦定篇次，以〈學而〉居首，故曰
學而第一也。

皇侃認為《論語》二十篇的篇次，存在義理結構的次序，〈學而〉最先的原
因是不管凡人或聖人，都是要透過學習，才能知道聖賢之道，也才能成就進
德修業。在其他十九篇的篇題下面，皇侃每處皆有疏文，一則解說「篇題」
字詞的意涵。二則解說篇篇相次的道理所在，三則說明此章的大概內容。[32]
同樣的，對於〈論語·學而首章〉三個段落的結構與順序，亦有論述，[33]這
樣的說解，是超越前代的註解傳統，而是因應「講經」的需要而起的。

　　其次，詳加分析〈論語·學而首章〉皇侃的疏文，其以「……者，……
也」的訓詁方式，擴大了《論語集解》「子、時、朋、慍」等四個字詞的解
說，一共疏解了「子、曰、子曰、學、時、習、之、亦、悅、有、朋、自、
遠方、樂、人、慍、君子」等十七個字詞的解釋之外，特別注重經義的闡
述，此有四處：一、以《禮記·學記》「小成、大成」之說，闡述「學而時
習之」「有朋自遠方來」為「小成」，「人不知而不慍」為「大成」。二、闡述
「學而時習之」的經義時，從學習者的學習時間來作區分，「學有三時」，即
學習的最佳時機（身中）（徵引《禮記·學記》、《禮記·內則》）、一年的學
習類別（年中）（徵引《禮記·王制》）、每天的學習時間（日中）（徵引《禮
記·學記》）。三、闡述「悅」與「樂」在經義上是有區別的。[34]四、對「人

---

32 如〈堯曰〉的篇題下有疏文：「〈堯曰〉者，古聖天子所言也。其言天下太平，禪位與
　　舜之事也，所以前者事君之道，若宜去者拂衣，宜留者致命，去留當理，事迹無虧，
　　則太平可觀，揖讓如堯，故〈堯曰〉最後，次〈子張〉也。」其疏文內容亦是如此。

33 〈論語·學而首章〉疏文有「就此一章分為三段：自『此至不亦悅乎』為第一，明學
　　者幼少之時也。學從幼起，故以幼為先也；又從『有朋至不亦樂乎』為第二，明學業
　　稍成，能招朋聚友之由也，既學已經時，故能招友為次也。……又從『人不知訖不亦
　　君子乎』為第三，明學業已成，能為師為君之法也，先能招友，故後乃學成為師君
　　也。」

34 《論語義疏》的疏文有：「悅之與樂，俱是懌欣，在心常等，而貌跡有殊。悅則心多

不知而不慍」的經義，兼容並蓄的以「此有二釋：一言……；又一通云……」的方式，提出兩種解說，[35]並未下定論。

　　皇侃並於〈論語・學而首章〉確立了「疏體」的體例形式：一、疏文先疏解「經文」再疏解「注文」。二、以「……至……」疏解用語的方式，疏解「經文」；以「注……至……也」疏解用語的方式，疏解「注文」。三隨機「發凡起例」，如對注文「慍，怒也。凡人有所不知，君子不慍也。」即稱：「凡注無姓名者，皆是何平叔語也。」。

（四）《論語注疏解經》的剪裁《皇疏》疏文

　　唐太宗貞觀年間，孔穎達（574-648）領銜修撰《五經正義》[36]。宋初邢昺（932-1100）纂修的《論語注疏解經》（四庫全書稱《論語正義》），有研究者選擇幾個關鍵性主題，對這兩部《論語》注疏中的解經思想，梳理出皇《疏》與邢《疏》在整體思想內涵上發展脈絡的轉變歷程。[37]筆者則從注疏傳統與經典詮釋的視野，持皇《疏》與邢《疏》兩疏載錄的〈論語首章〉的疏文內容，比對其文獻內容，得出以下六項：

　　其一，皇《疏》疏文的重心在對「經文」的疏解，邢《疏》疏文[38]的重

貌少，樂則心貌俱多。所以然者，向得講習在我自得於懷抱，故心多曰悅；今朋友講
　　說，義味相交，德音往復，形影在外，故心貌俱多曰樂也。」

35　《論語義疏》的疏文有「此有二釋：一言古之學者為己，己學內映而他人不見知，而
　　我不怒，此是君子之德也。有德己為所可貴，又不怒人之不知，故曰亦也。又一通
　　云：『君子易事，不求備於一人，故為教誨之道，若人有鈍根，不能知解者，君子恕
　　之而不慍怒之也，為君子者亦然也。』

36　其後賈公彥、徐彥、楊士勛續修《周禮》、《儀禮》、《公羊傳》、《穀梁傳》等四種「注
　　疏」。

37　王家冷：《皇侃《論語義疏》與邢昺《論語正義》解經思想比較研究》（臺北市：國立
　　臺灣大學中國文學研究所碩士論文，2003年）http://etds.ncl.edu.tw/theabs/site/sh/detail_
　　result.jsp?id=092NTU05045021

38　〈論語首章〉邢《疏》的疏文如下：正義曰：自此至〈堯曰〉，是《魯論語》二十篇
　　之名及第次也。當弟子論撰之時，以《論語》為此書之大名，〈學而〉以下為當篇之

小目。其篇中所載，各記舊聞，意及則言，不為義例，或亦以類相從。此篇論君子、孝弟、仁人、忠信、道國之法、主友之規，聞政在乎行德，由禮貴於用和，無求安飽以好學，能自切磋而樂道，皆人行之大者，故為諸篇之先。既以「學」為章首，遂以名篇，言人必須學也。〈為政〉以下，諸篇所次，先儒不無意焉，當篇各言其指，此不煩說。第，順次也；一，數之始也，言此篇於次當一也。

子曰：「學而時習之，不亦說乎？（馬曰：「子者，男子之通稱，謂孔子也。」王曰：「時者，學者以時誦習之。誦習以時，學無廢業，所以為說懌。」）有朋自遠方來，不亦樂乎？（包曰：「同門曰朋。」）人不知而不慍，不亦君子乎？」（慍，怒也。凡人有所不知，君子不怒。）

〔疏〕「子曰學」至「君子乎」。○正義曰：此章勸人學為君子也。「子」者，古人稱師曰子。子，男子之通稱。此言「子」者，謂孔子也。「曰者，《說文》云：「詞也。從口，乙聲。亦象口氣出也。」然則「曰」者，發語詞也。以此下是孔子之語，故以「子曰」冠之。或言「孔子曰」者，以記非一人，各以意載，無義例也。《白虎通》云：「學者，覺也，覺悟所未知也。」孔子曰：「學者而能以時誦習其經業，使無廢落，不亦說懌乎？學業稍成，能招朋友，有同門之朋從遠方而來，與已講習，不亦樂乎？既有成德，凡人不知而不怒之，不亦君子乎？」言誠君子也。君子之行非一，此其一行耳，故云「亦」也。○注「馬曰子者」至「說懌」。○正義曰：云「子者，男子之通稱」者，經傳凡敵者相謂皆言吾子，或直言子，稱師亦曰子，是子者，男子有德之通稱也。云「謂孔子」者，嫌為他師，故辨之。《公羊傳》曰：「子沈子曰。」何休云：「沈子稱子冠氏上者，著其為師也。不但言『子曰』者，辟孔子也。其不冠子者，他師也。」然則書傳直言「子曰」者，皆指孔子，以其聖德著聞，師範來世，不須言其氏，人盡知之故也。若其他傳受師說，後人稱其先師之言，則以子冠氏上，所以明其為師也，「子公羊子」、「子沈子」之類是也。若非已師，而稱他有德者，則不以子冠氏上，直言某子，若「高子」、「孟子」之類是也。云「時者，學者以時誦習之」者，皇氏以為，凡學有三時：一，身中時。〈學記〉云：「發然後禁，則格而不勝。時過然後學，則勤苦而難成。」故〈內則〉云：「十年出就外傅，居宿於外，學書計。十有三年，學《樂》，誦《詩》，舞《勺》。十五成童，舞《象》。」是也。二，年中時。〈王制〉云：「春秋教以《禮》、《樂》，冬夏教以《詩》、《書》。」鄭玄云：「春夏，陽也。《詩》、《樂》者聲，聲亦陽也。秋冬，陰也。《書》、《禮》者事，事亦陰也。互言之者，皆以其術相成。」又〈文王世子〉云：「春誦，夏弦，秋學禮，冬讀書。」鄭玄云：「誦謂歌樂也。弦謂以絲播。時陽用事則學之以聲，陰用事則學之以事，因時順氣，於功易也。」三，日中時。〈學記〉云：「故君子之於學也，藏焉，脩焉，息焉，遊焉。」是日日所習也。言學者以此時誦習所學篇簡之文，及禮樂之容，日知其所亡，月無忘其所能，所以為說懌也。譙周云：「悅深而樂淺也。」一曰：「在內曰說，在外曰樂。」言「亦」者，凡外境心，則人心說樂。可說可樂之事，其類非一，此「學而時習」、「有朋自遠方來」，亦說樂之事耳，故云「亦」。猶

心則在對「注文」的疏解：〈論語首章〉的邢《疏》僅保留「子、曰、子曰、學」的詞義解釋，其他詞義的解說，則移至對「注文」的疏解中。對皇《疏》四處的經義闡述，[39]則全部移至對「注文」的疏解中。同時增加章旨的文字「此章勸人學為君子也」，與全章文意的串講「孔子曰：『學者而能以時誦習其經業，使無廢落，不亦說懌乎？學業稍成，能招朋友，有同門之朋從遠方而來，與已講習，不亦樂乎？既有成德，凡人不知而不怒之，不亦君子乎？』」。

其二，邢《疏》刪落皇《疏》對經義的闡述疏文：皇《疏》以《禮記‧學記》「小成、大成」之說，闡述「學而時習之」「有朋自遠方來」為「小成」，「人不知而不慍」為「大成」之一大段文字，全遭邢《疏》刪除。

其三，邢《疏》剪裁皇《疏》對經義論述：邢《疏》剪裁皇《疏》「學有三時」論述的疏文為：「皇氏以為，凡學有三時：一，身中時。《學記》云：「發然後禁，則　格而不勝。時過然後學，則勤苦而難成。」故《內則》云：「十年出就外傅，居宿於外，學書計。十有三年，學《樂》，誦《詩》，舞《勺》。十五成童，舞《象》。」是也。二，年中時。〈王制〉云：「春秋教以《禮》、《樂》，冬夏教以《詩》、《書》。」鄭玄云：「春夏，陽

《易》云：「亦可醜也，亦可喜也。」○注「包曰：同門曰朋」。○正義曰：鄭玄注〈大司徒〉云：「同師曰朋，同志曰友。」然則同門者，同在師門以授學者也。朋即群黨之謂。故子夏曰：「吾離群而索居。」鄭玄注云：「群謂同門朋友也。」此言「有朋自遠方來」者，即〈學記〉云：「三年視敬業樂群也。」同志謂同其心意所趣鄉也。朋疏而友親，朋來既樂，友即可知，故略不言也。○注「慍怒」至「不怒」。○正義曰：云：「凡人有所不知，君子不怒」者，其說有二：一云古之學者為己，己得先王之道，含章內映，而他人不見不知，而我不怒也。一云君子易事，不求備於一人，故為教誨之道，若有人鈍根不能知解者，君子恕之而不慍怒也。

39 四處經義的闡述，為：一、以《禮記‧學記》「小成、大成」之說，闡述「學而時習之」「有朋自遠方來」為「小成」，「人不知而不慍」為「大成」。二、闡述「學而時習之」的經義時，從學習者的學習時間來作區分，「學有三時」，即學習的最佳時機（身中）（徵引《禮記‧學記》、《禮記‧內則》）、一年的學習類別（年中）（徵引《禮記‧王制》）、每天的學習時間（日中）（徵引《禮記‧學記》）。三、闡述「悅」與「樂」在經義上是有區別的。四、對「人不知而不慍」的經義，兼容並蓄的以「此有二釋：一言……；又一通云……」的方式，提出兩種解說。

也。《詩》、《樂》者聲，聲亦陽也。秋冬，陰也。《書》、《禮》者事，事亦陰也。互言之者，皆以其術相成。」又〈文王世子〉云：「春誦，夏弦，秋學禮，冬讀書。」鄭玄云：「誦謂歌樂也。弦謂以絲播。時陽用事則學之以聲，陰用事則學之以事，因時順氣，於功易也。」三，日中時。〈學記〉云：「故君子之於學也，藏焉，修焉，息焉，遊焉。」是日日所習也。」

其四，邢《疏》以新說取代皇《疏》的舊說：對於「悅」與「樂」在經義上的區別，皇《疏》邢《疏》：「悅之與樂，俱是懽欣，在心常等，而貌跡有殊。悅則心多貌少，樂則心貌俱多。所以然者，向得講習在我自得於懷抱，故心多曰悅；今朋友講說，義味相交，德音往復，形彰在外，故心貌俱多曰樂也。」邢《疏》則為：「譙周云：「悅深而樂淺也。」一曰：「在內曰說，在外曰樂。」言「亦」者，凡外境心，則人心說樂。可說可樂之事，其類非一，此「學而時習」、「有朋自遠方來」，亦說樂之事耳，故云「亦」。」

其五，邢《疏》刪落皇《疏》以佛道疏解的文字，但有刪落未盡之處：皇《疏》「然此一書，或是弟子之言，或有時俗之語。雖非悉孔子之語，而當時皆被孔子印可也，必被印，可乃得預錄，故稱『子曰』通冠一書也。」與「(〈學而〉為第一篇)，別自中間講說，多分為科段矣！」，但仍保留皇《疏》對於「人不知而不慍」中，僅以「一云」更替「又一通」，但保留全部的的疏文「君子易事，不求備於一人，故為教誨之道，若有人鈍根不能知解者，君子恕之而不慍怒也。」

其六，邢《疏》刊正皇《疏》引書的錯誤：對「曰」字的解說，皇《疏》：「許氏《說文》云：『開口吐舌謂之為曰』」邢《疏》則刊正稱：「曰者，《說文》云：「詞也。從口，乙聲。亦象口氣出也。」」

以上僅比較〈論語首章〉的皇《疏》與邢《疏》的疏文所得六項：皇《疏》疏文的重心在對「經文」的疏解，邢《疏》疏文重心則在對「注文」的疏解；邢《疏》刪落皇《疏》對經義的闡述疏文；邢《疏》剪裁皇《疏》對經義論述；邢《疏》以新說取代皇《疏》的舊說；邢《疏》刪落皇《疏》以佛道疏解的文字，但有刪落未盡之處；邢《疏》刊正皇《疏》引書的錯誤。雖然難窺其全貌，但是檢覈《四庫全書目提要》所稱的：「亦因皇侃所

採諸儒之說，刊定而成。今觀其書，大抵翦皇氏之枝蔓，而稍傅以義理。」之說[40]。論斷過於簡約，未能涵蓋全貌，是有值得商榷之處。

（五）《論語集注》的理學詮釋

　　《論語集注》是以《論語集解》、《論語要義》、《論語訓蒙口義》、《論語精義》為基礎，再繼承歷代《論語學》學者的研究成果，是一本「既融舊又創新」的劃時代《論語學》的巨著。結合《朱子語類》、《朱熹集》和現存朱子（1130-1200）有關《論語》的著作來觀察，我們了解朱子在撰述《論語》註解這項工作時，他第一個步驟是：收集所有有關《論語》的各種註解，[41]特別是二程先生及其門人的註解，先後編成《論語集解》、《論語要義》、《論語訓蒙口義》、《論語精義》這四本書。這其中《論語要義》擔任的工作是「義理的疏解」，《論語訓蒙口義》擔任的工作是「章句的訓詁」，到了《論語精義》則又是「由博反約的義理疏解」，也就是說，專門宋代理學家的註解，尤其專注於二程先生，以及二程先生門人對於《論語》義理的解說。到撰述了《論語集注》的時候[42]，對於《論語》「章句的訓詁」所涉及

---

40 《四庫全書總目・論語正義》「提要」稱：「崵《疏》，《宋志》作十卷，今本二十卷，蓋後人依《論語》篇第析之。晁公武《讀志》稱『其亦因皇侃所採諸儒之說，刊定而成。』今觀其書，大抵翦皇氏之枝蔓，而稍傅以義理。漢學、宋學茲其轉關，是疏出，而《皇疏》微迫；伊洛之說出，而是疏又。故《中興書目》曰：『其書於章句訓詁名物之際詳矣，蓋微言其未造精也。』然先有是疏，而後講學諸儒得沿溯以窺其奧。祭先河而後海，亦何可以後來居上，遂盡廢其功乎。」

41 傅熊（Dr. Bemhard Fuehrer）：〈《論語義疏》與朱子〉，主要是解決「朱熹是否讀過皇侃的《論語義疏》」，他的結論是：「一本書因失傳而消失，它在群體的記憶體中（Collective memory）尚能『活下去』一百年左右。若從此角度和教育中的 oral teadition 成分來看朱子與《論語義疏》之間的關係，則無法以此類完全依靠文本的研究方法來討論《論語義疏》何時遭失。依此應該可以肯定朱熹曾經接觸到皇侃所記載的解釋，而重點並不在於此接觸之直接或間接性。」見傅熊（Bemhard Fuehrer）主講：《二○○七王夢鷗教授學術講座演講集》（臺北市：國立政治大學中國文學系，2008年10月），頁65-84。

42 其實朱子在著作《論語精義》時就有如此的看法，〈語孟集義序〉中稱：「或問：『然

到的音讀訓詁、名物制度，朱子仍多採用漢魏學者的註疏。對於「義理的疏解」，一則建立在二程先生所建構的義理架構之上。[43]

朱子《論語集注・論語首章》的註解是：

一、論語經文：學而第一

　　朱熹集注：

　　（1）此為書之首篇，故所記多務本之意，乃入道之門、積德之基、學者之先務也。凡十六章。

二、論語經文：子曰：「學而時習之，不亦說乎？

　　經典釋文：說、悅同。

　　朱熹集注：

　　（1）學之為言效也。人性皆善，而覺有先後，後覺者必效先覺之所為，乃可以明善而復其初也。

　　（2）習，鳥數飛也。學之不已，如鳥數飛也。

　　（3）說，喜意也。既學而又時時習之，則所學者熟，而中心喜說，其進自不能已也矣。

　　（4）程子曰：「習，重習也。時復思繹，浹洽於中，則說也。」

　　（5）又曰：「學者，將以行之也。時習之，則所學者在我，故

則凡說之行於世而不列於此者，皆無取已乎？』曰『不然，漢魏諸儒正音讀，通訓詁，考制度，辨名物，其功博矣。學者苟不先涉其流，則亦何以用力於此？而近世二三名家與夫所謂學於先生之門人者，其考證推說，亦或時有補於文義之間。學者有得於此而後觀焉，則亦何適而無得哉？特所以求夫聖賢之意者，則在此而不在彼爾。」見《朱熹集》卷75，〈序〉，頁3945。

43 以研究朱子的「論語學」為例：現存朱子有關《論語》相關著作的資料：一、《論語》專著：《論孟精義》《論語集注》《論語或問》三種朱子先後完成的《論語》著作。二、論學辨疑的書信：在《朱子文集》卷二十四至卷六十四，《續集》卷一至卷十一，《別集》卷一至卷六，總共有五十八卷的「書信」，二千三百餘通的「書信」，這些書信多有與師友門人、親朋故舊間，論學辨疑者，亦多有可供取資研究者。三、朱子講學的記錄：《朱子語類》共有一百四十卷，其中《四書》共占五十一卷，《論語》部份為卷十九至卷五十，共有三十二卷之多，將近占全部《語類》的五分之一。其他《語類》各卷，亦多有涉及《論語》者。

　　　　　說。」

　　（6）謝氏曰：「時習者，無時而不習。坐如尸，坐時習也；立如
　　　　　齊，立時習也。」

三、論語經文：有朋自遠方來，不亦樂乎？

　　經典釋文；樂，音洛。

　　朱熹集注：

　　（1）朋，同類也。自遠方來，則近者可知。

　　（2）程子曰：「以善及人，而信從者眾，故可樂。」

　　（3）又曰：「說在心，樂主發散於外。」

四、論語經文：人不知而不慍，不亦君子乎？」

　　經典釋文：慍，紆問反。

　　朱熹集注：

　　（1）慍，含怒意。君子，成德之名。

　　（2）尹氏曰：「學在己，知不知在人，何慍之有。」

　　（3）程子曰：「雖樂於及人，不見是而無悶，乃所謂君子。」

　　（4）愚謂：及人而樂者順而易，不知而不慍者逆而難，故惟成德
　　　　　者能之。然德之所以成，亦曰學之正、習之熟、說之深、而
　　　　　不已焉耳。

　　程子曰：「樂由說而後得，非樂不足以語君子。」[44]

　　　首先，要觀察的是朱子對於二程先生註解的繼承。《論語・學而篇・學
而時習之章》中，朱子引用二程先生的注文共有六處。其中程先生《論語
解》的全部注文，完全被朱子採用：

　　（1）「習，重習也。時復思繹，浹洽於中，則說也。」被採錄在
　　　　　「二、（4）。（在解釋經文「學而時習之，不亦說乎？」）

　　（2）「以善及人，而信從者眾，故可樂。」被採錄在「三、（2）」。
　　　　　（在解釋經文「有朋自遠方來，不亦樂乎？」）

44　見《學而篇・學而時習之章》，收入《論語集注》，卷1，頁47

（3）「雖樂於及人，不見是而無悶，乃所謂君子。」被採錄在「四、
　　　（3）」。（在解釋經文「人不知而不慍，不亦君子乎？」）

這三條的注文，構成了這章註解的「義理骨幹」。其餘採自「語錄」的注
文，在《論語集注》中，則有所揀選：

（1）所以<u>學者將以行之也。時習之，則所學者在我，故說</u>。習，如禽
　　　之習飛。」畫線的部份，被採錄在「二、（5）」緊接在二程先生
　　　《論語解》的注文之後。（在解釋經文「學而時習之，不亦說
　　　乎？」）。「所以」兩字，因為是「轉接語氣詞」，則被刪落了
　　　「習，如禽鳥之習飛」句。則因為朱子自有註解「習，鳥數飛
　　　也。」而被刪落了。

（2）「鷹乃學習之義，子路有聞，未知能行，唯恐有聞。<u>說在心，樂
　　　主發散在外。</u>」畫線的部份，被採錄在「三、（3）」，緊接在二程
　　　先生《論語解》的注文之後。（在解釋經文「有朋自遠方來，不
　　　亦樂乎？」）「鷹乃學習之義，子路有聞，未知能行，唯恐有
　　　聞。」這段文字，也因為朱子對於「習」已經有了新的解說
　　　「習，鳥數飛也。」，連帶著引用《論語》的經文也被同時刪除
　　　了。

（3）「說先於樂者，<u>樂由說而後得，然非樂不足以語君子</u>。」畫線的
　　　部份，被採用在「四、（5）」，接在朱子的注文之後。（在解釋經
　　　文「人不知而不慍，不亦君子乎？」）「說先於樂者」這句訓詁常
　　　用的「……者」的用語，也因為前有所承，而因為省略，而被刪
　　　落了。

其次，要觀察的是在〈學而時習之章〉中，朱子在「章句訓詁」上的繼
承。朱子將陸德明的《經典釋文·論語音義》的「音義」援引進去：

（1）說、悅同。

（2）樂，音洛。

（3）慍，紆問反。

接著，又綜合前賢的解說，為《論語》的經文下定義，與做「經文的義理疏

解」的工作：

（1）習，鳥數飛也。學之不已，如鳥數飛也。（為「習」字下定義。
為「學而時習」字義與經文的義理疏解」）

（2）說，喜意也。既學而又時時習之，則所學者熟，而中心喜說，其
進自不能已也矣。（為「說」字下定義。為「學而時習之，不亦
說乎？」這一小段經文的義理疏解）

（3）朋，同類也。自遠方來，則近者可知。（為「朋」字下定義。為
「有朋自遠方來」經文的義理疏解。）

（4）慍，含怒意。君子，成德之名。（為「慍」「君子」等辭彙下定
義）

　　第三，朱子在融舊中寓有「創新」的義理內涵。朱子在總括〈學而首〉
經文的義理內涵時，引用了二程先生和謝良佐、尹焞等兩位程門弟子的註解
來圓足義理。最後，朱子用「愚謂」如此謙虛的用語，將整章經文的義理內
涵說了出來：「及人而樂者順而易，不知而不慍者逆而難，故惟成德者能
之。然德之所以成，亦曰學之正、習之熟、說之深、而不已焉耳。」這段注
文和〈學而篇〉篇首朱子的注文：「此為書之首篇，故所記多務本之意，乃
入道之門、積德之基、學者之先務也。凡十六章。」同樣是在闡明《論語》
作為儒家最重要的聖典的義理內涵。這也是沿承著伊川先生所說的「問：
『聖人之經旨，如何能窮得？』曰：『以理義去推所可也。學者先須讀《論》
《孟》。窮得《論》、《孟》，自有簡要約處，以此觀他經，甚省力。《論》
《孟》如丈尺權衡相似，以此去量度事物，自然見得長短輕重。某嘗語學
者，必先看《論語》、《孟子》。今人雖善問，未必如當時人。借使問如當時
人，聖人所答，不過如此。今人看《論》、《孟》之書，亦如見孔、孟何
異？』」[45] 而來。只不過伊川是就全部的《論語》、《孟子》的研讀而發論，
朱子則就〈學而時習之章〉的義理解說來勉勵學者：以「成德之道」為
「綱」，以「學之正」「習之熟」「說之深」「而不已焉耳」為「目」，如此綱

45　《河南程氏遺書》卷18，〈伊川先生語四〉，收入劉元承手編：《二程集》，頁205。

舉目張，學者只要遵循如此「成德之道」，自然能達到伊川先生所說的境界
了。

（六）《論語正義》的超博舊疏

《論語正義》共二十四卷，是清代劉寶楠（1791-1855）（撰寫前十七
卷）、劉恭冕（1824-1883）（撰寫後七卷）父子接力撰寫完成的。劉寶楠
「病皇、邢《疏》蕪陋，乃蒐輯漢儒舊說，益以宋人長義及近世諸家，仿焦
循《孟子正義》例，先為長編，次乃薈萃而折衷之著《論語正義》二十四
卷。」[46]，研究者以其不立門戶，體例嚴謹，考證精審，說理精闢，新論迭
出，是「清代同治以前《論語》研究的集大成者」，[47]於精審訓詁考據的同
時，更透過仁學理論、以中庸之道遵禮行禮、行孝以踐仁成物，來建構「經
世致用」的思想體系。[48]這也是清代中葉時期，反理學、重實理一貫的義理
取向，深具時代特色。[49]相對的，劉寶楠為清代的漢學家，對於宋代李學家
朱子《論語集注》的態度，研究者亦由訓詁的角度，對兩書註解文字的比
較，得出：一，在注文相同的地方，兩人在訓釋《論語》時都能繼承漢注傳
統訓詁。二，在注文不同的地方，訓詁部份，為劉寶楠對朱熹訓詁的發展和
創新上。義理闡釋部份為兩人對「學」與「仁」的不同闡釋、及對「人欲」
與「性」的不同闡釋。三、探究兩人注文出現異同的原因，於二人的時代背
景、學術背景與個人儒學修養的不同所導致。[50]

---

46 見〔清〕劉寶楠著，高流水點校：《論語正義》（臺北市：文史哲出版社，1990年11
　　月），附錄《清史稿‧劉寶楠傳（附劉恭冕傳）》，頁799-780。

47 朱華忠：《清代論語學》（成都市：巴蜀書社，2008年2月），頁156-179。

48 詳見邱培超：劉寶楠《論語正義研究》（桃園縣：國立中央大學中國文學研究所碩士
　　論文，2001年）。

49 詳見楊菁：《劉寶楠論語正義研究》（臺北市：東吳大學中國文學研究所碩士論文，
　　1993年）。

50 屈玉麗：《《論語》朱熹注與劉寶楠注的比較》（濟南市：山東師範大學中國古典文獻
　　學專業碩士論文，2008年）「摘要」http://www.jijinzu.com/jy/408428.html。

　　筆者亦從注疏傳統與經典詮釋的視野，持《論語正義》所載〈論語首章〉的註解內容，比勘檢覈皇《疏》與邢《疏》所載錄的文獻內容，得出以下五項：

　　其一，凡例稱《論語正義》以「經文、注文從邢《疏》本」然廣泛蒐集鄭《注》、皇《疏》以資論證：敦煌吐魯番寫本的《論語鄭氏注》是在民國時期才發掘出來，除了保存在《論語集解》外，劉寶楠極為重視稱：「鄭注久佚，近時惠氏棟、陳氏鱣、臧氏鏞、宋氏翔鳳咸有輯本，於集解外，徵引頗多，雖拾殘補闕，聯綴之跡，非其本真，而舍是則無可依據，今悉詳載。」[51]。〈論語首章〉引鄭《注》「慍，怒也。」並引焦循《論語補疏》，證成何晏自注「慍，怒也」的意見，評論說：「此注所云，不與經旨應也。」[52]

　　其二，皇《疏》側重「疏通經文」，邢《疏》側重「疏通注文」，《論語正義》採責任分工，「經文、注文」並重：〈論語首章〉的註解內容仍依循注疏傳統，先疏解「經文」，再疏解「注文」。在疏解「經文」時，先對名詞訓解，再作經義闡述。廣泛的引證四部說法，必要時加上「案」語論辨是非曲直。在疏解「注文」時，特別注意對「注文」出現詞彙「誦習」與「悅懌」，再作詞彙訓解。並且在詞彙訓解上，如果是「注文」有疏解，則在「注文」中才疏解，而不在「經文」中即疏解。

　　其三，文獻的蒐集範圍廣及四部可資證成者：《論語正義》徵引的典籍，達三百七十餘種。時間橫跨先秦到清朝當代，所引典籍，都注明書名與篇名，便於查考。〈論語首章〉除了《論語》註解書之外，另蒐集有：經部：《易・象傳》、《經典釋文・孝經釋文》、盧文弨《經典釋文考證》、《禮記・王制》、《禮記・曲禮》、《禮記・哀公問》、《禮記・中庸》、《禮記・學記》鄭注孔疏、《禮記・表記注》、《周禮・大司樂注》、《說文解字》、《說文新附注》、《毛詩鄭箋》、《孟子趙岐注》、《爾雅・釋詁》、《廣雅・釋詁》、《蒼

頡篇》、《詩經孔疏》、《詩經毛傳》、《論語》、《隸釋‧漢婁壽碑》、焦循《論語補疏》。史部：《史記‧孔子世家》、《後漢書‧儒林傳注》。子部：《白虎通‧辟雍》、《白虎通‧號》、《荀子‧勸學》、《呂氏春秋‧審己注》、《淮南子‧兵略訓》、宋翔鳳《樸學齋札記》。集部：《文選李善注》等共三十一種的四部典籍。

其四，《論語正義》字詞訓解多引字書為據：〈論語首章〉引據《說文解字》的有「曰（《皇疏》引作「開口吐舌謂之曰」，《邢疏》引作「曰，詞也，從口乙聲，亦象口气出也。」，段氏玉裁校定作「從口乙，象口氣出也。」、學（斆，覺悟也，从教从口，冂，尚朦也，臼聲。學，篆文斆省。）、時（時，四時也。）、乎（乎，語之餘也。）、誦（誦，諷也。）、習」（習，鳥數飛也。）、《說文新附》的有「懌（懌，說也。）《爾雅》的有「說（說，樂也。）、遠（遠，遐也。）」、《廣雅》的有「乎（乎，詞也。）、自（自，從也。）、來（來，至也。）」、《蒼頡篇》的有「樂（樂，喜也。）」

其五，以「案」語形式，來訓詁考證與義理闡發：〈論語首章〉加「案」語者有兩處：首先，引證《禮記‧王制》、《史記‧孔子世家》，以論證「學而時習之」的「學」的內容是孔子刪定後的《詩》、《書》、《禮》、《樂》，「乃貴賤通習之學」並稱「凡篇中所言為學之事，皆指夫子所刪定言之矣。」。再者，對於「有朋自遠方來」的「有朋」兩字究竟是「有朋」抑或「友朋」的爭議，劉寶楠先引宋翔鳳《樸學齋札記》「朋指弟子，友指弟子」之說，加上「案」語，稱許說：「宋說是也。」又論辨稱：「《釋文》云：『有或作友非』，考《白虎通》引『有朋』作『朋友』，疑《白虎通》本作『友朋』，即《釋文》所載『或本』，後人乃改作『朋友』耳。《隸釋》載〈漢婁壽碑〉『有朋自遠』，亦作『有朋』。盧氏文弨《釋文考證》云：『《呂氏春秋‧貴直》篇『有人自南方來』，句法極相似。陸氏謂『作有非是』也。』」[53] 前處「案」語在義理闡發，後處「案」語則在訓詁考證。兩處皆

53 劉寶楠著，高流水點校：《論語正義》，頁4。

能如其子劉恭冕《論語正義・後序》所稱：「薈萃而折衷之，不為專己之學，亦不欲分漢、宋門戶之見，凡以發揮聖道，證明典禮，期於實事求是而已。」[54]

（七）《論語集釋》的承繼與創新

程樹德（1877-1944）的《論語集釋》，[55]此書本「述而不作」的立場，分類採輯宋代以後諸家說法，全書內容分為十類：考異、音讀、考證、集解、唐以前古注（採三十八家）、集注、別解、餘論、發明、按語。全書一百四十萬言，為繼劉寶楠《論語正義》後集大成的註解書，其徵引古書達六百八十種，其中《論語》、《四書》類即有兩百零三種之多」。[56]

筆者亦從注疏傳統與經典詮釋的視野，持《論語集釋》所載〈論語首章〉的註解內容，比勘檢覈本節所論鄭玄經注疏解、《論語集解》、《論語義疏》、《論語注疏解經》、《論語集注》、《論語正義》等六種文本〈論語首章〉的文獻內容，得出以下四項：

其一，突破注疏傳統，以經典詮釋的視野全面的架構其文獻內容。從漢魏經注及六朝義疏，都是先解經文，後及傳注，形成經學的注疏傳統。程樹

---

54 劉寶楠著，高流水點校：《論語正義》，頁798。

55 幾乎同時期另有楊樹達的《論語疏證》一書，這本書的主旨雖然在「疏通孔子學說」，也採用「以經證經」或取群經諸子及四史為證，但是其特點在於將三國以前所有徵引《論語》，或和《論語》有關的資料，依時代先後，摘錄在《論語》經文之後，再加上自己的「按語」一抒己見。陳寅恪稱之：「此司馬君實、李仁甫《長編》《考異》之法，乃自詁釋《論語》所未有，誠可為治經者闢一新途徑，樹一新模楷也。」詳見楊樹達：〈論語疏證陳序〉，《論語疏證》，頁1。

56 程樹德在一九三三年開始編纂此書時，已經患血管硬化症，以病弱殘軀，自己口述，由親戚筆錄，歷時九年，終於一九四二年脫稿。此書一九四三年，華北印書館出版，但頗多他人代抄以致於文字多有訛誤，校對粗疏，又多一層舛錯。後來，其子程俊英（1901-1993）與蔣見元點校，列為中華書局「新編諸子集成（第一輯），1990年8月出版。

德的《論語集釋》分的文獻內容，分為十類[57]，即以〈論語首章〉而論：
「學而時習之，不亦悅乎？」有「考異、考證、《集解》、唐以前古注、《集
注》、餘論、發明、按語」等八類。「有朋自遠方來，不亦樂乎？」有「考
異、考證、《集解》、唐以前古注、《集注》、別解、餘論、按語」等八類。
「人不知而不慍，不亦君子乎！」有「考證、《集解》、唐以前古注、《集
注》、別解、餘論、發明、按語」等八類。去其重複，十類中僅缺「音讀」
一類。這十類中除了繼承注疏傳統，將《集解》、《皇疏》、《邢疏》的資料分
項納入外，並創立「考異」以校勘文字異同，「音讀」以考音讀句讀，「考
證」以考證名物，「別解」以納新說，「餘論」以清學補宋學朱注之未備，以
「發明」容陸王一派的經說，「按語」以匯聚作者考證論辨的心得，確為繼
《論語正義》之後，允為《論語》註解書的殿軍之作。[58]

57　《論語集釋》於《論語》正文之後，分以「十類」編纂其搜得六百八十種資料：一、
　　考異。考證校勘《論語》各種版本「經文」的異同，確立文字的正確性。二、音讀。
　　考辨《論語》經文的音讀與句讀。三、考證。考證名物（包括典章文物、人名、地
　　名、器物、度數等）。四、《集解》。載錄《集解》「注文」，並兼採「邢疏」「疏文」。
　　五、唐以前古注。以《皇疏》與《玉函山房輯佚書》所輯唐以前三十八家古注的輯
　　本。六、《集注》。採擇「內注」，酌收「外注」。七、別解。收錄《集解》《集注》以
　　外，有創新說法，而不違經義者。八、餘論，收錄清初漢學家的純正精要的論述，及
　　可補《集注》未備者。九、發明。收錄陸王之學解《論語》能成一家之言者。十、按
　　語。程樹德對於前述九類以「按語」形式，呈現其考證論辨的心得。
58　傅杰提到任銘善批評《論語集釋》有體例不善、裁斷不明、引證不確、辨析不精、議
　　論不當等五項缺失。其中批評「體例不善」之處，有「其著作之體，蓋欲集清以前訓
　　詁考據義理之大成，但在去取之間或自覺不自覺地顧此失彼：程氏悉采何、朱書，其
　　意蓋欲不為漢宋之黨，雖本之黃氏《後案》，然二家體例本不從同，章句有時別
　　異。……或以分類過細，反而難以照應：自鄭君《詩箋》及六朝以來義疏，皆先解經
　　文，後及傳注，此於義例為順。程氏所謂考證，自漢以前群籍以及清閻百詩以下皆取
　　焉。然諸家考證，往往正何氏《集解》以立言，今以考證實之《集解》之前，學者未
　　讀《集解》，乃不知考證為何說。」然傅杰批評任銘善：「任先生學問精深而性格峻
　　急。……對《論語集釋》，任先生的評論無疑是嚴苛的。包括新出篇幅或稍過之的
　　《論語彙校集釋》在內，我們還沒有一部著作可以徹底取代程書。而血氣方剛的青年
　　對於老人的苦心孤詣也可能缺乏足夠的體察。但任文態度的嚴苛，正與識見的過人相
　　應。他的批評肯定不是十全十美的，卻也肯定不是可有可無的。」詳見傅杰：《任銘

　　其二，全面承繼清人研究成果，文獻蒐集的內容較《論語正義》更廣更深。程樹德在一九三三年（五十六歲）開始編纂《論語集釋》，當時他已經患血管硬化症，以病弱殘軀，自己口述，由親戚筆錄，歷時九年，在一九四二年（六十五歲）脫稿兩年後，即過世了。此書乃憂國憂時傷己之作，但秉「述而不作」的原則，稱引書籍達六百八十種之多，其中徵引《論語》類一百二十七種、《四書》類七十六種、〈經義總類〉類七十種、專經類五十三種、《說文》及字書類二十八種、〈類書〉及〈目錄〉類十五種、〈史部〉六十五種、〈諸子〉及〈筆記〉類一百七十四種、〈文集〉類五十七種、〈碑志〉類十五種。[59]較之劉寶楠《論語正義》的三百七十餘種，足足多了三百餘種。〈論語・學而首章〉的字數即有四千三百五字之多，[60]徵引《論語》類，十一種十六次、《四書》類，五種五次、〈經總〉類，六種六次、〈說文及字書〉類，五種五次、〈諸子及筆記〉類，八種九次、〈文集〉類，二種二次，合計徵引四十二種典籍，徵引四十八次之多。以《論語》與《四書》類的十六種論著為：何晏《論語集解》、皇侃《論語義疏》、邢昺《論語注疏》、朱熹《論語集注》、毛奇齡《論語稽求篇》、焦循《論語補疏》、劉逢祿《論語述何》、阮元《論語校勘記》、潘維城《論語古注集箋》、劉寶楠《論語正義》、黃式三《論語後案》、王衡《四書駁異》、顧夢麟《四書說約》、翟灝《四書考異》、毛奇齡《四書賸言》、毛奇齡《四書改錯》等。

　　其三，雖仍稍存漢宋之見，但仍立《集注》一類，讓《朱注》發聲，[61]

善對《論語集釋》的批評》http://www.chinaconfucius.cn/Article/ShowArticle.asp?ArticleID=2765

59 詳細「徵引書目表」見程樹德撰，程俊英、蔣見元點校：《論語集釋》（北京市：中華書局，1990年8月），頁1381-1428。

60 筆者透過電腦統計《論語集釋》〈論語首章〉的字數為：字數四七八八，字元數（不含空白）四七九三，含空白四八四五；全形字四四八三，半形字三〇五。

61 〈凡例〉有：「己、集注。集注文字稍繁，故採擇以內注為限，外注有特別精采者始行列入。但其中貶抑聖門、標榜門戶者，固有後人之辯論，不能不列入原文，可分別觀之。」見程樹德撰，程俊英、蔣見元點校：〈凡例〉，《論語集釋》，頁4。

且立「餘論」「發明」二類[62]能廣搜清儒論述可補程朱與陸王的相關資料，以證成其說。〈論語・學而首章〉朱子的註解文字，不計標點符號共有三百六十八字，然收錄於《論語集釋》分成三個段落收錄「『學之為言，效也。人性皆善而覺有先後，後覺者必效先覺之所為，乃可以明善而復其初也。習，鳥數飛也。學之不已，如鳥數飛也。說，喜意也。既學而又時時習之，則所學者熟而中心喜悅，其進自不能已矣。』『朋，同類也。自遠方來，則近者可知。程子曰：『以善及人而信從者眾，故可樂。』又曰：『說在心，樂主發散在外。』』『慍，含怒意。君子，成德之名。尹氏曰：『學在己知，不知在人，何慍之有？』共一百四十二個字，僅保留朱子自己的註解，以及程子兩處處與尹焞一處及的見解。刪落了朱子的「音讀」（說、悅同；樂，音洛；慍，紆問反），同時刪去了三段程子的論述 1「程子曰：「習，重習也。時復思繹，浹洽於中，則說也。」2「又曰：「學者，將以行之也。時習之，則所學者在我，故說。」3「程子曰：「樂由說而後得，非樂不足以語君子。」，一處謝良佐的論述：「謝氏曰：「時習者，無時而不習。坐如尸，坐時習也；立如齊，立時習也。」一處朱子的論述：「愚謂：及人而樂者順而易，不知而不慍者逆而難，故惟成德者能之。然德之所以成，亦曰學之正、習之熟、說之深、而不已焉耳。」，此即〈凡例〉[63]所稱的「採擇以內注為限，外注有特別精采者始行列入。」。程樹德對於包含程朱與陸王為代表的宋明理學有著兩面的評價。[64]然而卻也在「餘論」中稱引《朱子文集・答張

---

62 〈凡例〉有：「辛、餘論。清初漢學家立論，時與宋儒相出入，擇其言論純正、無門戶偏見者，為『餘論』一門。其有宋以後諸家注釋可補《集注》所未備而不屬於考證者，亦附入之。壬、發明。宋學中陸王一派多以禪學詁經，其中不乏確有心得之語。既程朱派中亦間有精確不磨之論。蓋通經原以致用，孔氏之言，可以為修己處世之準繩、齊家治國之方法者，當復不少。惜無貫串說明之書，僅一《四書反身錄》，尚多未備。因欲後人研究《論語》者發明其中原理原則，故特立此門。」見程樹德撰，程俊英、蔣見元點校：〈凡例〉，《論語集釋》，頁5。

63 〈凡例〉有：「己、集注。集注文字稍繁，故採擇以內注為限，外注有特別精采者始行列入。但其中貶抑聖門、標榜門戶者，因有後人之辯論，不能不列入原文，可分別觀之。」見程樹德撰，程俊英、蔣見元點校：〈凡例〉，《論語集釋》，頁5。

64 〈凡例〉後對於宋明理學家有下列意見：1.「宋儒則否，一以大義微言為主。惜程朱

敬夫》的一封書信討論「學而時習之」的「學」，朱子從字義、從事理以論之，並引程子「儒者之學」來立論，稱「夫子之所志，顏子之所學，子思、孟子之所傳，皆是學也。」，讓朱援引《集注》之外，朱子的論述，以為自己發聲。在「人不知而不慍」的「餘論」處，也稱引《朱子語類》有關於「慍」的看法：「人不知而不慍，自是不相干涉。己為學之初，便是不要人知，至此而後真能不要人知爾。若煅煉未能得十分成熟，心固有時被其所動，及到此方真能人不我知而不慍也。又曰：不慍不是大怒，心中略有不平之意便是慍。此非得之深、養之厚者不能如此。」

其四，承繼《論語正義》以「案」語方式，對前人疏解內容，有繼承、有論斷、有駁義。〈凡例〉稱：「凡《集解》、《集注》、別解諸說不同者，必須有所棄取，別為按語以附於後。此外，自考異以下間有所見者亦同。」[65]〈論語首章〉有九處「按語」（「考異」兩處、「集解」兩處，「唐以前古注」兩處、「別解」一處，「餘論」兩處），這些「按語」所論述者可分兩個部份：說明性質的有七處，現舉兩例來說明：其一、按：翟灝《四書考異》考證精博。關於《論語》條考部分，本書收錄極多。標題仍稱《考異》者，示

一派好排斥異己，且專宣傳孔氏所不言之理學，故所得殊希。陸王派雖無此病，然援儒入墨，其末流入於狂禪，亦非正軌。」2.「實則《集注》雖考證稍疏，然字斟句酌，亦非無一長可取，不能概行抹殺。」3.「《集注》爲朱子一生精力所注，其精細亦斷非漢儒所及。蓋義理而不本於訓詁，則謬說流傳，貽誤後學；」4.「語錄仿自禪宗，釋子不讀書，出語恆多俚俗。宋儒學既近禪，並形式上亦必力求其似，殊爲無取。茲篇除朱子《或問》及《語類》外，其他語錄中雖有關於《論語》之研究，以其出言鄙倍，概不採錄。」5.「一部《論語》中，何嘗有一個『理』字？而《集注》釋天爲即理也，釋天道爲天理；又遇《論語》凡有『斯』字或『之』字，悉以『理』字填實之。皆不免強人就我，聖人胸中何嘗有此種理障耶？朱子嘗云：『聖賢議論，本是平易』今推之使高，鑿之使深。」然《集注》釋『子在川上』，釋曾點言志，仍不免過高之病。以此立說著書，未嘗不可，但非解經正軌，讀者當分別觀之。」6.「《集注》喜貶抑聖門，爲全書最大污點。」7.「宋儒以禪理詁經，好之者喜其直截痛快，惡之者又目其爲陽儒陰釋。」見程樹德撰，程俊英、蔣見元點校：〈凡例〉，《論語集釋》，頁5-8。

65 程樹德著，程俊英、蔣見元點校：〈凡例〉，《論語集釋》，頁3。

不敢掠美也。」此條見於「考異」，由「凡例」[66]可知《論語集釋》在校勘
文字時，多有取材自翟灝的《四書考異》，因在第一次引用時註明之，示不
掠美。其二、「按：《隋書·經籍志》有《集解論語》，江熙撰。《唐書·藝文
志》作江熙《集解》，並云十卷。熙《晉書》無傳。據《冊府元龜》，知其字
太和，為兗州別駕。他無可考。《皇疏·序》稱熙所集《論語》凡十三家，
取從說以成書，故以《集解》為名。《邢昺疏》引二節，知此書宋初尚存，
今佚。玉函山房有輯本十卷。觀此則有晉一代之說《論語》，其同異得失略
備於茲矣。」，此條見於「唐以前古注」，[67]論辨性質有兩處。其一、按：
「學」字係名辭，《集注》解作作動辭，毛氏議之是也。惟其以後覺者必效
先覺所為為學，則精確不磨。今人以求知識為學，古人則以修身為學。觀於
哀公問弟子孰為好學，孔門身通六藝者七十二人，而孔子獨稱顏淵，且以不
遷怒、不貳過為好學，其證一也。孔子又曰：「君子謀道不謀食。學也，祿
在其中矣。」其答子張學干祿，則曰：「言寡尤，行寡悔，祿在其中矣。」
是可知孔子以言行寡尤悔為學，其證二也。大學之道，「壹是皆以修身為
本」，其證三也。」此處劉寶楠在下按語之前，先徵引《朱子文集（答張敬
夫）》、毛奇齡《四書改錯》、黃式三《論語後案》、劉逢祿《論語述何》、焦
循《論語補疏》共九百六十二字的篇幅，討論「學」的經義內涵，最後再自
下按語，從孔門行誼、《論語》他處經義、《大學》經義來證成「學」為「名
詞」是指「修身之事」。其二、「按：此本李充之說，《皇疏》取之，然實不
如《朱注》之長。劉寶楠云：「教學之法，語之而不知，雖舍之亦可，無容
以不慍即稱君子。此注所云不與經旨應也。」此處劉寶楠先引王衡《論語駁
異》、焦循《論語補疏》、毛奇齡《四書賸言》等以為孔子及其弟子之修養與

---

66 凡例稱「甲、考異：經文有與《石經》及皇本或他書所引不同者，日本、高麗版本文
　字有異者，均列入此門其材料則以阮元《論語校勘記》、翟灝《四書考異》、日本山井
　鼎《七經考文》、葉德輝《天文本論語校勘記》等爲主。」
67 凡例稱：「唐以前古注。此門包含最廣，上自漢末，止及於唐，中間南北朝諸家著述
　爲《北堂書鈔》、《太平御覽》、《藝文類聚》所引者備例無遺。其材料以皇侃《義
　疏》、馬國翰《玉函山房輯佚書》爲主，計所採者凡三十八家。」

勵學，皆為「不厭不倦」之事，因此「慍」（「人不知而不慍」）的經義內涵，下論斷稱《朱注》為長，並引述《論語正義》的說法來證成。

三　結論

透過鄭玄《論語注》、何晏《論語集解》、皇侃《論語義疏》、邢昺《論語注疏解經》、朱熹《論語集注》、劉寶楠《論語正義》、程樹德《論語集釋》等《論語》註解書有關〈論語首章〉的文獻內容檢視的論述，本題得出五項結論：

其一，《論語》註解書的文獻蒐集，由群經經注，逐步擴大到經部、史部與子部典籍及其註解書，更擴大到集部中的文集，甚至東瀛傳本與清人論著與筆記。《論語正義》引據三百七十多種，《論語集釋》引據六百八十種。皆可謂「浩瀚書海」。

其二，歷代《論語》註解書內容的發展，是從以文字的釐正、字詞句的訓解，逐漸擴大到經義的闡發；由經義正解的確立，逐漸能容納別解他說，甚至於打破漢學宋學的藩籬。《論語集釋》雖仍存有漢宋之見，但仍能匯集眾說，實事求是以發揮聖道。

其三，歷代《論語》註解書的撰述，歷經漢魏經注家、南北朝義疏家、唐宋注疏家、清代漢學新疏家、民國學者，眾志成城，接續努力後，一方面逐步建立注疏的傳統，另一方面則在繼承與創新中發展，並能從經義與閱讀者的觀點，創立新的注疏傳統。《論語》的注疏傳統與當時的政治環境與學術思潮息息相關，因此，《論語集釋》於搜備歷代注疏與論著外，一則謹守注疏傳統以闡發經義外，亦多能以「寓融舊於創新」的方式，創發新意。[68]

其四，《論語集釋》突破注疏傳統，以經典詮釋的視野全面的架構其文獻內容：創立「考異」以校勘文字異同，「音讀」以考音讀句讀，「考證」以

68　近得鄧川雄：《從身心狀態觀點看經典學習與經典詮釋——以《論語》學而篇首章之詮釋分析為例》，《南華通識教育研究》第2期（2004年9月），頁69-94。以跨學科領域的視野，重新詮釋〈論語首章〉，亦頗有新意。

考證名物,「別解」以納新說,「餘論」以清學補宋學朱注之未備,以「發明」容陸王一派的經說,「按語」以匯聚作者考證論辨的心得,確為繼《論語正義》之後,允為《論語》註解書的殿軍之作。

《論語集釋》對朱子《論語》論著的輯錄與評論

陳金木

慈濟大學東方語文學系教授

一　緒論：《論語集釋》承繼清代漢學

　　程樹德（1877-1944）在一九三三年（五十六歲）開始編纂《論語集釋》，當時他已經患血管硬化症，以病弱殘軀，自己口述，由親戚筆錄，歷時九年，在一九四二年（六十五歲）脫稿，兩年後，即過世了。程氏本著「述而不作」的立場，分類採輯宋代以後諸家說法，全書內容分為十類：考異、音讀、考證、集解、唐以前古注、[1]集注、別解、餘論、發明、按語。全書一百四十萬言，為繼劉寶楠《論語正義》後集大成的《論語》註解書，徵引古書達六百八十種，其中《論語》《四書》類即有兩百零三種之多」。[2]並且突破注疏傳統，以經典詮釋的視野全面的架構其文獻內容：創立「考異」以校勘文字異同，「音讀」以考音讀句讀，「考證」以考證名物，「別

1　〈凡例・戊〉稱：「唐以前古注。此門包含最廣，上自漢末，正及於唐，中間南北朝諸家著述為《北堂書鈔》、《太平御覽》、《藝文類聚》所引者備例無遺。其材料以皇侃《義疏》、馬國翰《玉函山房輯佚書》為主，計所採者凡三十八家。」見程樹德著，程俊英、蔣見元點校：〈凡例〉，《論語集釋》（北京市：中華書局，1990年8月），頁2-4。

2　程樹德在一九三三年開始編纂《論語集釋》，一九四二年脫稿。隔年，華北印書館出版，但因編纂時程氏口述親戚筆述的關係，頗多因代抄導致文字訛誤。出版時，因校對粗疏，舛錯又多一層。其子程俊英（1901-1993）與蔣見元點校，列為中華書局「新編諸子集成（第一輯），1990年8月出版。

解」以納新說,「餘論」以清學補宋學朱注之未備,「發明」容陸王一派的經
說,「按語」以匯聚作者考證論辨的心得。

　　二〇一〇年六月,筆者以歷代注疏傳統的長河為「經」,經學家所作的
經典詮釋為「緯」,依時代先後為序,從注疏傳統與經典詮釋的視野,持
《論語集釋》所載〈論語首章〉的註解內容,比勘檢覈,逐一檢視《論語鄭
氏注》、《論語集解》、《論語義疏》、《論語注疏》、《論語集注》、《論語正義》
等歷代六種《論語》註解書〈論語首章〉的文獻內容,撰成《注疏傳統與經
典詮釋:《論語集釋·學而首章》的文獻檢視》,證得《論語集釋》確能:
一,突破注疏傳統,以經典詮釋的視野全面的架構其文獻內容。二,全面承
繼清人研究成果,文獻蒐集的內容較《論語正義》更廣更深。三,雖仍稍存
漢宋之見,但仍立《集注》一類,讓《朱注》發聲,且立「餘論」「發明」
二類,廣搜清儒論述可補程朱與陸王的相關資料,以證成其說。四,承繼
《論語正義》以「案」語方式,對前人疏解內容,有繼承、有論斷、有駁
義。誠為繼《論語正義》之後,允為《論語》註解書的殿軍之作。[3]

　　論文宣讀後,承評論主持人張曉生教授期勉續以「聚焦《論語集釋》所
輯錄的歷代《論語》註解書為題,撰成專文。」,以是專注《論語集釋》所
輯錄與評論朱子《論語論著》者,歷時四個月,撰成〈《論語集釋》對朱子
《論語》論著的輯錄與評論〉,就教於張教授及各位學者專家。

二　《論語集釋》對朱子《論語》論著的輯錄

(一)「著述、講學、辨疑」為朱子《論語》論著的三大內容

　　朱子生於宋高宗建炎四年(1130),卒於宋寧宗慶元六年(1200),在他
生活的七十一年歲月中,除了仕宦為官的七年多的時間之外,其餘大部分的

3　此篇論文於國立中央研究院中國文哲研究所舉辦的「變動時代的經學和經學家
　　(1912-1949)第七次學術研討會(2010年6月10-11日)宣讀,見《變動時代的經學和
　　經學家(1912-1949)第七次學術研討會》(會前論文集)第五場第一篇,頁1-28。

時間都家居福建。一生的主要工作就在於著作、講學、辨難三項。現存朱子有關《論語》論著的資料有：一，《論語》專著：《論孟精義》《論語集注》《論語或問》三種朱子先後完成，至今仍保存的《論語》著作。二，朱子講學的記錄：《朱子語類》共有一百四十卷，其中《四書》共占五十一卷，《論語》部份為卷十九至卷五十，共有三十二卷之多，將近占全部《語類》的五分之一。其他《語類》各卷，亦多有涉及《論語》者。三，論學辨疑的書信：在《朱子文集》卷二十四至卷六十四，《續集》卷一至卷十一，《別集》卷一至卷六，總共有五十八卷的「書信」，二千三百餘通的「書信」，這些書信多有與師友門人、親朋故舊間，論學辨疑者，亦多有可供取資研究者。

　　先以「著述」而言：朱子在撰述《論語》註解這項工作時，他第一個步驟是：收集所有有關《論語》的各種註解，[4]特別是二程先生及其門人的註解，先後編成《論語集解》、《論語要義》、《論語訓蒙口義》、《論語精義》這四本書。這其中《論語要義》擔任的工作是「義理的疏解」，《論語訓蒙口義》擔任的工作是「章句的訓詁」，到了《論語精義》則又是「由博反約的義理疏解」，也就是說，專門宋代理學家的註解，尤其專注於二程先生，以及二程先生門人對於《論語》義理的解說。到撰述了《論語集注》的時候，[5]

4　傅熊（Dr. Bemhard Fuehrer）在〈《論語義疏》與朱子〉，主要是解決「朱熹是否讀過皇侃的《論語義疏》」，他的結論是：「一本書因失傳而消失，它在群體的記憶體中（Collective memory）尚能『活下去』一百年左右。若從此角度和教育中的 oral teadition 成分來看朱子與《論語義疏》之間的關係，則無法以此類完全依靠文本的研究方法來討論《論語義疏》何時遺失。依此應該可以肯定朱熹曾經接觸到皇侃所記載的解釋，而重點並不在於此接觸之直接或間接性。」見傅熊（Bemhard Fuehrer）主講：《二〇〇七王夢鷗教授學術講座演講集》（臺北市：國立政治大學中國文學系，2008年10月），頁65-84。

5　其實朱子在著作《論語精義》時就有如此的看法，〈語孟集義序〉中稱：「或問：『然則凡說之行於世而不列於此者，皆無取已乎？』曰『不然，漢魏諸儒正音讀，通訓詁，考制度，辨名物，其功博矣。學者苟不先涉其流，則亦何以用力於此？而近世二三名家與夫所謂學於先生之門人者，其考證推說，亦或時有補於文義之間。學者有得於此而後觀焉，則亦何適而無得哉？特所以求夫聖賢之意者，則在此而不在彼爾。」見《朱熹集》（成都市：四川教育出版社，2007年10月），卷75，〈序〉，頁3945。

是以《論語集解》、《論語要義》、《論語訓蒙口義》、《論語精義》為基礎，再承繼歷代《論語學》學者的研究成果。對於《論語》「章句的訓詁」所涉及到的音讀訓詁、名物制度，朱子仍多採用漢魏學者的註疏。對於「義理的疏解」，則是建立在二程先生所建構的義理架構之上。《論語集注》可以說是一部「既融舊又創新」的劃時代的《論語學》註解書。[6]

再以「講學」而言：大約二十四歲以後[7]，到七十一歲易簀的前四天，共計四十七年的時間，都在「講學」。根據陳榮捷先生根據《朱子實紀》、《考亭淵源錄》、《理學通錄》、《經義考》、《儒林宗派》、《宋元學案》、《宋元學案補遺》等資料為基礎，再從《朱子語類》中檢索，證得其確曾有問學而實為弟子者五十二人，總計考得朱子的門人共有入門弟子四百六十七人，另有未及門而私淑者二十一人，共四百八十八人。[8]師生問學的記錄，大多見諸於《朱熹集》、《朱子語類》。《朱子語類》記錄師生問答有一萬數千條之多，對話內容從十六個字到兩千四百六十一個字不等。[9]朱子的教學是採用

6　以研究朱子的「論語學」為例：現存朱子有關《論語》相關著作的資料：一、《論語》專著：《論孟精義》、《論語集注》、《論語或問》三種朱子先後完成的《論語》著作。二、論學辨疑的書信：在《朱子文集》卷二十四至卷六十四，《續集》卷一至卷十一，《別集》卷一至卷六，總共有五十八卷的「書信」，二千三百餘通的「書信」，這些書信多有與師友門人、親朋故舊間，論學辨疑者，亦多有可供取資研究者。三、朱子講學的記錄：《朱子語類》共有一百四十卷，其中《四書》共占五十一卷，《論語》部份為卷十九至卷五十，共有三十二卷之多，將近占全部《語類》的五分之一。其他《語類》各卷，亦多有涉及《論語》者。

7　許升，亦名升之，字順之，號存齋。泉州同安縣人。凌迪知《萬姓統譜》謂其從游最早。張伯行《道南源委》（此書本為明人朱衡《道南源委錄》，清人張伯行重加考定）認為是朱子在同安縣當主簿時（西元一一五三年，朱子二十四歲），許順之年十三歲，就從學於朱子，朱子三年秩滿，順之從其北歸。淳熙十二年（西元一一八五年，朱子五十六歲），順之卒，朱子為撰〈祭許順之文〉，就稱其在當同安主簿時就「諸生相從游者多矣」。詳見〈祭許順之文〉，收入《朱熹集》，卷87，頁4485。陳榮捷：《朱子門人》（臺北市：臺灣學生書局，1998年3月），「許升」條，頁200-201

8　詳見陳榮捷：《朱子門人》一書，陳榮捷：〈朱子門人補述〉，收入於陳氏：《朱子新探索》（臺北市：臺灣學生書局，1988年4月），頁454-461。陳榮捷：《朱熹》（臺北市：東大圖書公司，1990年2月），頁105-106。

9　最短的對話為「或問：『明德便是仁義理智之性否？』曰：『便是。』」見《朱子語類》

「師徒結合型」的，也就是說個人收徒講學或個人在書院授課，師徒結合，相互交流，且師長處於核心的地位，[10]這種師傳授的性質，以及朱熹人格的力量，學問的淵博，學術的深度，產生了朱子與門人之間的強大凝聚力和向心力。朱熹在講學中，最著重的是義理的探討和接續道統；同時鼓勵學者多讀書，並相互發明，敢於說出別人不敢說出的道理；反對輕議前輩，憑空立論，但是可以以義理為標準，作為討論的依據；在教學中還議論、抨擊時政和官方教育制度的缺失。[11]

再以「辨疑」而言：論學辨疑的書信：在《朱子文集》卷二十四至卷六十四，《續集》卷一至卷十一，《別集》卷一至卷六，總共有五十八卷的「書信」，二千三百餘通的「書信」，這些書信多有與師友門人、親朋故舊間，論學辨疑者，亦多有可供取資研究者。《朱熹集》中有十七封書信是朱子和朋友、講友、弟子之間，以書信就有關《論語》相關議題的討論，即有四項：其一，泛論朱子對於《論語》著作與講學的近況與心境。其二，朱子在書信論及《論語集注》刊刻之後所進行的改訂工作。其三，朱子在書信當中討論其有關《論語》著作之間產生不相應的問題。其四，朱子期勉學者在研讀其《論語》相關著作時，應當持有的態度。再以《論語首章》相關議題為例，則有一，朱子在書信中廣泛的討論到如何研讀《論語》。二，朱子在書信中討論到《論語》的篇名的取。三，朱子在書信中就張栻《論語解》與張栻的討論與辨疑。四，朱子在書信中與石墩先生討論諸家對《論語》首章解說的得失。五，朱子在書信中對「學而時習之」的義理內涵的辨疑。[12]

但是學習者在面對著朱子有關「著述」「講學」「辨疑」的大量記錄資料

（臺北市：文津出版社，1986年12月），卷14，大學一，經上，頁260。最長的對話為
「堯卿問『高為穆』之義」「義剛記錄」，見《朱子語類》，卷90，〈禮七〉，〈祭〉，頁
2298-2302

10 劉樹勛：《閩學源流》（福州市：福建教育出版社，1993年12月），頁364-367。

11 劉樹勛：《閩學源流》，頁371-378。

12 詳見陳金木：〈著作、講學、辨疑——朱子《論語學》發展歷程的考察——以朱子
《論語·學而篇·學而時習之章》為範圍〉收錄於陳金木：《歷代論語學新論》。

時，卻無法辨別何者才是真正朱子的「定論」，而多有所疑惑之處[13]。這樣
的工作，南宋的學者，多有從「語類」「文集」以及朱子弟子有關《論語》
的著作當中，選取足以發揚朱子四書義理的資料匯集成編[14]。如趙順孫的
《四書纂疏》即是「備引朱子之說，以翼章句集注，所旁引者，惟黃榦、輔
廣、陳淳、陳孔碩、蔡淵、蔡沈、葉味道、胡泳、陳埴、潘柄、黃士毅、真
德秀、蔡模一十三家，亦皆為朱子之學者，不旁涉也。」[15]。

（二）《論語集釋》對朱子《論語》論著的輯錄

1　《論語集釋》對朱子《論語》論著的輯錄原則

　　程樹德在編纂《論語集釋》時，搜備歷代《論語》註解書時，依照時代
的先後順序，先立「集解」，以納「集解與邢疏」；立「唐以前古注」，以收
漢魏晉南北朝隋唐經注與義疏；對於宋學，則立「集注」以為標竿，其他宋
明清的《論語》註解書的意見，則在「別解、餘論、發明」三類中予以呈
現。〈凡例〉第二條：「是書內容計分十類」，[16]其中「己類」為「集注」，

13　詳細的記錄資料，皆收錄於《論語或問》、《朱子語類》、《朱熹集》，本題因為只《論
　　語・學而篇・學而時習之章》為範圍。

14　以南宋而言，致力於羽翼朱熹《四書集注》，至今日仍然見存的重要著作有：真德秀
　　《論語集編》十卷，趙順孫《論語集注纂疏》十卷，金履祥《論語集注考證》十卷，
　　三家。真氏之書「專采朱子之說，以疏朱注。」；趙氏之書「又兼采諸儒為朱子之學
　　者之說」；金氏之書「志在拾遺補闕，彌縫朱注之際。」詳見王鵬凱：《歷代論語著述
　　綜錄》（臺北市：國立政治大學中國文學研究所碩士論文，1989年6月），頁108-110。

15　此為紀昀對趙順孫的《四書纂疏》編纂內容的評論，詳見紀昀等：《四庫全書總目提
　　要・四書纂疏提要》（臺北市：漢京文化公司，1981年12月），卷35，經部，〈四書類〉
　　一，頁201

16　《論語集釋》於《論語》正文之後，分以「十類」編纂其搜得六百八十種資料：一、
　　考異。考證校勘《論語》各種版本「經文」的異同，確立文字的正確性。二、音讀。
　　考辨《論語》經文的音讀與句讀。三、考證。考證名物（包括典章文物、人名、地
　　名、器物、度數等）。四、集解。載錄《集解》「注文」，並兼採《邢疏》「疏文」。
　　五、唐以前古注。以《皇疏》與《玉函山房輯佚書》所輯唐以前三十八家古注的輯
　　本。六、《集注》。採擇「內注」，酌收「外注」。七、別解。收錄《集解》《集注》以

稱：

> 集注文字稍繁，故採擇以內注為限，外注有特別精采者始行列入。但
> 其中貶抑聖門、標榜門戶者，因有後人之辯論，不能不列入原文，可
> 分別觀之。[17]

朱子在編纂《論語精義》時，引錄宋代張載、范祖禹、呂希哲、呂大臨、謝
良佐、游酢、楊時、侯仲良、尹焞、周孚先等十位理學家對《論語》的意
見；[18] 在撰寫《論語集注》時，除了宗師「二程」外，亦徵引自漢以下至於
兩宋三十多家。程樹德所指的「外注」，即是指《論語集注》所徵引「朱子
自注」以外的「注文」，「內注」，則是指「朱子所自撰的注文」。〈凡例〉對
朱子《論語集注》的輯錄，程樹德認為朱子《論語集注》的文字過於繁雜，
因此原則上僅擇取最能代表朱子看法的「內注」，原則上會將注文中「貶抑
聖門、標榜門戶者」的文字刪除，但如果後代學者對於此類注文有所論辨
時，程樹德才會將此類的注文輯錄進去。他人說法（「外注」），雖然被朱子
引用，但並非朱子的見解，也只有在「特別精彩」的地方，才會被輯錄進
去。

　　朱子的其他《論語》專著：《論孟精義》《論語或問》；論學辨疑的書
信；[19]、朱子講學的記錄[20]等三類資料，立有〈凡例〉稱：

外，有創新說法，而不違經義者。八、餘論，收錄清初漢學家的純正精要的論述，及
　可補《集注》未備者。九、發明。收錄陸王之學解《論語》能成一家之言者。十、按
　語。程樹德對於前述九類以「按語」形式，呈現其考證論辨的心得。

17 見程樹德著，程俊英、蔣見元點校：〈凡例〉，《論語集釋》，頁4。

18 朱熹說道：「是亦豈區區之所敢議，然嘗竊揣之，則其寬平正大者，或失於未精，整
　峻嚴恪者，或有柔緩之失，而清和靡密者，又未免牽合支離之患也。惟周氏敦厚易
　直，雖言不皆中，而頗有濃郁之風。尹氏平淡簡約，雖意有不周，而其精實之味，為
　不可及耳。若張子之學，雖原於程氏，然其博學詳說，精思力行，而自得之功多矣。
　故凡其說深約嚴重，意味淵永，自成一家之言，雖或有賢知之過，如程子之所譏，然
　其大體，非人所能及也。」

19 《朱子文集》卷二十四至卷六十四，《續集》卷一至卷十一，《別集》卷一至卷六，總
　共有五十八卷的「書信」，二千三百餘通的「書信」，這些書信多有與師友門人、親朋

> 語錄仿自禪宗，釋子不讀書，出語恆多俚俗。宋儒學既近禪，並形式
> 上亦必力求其似，殊為無取。茲篇除朱子《或問》及《語類》外，其
> 他語錄中雖有關於《論語》之研究，以其出言鄙倍，概不採錄。

程樹德認為宋明理學家的「語錄」，不但在體裁上模仿禪宗，而在內容上，
除了《朱子語類》之外，都「出言鄙倍」。另外程樹德還輯錄《論語或問》
的材料。

2 《論語集釋・首章》對朱子《論語》論著的輯錄

程樹德的《論語集釋》分的文獻內容，分為十類[21]，即以〈論語首章〉
而論：「學而時習之，不亦悅乎？」有「考異、考證、《集解》、唐以前古
注、《集注》、餘論、發明、按語」等八類。「有朋自遠方來，不亦樂乎？」
有「考異、考證、《集解》、唐以前古注、《集注》、別解、餘論、按語」等八
類。「人不知而不慍，不亦君子乎！」有「考證、《集解》、唐以前古注、《集
注》、別解、餘論、發明、按語」等八類。去其重複，十類中僅缺「音讀」
一類。這十類中除了繼承注疏傳統，將《集解》、《皇疏》、《邢疏》、《集注》
的資料分項納入外，並創立「考異」以校勘文字異同，「音讀」以考音讀句
讀，「考證」以考證名物，「別解」以納新說，「餘論」以清學補宋學朱注之

故舊間，論學辨疑者，亦多有可供取資研究者。

20 《朱子語類》共有一百四十卷，其中《四書》共占五十一卷，《論語》部份為卷十九
　　至卷五十，共有三十二卷之多，將近占全部《語類》的五分之一。

21 《論語集釋》於《論語》正文之後，分以「十類」編纂其搜得六百八十種資料：一、
　　考異。考證校勘《論語》各種版本「經文」的異同，確立文字的正確性。二、音讀。
　　考辨《論語》經文的音讀與句讀。三、考證。考證名物（包括典章文物、人名、地
　　名、器物、度數等）。四、《集解》。載錄《集解》「注文」，並兼採《邢疏》「疏文」。
　　五、唐以前古注。以《皇疏》與《玉函山房輯佚書》所輯唐以前三十八家古注的輯
　　本。六、《集注》。採擇「內注」，酌收「外注」。七、別解。收錄《集解》、《集注》以
　　外，有創新說法，而不違經義者。八、餘論，收錄清初漢學家的純正精要的論述，及
　　可補《集注》未備者。九、發明。收錄陸王之學解《論語》能成一家之言者。十、按
　　語。程樹德對於前述九類以「按語」形式，呈現其考證論辨的心得。

未備，以「發明」容陸王一派的經說，「按語」以匯聚作者考證論辨的心得。

〈學而首章〉朱子的註解文字，不計標點符號共有三百六十八字，然收錄於《論語集釋》者為：

> 學之為言，效也。人性皆善而覺有先後，後覺者必效先覺之所為，乃可以明善而復其初也。習，鳥數飛也。學之不已，如鳥數飛也。說，喜意也。既學而又時時習之，則所學者熟而中心喜悅，其進自不能已矣。
>
> 朋，同類也。自遠方來，則近者可知。程子曰：「以善及人而信從者眾，故可樂。」又曰：「說在心，樂主發散在外。」
>
> 「慍，含怒意。君子，成德之名。尹氏曰：『學在己知，不知在人，何慍之有？』」

分成三個段落，共一四二字：僅保留朱子自己的註解，以及程子兩處處與尹焞一處及的見解。刪落了朱子的「音讀」（說、悅同；樂，音洛；慍，紆問反），同時刪去了三段程子的論述[22]，一處謝良佐的論述[23]，一處朱子的論述[24]，此即〈凡例〉[25]所稱的「採擇以內注為限，外注有特別精采者始行列入。」程樹德對於包含程朱與陸王為代表的宋明理學有著兩面的評價，然而卻也在「餘論」中稱引《朱子文集・答張敬夫》的一封書信討論「學而時習之」的「學」：

22　1.「程子曰：「習，重習也。時復思繹，浹洽於中，則說也。」2.「又曰：「學者，將以行之也。時習之，則所學者在我，故說。」3.「程子曰：「樂由說而後得，非樂不足以語君子。」

23　謝氏曰：「時習者，無時而不習。坐如尸，坐時習也；立如齊，立時習也。」

24　「愚謂：及人而樂者順而易，不知而不慍者逆而難，故惟成德者能之。然德之所以成，亦曰學之正、習之熟、說之深、而不已焉耳。」

25　〈凡例〉有：「己、集注。集注文字稍繁，故採擇以內注為限，外注有特別精采者始行列入。但其中貶抑聖門、標榜門戶者，因有後人之辯論，不能不列入原文，可分別觀之。」見程樹德撰，程俊英、蔣見元點校：〈凡例〉，《論語集釋》，頁5。

《朱子文集》（《答張敬夫》）：學而，說此篇名也。取其篇首兩字為
別，初無意義。但學之為義，則讀此書者不可以不先講也。夫學也
者，以字義言之，則己之未知未能而效夫知之能之之謂也。以事理言
之，則凡未至而求至者，皆謂之學。雖稼圃射御之微，亦曰學，配其
事而名之也。而此獨專之，則所謂學者，果何學也？蓋始乎為士者，
所以學而至乎聖人之事。伊川先生所謂「儒者之學」是也。蓋伊川先
生之言曰：「今之學者有三：辭章之學也，訓詁之學也，儒者之學
也。欲通道，則舍儒者之學不可。尹侍講所謂『學者，所以學為人』
也。學而至於聖人，亦不過盡為人之道而已。」此皆切要之言也。夫
子之所志，顏子之所學，子思、孟子之所傳，皆是學也。其精純盡在
此書，而此篇所明又學之本，故學者不可以不盡心焉。

朱子從字義、從事理以論之，並引程子「儒者之學」來立論，稱「夫子之所
志，顏子之所學，子思、孟子之所傳，皆是學也。」，程樹德除援引《集
注》之外，也輯錄了朱子相關的論述，讓他為自己發聲。在「人不知而不
慍」的「餘論」處，也稱引《朱子語類》有關於「慍」的看法：

人不知而不慍，自是不相干涉。己為學之初，便是不要人知，至此而
後真能不要人知爾。若煅煉未能得十分成熟，心固有時被其所動，及
到此方真能人不我知而不慍也。又曰：不慍不是大怒，心中略有不平
之意便是慍。此非得之深、養之厚者不能如此。

程樹德在引述《朱子語類》之後，亦引證鹿善繼《四書說約》、張履祥《備
忘錄》、何義門《讀書記》、阮元《揅經室集》等四家說法，以為「餘論」。[26]

---

26 鹿善繼《四書說約》：「說樂不慍，向非於人所不見之地有內省不疚之功，何以如此真
　切，如此超脫？此章是孔子自寫生面，全重時習。蓋本心難昧，未嘗不知修持，祇轉
　念易乖，學而易厭。時習則功夫無間，本體流行，深造自得，欲罷不能，說可知
　矣」。張履祥《備忘錄》：朱子謂「不知而不慍者逆而難」，不知豈特為人忽易而已，
　甚者賤辱之，咎責之，怨惡之，無所不至。舜之於家，文於朝，孔孟春秋戰國之世，
　一時父子兄弟君臣朋友其孰能知之？當時而能不慍，豈非甚難？非甚盛德，何以履之

3 《論語集釋‧學而篇》對朱子《論語》論著的輯錄

　　《論語‧學而》篇共十六章，其中〈學而首章〉已於前節論述外，其於十五章[27]，《論語集釋》所列「十類」中有四類：「音讀」、「考證」、「集注」、「別解」等，都輯錄有朱子《論語》論著的資料。[28]但仍以「集注」所輯錄

　　而泰然乎？　何義門《讀書記》：此與《中庸》「遯世不見知而不悔」同意，非謂世無見用者也。此對上說、樂十字，故云不慍。《中庸》對上「半塗而廢」，故云不悔。《擎經室集》：「人不知」者，世之天子諸侯皆不知孔子，而道不行也。「不慍」者，不患無位也。學在孔子，位在天命。天命既無位，則世人必不知矣，此何慍之有乎？孔子曰「五十而知天命」者，此也。此章三節皆孔子一年事實，故弟子論撰之時，以此冠二十篇之首也。二十篇之終曰「不知命，無以為君子」，與些始終相應也。

27　《論語‧學而》篇十六章「簡稱」為：1.學而時習之章。2.其為人也孝悌章。3.巧言令色章。4.吾日三省吾身章。5.道千乘之國章。6.弟子入則孝章。7.賢賢易色章。8.君子不重則不威章。9.慎終追遠章。10.夫子至於是邦也章。11.父在觀其志章。12.禮之用和為貴章。13.信近於義言可復也章。14.君子食無求飽章。15.貧而無諂富而無驕章。16.不患人之不己知章。

28　《論語‧學而》篇共十六章，去除〈學而時習之章〉外，其於十五章，《論語集釋》輯錄朱子《論語》論著材料如下：

2. 其為人也孝悌章：「考證」輯錄《論語或問》一段。「集注」刪去「外注」（程子曰），而於其後標示「按」，以「夾敘夾議」的方式，摘要「程子曰」及徵引《朱子文集‧答范伯崇》書信。

3. 巧言令色章。「集注」刪去「外注」（程子曰）。

4. 吾日三省吾身章。「音讀」輯錄《朱子語類》；「集注」中保存「外注」（尹氏曰、謝氏曰）。[28]

5. 道千乘之國章。「考證」徵引《四書或問》；「集注」除刪去「外注」（馬氏云、程子曰、楊氏曰、胡氏曰）。

6. 弟子入則孝章。「音讀」首錄「《集注》如字讀。」；「集注」首次全用「外注」（程子曰、洪氏曰）。[28]

7. 賢賢易色章。「集注」於「外注」（游氏曰、吳氏曰）全部輯錄。

8. 君子不重則不威章。「集注」於「外注」（三處程氏曰、一處游氏曰）全刪。

9. 慎終追遠章。「集注」無「外注」。

10. 夫子至於是邦也章。「集注」不但刪去「外注」（謝氏曰、張敬夫曰）之外，並於「內注」刪去文末「學者所當潛心而勉學也」十字。

11. 父在觀其志章。「集注」於「外注」（尹氏曰、游氏曰）全部輯錄。並於「別解一」的「按」語徵引「朱子《答呂子約書》云：『有謂其志其行皆指父而言，意亦自好。』」

者為大宗，其輯錄情形可分為八種：一，依〈凡例〉所示，僅輯錄「內注」，刪去「外注」的有：「巧言令色章」刪去「外注」（程子曰）、「道千乘之國章」刪去「外注」（馬氏云、程子曰、楊氏曰、胡氏曰）、「君子不重則不威章」刪去「外注」（三處程氏曰、一處游氏曰）、「君子食無求飽章」刪去「外注」（尹氏曰）。二，有依〈凡例〉所示，因「特別精采者」而全輯錄者：「吾日三省吾身章」輯錄「外注」（尹氏曰、謝氏曰、[29]「弟子入則孝章」輯錄「外注」（程子曰、洪氏曰）、[30]「父在觀其志章」輯錄「外注」（尹氏曰、游氏曰）、「賢賢易色章」輯錄「外注」（游氏曰、吳氏曰）。三，有因《集注》無「內注」，以致於「外注」被輯錄、「不患人之不己知章」。《集注》無「內注」，因而輯錄「外注」（尹氏曰）。四，有因《集注》無「外注」可刪者：「慎終追遠章」《集注》無「外注」。「信近於義言可復也

---

12. 禮之用和為貴章。「集注」於「外注」（程子曰、范氏曰）全部輯錄。但因為將此章區分為「有子曰：『禮之用，和為貴。先王之道，斯為美。』與「小大由之，有所不行。」「知和而和，不以禮節之，亦不可行也。」三個段落，導致朱子《集注》在串講「先王之道，斯為美。小大由之，有所不行。」的注文「先王之道此其所以為美，而小事大事無不由之也。」無所著落而被刪除。

13. 信近於義言可復也章。「集注」無外注。

14. 君子食無求飽章。「集注」刪去「外注」（尹氏曰）。

15. 貧而無諂富而無驕章。「集注」此章無「外注」，但是《論語集釋》刪去「愚按：此章問答，其淺深高下，固不待辨說而明矣。然不切則磋無所施，不琢則磨無所措。故學者雖不可安於小成，而不求造道之極致；亦不可精於虛遠，而不察切己之實病也。」這段闡明全章問答旨意的「內注」。

16. 不患人之不己知章。「集注」因為朱子無「內注」，因而輯錄「外注」（尹氏曰）。

29 尹氏曰：「曾子守約，故動必求諸身。」謝氏曰：「諸子之學皆出於聖人，其後愈遠而愈失其真。獨曾子之學專用心於內，故傳之無弊，觀於子思、孟子可見矣。惜乎其嘉言善行，不盡傳於世也。其幸存而未泯者，學者其可不盡心乎？」

30 《集注》謹者，行之有常也。信者，方之有實也。汎，廣也。眾，謂眾人。親，近也。仁，謂仁者。餘力，猶言暇日以用之。文，謂《詩》《書》六藝之文。程子曰：「為弟子之職，力有餘則學文。不修其職而先文，非為己之學也。」尹氏曰：「德行，本也。文藝，末也。窮其本末，知所先後，可以入德矣。」洪氏曰：「未有餘力而學文，則文滅其質。有餘力而不學文，則質勝而野。」愚謂力行而不學文，則無以考聖賢之成法，識事理之當然，而所行或出於私意，非但失之於野而已。

章」。「集注」無外注。五，有刪去「外注」或保留「外注」，而以「案」輯
錄朱子相關論著者：「其為人也孝悌章」，刪去「外注」（程子曰），而於其後
標示「按」，以「夾敘夾議」的方式，摘要「程子曰」及徵引《朱子文集·
答范伯崇》書信者。[31]六，有刪去「外注」於「內注」亦有刪落者：「夫子
至於是邦也章」刪去「外注」（謝氏曰、張敬夫曰），「內注」中亦刪去文末
「學者所當潛心而勉學也」十字。七，有輯錄「外注」，但「內注」確有被
刪落著：「禮之用和為貴章」。「集注」於「外注」（程子曰、范氏曰）全部輯
錄。但因為將此章區分為「有子曰：『禮之用，和為貴。先王之道，斯為
美。』與「小大由之，有所不行。」「知和而和，不以禮節之，亦不可行
也。」三個段落，導致朱子《集注》在串講「先王之道，斯為美。小大由
之，有所不行。」的注文「先王之道此其所以為美，而小事大事無不由之
也。」無所著落而被刪除。八，有《集注》無「外注」，「內注」被刪落著：
「貧而無諂富而無驕章」。「集注」此章無「外注」，但是《論語集釋》刪去
「愚按：此章問答，其淺深高下，固不待辨說而明矣。然不切則磋無所施，
不琢則磨無所措。故學者雖不可安於小成，而不求造道之極致；亦不可精於
虛遠，而不察切己之實病也。」這段闡明全章問答旨意的「內注」。

　　《論語集釋》亦有在「音讀」、「考證」、「別解」等三類中，輯錄有朱子
《論語》論著者：一，「音讀」：「吾日三省吾身章」輯錄《朱子語類》、[32]
「弟子入則孝章」首錄「《集注》如字讀。」。二，「考證」：「其為人也孝悌
章」：輯錄《論語或問》一段；[33]「道千乘之國章」徵引《四書或問》。[34]

31　按：《集注·外注》尚有程子「性中祇有仁義禮智，曷嘗有孝弟來」一段。明季講家
　　深詆之，謂與告子義同病。清初漢學家詆之尤力。考《朱子文集·答范伯崇》云：
　　「性中祇有仁義禮智，曷嘗有孝弟來。此語亦要體會得是，若差即不成道理。」是朱
　　子先已疑之矣。疑之而仍採為注者，門戶標榜之習中之也。是書既不標榜，亦不攻
　　擊，故不如刪去以歸簡淨。

32　《朱子語類》：「三」字平去二聲雖有自然、使然之別，然自然者不可去聲，而使然者
　　亦不可平聲。故三仕、三已與三黜無以異，而三仕、已無音。三省、三思與三嗅、三
　　復皆使然，而《集注》於省、嗅皆闕。凡此之類，二音皆通。

33　朱子《或問》：柳氏之論曾子者得之。而有子叱避之說，則史氏之鄙陋無稽，而柳氏

三，「別解」：「父在觀其志章」以「按」語徵引「朱子《答呂子約書》云：『有謂其志其行皆指父而言，意亦自好。』」。

三　《論語集釋》對朱子《論語》論著的評論

（一）朱子學思《論語》的歷程與方法

　　朱子生平學問，對於《四書》用力最勤。朱子曾經在先後的著述、講學、辨疑的場合中，自述其對於《四書》，尤其是《論語》的學思歷程：幼受庭訓，熟讀《四書》。曾說：『某自少讀《四書》，甚辛苦。』[35]。八、九歲時，讀至《孟子・告子上・無或乎王之不智也章》時，對於善於下圍棋的「弈秋」能專心致志，以為為學須下此工夫，內心油然升起「慨然發奮」之志[36]。在十三四歲時，其父朱松（1097-1143）曾親自教導他《論語》[37]。在十五六歲時，讀到《中庸》第二十章「人一能之己百之，人十能之己千之。」呂大臨（1046-1092）的解說[38]，說到：「讀之未嘗不竦然警厲奮發！

　　惑焉。以《孟子》考之，當時既以曾子不可而寢其義，曷嘗有子據孔子之位而有其號哉？故程子特因柳氏之言斷而裁之，以為《論語》之書，成於有子、曾子之門人。

34 朱子《四書或問》：此義疑馬氏為可據。蓋如馬說，則八百家出車一乘；如包說，則八十家出車一乘。甲士步卒合七十五人，而牛馬兵甲糧糗芻茭具焉，恐非八十家所能給。然與《孟子》、〈王制〉之說不同，疑孟子未嘗盡見班爵分土之籍，特以傳聞言之，故不能無少誤。若〈王制〉則故非三代古書，其亦無足據矣。

35 見《朱子語類》，卷104，朱子一，自論為學工夫，「敬仲」記錄。頁2612。

36 朱子自述：「孔子曰：『仁遠乎哉？我欲仁，斯仁至矣。』這簡全要人自去做。《孟子》所謂弈秋，只是爭這些子，一簡進前要做，一簡不把當事。某八九歲時，讀《孟子》到此，未嘗不慨然發奮，以為為學須如此做工夫！」見《朱子語類》，卷121，訓門人九，頁2921。

37 朱子在〈論語要義目錄序〉說：「熹年十三四時，受其說於先君，未通大義而先君棄諸孤。」（《朱熹集》（成都市：四川教育出版社，2007年10月），卷75，序，頁3924。

38 朱子《中庸章句》在此章亦引呂大臨的解說：「君子所以學者，為能變化氣質而已」得勝氣質，則愚者可進於明，柔者可進於強。不能勝之，則雖有志於學，亦愚不能明，柔不能立而已矣。」（《四書章句集注・中庸章句》（臺北市：鵝湖出版社，1984

人若有向學之志，須是如此做工夫方得。」[39]。在十七、八歲時，每天清早更用力於《大學》、《中庸》的研讀與記誦[40]。在二十歲時，對於前賢謝良佐（1050-約1120）的《論語解》[41]的解說，更是用心研讀與體會，曾「其初將其紅筆抹出，後又用青筆抹出，又用黃筆抹出，四番之後又用墨筆抹出，是要尋那精底。」[42]。三十歲時，對於《論語》和《孟子》的章句訓詁，痛下工夫，「精粗本末，字字為咀嚼過。」[43]

　　陳榮捷先生稱贊朱子為「集新儒家之大成」，並稱其有三端：即新儒家哲學之發展與完成，新儒家傳受道統之建立，論孟學庸之集合為四子書。就以「論孟學庸之集合為四子書」而言，陳先生認為：朱子之所以予四書之地位，實有其哲學上深遠之理由，其哲學意蘊含有一，脫離五經權威地位之羈絆。二，直探孔孟基本義理之教。三，引介合理之治學（治經）方法[44]。因此，朱子的研究，並不侷限在「理學」的研究，經學的研究，尤其是「四書學」的研究，將是「朱子學」最本質性的「研究」課題。朱子對於其《四書集注》，自稱達到「義理上的完善」，並且要學者將注解「仔細體會」。[45]

　　《論語集注》的《讀論語孟子法》，就是朱子摘錄二程子教導學生如何

年9月），頁32。

39 見《朱子語類》，卷4，性理一，人物之性氣質之性，頁66。

40 朱子自稱：「某年十七八時，讀《中庸》、《大學》，每早起須誦十遍，今《大學》可且熟讀。」「賀孫記錄」見《朱子語類》，卷16，《大學》三，傳二章釋新民，頁319。

41 謝良佐《論語解》有十卷，《宋志》、《經籍考》、《玉海》等具有著錄，今已佚亡。

42 見《朱子語類》，卷120，訓門人八，「賀孫記錄」，頁2887。

43 朱子自述：「某所解《語孟》和訓詁注在下面，要人精粗本末，字字為咀嚼過。此書，某自三十歲便下工夫，到而今改猶未了，不是草草看者，且歸子細。」見《朱子語類》，卷116，訓門人四，頁2799。

44 陳榮捷著，萬先法譯：〈朱熹集新儒學之大成〉，收入陳榮捷：《朱學論集》（臺北市：臺灣學生書局，1988年4月），頁2-19。

45 朱子在《朱子語類》時有稱：「語吳仁人曰：「某《語孟集注》，添一字不得，減一字不得，公子細看。」又曰：「不多一箇字，不少一箇字。」（節）。（437）又稱：「某於《論孟》，四十餘年理會，中間逐字稱等，不教偏些子。學者將注處，宜子細看。」，《朱子語類》，卷19，〈論語一〉語孟綱領，頁437。

研讀《論語》、《孟子》的言論，共有九條，字字璣珠，明確切己。其中最重要的有三條，現分別疏釋之：

1 程子曰：「學者當以《論語》、《孟子》為本。《論語》、《孟子》既治，則《六經》可不治而明矣。讀書者當觀聖人所以作經之意，與聖人所以用心，聖人之所以至於聖人，則吾之所以未至者，所以未得者。句句而求之，晝誦而味之，中夜而思之，平其心，易其氣，闕其疑，則聖人之意可見矣。」

2 程子曰：「學者需將《論語》中諸弟子問處便作自己問，聖人答處便作今日耳聞，自然有得。雖孔孟復生，不過以此教人。若能於《語》、《孟》中深求玩味，將來涵養成甚生氣質。」

3 程子曰：「學者先讀《論語》《孟子》，如尺度權衡相似，以此去量度事物，自然見得長短輕重。」[46]。

第一條：首先說明《論語》、《孟子》在儒家經典中的地位，和學者為學的先後次第。其次勉勵學者當念茲在茲，以求聖人的用心，更重要的是「闕其疑」，對於其所不知，當能「闕疑」，不厚誣古人。第二條：教導學者在研讀《論語》時，當如親身蒞臨孔子講學一樣，將自己當成是孔子的弟子，如此「口問耳聞」，深求玩味，以涵養氣質。第三條：在說明研讀《論語》、《孟子》時，要能潛移默化到自己的內心來，自己的言行舉止，一一以孔、孟言論為圭臬，涵養身心，變化氣質，自然為人處事，待人接物，心中就有一把尺可以度量了。總之，此處朱子抄錄二程先生的言論，都在勉勵學者，《論語》、《孟子》的研讀，不單單是純粹知識的吸收，而在於道德的涵養，它是學者安身立命的根據。唯有學者能夠身體力行，終身實踐，《論語》、《孟子》就能成為為學者入德之門，成聖成賢的階梯。

---

46 朱熹：〈讀論語孟子法〉，收入《四書章句集注》（臺北市：大安出版社，2005年8月），頁59-60。

（二）《論語集釋》對朱子《論語》論著的評論

1 《論語集釋‧凡例》對朱子《論語》論著的評論

　　程樹德承繼清代漢學，編纂《論語集釋》，雖然在〈自序〉中稱「若夫漢、宋門戶之見，考據訓詁之爭，黨同伐異，竊無取焉。」，在〈凡例〉中對宋學、漢學的評價為「得失並見」，這種看法也見諸於其「十類」資料的安排上：以「集解」「唐以前古注」來輯錄唐代以前「漢學的經注經疏」，以「集注」收錄宋學中朱子的見解，將宋學中陸王與程朱兩派學者「精確不磨之論」，列入「發明」，宋代以後學者有可補《集注》所未備而不屬於考證者」，亦載錄於「餘論」。而將自己對於歷代《論語》註解書的「去取」的論述意見，列為「按語」。

　　程樹德在〈凡例〉中標舉他對歷代《論語》註解書的評論原則為：

> 研究《論語》之法，漢儒與宋儒不同。漢儒所重者，名物之訓詁，文字之異同。宋儒則否，一以大義微言為主。惜程朱一派好排斥異己，且專宣傳孔氏所不言之理學，故所得殊希。陸王派雖無此病，然援儒入墨，其末流入於狂禪，亦非正軌。故《論語》一書，其中未發之覆正多。是書職責，在每章列舉各家之說，不分門戶，期於求一正當解釋，以待後來學者，藉此以發明聖人立言之旨。
>
> 《論語》一書，言訓詁者則攻宋儒，言義理者則攻漢學。平心論之，漢儒學有師承，言皆有本，自非宋儒師心自用者所及。《集注》為朱子一生精力所注，其精細亦斷非漢儒所及。蓋義理而不本於訓詁，則謬說流傳，貽誤後學；訓詁而不求之義理，則書自書，我自我，與不讀同。二者各有所長，不宜偏廢。是書意在詁經，惟求其是，不分宗派，苟有心得，概與採錄。

程樹德以漢學重訓詁、宋學重義理來區分兩者研究取徑的差異，又對宋學中程朱一派有「好排斥異己」、陸王一派「流入於狂禪」的缺失，因而排除漢

宋門戶之見，列舉諸家說法，求得正解來發明「聖人立言之旨」。

程樹德《論語‧凡例》對於朱子的《論語》論著也做出「有得有失」的評價：一，《集注》為朱子一生精力所注，其精細亦斷非漢儒所及。[47]二，《集注》在考證上或有不如漢學之處，但仍有可觀之處，不容一筆抹殺，學者或譽或詆，皆不得其實。[48]《集注》在考證上的缺失，是當時風氣使然，朱子是「不為非不能為」。[49]但《集注》確有缺失者。[50]三，宋學為混合儒、釋、道的一種哲學，但以來承繼孔孟心傳道統則有爭議之處，朱子《集注》多有以「理學」解孔子「經典」者，此舉可著書立說，但非解經正途。[51]四，《集注》「喜貶抑聖門，為全書最大污點。」並認為這是「嗔心過重，錄之所以示戒也。」五，舉證朱子書信與《集注‧無為而治章》，說明朱子有與宋儒一樣「以禪理詁經」。六，《集注》有不明聖意，而曲為辯護周旋者。[52]

47　〈凡例〉：實則《集注》雖考證稍疏，然字斟句酌，亦非無一長可取，不能概行抹殺。

48　〈凡例〉：朱子《集注》，元明以來以之取士，幾於人人習之。清初漢學再興，始有異議者。譽之者尊為聖經賢傳，一字無敢踰越；詆之者置之源不議不論之列。如王闓運所著之《論語訓》，漢、魏、六朝諸家之說備列無遺，獨於朱《注》一字不及，漢宋門戶，隱若劃一鴻溝。黃式三《論語後案》始以《集解》、《集注》並列，然其旨仍在袒漢學。實則《集注》雖考證稍疏，然字斟句酌，亦非無一長可取，不能概行抹殺。

49　〈凡例〉：朱子嘗與人言：「讀書玩理外，考證別是一種功夫，某向來不曾做。」朱子博極群書，並非力不能為。而其言如此，蓋當時風氣不尚考證。

50　〈凡例〉：《集注》至以樊遲為粗鄙近利以子夏、子游為語有流弊，敢於詈及先賢，更不足為訓。

51　〈凡例〉：一部《論語》中，何嘗有一個「理」字？而《集注》釋天為即理也，釋天道為天理；又遇《論語》凡有「斯」字或「之」字，悉以「理」字填實之。皆不免強人就我，聖人胸中何嘗有此種理障耶？朱子嘗云：「聖賢議論，本是平易。今推之使高，鑿之使深。」然《集注》釋子在川上」，釋曾點言志，仍不免過高之病。以此立說著書，未嘗不可，但非解經正軌，讀者當分別觀之。

52　〈凡例〉：孔子之言，俟諸百世而不惑，所以為至聖，不必後人代為辯護周旋。《集注》於「天下有道，則庶人不議」，則曰：「非箝其口使不敢言也。」於「民可使由之，不可使知之」下引程子曰：「聖人設教，非不欲家喻而戶曉也。若曰聖人不使民知，則是後朝四暮三之術也，豈聖人之心乎？」殊不知聖人之言絕無流弊，觀於今日歐洲之國會民主政治，此二章真如日月經天，江河行地，洵萬古不易之至言也，何所用其廻護耶！

2 《論語集釋》「按語」對朱子《論語》論著的評論

　　《論語集釋》另立「按語」一類，〈凡例〉稱「凡《集解》、《集注》、別解諸說不同者，必須有所棄取，別為按語以附於後。此外，自考異以下間有所見者亦同。」內容涉及版本異同、經字訓詁、經義勘定、名物考證、注文補充、注人注本考訂等等。

　　〈凡例〉認為漢學之長在於考據訓詁，皆有師承有所本；宋學之長在於義理，對於考據訓詁則有師心自用的情形。且認為朱子能考據訓詁而未專注於此，但《集注》為朱子「一生精力所注，其精細亦斷非漢儒所及。」「雖考證稍疏，然字斟句酌，亦非無一長可取，不能概行抹殺。」並指出朱子《論語》論著有五項缺失：一，考證有缺失。[53]二，有不明聖意，而曲為辯護周旋者。[54]三，有喜貶抑聖門者。[55]四，多以理學解《論語》，非解經正途

---

[53] 〈子罕〉「子絕四」章「子絕四：毋意、毋必、毋固、毋我」朱子《集注》「絕，無之盡者。『毋』《史記》作『無』是也。意，私意也。必，期必也。固，執滯也。我，私己也。四者相為終始，起於意，遂於必，留於固，而成於我也。蓋意必常在事前，固我常在事後，至於我又生意，則物欲牽引，循環不窮矣。」程樹德在「別解一」先引鄭如諧《論語意原》「子之所絕者，非意必固我也，絕其毋也。禁止之心絕，則化矣。」再撰「按語」稱：「此解最勝，恰合聖人地位，蓋僅絕意必固我，此賢者能之。惟聖人乃能並絕其毋。姑以佛理明之，能不起念固是上乘功夫，然以念遺念之念亦念也，并此無之，乃為無上上乘。程子以此『毋』字非禁止辭。《四書或問》云：「絕非屏絕之絕，蓋曰無之盡云爾。《朱子文集‧答吳晦叔書》曰：『絕四有兩說：一說孔子自無此四者。一說孔子禁絕學者毋得有此四者。然不若前說之明白平易也。』楊敬仲作〈絕四說〉云：「毋改為無，不以為止絕學者之病，遂塞萬世人道之門。」楊氏以不起意為教學者宗旨，故云然也，然尚不若鄭說之鞭辟入裏。」在「發明」之後的「按語」稱：「此章之意，即『不億不信』、『億則屢中』之億，乃測度之義。朱子釋為私意，以伸其天理流行之說，已屬不合，陸王派直將意字解為意念之意，以無意為不起念，更為強經就我。唯二者較之，終以陸王派所說尚有心得，故捨彼錄此。是故不先通訓詁，不足語言經。（頁573-576）

[54] 〈泰伯〉「民可使由之」章「民可使由之，不可使知之」，朱子《集注》引程子曰「聖人設教，非不欲家喻而戶曉也。若曰聖人不使民知，則是後世朝四暮三之術也，豈聖人之心乎？」以生活經驗解經的方式，稱：「殊不知聖人之言絕無流弊，觀於今日歐洲之國會民主政治，此二章真如日月經天，江河行地，洵萬古不易之至言也，何所用其迴護耶。」〈鄉黨〉「寢不尸」句「別解」門下程按《集注》作不似死人，蓋沿包

者。[56]五，有以禪理詁經者。[57]在此僅舉〈先進〉「子路曾皙冉有公西華侍

《注》之誤，不可從『不似死人，何待聖人能之耶』則顯系回護太過。〈為政〉孔子自述章「七十而從心所欲不逾矩」句「余論」下程按「此章乃夫子自述其一生學歷，皇《疏》較為得之，《集注》因用其師說，所言幾毫無是處，不止如李氏李威一筆者所云已也『而世多稱為直接孔孟不傳之秘，豈其然乎』。「樊遲御」章「餘論」下程按「無違止是不要違件之義，從無作背理解者『《集注》因欲宣傳主義，反失聖人立言之旨，殊為無取』」，再如〈子張〉「堂堂乎張也」句「別解」門下程按「子張少孔子四十八歲，在諸賢中年最少，他日成就如何雖無可考，而其弟子有公明儀、申詳等，皆賢人也「其學派至列為八儒之一，非寂寂無聞者也。」

55 程樹德認同王船山《讀四書大全說》、毛西河《聖門釋非錄》對於朱子「喜貶抑聖門」的論述，並以此為「全書最大污點」為，並稱：「雖係無心之過，究屬嗔心過重，錄之所以示戒也。」「《集注》喜貶抑聖門，其言固不可信『如舊注之說，子游、曾子皆以子張為未仁，擯不與友，《魯論》又何必記之吾人斷不應以後世講朱陸異同之心理推測古人』云云，更是無需深辨，若孔門群賢無異同之心何來八派之儒。」若〈陽貨〉「唯上知與下愚不移」章「集注」門下程按「皇《疏》兼采諸說，六朝舊籍，賴以保存『《集注》惟知稱其師，雖有他說，了不兼采「如此章韓子三品之說，原本孔氏，不采者，恐其爭道統也「余向主皇《疏》勝於《集注》，於茲益信」者等等。總之莽皇《疏》非《集注》是程氏《論語》注本方面的基本觀點「不過，或則是「《集釋》行而《集注》竟廢」的隱志之故。

56 程樹德認為解經有以經解經、以常情解經、以生活解經等三種途徑，而最為推重「以經解經」，譽為「經學研究正門」。而認為宋明理學是一種混合儒、釋、道的一種哲學，可以成一家之言，但不可以以理學的哲學架構來解釋《論語》。稱：「一部《論語》中，何嘗有一個『理』字？而《集注》釋天為即理也，釋天道為天理；又遇《論語》凡有『斯』字或『之』字，悉以『理』字填實之。皆不免強人就我，聖人胸中何嘗有此種理障耶？朱子嘗云：『聖賢議論，本是平易。今推之使高，鑿之使深。』」即宣示此種解經思想。
〈子罕〉「子在川上」章「子在川上，曰：『逝者如斯夫！不舍晝夜。』」《集注》：「天地之化，往者過，來者續，無一息之停，乃道體之本然也。然其可指而易見者莫如川流，故於此發以示人，欲學者時時省察而無毫髮之閒斷也。」此處有外注（程子曰）程子曰：「此道體也，天運而不已，日往則月來，寒往則暑來，水流而不息，物生而不窮，皆與道為體，運乎晝夜，未嘗已也。是以君子法之，自強不息。及其至也，純亦不已焉。」又曰：「自漢以來，儒者皆不識此義。此見聖人之心，純亦不已也。純亦不已，乃天德也。有天德，便可與王道，其要只在謹獨。」愚按：「自此至篇終，皆勉人進學不已之辭。」（頁610-611）。

57 程樹德在〈凡例〉中稱「竊以為孔子之道至大，無所不包，不特釋而已，即道家亦有

坐」章為例，綜合說明之。此章程樹德分別在「考異」（兩則）、「考證」（兩則）、「集注」（三則）、「別解」（兩則）「發明」（一則），共撰十二則「按語」。其中有評論朱子《集注》的有六則：

> 1　「考證」：「按」三說各具一義，錄存備考。許氏《說文》同《爾雅》，故《集注》從之。」

此則在「考證」經文「因之以饑饉」句「饑饉」的字義，「考證」列舉「《爾雅・釋天》、《穀梁傳・襄公二十四年》、《墨子・七患》等三種說法，而以為《集注》「穀不熟曰饑，菜不熟曰饉。」的說法是出自《爾雅》、《說文》。程樹德加「按語」，揭示《集注》注文的出處，並未加以評論。

> 2　「集注」：「按」《四庫提要》：「此與《周禮》文異者，宋代諱殷，故改殷為眾。」張存中《通證》知《周禮》而不能辨其何以不同。」

《論語集釋》此章「赤！爾何如？」對曰：「非曰能之，願學焉。宗廟之事，如會同，端章甫，願為小相焉。」輯錄《集注》：「公西華志於禮樂之事，嫌以君子自居，故將言己志而先為遜辭，言未能而願學也。宗廟之事謂祭祀，諸侯時見曰會，眾頫曰同。端，玄端服。章甫，禮冠。相，贊君之禮者。言小，亦謙辭。」後，對於「朱注」以「眾頫」解釋「會同」的「同」，是因為「避諱」的關係，和《周禮》「鄭注」「殷頫曰同」的解釋不

與之同者。」對於宋儒好「以禪理詁經」，朱子又少喜禪學，欲以此接引學者。」，只要合於「聖道」，都是可以接受的，對於陸王一派末流的「狂禪」牽強附會的說法，則提出嚴厲的批評。

如〈無為而治〉一章是也。「無為而治者，聖人德盛而民化，不待其有所作為也。獨稱舜者，紹堯之後，而又得人以任眾職，故尤不見其有為之迹也。恭己者，聖人敬德之容，既無所為，則人之見如此而已。」（頁1063）。

〈里仁〉「一貫」章「餘論」下程按「朱子說一貫，以為猶一心應萬事是也「而欲以理貫之，則非也「理者，佛家謂之障，非除去理障不見真如，如何貫串得來」。

〈里仁〉「仁者安仁，知者利仁」章「唐以前古注」門下程按「無所為而為之謂之安仁，若有所為而為之，是利之也，故止可謂之智，而不可謂之仁「皇《疏》所解語雖稍露骨，而較朱《注》為勝，故特著之」等均是其例。

無不同。

　　3 「集注」:「按」「(楊慎)《丹鉛錄》云:「朱子易簀之前,悔不改此
節注,留後學病根。」張氏甄陶曰:「或疑朱子之書,舉世遵守,今
子何忽另翻窠臼?」曰「不然。朱注無不可從,亦有二三條錯處。君
子之過如日月之食,不希罕後學污下阿好,此纔是真知篤信。若一昧
違心強附其說,則朱注徒取信於不分黑白面牆而立之人,亦不足貴
矣。蓋曾晳在孔門中不過一狂士,孔子不應輕許引為同志,一可疑
也。既許之矣,何不莞爾而笑,而乃喟然而嘆?二可疑也。果係夫子
與之,何以後來又被訓斥?三可疑也。可見夫子之意,完全感慨身世,
自傷不遇。所謂與點者,不過與如皆隱之意。而以為人欲淨盡,天理
流行,已屬隔膜之談。況乃以為具備堯舜氣象,豈非痴人說夢哉。」

《論語集釋》在此章「吾與點也」先引錄:《集注》外注(程子曰):「曾點
之學,蓋有以見夫人欲盡處,天理流行,隨處充滿,無少欠闕。故其動靜之
際,從容如此。而其言志,則又不過即其所居之位,樂其日用之常,初無舍
己為人之意。而其胸次悠然,直與天地萬物上下同流,各得其所之妙,隱然
自見於言外。視三子之規規於事為之末者,其氣象不侔矣,故夫子歎息而深
許之。而門人記其本末獨加詳焉,蓋亦有以識此矣。」,再以「按語」發為
議論,重點有三:一、認此章為朱子易簀前因未及修改而引以為憾者。二、
研究者以真知篤信的學術良心,指正朱注之缺失。三、朱注此處注文,誤以
曾點具備堯舜氣象,實則曾點只是一狂士而已,此章乃孔子「感慨身世,自
傷不遇」而發。最後認定朱子「而以為人欲淨盡,天理流行,已屬隔膜之
談。況乃以為具備堯舜氣象,豈非痴人說夢哉。」

　　4 「集注」:「按」:《經傳考證》謂:「此皆孔子之言,所以申明子路
見哂之故。方六七十如五六十,與宗廟會同,莫非為邦之事,特詞意
謙巽,使人不覺耳。非曾晳問而夫子答也。邢《疏》辭不別白,皇
《疏》得之。《集注》以為曾晳問夫子答,於義為短。」

《論語集釋》在此章「『唯求則非邦也與？』『安見方六七十如五六十而非邦也者？』『惟赤則非邦也與？』『宗廟會同，非諸侯而何？赤也為之小，孰能為之大？』」程樹德刪去刪去「外注」（四處程子曰）。僅引錄：《集注》「內注」「曾點以冉求亦欲為國而不見哂，故微問之。而夫子之答無貶辭，蓋亦許之。此亦曾皙問而夫子答也。孰能為之大，言無能出其右者，亦許之之辭。」因為此段經文接在「三子者出，曾皙後。曾皙曰：『夫三子者之言何如？』子曰：『亦各言其志也已矣。』曰：『夫子何哂由也？』曰：『為國以禮，其言不讓，是故哂之。』」之後，因此究竟是「曾皙問、夫子答」抑或「夫子之言」，朱彬《經傳考證》認為皇侃《論語義疏》「夫子之言」為是，而以朱子「曾皙問、夫子答」為「於義為淺」。程樹德認同朱彬的看法，因此直接徵引，作為「按語」。

> 5 「別解二」：「按」：以上二說：第一說主張雩祭。……第二說反對修禊。……漢學家因攻朱之故，務事事與之相左，如此節朱注用上已被除說，本出故注，何等文從字順。今必改為雩祭，止為一「饋」字，生出多少曲說。殊不知歸、饋古本通用。至昌黎喜改古書，尤為無取。故雖存其說而闢其誤謬如右。」

《論語集釋》在此章「子曰：『何傷乎？亦各言其志也。』曰：『莫春者，春服既成，冠者五六人，童子六七人，浴乎沂，風乎舞雩，詠而歸。』」先引錄：《集注》「莫春，和煦之時。春服，單袷之衣，浴，盥濯也。今上巳祓除是也。沂，水名，在魯城南。《地志》以為有溫泉焉，理或然也。風，乘涼也。舞雩。祭天禱雨之處，有壇墠樹木也。詠，歌也。」之後，另出「別解一」「別解二」，以納「新穎之說」。此處「別解二」引述王夫之《四書稗疏》、俞樾《群經平議》、沈濤《十經齋文集》等三位學者的說法，又在「按語」中引述趙翼《陔餘叢考》、《月令》蔡邕《章句》、張協〈洛禊賦〉、《周禮》賈公彥《疏》等諸家說法，肯定朱子《集注》為「本出故注，何等文從字順。」

6 「發明」:「按」:曾點在孔門無所表見,其學其才均在三子之下。
《朱子語類》中關於此章論述不少,惜皆沿其師堯舜氣象謬說,並天
理流行一派套語,多隔靴搔癢之談,茲故不錄。」

《論語集釋》在此章「子曰:『何傷乎?亦各言其志也。』曰:『莫春者,春
服既成,冠者五六人,童子六七人,浴乎沂,風乎舞雩,詠而歸。』」以
「歷代學者的論述中有能通經致用,以為修己處世、齊家治國者」,輯錄於
「餘論」一類中。此處徵引李中孚《四書反身錄》、張履祥《備忘錄》(兩
處)關於此處孔門四賢(子路、冉有、公西華、曾點),對於孔子提問「如
有知爾,則何以哉」所做的不同回答,而有著不同評價的看法之後,再撰
「按語」,先論定曾點位於四賢之末,並以朱子在《朱子語類》中,亦師從
程子「堯舜氣象」「天理流行」的看法,對曾點多加稱譽為非,並評論其說
為「多隔靴搔癢之談」。

3 《論語集釋》卷一(〈學而〉前六章)對朱子《論語》論著的評論

《論語集釋》共四十卷,前三十九卷為《論語》二十篇之內容,除〈堯
曰〉篇章節較少,僅列為一卷外,其餘十九篇皆各分為兩卷,第一卷為〈學
而〉篇前六章。現逐章分析論述程樹德對朱子《論語》論著的評論:

〈學而〉第一章:「學而時習之章」:

(1)「子曰:學而時習之,不亦說乎?」

「餘論」按:「學」字係名辭,《集注》解作動辭,毛氏議之是也。唯
其以後覺者必效先覺所為為學,則精確不磨。[58]

「餘論」引錄《朱子文集·答張敬夫(書)》[59]、毛奇齡《四書改錯》、

---

58 其下另有「按語」:今人以求知識為學,古人則以修身為學。觀於哀公問弟子孰為好
　學,孔門身通六藝者七十二人,而孔子獨稱顏淵,且以不遷怒、不貳過為好學,其證
　一也。孔子劉又曰:「君子謀道不謀食。學也,祿在其中矣。」其答子張學干祿,則
　曰:「言寡尤,行寡悔,祿在其中矣。」是可知孔子以言行寡尤悔為學,其證二也。
　大學之道,「壹是皆以修身為本」,其證三也。

59 學而,說此篇名也。取其篇首兩字為別,初無意義。但學之為義,則讀此書者不可

黃式三《論語後案》、劉逢錄《論語述何》之後，再以「按語」評論朱子此處註解的得失。

（2）「人不知而不慍，不亦君子乎？」

「別解」按：此本李充之說，《皇疏》取之，然實不如《朱注》之長。劉寶楠云：「教學之法，語之而不知，雖舍之亦可，無容以不慍即稱君子。此注所云不與經旨應也。」「別解」引錄王衡《論語駁異》、焦循《論語補疏》、毛奇齡《四書賸言》之後再以「按語」稱譽朱子《集注》。

〈學而〉第二章：「其為人也孝悌章」：

（1）有子曰：「其為人也孝弟，而好犯上者，鮮矣；不好犯上，而好作亂者，未之有也。」

「考證」引錄朱子《論語或問》[60]、柳宗元《柳柳州文集》、王應麟《困學紀聞》、阮元《論語解、劉寶楠《正義》、簡朝亮《論語集注補正述疏》之後，再撰「按語」，諸說並存加以考證之。

（2）「君子務本，本立而道生。孝弟也者，其為仁之本與！」

「集注」[61]「按語」：《集注・外注》尚有程子「性中祇有仁義禮智，曷嘗有孝弟來」一段。明季講家深詆之，謂與告子義同病。清初漢學家詆之尤

不先講也。夫學也者，以字義言之，則己之未知未能而效夫知之能之之謂也。以事理言之，則凡未至而求至者，皆謂之學。雖稼圃射御之微，亦曰學，配其事而名之也。而此獨專之，則所謂學者，果何學也？蓋始乎為士者，所以學而至乎聖人之事。伊川先生所謂「儒者之學」是也。蓋伊川先生之言曰：「今之學者有三：辭章之學也，訓詁之學也，儒者之學也。欲通道，則舍儒者之學不可。尹侍講所謂『學者，所以學為人也。』學而至於聖人，亦不過盡為人之道而已。」此皆切要之言也。夫子之所志，顏子之所學，子思、孟子之所傳，皆是學也。其精純盡在此書，而此篇所明又學之本，故學者不可以不盡心焉。

60 朱子《或問》：柳氏之論曾子者得之。而有子叱避之說，則史氏之鄙陋無稽，而柳氏惑焉。以《孟子》考之，當時既以曾子不可而竊其義，曷嘗有子據孔子之位而有其號哉？故程子特因柳氏之言斷而裁之，以為《論語》之書，成於有子、曾子之門人。

61 「集注」僅保留「內注」部份：「務，專力也。本，猶根也。仁者，愛之理、心之德也。為仁，猶曰行仁。與者，疑辭，謙退不敢質言也。言君子凡事專用力於根本，根本既立，則其道自生，如上文所謂孝弟乃是為仁之本，學者務此，則仁道自此而生也。」

力。考《朱子文集‧答范伯崇》云：「性中祇有仁義禮智，曷嘗有孝弟來。此語亦要體會得是，若差既不成道理。」是朱子先已疑之矣。疑之而仍採為注者，門戶標榜之習中之也。是書既不標榜，亦不攻擊，故不如刪去以歸簡淨。

〈學而〉第三章：「巧言令色章」：

（1）子曰：「巧言令色，鮮矣仁！」

「餘論」[62]「按語」稱清初漢學家多摘《集注》考證之疏，唯獨「餘論」所徵引的《四書辨疑》，能摘義理之謬，凡一百七十三條，可道是「洵朱子諍友也」進而破除朱子撰述《集注》所自稱的「字字用秤稱過，增減一字不得。」的迷思。[63]「餘論」另有引述王恕《石渠意見》[64]：《集注》謂「專言鮮者絕無可知」，恐非聖人意。其後又引述王肯堂《筆麈》[65]以證成其說為確。「餘論」的「按語」是簡介王肯堂。[66]

---

62 「餘論」引錄《四書辨疑》：致飾於外，言甚有理。必有陰機在內，而後致飾於外，將有陷害，使之不為隄防也。語意既已及此，其下卻但說本心之德亡，而不言其內有包藏害物之心。所論迂緩，不切於事實，未能中其巧言令色之正病也。本心之德亡，固已不仁。不仁亦有輕重之分，其或穿穴踰牆，為姦為盜；大而至於弒君篡國，豈可但言心德亡而已哉！蓋巧言，甘美悅人之言。令色，喜狎悅人之色。內懷深險之人，外貌往往如此。李林甫好以甘言啗人，此巧言也，而有陰中傷之之機阱在焉。李義府與人語必嬉怡微笑，此令色也，而有狡險忌克之機阱在焉。若王莽以謙恭篡漢，武后以卑屈禍唐，此又言色巧令之尤者也。古今天下之人，為此巧言令色而無陰險害物之心者蓋鮮矣。鮮字乃是普言此等人中有仁者少，非謂絕無也。

63 「按語」稱：是書不著撰人名氏。《四庫提要》云：「元蘇天爵《安熙行狀》謂：『初有傳朱子《四書集注》至北方者，滹南王公雅以辨博自負，為說非之。趙郡陳氏獨喜其說，增多至若干言。』蓋寧晉陳天祥書也。天爵又謂『安熙為書以辨之，其後天祥深悔而焚其書』。今此本具存，是所言未足深據也。」朱子撰《集注》嘗云：「字字用秤稱過，增減一字不得。」清初漢學家所摘者在考證之疏，此則摘其義理之謬，洵朱子諍友也。凡《論語》一百七十三條，採摭幾過半云。

64 「人固有飾巧言令色以悅人而亡心德者，亦有生質之美，言自巧，色自令，而心德不亡者，此聖人所以言其鮮以見非絕無也。」

65 巧言者，能言仁而年不揜焉者也。令色者，色取仁而行違者也。夫仁豈可以聲音笑貌為哉？故曰「鮮矣仁」。若巧佞炫飾務以悅人，則小人之尤者，何勞曰「鮮矣仁」？

66 王氏於佛學中精唯識一宗，故其讀《論語》時有新見解。《四庫提要》雖稱其醫學之

〈學而〉第四章：「吾日三省吾身章」：

（1）曾子曰：「吾日三省吾身：為人謀而不忠乎？與朋友交而不信乎？傳不習乎？」

「音讀」引證《釋文》[67]、《朱子語類》[68]、陳禹謨《譚經菀》、[69]翟灝《四書考異》[70]等四家對於經文「三」字音讀的說法，以證成其說。

「考證」先引宋翔鳳《論語發微》、[71]郭翼《雪履齋筆記》[72]兩家，對於經文「傳不習乎」的「傳」字字義的說法，再撰「按語」稱：「此『傳』字當從《集解》作『傳於人』解，《集注》失之。」，是以朱注「傳，謂受之於師」是錯誤的說法。

〈學而〉第五章「道千乘之國章」：

（1）子曰：「道千乘之國，敬事而信，節用而愛人，使民以時。」

「考證」引述朱子《四書或問》、[73]崔述《三代經界通考》、劉寶楠《論語義》、本物茂卿《論語徵》等四家有關經文「千乘之國」的說法。再加

67　三，息暫。又如字。

68　「三」字平去二聲雖有自然、使然之別，然自然者不可去聲，而使然者亦不可平聲。故三仕、三已與三黜無以異，而三仕、已無音。三省、三思與三嗅、三復皆使然，而《集注》於省、嗅皆闕。凡此之類，二音皆通。

69　下雖三事，只是忠信。傳者傳此，習者習此耳。「三」當定讀去聲。

70　《大戴・立事篇》記曾子之言曰：「日旦就業，夕而自省思，以殁其身，亦可謂守業矣。」似即三省言，而當時記者之詳略殊也。參觀之，則「三」當以去聲為正。

71　：孔子為曾子陳孝道而有《孝經》。《孝經說》曰：「《春秋》屬商，《孝經》屬參。」則曾子以《孝經》專門名其家，故《魯論》讀「傳」為「專」。所業既專，而習之又久，師資之法無絕，先王之道不湮。曾氏之言，即孔子傳習之旨也。

72　曾子三省，皆指施於人者言。傳亦我傳乎人。傳而不習，則是以未嘗躬試之事而誤後學，其害尤甚於不忠不信也。

73　此義疑馬氏為可據。蓋如馬說，則八百家出車一乘；如包說，則八十家出車一乘。甲士步卒合七十五人，而牛馬兵甲糧糗芻茭具焉，恐非八十家所能給。然與《孟子》、〈王制〉之說不同，疑孟子未嘗盡見班爵分土之籍，特以傳聞言之，故不能無少誤。若〈王制〉則故非三代古書，其亦無足據矣。

「按語」僅說明其多有採輯日本學者本物茂卿《論語徵》的材料，以為「考證」之所需，並未批評朱子。[74]。

（2）「餘論」先引述毛奇齡《四書賸言》、[75]黃式三《黃氏後案》、[76]陳澧《東塾讀書記》[77]有關於經文「使民以時」的說法之後，撰有「按語」嚴厲批評宋儒，稱：「宋儒中如伊川之迂腐，龜山之庸懦，當時皆負有盛名，則以朱子標榜之力為多，讀《集注》者當分別觀之。」

〈學而〉第六章「弟子入則孝章」：

（1）子曰：「弟子入則孝，出則弟，謹而信，汎愛眾而親仁。行有餘力，則以學文。」

「音讀」對於經文「行有餘力」中「行」字的音讀，先引《釋文》：「行，下孟反。」再引《集注》：「如字讀」。

《論語集釋》在〈學而〉前六章，除了「集注」類專門輯錄朱子《論語

---

74 按：《論語徵》十卷，日本物茂卿撰。議論通達，多可採者，惟中土少傳本。俞樾《春在堂隨筆》錄十餘條，大旨好與宋儒牴牾。茲擇其議論純正者錄而存之。

75 〈王制〉：「用民之力，歲不過三日。」而《周官‧均人》又以豐迎較公旬之政，豐年三日，中年二日，無年一日。此云「使民」，不止公旬，有卽以農事使民者。如「三日于耜，四日舉趾」，則使民耕植之時。「九月築圃，十月禾稼」，則使民刈穫之時。「龍見而畢務，火見而致用」，則使民興築之時。「仲夏斬陽木，仲冬斬陰木」，則使民樵採之時。「十一月徒杠成，十二月輿梁成」，則使民謹出入修橋道之時。故《春秋傳》曰「凡啟塞從時」，謂凡事之啟塞皆當從其時也。

76 《黃氏後案》：陸稼書說：「敬是遇事謹慎之意，不必言包括眾善。信者不用權詐，不朝更夕改，惟此真確之誠，表裏如一，始終如一。雖事勢之窮，亦濟以變，而守常之時多，濟變之時少也。節用不必說，節非禍嗇，而當節者，務欲返一國奢靡之習而同歸於淳樸。愛人不必說，愛非姑息，而當愛者，務欲合一國臣民之眾而共遊於蕩平也。」式三案：後儒標示心學，說敬太過，失之。於此章尤不合。信與節愛，近解亦過求深。尋繹經恉，陸氏說是。《楊注》云「未及為政」，未可據。敬信節愛時使自有實功實效，以發所存之正。朱子〈與張敬夫書〉曰：「徒言正心而不足以識事物之要，是腐儒迂闊之論，不足與論當世之務。」然則論治未有專言所存者，朱子蓋節取其論所存而錄之歟？朱子作《集注》，意在詳錄宋儒之說。而說之未醇者亦存之，意在節取也。讀《注》者或誤衍之，或以此攻朱子矣。

77 《東塾讀書記》：〈道千乘之國〉章，《朱注》采程子曰：「此言至淺。然當時諸侯果能此，亦足以治其國矣。」此於聖人之言頗有不滿之意，似不必采之。

集注》外，另有九處載錄或批評朱子《論語》論著，其中以為有得者為 1－
（2）一條；以為有誤者為 1－（1）；2－（2）；3－（1）；4－（1）；5－
（2）等五條；有輯錄但未批評者為 2－（1）；5－（1）；6－（1）三條。與
劉斌就《論語集釋》三十九卷，統計七百二十一條的「按語」中，以朱子
《論語集注》為非者有一百二十八條，佔 17.8%。〈里仁〉、〈鄉黨〉、〈顏
淵〉、〈子路〉、〈陽貨〉、〈子張〉四篇的比例都在 25% 以上，即至少每四條
按語當中就有一條是批駁朱子或是正《集注》之失；〈為政〉、〈泰伯〉、〈陽
貨〉、〈子張〉四篇的比例都在 20% 以上，即至少每五條按語當中就有一條
以朱子《集注》為非；〈學而〉、〈公冶長〉、〈雍也〉、〈子罕〉、〈憲問〉五篇
的比例都在 15% 以上，即至少每七條中就有一條是針對朱子及其《集注》
的否定性文辭。以其全書三十九卷徵引文獻達六百二十種之多，獨對於朱子
與《集注》頻為批駁，謂其抵斥朱《注》顯然屬實。[78]

四　結論：跨越漢宋藩籬的未竟之功

　　朱子對於他自己的著作成書的心路歷程，曾對學生劉炎說：「讀書須是
自肯下工夫始得。某向得之甚難，故不敢輕說與人。至於不得已而為注釋
者，亦是博採諸先生其前輩之精微寫出與人看，極為簡要，省了多少工
夫。」[79]。日人大槻信良考證《四書集注》徵引自漢以下至於兩宋，凡五十
六家，九百二十三語，其中宋人有四十一家，八百四十八語。其中以二程及
程氏門人的說法最多，佔三分之二以上。《論語集注》也徵引有三十多家。
朱子》的註解中，有「新義」的就有一百七十五處之多[80]。朱子對於《四書

78　詳見劉斌：《民國《論語》學研究》（濟南市：山東大學博士論文，2008年），頁147-
　　148。

79　這條記錄是因為弟子劉炎提到方伯謨和蔡季通兩人都認為朱子教人《論語集注》，導
　　致「四方從學之士稍自負只者，皆不得其門而入，去者亦多。」，朱子對於這件事引
　　發出自己對於其著作成書的心路歷程作一解說。見《朱子語類》，卷121，訓門人九，
　　「劉炎記錄」，頁2939-2940。

80　大槻信良：《朱子四書集注典據考》（臺北市：臺灣學生書局，1976年8月），頁3。

集注》顯得極有把握，他說：「語吳仁人曰：『某《語孟集注》，添一字不得，減一字不得，公子細看。』」又曰：「不多一箇字，不少一箇字。」。又稱：「某於《論孟》，四十餘年理會，中間逐字稱等，不教偏些子。學者將注處，宜子細看。」，[81]。「朱子既作《四書章句集注》，復以諸家之說，紛錯不一，因設為問答，明所以去取之意，以成此書（按指《四書或問》）。」[82]。朱子於淳熙四年首次序定《論語集注》之後，曾於淳熙四年在建陽、淳熙九年在婺州、淳熙十一、十二年在德慶、淳熙十三、十四年在桂林和成都兩地，前後共有五次的刊刻。淳熙十六年（1189年，朱子六十歲）第二次序定，紹熙元年在漳州、紹熙三年在南康、慶元五年在建陽，前後共有三次刊刻[83]。在著作完成的同時，朱子對於《四書集注》仍然不斷的在修訂，所以在六十七歲時曾說：「南康《語孟》，是後來所定本，然比讀之，尚有合改定處，未及下手。義理無窮，玩之愈久，愈覺有說不到處。」[84]。六十八歲時，訓示曾祖道時說：「某所解《語孟》和訓詁注在下面，要人精粗本末，字字為咀嚼過。此書，某自三十歲便下工夫，到而今改猶未了，不是草草看者，且歸仔細。」[85]。可見朱子對於《論語》的註解，真是一生盡瘁於此。

　　筆者深信歷朝歷代的經學家從事註解的工作時，都是在「寓融舊於創新」的理念之下，以其時代的特殊背景，個人的特別感受，為著這本儒家的「聖經」，以注解與詮釋經典的方式，來建立起自己的思想體系，也就是說：透過這些基本文獻，在疏釋之時，寓維新於守舊之中[86]。經學家在為

---

81 見《朱子語類》，卷19，《論語一》語孟綱領，頁437

82 紀昀：《四庫全書總目‧四書或問提要》，同註4，頁198

83 詳見束景南：〈《四書集注》編集與刊刻新考〉，《朱熹佚文輯考》（南京市：江蘇古籍出版社，1991年12月），頁619-628。

84 朱熹：〈答孫敬甫〉，《朱熹集》（成都市：四川教育出版社，2007年10月），卷63，書，頁3307。

85 《朱子語類》，卷116，訓門人四，「訓祖道」，頁2799。

86 黃俊傑：〈舊學新知百貫通——從朱子「孟子集注」看中國學術史上的註疏傳統〉，收入林慶彰主編：《中國文化新論——浩瀚的學海》（臺北市：聯經出版公司，1983年3月），頁195。

「經書」作「注解」時，他所從事的工作稱之為「經學的訓詁」。儒家主要
經典註疏訓詁的基本內容為：一，對經典中字句的訓詁，主要是注其音、解
其義、辨其誤。二，以儒家先師先儒之言、古代典籍、時制時俗等三方面為
根據來訓釋名物制度和歷史事件。其最終的目的就是在先解決經典有關由句
讀、讀音、字義、詞義、所據典籍、師傳等等的訓解不同所引起的「歧
解」，尋求出「新義訓釋」，來豐富經典中字詞、名物、制度的內涵，最後恰
如其分的為經典的注解找尋到「確解」[87]。朱子在《論語集注》時，除了依
循著經學的注疏傳統之外，[88]更關注到「義理的補充」[89]與「體系性的思
維」[90]我們可以說：朱子和《論語》間有著一種思想「對話」的關係。朱子
透過「文獻的閱讀」，進行一場「了解」「詮釋」「實踐」的創造性轉化的活
動關係[91]。程樹德承繼清代漢學之後，晚年以殘病身，超越注疏傳統，本著
「述而不作」的旨意，創新十類編纂體例，以進行一場「漢學（漢唐與清
代）與宋學（宋明）」《論語》學的對話，總結宋代以後的《論語》學發展的
學術成就，其對朱子《論語》論著的輯錄與評論，也可說是其中對話的「一
環」，蔣見元稱其書為「搜羅繁富、訓詁詳明，是《論語》注釋的集大成之
作。」[92]是就全書而立論。劉斌稱其：「對朱子《論語集注》抵斥略過，有
些地方還不免自相抵牾，稍顯不美。不過，在經學研究厭棄門戶、強調公

<hr/>

87　參見崔大華：〈論經學的訓詁〉，收入林慶彰主編：《經學研究論叢》（臺北市：聖環圖
　　書公司，1994年4月），第1輯，頁1-15。
88　詳見陳逢源：《朱熹與四書章句集注》（臺北市：里仁書局，2006年9月），頁193-218。
89　陳逢源稱：「朱熹詮釋方向，似乎特別著力於形上思維的闡發、道德原則的掌握、聖
　　人形象的表彰以及修養進程的規劃，細膩處見其精微，妥貼處有其思考，可見彰顯儒
　　學精神的用心。」詳見陳逢源：《朱熹與四書章句集注》，頁256。
90　陳逢源稱：「朱熹《四書章句集注》，不僅留意經文旨趣的掌握，更及於儒學體系的建
　　構，提醒綱領，留意進學次第，更於聖賢授受之際，彰顯道統所在，深刻召喚後世學
　　者有以繼起的歷史情懷。」詳見陳逢源：《朱熹與四書章句集注》，頁256。
91　林月惠：《良知學的轉折──聶雙江與羅念菴思想之研究》，在研究王學諸子與陽明致
　　良知教的互動關係時，就是採用這樣的「詮釋方式」。見頁15-27。
92　蔣見元：〈論語集釋整理後記〉，收入程樹德著，程俊英、蔣見元點校：《論語集釋》，
　　頁1。

允、推尚調和的文化背景下,《論語集釋》算得上民國《論語》學此一方面
的代表。」則稍指出其美中不足之處。[93]

---

93 劉斌撰有《民國《論語》學研究》,其「下編「專書解讀」第三章《論語集釋》,該章
節名稱如下:第一節〈作者及成書介紹〉、第二節〈《論語集釋》的內容與體例〉、第
三節〈程著思想及特點〉、第四節〈綜合評述:《論語》研究拋卻門戶的切實努力〉。
詳見劉斌:《民國《論語》學研究》。

編者簡介

總策畫

林慶彰

　　臺灣臺南人，一九四八年生。東吳大學中國文學研究所碩士、國家文學博士。現任中央研究院中國文哲研究所研究員、東吳大學中國文學系兼任教授。專研經學、日本漢學、圖書文獻學。著有《明代考據學研究》、《明代經學研究論集》、《清初的群經辨偽學》、《學術論文寫作指引》、《中國經學研究的新視野》、《偽書與禁書》等十餘種。主編有《經學研究論著目錄》、《日本研究經學論著目錄》、《清領時期臺灣儒學參考文獻》、《日據時期臺灣儒學參考文獻》、《民國時期經學叢書》、《經學研究論叢》、《國際漢學論叢》等五十餘種。另有學術論文兩百餘篇。

蔣秋華

　　四川省遂寧縣人，一九五六年生。國立臺灣大學中國文學研究所碩士、博士。現任中央研究院中國文哲研究所副研究員，國立臺灣大學中國文學系、淡江大學中國文學系兼任副教授。專研《尚書》學、《詩經》學。著有《二程詩書義理求》、《宋人洪範學》、《沈括──中國科學史上的座標》等書。主編有《晚清經學研究目錄》、《李源澄著作集》、《張壽林著作集》等書。另有〈焦廷琥《尚書申孔篇》初探〉、〈韓愈詩之序議考〉、〈劉克莊商書講義析論〉、〈顧棟高《尚書質疑》撰作小考〉等學術論文數十篇。

分冊主編

蔡長林

　　臺灣澎湖人，一九六八年生，國立臺灣大學中國文學研究所博士，現任中央研究院中國文哲研究所副研究員。專研中國經學史、中國近三百年學術史、春秋學。著有《論崔適與晚清今文學》、《常州莊氏學術新論》、《從文士到經生——考據學風下的常州學派》等書，主編有《晚清常州地區的經學》、《隋唐五代經學國際研討會論文集》，校訂《異教叢編》。另有〈唐代法律思想的經學背景——《唐綠疏議》析論〉、〈乾嘉道咸經學采風——讀《經學博采錄》〉等學術論文數十篇。

臺灣高等經學研討論集叢刊　　0502005

變動時代的經學與經學家──民國時期（1912-1949）經學研究

總 策 畫　林慶彰、蔣秋華
主　　編　蔡長林
責任編輯　蔡雅如

發 行 人　陳滿銘
總 經 理　梁錦興
總 編 輯　陳滿銘
副總編輯　張晏瑞
編 輯 所　萬卷樓圖書股份有限公司
排　　版　浩瀚電腦排版股份有限公司
印　　刷　百通科技股份有限公司
封面設計　斐類設計工作室

發　　行　萬卷樓圖書股份有限公司
　　　　　臺北市羅斯福路二段 41 號 6 樓之 3
　　　　　電話 (02)23216565
　　　　　傳真 (02)23218698
　　　　　電郵 SERVICE@WANJUAN.COM.TW
大陸經銷　廈門外圖臺灣書店有限公司
　　　　　電郵 JKB188@188.COM

ISBN 978-957-739-871-0
2014 年 12 月初版
定價：22000 元（全七冊不分售）

如何購買本書：

1. 劃撥購書，請透過以下郵政劃撥帳號：
　　帳號：15624015
　　戶名：萬卷樓圖書股份有限公司
2. 轉帳購書，請透過以下帳戶
　　合作金庫銀行 古亭分行
　　戶名：萬卷樓圖書股份有限公司
　　帳號：0877717092596
3. 網路購書，請透過萬卷樓網站
　　網址 WWW.WANJUAN.COM.TW

大量購書，請直接聯繫我們，將有專人為您
服務。客服：(02)23216565 分機 10

如有缺頁、破損或裝訂錯誤，請寄回更換

國家圖書館出版品預行編目資料

變動時代的經學與經學家 ： 民國時期
（1912-1949）經學研究 / 林慶彰, 蔣秋華總
策畫. -- 初版. -- 臺北市 ： 萬卷樓,
2014.12
　　冊 ；　公分. --（經學研究叢書. 臺灣高等
經學研討論集叢刊）

ISBN 978-957-739-871-0(全套 ： 精裝)
1.經學 2.文集
090.7　　　　　　　　　　　103008278